INSOMNIA

INSOMNIA

Stephen King

Traducción de Bettina Blanch

grijalbo

grijalbo mondadori

Título original
INSOMNIA
Traducido de la edición de Viking, Penguin Group, Nueva York, 1994
Ilustraciones interiores y cubierta: © 1994 David Johnson
Todos los derechos reservados
Publicado por acuerdo con el autor c/o Ralph M. Vicinanza, Ltd.
Diseño cubierta: SDD, Serveis de Disseny, S.A.
© 1994, STEPHEN KING
© 1995, GRIJALBO (Grijalbo Mondadori, S.A.)
Aragó, 385, Barcelona
Primera edición
ISBN: 84-253-2703-2 (tela)
ISBN: 84-253-2790-3 (rústica)
Depósito legal: B. 3.936-1995
Impreso en Hurope, S.L., Recaredo, 2, Barcelona

Para Tabby... y para Al Kooper,
que conocen el campo de juego.
Un tesoro sin defectos.

ÍNDICE

Prólogo

MIENTRAS DAN CUERDA EL RELOJ DE LA MUERTE (I)

La vejez es una isla rodeada de muerte.

Juan MONTALVO
Siete tratados: la belleza

Nadie, y menos el doctor Lichtfield, salió y dijo claramente a Ralph Roberts que su mujer iba a morir, pero llegó un momento en que él lo comprendió sin necesidad de que nadie se lo dijera. Los meses que mediaron entre marzo y junio fueron meses discordantes y ruidosos en su mente, una época de conversaciones con los médicos, de carreras nocturnas al hospital con Carolyn, de excursiones a otros hospitales de otros estados para someterla a pruebas especiales (Ralph pasaba gran parte de los viajes dando gracias a Dios por el hecho de que Carolyn contara con dos seguros médicos), de investigaciones personales en la Biblioteca Pública de Derry, primero en busca de respuestas que los especialistas pudieran haber pasado por alto, más tarde tan sólo para aferrarse a una esperanza, a lo que fuera.

Durante aquellos meses, tuvo la sensación de que lo arrastraban borracho por algún carnaval maligno en el que la gente subida en las atracciones gritaba de verdad, en el que las personas perdidas en el laberinto de espejos estaban realmente perdidas, en el que los moradores del Túnel del Terror lo miraban con falsas sonrisas en los labios y horror en los ojos. Ralph empezó a ver aquellas cosas en mayo, y a comienzos de junio empezó a comprender que los maestros de ceremonias que había a lo largo de la calle mayor de la medicina no podían vender más que remedios de curandero, y que la risueña musiquilla del tiovivo ya no podía ocultar el hecho de que la melodía que escupían los altavoces era la *Marcha Fúnebre*. Era un carnaval, sí señor; el carnaval de las almas perdidas.

Ralph siguió negando aquellas terribles imágenes, e incluso la idea aún más terrible que acechaba tras ellas, durante las primeras semanas de verano de 1992, pero cuando junio dio paso a julio la tarea empezó a resultarle imposible. La peor ola de calor que se registraba desde 1971 azotó el centro de Maine, y Derry hervía en un baño de sol brumoso, humedad y temperaturas que alcanzaban los treinta cinco grados. La ciudad, que no era precisamente una metrópolis en el mejor de los casos, se sumió en un profundo letargo, y en aquel ardiente silencio fue donde Ralph Roberts oyó por primera vez el tictac del reloj de la muerte y comprendió que en la transición del fresco verdor de junio a la quietud ardiente de julio, las escasas posibilidades de Carolyn habían desaparecido por completo. Iba a morir. Probablemente, no aquel verano, ya que los médicos afirmaban tener todavía algunos trucos en la manga, y Ralph no lo ponía en duda, pero sí en el otoño o invierno. Su compañera de toda la vida, la única mujer a la que había amado iba a morir. Intentó desterrar la idea, reñirse por ser un viejo estúpido y morboso, pero en los jadeantes silencios de aquellos largos y calurosos días, Ralph oía aquel tictac por doquier... Incluso parecía sonar en las paredes.

No obstante, el tictac más claro procedía del interior de la propia Carolyn, y cuando volvía su rostro pálido y sereno hacia él, quizás para pedirle que encendiera la radio para poder escucharla mientras desvainaba algunas judías para la cena, o para preguntarle si podía pasar por la Manzana Roja y comprarle un polo, Ralph comprendía que ella también lo oía. Lo veía en sus ojos oscuros, al principio tan sólo cuando estaba serena, pero más tarde incluso cuando su mirada aparecía vidriosa por los analgésicos que tomaba. Por entonces, el tictac se había tornado muy intenso, y cuando yacía junto a ella en la cama en aquellas calurosas noches de verano, en las que incluso la sábana parecía pesar cinco kilos y daba la impresión que todos los perros de Derry estaban ladrando a la luna, Ralph lo escuchaba, escuchaba el reloj de la muerte que sonaba dentro de Carolyn, y le acometía la sensación de que se le iba a quebrar el corazón de pena y terror. ¿Durante cuánto tiempo tendría que sufrir aún antes de que llegara el fin? ¿Durante cuánto tiempo tendría que sufrir él? ¿Y cómo iba a vivir sin ella?

Fue durante aquel extraño y difícil período cuando Ralph tomó por costumbre dar paseos cada vez más largos durante las calurosas tardes de verano y los lentos atardeceres, paseos de los que en ocasiones regresaba demasiado cansado para comer. Siempre esperaba que Carolyn lo riñera por aquellas salidas, que le dijera: «¿Por qué no lo dejas, viejo estúpido? ¡Te matarás si sigues caminando con este calor!». Pero Carolyn nunca decía palabra, y con el tiempo Ralph se dio cuenta de que ni siquiera se enteraba. Sí, sabía que su marido salía. Pero no sabía que recorría tantos kilómetros, ni que, con frecuencia, cuando volvía a casa estaba temblando de agotamiento y al borde de la insolación. Antaño, a Ralph le había parecido que Carolyn lo veía todo, que incluso se daba cuenta cuando se cambiaba la raya del pelo de sitio, aunque tan sólo fuera un milímetro. Pero ya no era así; el tumor que le estaba destrozando el cerebro le había arrebatado las dotes de observación, al igual que muy pronto le arrebataría la vida.

Así pues, Ralph caminaba, disfrutando del calor pese a que a veces le daba vueltas la cabeza y le silbaban los oídos, disfrutando de él sobre todo porque hacía que le silbaran los oídos; en ocasiones, los oídos le silbaban con gran fuerza y la cabeza le latía durante horas con tal intensidad que no podía oír el tictac del reloj de la muerte de Carolyn.

Recorrió gran parte de Derry aquel caluroso mes de julio, un anciano de hombros estrechos, cabello blanco ralo y manos grandes que aún parecían capaces de trabajar duro. Caminó de Witcham Street al erial de los Barrens, de Kansas Street a Neibolt Street, de Main Street al puente Kissing, pero con mayor frecuencia, sus pies lo llevaban hacia el oeste, a lo largo de Harris Avenue, donde la aún hermosa y amadísima Carolyn Roberts estaba pasando el último año de su vida en una bruma de cefaleas y morfina, hacia la extensión de Harris Avenue y el aeropuerto comarcal de Derry. Caminaba por la extensión de Harris Avenue, una carretera desprovista de árboles y expuesta por completo al despiadado sol, hasta que sus piernas amenazaban con ceder, y entonces daba la vuelta.

Con frecuencia se detenía a recuperar el aliento en un sombreado merendero situado cerca de la entrada de servicio del aeropuerto. Por las noches, aquel lugar estaba lleno de adolescentes bebiendo y dándose el lote al son de la música de *rap* que salía de los radiocasetes, pero de día era el dominio más o menos exclusivo de un grupo que el amigo de Ralph, Bill McGovern, llamaba los Viejos Carcamales de Harris Avenue. Los Viejos Carcamales se reunían para jugar al ajedrez, al remigio o simplemente para charlar. Ralph conocía a muchos de ellos desde hacía años (de hecho, había ido a la escuela primaria con Stan Eberly), y se sentía a gusto con ellos..., siempre y cuando no se pusieran demasiado pesados. Casi ninguno de ellos lo hacía. La mayoría eran norteños de la vieja escuela, educados para creer que aquello de lo que un hombre decide no hablar es asunto suyo y sólo suyo.

Fue durante uno de aquellos paseos cuando se dio cuenta por primera vez de que algo le había pasado a Ed Deepneau, uno de sus vecinos.

Aquel día, Ralph había recorrido un trecho de la extensión de Harris Avenue mucho más largo que de costumbre, tal vez porque unos nubarrones cubrían el sol y había empezado a soplar una brisa fresca, aunque esporádica. Ralph se hallaba sumido en una suerte de trance, sin pensar en nada, sin mirar nada salvo las polvorientas punteras de sus deportivos Converse, cuando el vuelo de United Airlines de las 4.45 pasó sobre su cabeza, despertándolo de golpe con el estridente aullido de sus motores a reacción.

Ralph lo observó volar sobre las viejas vías del ferrocarril y la valla anticiclones que delimitaba los terrenos del aeropuerto, lo miró encararse hacia la pista y vio las nubecillas de humo azul que despidió cuando las ruedas tocaron tierra. Entonces miró el reloj, advirtió que se estaba haciendo muy tarde y, con los ojos muy abiertos, contempló el tejado anaranjado del restaurante de carretera Howard Johnson's, situado a poca distancia. Sí, señor, había estado en trance; había recorrido más de ocho kilómetros y perdido por completo la noción del tiempo.

«El tiempo de Carolyn», masculló una voz en las profundidades de su cabeza.

Sí, sí; el tiempo de Carolyn. Ella estaría en el piso, contando los minutos que faltaban hasta que pudiese tomarse otra Darvon Complex, y ahí estaba él, en el extremo más alejado del aeropuerto..., a medio camino de Newport, de hecho.

Ralph volvió la vista al cielo y por primera vez advirtió los nubarrones morados que se acumulaban sobre el aeropuerto. Aquellas nubes no significaban que fuera a llover, no con seguridad, aún no, pero si acababa por llover, lo más probable es que se viera sorprendido por la tormenta; no había ningún lugar donde cobijarse entre el aeropuerto y el pequeño merendero situado junto a la pista 3, e incluso allí no había más que una pequeña y destartalada glorieta que siempre despedía un vago olor a cerveza.

Echó otro vistazo al tejado anaranjado, se metió la mano en el bolsillo derecho y palpó el pequeño fajo de billetes sujetos por la pinza de plata que Carolyn le había regalado cuando cumplió los sesenta y cinco. Nada le impedía ir al restaurante HoJo's y llamar un taxi..., salvo tal vez el pensamiento de que el taxista lo mirara. Viejo estúpido, dirían quizás los ojos reflejados en el retrovisor. Viejo estúpido, has caminao mucho más de lo que te convenía con el calor que hace. Si hubieras estao nadando, te habría ahogao.

«Estás paranoico, Ralph», le dijo aquella vocecilla interior, cuyo aire protector y algo condescendiente le recordó ahora a Bill McGovern.

Bueno, tal vez sí y tal vez no. En cualquier caso, se arriesgaría a quedar empapado y volvería a casa a pie.

«¿Y si cae algo más que lluvia? El verano pasado, en agosto, granizó de tal forma que rompió las ventanas de toda la parte oeste de la ciudad.»

—Pues que granice —sentenció—. Me importa un bledo.

Ralph empezó a retroceder lentamente hacia la ciudad por la cuneta de la carretera, y sus deportivos de bota levantaban nubecillas de polvo mientras andaba. Oyó el retumbar de los primeros truenos al oeste, donde los nubarrones se estaban acumulando.

Aunque cubierto por ellos, el sol no estaba dispuesto a rendirse sin luchar; flanqueó los nubarrones con bandas de oro brillante y siguió luciendo por entre las grietas que de vez en cuando se abrían en las nubes, como el rayo fragmentado de un proyector gigantesco. Ralph se alegraba de su decisión de regresar a pie, pese al dolor que le atenazaba las piernas y las punzadas que percibía en la parte baja de la espalda.

«Al menos, una cosa es segura —pensó—. Esta noche dormiré. Dormiré como un tronco, sí señor.»

El flanco del aeropuerto, una gran extensión de hierba muerta de color marrón, con los oxidados raíles del ferrocarril hundidos en ella como los restos de un naufragio, quedaba ahora a su izquierda. A lo lejos, más allá de la valla anticiclones, se veía el 747 de la United, del tamaño ahora de un avión de juguete, dirigiéndose hacia la pequeña terminal que compartían United y Delta.

Ralph se fijó en que otro vehículo, un coche en este caso, abandonaba la terminal general, situada en el extremo más cercano del aeropuerto. Avanzaba por el alquitranado hacia la pequeña entrada de servicio que daba a la extensión de Harris Avenue. En los últimos tiempos, Ralph había visto muchos vehículos ir y venir por aquella entrada; se hallaba tan sólo a unos setenta metros del merendero en el que se reunían los Viejos Carcamales de Harris Avenue. Cuando el coche se acercó a la verja, Ralph lo identificó como el oxidado Datsun de Ed y Helen Deepneau... e iba a toda velocidad.

Ralph se detuvo en la cuneta, sin darse cuenta de que había cerrado los puños en un ademán de angustia mientras el pequeño coche marrón se acercaba a la verja cerrada. Hacía falta una tarjeta magnética para abrir la verja desde el exterior; en el interior, una célula fotoeléctrica se encargaba de la tarea, pero estaba situada cerca de la verja, muy cerca, y a la velocidad que iba el Datsun...

En el último momento (o al menos eso le pareció a Ralph), el pequeño coche marrón frenó hasta detenerse, mientras los neumáticos levantaban nubes de polvo azul que recordaron a Ralph el 747 al aterrizar, y la verja empezó a arrastrarse lentamente sobre la guía. Ralph relajó las manos.

De la ventanilla del conductor surgió un brazo que empezó a agitarse de arriba abajo, como si instara a la verja a darse prisa. Había algo tan absurdo en aquel gesto que Ralph empezó a sonreír. No obstante, la sonrisa murió en sus labios antes de tener la oportunidad de mostrar ni un solo diente. El viento seguía refrescando desde el oeste, donde se veían los nubarrones, y transportaba a su paso los gritos del conductor del Datsun:

—¡Maldito hijo de puta! ¡Cabronazo! ¡Lárgate, imbécil de mierda! ¡Retrasado! ¡Fuera, cretino! ¡Quítate de enmedio, orangután!

—No puede ser Ed Deepneau —murmuró Ralph para sus adentros al tiempo que se ponía de nuevo en marcha sin darse cuenta—. No puede ser.

Ed trabajaba como químico en el instituto de investigación Laboratorios Hawking, en Fresh Harbor, y era uno de los jóvenes más amables y civilizados que Ralph había conocido en su vida. Tanto él como Carolyn querían también mucho a la esposa de Ed, Helen, y a su hijita, Natalie. Una visita de Natalie era una de las pocas cosas capaces de hacer olvidar a Carolyn sus cuitas, y Helen, que se percataba de ello, la llevaba a su casa con frecuencia. Ed jamás se quejaba. Ralph sabía que a algunos hombres no les habría hecho ni pizca de gracia que la parienta corriera a visitar a los carcamales de sus vecinos cada vez que el bebé hacía algo nuevo y encantador, máxime teniendo en cuenta que la abuelita en cuestión estaba visiblemente enferma. A Ralph le parecía que Ed sería incapaz de mandar a alguien a la porra sin pasarse después toda la noche sin pegar ojo, pero...

—Pero ¿será bobo este tío? ¡Muévete, maricón! ¡Venga! ¿Es que aparte de tonto eres sordo? ¡Idiota!

Pero, desde luego, parecía Ed. Incluso a doscientos o trescientos metros de distancia, parecía la voz de Ed.

El conductor del Datsun pisó el acelerador en punto muerto como un crío en un coche haciendo el fantasma en espera de que el semáforo se ponga verde. En cuanto la verja se abrió lo suficiente como para dejar pasar el Datsun, el coche se abalanzó hacia delante, cruzó la verja con el motor rugiendo y en ese momento, Ralph pudo ver bien al conductor. Estaba lo bastante cerca como para que no le cupiera ninguna duda. Era Ed, sí señor.

El Datsun avanzó dando tumbos por el breve trecho sin asfaltar que mediaba entre la verja y la extensión de Harris Avenue. De repente se oyó el sonido de un claxon, y Ralph vio un Ford Ranger azul, que se dirigía hacia el oeste, desviarse con brusquedad para esquivar el Datsun. El conductor del Ranger no reconoció el peligro a tiempo, y al parecer, Ed no lo reconoció en ningún momento (Ralph no llegó a considerar que Ed podía haber chocado adrede con el Ranger hasta mucho más tarde). Se oyó un breve chirrido de neumáticos seguido del golpe hueco provocado por el parachoques del Datsun al colisionar con el flanco del Ranger. Éste fue desplazado hasta el centro de la calzada. El capó del Datsun se arrugó, se soltó de las bisagras y se levantó un poco; fragmentos de vidrio de los faros se esparcieron por la carretera. Al cabo de un momento, ambos vehículos quedaron inmóviles en el centro de la calzada, entrelazados como una extraña escultura.

Ralph permaneció donde estaba durante unos instantes, observando el aceite desparramarse bajo el morro del Datsun. Había presenciado algunos accidentes de tráfico durante sus casi setenta años de vida, la mayor parte de ellos de poca importancia, uno o dos graves, y siempre quedaba asombrado al comprobar lo deprisa que sucedían y lo poco espectaculares que resultaban. No era como en las películas, donde podían rodarse los detalles a cámara lenta, ni como en los vídeos, donde si te apetecía, podías mirar una y otra vez cómo se precipitaba el coche por el acantilado. Por lo general, sólo se producía una serie de imágenes borrosas convergentes, seguidas de esa rápida y monótona combinación de sonidos; el chirrido de los neumáticos, el golpe hueco del metal al arrugarse, el tintineo de los vidrios rotos. Y entonces, *voilà... tout fini.*

Incluso existía una especie de protocolo para aquellas cosas: Cómo Hay que Comportarse en Caso de Verse Envuelto en una Colisión a Poca Velocidad, se dijo Ralph. Probablemente, en Derry se producían alrededor de una docena de choques menores cada día, y tal vez el doble durante el invierno, cuando las calles estaban cubiertas de nieve y se tornaban resbaladizas. Sales del coche, te reúnes con el contrario en el lugar en que los dos vehículos han colisionado (y donde, con frecuencia, todavía están pegados), miras, meneas la cabeza. A veces, a menudo, en realidad, la fase del encuentro está aderezada con palabras enojadas; echarse la culpa mutuamente (a menudo de un modo precipitado), poner en tela de juicio las habilidades de conducción del otro, amenazar con acciones legales. Ralph suponía que lo que los conductores pretendían decir realmente, aunque sin expresarlo en voz alta era: «¡Oye, imbécil, me has pegado un susto de cojones!».

El último paso de tan desgraciado baile era El Intercambio de Documentos Sagrados del Seguro, y era en aquel momento que los conductores solían empezar a controlar sus desbocadas emociones..., siempre y cuando nadie hubiera resultado herido, como parecía ser el caso. En ocasiones, los conductores implicados incluso acababan por estrecharse las manos.

Ralph se dispuso a observar todo el proceso desde su privilegiado punto de observación, a menos de ciento cincuenta metros de distancia, pero en cuanto se abrió la portezuela del Datsun, comprendió que las cosas no iban a ir como esperaba..., que tal vez el accidente no había pasado, sino que todavía estaba sucediendo. Desde luego, no daba la impresión de que nadie fuera a estrecharse las manos al término de las festividades.

La portezuela no se abrió, sino que, prácticamente, salió volando. Ed Deepneau se apeó de un salto y permaneció inmóvil junto al coche, con los estrechos hombros erguidos contra el fondo de nubarrones amenazadores. Vestía unos vaqueros desvaídos y camiseta, y Ralph se dio cuenta de que era la primera vez que veía a Ed vestido con una camisa sin botones. Y además, llevaba algo alrededor del cuello, una cosa larga y blanca. ¿Una bufanda? Desde luego, parecía

19

una bufanda, pero ¿a quién se le ocurriría llevar una bufanda en un día tan caluroso como aquél?

Ed permaneció de pie junto a su coche maltrecho durante un instante, con los ojos al parecer fijos en todas direcciones salvo la correcta. Los bruscos movimientos de su estrecha cabeza recordaron a Ralph el modo en que los gallos examinaban la turba de su corral en busca de invasores e intrusos. Algo en aquella similitud inquietó a Ralph. Nunca había visto a Ed con aquel aspecto, y suponía que eso provocaba parte de su inquietud, pero no era la única razón. La verdad era que nunca había visto a nadie que tuviera aquel aspecto.

Un trueno retumbó al oeste, ahora con mayor fuerza. La tormenta se acercaba.

El hombre que se apeó del Ranger abultaba el doble que Ed Deepneau, tal vez el triple. Su enorme barriga redonda pendía sobre la cintura de sus pantalones de lona; bajo los brazos de su camisa blanca de cuello abierto se apreciaban manchas de sudor del tamaño de platos. Se apartó la visera de la gorra de los Jardineros del West Side que llevaba, a fin de ver mejor al hombre que le había dado. Su rostro de barbilla ancha aparecía pálido como el de un muerto a excepción de unas brillantes manchas rojas como el colorete que relucían en sus pómulos, y Ralph pensó: «Vaya, candidato número uno para sufrir un ataque al corazón. Si estuviera más cerca, apuesto algo a que podría distinguir los pliegues en los lóbulos de sus orejas».

—¡Eh! —gritó el tipo fornido a Ed con una voz absurdamente aguda teniendo en cuenta su pecho amplio y su enorme abdomen—. ¿Dónde te has sacado el carné? ¿Te lo has comprado en los grandes almacenes o qué, joder?

La cabeza bamboleante de Ed se volvió de inmediato hacia el sonido de la voz del hombre, casi como un avión guiado por el radar, y Ralph pudo ver por primera vez los ojos de su vecino. Una luz de alarma se encendió en su cabeza, y de repente empezó a correr hacia el lugar del accidente. Entretanto, Ed había empezado a avanzar hacia el tipo de la camisa empapada y la gorra de béisbol. Caminaba con las piernas rígidas y los hombros erguidos, de un modo muy distinto a sus despreocupados andares habituales.

—¡Ed! —gritó Ralph.

Pero la brisa fresca, fría ya por la promesa de lluvia, pareció arrebatarle las palabras antes siquiera de que brotaran de sus labios. En cualquier caso, Ed no se volvió. Ralph se obligó a apretar el paso, olvidados ya el dolor de las piernas y el palpitar de la espalda. En los ojos muy abiertos y fijos de Ed Deepneau había visto el asesinato. No tenía absolutamente ningún tipo de experiencia previa que pudiera avalar aquella certeza, pero no creía que nadie pudiera malinterpretar aquella mirada fiera y desnuda; era la mirada que los gallos de pelea deben adoptar cuando se abalanzan sobre sus adversarios con los espolones en alto, fulminantes.

—¡Ed! ¡Eh, Ed, espera! ¡Soy Ralph!

Ed ni tan siquiera se volvió a mirar por encima del hombro, aunque Ralph estaba ya tan cerca que su vecino debería haberlo oído, con viento o sin él. No obstante, el hombre corpulento sí se volvió, y en su mirada Ralph vio temor e incertidumbre. A continuación, el gordo se volvió de nuevo hacia Ed con las manos alzadas en ademán tranquilizador.

—Mire —empezó—. Podemos hablar...

Pero no pudo seguir. Ed avanzó otro paso rápido, alzó una de sus delgadas manos, que se recortaba muy pálida sobre el oscurecido cielo, y abofeteó al gordo en la nada despreciable barbilla. El sonido recordó el disparo de una escopeta de aire comprimido.

—¿A cuántos has matado? —preguntó Ed.

El gordo se aplastó contra el flanco de su Ranger con la boca abierta y los ojos como platos. Ed siguió avanzando con aquel extraño paso rígido, sin vacilar en ningún instante. Se colocó frente al otro hombre, barriga a barriga, sin tener en cuenta, al parecer, que el conductor de la furgoneta le llevaba unos diez centímetros y cincuenta kilos. Ed volvió a alzar la mano y le propinó otro bofetón.

—¡Vamos! ¡Suéltalo, valiente! ¿A cuántos has matado?

Su voz se había alzado hasta convertirse en un chillido que se perdió en el primer trueno de verdad contundente de la tormenta.

El gordo empujó a Ed en un ademán de temor, no de agresividad, y Ed se tambaleó hasta el morro arrugado del Datsun. Rebotó de inmediato con los puños cerrados, sin duda preparándose para abalanzarse sobre el gordo, que se encogía contra el flanco de la furgoneta con la gorra ladeada y la camisa arrugada en la espalda y a los lados. Un recuerdo cruzó la mente de Ralph (un corto de los cómicos Three Stooges, Larry, Curly y Moe representando el papel de pintores de pacotilla), y de repente sintió un ramalazo de compasión por el gordo, que ofrecía un aspecto absurdo al tiempo que asustado.

Ed Deepneau no ofrecía un aspecto absurdo. Con los labios apartados de los dientes y los ojos fijos, Ed parecía más que nunca un gallo de pelea.

—Sé muy bien lo que has estado haciendo —susurró al gordo—. ¿Qué clase de comedia te creías que era esto? ¿Creías que tú y tus compinches podríais saliros con la vuestra siem...

En aquel momento, Ralph entró en escena resoplando y jadeando como un viejo caballo de tiro. Rodeó los hombros de Ed. El calor que traspasaba la camiseta resultaba inquietante; era como rodear con el brazo un alto horno, y cuando Ed se volvió para mirarlo, Ralph tuvo la momentánea pero inolvidable impresión de que eso era precisamente lo que estaba contemplando. Jamás había visto una furia tan irracional y absoluta en unos ojos humanos; jamás habría imaginado que pudiera existir semejante furia.

Ralph sintió el impulso de apartarse, pero lo reprimió y se mantuvo firme. Tenía la sensación de que si retrocedía, Ed se abalanzaría sobre él como un chucho rabioso para arañarlo y morderlo. Se trataba de una idea absurda, por supuesto; Ed era químico, Ed era miembro del Club del Libro del Mes, era de los que se llevaban la historia de la Guerra de Crimea, que pesaba unos diez kilos y que el club siempre parecía ofrecer como alternativa a la selección principal, Ed era el marido de Helen y el padre de Natalie. Maldita sea, Ed era un amigo.

... claro que éste no era aquel Ed, y Ralph lo sabía.

En lugar de apartarse, Ralph se inclinó hacia delante, se aferró a los hombros de Ed, tan calientes bajo la tela de la camiseta, tan increíble y palpitantemente calientes, y avanzó el rostro hasta colocarlo entre el gordo y la mirada siniestra y fija de Ed.

—¡Basta, Ed! —ordenó en el tono fuerte pero firme que suponía debía emplearse con las personas que sufrían un ataque de histeria—. ¡No pasa nada! ¡Basta!

Durante un instante, la expresión de Ed no se inmutó, pero de repente paseó la mirada por el rostro de Ralph. No era mucho, pero aun así, Ralph sintió una punzada de alivio.

—Pero ¿qué le pasa? —inquirió el gordo desde detrás de Ralph—. ¿Cree que está loco?

—No le pasa nada, de eso estoy seguro —repuso Ralph, aunque no estaba seguro en absoluto.

Hablaba con la boca entrecerrada, como un actor de una película mala de prisiones, y en ningún momento perdió de vista a Ed. No se atrevía a perder de vista a Ed, ya que aquel contacto visual se le antojaba el único control que tenía sobre el hombre, y no es que fuera un contacto demasiado sólido.

—Sólo está alterado por el accidente. Necesita unos segundos para tran...

—¡Pregúntale qué lleva debajo de esa lona! —lo interrumpió Ed de repente, al tiempo que señalaba por encima del hombro de Ralph.

Otro trueno retumbó en el cielo como si formara parte del guión. Lo siguió un relámpago, y durante un instante, las cicatrices del acné adolescente de Ed se pusieron de relieve, como un extraño mapa orgánico del tesoro.

—¡Ei, ei, Susan Day! —canturreó con una voz aguda e infantil que puso a Ralph la piel de gallina—. ¿A cuántos niños has matado hoy?

—No está alterado —rechazó el gordo—. Está loco. Y cuando lleguen los polis, me ocuparé de que lo encierren.

Ralph volvió la mirada y vio una lona azul en el suelo de la caja de la furgoneta. Estaba asegurada con brillantes correas amarillas. Bajo ella se advertían unas abultadas formas redondas.

—Ralph —dijo una voz tímida.

Ralph se volvió hacia la izquierda y vio a Dorrance Marstellar, que a sus noventa y pico años era, sin duda, el más viejo de los Viejos Carcamales de Harris Avenue, de pie al otro lado de la furgoneta del gordo. En la mano cerosa y manchada sostenía un libro de bolsillo que doblaba una y otra vez con gesto ansioso, maltratando el lomo. Ralph supuso que se trataba de un libro de poesía, que era lo único que había visto leer a Dorrance. O tal vez ni siquiera leía; quizás sólo era que le gustaba sostener los libros y contemplar las palabras bellamente apiladas.

—Ralph, ¿qué pasa? ¿Qué está pasando aquí?

Otro relámpago brilló en el cielo, un gruñido eléctrico de color blanco violáceo. Dorrance alzó la mirada como si no supiera a ciencia cierta dónde se encontraba, quién era o qué estaba viendo. Ralph gruñó para sus adentros.

—Dorrance... —empezó.

De repente, Ed se agitó bajo sus manos, como un animal salvaje que sólo ha permanecido quieto para hacer acopio de fuerzas. Ralph se tambaleó y volvió a empujar a Ed contra el arrugado morro del Datsun. Le acometió una oleada de pánico; no sabía bien qué hacer ni cómo hacerlo. Estaban pasando demasiadas cosas a la vez. Sentía los músculos de los brazos de Ed zumbar con fiereza bajo las palmas de sus manos; era casi como si el hombre se hubiera tragado el relámpago que acababa de desencadenarse en el cielo.

—Ralph —insistió Dorrance en el mismo tono sereno, aunque preocupado—. Yo de ti no lo tocaría más. No te veo las manos.

Perfecto. Otro chalado para acabarlo de rematar. Justo lo que le faltaba.

Ralph se miró las manos antes de volver la mirada hacia el viejo.

—¿De qué estás hablando, Dorrance?

—Tus manos —repitió Dorrance con toda paciencia—. No te veo las...

—Mira, Dor, éste no es el lugar más indicado para ti, así que, ¿por qué no te pierdes?

La expresión del viejo se iluminó un tanto al oír aquello.

—¡Sí! —exclamó en el tono de alguien que acaba de dar con una gran verdad—. ¡Eso es exactamente lo que tengo que hacer!

Empezó a retroceder, y cuando sonó el siguiente trueno, se encogió y se resguardó la cabeza con el libro. Ralph distinguió las brillantes letras rojas del título: *Selección de obras de Buckdancer*.

—Y tú deberías hacer lo mismo, Ralph. No te conviene meterte en asuntos ajenos. Seguro que acabas perjudicado.

—¿De qué estás...?

Pero antes de que Ralph pudiera acabar la pregunta, Dorrance giró sobre sus talones y se alejó en dirección al merendero con el mechón de cabello blanco, fino como el de un recién nacido, ondeando en la brisa de la inminente tormenta.

Un problema resuelto, pero el alivio de Ralph no duró mucho. Ed se había distraído unos instantes a causa de la presencia de Dorrance, pero ahora volvía a fulminar al gordo con la mirada.

—¡Anda y que te folle un pez, soplapollas! —escupió—. ¡Vete a joder a tu madre!

—¿Qué? —exclamó el gordo frunciendo el descomunal ceño.

Los ojos de Ed se posaron de nuevo sobre Ralph, a quien ya parecía reconocer.

—¡Pregúntale qué lleva debajo de esa lona! —gritó—. ¡O mejor aún, haz que este hijo de puta asesino te lo enseñe!

Ralph miró al gordo.

—¿Qué lleva debajo de la lona? —inquirió.

—¿Y a usted qué le importa? —replicó el gordo, quizás en un intento de sonar amenazador.

Volvió a fijar la vista en los ojos de Ed antes de retroceder dos pasos más arrastrando los pies.

—No me importa en absoluto, y a él tampoco —repuso Ralph mientras señalaba a Ed con la barbilla—. Pero ayúdeme a calmarlo, ¿vale?

—¿Lo conoce?

—¡Asesino! —repitió Ed.

Volvió a agitarse, esta vez con fuerza suficiente como para obligar a Ralph a retroceder un paso. Sin embargo, algo estaba ocurriendo, ¿verdad? Ralph creía que la mirada aterradora y vacua empezaba a disiparse de los ojos de Ed. Creyó reconocer a alguien más parecido a Ed de lo que había visto hasta entonces..., o tal vez sólo se debía a que era eso lo que quería ver.

—¡Asesino, asesino de bebés!

—Madre mía, está como un cencerro —suspiró el gordo.

No obstante, se dirigió a la parte trasera de la furgoneta abierta, desató una de las correas y apartó una esquina de la lona. Bajo ella se veían cuatro barriles de conglomerado, cada uno de los cuales mostraba la inscripción WEED-GO.

—«Fertilizante orgánico» —anunció el gordo mirando alternativamente a Ed y a Ralph al tiempo que se llevaba la mano a la visera de su gorra de los Jardineros del West Side—. Me he pasado el día trabajando en un grupo de parterres nuevos en los jardines del psiquiátrico de Derry..., donde a usted no le iría nada mal pasar unas cortas vacaciones, amigo.

—¿Fertilizante? —repitió Ed.

Parecía estar hablando consigo mismo. Se llevó la mano a la sien izquierda y empezó a frotársela.

—¿Fertilizante?

Parecía un hombre preguntando acerca de un desarrollo científico sencillo aunque asombroso.

—Fertilizante —asintió enfurecido el gordo volviendo la mirada hacia Ralph—. Este tipo está mal de la chaveta, ¿sabe?

—Está confuso, nada más —repuso Ralph incómodo.

Se inclinó sobre el borde de la furgoneta y dio un golpecito en la tapa de uno de los barriles.

—Bidones de fertilizante —confirmó al tiempo que se volvía hacia Ed—. ¿De acuerdo?

No obtuvo respuesta. Ed alzó la otra mano y procedió a masajearse la sien. Parecía un hombre atacado por una terrible migraña.

—¿De acuerdo? —repitió Ralph con suavidad.

Ed cerró los ojos durante un instante, y cuando los abrió de nuevo, Ralph observó en ellos un brillo que creyó identificar como lágrimas. Ed sacó la lengua y se la pasó con delicadeza por las comisuras de los labios. Cogió un extremo de su bufanda de seda y se enjugó la frente, y en aquel momento, Ralph vio algunas figuras chinas bordadas en rojo sobre la tela, junto a los flecos.

—Supongo que... —empezó.

De repente se interrumpió, y sus ojos volvieron a adoptar aquella mirada que a Ralph no le gustaba ni pizca.

—¡Bebés! —exclamó con voz áspera—. ¿Me oyes? ¡Bebés!

Ralph lo empujó contra el coche por tercera o cuarta vez... Había perdido la cuenta.

—¿De qué estás hablando, Ed? —De repente, se le ocurrió una idea—. ¿Es Natalie? ¿Estás preocupado por Natalie?

Una pequeña sonrisa taimada se dibujó en los labios de Ed. Miró al gordo por encima del hombro de Ralph.

—Fertilizante, ¿eh? Bueno, pues si sólo es eso, no le importará abrir uno de los bidones, ¿verdad?

El gordo lanzó una mirada inquieta a Ralph.

—Este tipo necesita un médico —insistió.

—Quizás sí. Pero creía que se estaba calmando... ¿Le importaría abrir uno de los bidones? Quizás eso le haga sentirse mejor.

—Sí, claro, qué más da. Preso por mil, preso por mil quinientos.

Otro relámpago brilló en el cielo, retumbó otro trueno, que pareció rodar por todo el cielo, y una fría ráfaga de lluvia azotó la nuca sudada de Ralph. Miró a su izquierda y vio a Dorrance Marstellar junto a la entrada del merendero, libro en ristre, observando la escena con expresión ansiosa.

—Parece que va a caer una buena —comentó el gordo—, y no puedo dejar que se moje el fertilizante. El agua desencadena una reacción química, así que dense prisa.

Introdujo la mano entre uno de los bidones y la pared lateral de la furgoneta, y al cabo de un momento extrajo una palanca.

—Debo de estar tan loco como él —dijo a Ralph—. Quiero decir que yo iba tan tranquilo hacia mi casa, sin meterme con nadie. Él ha sido el que ha chocado contra mi coche.

—Vamos, siga —repuso Ralph—. Sólo será un momento.

—Sí —replicó el gordo en tono desabrido al tiempo que se volvía y colocaba el extremo plano de la palanca bajo la tapa del bidón más cercano—, pero el recuerdo se me quedará grabado en la memoria.

Otro trueno sacudió la tarde, por lo que el gordo no oyó las siguientes palabras de Ed Deepneau. Pero Ralph sí las oyó, y lo cierto es que le encogieron el alma.

—Esos bidones están llenos de bebés muertos —aseguró Ed—. Ya lo verás.

El gordo levantó la tapa del bidón, y la voz de Ed había sonado tan convencida que Ralph casi esperaba ver un amasijo de brazos y piernas, montones de pequeñas cabezas pelonas. Pero lo que vio fue una mezcla de finos cristales azules y una sustancia marrón. El olor que emanaba era denso y turboso, con una vaga nota química.

—¿Lo ve? ¿Satisfecho? —preguntó el gordo directamente a Ed—. Bueno, ya ve que no soy Ray Joubert ni ese tipo, Dahmer, al fin y al cabo. ¿Qué le parece, eh?

Ed había adoptado de nuevo una expresión confusa, y cuando el trueno volvió a sacudir el cielo, se encogió un poco. A continuación se inclinó hacia delante, alargó una mano hacia el bidón y miró al gordo con expresión interrogante.

El gordo asintió con un gesto casi compasivo, se dijo Ralph.

—Claro, hombre, tóquelo, no me importa. Pero si empieza a llover se va a poner usted a bailar como John Travolta, porque eso quema.

Ed metió la mano en el bidón, cogió un puñado de mezcla y lo dejó escurrirse por entre los dedos. Lanzó a Ralph una mirada perpleja (en la que también se apreciaba un elemento de vergüenza, pensó Ralph), y a continuación metió la mano en el bidón hasta el codo.

—¡Eh! —gritó el gordo con asombro—. ¡Que no son palomitas!

Por un instante, aquella sonrisa taimada reapareció en el rostro de Ed, una expresión que decía «A mí no me la pegas», pero desapareció en seguida para dar paso de nuevo a una mirada confusa, pues en el fondo del bidón no había sino más fertilizante. Otro cañonazo de trueno estalló sobre el aeropuerto. El relámpago que siguió confirió por un instante a los rostros de Ed y el gordo el aspecto de fotografías sobreexpuestas.

—Lávese la mano antes de que empiece a llover, se lo advierto —prosiguió el gordo.

Introdujo el brazo por la ventanilla abierta del lado del pasajero y extrajo una bolsa de McDonald's. Rebuscó en su interior durante un momento, sacó un par de servilletas y se las dio a Ed, quien empezó a limpiarse el polvo de fertilizante del antebrazo como si estuviera en trance. Mientras se limpiaba, el gordo tapó de nuevo el barril, fijando la tapa con el puño descomunal y sembrado de pecas mientras lanzaba rápidas miradas al cielo cada vez más oscuro. Cuando Ed le rozó el hombro de la camisa blanca, el gordo se puso rígido antes de apartarse y mirar a Ed con expresión cautelosa.

—Creo que le debo una disculpa —dijo Ed.

A Ralph le pareció que su voz sonaba completamente clara y cuerda por primera vez aquella tarde.

—Y que lo jure —repuso el gordo, aunque su voz sonaba aliviada.

Volvió a extender la lona plastificada sobre los barriles y la aseguró con una serie de gestos rápidos y eficaces. Mientras lo observaba, a Ralph se le ocurrió de repente que el tiempo era un taimado ladrón. Antaño, él habría atado aquellas cuerdas con la misma destreza despreocupada. Ahora todavía podría atarlas, pero le llevaría al menos dos minutos y tal vez tres de sus mejores juramentos.

El gordo dio unas palmaditas en la lona y se volvió de nuevo hacia ellos mientras cruzaba los brazos sobre el considerable pecho.

—¿Ha visto el accidente? —preguntó a Ralph.

—No —repuso Ralph sin vacilar.

No tenía ni idea de por qué estaba mintiendo, pero la decisión había sido instantánea.

—Estaba mirando cómo aterrizaba el avión. El de la United.

Para su completa sorpresa, las manchas rojizas de las mejillas del gordo empezaron a extenderse. «Tú también lo estabas mirando —se dijo Ralph de repente—. Y no sólo mientras aterrizaba, porque no te estarías ruborizando tanto... También mientras aparcaba.»

Aquella idea fue seguida de una revelación absoluta: el gordo creía que el accidente había sido culpa suya, o que el policía o los policías que acudieran lo interpretarían así. Había estado observando el avión y no había visto a Ed cruzar la verja como un loco y salir a la carretera como un loco.

—Mire, lo siento mucho —estaba diciendo Ed con toda seriedad.

En realidad, no daba la impresión de sentirlo, sino de estar absolutamente consternado. De repente, Ralph se sorprendió preguntándose hasta qué punto confiaba en aquella expresión, y si de verdad tenía la más ligera idea de

(*Ei, ei, Susan Day*)

27

lo que acababa de suceder allí... ¿y quién narices era Susan Day, por cierto?

—Me he golpeado la cabeza contra el volante —explicaba Ed en aquel instante—, y creo que..., bueno, ya sabe, que me he llevado un buen susto.

—Sí, bueno, ya me lo imagino —repuso el gordo.

Se rascó la cabeza, volvió la mirada hacia el cielo oscuro y revuelto y a continuación se dirigió de nuevo a Ed.

—Quiero hacer un trato con usted, amigo.

—Ah... ¿Y qué clase de trato?

—Mire, nos damos los nombres y los números de teléfono en lugar de pasar por todo ese rollazo del seguro. Y después yo a lo mío y usted a lo suyo.

Ed lanzó una mirada insegura a Ralph, quien se encogió de hombros, y se volvió de nuevo hacia el hombre tocado con la gorra de los Jardineros del West Side.

—Si llamamos a la poli —prosiguió el gordo— me meto en un buen lío. Lo primero que van a averiguar cuando consulten mi matrícula es que el invierno pasado me pusieron una multa por conducir borracho y estoy conduciendo con un carné provisional. Lo más probable es que me causen problemas aunque yo estuviera en la vía principal y tuviera preferencia. ¿Me entiende?

—Sí —asintió Ed—. Supongo que sí, pero el accidente fue culpa mía. Iba demasiado deprisa...

—Quizás el accidente en sí no sea tan importante —lo interrumpió el gordo.

Se volvió con expresión desconfiada para observar una furgoneta que estaba a punto de detenerse en la cuneta. Miró de nuevo a Ed y siguió hablando con cierta urgencia.

—Ha perdido un poco de aceite, pero ahora ya no gotea. Apuesto algo a que puede conducir hasta casa..., si es que vive en la ciudad. ¿Vive en la ciudad?

—Sí —repuso Ed.

—Y yo cubro la reparación, hasta cincuenta pavos o algo así.

Otra revelación cruzó la mente de Ralph; era lo único que se le ocurría para explicar el súbito cambio de humor de aquel tipo de la truculencia a algo muy parecido al halago. ¿Una multa por conducir borracho el invierno pasado? Sí, seguramente. Pero Ralph jamás había oído hablar de nada parecido a un carné provisional, y creía que lo más probable es que fuera una soberana tontería. El viejo señor Jardineros del West Side había estado conduciendo sin carné. ¡Qué situación tan complicada! Ed había dicho la verdad. El accidente había sido, al fin y al cabo, culpa suya y de nadie más.

—Si nos marchamos y dejamos las cosas como están —decía el

gordo en aquel momento—, yo no tendré que explicar lo de mi multa y usted no tendrá que explicar por qué salió del coche y empezó a pegarme y gritar que llevaba la furgoneta cargada de bebés muertos.

—¿De verdad he dicho eso? —preguntó Ed en tono de extrañeza.

—Sabe muy bien que sí —replicó el gordo con el ceño fruncido.

—¿Todo bien porr ahí, amigós? —preguntó una voz de tenue acento canadiense francés—. ¿Algún herridó?... ¡Ehhh, Rralph! ¿Errés tú?

La furgoneta que acababa de detenerse llevaba las palabras TINTO-RERÍA DERRY escritas en el flanco, y Ralph reconoció al conductor como uno de los hermanos Vachon de Old Cape. Probablemente Trigger, el menor.

—Sí, soy yo —repuso Ralph.

Sin saber ni preguntarse qué hacía, pues por entonces ya estaba actuando guiado tan sólo por el instinto, se acercó a Trigger, le rodeó los hombros con el brazo (al parecer, era el día de rodear hombros) y lo apartó en dirección a la furgoneta de la tintorería.

—¿Están bien los chicos?

—Sí, sí, perfectamente —aseguró Ralph.

Miró por encima del hombro y vio a Ed y el gordo con las cabezas muy juntas delante de la caja de la furgoneta. Cayó otra fría ráfaga de lluvia, que tamborileó sobre la lona azul como dedos impacientes.

—Un pequeño accidente, nada más. Ya lo están arreglando.

—Perrfectó, perrfectó —exclamó Trigger Vachon en tono complacido—. ¿Y cómo está la prresiosidad de tu mujerr, Rralph?

Ralph dio un respingo como un hombre que se da cuenta a la hora de la comida que ha olvidado apagar el horno antes de irse a trabajar.

—¡Dios mío! —exclamó.

Miró el reloj con la esperanza de que fueran las cinco y veinticinco, y media como máximo. Pero en realidad eran las seis menos diez. Hacía veinte minutos que debería haber llevado a Carolyn un plato de sopa y medio bocadillo. Estaría preocupada. De hecho, con los relámpagos y los truenos barriendo el piso vacío, incluso era posible que estuviera asustada. Y si caía un chaparrón, no podría cerrar las ventanas. Apenas le quedaba fuerza en las manos.

—Ralph —dijo Trigger—. ¿Qué pasa?

—Nada —repuso él—. Sólo que me he puesto a caminar y he perdido la noción del tiempo. Y luego el accidente y... ¿Podrías llevarme a casa, Trig? Te pagaré el viaje.

—No tienés que pagar nadá —rechazó Trigger—. Me viene de camínó. Sube, Rralph. ¿Crees que todo irrá bien con esos dos? ¿No irrán a pegarse o algo así?

—No —lo tranquilizó Ralph—. No lo creo. Espera un segundo.

—Claro.

—¿Va todo bien? ¿Podrás arreglártelas? —dijo Ralph acercándose a Ed.

—Sí —asintió Ed—. Vamos a arreglarlo por nuestra cuenta. ¿Por qué no? Al fin y al cabo, no son más que unos vidrios rotos.

Daba la impresión de haber vuelto en sí del todo, y el gordo de la camisa blanca lo estaba mirando con algo muy parecido al respeto. Ralph todavía estaba perplejo e inquieto por lo que había sucedido, pero decidió no darle más vueltas al asunto. Ed Deepneau le caía muy bien, pero Ed no era asunto suyo aquel mes de julio; Carolyn sí. Carolyn y aquella cosa que había empezado a funcionar en las paredes de su dormitorio (y dentro de Carolyn) por las noches.

—Perfecto —dijo a Ed—. Me voy a casa. Yo me encargo de hacerle la comida a Carolyn ahora, y se me ha hecho muy tarde.

Se dispuso a marcharse. El gordo lo detuvo con la mano extendida.

—John Tandy —se presentó.

—Ralph Roberts —repuso Ralph estrechándole la mano—. Encantado.

—Dadas las circunstancias, lo dudo —comentó Tandy con una sonrisa—, pero me alegro mucho de que apareciera en el momento justo. Por un momento he pensado que íbamos a llegar a las manos.

«Y yo», pensó Ralph, si bien no lo dijo en voz alta. Con expresión preocupada echó otro vistazo a Ed, a la desacostumbrada camiseta blanca que se adhería a su escuálido torso y la bufanda blanca con las figuras chinas bordadas en rojo. No le acabó de gustar la expresión que vio en los ojos de su vecino cuando sus miradas se encontraron. Tal vez Ed no se había recuperado del todo al fin y al cabo.

—¿Seguro que estás bien? —insistió.

Quería marcharse, quería estar con Carolyn, pero aun así, le costaba decidirse. La sensación de que aquella situación no estaba bien en absoluto persistía.

—Sí, sí —repuso Ed a toda prisa.

Le dedicó una amplia sonrisa que no alcanzó sus oscuros ojos azules. Estudió a Ralph con atención, como si se preguntara cuánto había visto... y cuánto

(*ei ei Susan Day*)

recordaría más tarde.

El interior de la furgoneta de Vachon olía a ropa limpia y recién planchada, un aroma que, por alguna razón, recordaba a Ralph la fragancia del pan recién hecho. No había más asiento que el del conductor, por lo que Ralph permaneció de pie, aferrándose con una mano al tirador de la puerta y con la otra, al borde de una cesta de ropa Dandux.

—Madrre mía, paresía una situasión muy rarra —comentó Trigger al tiempo que miraba por el retrovisor.

—Y que lo digas —asintió Ralph.

—Conosco al tipo que condusía el trasto japonés. Deepneau, se llama. Tiene una bonita esposá, a veses trraen ropa a la tintorrería. Parese un tipo simpático, al menos casi siemprre.

—Hoy estaba fuera de sí, eso te lo aseguro —replicó Ralph.

—Le había picado una moscá ¿eh?

—Yo más bien diría que le había picado un enjambre entero.

Trigger lanzó una carcajada al tiempo que golpeaba el gastado plástico negro del enorme volante.

—¡Un enjambre entero! ¡Perrfecto! ¡Perrfecto! ¡Está me la guarrdo! —Trigger se enjugó las lágrimas de risa con un pañuelo del tamaño de un mantel—. Me ha dadó la impresión de que el señor Deepneau ha salidó por la entrrada de servisio.

—Sí, es verdad.

—Ahora se nesesita un pasé para utilisar esa entrrada —explicó Trigger—. ¿Cómo crrees que consiguió un pasé el señor Deepneau?

Ralph meditó unos instantes con el ceño fruncido antes de menear la cabeza.

—No lo sé. Ni siquiera se me había ocurrido. Se lo tendré que preguntar la próxima vez que lo vea.

—Haslo —instó Trigger—. Y prregúntale qué tal las moscas.

Aquello le hizo reír de nuevo, lo que a su vez ocasionó nuevos gestos con el pañuelo de opereta.

Cuando llegaron a Harris Avenue estalló la tormenta. No granizaba, pero la lluvia caía en un extravagante torrente veraniego, tan intenso que en el primer momento Trigger se vio obligado a aminorar la velocidad de la furgoneta hasta casi detenerla.

—¡Uauuh! —exclamó en tono respetuoso—. Me recuerda la grran tormenta de 1985, cuando la mitad del centrro de la ciudad se hundió en el maldito canal! ¿Te acuerrdas, Rralph?

—Sí —asintió Ralph—. Esperemos que esta vez no vuelva a pasar lo mismo.

—No —aseguró Trigger sonriendo y mirando a través de los parabrisas, que aleteaban con movimientos extravagantes—. Ahora han arregladó todo el alcantarrillado. ¡Perfecto!

La combinación de la lluvia fría con la elevada temperatura de la furgoneta provocó que se empañara la mitad inferior del parabrisas. Sin pensar en lo que hacía, Ralph alargó un dedo y dibujó una figura en el vapor:

神

—¿Qué es esó? —inquirió Trigger.

—La verdad es que no lo sé. Parece chino, ¿verdad? Estaba borda-do en la bufanda que llevaba Ed.

—Me suena de algó —comentó Trigger echándole otro vistazo.

De repente lanzó un resoplido y agitó la mano.

—Mirra, lo único que sé desir en chinó es moo-goo-gai-gan.

Ralph esbozó una sonrisa, pero se sentía incapaz de reír. Era por Carolyn. Ahora que la había recordado, no podía dejar de pensar en ella..., no podía dejar de pensar en las ventanas abiertas, en las corti-nas ondeando como los brazos fantasmales de Edward Gorey mien-tras la lluvia inundaba la habitación.

—¿Todavía vives en esá casa de dos pisos enfrrente de la Mansana Rroja?

—Sí.

Trigger se detuvo junto a la acera, y las ruedas de la furgoneta le-vantaron grandes abanicos de agua. Seguía lloviendo a cántaros. Los truenos retumbaban en rápida sucesión, los relámpagos atravesaban el cielo de punta a punta.

—Serrá mejor que te quedés aquí conmigo un rratito —aconsejó Trigger—. Lloverá menos dentrro de un parr de minutos.

—No importa.

Ralph no creía que nada pudiera ser capaz de obligarlo a perma-necer en la furgoneta ni un segundo más. Ni siquiera si le pusieran unas esposas. La preocupación se había trocado en persistente intui-ción.

—Gracias, Trig.

—¡Esperra! Te daré un plasticó para que lo pongas sobre la cabesa como un chubasquerro.

—No, gracias, no importa, de verdad, yo...

No parecía haber forma alguna de terminar lo que intentaba de-cir, y ahora la intuición ya rayaba en el pánico. Descorrió la puerta de la furgoneta y se apeó de un salto, hundiéndose hasta los tobillos en el agua que bajaba por la cuneta. Saludó a Trigger con un último gesto sin volver la vista atrás, y a continuación recorrió a toda prisa el sen-dero que conducía a la casa que él y Carolyn compartían con Bill McGovern al tiempo que buscaba la llave en el bolsillo de su pantalón. Al llegar a los escalones del porche se dio cuenta de que no le haría fal-ta la llave... La puerta estaba entornada. Bill, que vivía en la planta baja, se olvidaba con frecuencia de cerrarla, y Ralph prefería pensar que había sido él en lugar de imaginarse que Carolyn había salido en su busca y que la tormenta la había sorprendido. Era una posibilidad que Ralph ni tan siquiera quería considerar.

Entró corriendo en el penumbroso vestíbulo, haciendo una mueca cuando un trueno ensordecedor retumbó en el cielo, y se dirigió al pie de la escalera. Allí se detuvo un instante, con la mano posada sobre la gran bola de madera que remataba la barandilla mientras escuchaba el agua de lluvia chorrear de sus pantalones y su camisa empapados al suelo de madera. Entonces empezó a subir la escalera; quería correr pero se vio incapaz de ir más allá de un paso rápido. El corazón le latía deprisa y con fuerza en el pecho, sus zapatillas empapadas eran húmedas anclas de lona que le atenazaban los pies, y por alguna razón, no podía desterrar la imagen del modo en que Ed había movido la cabeza al apearse del Datsun..., aquellos gestos rígidos y rápidos que le habían conferido el aspecto de un gallo preparándose para la pelea.

El tercer peldaño crujió con violencia, como siempre, y el sonido provocó unos pasos apresurados en el piso superior. Ralph no experimentó alivio alguno porque no se trataba de los pasos de Carolyn, lo supo de inmediato, y cuando Bill McGovern se asomó por la barandilla, con el rostro pálido y preocupado bajo su sempiterno panamá, Ralph no se sorprendió. Durante todo el camino de regreso había sentido que algo iba mal, ¿no? Sí. Pero dadas las circunstancias, eso no podía tildarse de premonición. Estaba descubriendo que cuando las cosas llegan a cierto grado de desgracia, lo único que hacían era seguir empeorando. Suponía que, en un sentido u otro, siempre lo había sabido. Lo que jamás había sospechado era lo largo que podía ser aquel camino de desgracias.

—¡Ralph! —lo llamó Bill—. ¡Gracias a Dios! Carolyn está sufriendo..., bueno, supongo que es una especie de ataque. Acabo de llamar al 911 para pedir que envíen una ambulancia.

En aquel momento, Ralph descubrió que sí podía subir la escalera corriendo.

Carolyn yacía en el umbral de la puerta de la cocina con el cabello cubriéndole el rostro. Aquel detalle le pareció especialmente horrible; le confería un aspecto descuidado, y si había algo que Carolyn no se permitía era tener un aspecto descuidado. Se arrodilló junto a ella y le apartó el cabello de los ojos y la frente. La piel que rozaron sus dedos se le antojó tan fría como sus pies bajo las zapatillas empapadas.

—Quería ponerla en el sofá, pero pesa demasiado para mí —explicó Bill con nerviosismo.

Se había quitado el panamá y lo hacía girar inquieto entre los dedos.

—Ya sabes, mi espalda...

—Ya lo sé, Bill, no te preocupes —lo tranquilizó Ralph.

Pasó los brazos bajo el cuerpo de Carolyn y la levantó. No le parecía nada pesada, sino ligera..., casi tan ligera como una vaina de algodón a punto de abrirse y arrojar sus filamentos al viento.

—Gracias a Dios que estabas aquí.

—Ha sido por casualidad —replicó Bill.

Siguió a Ralph hasta el salón sin dejar de juguetear con el sombrero. A Ralph le recordaba a Dorrance Marstellar y su libro de poemas. *Yo de ti no lo tocaría más*, había advertido el viejo Dorrance. «No te veo las manos.»

—Estaba a punto de salir cuando he oído un golpe de mil demonios... Supongo que ha sido ella al caer...

Bill paseó la mirada por el salón oscurecido a causa de la tormenta, con el rostro inquieto y a un tiempo ávido, y una mirada que parecía buscar algo que no había. De repente, su rostro se iluminó.

—¡La puerta! —exclamó—. ¡Apuesto algo a que sigue abierta! ¡Seguro que está entrando agua! Ahora vuelvo, Ralph.

Bill salió del salón a toda prisa. Ralph apenas se percató de ello; el día había adquirido las surrealistas dimensiones de una pesadilla. El tictac del reloj era lo peor. Lo oía en las paredes, tan fuerte que ni siquiera los truenos podían acallarlo.

Tendió a Carolyn en el sofá y se arrodilló junto a ella. Su respiración era rápida y superficial, y tenía un aliento terrible. Sin embargo, Ralph no se apartó de ella.

—Aguanta, cariño —susurró mientras le cogía una de las manos casi tan frías y húmedas como su frente y se la besaba con suavidad—. Aguanta, por favor. Todo va bien, todo va bien.

Pero no era cierto; el tictac significaba que nada iba bien. Y el sonido no procedía de las paredes, nunca había procedido de las paredes, sino tan sólo del interior de su mujer. Dentro de Carolyn. El sonido estaba dentro de su amada, se le escurría por entre los dedos, ¿y qué iba a hacer él sin ella?

—Aguanta —repitió—. Aguanta, ¿me oyes?

Volvió a besarle la mano y se la oprimió contra la mejilla; al oír aproximarse el aullido de la ambulancia, se echó a llorar.

Carolyn volvió en sí en la ambulancia mientras atravesaban Derry a toda velocidad (el sol había salido y las mojadas calles humeaban), y en los primeros momentos dijo tales incoherencias que Ralph se convenció de que había sufrido una apoplejía. Cuando empezó a despertar del todo y hablar con coherencia, otra convulsión la sacudió, y Ralph y uno de los enfermeros tuvieron que aunar fuerzas para sujetarla.

No fue el doctor Lichtfield quien acudió a ver a Ralph en la sala de espera del tercer piso a primera hora de la noche, sino el doctor Jamal, el neurólogo. Jamal le habló en voz baja y tranquilizadora, diciéndole que Carolyn se había estabilizado, que la mantendrían ingresada aquella noche para no correr riesgos, pero que podría irse a casa a la mañana siguiente. Le recetarían nuevos medicamentos, fármacos que eran caros, eso sí, pero también de efectos impresionantes.

—No debemos perder la esperanza, señor Roberts —murmuró el doctor Jamal.

—No —repuso Ralph—, supongo que no. ¿Sufrirá más ataques como éste, doctor Jamal?

El doctor Jamal esbozó una sonrisa. Tenía una voz suave que resultaba aún más reconfortante gracias al leve acento indio que la teñía. Y aunque el doctor Jamal no le dijo de un modo directo que Carolyn iba a morir, fue la persona que más se había acercado en aquel largo año que su mujer había pasado luchando por su vida. Lo más probable, explicó el doctor Jamal, era que los nuevos medicamentos impidieran la aparición de nuevos ataques, pero las cosas habían llegado a un punto en que era necesario tomarse todas las predicciones «con los granos de sal». El tumor se estaba extendiendo pese a todos sus esfuerzos, por desgracia.

—Es posible que lo siguiente que aparezca sean los problemas motrices —comentó el doctor Jamal en el mismo tono consolador—. Y me temo que ya se observa cierto deterioro en la capacidad visual.

—¿Puedo pasar la noche con ella? —preguntó Ralph en voz baja—. Dormirá mejor si me quedo con ella —Hizo una pausa antes de continuar—: Y yo también.

—¡Bor subuesto! —exclamó el doctor Jamal con el rostro radiante—. ¡Es una idea magnífica!

—Sí —convino Ralph con cierta dificultad—. A mí también me lo parece.

Así pues, permaneció sentado junto a su mujer dormida, escuchando el tictac que no procedía de las paredes, y se dijo: «Algún día, tal vez este otoño o quizás en invierno, volveré a estar en esta habitación con ella». Aquella idea no se le antojaba especulación sino profecía; se inclinó hacia delante y posó la cabeza sobre la sábana blanca que cubría el seno de su mujer. No quería volver a llorar, pero aun así, no pudo contener algunas lágrimas.

Aquel tictac. Tan fuerte y tan constante.

«Me gustaría echarle el guante a eso que suena —pensó—. Lo pisotearía hasta que no fuera más que un montón de añicos esparcidos por el suelo. Pongo a Dios por testigo que lo haría.»

Se durmió en la silla poco después de medianoche, y a la mañana siguiente, al despertar, el aire era más fresco de lo que había sido en muchas semanas, y Carolyn estaba completamente despierta, mirándolo con ojos brillantes. Apenas parecía estar enferma, de hecho. Ralph la llevó a casa y acometió la nada despreciable tarea de lograr que Carolyn pasara los últimos meses de su vida del modo más agradable posible. Transcurrió mucho tiempo antes de que volviera a pensar en Ed Deepneau; incluso después de empezar a ver los cardenales en el rostro de Helen Deepneau, transcurrió mucho tiempo antes de que volviera a pensar en Ed.

Mientras el verano se convertía en otoño y el otoño se oscurecía para dar paso al último invierno de Carolyn, los pensamientos se centraron cada vez más en el reloj de la muerte, que parecía sonar más y más fuerte aunque, al mismo tiempo, más despacio.

Pero no tenía dificultades para dormir.

Eso llegó más tarde.

Primera parte

MÉDICOS CALVOS Y BAJITOS

Hay un abismo entre aquellos que pueden dormir y aquellos que no pueden. Se trata de una de las grandes divisiones de la raza humana.

Iris MURDOCH
Nuns and Soldiers

1

Alrededor de un mes después de la muerte de su mujer, Ralph Roberts empezó a padecer insomnio por primera vez en su vida.

Al principio, el problema no era grave, pero fue empeorando de forma constante. Al cabo de seis meses de las primeras interrupciones en su ciclo de sueño hasta entonces nada destacable, Ralph había alcanzado un estado de sufrimiento al que apenas podía dar crédito y mucho menos aceptar. Hacia finales de verano de 1993, empezó a preguntarse qué significaría pasarse los años que le quedaban de vida aturdido, con los ojos abiertos de par en par y sin poder dormir. «Por supuesto, a ese extremo no llegaré —se decía—. Nunca pasa.»

Pero ¿era eso cierto? La verdad es que no lo sabía con exactitud, eso era lo malo, y los libros sobre el tema que Mike Hanlon le recomendaba en la Biblioteca Pública de Derry no le servían de gran ayuda. Había algunos acerca de los trastornos del sueño, pero lo cierto es que parecían contradecirse. Algunos tildaban el insomnio de síntoma, otros lo consideraban una enfermedad y al menos uno de ellos lo identificaba como mito. Sin embargo, el problema era aún más grave. Por lo que Ralph había podido averiguar en los libros, nadie parecía estar absolutamente seguro de qué era el sueño en sí mismo, cómo funcionaba o qué efectos surtía.

Sabía que debía dejar de jugar al investigador aficionado e ir al médico, pero para su sorpresa, le costaba mucho tomar esa decisión. Suponía que todavía guardaba rencor al doctor Lichtfield. Era Lichtfield, al fin y al cabo, quien en un principio había diagnosticado los dolores de cabeza de Carolyn como cefaleas tensionales (aunque Ralph sospechaba que Lichtfield, un solterón empedernido, podía haber creído que lo único que padecía Carolyn era un ataque benigno de los vapores), y era Lichtfield también quien había escurrido el bulto tanto como le había sido posible médicamente después de que a Carolyn se le efectuara el diagnóstico correcto. Ralph estaba convencido de que si lo hubiera interrogado sobre aquel particular,

Lichtfield habría dicho que había remitido el caso al doctor Jamal, el especialista, todo limpio y en orden. Sí. Excepto que Ralph había procurado observar con toda atención la mirada de Lichtfield en las pocas ocasiones en que lo había visto entre las primeras convulsiones de Carolyn, acaecidas en el mes de julio anterior, y su muerte, ocurrida en marzo; y Ralph creía que lo que había visto en aquellos ojos era una mezcla de inquietud y culpa. Era la mirada de un hombre que intentaba con todas sus fuerzas olvidar que la había cagado. Ralph creía que la única razón por la que podía mirar a Lichtfield sin tener ganas de partirle la cara era que el doctor Jamal le había explicado que, con toda probabilidad, un diagnóstico más temprano no habría cambiado las cosas; cuando empezaron los dolores de cabeza, el tumor ya estaba bien arraigado, enviando sin duda pequeñas ráfagas de células enfermas a otras zonas del cerebro como malignos paquetes de primeros auxilios.

A finales de abril, el doctor Jamal se había marchado para abrir una consulta en el sur de Connecticut, y Ralph lo echaba de menos. Creía que podría haber hablado con el doctor Jamal acerca de su insomnio, y tenía la sensación de que Jamal lo habría escuchado de una forma de la que Lichtfield no quería..., o no podía hacerlo.

A finales de verano, Ralph había leído lo suficiente acerca del insomnio como para saber que el tipo que padecía él, aunque no era muy poco común, sí era menos frecuente que el típico insomnio consistente en sueño retardado. Las personas no aquejadas de insomnio suelen sumirse en la primera fase del sueño entre siete y veinte minutos después de meterse en la cama. A las personas que tardan en dormirse, por otro lado, a veces les cuesta nada menos que tres horas dormirse profundamente, y mientras que las personas que duermen con normalidad se sumen en la tercera fase del sueño (lo que algunos de los viejos libros denominaban el sueño zeta, como había descubierto Ralph) unos cuarenta y cinco minutos después de adormilarse, las personas que padecen sueño retardado suelen tardar una o dos horas más en alcanzar esa fase..., y muchas noches ni siquiera lo consiguen. Estas personas se despiertan cansadas, a veces con recuerdos vagos de sueños desagradables y enmarañados, a menudo con la impresión errónea de que no han pegado ojo en toda la noche.

Tras la muerte de Carolyn, Ralph empezó a despertarse muy temprano. La mayoría de las noches, siguió acostándose al término de las noticias de las once y quedándose frito casi al instante, pero en lugar de despertarse a las siete menos cinco, es decir, cinco minutos antes de que sonara el radio-despertador, empezó a despertarse a las seis. Al principio lo achacó al precio que debía pagar por vivir con una próstata algo inflamada y una pareja de riñones de casi setenta años de edad, pero nunca le parecía tener tantas ganas de ir al lavabo cuando se despertaba, y además le resultaba imposible volver a dormirse después de haberse desprendido de lo que se había acumulado. Se limitaba a permanecer en la cama que había compartido con Carolyn durante tantos años, esperando a que fueran las siete menos cinco (o menos cuarto, en fin) para poder levantarse. Al cabo de un tiempo dejó incluso de intentar volverse a dormir; simplemente, permanecía tendido en la cama, con las manos de largos dedos y algo hinchadas entrelazadas sobre el pecho, y contemplaba fijamente, con los ojos abiertos de par en par, el techo oscuro de la habitación. A veces pensaba en el doctor Jamal, en su consulta de Westport, hablando con ese suave y reconfortante acento indio, forjando su pequeña porción del sueño americano. A veces pensaba en lugares a los que Carolyn y él habían ido en los viejos tiempos, y una imagen que se le aparecía una y otra vez era una calurosa tarde que habían pasado en Sand Beach, Bar Harbor, los dos sentados a una mesa de picnic en bañador, sentados bajo una sombrilla grande y brillante, comiendo almejas fritas y bebiendo cerveza en botellas de cuello largo mientras contemplaban los veleros surcar el océano azul oscuro. ¿Cuándo había sido eso? ¿1964? ¿1967? ¿Acaso importaba? Probablemente, no.

La alteración de su horario de sueño no habría importado de no haber pasado a mayores; Ralph se habría adaptado a los cambios no sólo con facilidad, sino con gratitud. Todos los libros que encontró aquel verano parecían confirmar cierta sabiduría popular que llevaba escuchando toda la vida... La gente duerme menos a medida que envejece. Si perder una hora o dos cada noche era el único precio que tenía que pagar por el dudoso placer de ser un «jovencito de setenta años», lo pagaría con mucho gusto y se consideraría afortunado.

Pero lo cierto es que la cosa pasó a mayores. Al llegar la primera semana de mayo, Ralph se despertaba cada día a las cinco y cuarto, con los pajarillos. Intentó ponerse tapones en los oídos durante unas cuantas noches, pero en ningún momento creyó que llegaran a funcionar. No eran los pajarillos los que lo despertaban, ni el pedorreo ocasional de un camión de reparto al pasar por Harris Avenue. Siempre había sido de esas personas que pueden dormir en medio de un terremoto, y no creía que eso hubiera cambiado. Lo que había cambiado estaba dentro de su cabeza. Ahí dentro había un interruptor, algo lo estaba encendiendo un poco más temprano cada mañana, y Ralph no tenía ni la menor idea de cómo evitarlo.

En junio ya estaba despertándose como un muñeco que sale disparado de su caja a las cuatro y media, cinco menos cuarto como máximo. Y a mediados de julio, que no fue tan caluroso como julio de 1992, pero tampoco se quedó muy corto, muchas gracias, la diana ya sonaba alrededor de las cuatro. Fue durante aquellas largas y calurosas noches, en las que ocupaba una parte demasiado pequeña de la cama en la que él y Carolyn habían hecho el amor tantas noches calurosas (y frías), cuando Ralph empezó a preguntarse qué narices de vida le esperaba si el sueño desaparecía por completo. Durante el día todavía era capaz de burlarse de aquella idea, pero estaba descubriendo algunas tétricas verdades acerca de la oscura noche del alma de F. Scott Fitzgerald, y el ganador del gordo era el siguiente: a las cuatro y cuarto de la madrugada, cualquier cosa parece posible. Cualquier cosa.

Durante el día podía convencerse a sí mismo de que tan sólo estaba experimentando un reajuste de su ciclo de sueño, que su cuerpo estaba reaccionando de un modo totalmente normal a una serie de grandes cambios que se habían producido en su vida, de entre los que descollaban la jubilación y la pérdida de su mujer. A veces empleaba la palabra «soledad» cuando pensaba en su nueva vida, pero no se atrevía a pensar en La Terrible Palabra que empieza por D, y la encerraba en lo más profundo del inconsciente cuando osaba asomar la nariz en sus pensamientos. La soledad no importaba. La depresión, desde luego, sí.

«A lo mejor tendrías que hacer más ejercicio —pensó—. Salir a dar paseos, como hacías el verano pasado. Al fin y al cabo, llevas una vida muy sedentaria... Te levantas, comes una tostada, lees un libro, miras la tele un rato, te compras un bocadillo a la hora de la comida, en la Manzana Roja, trabajas un poco en el jardín, de vez en cuando vas a la biblioteca o a ver a Helen y la niña si es que están, cenas, a veces te sientas un rato en el porche con McGovern o Lois Chasse, ¿y luego qué? Lees un poco más, miras la tele un poco más, te lavas, te vas a la cama. Sedentario. Aburrido. No me extraña que te despiertes tan temprano.»

Claro que todo eso era una sarta de tonterías. Su vida parecía sedentaria, sin duda, pero la verdad es que no lo era. El jardín era un buen ejemplo. Lo que hacía allí nunca le serviría para ganar un premio, pero distaba mucho de ser simplemente «trabajar un poco en el jardín». La mayoría de las tardes arrancaba malas hierbas hasta que el sudor formaba un oscuro triángulo en la espalda de su camisa y extendía círculos mojados a la altura de las axilas, y con frecuencia estaba temblando de agotamiento cuando se permitía volver a entrar en la casa. Con toda probabilidad, «castigo» sería un término más adecuado que «un poco de trabajo en el jardín», pero ¿castigo por qué? ¿Por despertar antes del alba?

Ralph no lo sabía ni le importaba. Trabajar en el jardín ocupaba buena parte de la tarde, le alejaba la mente de las cosas en las que no quería pensar, y ello bastaba para justificar el dolor muscular y las ocasionales manchas negras que se le aparecían ante los ojos. Empezó sus largas visitas al jardín después del Cuatro de Julio y las terminó a finales de agosto, mucho después de que las primeras cosechas hubieran sido recogidas y las últimas se echaran a perder sin remedio a causa de la falta de lluvia.

—Deberías dejarlo —le advirtió Bill McGovern cierta noche en que estaban sentados en el porche, bebiendo limonada.

Estaban a mediados de agosto, y Ralph había comenzado a despertarse a las tres y media de la madrugada.

—Tiene que ser peligroso para tu salud. Peor aún, pareces un chalado.

—Es que a lo mejor estoy chalado —replicó Ralph.

Su tono o su expresión debieron de ser convincentes, porque McGovern cambió de tema.

Volvió a salir a pasear... Nada parecido a las maratones de 1992, pero, por lo general, conseguía recorrer más de tres kilómetros diarios si no llovía. Su ruta habitual pasaba por la calle de perverso nombre de «Cuesta de Up-Mile»* hasta la Biblioteca Pública de Derry, a continuación a Páginas Traseras, una librería de viejo, y por fin al quiosco situado en el cruce de las calles Witcham y Main.

Páginas Traseras se hallaba junto a una caótica chatarrería llamada Rosa Usada, Ropa Usada, y al pasar por delante de aquella tienda cierto día de aquel agosto de su descontento, Ralph vio un cartel nuevo entre los anuncios pasados de cenas de alubias y actividades sociales de la iglesia, un cartel colocado de modo que cubría la mitad de un amarillento póster de propaganda electoral que pedía el voto presidencial para Pat Buchanan.

La mujer que aparecía en las dos fotografías de la parte superior del cartel era una bonita rubia de treinta y muchos y cuarenta y pocos años, pero el estilo de las fotos, que mostraban el rostro serio de frente y el rostro serio de perfil respectivamente, con fondo blanco en ambos casos, resultaba lo bastante inquietante como para que Ralph se detuviera a mirar. Las fotos conferían a la mujer el aspecto de pertenecer a la oficina de correos o a un *reality show* de la tele... y eso, como ponía de manifiesto el texto del cartel, no era una casualidad.

Las fotos le habían hecho detenerse, pero fue el nombre de la mujer lo que lo retuvo.

SE BUSCA POR ASESINATO
SUSAN EDWINA DAY

eran las palabras impresas en negro que aparecían en la parte supe-

---

* «Milla hacia arriba.» (*N. de la T.*)

rior del cartel. Y bajo las fotos de aparente corte policial se veía impreso en rojo:

¡NO TE ACERQUES A NUESTRA CIUDAD!

En la parte inferior del cartel se veía una frase impresa en letra pequeña. La visión de cerca de Ralph había empeorado de un modo considerable desde la muerte de Carolyn (de hecho, sería más apropiado decir que se había ido al carajo), por lo que tuvo que inclinarse hacia delante hasta oprimir la frente contra el sucio escaparate de Rosa Usada, Ropa Usada a fin de poder descifrar el texto:

Financiado por el Comité pro vida de Maine

En lo más profundo de su mente, una voz susurró: *¡Ei, Ei, Susan Day! ¿A cuántos niños has matado hoy?*

Susan Day, recordó Ralph, era una activista política de Nueva York o Washington, la clase de mujer que hablaba muy deprisa y siempre volvía locos a taxistas, peluqueros y obreros de la construcción de los que llevan casco. No sabía por qué se le había ocurrido precisamente aquella copla de ciego; formaba parte de algún recuerdo que no conseguía evocar. Tal vez su cerebro viejo y cansado estaba confundiéndose con aquel cántico de protesta contra la guerra de Vietnam tan popular en los sesenta, aquel que decía: *¡Ei, ei, LBJ! ¿A cuántos niños has matado hoy?*

«No, no es eso —se dijo—. Se parece, pero no. Era...»

Justo antes de que su mente pudiera escupir el nombre y el rostro de Ed Deepneau, una voz habló casi a su lado.

—La Tierra llamando a Ralph, la Tierra llamando a Ralph, ¡vamos, Ralphie, cariño!

Arrancado de su ensimismamiento, Ralph se volvió hacia la voz. Quedó desconcertado y a un tiempo divertido al comprobar que casi se había dormido de pie. «Dios mío —pensó—. Uno no se da cuenta de lo importante que es dormir hasta que no puede hacerlo. Entonces, todos los suelos empiezan a ladearse y los cantos de las cosas empiezan a redondearse.»

Era Hamilton Davenport, el propietario de Páginas Traseras, quien le había llamado. Estaba llenando el carrito de la biblioteca que guardaba delante de la tienda con libros de bolsillo de brillantes portadas. Su vieja pipa hecha de mazorca de maíz, que a Ralph siempre le había recordado el cañón de chimenea de un vapor a escala, sobresalía de la comisura de sus labios, enviando nubecillas de humo azul al aire brillante y cálido. *Winston Smith*, su viejo gato gris, estaba sentado en el umbral de la puerta con la cola enroscada alrededor de las patas. Contemplaba a Ralph con sus indiferentes ojos amarillos, como si dijera: «¿Te cree que sabes lo que es hacerse viejo, eh, amigo mío? Pues aquí estoy yo para dar prueba de que no tienes *ni puta idea* de lo que significa hacerse viejo».

—Dios mío, Ralph —exclamó Davenport—. Debo de haberte llamado al menos tres veces.

—Supongo que estaba en Babia —repuso Ralph.

Rodeó el carrito de la biblioteca, se apoyó en el marco de la puerta (*Winston Smith* guardaba su lugar con real indiferencia) y cogió los dos periódicos que compraba cada día, el *Boston Globe* y el *USA Today*. El *Derry News* le llegaba directamente a casa por cortesía de Pat, el repartidor. A veces contaba a la gente que estaba seguro de que uno de los tres periódicos era una porquería, pero que todavía no había logrado decidir cuál.

—No...

De repente, Ralph se interrumpió al cruzarle por la mente la imagen de Ed Deepneau. De Ed había oído aquella desagradable cantinela el verano pasado, junto al aeropuerto, y no era de extrañar que le hubiera costado un rato recordarlo. Ed Deepneau era la última persona en el mundo de quien habría esperado oír algo así.

—Ralphie —llamó Davenport—. ¿Ya vuelves a estar en las nubes?

—Oh, lo siento —exclamó Ralph parpadeando—. No duermo muy bien últimamente, eso es lo que quería decir.

—Qué mala pata..., pero hay cosas peores en esta vida. Bébete un vaso de leche caliente y escucha algo de música suave media hora antes de irte a la cama.

Ralph había descubierto aquel verano que todos los habitantes del país parecían tener un remedio casero para el insomnio, algún truco de magia de la abuela que se había transmitido de generación en generación como la biblia familiar.

—Bach va muy bien, también Beethoven, y William Ackerman no está mal. Pero lo mejor de todo... —Davenport alzó un dedo con gesto misterioso para enfatizar lo que iba a decir—. Lo mejor de todo es *no levantarse de la silla* durante esa media hora. Para nada. No contestes al teléfono, no des cuerda al perro ni saques el despertador, no decidas ir a lavarte los dientes... ¡Nada! Y cuando te vayas a la cama, ya verás como te quedas frito.

—¿Y qué pasa si estás sentado en tu sillón favorito y de repente te das cuenta de que tienes una urgencia? —inquirió Ralph—. Estas cosas suelen pasar cuando se llega a mi edad.

—Pues te lo haces encima —replicó Davenport sin vacilar y echándose a reír a carcajadas.

Ralph esbozó una sonrisa forzada. Su insomnio estaba perdiendo cualquier matiz humorístico que pudiera haber tenido en un principio.

—¡Te lo haces encima! —cloqueó Ham al tiempo que daba palmadas en el carrito y se balanceaba sin dejar de reír.

Ralph echó un vistazo al gato. *Winston Smith* le devolvió una mirada serena, y a Ralph le pareció que aquellos ojos amarillos decían: «Sí, tienes razón, es un estúpido, pero es *mi* estúpido».

—No está mal, ¿eh? Hamilton Davenport, maestro de la respuesta rápida. Te lo haces...

Hamilton lanzó otra carcajada, meneó la cabeza y a continuación tomó los dos billetes de dólar que Ralph le alargaba. Se los guardó en el bolsillo del corto delantal rojo que llevaba y sacó algunas monedas.

—¿Está bien?

—Seguro que sí. Gracias, Ham.

—De nada. Y bromas aparte, prueba lo de la música. De verdad que funciona. Tranquiliza las ondas cerebrales o algo así.

—Lo probaré.

Y lo peor del asunto es que probablemente lo probaría, al igual que había probado la receta de limón y agua caliente de la señora Rapaport y los consejos de Shawna McClure, según los cuales debía aclarar la mente reduciendo las respiraciones y concentrándose en la palabra *calma* (claro que cuando la pronunciaba Shawna, sonaba *caaaaaaalmaaaa*). Cuando uno intenta combatir el deterioro lento pero seguro de su ciclo de sueño, cualquier remedio casero podía resultar prometedor.

Ralph empezó a alejarse, pero de repente se volvió de nuevo hacia Ham.

—¿Qué es ese cartel de la tienda de al lado?

—¿La tienda de Dan Dalton? —replicó Ham frunciendo la nariz—. Nunca miro dentro, si puedo evitarlo. Me revuelve el estómago. ¿Es que tiene algo nuevo y asqueroso en el escaparate?

—Supongo que es nuevo... No está tan amarillento como el resto de los carteles, y la ausencia de mierda de mosca es notable. Parece un anuncio de ésos de «se busca», sólo que la de las fotos es Susan Day.

—¡Susan Day en un...! ¡Qué hijo de puta! —exclamó Ham lanzando una mirada siniestra a la tienda vecina.

—¿Quién es? ¿La presidenta de la Organización Nacional de Mujeres o algo así?

—Ex presidenta y cofundadora de Hermanas de Armas. Autora de *La sombra de mi madre* y *Lirios del valle*. Éste es un estudio sobre mujeres maltratadas y el porqué tantas de ellas se niegan a denunciar a los hombres que las maltratan. Creo que ganó el premio Pulitzer. Susie Day es una de las tres o cuatro mujeres con más influencia del país en estos momentos, y sabe escribir además de pensar. Ese payaso sabe que tengo una de sus peticiones al lado de mi caja registradora.

—¿Qué peticiones?

—Estamos intentando que venga a dar una conferencia —repuso Davenport—. Sabes que los antiabortistas intentaron volar el Centro de la Mujer las Navidades pasadas, ¿no?

Ralph intentó recordar con cautela el agujero negro en el que había vivido a finales de 1992.

—Bueno, recuerdo que la policía cogió a un tipo en el aparcamiento permanente del hospital con una lata de gasolina, pero no sabía...

—Era Charlie Pickering. Es miembro de Pan de Cada Día, uno de los grupos pro vida que organizan los piquetes antiabortistas —explicó Davenport—. Le convencieron para que lo hiciera, créeme. Pero este año ya pasan de la gasolina. Van a intentar que el ayuntamiento cambie las regulaciones urbanísticas para que el Centro de la Mujer desaparezca. Y es posible que lo consigan. Ya conoces Derry, Ralph... No es precisamente el colmo del liberalismo.

—No —convino Ralph con una débil sonrisa—. Nunca lo ha sido. Y el Centro de la Mujer es una clínica de abortos, ¿no?

Davenport le lanzó una mirada impaciente y señaló con la cabeza Rosa Usada.

—Eso es lo que dicen los cabrones como él —dijo—, sólo que les gusta más llamarlo fábrica que clínica. Y no hacen ni caso de todas las otras cosas que hace el Centro de la Mujer.

A Ralph, Ham empezaba a recordarle a un presentador de televisión que anunciaba medias que nunca tenían carreras durante el intermedio de la película del domingo por la tarde.

—Hacen planificación familiar, se ocupan de malos tratos a mujeres y niños y tienen un albergue para mujeres maltratadas en las afueras de Newport. Tienen un centro de violaciones en un edificio de la ciudad, junto al hospital, y una línea telefónica permanente para mujeres que han sido violadas y víctimas de palizas. En resumen, defienden todas las cosas que hacen que tipos duros como Dalton se pongan a parir.

—Pero practican abortos, ¿no? —insistió Ralph—. De eso van los piquetes, ¿verdad?

Ralph tenía la impresión de que los manifestantes armados con pancartas que patrullaban delante del edificio de ladrillo bajo y discreto del Centro de la Mujer llevaban años allí. Siempre le habían parecido demasiado pálidos, demasiado intensos, demasiado delgados o demasiado gordos, demasiado seguros de que Dios estaba de su parte. Las pancartas que llevaban decían cosas como TAMBIÉN LOS NONATOS TIENEN DERECHOS; VIDA, QUÉ MARAVILLOSA ELECCIÓN, y el viejo clásico EL ABORTO ES UN ASESINATO. En varias ocasiones, mujeres que acudían a la clínica, que se encontraba cerca del hospital de Derry, pero no estaba

47

asociada a él, creía Ralph, habían sido bombardeadas con bolsas que contenían jarabe de maíz teñido de rojo.

—Sí, practican abortos —repuso por fin Ham—. ¿Tienes algún problema con eso?

Ralph pensó en los largos años que él y Carolyn habían pasado intentando tener un hijo, años que no habían provocado más que varias falsas alarmas y un desgraciado embarazo de cinco meses que había acabado en aborto. De repente lo acometió la sensación de que hacía demasiado calor y de que tenía las piernas demasiado cansadas. La idea del camino de regreso, sobre todo la parte de Up-Mile Hill, le cargó la espalda y la mente como un saco de piedras.

—Dios mío, no lo sé —replicó—. Pero me gustaría que la gente no se pusiera tan... histérica.

Davenport gruñó para sus adentros, se acercó al escaparate de su vecino y contempló el falso cartel de búsqueda. Mientras lo miraba, un hombre alto y pálido que lucía una perilla, la antítesis absoluta del tipo duro, diría Ralph, surgió de las profundidades de Rosa Usada como un fantasma de vodevil un poco ajado. Al darse cuenta de lo que Davenport estaba mirando, una sonrisita desdeñosa se dibujó en las comisuras de sus labios. Ralph creía que era la clase de sonrisa que podría costar a un hombre un par de dientes o la nariz. Especialmente en un día tan achicharrante como ése.

Davenport señaló el cartel y sacudió la cabeza con violencia.

La sonrisa de Dalton se ensanchó. Agitó las manos en dirección a Davenport («¿A quién le importa un carajo lo que pienses tú?», decía aquel gesto) y a continuación desapareció de nuevo en las profundidades de la tienda.

Davenport se volvió de nuevo hacia Ralph con las mejillas cubiertas de brillantes manchas rojas.

—La foto de ese tipo debería aparecer junto a la palabra cabrón en el diccionario —comentó.

«Exactamente lo mismo que piensa él de ti», caviló Ralph, aunque, por supuesto, no lo expresó en voz alta.

Davenport se quedó de pie ante el carro de la biblioteca llena de libros de bolsillo, con las manos metidas en los bolsillos de su delantal rojo, cavilando ante el cartel de

(*ei ei*)

Susan Day.

—Bueno —dijo por fin Ralph—, supongo que será mejor que...

Davenport salió de su ensimismamiento.

—No te vayas todavía —pidió—. Primero firma la petición, ¿vale? Alégrame un poco el día.

Ralph movió los pies con nerviosismo.

—Normalmente no me meto en conflictos como...

—Venga, Ralph —lo interrumpió en tono de vamos-a-ser-razonables—. No se trata de conflictos; se trata de asegurarse que los chalados como los que llevan Pan de Cada Día y los neandertales políticos como Dalton no consigan cerrar un centro tan útil para las mujeres. No te estoy pidiendo que apoyes los experimentos de armas químicas con delfines.

—No —concedió Ralph—, supongo que no.

—Esperamos poder enviar cinco mil firmas a Susan Day el uno de septiembre. Lo más probable es que no sirva para nada, porque Derry no es más que un pueblo grande perdido, y además, seguro que Susan Day tiene la agenda llena hasta el siglo que viene, pero no cuesta nada intentarlo.

Ralph se sintió tentado de explicar a Ham que la única petición que había deseado firmar era una en la que pidiera a los dioses del sueño que le devolvieran las tres horas de descanso que le habían arrebatado, pero entonces echó otro vistazo al hombre y decidió contenerse.

«Carolyn habría firmado su maldita petición —se dijo—. No es que le encantara el aborto, pero tampoco le encantaban los hombres que llegaban a casa en cuanto cerraban los bares y confundían a sus mujeres e hijos con balones de fútbol.»

Era cierto, pero ésa no habría sido la razón principal que la habría impulsado a firmar; lo habría hecho por la vaga posibilidad de escuchar a una auténtica revoltosa como Susan Day de cerca y en persona. Lo habría hecho movida por la curiosidad innata que tal vez había sido su característica más destacada, algo tan fuerte que ni siquiera el tumor cerebral había podido matar. Dos días antes de morir, había sacado la entrada del cine que Ralph utilizaba como punto de lectura del libro de bolsillo que había dejado sobre la mesilla de noche, porque quería saber qué película había ido a ver. Era *Algunos hombres buenos*, con Tom Cruise, por cierto, y Ralph quedó sorprendido y consternado al descubrir cuánto le dolía recordarlo. Aún ahora le dolía una barbaridad.

—De acuerdo —accedió—. Me encantará firmarla.

—¡Buen chico! —exclamó Davenport dándole una palmada en el hombro.

La expresión apesadumbrada dio paso a una sonrisa, pero Ralph no creía que ello significara una mejora significativa. La sonrisa era dura y no demasiado agradable.

—¡Entra en mi antro de perdición!

Ralph lo siguió a la tienda impregnada del olor a tabaco, lo que no parecía constituir un síntoma especial de perdición a las nueve y media de la mañana. *Winston Smith* se les adelantó a la carrera, volviendo la cabeza tan sólo una vez para observarlos con sus ancianos ojos amarillos. «Él es un estúpido y tú otro», parecía decir aquella mirada de despedida. Dadas las circunstancias, no era una conclusión que Ralph tuviera muchas ganas de cuestionar. Se colocó los periódicos bajo el brazo, se inclinó sobre el papel rayado que había sobre el mostrador, junto a la caja registradora, y firmó la petición para que Susan Day viniera a Derry a interceder en favor del Centro de la Mujer.

No le costó tanto subir la cuesta de Up-Mile como había creído, y atravesó el cruce en forma de X de las calles Witcham y Jackson pensando: «Bueno, no ha sido tan espantoso, ¿ver..?».

De repente se dio cuenta de que las orejas le zumbaban y las piernas habían empezado a temblarle. Se detuvo al otro extremo de la calle Witcham y se puso la mano sobre la pechera de la camisa. El corazón le latía bajo la palma con una violencia desigual que daba miedo. Oyó el crujido de papeles y vio que el suplemento de anuncios caía del *Boston Globe* y flotaba hasta la cuneta. Empezó a inclinarse para recogerlo, pero no tardó en detenerse.

«No es una buena idea, Ralph. Si te agachas, lo más probable es que te caigas. Te sugiero que dejes que lo recoja el basurero.»

—Sí, sí, buena idea —masculló al tiempo que se erguía.

Puntos negros bailaban ante sus ojos como una bandada surrealista de cuervos, y por un instante, Ralph se convenció de que acabaría tendido encima del suplemento de anuncios hiciera lo que hiciera.

—Ralph, ¿estás bien?

Alzó la mirada con cautela y vio a Lois Chasse, que vivía al otro lado de Harris Avenue, a media manzana de la casa que compartía con Bill McGovern. Estaba sentada en uno de los bancos que había junto al parque Strawford, probablemente esperando al bus de Canal Street para ir al centro.

—Pues claro, perfectamente —repuso mientras movía las piernas.

Tenía la sensación de estar pisando gelatina, pero creía haber llegado al banco sin ofrecer un aspecto demasiado espantoso. Sin embargo, no pudo contener un pequeño jadeo de gratitud al sentarse junto a Lois.

Lois Chasse tenía grandes ojos oscuros, de los que solían llamarse ojos españoles cuando Ralph era pequeño, y apostaba a que habían bailado en la mente de docenas de chicos cuando Lois iba al instituto. Seguían siendo su mejor rasgo, pero a Ralph no le hizo demasiada gracia la expresión de preocupación que mostraban en aquel momento. Era... ¿Cómo describirlo? «Una expresión demasiado amistosa como para ser de simple consuelo», fue la primera idea que se le ocurrió, pero no estaba seguro de que fuera la correcta.

—Perfectamente —repitió Lois.

—Exacto.

Ralph se sacó un pañuelo del bolsillo posterior, se aseguró de que estuviera limpio y a continuación se enjugó la frente.

—Espero que no te importe que te lo diga, Ralph, pero no pareces estar perfectamente.

A Ralph sí le importaba, pero no sabía cómo decírselo.

—Estás pálido, sudoroso y además has tirado papeles al suelo.

Ralph la miró consternado.

—Se te ha caído algo del periódico. Creo que era el suplemento de los anuncios.

—¿Ah, sí?

—Lo sabes muy bien. Espera un momento.

Lois se levantó, cruzó la acera, se agachó (Ralph se percató de que, aunque tenía las caderas bastante anchas, sus piernas todavía ofrecían un aspecto admirable para una mujer que debía de tener como mínimo sesenta y ocho años) y recogió el suplemento. Regresó al banco y se sentó.

—Bueno —dijo—, ahora ya no eres un cerdo que tira basura al suelo.

—Gracias —repuso Ralph sonriendo a su pesar.

—Ha sido un placer. Me irá muy bien el cupón de Cafés Maxwel House, también el de mezcla para hamburguesas y el de Coca Cola Light. Me he puesto como una vaca desde que murió el señor Chasse.

—No estás nada gorda, Lois.

—Gracias, Ralph, eres un perfecto caballero, pero no cambies de tema. Has sufrido un mareo, ¿verdad? De hecho, has estado a punto de desmayarte.

—Sólo me he parado a recobrar el aliento —replicó Ralph con rigidez.

Se volvió para observar a un puñado de críos que jugaban al béisbol en el parque. Jugaban sin miramientos, riendo y haciendo payasadas. Ralph envidiaba la eficacia de sus sistemas de aire acondicionado.

—A recobrar el aliento, ¿eh?

—Sí.

—A recobrar el aliento.

—Lois, pareces un disco rayado.

—Bueno, pues este disco rayado te va a decir una cosa, ¿vale? Estás como una cabra por intentar subir esta cuesta con el calor que hace. Si quieres pasear, ¿por qué no vas a la Extensión, que es plana, como hacías antes?

—Porque me recuerda a Carolyn —repuso Ralph, asqueado por el tono rígido, casi grosero que había adoptado, pero incapaz de evitarlo.

—Oh, mierda —exclamó Lois rozándole la mano—. Lo siento.

—No pasa nada.

—Sí que pasa. Debería haberlo sabido. Pero el aspecto que tienes ahora mismo tampoco está nada bien. Ya no tienes veinte años, Ralph. Ni siquiera cuarenta. No quiero decir que no estés en buena forma... Cualquiera puede comprobar que estás en magnífica forma para la edad que tienes, pero deberías cuidarte más. A Carolyn le gustaría que te cuidaras.

—Ya lo sé —replicó Ralph—, pero de verdad que...

estoy bien, quería decir, pero entonces apartó la vista de sus manos, miró a Lois a los oscuros ojos y lo que vio en ellos le impidió seguir. También había cansancio en aquellos ojos, ¿o tal vez soledad? Tal vez ambas cosas. En cualquier caso, no eran las únicas cosas que vio en ellos. También se vio a sí mismo.

«Eres un idiota —reprochaban aquellos ojos fijos en él—. Quizás los dos somos unos idiotas. Tienes setenta años y eres viudo, Ralph. Yo tengo sesenta y ocho y soy viuda. ¿Durante cuánto tiempo seguiremos pasando las veladas en el porche de tu casa, con Bill McGovern como la carabina más vieja del mundo? No mucho, espero, porque ninguno de los dos acaba de salir precisamente del cascarón.»

—Ralph —llamó Lois con repentina preocupación—. ¿Estás bien?

—Sí —repuso él volviéndose a mirar las manos—. Sí, claro.

—Es que tenías una expresión como si... Bueno, no sé.

Ralph se preguntó si la combinación del calor y la subida de la cuesta de Up-Mile no le habrían quizás revuelto un poquito el cerebro; porque aquélla era Lois, al fin y al cabo, a la que McGovern siempre se refería (enarcando la ceja izquierda en ademán satírico) como «nuestra Lois». Y vale, sí, todavía estaba de muy buen ver..., piernas bien cuidadas, busto firme y aquellos extraordinarios ojos, y a lo mejor no le importaría llevársela a la cama, y tal vez a ella no le importaría que él se la llevara a la cama. Pero ¿después qué? Si veía la punta de una entrada de cine sobresaliendo del libro que él estuviera leyendo, ¿lo sacaría, demasiado curiosa por saber qué película había ido a ver como para pensar en que le perdería el punto?

Ralph no lo creía. Los ojos de Lois eran extraordinarios, y se había sorprendido bajando la mirada hacia el escote en pico de su blusa más de una vez cuando los tres estaban sentados en el porche, bebiendo té helado al fresco de la noche, pero tenía la sensación que tu cabeza pequeña puede meter en apuros a tu cabeza grande por mucho que tengas setenta años. Envejecer no justificaba volverse descuidado.

Ralph se levantó del banco, consciente de que Lois lo miraba, e hizo un gran esfuerzo para no andar encorvado.

—Gracias por tu interés —dijo—. ¿Quieres acompañar a un viejo hasta su casa?

—Gracias, pero voy al centro. Tienen un precioso hilo de color rosa en el Círculo de Costura, y estoy pensando en hacer una alfombra afgana. Mientras tanto, esperaré el autobús y me recrearé contemplando mis cupones.

—Bien hecho —exclamó Ralph con una sonrisa.

Echó un vistazo a los chiquillos que jugaban en el campo de maleza. Mientras los observaba, un chico con una extravagante mata de cabello rojo echó a correr desde la tercera base, se arrojó de cabeza al suelo y chocó contra el protector de espinilla de uno de los receptores con un golpe audible. Ralph hizo una mueca, imaginando ya las ambulancias con sus luces parpadeantes y el aullido de las sirenas, pero el pelirrojo se puso en pie de un salto y riendo.

—¡No me has tocado, burro! —gritó.

—¡Y una porra! —replicó el receptor con voz indignada, aunque sin poder contener la risa.

—¿Alguna vez echas de menos volver a tener esa edad, Ralph? —inquirió Lois.

—A veces —repuso tras reflexionar—. Pero por lo general me parece demasiado agotador. Pásate esta noche a hacernos compañía, Lois.

—Es muy posible que vaya —asintió Lois.

Ralph empezó a subir la cuesta de Harris Avenue, sintiendo el peso de los extraordinarios ojos de Lois sobre él e intentando mantener la espalda erguida. Creía que lo estaba haciendo bastante bien, pero no era fácil. No había estado tan cansado en toda su vida.

2

Ralph pidió hora en la consulta del doctor Lichtfield menos de una hora después de la conversación que había sostenido con Lois en el banco del parque. La recepcionista de voz serena y sexy le dijo que podía ir el martes por la mañana a las diez, si le iba bien, y Ralph contestó que no había ningún problema. A continuación colgó, entró en el salón, se sentó en la butaca de orejas con vistas a Harris Avenue y pensó en el doctor Lichtfield, en cómo al principio había tratado el tumor cerebral de su mujer con aspirinas y panfletos que explicaban diversas técnicas de relajación. Más tarde evocó en la mirada que había visto en los ojos de Lichtfield después de que la resonancia magnética confirmara las malas noticias auguradas en el escáner..., aquella mirada de inquietud y culpa.

Al otro lado de la calle, un puñado de chiquillos que pronto volverían a la escuela salieron de la Manzana Roja con barras de caramelo y granizados. Mientras los observaba montar en sus bicis y adentrarse en el brillante calor de las once, Ralph pensó en lo que siempre pensaba cuando el recuerdo del doctor Lichtfield salía a la superficie: en que lo más probable era que se tratara de un recuerdo falso.

«La cuestión es, viejo amigo, que querías que el doctor Lichtfield tuviera una expresión inquieta..., pero lo que es más importante, querías que tuviera aspecto de culpable.»

Muy posible. Era muy posible que Carl Lichtfield fuera un encanto de hombre y un médico con gran reputación, pero pese a ello, Ralph volvió a llamar a su consulta al cabo de una hora. Explicó a la recepcionista de la voz sexy que acababa de repasar su agenda y descubrir que el martes a la diez no le iba bien. Había pedido hora en el podólogo el mismo día y se le había olvidado.

—Mi memoria ya no es lo que era —se disculpó Ralph.

La recepcionista sugirió el jueves a las dos.

Ralph prometió volver a llamar.

«Mentiroso, mentiroso, te va a crecer la nariz —pensó mientras colgaba, regresaba despacio a la butaca de orejas y se sentaba—. No quieres saber nada más de él, ¿verdad?»

Suponía que no. Lo más probable era que eso no le quitara el sueño al doctor Lichtfield; si es que pensaba en Ralph, seguro que era en términos de un carcamal menos que se echaría un pedo en su cara mientras le examinaba la próstata.

«Muy bien, ¿y qué vas a hacer respecto al insomnio?»

—Quédate sentado durante media hora antes de irte a la cama y escucha música clásica —dijo en voz alta—. Y compra algunos pañales especiales para las urgencias.

Se sobresaltó al comprobar que se estaba riendo de la imagen de sí mismo sentado en aquella butaca, sin nada encima excepto unos pañales para adultos y escuchando música de Bach. Su risa tenía un matiz histérico que no le hacía ninguna gracia, de hecho, pero que era muy siniestra, y aun así tardó un buen rato en calmarse.

No obstante, suponía que seguiría el consejo de Hamilton Davenport (aunque pasaría de los pañales, muchas gracias), al igual que había probado la mayoría de los remedios caseros que las gentes bienintencionadas le habían recomendado. Aquello le hizo pensar en su primer remedio *bona fide*, y no pudo contener una sonrisa.

Había sido idea de McGovern. Cierta noche, estaba sentado en el porche cuando Ralph regresó de la Manzana Roja con pasta y salsa de espagueti; echó un vistazo a su vecino de arriba y emitió un chasquido al tiempo que meneaba la cabeza en ademán lúgubre.

—¿Qué te pasa? —preguntó Ralph al sentarse junto a él.

Calle abajo, una niña enfundada en unos vaqueros y una enorme camiseta blanca, estaba saltando a la comba y cantando en la creciente penumbra del anochecer.

—Pues que pareces hecho polvo —replicó McGovern al tiempo que hacía girar con el pulgar el panamá que le cubría la cabeza y miraba a Ralph con mayor detenimiento—. ¿Todavía duermes mal?

—Sí, todavía duermo mal —asintió Ralph.

McGovern permaneció en silencio durante unos instantes. Cuando volvió a hablar, su tono había adquirido un matiz de fatalidad absoluta, casi apocalíptica.

—La solución es el whiskey —sentenció.

—¿Cómo dices?

—La solución a tu insomnio, Ralph. No me refiero a que te ahogues en alcohol; no hace falta. Simplemente, mezcla media cucharada de miel en un vasito de whiskey y te lo bebes quince o veinte minutos antes de meterte en el sobre.

—¿Tú crees? —exclamó Ralph esperanzado.

—Lo único que puedo decirte es que a mí me fue muy bien, y eso que tenía muchísimos problemas para dormir cuando cumplí los cuarenta. Mirando atrás, supongo que era la típica crisis de la madurez... Seis meses de insomnio y un año de depresión porque me estaba quedando calvo.

Aunque todos los libros que había consultado afirmaban que el alcohol se había sobrevalorado mucho como remedio contra el insomnio, que con frecuencia agravaba el problema en lugar de solucionarlo, Ralph lo había probado. Nunca había bebido mucho, así que empezó limitando la dosis de media cucharada que le había recomendado McGovern a un cuarto, pero al no advertir ninguna mejoría después de una semana, incrementó la dosis a una cucharada entera... y más tarde a dos. Cierta mañana se despertó a las 4.22 de la madrugada con un desagradable dolor de cabeza que hacía compañía al apagado sabor a Early Times que le atenazaba el paladar; en aquel momento se dio cuenta de que sufría la primera resaca en quince años.

—La vida es demasiado corta para tener que malgastarla con esta mierda —había anunciado al piso vacío, y aquél había sido el fin del gran experimento del whiskey.

«Muy bien —se dijo Ralph mientras el intermitente flujo de clientes de media mañana entraba y salía de la Manzana Roja—. La situación es la siguiente: McGovern dice que tienes un aspecto espantoso, has estado a punto de desmayarte a los pies de Lois Chasse esta mañana y acabas de cancelar la consulta con el Viejo Médico de la Familia. Así que, ¿ahora qué? ¿Vas a dejar las cosas como están? ¿Aceptar la situación y no hacer nada?»

La idea tenía cierto encanto oriental, el destino, el karma y todo eso, pero necesitaría algo más que encanto para soportar las largas horas de la madrugada. Los libros afirmaban que había personas en el mundo, de hecho muchas, a las que bastaban tres o cuatro horas de sueño. Incluso había algunas que pasaban con dos. Por supuesto, se trataba de una minoría ínfima, pero existía. Sin embargo, Ralph Roberts no se encontraba entre ellos.

No le importaba qué aspecto ofrecía (tenía la sensación de que sus días de galán seductor habían pasado a la historia), pero sí le importaba cómo se encontraba, y ya no se trataba sólo de que no se encontrase bien; se encontraba fatal. El insomnio había invadido todos y cada uno de los aspectos de su vida, del mismo modo en que el ajo frito del quinto piso acaba por invadir todo el edificio. Las cosas habían empezado a perder color; el mundo había empezado a adquirir la textura apagada y granulada que muestran las fotografías de los periódicos.

Las decisiones más sencillas, como calentar una comida congelada para la cena o comprarse un bocadillo en la Manzana Roja y pasear hasta el merendero situado junto a la pista 3, por ejemplo, se habían tornado difíciles, casi angustiosas. En las últimas dos semanas había regresado a casa del club de vídeo Dave con las manos vacías cada vez más a menudo, y no porque Dave no tuviera nada de lo que quería ver, sino porque tenía demasiado... No podía escoger entre una de las películas de *Harry el sucio*, una comedia de Billy Cristal o tal vez algunos episodios antiguos de *Star Trek*. Tras un par de aquellas excursiones infructuosas, Ralph se había dejado caer en su butaca de orejas, casi llorando de frustración... y de miedo, suponía.

Aquella creciente insensibilidad sensorial y el deterioro de su capacidad de decisión no eran los únicos problemas que había llegado a asociar con el insomnio; su memoria a corto plazo tampoco funcionaba demasiado bien. Se había acostumbrado a ir al cine una y en ocasiones dos veces por semana desde que se jubilara de la imprenta donde había finalizado su vida laboral como contable y supervisor general. Carolyn lo había acompañado hasta el año anterior, hasta que empezara a encontrarse demasiado mal como para disfrutar de cualquier salida. Después de su muerte, Ralph había ido solo, por lo general, aunque Helen Deepneau lo había acompañado un par de veces cuando Ed estaba en casa para cuidar del bebé (el propio Ed casi nunca iba al cine, porque afirmaba que le daba dolor de cabeza). Ralph se había acostumbrado tanto a llamar al contestador automático del cine para comprobar los horarios que se sabía el número de memoria. Sin embargo, conforme avanzaba el verano, advirtió que tenía que consultar cada vez más veces el número en las páginas amarillas; ya no recordaba con seguridad si los últimos cuatro dígitos eran 1317 o 1713.

—Es 1713 —se dijo en aquel momento—. Lo sé.

Pero ¿cómo lo sabía? ¿Lo sabía de verdad?

«Vuelve a llamar a Lichtfield. Vamos, Ralph, deja de rebuscar entre las ruinas. Haz algo constructivo. Y si Lichtfield te toca las narices, llama a otro. La guía está tan llena de médicos como siempre.»

Probablemente era cierto, pero a los setenta quizá ya era un poco tarde para ponerse a buscar a un nuevo matasanos por el método del pito pito colorito. Y no llamaría otra vez al doctor Lichtfield. Punto.

«Bueno, ¿y ahora qué, maldito viejo tozudo? ¿Unos cuantos remedios caseros más? Espero que no, porque al paso que vas, en un santiamén recurres al ojo de tritón y la lengua de sapo.»

La respuesta que se le ocurrió fue como una brisa en un día caluroso..., y era una respuesta tan sencilla que rayaba lo absurdo. Toda la investigación que había realizado aquel verano había tenido como objetivo comprender el problema más que encontrar una solución. En lo que se refería a respuestas, había confiado casi exclusivamente en remedios caseros como el whiskey y la miel, pese a que los libros ya le habían asegurado que lo más probable era que esos remedios no funcionaran o funcionaran sólo durante un tiempo. Si bien los libros ofrecían algunos métodos supuestamente fiables para combatir el insomnio, el único que Ralph había probado era el más simple y evidente... Irse a la cama más temprano cada noche. Aquella solución no había funcionado; había permanecido tendido en la cama hasta las once y media aproximadamente, para después dormirse y despertar a su nueva y temprana hora. Pero cabía la posibilidad de que otra solución sí funcionara.

En cualquier caso, merecía la pena intentarlo.

En lugar de pasar la tarde ocupado en sus frenéticas tareas de jardinería, Ralph bajó a la biblioteca y repasó algunos de los libros que ya había consultado. Por lo visto, según la opinión general, si el método de irse a la cama más temprano no funcionaba, tal vez sí resultaría útil acostarse más tarde. Ralph regresó a casa, aunque en esta ocasión, recordando sus desventuras pasadas, tomó el autobús, con el corazón lleno de cautelosa esperanza. Tal vez funcionara. Y si no, siempre le quedaban Bach, Beethoven y William Ackermann.

Su primer experimento con aquella técnica, que uno de los textos denominaba «sueño retardado», fue cómico. Se despertó a la hora de costumbre, es decir, a las cuatro menos cuarto según el reloj de la repisa del salón, con dolor de espalda y de cuello, sin tener en el primer momento ni idea de cómo había llegado hasta la butaca de orejas colocada junto a la ventana ni de por qué estaba encendido el televisor, que no retransmitía más que nieve y el leve rugido de la estática.

No se dio cuenta de lo que había sucedido hasta que levantó la cabeza con todo cuidado, sujetándose la nuca con la palma de la mano. Había pretendido quedarse levantado hasta las tres o quizás las cuatro de la mañana. A esa hora se metería en la cama y dormiría el sueño de los justos. En cualquier caso, ése era el plan. Pero en lugar de ello, el Increíble Insomne de Harris Avenue se había quedado frito durante el monólogo de introducción del humorista Jay Leno, como un niño que intenta permanecer despierto toda la noche para saber qué sensación produce. Y por supuesto, había salido de aquella aventura despertándose a la hora de siempre. El problema seguía siendo el mismo, habría dicho Joe Friday, el de *Dos sabuesos despistados*; lo único que había cambiado era el lugar.

Ralph se metió en la cama de todos modos, esperanzado contra toda esperanza, pero las ganas (si no la necesidad) de dormir se le habían pasado. Después de una hora de permanecer despierto en la cama, había regresado a la butaca de orejas, esta vez con una almohada detrás de su rígida nuca y una triste sonrisa dibujada en el rostro.

El segundo intento, que realizó la noche siguiente, no tuvo ninguna gracia. Empezó a tener sueño a la hora habitual, hacia las once y veinte, justo en el momento en que daban el parte meteorológico. En esta ocasión, Ralph consiguió vencer el sueño hasta el programa de Whoopy (aunque estuvo a punto de dormirse durante la conversación de Whoopy con Roseanne Arnold, la invitada de la noche) y la película de medianoche que siguió. Se trataba de una vieja cinta de Audie Murphy, en la que Audie parecía ganar la guerra del Pacífico prácticamente sin manos. A veces, Ralph tenía la sensación de que entre los canales de televisión existía una regla tácita según la cual, las películas de madrugada sólo podían tener por protagonistas a Audie Murphy o James Brolin.

Una vez volado el último fortín japonés finalizó la emisión del canal 2. Ralph buscó otros canales, pero lo único que encontró fue la consabida nieve. Suponía que podría haberse pasado la noche mirando películas si tuviese televisión por cable, como Bill o Lois; recordaba haberlo apuntado en su lista de cosas que hacer al empezar el nuevo año. Pero entonces Carolyn había muerto, y la televisión por cable, con o sin HBO, había dejado de parecerle una cuestión vital.

Encontró un ejemplar de *Sports Illustrated* y se puso a hojear un artículo sobre tenis femenino que había pasado por alto la primera vez que leyera la revista, mirando de vez en cuando el reloj cuando las manecillas empezaron a acercarse a las tres de la madrugada. Estaba casi convencido de que el método iba a funcionar. Sentía los párpados tan pesados como si los hubiera sumergido en cemento, y aunque estaba leyendo el artículo con toda minuciosidad, no tenía ni idea de cuál era la intención del autor. Frases enteras cruzaban su mente sin cuajar, como rayos cósmicos.

«Esta noche dormiré, de verdad creo que voy a dormir. Por primera vez en muchos meses, el sol tendrá que salir sin mi ayuda, y no es que eso sea bueno, amigos y vecinos... Es maravilloso.»

Y entonces, poco después de las tres de la mañana, aquella agradable somnolencia empezó a desvanecerse. No desapareció de golpe, sino que dio la impresión de escurrirse, como la arena a través de un tamiz o el agua por un desagüe parcialmente atascado. Cuando Ralph se percató de lo que estaba ocurriendo, no sintió pánico, sino consternación malsana. Era una sensación que había llegado a identificar como la verdadera contrapartida de la esperanza, y a las tres y cuarto, mientras se dirigía arrastrando los pies al dormitorio, no logró recordar ninguna depresión más profunda que la que lo envolvía en aquel momento. Tenía la sensación de ahogarse en ella.

—Por favor, Dios, sólo una cabezadita —masculló al apagar la luz.

Pero sospechaba que sus plegarias quedarían sin respuesta.

Y así fue. Aunque ya llevaba veinticuatro horas despierto, a las cuatro menos cuarto ya no quedaba ni pizca de somnolencia ni en su mente ni en su cuerpo. Sí, estaba cansado, más profunda y esencialmente cansado de lo que había estado en su vida, pero había descubierto que estar cansado y tener sueño eran a veces polos opuestos. El sueño, ese amigo incondicional, la mejor y más fiable nodriza de la humanidad desde la noche de los tiempos, lo había abandonado de nuevo.

A las cuatro, Ralph ya no podía soportar la cama, como le sucedía siempre que se percataba de que no le iba a servir de nada bueno. Se levantó rascándose la mata de vello casi totalmente gris que se rizaba sobre la pechera desabrochada de la chaqueta del pijama. Volvió a ponerse las zapatillas y se arrastró de nuevo al salón, donde se dejó caer una vez más en la butaca para contemplar Harris Avenue. Parecía un decorado en el que el único actor ni siquiera era humano, sino un perro callejero que bajaba despacio por Harris Avenue en dirección al parque Strawford y Up-Mile Hill. Mantenía la pata trasera izquierda lo más alta posible, cojeando lo mejor que podía con las otras tres.

—Hola, *Rosalie* —susurró Ralph mientras se frotaba los ojos.

Era un jueves por la mañana, día de recogida de basura en Harris Avenue, de modo que no se sorprendió al ver a *Rosalie*, que llevaba alrededor de un año siendo una presencia errante y esporádica en el barrio. Recorría la calle sin prisas, examinando las hileras y grupos de bidones con el aire selectivo de un hastiado comprador de mercadillo.

De repente, *Rosalie*, que aquella mañana cojeaba más que nunca y parecía tan cansada como Ralph, encontró lo que parecía un hueso de ternera de buen tamaño y se alejó con él entre los dientes. Ralph la siguió con la mirada hasta que desapareció y después se quedó sentado con las manos entrelazadas en el regazo, contemplando el barrio silencioso cuyas farolas anaranjadas de alta intensidad acentuaban la ilusión de que Harris Avenue no era más que un decorado desierto tras finalizar la función de la noche y marcharse los actores; las farolas arrojaban su luz como focos en una perfecta perspectiva menguante que era surrealista y alucinante.

Ralph Roberts permaneció en la butaca de orejas en la que había pasado tantas madrugadas durante los últimos meses y esperó que la luz y el movimiento invadieran el mundo sin vida que se extendía a sus pies. Por fin, el primer actor humano, Pat, el repartidor de periódicos, entró en escena por la derecha a bordo de su bicicleta Raleigh. Pedaleaba cuesta arriba sacando periódicos enrollados de la bolsa que llevaba a la bandolera y arrojándolos a los porches con bastante puntería.

Ralph lo observó durante un rato, exhaló un suspiro que se le antojó profundísimo y se levantó para preparar un poco de té.

—No recuerdo haber leído nunca nada acerca de esta mierda en mi horóscopo —masculló con voz hueca antes de abrir el grifo de la cocina y llenar la tetera.

Aquella eterna mañana de jueves y la aún más eterna tarde del mismo día enseñaron a Ralph Roberts una valiosa lección: no despreciar tres o cuatro horas de sueño simplemente porque había pasado toda la vida engañado por la falsa idea de que tenía derecho a dormir al menos seis y por lo general siete. Asimismo, le sirvió de ominosa premonición; si la situación no mejoraba, ya podía prepararse para encontrarse como se encontraba casi siempre. Y una porra, siempre. Fue al dormitorio a las diez y otra vez a la una, con la esperanza de echar una siestecita, aunque fuera mínima, si bien media hora le salvaría la vida, pero ni siquiera consiguió adormilarse. Estaba exhausto, pero no tenía ni pizca de sueño.

Alrededor de las tres decidió prepararse una sopa instantánea. Llenó la tetera de agua, la puso a hervir y abrió la alacena que había sobre el mostrador y en la que guardaba los condimentos, las especias y diversos sobres de comidas que, por lo visto, sólo comen los astronautas y los viejos, polvos a los que tan sólo hace falta añadir agua caliente.

Apartó algunas latas y botellas y después se quedó mirando fijamente la alacena durante un rato, como si esperara que la caja de los sobres de sopa aparecieran por arte de magia en el espacio que había dejado. Al comprobar que no iba a ser así, repitió el proceso, aunque colocando las cosas en su lugar original antes de volver a mirar el interior de la alacena con ese aire de perplejidad distante que se había convertido (aunque Ralph, gracias al cielo, no lo sabía) en su expresión principal.

Cuando la tetera empezó a silbar, encendió uno de los quemadores posteriores y volvió a mirar fijamente la alacena. Se le ocurrió, aunque muy, muy lentamente, que habría tomado la última sopa instantánea que quedaba el día antes o el anterior, aunque no lo recordaba ni a palos.

—¿Te sorprende? —preguntó a las cajas y botellas que lo miraban desde la alacena abierta—. Estoy tan cansado que ni siquiera recuerdo cómo me llamo.

«Sí que lo recuerdo —se corrigió—. Soy Leon Redbone, eso es.»

Un chiste bastante malo, pero Ralph percibió que una leve sonrisa, leve como una pluma, se abría paso en sus labios. Entró en el cuarto de baño, se peinó y a continuación bajó al piso inferior. «Aquí va Audie Murphy, adentrándose en territorio enemigo en busca de suministros —pensó—. Objetivo principal: una caja de sopas instantáneas de pollo y arroz. Si resultara imposible localizar y asegurar dicho objetivo, pasaré al plan B: fideos con carne. Sé que se trata de una misión arriesgada, pero...»

—... pero trabajo mejor solo —terminó al salir al porche.

La anciana señora Perrine pasaba por allí en aquel momento y dedicó a Ralph una mirada severa, aunque sin pronunciar palabra. Ralph esperó a que se alejara un poco, pues no se sentía con ánimos de entablar conversación con nadie aquella tarde, y menos con la señora Perrine, que a sus ochenta y dos años todavía habría encontrado un trabajo de lo más estimulante y útil en el ejército. Fingió examinar la planta araña que pendía de un gancho bajo el alero del porche hasta que la señora Perrine se alejó lo que consideraba una distancia segura, y a continuación cruzó Harris Avenue en dirección a la Manzana Roja. Fue ahí donde empezaron los verdaderos problemas del día.

Entró en la tienda cavilando de nuevo sobre el espectacular fracaso del experimento del sueño retardado y preguntándose si los consejos de los textos de la biblioteca no eran más que una versión pija de los remedios caseros que sus conocidos parecían tan ansiosos por imponerle. Era una idea desagradable, pero creía que su mente (o la fuerza que se ocultaba detrás de su mente y que era la auténtica responsable de aquella lenta tortura) le había transmitido un mensaje que era aún más desagradable. «Tienes una ventana para el sueño, Ralph. No es tan grande como antes y parece hacerse más pequeña cada semana que pasa, pero te conviene estar agradecido por lo que tienes, porque una ventana pequeña es mejor que no tener ninguna. Ahora lo entiendes, ¿verdad?»

—Sí —masculló Ralph mientras avanzaba por el pasillo central hacia las brillantes cajas rojas de las sopas instantáneas—. Lo entiendo perfectamente.

Sue, la cajera de la tarde, lanzó una risueña carcajada.

—Debe de tener dinero en el banco, Ralph —exclamó.

—¿Cómo dices? —replicó Ralph sin volverse.

Estaba repasando las cajas rojas. Sopa de cebolla... crema de guisantes... fideos con carne... pero ¿dónde narices estaban las de pollo con arroz?

—Mi madre siempre dice que la gente que habla sola tiene..., ¡oh Dios mío!

Por un momento, Ralph creyó que la muchacha había dicho algo un poco demasiado complejo como para que su cansada mente pudiera captarlo de inmediato, algo referente a que la gente que hablaba sola había encontrado a Dios, pero de repente, Sue empezó a gritar. Ralph se había agachado para repasar las cajas amontonadas en el estante inferior, y el grito lo hizo incorporarse con tal brusquedad que le crujieron las rodillas. Se volvió hacia la entrada de la tienda, golpeándose el codo contra el estante superior de las sopas y tirando una docena de cajas rojas al suelo del pasillo.

—Sue, ¿qué pasa?

Sue no le prestó atención. Miraba por la cristalera cubriéndose la boca con el puño y con los ojos castaños abiertos de par en par.

—¡Dios mío, mire toda esa sangre! —chilló con voz ahogada.

Ralph se giró un poco más, volcando unas cuantas cajas más de sopa, y miró por el sucio escaparate de la Manzana Roja. Lo que vio le arrancó un jadeo apagado, y tardó unos segundos, tal vez cinco, en darse cuenta de que la mujer ensangrentada y magullada que se acercaba dando tumbos a la Manzana Roja era Helen Deepneau. Ralph siempre había pensado que Helen era la mujer más guapa de la parte oeste de la ciudad, pero aquel día no había belleza alguna en ella. Tenía el ojo tan inflamado que no podía abrirlo, una hendedura en la sien izquierda que pronto se perdería en la llamativa hinchazón de un morado, y los labios carnosos y las mejillas cubiertas de sangre. La sangre procedía de su nariz, que todavía goteaba. Avanzaba a tumbos por el pequeño estacionamiento de la Manzana Roja, como si estuviera borracha, y su ojo bueno no parecía ver nada, tan sólo miraba con fijeza.

Aún más espeluznante que su aspecto era el modo en que sostenía a Natalie. La llevaba descuidadamente sobre la cadera, como tal vez había llevado los libros del instituto diez o doce años antes.

—¡Oh, Dios mío, va a dejar caer a la niña! —chilló Sue.

Pero aunque estaba diez pasos más cerca de la puerta que Ralph, no hizo movimiento alguno, sino que se quedó paralizada, cubriéndose la boca con las manos y con los ojos abiertos como platos.

De repente, el cansancio de Ralph se disipó como por encanto. Recorrió el pasillo a la carrera, abrió la puerta de golpe y salió de la tienda. Agarró a Helen por los hombros en el momento en que ésta se golpeaba la cadera contra el congelador de cubitos (no la cadera en la que llevaba a Natalie, gracias a Dios) y rebotaba en otra dirección.

—¡Helen! —gritó—. Dios mío, Helen, ¿qué ha pasado?

—¿Ehh? —farfulló ella con una voz de vaga curiosidad, completamente distinta a la de la joven vivaracha que a veces lo acompañaba al cine y gemía al ver a Mel Gibson.

Volvió el ojo bueno hacia él, y Ralph apreció la misma curiosidad distante, una expresión que decía que no sabía quién era él ni, por supuesto, dónde se encontraba, qué había sucedido o cuándo.

—¿Ehh? ¿Ral? ¿Eee?

Ralph la soltó, alargó los brazos hacia Natalie y logró aferrarse a uno de los tirantes del mono de la niña. Nat gritó, agitó las manos y lo miró con los oscuros ojos azules abiertos de par en par. Ralph logró deslizar una mano entre las piernas del bebé antes de que el tirante se desprendiera. Por un instante y sin dejar de chillar, la niña se balanceó sobre su mano como una gimnasta sobre la barra de equilibrio, y Ralph percibió el bulto mojado de sus pañales bajo el mono que llevaba. Deslizó la otra mano por detrás de la nuca de Nat y la apretó contra sí. El corazón le latía desbocado, e incluso con la niña a salvo en sus brazos la veía caer, veía su cabecita cubierta de cabello fino y suave chocar contra el pavimento sembrado de colillas con un espantoso crujido.

—¿Hmm? ¿Ar? ¿Ral? —inquirió Helen.

Vio a Natalie en brazos de Ralph, y una parte de la inseguridad desapareció de su ojo bueno. Alzó las manos hacia la niña, y Natalie imitó el gesto con sus rollizas manitas. En aquel momento, Helen trastabilló, chocó contra la pared del edificio y retrocedió un paso. Sus pies se enredaron (Ralph vio salpicaduras de sangre en sus pequeñas zapatillas blancas y se sorprendió al comprobar lo brillante que parecía todo de repente; el color había regresado al mundo, al menos por el momento), y habría caído al suelo si Sue no se hubiera decidido por fin a salir. En lugar de aterrizar en el suelo, Helen chocó contra la puerta que se abría en aquel instante y permaneció apoyada ahí como un borracho a una farola.

—¿Ral?

La expresión de Helen había recuperado algo de contenido, y Ralph se dio cuenta de que no había en ellos tanta curiosidad como incredulidad. Helen aspiró una profunda bocanada de aire e intentó que de sus labios hinchados brotaran palabras inteligibles.

—Da. Dabe a bi bebé. Be-bé. Dabe... Na-halie.

—Todavía no, Helen —repuso Ralph—. Todavía no estás lo bastante recuperada.

Sue seguía al otro lado de la puerta, sosteniéndola de forma que Helen no cayera al suelo. Las mejillas y la frente de la muchacha estaban cenicientas, los ojos, llenos de lágrimas.

—Sal —le ordenó Ralph—. Sujétala.

—¡No puedo! —farfulló Sue—. ¡Está llena de sa-sa-sangre!

—¡Por el amor de Dios, cállate! ¡Es Helen! ¡Helen Deepneau, que vive aquí al lado!

Y aunque Sue ya debía de saberlo, oír el nombre bastó para que reaccionara. Cruzó el umbral de la puerta abierta, y cuando Helen se tambaleó hacia atrás, Sue le rodeó los hombros con el brazo y la sujetó con firmeza. Aquella expresión de incrédula sorpresa no desaparecía del rostro de Helen. A Ralph le costaba cada vez más mirarlo. Le revolvía el estómago.

—Ralph, ¿qué ha pasado? ¿Ha tenido un accidente?

Volvió la cabeza y vio a Bill McGovern parado en un extremo del estacionamiento. Llevaba una de sus elegantes camisas azules, con los pliegues de la plancha aún visibles en las mangas, y una mano de largos dedos, extrañamente delicada, cubriéndose los ojos. Tenía un aspecto raro, como desnudo, pero Ralph no tenía tiempo para pensar a qué se debía; estaban sucediendo demasiadas cosas.

—No ha sido un accidente —sentenció—. Le han dado una paliza. Coge a la niña.

Alargó la niña a Bill McGovern, que vaciló un instante antes de tomarla en brazos. Natalie empezó a chillar otra vez. Con el aspecto de alguien al que acaban de entregar una bolsa para el mareo llena a rebosar, la sostenía lo más lejos posible de sí; los pies del bebé oscilaban en el vacío. Tras él comenzaba a congregarse una pequeña multitud, formada en su mayoría por adolescentes ataviados con uniformes de béisbol que se disponían a regresar a casa después del partido jugado en el campo que había a la vuelta de la esquina. Miraban con desagradable fijeza el rostro hinchado y ensangrentado de Helen, y a Ralph le cruzó la mente el relato bíblico en el que Noé se emborrachaba en el arca, y los buenos hijos apartaban la mirada del anciano desnudo que yacía sobre su jergón, mientras que los malos se lo quedaban mirando... y riendo.

Con toda suavidad, apartó el brazo de Sue y rodeó con el suyo los hombros de Helen. El ojo bueno de la joven se volvió de nuevo hacia él. Esta vez pronunció su nombre con mayor claridad y seguridad, y la gratitud que percibió en su voz confusa le dieron ganas de llorar.

—Sue, coge al bebé. Bill no tiene ni idea.

La muchacha obedeció y acurrucó a Nat entre sus brazos con ademanes suaves y expertos. McGovern le dedicó una sonrisa agradecida, y en aquel momento, Ralph se dio cuenta de lo que le había inquietado acerca del aspecto de su amigo. McGovern no llevaba el panamá que parecía formar parte de él (al menos en verano) del mismo modo que el quiste sebáceo que le sobresalía del puente de la nariz.

—¡Eh, señor! ¿Qué ha pasado? —preguntó uno de los jugadores de béisbol.

—Nada que os incumba —replicó Ralph.

—Parece como si hubiera peleado unos cuantos asaltos con Riddick Bowe.

—No, con Tyson —intervino otro de los chicos, y aunque parezca increíble, se oyeron algunas risas.

—¡Largo! —les gritó Ralph con repentina furia—. ¡A repartir periódicos! ¡Y no os metáis en lo que no os importa!

Los muchachos retrocedieron unos pasos, pero ninguno de ellos se marchó. Lo que estaban viendo era sangre, y no en el cine precisamente.

—¿Puedes andar, Helen?

—Zí —repuso la joven—. Cdeo que... cdeo que zí.

Ralph la ayudó a entrar en la Manzana Roja. Helen avanzaba con lentitud, arrastrando los pies como una anciana. El sudor y la adrenalina manaban de sus poros en un hedor agrio, y a Ralph volvió a revolvérsele el estómago. No por el olor, sino por el esfuerzo que suponía reconciliar a esta Helen con la mujer vivaracha y agradablemente sexy con la que había hablado el día anterior mientras ella trabajaba en sus parterres.

De repente, Ralph recordó otra cosa acerca del día anterior. Helen llevaba bermudas azules bastante cortas, y Ralph había advertido un par de morados en sus piernas... Una gran mancha amarillenta en el muslo izquierdo y un cardenal más oscuro en la pantorrilla derecha.

Acompañó a Helen hasta la pequeña oficina que había detrás de la caja registradora. Alzó la mirada hacia el espejo convexo antirrobo colgado en el rincón y vio a McGovern sostener la puerta abierta para Sue.

—Cierra con llave —ordenó por encima del hombro.

—Jo, Ralph, no me dejan...

—Sólo unos minutos —insistió Ralph—. Por favor.

—Bueno..., vale. Supongo.

Ralph oyó el chasquido de la cerradura al girar mientras sentaba a Helen en la dura silla de plástico colocada detrás de la desordenada mesa. Descolgó el teléfono y pulsó el botón del número de urgencias. Antes de que el teléfono del otro extremo de la línea empezara a sonar, una mano ensangrentada pulsó el botón de desconexión.

—Doo... Ral —masculló Helen tragando saliva con evidente esfuerzo—. No.

—Sí —replicó Ralph—. Voy a llamar.

En ese momento vio temor en su ojo bueno, del que ya no había rastro de confusión.

—No —insistió—. Por favor, Ralph, no llames.

Helen miró por encima del hombro de Ralph y volvió a alargar los brazos. La expresión humilde e implorante de su magullado rostro arrancó a Ralph una mueca de consternación.

—Ralph —intervino Sue—. Quiere a la niña.

—Ya lo sé. Tráesela.

Sue entregó el bebé a Helen, y Ralph se quedó mirando mientras el bebé, que apenas pasaba del año, según creía, rodeaba el cuello de su madre con sus bracitos y escondía la cara en su hombro. Helen besó a Nat en la coronilla. Era evidente que le dolía la boca al hacerlo, pero aun así, repitió el gesto. Y otra vez. Al mirarla, Ralph advirtió que rastros de sangre llenaban los sutiles pliegues de su cuello como si de mugre se tratara. La furia de Ralph reapareció.

—Ha sido Ed, ¿verdad? —preguntó.

Por supuesto que había sido Ed... Al fin y al cabo, una no pulsa el botón de desconexión del teléfono cuando alguien intenta llamar a urgencias si le ha pegado una paliza un perfecto desconocido, pero de todos modos, tenía que preguntar.

—Sí —repuso ella.

Su voz no era más que un susurro, la respuesta, un secreto enterrado en la suave nube del cabello de su hijita.

—Sí, ha sido Ed. Pero no puedes llamar a la policía —insistió alzando la mirada, con el ojo bueno inundado de miedo y tristeza—. Por favor, no llames a la policía, Ralph. No puedo soportar la idea de que el padre de Natalie acabe en la cárcel por... por...

Helen estalló en sollozos. Natalie la miró con ojos desorbitados y expresión de cómica sorpresa durante un instante, y a continuación, su llanto se sumó al de su madre.

—Ralph —empezó McGovern vacilante—. ¿Quieres que vaya a buscar unas aspirinas o algo así?

—Mejor que no —replicó el aludido—. No sabemos lo que le pasa ni lo graves que son las heridas.

Miró de soslayo a través del escaparate, sin querer ver qué había afuera, esperando no verlo, pero viéndolo de todos modos; rostros ávidos alineados hasta el punto en que la nevera de las cervezas bloqueaba la visión. Algunos de los mirones se protegían los ojos con las manos ahuecadas para contrarrestar el reflejo del vidrio.

—¿Qué hacemos? —inquirió Sue observando a los mirones mientras se tiraba nerviosa del dobladillo del guardapolvo que debían llevar los empleados de la Manzana Roja—. Si la empresa se entera de que he cerrado la puerta con llave en horas de trabajo, seguro que me despiden.

Helen tiró de la mano de Ralph.

—Por favor, Ralph —murmuró, aunque en realidad sólo un *Pofavó, Raaf* brotó de sus hinchados labios—. No llames a nadie.

Ralph la miró inseguro. Había visto a un montón de mujeres con un montón de morados en su vida, y un par de ellas, aunque no demasiadas, para ser sinceros, habían recibido palizas mucho peores que la de Helen. Sin embargo, no siempre le había parecido tan siniestro. Su mente y su moral se habían formado en una época en la que la gente creía que lo que sucedía entre el marido y la mujer tras la puerta cerrada de su matrimonio no era asunto de nadie, y ello incluía al hombre que martirizaba a su mujer a puñetazos y a la mujer que martirizaba a su marido con la lengua. Era imposible conseguir que la gente se comportara como es debido, e inmiscuirse en sus asuntos, aunque fuera con las mejores intenciones, convertía amigos en enemigos con demasiada frecuencia.

Pero entonces recordó el modo en que Helen sostenía a Natalie al caminar por el estacionamiento, sobre la cadera como si fuera un libro de texto. Si hubiera dejado caer a la niña en el aparcamiento o al cruzar Harris Avenue, lo más probable era que ni se hubiese dado cuenta; Ralph creía que Helen había sacado a Natalie de casa movida tan sólo por el instinto. No había querido dejar a Nat al cuidado del hombre que le había propinado tal paliza que sólo veía por un ojo y no podía pronunciar más que sílabas confusas.

Se le ocurrió otra cosa, algo que guardaba relación con los días que habían seguido a la muerte de Carolyn. Le había sorprendido la intensidad de su dolor...; al fin y al cabo, había sido una muerte anunciada. Creía que había superado la mayor parte del dolor mientras Carolyn aún vivía. En cualquier caso, la pena le había impedido encargarse de los últimos preparativos del funeral. Había logrado llamar a la funeraria Brookings-Smith, pero fue Helen quien lo había acompañado a escoger un ataúd (McGovern, que odiaba la muerte y las trampas que la rodeaban, se había escabullido), y Helen quien lo había ayudado a elegir una corona, la que decía *Amada esposa*. Y fue Helen, por supuesto, quien organizó la pequeña recepción que siguió al funeral, sirviendo canapés del *catering* de Frank y refrescos y cerveza de la Manzana Roja.

Ésas eran las cosas que Helen había hecho por él cuando se vio incapaz de hacerlas. ¿Acaso no estaba obligado a devolverle el favor, aun cuando ella no reconociera ahora que se trataba de un favor?

—Bill —dijo por fin—. ¿A ti qué te parece?

McGovern paseó la mirada entre Ralph y Helen, que seguía sentada en la silla de plástico rojo con el maltrecho rostro bajo.

—No lo sé. Helen me cae muy bien y quiero hacer lo correcto, ya lo sabes, pero en una situación así... ¿quién sabe qué es lo correcto?

Volvió a alargar la mano hacia el teléfono, y esta vez, cuando Helen intentó agarrarle la muñeca, le apartó la mano.

—Comisaría de policía de Derry —contestó una voz grabada—. Marque el número uno para servicios de urgencias. Marque el número dos para ponerse en contacto con la policía. Marque el número tres si desea información.

Ralph, que de repente se dio cuenta de que necesitaba los tres, vaciló un instante antes de marcar el dos. El teléfono sonó una vez antes de que contestara una voz femenina.

—Policía 911, ¿en qué puedo servirle?

Ralph aspiró profundamente antes de hablar.

—Me llamo Ralph Roberts. Estoy en la Manzana Roja de Harris

Avenue, con una vecina mía. Su nombre es Helen Deepneau. Le han propinado una paliza considerable.

Colocó una mano sobre el rostro de Helen, y la joven oprimió la frente contra su costado. Ralph percibió el calor de su piel a través de la camisa.

—Por favor, vengan lo antes posible.

Colgó el teléfono y se puso en cuclillas junto a Helen. Natalie lo vio, chirrió de alegría y alargó la mano para tirarle amistosamente de la nariz. Ralph esbozó una sonrisa, la besó en la palma de la mano y a continuación escudriñó el rostro de Helen.

—Lo siento, Helen —se disculpó—, pero tenía que hacerlo. No podía hacer otra cosa. ¿Lo entiendes? No podía hacer otra cosa.

—¡Do en-hiendo dada! —exclamó la joven.

Ya no le sangraba la nariz, pero cuando se la tocó para limpiársela, apartó los dedos con una mueca de dolor.

—Helen, ¿por qué lo ha hecho? ¿Por qué iba a pegarte Ed de esta forma?

De repente recordó otros cardenales, sobre todo en los brazos de Helen, tal vez de forma regular. Si habían aparecido de forma regular, lo cierto era que no se había dado cuenta hasta entonces. A causa de la muerte de Carolyn. Y a causa del insomnio que se había apoderado de él después. En cualquier caso, no creía que aquélla fuera la primera vez que Ed le ponía las manos encima a su mujer. Tal vez esta paliza había sido el punto culminante, pero no la primera vez. Captaba la idea y reconocía su lógica, pero descubrió que todavía no podía imaginar a Ed haciéndolo. Veía la sonrisa rápida de Ed, sus ojos vivarachos, las manos que se movían sin cesar cuando hablaba..., pero no podía imaginarse a Ed utilizando aquellas manos para darle una tunda a su mujer; no podía figurárselo por mucho que lo intentara.

De pronto resurgió un recuerdo, el recuerdo de Ed avanzando con paso rígido hacia el hombre que conducía la furgoneta azul... (Una Ford Ranger, ¿verdad?) Sí, y abofeteando el mentón del gordo. Recordar aquella escena fue como abrir la puerta del armario de FibberMc-Gee, el protagonista de aquel viejo programa de radio..., pero lo que cayó del interior no fue una avalancha de trastos viejos sino toda una serie de vívidas imágenes de aquel día de julio. Los truenos retumbando sobre el aeropuerto. El brazo de Ed surgiendo de la ventanilla del Datsun y agitándose arriba y abajo, como si de aquel modo pudiera hacer que la verja se abriera más deprisa. La bufanda con el símbolo chino.

Ei, ei, Susan Day, ¿a cuántos niños has matado hoy?, pensó Ralph, aunque era la voz de Ed la que oía, y sabía muy bien lo que iba a decir Helen antes de que abriera la boca.

—Una tontería —farfulló con dificultad—. Me ha pegado porque firmé una petición, nada más. Están circulando por toda la ciudad. Anteayer, alguien me la puso delante de las narices cuando entraba en el supermercado. Además, la niña estaba inquieta, así que...

—Así que la firmaste —terminó Ralph en voz baja.

Helen asintió y se echó a llorar otra vez.

—¿Qué petición? —terció McGovern.

—Para que Susan Day venga a Derry —explicó Ralph—. Es una feminista...

—Ya sé quién es Susan Day —lo interrumpió McGovern en tono irritado.

—Bueno, pues un montón de gente está intentando que venga a dar una conferencia. En nombre del Centro de la Mujer.

—Ed estaba de muy buen humor al llegar a casa —prosiguió Helen con el rostro surcado de lágrimas—. Casi siempre está así los jueves, porque sólo trabaja medio día. Me explicó que iba a pasar la tarde fingiendo que leía un libro, pero lo que en realidad quería hacer era ver girar el aspersor... ya sabes cómo es...

—Sí —asintió Ralph, recordando el modo en que Ed había hundido el brazo en uno de los bidones del gordo, y aquella astuta sonrisa

(*A mí no me la pegas*)

pintada en su rostro—. Sí, ya sé cómo es.

—Lo envié a comprar unas papillas... —Su voz sonaba cada vez más inquieta y asustada—. No sabía que le iba a molestar... Casi había olvidado que había firmado ese maldito papel, la verdad... y todavía no sé exactamente por qué se ha puesto como se ha puesto... pero cuando ha vuelto a casa...

Abrazó a Natalie con el cuerpo tembloroso.

—Chist, Helen, tranquila, no pasa nada.

—¡Sí que pasa!

La joven alzó la mirada hacia él. Gruesas lágrimas caían de su ojo bueno y se colaban por entre el párpado hinchado del otro.

—¡Sí que pa-pasa! ¿Por qué no ha parado esta vez? ¿Y qué pasará conmigo y el bebé? ¿Dónde iremos? No tengo dinero aparte del que hay en la cuenta conjunta... No tengo trabajo... Oh, Ralph, ¿por qué has llamado a la policía? ¡No deberías haberlo hecho!

Le golpeó el antebrazo con su pequeño y débil puño.

—Saldrás de ésta sin ningún problema —le aseguró Ralph—. Tienes muchos amigos en el barrio.

Pero apenas había oído sus propias palabras ni los débiles puñetazos de Helen. La furia le nublaba la mente y le latía en el pecho y las sienes como un segundo corazón.

No «por qué no ha parado»; no era eso lo que había dicho. Lo que había dicho era «¿por qué no ha parado esta vez?».

Esta vez.

70

—Helen, ¿dónde está Ed?

—En casa, supongo —repuso Helen en tono apagado.

Ralph le dio una palmadita en el hombro antes de volverse y caminar hacia la puerta.

—Ralph —lo llamó McGovern con voz alarmada—. ¿Dónde vas?

—Cierra con llave cuando me vaya —ordenó Ralph a Sue.

—Jo, no sé si puedo hacerlo —se quejó la muchacha mirando dubitativa la creciente hilera de mirones que escudriñaban el interior de la tienda por el sucio escaparate.

—Sí que puedes —replicó él.

De pronto ladeó la cabeza y oyó el primer aullido lejano de una sirena que se aproximaba.

—¿Oyes eso?

—Sí, pero...

—La policía te dirá lo que tienes que hacer, y tu jefe no se enfadará contigo... Lo más probable es que te dé una medalla por llevar este asunto tan bien.

—Si lo hace, la compartiré con usted —prometió Sue al tiempo que se volvía hacia Helen con las mejillas menos pálidas, aunque no mucho—. Jo, Ralph, mírela. ¿De verdad que la pegó por firmar un estúpido papel en el supermercado?

—Creo que sí —repuso Ralph.

La conversación se le antojaba del todo coherente, pero parecía llegarle de muy lejos. La furia estaba más cerca; le atenazaba el cuello con sus brazos ardientes. Quería volver a tener cuarenta años, cincuenta siquiera, para así poder dar a Ed una cucharada de su propio medicamento. Aunque tal vez lo intentaría de todos modos.

Estaba descorriendo el pestillo de la puerta cuando McGovern le agarró el hombro.

—Pero ¿adónde crees que vas?

—A ver a Ed.

—¿Estás de guasa o qué? Te romperá la cara si le tocas. ¿Es que no has visto lo que le ha hecho a ella?

—Ya lo creo —replicó Ralph.

Sus palabras no fueron un verdadero gruñido, pero se acercaron lo suficiente como para que McGovern retirara la mano.

—Maldita sea, Ralph, tienes setenta años, por si lo has olvidado. Y Helen necesita un amigo, no una antigüedad destrozada a la que pueda visitar porque su habitación del hospital está a tres puertas de la suya.

Bill tenía razón, por supuesto, pero eso no hizo más que empeorar el enfado de Ralph. Suponía que el insomnio también contribuía a agravar su enfado y entorpecer su razonamiento, pero daba igual. En cierto modo, el enojo era un alivio. En cualquier caso, era mejor que reptar por un mundo en el que todo había adquirido un siniestro matiz grisáceo.

—Si me atiza lo suficiente, me darán un somnífero y al menos dormiré bien una noche —sentenció—. Y ahora déjame en paz, Bill.

Atravesó el estacionamiento de la Manzana Roja a paso brusco. Un coche patrulla se aproximaba con la luz azul encendida. Un montón de preguntas («¿Qué ha sucedido? ¿Está bien?») llovieron sobre él, pero Ralph hizo caso omiso de ellas. Se detuvo en la acera, esperó a que el coche patrulla entrara en el aparcamiento y a continuación cruzó Harris Avenue con la misma brusquedad; McGovern lo seguía a una prudente distancia, con una expresión de angustia pintada en el rostro.

3

Ed y Helen Deepneau vivían en una pequeña casa estilo Cape Cod de color chocolate y puertas y marcos de color nata, el tipo de casa que las mujeres de edad con frecuencia llaman «una monada», situada a cuatro casas de la que Ralph compartía con Bill McGovern. Carolyn siempre había dicho que los Deepneau pertenecían a «la Iglesia de los Yuppies del Último Día», si bien la expresión carecía de toda malicia, porque lo cierto era que les tenía mucho cariño. Ambos eran vegetarianos tolerantes que no hacían ascos al pescado ni a los productos lácteos, habían trabajado en la campaña de Clinton en las últimas elecciones y el coche que estaba aparcado en el sendero de entrada, no el Datsun, sino una furgoneta nueva, lucía adhesivos que proclamaban NUCLEAR NO, GRACIAS y PIELES EN LOS ANIMALES, NO EN LAS PERSONAS.

Asimismo, los Deepneau parecían haber guardado todos los discos comprados durante los sesenta, lo que a Carolyn se le antojaba una de sus características más entrañables, y mientras se acercaba a la casa estilo Cape Cod con los puños cerrados, Ralph oyó a Grace Slick aullando uno de esos viejos himnos de San Francisco:

> *Una píldora te engrandece*
> *Otra te empequeñece*
> *Y las que te da tu madre*
> *No surten ningún efecto.*
> *Pregúntale a Alicia cuando mida tres metros.*

La música procedía de un radiocasete colocado en la caja de zapatos que era el porche de la casa. Un aspersor hacía piruetas sobre el césped, emitiendo una especie de chischischis mientras pintaba arcoiris en el aire y dejaba un brillante parche mojado en la acera. Desnudo de cintura para arriba, Ed Deepneau estaba sentado en una silla de jardín a la izquierda del sendero de cemento, con las piernas cruza-

73

das y contemplando el cielo con la expresión pensativa de un hombre que está intentando decidir si la nube que está pasando en ese momento se parece más a un caballo o a un unicornio. Uno de sus pies desnudos subía y bajaba al ritmo de la música. El libro que yacía abierto y boca abajo sobre su regazo encajaba a la perfección con la música que brotaba de los altavoces; *Even Cowgirls Get the Blues*, de Tom Robbins.

Una escena veraniega casi perfecta; un cuadro de bucólica serenidad que bien podría ser obra de Norman Rockwell y llevar por título «Tarde libre». Lo único que había que hacer era pasar por alto la sangre que manchaba los nudillos de Ed y la gota que salpicaba el vidrio izquierdo de sus gafas redondas a lo John Lennon.

—¡Ralph, por lo que más quieras, no te pelees con él! —susurró McGovern mientras Ralph dejaba la acera y cruzaba el césped.

Ralph atravesó la fina y fría lluvia del aspersor sin apenas percatarse de ella.

Ed se volvió, vio a su vecino y esbozó una radiante sonrisa.

—¡Hola, Ralph! ¡Me alegro de verte, hombre!

Mentalmente, Ralph se vio a sí mismo alargando el brazo para empujar la silla de Ed y arrojarlo al césped. Vio los ojos de Ed abriéndose de sorpresa tras los vidrios de sus gafas. Aquella visión era tan real que incluso vio el modo en que el sol se reflejaba en la esfera del reloj de Ed cuando éste intentaba incorporarse.

—Cógete una cerveza y una mecedora —decía Ed en aquel momento—. Si tienes ganas de jugar una partida de ajedrez...

—¿Cerveza? ¿Una partida de ajedrez? Pero ¿qué narices te pasa, Ed?

Ed no repuso de inmediato, sino que se limitó a mirar a Ralph con una expresión aterradora y enfurecida a un tiempo. Era una expresión entre divertida y avergonzada, la mirada de un hombre que se está preparando para decir «Oh, mierda, cariño. Me he vuelto a olvidar de sacar la basura, ¿verdad?».

Ralph señaló con el brazo más allá de McGovern, que estaba de pie, aunque se habría escondido si hubiera algún lugar donde esconderse, cerca del charco de agua que el aspersor había formado en la acera, y los observaba nervioso. Al primer coche patrulla se había unido otro, y Ralph oía el lejano crujido de las llamadas por radio a través de las ventanillas abiertas. El grupo de mirones se había convertido en una auténtica muchedumbre.

—¡La policía está ahí a causa de Helen! —exclamó.

Estaba obligándose a no gritar, diciéndose que de nada serviría gritar, pero gritando de todos modos.

—¡Están ahí porque le has dado una paliza a tu mujer!, ¿te estás enterando o no?

—Ah —repuso Ed mientras se frotaba la mejilla con tristeza—. Es eso.

—Sí, es eso —asintió Ralph.

Estaba casi estupefacto de rabia. Ed contempló por encima de su hombro los coches de policía, la multitud congregada delante de la Manzana Roja... y entonces vio a McGovern.

—¡Bill! —llamó.

McGovern retrocedió un paso. Ed no se dio cuenta o fingió no dársela.

—¡Hola, hombre! ¡Cógete una silla! ¿Te apetece una cerveza?

En aquel instante, Ralph supo que iba a pegar a Ed, que iba a romperle aquellas estúpidas gafitas redondas, clavarle un fragmento de vidrio en el ojo. Iba a hacerlo; no había en el mundo fuerza alguna capaz de impedírselo, pero en el último momento, algo se lo impidió. Desde hacía un tiempo, oía muy a menudo la voz de Carolyn en su cabeza..., cuando no estaba hablando solo, claro está, pero lo que oyó en aquel momento no fue la voz de Carolyn. Aquella voz, por increíble que pareciera, pertenecía a Trigger Vachon, a quien no había visto más que una o dos veces desde el día en que Trig lo salvó de la tormenta, el día en que Carolyn había sufrido el primer ataque.

«¡Ay, Ralph! ¡Ándate con mucho ojo, hombrre! ¡Esté tipo esta como una cabrra! ¡A lo mejor quierre que le pegués!»

Sí, decidió. Tal vez era precisamente eso lo que quería Ed. ¿Por qué? Quién sabe. Tal vez para enturbiar un poco las aguas, quizás simplemente porque estaba loco.

—Corta el rollo —ordenó casi en un susurro.

Se alegró al comprobar que Ed volvía su atención de nuevo hacia él y aún más al ver que la expresión agradablemente vaga de triste diversión desaparecía de su rostro para dar paso a una mirada calculadora y vigilante. Era, se dijo, la mirada de una fiera peligrosa al acecho.

Ralph se inclinó hacia delante para poder mirar a Ed a los ojos.

—¿Ha sido Susan Day? —inquirió en el mismo tono—. ¿Susan Day y todo ese asunto del aborto? ¿Algo relacionado con los bebés muertos? ¿Por eso te has desahogado con Helen?

En su mente bailaba otra pregunta, «¿Quién eres en realidad, Ed?», pero antes de que pudiera formularla, Ed alargó el brazo, colocó una mano sobre el pecho de Ralph y lo empujó. Ralph cayó de espaldas sobre el césped mojado, amortiguando el choque con los codos y los hombros. Permaneció allí tendido con los pies planos en el suelo y las rodillas dobladas, observando a Ed levantarse de un salto de la silla de jardín.

—¡Ralph, no te metas con él! —advirtió McGovern desde su puesto de relativa seguridad, la acera.

Ralph no le prestó atención. Se quedó donde estaba, apoyado en los codos y mirando a Ed con fijeza. Seguía enojado y asustado, pero dichas emociones empezaban a dar paso a una extraña y siniestra fascinación. Era la locura lo que tenía ante sí, la verdadera, la única. Nada de supervillanos de tebeo, nada de Norman Bates ni capitán Acab. Era Ed Deepneau, que trabajaba en la costa, en los Laboratorios Hawking, uno de esos intelectuales, habrían dicho los viejos que jugaban al ajedrez en el merendero de la Extensión, pero bastante majo para ser demócrata. Y ahora ese tipo bastante majo había perdido la chaveta, estaba como un cencerro, y eso no había ocurrido aquella tarde, cuando Ed había visto el nombre de su mujer en la petición colgada en el tablón de anuncios locales del supermercado. Ralph comprendía ahora que la locura de Ed se remontaba como mínimo al año pasado, y aquello le hizo preguntarse qué secretos habría ocultado Helen tras su actitud por lo general alegre y su sonrisa siempre radiante, así como qué pequeños, pero desesperados indicios, además de los cardenales, claro está, habría él pasado por alto.

«Y también está Natalie —se dijo—. ¿Qué habrá visto ella? ¿Qué habrá experimentado? ¿Además, por supuesto, de cruzar Harris Avenue y el aparcamiento de la Manzana Roja sobre la cadera de su madre vacilante y ensangrentada?»

A Ralph se le puso la piel de gallina.

Entretanto, Ed había echado a andar, cruzando el césped y el sendero de cemento como un oso enjaulado, pisoteando las zinnias que Helen había plantado para flanquearlo. Se había transformado exactamente en el Ed al que Ralph había visto junto al aeropuerto el año anterior, incluso en las pequeñas sacudidas de la cabeza y las miradas agudas y bruscas al vacío.

«Esto es lo que quería ocultar haciéndose el incrédulo —se dijo Ralph—. Tiene el mismo aspecto que cuando se abalanzó sobre el tipo de la furgoneta, como un gallo protegiendo su rincón del corral.»

—Nada de esto es estrictamente culpa suya, lo reconozco.

Hablaba deprisa, golpeándose la palma de la mano izquierda con el puño derecho mientras pasaba bajo la nube de agua que escupía el aspersor. Ralph se dio cuenta de que veía cada una de las costillas de Ed; daba la sensación de no haber comido como Dios manda en varios meses.

—Pero aun así, cuando la estupidez llega a ciertos límites, es muy difícil de soportar —prosiguió Ed—. Es como el Mago, que acude al rey Herodes en busca de información. Quiero decir que, ¿cómo se puede ser tan tonto? «¿Dónde está el que nació rey de los judíos?» Se lo dicen a Herodes. Quiero decir que... ¡Y una mierda hombres sabios! ¿Verdad, Ralph?

Ralph asintió con la cabeza. Claro, Ed. Lo que tú digas, Ed.

Ed le devolvió el gesto y siguió paseándose bajo la fina lluvia y los arcoiris que se entrelazaban de un modo fantasmal al tiempo que se golpeaba la mano con el puño.

—Es como esa canción de los Rolling Stones... «Mírala, mírala, mira a esa chica tan estúpida.» Seguramente no te acuerdas de esa canción, ¿verdad, Ralph?

Ed lanzó una carcajada, un sonido punzante que hizo pensar a Ralph en ratas bailando sobre cristales rotos.

McGovern se arrodilló junto a él.

—Vámonos —masculló.

Ralph meneó la cabeza, y cuando Ed se acercó de nuevo a ellos, McGovern se incorporó a toda prisa y regresó a la acera.

—Creyó que podía engañarte, ¿verdad? —inquirió Ralph todavía tendido en el césped, apoyándose sobre los codos—. Creyó que no te enterarías de que había firmado la petición.

Ed cruzó el sendero de un salto, se inclinó sobre Ralph y agitó los puños sobre la cabeza como el malo de una película muda.

—¡No, no, no, no! —gritó.

Los Jefferson Airplane habían dado paso a los Animals, con Eric Burdon refunfuñando el evangelio según John Lee Hooker: bum, bum, bum, bum, te voy a pegar un tiro. McGovern lanzó un débil chillido, convencido por lo visto de que Ed tenía intención de atacar a Ralph, pero Ed se dejó caer con los nudillos presionados contra la hierba, en la posición del corredor que espera el pistoletazo de salida para salir disparado. Tenía el rostro salpicado de lo que en el primer momento Ralph tomó por sudor, antes de recordar que Ed había cruzado una y otra vez la lluvia del aspersor. Ralph no podía apartar la mirada de la mancha de sangre que se veía en el vidrio izquierdo de las gafas de Ed. Se había esparcido un poco y daba la impresión de que su pupila izquierda estuviera inyectada en sangre.

—¡Averiguar que había firmado la petición fue cosa del destino! ¡Sólo del destino! ¿Quieres hacerme creer que no te das cuenta? ¡No insultes mi inteligencia, Ralph! Estarás envejeciendo, pero no tienes un pelo de tonto. La cuestión es que he bajado al supermercado a comprar potitos, ¿no te parece irónico? ¡Y me encuentro con que se ha unido a los asesinos de bebés! ¡Los Centuriones! ¡Con el mismísimo Rey Carmesí! ¿Y sabes qué? Eso... eso... Bueno, ¡me sacó de mis casillas!

—¿El Rey Carmesí, Ed? ¿Quién es?

—Oh, vamos, por favor —resopló Ed lanzándole una mirada taimada—. «Y entonces Herodes, al verse burlado, ordenó, presa de ira, sacrificar a todos los niños de Belén y de todas las costas cercanas, de dos años y menores, según lo que con tanta diligencia había averiguado de los sabios.» Está en la Biblia, Ralph. En el buen Santiago. Mateo, capítulo 2, versículo 16. ¿Acaso lo dudas? ¿Dudas de que diga eso, joder?

—No, si tú lo dices, me lo creo.

Ed asintió con un gesto. Sus ojos, de un profundo y asombroso matiz verde, se movían sin cesar. De repente, se inclinó despacio sobre Ralph y le puso una mano en cada brazo, como si pretendiera besarlo. Ralph olió una mezcla de sudor, alguna loción para después del afeitado que casi había desaparecido y otra cosa..., algo que recordaba el hedor de leche cuajada pasada. Se preguntó si se trataría del olor de la locura de Ed.

Una ambulancia se aproximaba por Harris Avenue con la luces encendidas, pero no así la sirena. Entró en el aparcamiento de la Manzana Roja.

—Más te vale —masculló Ed a escasos centímetros de su rostro—. Más te vale.

Sus ojos dejaron de vagar y se fijaron en los de Ralph.

—Están matando niños a porrillo —susurró con voz algo temblorosa—. Arrancándolos del seno de sus madres y sacándolos de la ciudad en camiones cubiertos. Camiones de remolque plano, por lo general. Piensa una cosa, Ralph. ¿Cuántas veces a la semana ves uno de esos camiones grandes por la carretera? ¿Camiones con una lona cubriendo la caja? ¿Te has preguntado alguna vez qué llevan? ¿Te has preguntado alguna vez qué hay debajo de esas lonas?

Ed esbozó una sonrisa y puso los ojos en blanco.

—Queman la mayor parte de los fetos en Newport. El cartel dice *vertedero*, pero en realidad es un crematorio. Pero algunos los llevan a otro estado. En camiones, en avionetas... Porque el tejido fetal es muy valioso. No te lo digo sólo como ciudadano concienciado, sino también como empleado de Laboratorios Hawking. El tejido fetal es... más... valioso... que el oro.

De repente volvió la cabeza y se quedó mirando fijamente a Bill McGovern, que se había acercado un poco para oír lo que decía Ed.

—¡SÍ, MÁS VALIOSO QUE EL ORO Y MÁS PRECIOSO QUE LOS RUBÍES! —chilló al tiempo que McGovern retrocedía de un salto con los ojos abiertos de par en par a causa del miedo y la consternación—. ¿LO SABÍAS, VIEJO MARICÓN?

—Sí —farfulló McGovern—. Creo... creo que sí.

Lanzó una mirada rápida calle abajo; uno de los coches patrulla salía del estacionamiento de la Manzana Roja y se dirigía hacia ellos.

—A lo mejor lo he leído en alguna parte. En *Scientific American*, quizás.

—¡*Scientific American*!

Ed lanzó una carcajada de ligero desprecio y se volvió de nuevo hacia Ralph, como si dijera: «¿Ves lo que tengo que aguantar?». De repente volvió a ponerse serio.

—Asesinatos al por mayor —insistió—. Como en los tiempos de Jesucristo. Pero ahora es el asesinato de los nonatos. No sólo aquí, sino en todo el mundo. Han sacrificado a miles de niños, Ralph, a millones de niños, ¿y sabes por qué? ¿Sabes por qué hemos vuelto a entrar en la corte del Rey Carmesí en esta nueva era de oscuridad?

Ralph lo sabía. No era tan difícil encajar las piezas si disponías de las suficientes. Si habías visto a Ed con el brazo enterrado en un bidón de fertilizante químico, buscando a los bebés muertos que estaba convencido iba a encontrar.

—El rey Herodes se ha enterado un poco antes esta vez —repuso—. Es eso lo que quieres decir, ¿no? Es la vieja historia de lo del Mesías, ¿eh?

Se incorporó medio esperando que Ed volviera a empujarlo, casi esperando que lo hiciera. Se estaba enfadando otra vez. Sin lugar a dudas, era un error criticar las fantasías engañosas de un chalado del mismo modo que se critica una obra de teatro o una película, tal vez incluso era una blasfemia, pero a Ralph le parecía enfurecedora la idea de que Helen hubiera recibido una paliza por culpa de una mierda trillada como aquélla.

Ed no lo tocó, sino que se limitó a levantarse y sacudirse el polvo de las manos con gesto práctico. Parecía estar calmándose. El crujido de la radio llegó hasta ellos con mayor claridad a medida que se acercaba el coche patrulla que había salido del aparcamiento de la Manzana Roja. Ed miró el coche y luego a Ralph, que también se estaba levantando.

—Búrlate si quieres, pero es verdad —sentenció Ed con voz serena—. Pero no es el rey Herodes, sino el Rey Carmesí. Herodes no era más que una de sus encarnaciones. El Rey Carmesí salta de cuerpo en cuerpo y de generación en generación como un niño que utiliza pasaderas para cruzar un riachuelo, Ralph, y siempre busca al Mesías. Hasta ahora no lo ha encontrado, pero esta vez podría ser diferente. Porque Derry es diferente. Todas las líneas del poder han empezado a converger aquí. Sé que es difícil de creer, pero es cierto.

«El Rey Carmesí —pensó Ralph—. Oh, Helen, lo siento muchísimo. Todo esto es muy triste.»

Dos hombres, uno en uniforme y el otro de paisano, pero ambos policías, al parecer, bajaron del coche patrulla y se acercaron a McGovern. Tras ellos, junto a la tienda, Ralph vio a dos hombres, enfundados en pantalones blancos y camisas de manga corta también blancas, salir de la Manzana Roja. Uno de ellos rodeaba con el brazo a Helen, que caminaba con el cuidado de una paciente de postoperatorio. El otro sostenía a Natalie.

Aquellos dos hombres, que Ralph supuso eran enfermeros, ayudaron a Helen a entrar en la parte trasera de la ambulancia. El que llevaba al bebé entró tras ella mientras el otro se dirigía al asiento del conductor. Ralph advirtió en sus gestos competencia más que urgencia, e imaginaba que eso significaba buenas noticias para Helen. Quizá no le había hecho demasiado daño... al menos esta vez.

El policía de paisano, un hombre fornido y ancho de espaldas que llevaba el bigote rubio y las patillas al estilo de lo que Ralph denominaba Bares Horteras de Solteros, se había acercado a McGovern, a quien pareció reconocer. Una amplia sonrisa iluminaba el rostro del poli de paisano.

Ed rodeó los hombros de Ralph con un brazo y lo apartó unos pasos de los hombres de la acera.

—No quiero que nos oigan —murmuró.

—Estoy seguro de que no.

—Esas criaturas... los Centuriones... esclavos del Rey Carmesí... no se detendrán ante nada. Son implacables.

—Ya me lo imagino.

Ralph echó un vistazo por encima del hombro en el momento en que McGovern señalaba a Ed. El policía fornido asintió con calma. Tenía las manos embutidas en los bolsillos de los pantalones. Todavía exhibía una leve y amigable sonrisa.

—No se trata sólo del aborto, no creas. Ya no. Están arrebatando a los fetos de toda clase de madres, no sólo de las yonkis y las putas. Ocho días, ocho semanas, ocho meses... A los Centuriones les da igual. Siguen con la cosecha día y noche. El sacrificio. He visto cadáveres en los tejados, Ralph... bajo los setos... están en las alcantarillas... flotando en las alcantarillas y en el Kenduskeag, allá abajo en los Barrens...

Sus ojos enormes y verdes, brillantes como esmeraldas de relumbrón, miraban al vacío.

—Ralph —susurró—, a veces el mundo está lleno de colores. Los veo desde que él vino y me lo dijo. Pero ahora todos los colores se están transformando en negro.

—¿Desde que vino quién, Ed?

—De eso hablaremos más tarde —replicó Ed con los dientes apretados como un presidiario en una película de prisiones. En otras circunstancias le habría hecho gracia.

De repente, una sonrisa digna del presentador de un concurso se abrió paso en su rostro, evaporando la demencia de un modo tan convincente como el amanecer evapora la noche. El cambio fue casi repentino en su brusquedad y desde luego, de lo más siniestro, pero pese a todo, Ralph sintió algo consolador en él. Tal vez ellos, es decir él mismo, McGovern, Lois, todos los que vivían en aquella parte de

Harris Avenue y conocían a Ed no tendrían que echarse la culpa por no haber advertido antes su locura. Porque Ed era un profesional; Ed se sabía su papel al dedillo. Aquella sonrisa merecía un galardón de la Academia. Incluso en una situación tan surrealista como aquélla, casi pedía a gritos ser correspondida.

—¡Hola! —saludó a los dos policías.

El fornido había terminado su conversación con McGovern, y ambos se acercaban por el césped.

—¡Cojan unas sillas!

Ed se apartó de Ralph con la mano extendida.

El fornido policía de paisano se la estrechó sin dejar de sonreír con amabilidad.

—¿Edward Deepneau?

—Sí —repuso Ed al estrechar la mano del policía uniformado, quien adoptó una expresión algo aturdida antes de volver su atención a su corpulento compañero.

—Soy el detective sargento John Leydecker —se presentó el de paisano—. Este es el agente Chris Nell. Creo que ha tenido un pequeño problema aquí, señor.

—Bueno, sí. Supongo que podría expresarse así. Un pequeño problema. O para llamar al pan pan y al vino vino, me he comportado como un perfecto idiota.

La risita ahogada que soltó Ed sonaba tan normal que alarmaba. Ralph pensó en todos los encantadores psicópatas que había visto en las películas (George Sanders había sido especialmente bueno en ese tipo de papeles) y se preguntó si era posible que un químico inteligente pudiera pegársela a un detective que tenía el aspecto de no haber superado del todo la fase de *Fiebre del sábado noche*. Ralph mucho se temía que así fuera.

—Helen y yo discutimos por una petición que ella había firmado —estaba explicando Ed—, y una cosa llevó a otra... Madre mía, no puedo creer que la haya pegado.

Levantó los brazos como si quisiera expresar lo aturdido que estaba..., por no decir confuso y avergonzado. Leydecker le dedicó una sonrisa. Ralph recordó una vez más el enfrentamiento que se había producido el verano anterior entre Ed y el hombre de la furgoneta. Ed había llamado al gordo asesino, incluso lo había abofeteado, y pese a todo, el otro había acabado por mirarlo casi con respeto. Había sido una especie de hipnosis, y Ralph tenía la impresión de estar asistiendo al mismo fenómeno en aquel momento.

—La situación se ha descontrolado un poco, eso es lo que quiere decir, ¿no? —sugirió Leydecker con aire comprensivo.

—Así, más o menos.

Ed debía de tener al menos treinta y cinco años, pero con los ojos abiertos de par en par y aquella expresión inocente pintada en el rostro, apenas parecía tener edad suficiente para comprar cerveza.

—Un momento —estalló Ralph—. No puede creerle, está como una cabra. Y además es peligroso. Me acaba de decir...

—Éste es el señor Roberts, ¿verdad? —preguntó Leydecker a McGovern sin hacer caso a Ralph.

—Sí —asintió McGovern en un tono que a Ralph se le antojó insoportablemente pomposo—. Éste es Ralph Roberts.

—Ajá —dijo Leydecker mirando por fin a Ralph—. Tendré mucho gusto en hablar con usted dentro de unos minutos, señor Roberts, pero de momento le ruego que vaya con su amigo y se quede calladito, ¿vale?

—Pero...

—¿Vale?

Más enojado que nunca, Ralph se dirigió con aire ofendido hacia el lugar en que esperaba McGovern. Su actitud no pareció molestar en lo más mínimo a Leydecker, que se volvió hacia el agente Nell.

—¿Le importaría quitar esa música, Chris, a fin de que podamos oír nuestras ideas?

—Ajá.

El policía uniformado se acercó al radiocasete, inspeccionó los diversos botones e interruptores y a continuación cortó a los Who en medio de la canción que hablaba del brujo ciego.

—Creo que la tenía un poco alta —se disculpó Ed con expresión de corderito degollado—. Me extraña que los vecinos no se hayan quejado.

—Oh, bueno, no pasa nada —lo tranquilizó Leydecker volviendo su pequeña y calmada sonrisa hacia las nubes que surcaban el azul cielo veraniego.

«Maravilloso —pensó Ralph—. Este tipo es todo un filósofo.» Ed, sin embargo, estaba asintiendo con la cabeza como si el detective no hubiera dicho una gran verdad, sino toda una sarta de ellas.

Leydecker rebuscó en su bolsillo y sacó un tubito de palillos. Ofreció uno a Ed, que lo rechazó, y a continuación sacó uno y se lo encajó en la comisura del labio.

—Ya veo —prosiguió el sargento—. Un pequeño altercado familiar, ¿no es así?

Ed asintió con vehemencia. Seguía esbozando aquella sonrisa sincera y algo confusa.

—Más bien una discusión, la verdad. Una discusión política...

—Ajá, ajá —masculló Leydecker sin dejar de sonreír—. Pero antes de que siga, señor Deepneau...

—Llámeme Ed, por favor.

—Antes de proseguir, señor Deepneau, quisiera decirle que todo lo que diga puede ser utilizado en su contra ante..., bueno, ya sabe, ante un tribunal. Asimismo, tiene derecho a un abogado.

La sonrisa amable pero confusa de Ed («Dios mío, ¿qué he hecho? ¿Puede ayudarme a averiguarlo?») se tambaleó por un instante, dejando paso a aquella mirada angosta y vigilante. Ralph miró a McGovern y el alivio que vio en los ojos de Bill reflejaba el suyo propio. Tal vez Leydecker no era tan palurdo como parecía.

—Pero ¿para qué diablos iba a necesitar un abogado? —inquirió sorprendido Ed.

Dio media vuelta e intentó la sonrisa confusa con Chris Nell, que todavía se hallaba junto al radiocasete, en la escalinata del porche.

—No lo sé, y a lo mejor no lo necesita —repuso Leydecker sin dejar de sonreír—. Sólo le digo que tiene derecho a uno. Y que si no puede permitírselo, la ciudad de Derry le proporcionará uno de oficio.

—Pero yo no...

Leydecker asintió con un gesto y la misma sonrisa.

—Sí, bueno, claro, lo que sea. Pero ésos son sus derechos. ¿Entiende sus derechos tal como se los he explicado, señor Deepneau?

Ed permaneció quieto durante un instante, con los ojos de nuevo muy abiertos y vacíos. A Ralph se le antojaba un ordenador humano que intentara procesar una enorme y complicada maraña de información. De repente pareció captar que el método del engaño no funcionaba. Hundió la cabeza entre los hombros. La mirada vacía dio paso a una expresión de desdicha tan real que resultaba imposible dudar de ella..., pero Ralph dudaba de ella pese a todo. Tenía que dudar de ella. Había visto la locura en el rostro de Ed antes de que llegaran Leydecker y Nell. Y Bill McGovern también la había visto. Sin embargo, duda no equivalía a incredulidad, y Ralph tenía la sensación de que, en cierto sentido, Ed lamentaba sinceramente haber pegado a Helen.

«Sí —pensó—. Igual que en cierto sentido cree sinceramente que esos Centuriones suyos están llevando camiones enteros de fetos al vertedero de Newport. Y que las fuerzas del bien y del mal se están congregando en Derry para representar un drama que transcurre en su mente. Podría titularse *La profecía V: En la corte del Rey Carmesí*.»

Pese a todo, no podía evitar sentir cierta compasión reticente por Ed Deepneau, que había visitado a Carolyn tres veces por semana durante sus últimas semanas en el hospital de Derry, que siempre le llevaba flores y la besaba en la mejilla al irse. Había seguido besándola incluso cuando el olor de la muerte se había apoderado de ella, y Carolyn siempre le cogía la mano y le dedicaba una débil sonrisa de gratitud. «Gracias por recordar que todavía soy un ser humano», decía aquella sonrisa. «Y gracias por tratarme como a un ser humano.»

Aquél era el Ed a quien Ralph había considerado como un amigo, y creía, o tal vez sólo esperaba, que aquel Ed todavía existiera.

—Estoy metido en un lío, ¿verdad? —preguntó Ed a Leydecker.

—Bueno, vamos a ver —repuso Leydecker sin dejar de sonreír—. Le ha roto a su mujer dos dientes. Parece que también le ha fracturado el pómulo. Apuesto lo que sea a que tiene una conmoción cerebral. Además de un surtido de lesiones menores, como cortes, cardenales y esa extraña calvicie que tiene encima de la sien derecha. ¿Qué intentaba hacer? ¿Dejarla calva?

Ed permaneció en silencio, con los ojos verdes clavados en el rostro de Leydecker.

—Va a pasar la noche en el hospital en observación porque un hijo de puta le ha dado de bofetadas hasta en el carné de identidad, y todo el mundo parece coincidir en que el hijo de puta ha sido usted, señor Deepneau. Veo la sangre que tiene en las manos y en las gafas y debo decir que yo también creo que ha sido usted. Así que, ¿qué le parece? Da la impresión de ser un tipo listo. ¿Cree usted que está metido en un buen lío?

—Siento mucho haberla pegado —dijo Ed—. No era mi intención.

—Ya, y si me dieran veinticinco centavos por cada vez que he oído eso, nunca más tendría que pagarme una copa con mi sueldo. Lo detengo bajo acusación de asalto en segundo grado, señor Deepneau, delito conocido también por el nombre de asalto doméstico. Esta acusación está sujeta a la Ley de Violencia Conyugal de Maine. Me gustaría asegurarme una vez más de que le he leído sus derechos.

—Sí —murmuró Ed con voz desdichada.

Todo su repertorio de sonrisas había desaparecido como por encanto.

—Vamos a llevarlo a la comisaría para ficharlo —anunció Leydecker—. A continuación podrá hacer una llamada y arreglar el asunto de la fianza. Chris, llévalo al coche, ¿quieres?

Nell se acercó a Ed.

—¿Va a causar problemas, señor Deepneau?

—No —repuso Ed en el mismo tono.

Ralph vio que una lágrima se escapaba del ojo derecho de Ed, que se la enjugó a toda prisa.

—Ningún problema —aseguró.

—¡Perfecto! —exclamó Nell en tono risueño antes de acompañarlo al coche patrulla.

Ed miró a Ralph al cruzar la acera.

—Lo siento, viejo amigo —se disculpó.

Subió al coche. Antes de que el agente Nell cerrara la puerta, Ralph advirtió que no había tirador en la parte interior.

—Muy bien —exclamó Leydecker volviéndose hacia Ralph y extendiendo la mano—. Siento haber estado un poco brusco, señor Roberts, pero estos tipos a veces pueden ser volátiles. Los que más me preocupan son los que parecen normales, porque nunca se sabe lo que van a hacer. John Leydecker.

—Encantado de conocerle —saludó Ralph al tiempo que estrechaba la mano del policía—. Y no se preocupe. No me ha ofendido.

—Ha sido una locura venir aquí para enfrentarse con él, ¿lo sabe? —comentó Leydecker en tono alegre.

—Estaba cabreado. Y todavía estoy cabreado.

—Lo comprendo. Y lo importante es que ha salido bien librado.

—No, lo importante es Helen. Helen y la niña.

—En eso tiene razón. Explíqueme de qué han hablado usted y el señor Deepneau antes de que llegáramos, señor Roberts... ¿o puedo llamarle Ralph?

—Ralph, por favor.

Repasó la conversación que había sostenido con Ed, intentando ser breve. McGovern, que había oído una parte pero no todo, escuchaba con los ojos abiertos de par en par. Cada vez que lo miraba, Ralph se sorprendía deseando que Bill llevara el panamá. Sin él parecía más viejo. Casi anciano.

—Bueno, todo esto parece bastante raro, ¿verdad? —observó Leydecker cuando Ralph concluyó su relato.

—¿Qué pasará ahora? ¿Lo meterán en la cárcel? No deberían meterlo en la cárcel; deberían internarlo.

—Sí, deberían —convino Leydecker—, pero hay una gran diferencia entre lo que debería hacerse y lo que se hace. No irá a la cárcel ni tampoco lo internarán en el sanatorio Sunnyvale... Esas cosas sólo pasan en las películas. Lo máximo que podemos esperar es algún tratamiento ordenado por el tribunal.

—Pero ¿Helen no le ha dicho...

—La señora no nos ha dicho nada, y no hemos intentado interrogarla en la tienda. Sufría un gran dolor, tanto físico como emocional.

—Por supuesto —convino Ralph—. Qué idiota soy.

—Es posible que más tarde corrobore lo que me acaba de explicar usted..., pero es posible que no. Las víctimas de malos tratos conyugales tienen una forma muy especial de cerrarse en banda. Por suerte, no importa demasiado gracias a la nueva ley. Lo tenemos bien pillado. Usted y la muchacha de la tienda pueden prestar declaración respecto al estado en que se encontraba la señora Deepneau y quién, según ella, la había puesto en aquel estado. Yo puedo testificar que el marido de la víctima tenía sangre en las manos. Y lo mejor de todo es que ha dicho las palabras mágicas: «No puedo creer que la haya pegado». Pasaré por su casa, probablemente mañana por la mañana, si le va bien, para tomarle declaración completa, Ralph, pero sólo será cuestión de detalles. En principio, la cosa ya está clara.

Leydecker se sacó el palillo de la boca, lo partió, lo arrojó a la cuneta y echó otra vez mano del tubito.

—¿Un palillo?

—No, gracias —repuso Ralph con una leve sonrisa.

—No le culpo. Es una fea costumbre, pero es que estoy intentando dejar de fumar, que aún es peor. El problema de los tipos como Deepneau es que son demasiado inteligentes y eso no puede ser bueno. Un buen día se pasan, hacen daño a alguien... y después actúan como si no hubiera pasado nada. Si uno llega lo bastante pronto después de la paliza, como usted, Ralph, casi los puede ver con la cabeza ladeada, escuchando la música e intentando pillar otra vez el ritmo.

—Eso es exactamente lo que ha pasado —asintió Ralph—. Exactamente eso.

—Es un truco que a los listos les sale bien durante un tiempo... Parecen arrepentidos, horrorizados por lo que han hecho, resueltos a enmendarse. Son persuasivos, encantadores y a menudo es casi imposible darse cuenta de que bajo la capa de azúcar están más locos que una cabra. Incluso los casos extremos como Ted Bunty consiguen parecer normales durante años. Lo bueno es que no hay muchos tipos como Ted Bunty, a pesar de todos los libros y películas de psicópatas que corren por ahí.

—Qué desastre —suspiró Ralph.

—Y que lo diga. Pero mírelo por el lado bueno, Ralph; podremos mantenerlo alejado de ella, al menos por un tiempo. A la hora de la cena ya habrá salido bajo fianza de veinticinco dólares...

—¿Veinticinco dólares? —interrumpió McGovern con voz entre asombrada y cínica—. ¿Sólo eso?

—Ajá —repuso Leydecker—. Le he dicho a Deepneau lo del asalto en segundo grado porque suena aterrador, pero la verdad es que en el estado de Maine, darle una paliza a tu esposa no es más que un delito menor.

—Pero la ley tiene un detalle de lo más hábil —intervino el agente Nell—. Si Deepneau quiere salir bajo fianza, tiene que comprometerse a no establecer ningún contacto con su mujer hasta que el caso se resuelva en los tribunales... No puede ir a la casa, ni acercarse a ella por la calle, ni siquiera llamarla por teléfono. Si no se compromete a ello, va derechito a la cárcel.

—¿Y si se compromete y luego no lo cumple? —inquirió Ralph.

—Pues entonces le echamos el guante —explicó Nell—, porque eso es felonía..., o puede serlo, si el fiscal del distrito quiere jugar fuerte. En cualquier caso, los que quebrantan el acuerdo de fianza de la ley de violencia conyugal suelen pasar mucho más que una tarde en la cárcel.

—Y con un poco de suerte, la esposa a la que visita en contra del acuerdo seguirá viva cuando el caso llegue a los tribunales —comentó McGovern.

—Sí —asintió Leydecker pesadamente—. En efecto, a veces ése es el problema.

Ralph se fue a su casa y pasó alrededor de una hora no mirando la televisión, sino a través de ella. Se levantó durante los anuncios para ver si había alguna Coca-Cola en la nevera, trastabilló y tuvo que apoyar una mano en la pared para no caerse. Estaba temblando de pies a cabeza y tenía la desagradable sensación de que iba a vomitar de un momento a otro. Sabía que no era más que la reacción retardada de lo que había sucedido, pero la debilidad y las náuseas lo asustaban de todos modos.

Volvió a sentarse, aspiró profundas bocanadas de aire durante un minuto, con la cabeza baja y los ojos cerrados, y a continuación se levantó para ir al lavabo. Llenó la bañera de agua caliente y permaneció sumergido en ella hasta que oyó que *Juzgado de guardia*, la primera de las comedias de la tarde, comenzaba en el televisor del salón. El agua estaba ya casi fría, y Ralph se alegró de salir de la bañera. Se secó, se puso ropa limpia y decidió que una cena ligera estaba dentro de sus posibilidades. Llamó abajo, creyendo que tal vez McGovern querría acompañarle, pero no obtuvo respuesta.

Ralph preparó agua para hervir un par de huevos y llamó al hospital de Derry desde el teléfono de la cocina. Le pusieron con una mujer de Ingresos que consultó el ordenador y le dijo que sí, que tenía razón, Helen Deepneau había ingresado en el hospital. Su pronóstico era favorable. No, no tenía idea acerca de quién estaba cuidando de la hijita de la señora Deepneau; lo único que sabía era que Natalie Deepneau no figuraba en la lista de ingresos. No, Ralph no podía visitar a la señora Deepneau aquella tarde, pero no porque el médico hubiera prohibido las visitas, sino porque la propia señora Deepneau así lo había dispuesto.

«¿Por qué habrá hecho una cosa así?», empezó a preguntar Ralph, aunque no llegó a hacerlo. Lo más probable era que la mujer de Ingresos le dijera que lo sentía, que esa información no constaba en su ordenador, pero Ralph concluyó que él sí la tenía en su ordenador, ése que había entre sus gigantescas orejas. Helen no quería recibir visitas porque estaba avergonzada. Nada de lo que había ocurrido era culpa suya, pero Ralph no creía que aquello cambiara el modo en que se sentía. Toda la gente de Harris Avenue la había visto tambaleándose como un boxeador noqueado una vez el árbitro ha detenido el combate, la habían llevado al hospital en ambulancia y su marido, el padre de su hija, era el responsable. Ralph esperaba que le dieran algo para que pudiera dormir toda la noche; tenía la corazonada de que la situación le parecería mejor a la mañana siguiente. Dios sabía que no podía parecerle mucho peor.

«Maldita sea, me gustaría que alguien me diera a mí algo que me ayudara a dormir toda la noche», pensó.

«Pues ve a ver al doctor Lichtfield, imbécil», contestó de inmediato otra parte de su mente.

La mujer de Ingresos estaba preguntando a Ralph si podía ayudarle en algo más. Ralph repuso que no y estaba empezando a darle las gracias cuando escuchó el clic al otro extremo de la línea.

—Qué amable —dijo—. Pero que muy amable.

Colgó el teléfono, cogió una cuchara y sumergió los huevos en el agua con mucho cuidado. Diez minutos más tarde, mientras se sentaba con los huevos duros rodando por el plato como las perlas más grandes del mundo, sonó el teléfono. Ralph dejó el plato sobre la mesa y levantó el auricular.

—¿Diga?

Silencio roto tan sólo por una respiración.

—¿Diga? —repitió Ralph.

Una respiración más, casi tan fuerte como un sollozo aspirado, y a continuación otro clic. Ralph colgó y se quedó mirando el aparato durante unos instantes, con el ceño fruncido en tres ondas ascendentes sobre su frente.

—Vamos, Helen —dijo—. Vuelve a llamar. Por favor.

Al cabo de un momento regresó a la mesa, se sentó y empezó a dar cuenta de su frugal cena de soltero.

Quince minutos más tarde, cuando estaba lavando los pocos platos que había ensuciado, el teléfono volvió a sonar. «No será ella», pensó. Se secó las manos con el trapo y se lo echó al hombro mientras se dirigía hacia el teléfono. «No, seguro que no es ella. Probablemente será Lois o Bill.» Pero una parte de él sabía que no era cierto.

—Hola, Ralph.

—Hola, Helen.

—Era yo hace unos minutos.

Su voz sonaba ronca, como si hubiera estado bebiendo o llorando, y Ralph no creía que en el hospital permitieran tener bebida.

—Me lo imaginaba.

—Es que al oír tu voz no... no he podido...

—No pasa nada, lo comprendo.

—¿De verdad? —replicó sorbiendo por la nariz.

—Creo que sí.

—Ha pasado la enfermera para darme un analgésico. La verdad es que lo necesito... La cara me duele un montón. Pero no quería tomármelo hasta haberte llamado otra vez para decirte lo que tenía que decirte. El dolor es una mierda, pero también un estimulante de narices.

—Helen, no tienes que decir nada.

Pero lo cierto es que tenía miedo de que dijera algo, y tenía miedo de lo que pudiera decir..., miedo de descubrir que Helen había decidido enfadarse con él porque no podía enfadarse con Ed.

—Sí, sí tengo. Tengo que decirte gracias.

Ralph se apoyó contra el marco de la puerta y cerró los ojos durante un instante. Sentía un gran alivio pero no sabía cómo reaccionar. Se había preparado para decir «Siento que pienses eso» con la mayor suavidad posible, tan seguro estaba de que Helen empezaría por preguntarle por qué no se metía en sus propios asuntos.

Y como si le hubiera leído el pensamiento y quisiera explicarle que no estaba totalmente a salvo, Helen siguió hablando:

—He pasado la mayor parte del trayecto hasta el hospital, el ingreso y la primera hora en la habitación tremendamente enfadada contigo. He llamado a Candy Shoemaker, aquella amiga mía que vive en Kansas Street, para que viniera a buscar a Nat. Se va a quedar a pasar la noche con ella. Candy quería saber qué había pasado, pero no se lo he dicho. Lo único que quería era quedarme en la cama y estar enfadada contigo por haber llamado a la policía después de pedirte que no lo hicieras.

—Helen...

—Déjame terminar para que pueda tomarme la pastilla y dormir, ¿vale?

—Vale.

—Justo después de que Candy se fuera con la niña, Nat no ha llorado, gracias a Dios, no sé cómo me las habría arreglado, pues ha entrado una mujer. Al principio pensaba que debía de haberse equivocado de habitación, porque no tenía ni idea de quién era, y cuando he captado que venía a verme a mí, le he dicho que no quería visitas. Ella no me hacía ni caso. Ha cerrado la puerta y se ha levantado la falda para que pudiera verle el muslo izquierdo. Tenía una larga cicatriz que le llegaba casi desde la cadera hasta la rodilla.

»Me ha explicado que se llamaba Gretchen Tillbury, que era asesora de malos tratos en el Centro de la Mujer, y que su marido le había abierto la pierna con un cuchillo de cocina en 1978. Me ha dicho que si el hombre del piso de abajo no le hubiera puesto un torniquete se habría desangrado. Le he dicho que lo sentía mucho, pero que no quería hablar de mi situación hasta haber tenido la oportunidad de reflexionar —Helen hizo una pausa antes de proseguir—. Pero era mentira, ¿sabes? He tenido tiempo más que suficiente para reflexionar, porque Ed me pegó por primera vez hace dos años, mucho antes de que me quedara embarazada de Nat. Lo único que hacía era... apartar el problema.

—Lo entiendo perfectamente —terció Ralph.

—Esa señora... Bueno, deben de enseñar a las personas como ella a derribar las defensas de la gente.

—Creo que en eso consiste la mitad de su formación —asintió Ralph con una sonrisa.

—Me ha dicho que no podía aplazarlo por más tiempo, que estaba en una mala situación y que tenía que enfrentarme a ella ahora mismo. Le he dicho que hiciera lo que hiciera, no tenía que consultárselo a ella antes de hacerlo ni escuchar sus tonterías sólo porque su marido la hubiera rajado. He estado a punto de decirle que seguramente la rajó porque no se callaba y no le dejaba en paz, ¿te imaginas? Pero es que estaba muy cabreada, Ralph. Dolida... confusa... avergonzada..., pero más que nada cabreada.

—Probablemente es una reacción muy normal.

—Me ha preguntado cómo me sentiría conmigo misma, no con Ed, sino conmigo misma, si volvía a la relación y Ed volvía a pegarme. Entonces me ha preguntado cómo me sentiría si volvía con él y la que recibía la siguiente paliza era Nat. Me he puesto furiosa. Todavía me pongo furiosa al pensarlo. Ed nunca le ha puesto la mano encima, y eso es lo que le he dicho. Y entonces ella ha asentido y ha dicho: «Eso no quiere decir que no lo haga en el futuro, Helen. Ya sé que no quiere pensar en ello, pero debe hacerlo. Pero aun así, supongamos que tiene razón. Supongamos que ni siquiera llega a abofetear jamás a Nat. ¿Quiere que la niña crezca viendo cómo Ed la pega a usted? ¿Quiere que crezca viendo las cosas que ha visto hoy?». Y eso me ha tocado. Me ha llegado al alma. Recordaba el modo en que Ed me miró al llegar a casa... que lo supe en el momento en que vi lo pálido que estaba... el modo en que movía la cabeza...

—Como un gallo —murmuró Ralph.

—¿Qué?

—Nada, sigue.

—No sé qué lo puso tan furioso... Ya nunca lo sé, pero sabía que se iba a descargar conmigo. No hay nada que hacer o decir en cuanto llega a cierto punto. Eché a correr hacia el dormitorio, pero él me agarró por el pelo... Me arrancó un buen mechón... Grité... y Natalie estaba sentada en su trona... sentada, mirándonos... y cuando grité, ella también se puso a gritar...

En aquel momento, Helen se desmoronó y estalló en sollozos. Ralph esperó con la frente apoyada en el marco de la puerta que separaba la cocina del salón. Casi sin darse cuenta, utilizó la punta del paño de cocina que se había echado al hombro para secarse sus propias lágrimas.

—Bueno —prosiguió Helen en cuanto se hubo calmado lo suficiente—, acabé hablando con aquella mujer casi una hora. Eso se llama Asesoría a las Víctimas y es lo que hace para vivir, ¿te imaginas?

—Sí —repuso Ralph—, me lo imagino. Es algo muy bueno, Helen.

—Mañana volveré a verla, en el Centro de la Mujer. Es irónico, ¿no te parece? Que yo tenga que ir allí. Quiero decir que si no hubiera firmado la petición...

—Si no hubiera sido por la petición, habría sido por otra cosa.

—Sí —convino ella con un suspiro—, supongo que tienes razón. Bueno, tienes razón. En cualquier caso, Gretchen dice que no puedo solucionar los problemas de Ed, pero que sí puedo empezar a solucionar algunos de los míos —Helen empezó a llorar de nuevo antes de respirar profundamente—. Lo siento... Hoy he llorado tanto que no quiero volver a llorar nunca más. Le he dicho que quiero a Ed. Me daba vergüenza decirlo, y ni siquiera estoy segura de que sea verdad, pero tengo la sensación de que es verdad. Me ha dicho que eso significaba que estaba comprometiendo también a Natalie a darle otra oportunidad, y eso me ha hecho pensar en la niña ahí sentada en la cocina, con la cara manchada de puré de espinacas, gritando como una descosida mientras Ed me pegaba. Dios mío, odio a la gente como ella, que te acorrala en un rincón y no te deja salir.

—Está intentando ayudarte, nada más.

—Eso también lo odio. Estoy muy confusa, Ralph. Probablemente no lo sabías, pero lo estoy.

Una risita triste llegó a los oídos de Ralph desde el otro extremo de la línea.

—No te preocupes, Helen. Es lo más normal del mundo.

—Justo antes de irse, me ha hablado de High Ridge. Me parece que es el mejor sitio para mí ahora mismo.

—¿Qué es?

—Una especie de casa... No paraba de explicarme que era una casa, no un refugio; bueno, pues una casa para mujeres maltratadas. Que supongo que es lo que soy ahora oficialmente.

La segunda risita dio la impresión de acercarse peligrosamente al sollozo.

—Puedo llevarme a Nat si voy, y eso es el mayor atractivo que tiene.

—¿Dónde está?

—En el campo. Cerca de Newport, creo.

—Sí, me suena.

Por supuesto que lo sabía; Ham Davenport se lo había contado durante su arenga en pro del Centro de la Mujer. «Hacen planificación familiar, se ocupan de malos tratos a mujeres y niños y tienen un albergue para mujeres maltratadas en las afueras de Newport.» De repente, el Centro de la Mujer parecía estar en todas partes. Sin lugar a dudas, Ed habría considerado que dicha circunstancia tenía implicaciones siniestras.

—Esa Gretchen Tillbury es más dura que una piedra —decía Helen en aquel momento—. Justo antes de irse me ha dicho que no es malo que quiera a Ed. «No puede ser malo —ha dicho— porque el amor no sale de un grifo que puedas abrir y cerrar cuando te dé la gana», pero que tenía que recordar que mi amor no podía solucionar sus problemas, que ni siquiera el amor que Ed sentía por Natalie podía solucionar sus problemas, y que ninguna cantidad de amor, por grande que fuera, me quitaba la responsabilidad de cuidar de mi hija. Me he quedado en la cama pensando en ello. Creo que me gusta más quedarme en la cama y estar enfadada. Desde luego, es mucho más fácil.

—Sí —asintió Ralph—, ya me lo figuro. Helen, ¿por qué no te tomas esa pastilla y dejas de pensar durante unas horas?

—Lo haré, pero primero quería darte las gracias.

—Ya sabes que no hace falta.

—No creo que lo sepa —repuso.

Ralph se alegró de escuchar por fin el temblor de la emoción en su voz. Significaba que la verdadera Helen Deepneau todavía estaba ahí.

—Todavía estoy enfadada contigo, Ralph, pero me alegro de que no me hicieras caso cuando te he dicho que no llamaras a la policía. Es que tenía miedo, ¿sabes? Miedo.

—Helen, no...

La voz de Ralph sonaba espesa, a punto de quebrarse. Carraspeó y lo volvió a intentar.

—No quería que te hiciera más daño del que ya te había hecho. Cuando te vi llegar por el aparcamiento con la cara cubierta de sangre tuve tanto miedo...

—No hables de eso, por favor. Lloraré si sigues hablando de eso, y no soportaría llorar más.

—De acuerdo.

Se le ocurrían mil y una preguntas acerca de Ed, pero, sin lugar a dudas, aquél no era el mejor momento para formularlas.

—¿Puedo ir a verte mañana?

Se hizo un breve silencio.

—Creo que no. Mejor que no nos veamos durante un tiempo —repuso por fin—. Tengo que pensar en muchas cosas, muchas cosas que solucionar, y va a ser muy duro. Estaremos en contacto, ¿de acuerdo, Ralph?

—Claro, no hay problema. ¿Qué vas a hacer con la casa?

—El marido de Candy va a pasar por ahí para cerrarla. Le he dado las llaves. Gretchen Tillbury ha dicho que Ed no tiene por qué volver allí para nada, ni siquiera para buscar el talonario ni cambiarse de calzoncillos. Si necesita algo, deberá entregar una lista y la llave de casa a un policía, y el policía irá a buscarlo. Supongo que irá a Fresh Harbor. Allí hay muchas viviendas para los empleados del laboratorio. Pequeños chalés. La verdad es que son bastante monos...

El breve temblor de emoción que había advertido en su voz había desaparecido. Ahora parecía deprimida, desamparada y muy, muy cansada.

—Helen, me alegro mucho de que hayas llamado. Y también estoy aliviado, no voy a negarlo. Ahora procura dormir.

—¿Y cómo estás tú, Ralph? —inquirió Helen inesperadamente—. ¿Duermes lo suficiente últimamente?

El cambio de tema lo cogió tan desprevenido que contestó con una sinceridad que en otras circunstancias tal vez no habría logrado.

—Bueno, duermo algo..., pero tal vez no lo suficiente. Probablemente no lo suficiente.

—Bueno, pues cuídate. Has sido muy valiente, como un caballero en una historia del rey Arturo, pero creo que incluso sir Lancelot tenía que relajarse de vez en cuando.

Las palabras de Helen le conmovieron y también le divirtieron. Una imagen fugaz y muy vívida cruzó su mente; Ralph Roberts vestido con armadura y montado en un caballo blanco, mientras Bill McGovern, su fiel escudero, le seguía montado en un poney, ataviado con un justillo de cuero y su sempiterno panamá.

—Gracias, querida —dijo por fin—. Creo que es la cosa más bonita que me han dicho desde que Lyndon Johnson era presidente. Duerme lo mejor que puedas, ¿de acuerdo?

—De acuerdo. Y tú también.

Helen colgó. Ralph se quedó mirando el teléfono con aire pensativo durante unos instantes antes de colocarlo en la horquilla. Tal vez dormiría bien. Después de todo lo que había pasado, se lo merecía. De momento, pensó, quizás bajaría al porche, contemplaría la puesta de sol y tiempo al tiempo.

McGovern había vuelto y estaba repantigado en su silla favorita del porche. Miraba algo en la calle y no se volvió en seguida cuando su vecino salió. Ralph siguió su mirada y vio una furgoneta azul aparcada junto al bordillo de Harris Avenue a media manzana de distancia, en el lado de la Manzana Roja. Las palabras SERVICIOS MÉDICOS DERRY aparecían impresas en blanco en las puertas traseras del vehículo.

—Hola, Bill —saludó Ralph al dejarse caer en su silla. Los separaba la mecedora que ocupaba Lois Chasse cuando iba a visitarlos. Soplaba una leve brisa vespertina, encantadoramente fresca después del calor de la tarde, y la mecedora vacía oscilaba perezosa al capricho del viento.

93

—Hola —saludó McGovern volviéndose hacia Ralph.

Empezó a apartar la mirada de nuevo, pero luego se lo pensó mejor.

—Vaya, hombre, será mejor que empieces a abrirte las bolsas que tienes debajo de los ojos, porque si no te las vas a pisar dentro de nada.

Ralph suponía que McGovern pretendía que aquello sonara a las típicas chanzas cáusticas por las que su amigo era famoso en toda la calle, pero lo cierto era que su expresión reflejaba auténtica preocupación.

—Ha sido un día espantoso —repuso.

Le habló de la llamada de Helen, omitiendo los detalles que creía que a Helen no le habría gustado revelar a McGovern. Bill nunca le había caído demasiado bien.

—Me alegro de que se encuentre bien —comentó McGovern—. Te voy a decir una cosa, Ralph. Me he quedado impresionado al verte subir la calle como Gary Cooper en *Solo ante el peligro*. A lo mejor ha sido una locura, pero la verdad es que ha sido genial —hizo una pausa antes de continuar—. Para serte sincero, me has dejado de piedra.

Era la segunda vez en un cuarto de hora que alguien lo llamaba prácticamente héroe. Le resultaba embarazoso.

—Estaba demasiado cabreado con él para darme cuenta de la tontería que estaba haciendo. ¿Dónde has estado, Bill? Te he llamado hace un rato.

—He salido a pasear a la Extensión —explicó McGovern—. Para intentar calmarme un poco, supongo. He tenido dolor de cabeza y el estómago revuelto desde que Leydecker y el otro se han llevado a Ed.

—Yo también —confesó Ralph.

—¿De verdad? —replicó McGovern con expresión sorprendida y algo escéptica.

—De verdad —confirmó Ralph con una débil sonrisa.

—En cualquier caso, Faye Chapin estaba en el merendero donde esos carcamales se apalancan cuando hace calor, y me ha convencido para que jugara al ajedrez con él. Ese tipo es la pera, Ralph. Cree que es la reencarnación de Ruy López, pero juega al ajedrez como Soupy Sales, el cómico ése, y no para de hablar.

—Pero es un buen tipo —comentó Ralph en voz baja.

—Y también estaba el siniestro de Dorrance Marstellar —prosiguió Bill como si no lo hubiera oído—. Si nosotros somos viejos, él es un fósil. Se queda ahí parado junto a la verja que separa el merendero del aeropuerto con un libro de poemas en la mano, mirando cómo despegan y aterrizan los aviones. ¿Tú crees que realmente lee esos libros que siempre lleva o que sólo son parte del atrezzo?

—Buena pregunta.

Pero en realidad, Ralph estaba pensando en la palabra que McGovern había empleado para describir a Dorrance... Siniestro. No era la palabra que él habría utilizado, pero no cabía duda de que Dor era único. No estaba senil, o al menos Ralph no lo creía; era más bien como si las pocas cosas que decía fueran fruto de una mente ligeramente retorcida y de percepciones ligeramente sesgadas.

Recordaba que Dorrance también estaba en el merendero aquel día del verano anterior, cuando Ed había chocado con la furgoneta de aquel tipo. En aquel momento había pensado que la llegada de Dorrance había agregado el toque final a la retorcida celebración. Y Dorrance había dicho algo extraño. Ralph intentó recordar qué había sido, pero no pudo.

McGovern estaba mirando de nuevo la calle, donde un joven enfundado en un mono gris acababa de salir silbando de la casa ante la que la furgoneta de los servicios médicos estaba estacionada. El joven, que no aparentaba tener más de veinticuatro años y tenía aspecto de no haber necesitado un servicio médico en su vida, empujaba un carrito con una larga botella verde atada a él.

—Ésta está vacía —comentó McGovern—. Tendrías que haberlos visto cuando entraban la llena.

Otro joven, también enfundado en un mono, salió por la puerta principal de la casita, que combinaba sin mucho acierto la pintura amarilla de los muros con el color rosa oscuro de las puertas y los marcos. Se quedó un momento parado en la escalinata de entrada, con la mano en el pomo de la puerta, aparentemente hablando con alguien que estaba dentro. Al cabo de un instante cerró la puerta y cruzó con agilidad el sendero de entrada. Llegó a tiempo para ayudar a su compañero a levantar el carrito, que todavía llevaba la botella atada, y meterlo en la parte trasera de la furgoneta.

—¿Oxígeno? —preguntó Ralph.

McGovern asintió.

—¿Para la señora Locher?

McGovern asintió de nuevo mientras observaba a los empleados de los Servicios Médicos cerrar las puertas de la furgoneta de golpe y quedarse junto a ella, hablando en voz baja a la mortecina luz del anochecer.

—Fui a la escuela primaria y al instituto con May Locher. En Cardville, tierra de valientes y vacas. Sólo éramos cinco el año que nos graduamos. En aquellos tiempos, a ella la consideraban una tía buena y a los tipos como yo, unos «plumeros». En aquella divertida prehistoria, mariquita significaba el animalito ése con topos negros y punto.

Ralph se miró las manos sintiéndose incómodo y sin saber qué decir. Por supuesto, sabía que McGovern era homosexual, lo sabía desde hacía años, pero nunca había hablado de ello hasta aquel día. Le habría gustado que Bill se lo guardara para otro día..., preferiblemente un día en el que Ralph no tuviera la sensación de que la mayor parte de su cerebro se había convertido en papilla.

—Eso fue hace miles de años —prosiguió McGovern—. ¿Quién habría pensado que los dos acabaríamos atracando en la orilla de Harris Avenue?

—Tiene enfisema, ¿verdad? Creo que eso es lo que he oído.

—Sí. Una de esas enfermedades que no se acaba ni a tiros. Envejecer no es cosa de gallinas, ¿verdad?

—No, no lo es —convino Ralph.

De repente, su mente procesó la tremenda fuerza de aquel comentario. Pensó en Carolyn y en el terror que lo embargó al entrar resoplando en el piso, con las Converse empapadas, y verla tendida en el umbral de la cocina..., exactamente en el mismo lugar en que había permanecido durante la mayor parte de su conversación con Helen. Enfrentarse a Ed Deepneau no había sido nada en comparación con el terror que había sentido en aquel momento, convencido de que Carolyn había muerto.

—Recuerdo cuando sólo le llevaban oxígeno una vez cada dos semanas —comentó McGovern—. Ahora vienen cada martes y jueves por la tarde, puntuales como un reloj. Yo voy a verla cuando puedo. A veces le leo algo, las revistas femeninas más aburridas que puedas echarte a la cara, y a veces simplemente hablamos. Dice que tiene la impresión de que los pulmones se le están llenando de algas. Ya no le queda mucho. Un día llegarán y en lugar de cargar una botella vacía en la furgoneta, cargarán a May. Se la llevarán al hospital de Derry y eso será el fin.

—¿Ha sido por culpa del tabaco? —preguntó Ralph.

McGovern le lanzó una mirada tan poco habitual en aquel rostro delgado y suave que Ralph tardó varios minutos en darse cuenta de que se trataba de una mirada de desprecio.

—May Perrault no ha fumado un solo cigarrillo en su vida. Lo que pasa es que está pagando el precio por haber trabajado veinte años en la sección de tinte de una fábrica de tejidos de Corinna y otros veinte de recogedora en una fábrica de Newport. No está intentando respirar a través de algas, sino de algodón, lana y nailon.

Los dos jóvenes de los Servicios Médicos de Derry subieron a la furgoneta y se alejaron.

—Maine es el punto más septentrional de los Apalaches, Ralph; mucha gente no se da cuenta de eso, pero es verdad, y May se muere de una enfermedad de los Apalaches. Los médicos lo llaman pulmón textil.

—Es una pena. Supongo que significa mucho para ti.

—No —replicó McGovern con una sonrisa triste—. La visito porque da la casualidad de que es la última pieza visible de mi malgastada juventud. A veces le leo algo y siempre consigo tragarme una o dos de sus infumables galletas de avena, pero nada más. Te aseguro que mi interés es razonablemente egoísta.

«Razonablemente egoísta —repitió Ralph para sus adentros—. Qué expresión tan extraña. Qué frase tan McGovern.»

—No hablemos más de May —prosiguió McGovern—. La pregunta que quema la lengua de todos los americanos es qué vamos a hacer contigo, Ralph. El whiskey no ha funcionado, ¿eh?

—No —admitió Ralph—. Mucho me temo que no.

—Para hacer un juego de palabras especialmente apropiado, ¿te lo tomaste con una buena dosis de... empeño?

Ralph asintió con un gesto.

—Bueno, pues tienes que hacer algo con tus ojeras o nunca conseguirás nada de la encantadora Lois —comentó McGovern observando la reacción de Ralph a sus palabras y lanzando un suspiro—. No te ha hecho demasiada gracia, ¿eh?

—No. Ha sido un día muy largo.

—Lo siento.

—No pasa nada.

Permanecieron sentados en agradable silencio durante un rato, observando las idas y venidas de la gente en su tramo de Harris Avenue. Tres niñas jugaban a la pata coja en el aparcamiento de la Manzana Roja, al otro lado de la calle. La señora Perrine estaba cerca de ellas, observándolas erguida como un centinela. Dos niños se pasaban un *frisbee* delante de casa de Lois. Un perro ladraba. En algún lugar, una mujer gritaba a Sam que fuera a buscar a su hermana y entrara en casa. Era la serenata habitual de la calle, ni más ni menos, pero, a Ralph, toda la escena se le antojaba extrañamente falsa. Suponía que se debía a que se había acostumbrado a ver Harris Avenue desierta.

—¿Sabes qué ha sido lo primero que se me ha ocurrido al verte en el aparcamiento de la Manzana Roja? —preguntó Ralph volviéndose hacia McGovern—. ¿A pesar de todo lo que estaba pasando?

McGovern meneó la cabeza.

—Pues me he preguntado dónde narices estaría tu sombrero. El panamá. Tenías un aspecto muy raro sin él. Como desnudo. Así que suéltalo, hijo. ¿Dónde has escondido el sombrero?

McGovern se llevó la mano a la coronilla, donde los últimos mechones de su finísimo cabello blanco aparecían peinados con todo cuidado, de izquierda a derecha sobre el cráneo rosado.

—Pues no lo sé —repuso—. Lo he buscado esta mañana pero no lo he encontrado. Casi siempre me acuerdo de dejarlo sobre la mesa que hay junto a la puerta cuando entro, pero no está ahí. Supongo que esta vez lo he dejado en algún otro lado y el lugar exacto se me escapa por el momento. Espera a que pasen unos cuantos años más y me verás paseándome por ahí en ropa interior porque no recordaré dónde he dejado los pantalones. Todo forma parte de la maravillosa experiencia que es el envejecimiento, ¿verdad, Ralph?

Ralph asintió sonriendo mientras se decía que, de todas las personas de edad que conocía, y conocía al menos a tres docenas en plan superficial, Bill McGovern era el que más se quejaba del envejecimiento. Parecía contemplar su juventud desaparecida y su madurez recién acabada como un general contemplaría a un par de soldados que hubieran desertado la víspera de una importante batalla. Sin embargo, nunca lo reconocería. Cada cual tenía sus pequeñas excentricidades; ser dramáticamente morboso acerca del envejecimiento no era más que una de las excentricidades de McGovern.

—¿He dicho algo gracioso? —inquirió McGovern.

—¿Cómo?

—Estabas sonriendo, así que pensé que debía de haber dicho algo gracioso.

Parecía un poco irritado, sobre todo teniendo en cuenta que le gustaba tanto pinchar a su vecino de arriba acerca de la bonita viuda que vivía en la misma calle, pero Ralph se dijo que también había sido un día muy largo para McGovern.

—La verdad es que ni siquiera estaba pensando en ti —explicó—. Estaba pensando en que Carolyn solía decir casi lo mismo, que hacerse viejo era como tomar un postre malo después de una comida excelente.

Eso no era del todo cierto. Carolyn había empleado aquella metáfora, pero siempre en relación con el tumor cerebral que le estaba arrebatando la vida, no con su vida como ciudadana de la tercera edad. Además, no es que estuviera precisamente en la flor de la tercera edad, pues sólo contaba sesenta y cuatro años al morir, y hasta las últimas seis u ocho semanas de su vida, siempre había afirmado que la mayor parte de los días se sentía como si tuviera treinta.

Al otro lado de la calle, las tres niñas que habían estado jugando a la pata coja se acercaron al bordillo, miraron en ambas direcciones para comprobar si venían coches, se cogieron de las manos y cruzaron riendo. Por un instante tuvo la impresión de que estaban rodeadas por un brillo gris, un nimbo que les iluminaba las mejillas, la frente y los ojos rientes como un extraño y revelador fuego de San Telmo. Algo asustado, Ralph cerró los ojos con fuerza y los volvió abrir. El halo gris que le había parecido ver en torno a las niñas había desaparecido, lo cual era un alivio, pero tenía que dormir. Simplemente, lo necesitaba.

—Ralph.

La voz de McGovern parecía llegar del extremo más alejado del porche, aunque en realidad no se había movido.

—¿Estás bien?

—Sí, sí —repuso Ralph—. Es que estaba pensando en Ed y Helen. ¿Tenías idea de lo loco que se estaba volviendo, Bill?

—En absoluto —repuso McGovern meneando la cabeza con ademán resuelto—. Y aunque a veces le había visto algunos morados a Helen, siempre me creía las historias que me contaba acerca de ellos. No es que me haga ninguna gracia considerarme una persona tremendamente crédula, pero creo que tendré que replantearme el asunto.

—¿Qué crees que pasará con ellos? ¿Tienes alguna idea?

McGovern suspiró y se rozó la coronilla con la punta de los dedos, buscando sin darse cuenta el panamá que había perdido.

—Ya me conoces, Ralph. Soy un cínico de pura cepa. Creo que los conflictos humanos corrientes casi nunca se resuelven como en la tele. En la realidad vuelven una y otra vez, empequeñeciéndose cada vez más hasta que por fin desaparecen. Aunque la verdad es que no desaparecen, sino que se secan, como charcos de barro al sol —hizo una pausa antes de continuar—. Y casi todos dejan el mismo residuo asqueroso.

—Dios mío —exclamó Ralph—. Eso sí que es cínico.

—La mayoría de los profesores retirados son cínicos, Ralph —explicó McGovern al tiempo que se encogía de hombros—. Los ves llegar, tan jóvenes y fuertes, tan convencidos de que ellos serán diferentes, y más tarde los ves hundirse cada vez más en la porquería, igual que sus padres y abuelos. Lo que creo es que Helen volverá con él, que Ed se portará bien durante un tiempo. Luego la volverá a pegar y ella se volverá a marchar. Es como una de esas estúpidas canciones *country* que hay en el tocadiscos del restaurante de Nicky, y algunas personas tienen que escuchar una canción muchas, pero que muchas veces antes de decidir que no quieren escucharla más. Claro que Helen es una chica muy inteligente. Creo que con una estrofa más ya tendrá suficiente.

—A lo mejor sólo tendrá la oportunidad de escuchar una estrofa más —comentó Ralph en voz baja—. No estamos hablando de un marido borracho que llega a casa el viernes por la noche y le propina una paliza a su mujer porque acaba de perder todo el sueldo en una partida de póquer y ella se ha atrevido a quejarse.

—Ya lo sé —aseguró McGovern—, pero me has pedido mi opinión y yo te la he dado. Creo que a Helen le hará falta más de una estrofa antes de ser capaz de dejar de escuchar la cancioncilla. Y aun así es muy probable que se encuentren por ahí. Es una ciudad bastante pequeña —se detuvo para volver la mirada hacia la calle—. Mira, nuestra Lois. Avanza bella, como la noche.

Ralph le lanzó una mirada impaciente que su amigo no advirtió o

99

fingió no advertir. Se levantó llevándose de nuevo la mano al lugar en que no estaba el panamá y bajó la escalinata para salir al encuentro de Lois.

—¡Lois! —exclamó McGovern al tiempo que extendía las manos y se hincaba de rodillas en ademán teatral—. ¡Que nuestros destinos se fundan por los estrellados vínculos del amor! ¡Une tu destino al mío y deja que te lleve a exóticos parajes en la dorada carroza de mi afecto!

—Jesús, Bill, ¿estás hablando de una luna de miel o de un rollete de una noche? —preguntó Lois con una sonrisa insegura.

—Levántate, tonto —ordenó Ralph palmeando la espalda de su amigo.

Cogió la bolsa que llevaba Lois, miró en su interior y vio tres latas de cerveza.

—Lo siento, Lois —se disculpó McGovern al ponerse en pie—. Ha sido la combinación del anochecer estival y tu belleza. En otras palabras, alego locura transitoria.

Lois le dedicó una sonrisa antes de volverse hacia Ralph.

—Me acabo de enterar de lo que ha pasado —empezó—, y he venido lo antes posible. He pasado la tarde en Ludlow, jugando al póquer con las chicas.

Ralph no tuvo necesidad de mirar a McGovern para saber que su ceja izquierda, la que decía «¡Póquer con la chicas! Qué maravilloso y absolutamente típico de Nuestra Lois!», habría alcanzado la altitud máxima.

—¿Cómo está Helen?

—Está bien —repuso Ralph—. Bueno, no del todo... Pasará la noche en el hospital, en observación, pero no está en peligro.

—¿Y la niña?

—Bien. Está con una amiga de Helen.

—Bueno, vamos al porche y contádmelo todo.

Cogió a McGovern y Ralph por el brazo y los condujo de regreso por el sendero de entrada. Subieron la escalinata del porche con los brazos entrelazados, como dos mosqueteros algo ancianos protegiendo a la mujer cuyos favores se habían disputado de jóvenes, y cuando Lois se sentó en la mecedora, las farolas de Harris Avenue se encendieron, brillando en el anochecer como un doble collar de perlas.

Aquella noche, Ralph se durmió en cuanto su cabeza tocó la almohada y el viernes se despertó a las tres y media de la mañana. Supo en seguida que no tenía sentido intentar volver a dormirse, que bien podía dirigirse sin demora al sillón de orejas situado junto a la ventana del salón.

Sin embargo, permaneció tendido en la cama unos instantes más, contemplando la oscuridad e intentando recordar el sueño que había tenido. No pudo. Sólo recordaba que Ed había formado parte del sueño... y Helen... y *Rosalie*, la perra que a veces veía cojear por Harris Avenue antes de que apareciera Pat, el repartidor de periódicos.

Dorrance también estaba, Dorrance Marstellar. No lo olvides.

Sí, exacto. Y de repente, Ralph recordó la extraña frase que Dorrance le había dicho durante el enfrentamiento que se había producido entre Ed y el tipo corpulento el año anterior..., aquello que Ralph había intentado recordar unas horas antes, cuando McGovern había mencionado al viejo.

En el momento en que sujetaba a Ed, intentando mantenerlo apoyado contra el arrugado morro de su coche hasta que recobrara el juicio, Dorrance había dicho

(*Yo de ti*)

que Ralph debía dejar de tocar a Ed.

—Dijo que no me veía las manos —masculló Ralph al tiempo que se incorporaba con brusquedad—. Eso es.

Permaneció sentado en la cama durante un rato, con la cabeza gacha, el cabello revuelto y erizado, los dedos entrelazados entre los muslos. Por fin se levantó, se calzó las zapatillas y caminó arrastrando los pies hasta el salón. Había llegado el momento de esperar a que saliera el sol.

4

Aunque los cínicos siempre sonaban más plausibles que los estúpidos optimistas, según la experiencia de Ralph, lo cierto es que la mayor parte de las veces, si no siempre, se equivocaban, y se alegró mucho al descubrir que McGovern se había equivocado respecto a Helen Deepneau... En su caso, un solo verso del «Blues de los pómulos y el corazón rotos» parecía haber bastado.

El miércoles de la semana siguiente, justo cuando Ralph estaba a punto de decidir que lo mejor sería buscar a la mujer con la que Helen había hablado en el hospital (Tillbury, se llamaba, Gretchen Tillbury) para asegurarse de que Helen estaba bien, recibió una carta de su joven vecina. La dirección era bien sencilla, sólo *Helen y Nat, High Ridge*, pero bastó para proporcionar a Ralph un alivio considerable. Se dejó caer en su silla del porche, arrancó el extremo del sobre y extrajo dos hojas de papel rayado repletas de la inclinada caligrafía de Helen.

> Querido Ralph [empezaba la carta]: Supongo que debes de pensar que he decidido estar enfadada contigo a pesar de todo, pero no es así. Sólo que nos dicen que no estemos en contacto con nadie durante un tiempo, ni por teléfono ni por carta. Normas de la casa. Me gusta este sitio, y a Nat también. Claro que le gusta; hay al menos seis niños de su edad con los que puede gatear por allí. Por lo que a mí respecta, he encontrado a más mujeres que me comprenden de lo que imaginaba. Quiero decir que una ve los programas de la tele (Oprah Habla Con Mujeres Que Quieren A Hombres Que Las Utilizan Para Practicar El Boxeo), pero cuando te pasa a ti, no puedes evitar creer que tu situación es diferente a la de todas las demás, que es diferente de cualquier otra cosa que haya podido pasar en el mundo. El alivio de saber que no es así es lo mejor que me ha pasado en mucho, mucho tiempo...

Hablaba de las tareas que le habían asignado, como trabajar en el jardín, ayudar a pintar un cobertizo de herramientas, limpiar las ventanas protectoras con agua y vinagre, y también hablaba de las aventuras de Nat aprendiendo a caminar. El resto de la carta se centraba en lo que había sucedido y en lo que pretendía hacer al respecto, y fue entonces cuando Ralph comprendió realmente la tormenta emocional que debía de estar viviendo Helen, sus preocupaciones acerca del futuro y como contrapartida, una determinación inamovible a hacer lo mejor para Nat... y también para ella. Por lo visto, Helen estaba descubriendo que también ella tenía derecho a lo mejor. Ralph se alegraba de que lo hubiera descubierto, pero también le entristecía pensar en todos los momentos malos que debía de haber pasado para llegar a tan sencilla conclusión.

Voy a divorciarme de él [escribía]. Una parte de mí (que parece mi madre) pone el grito en el cielo cuando lo expreso tan claramente, pero estoy cansada de engañarme a mí misma. Aquí hay muchas terapias, esas sesiones en las que la gente se pone en círculo y gasta unas cuatro cajas de Kleenex en una hora, pero todo parece reducirse a ver las cosas claras. En mi caso, ver las cosas claras significa que el hombre con el que me casé se ha convertido en un paranoico peligroso. Que a veces sea cariñoso y dulce no es la cuestión. Tengo que recordar que el hombre que antes me traía flores que él mismo cogía ahora se sienta a veces en el porche y habla con alguien que no existe, con un hombre al que llama el «médico calvo y bajito». ¿No te parece encantador? Creo que sé cómo empezó todo esto, Ralph, y cuando nos veamos te lo contaré, si te interesa oírlo.

Creo que volveré a la casa de Harris Avenue (al menos por un tiempo) a mediados de septiembre, aunque sólo sea para buscar trabajo..., pero no quiero hablar más de ello ahora... ¡Me muero de miedo! He recibido una nota de Ed... Sólo un párrafo, pero me ha aliviado mucho de todas formas. Me dice que está en una de las casitas del complejo de los Laboratorios Hawking, en Fresh Harbor, y que cumpliría la cláusula de no establecer contacto conmigo que hay en el acuerdo de fianza. También dice que lo siente, pero la verdad es que no me ha dado la sensación de que lo sintiera realmente. No esperaba ver manchas de lágrimas en la carta ni recibir un paquete con su oreja, pero... no sé. Era como si no se estuviera disculpando, sino cumpliendo con su obligación. ¿Entiendes lo que te quiero decir? También me ha enviado un cheque de setecientos cincuenta dólares, lo que parece indicar que comprende sus responsabilidades. Eso está muy bien, pero creo que me habría alegrado más de enterarme que está recibiendo ayuda para sus problemas mentales. Ésa debería ser la sentencia; un año y medio de terapia intensiva. Lo dije en una de las sesiones y alguna gente se echó a reír como si lo dijera de broma, pero lo decía en serio.

A veces se me ocurren imágenes aterradoras cuando intento

pensar en el futuro. Nos veo a mí y a Nat en la cola de los comedores públicos, o a mí entrando en el refugio de Third Street con Nat en mis brazos, envuelta en una manta. Cuando pienso en esas cosas me pongo a temblar y a veces a llorar. Sé que es una tontería; soy diplomada en biblioteconomía, por el amor de Dios, pero no puedo evitarlo. ¿Y sabes a qué me aferro cuando se me ocurren esas cosas tan terribles? A lo que me dijiste después de llevarme a la trastienda de la Manzana. Me dijiste que tenía un montón de amigos en el barrio y que saldría de ésta. Sé que tengo al menos un amigo. Un amigo de verdad.

La carta estaba firmada *Con todo mi amor, Helen.*

Ralph se enjugó las lágrimas que amenazaban con escapársele del rabillo del ojo (últimamente lloraba por cualquier minucia, tenía la impresión; sin duda se debía a que estaba muy cansado) y leyó la posdata que Helen había escrito en la parte inferior de la página y el margen derecho:

Me encantaría que pudieras venir a visitarnos, pero los hombres son *personae non gratae* aquí por razones que estoy seguro que entenderás. ¡Ni siquiera quieren que digamos dónde está este lugar exactamente! H.

Ralph permaneció sentado durante un par de minutos con la carta de Helen sobre el regazo y mirando la calle. Agosto daba sus últimos coletazos, aún era verano pero las hojas de los chopos empezaban a adquirir un matiz plateado cuando el viento las acariciaba, y ya se respiraba el primer toque de frescor en el aire. El cartel colgado en el escaparate de la Manzana Roja rezaba MATERIAL ESCOLAR DE TODO TIPO. ¡COMPRUÉBELO! Y en algún lugar de las afueras de Newport, en alguna vieja granja a la que las mujeres maltratadas acudían para intentar recomponer sus vidas, Helen Deepneau limpiaba ventanas, preparándolas para otro largo invierno.

Con todo cuidado, metió la carta en el sobre, intentando recordar cuánto tiempo llevaban casados Ed y Helen. Siete u ocho años, creía. Carolyn se lo habría dicho con seguridad. «¿Cuánto valor necesitas para poner en marcha el tractor y destrozar una cosecha que has pasado siete u ocho años cultivando? —se preguntó—. ¿Cuánto valor necesitas para hacerlo después de pasarte tanto tiempo averiguando cómo se prepara la tierra y cuándo hay que sembrar y cuánta agua hace falta y cuándo recoger? ¿Cuánto valor necesitas para decir "Tengo que dejar los guisantes, los guisantes no me convienen, será mejor que pruebe con el maíz o las judías"?»

—Mucho —dijo en voz alta mientras se enjugaba las lágrimas—. Mucho, maldita sea, eso es lo que creo yo.

De repente deseó fervientemente volver a ver a Helen, repetirle aquello que ella tan bien recordaba haber oído y que él apenas recordaba haber dicho: «Todo irá bien, saldrás de ésta, tienes muchos amigos en el barrio».

—Eso está clarísimo —dijo Ralph.

Tener noticias de Helen le había quitado un peso de encima. Se levantó, se guardó la carta en el bolsillo trasero y empezó a subir por Harris Avenue en dirección al merendero de la Extensión. Si tenía suerte, encontraría a Faye Chapin o a Don Veazie y podría jugar una partida de ajedrez.

El alivio que le había proporcionado tener noticias de Helen no hizo mella en su insomnio; seguía despertándose cada vez más temprano, y el Día del Trabajo abrió los ojos a las tres menos cuarto. Hacia el diez de septiembre, el día en que volvieron a detener a Ed Deepneau, esta vez junto con otras quince personas, la media de sueño por noche de Ralph había quedado reducida a unas tres horas y empezaba a sentirse como si fuera un bichito visto por el microscopio. «Un protozoo solitario, eso es lo que soy», se dijo al sentarse en su sillón de orejas y mirar por la ventana que daba a Harris Avenue, deseando poder reír.

Su lista de remedios caseros a prueba de bomba y eficaces al cien por cien seguía creciendo, y más de una vez se le había ocurrido que podría escribir un divertido librito sobre el asunto..., siempre y cuando, claro está, durmiera lo suficiente como para recuperar la capacidad de organizar sus pensamientos. A finales de aquel verano, conseguía ponerse los calcetines correctos cada mañana, y sus recuerdos volvían siempre sobre los ímprobos esfuerzos que había realizado para encontrar una sopa instantánea en el armario de la cocina el día en que Ed había pegado a Helen. Desde entonces no había llegado a esos extremos porque había conseguido dormir al menos un poco cada noche, pero le aterraba volver a pasar por aquello, y tal vez por situaciones más espantosas aún, si las cosas no mejoraban. Había momentos, por lo general cuando estaba sentado en el sillón de orejas a las cuatro y media de la mañana, en los que podría jurar que oía cómo se le iba secando el cerebro.

Los remedios oscilaban entre lo sublime y lo ridículo. El mejor ejemplo de lo primero era un catálogo a todo color que elogiaba las maravillas del Instituto de Estudios del Sueño de Minnesota, situado en St. Paul. Un buen ejemplo de lo segundo era el Ojo Mágico, un amuleto multiuso que podía obtenerse con los cupones de los periódicos sensacionalistas de venta en los supermercados, como *The National Enquirer* e *Inside View*. Sue, la dependienta de la Manzana

Roja, compró uno y se lo mostró cierta tarde. Ralph examinó el ojo azul mal pintado que lo miraba con fijeza desde el medallón (que sospechaba habría nacido como ficha de póquer) y sintió que una enorme carcajada luchaba por abrirse paso en su pecho. De algún modo logró contenerla hasta llegar a la seguridad de su piso, y se alegraba de ello. La solemnidad con que Sue se lo había entregado y la cadena dorada de aspecto caro en que lo había ensartado indicaban que el juguetito le debía de haber costado una considerable cantidad de dinero. Sue miraba a Ralph con una suerte de fascinación desde el día en que ambos habían rescatado a Helen. Ralph se sentía algo incómodo por aquella admiración, pero no sabía qué hacer al respecto. Entretanto, suponía que no le haría ningún daño llevar el medallón para que la muchacha advirtiera el bulto bajo la camisa. Pero la verdad es que no lo ayudaba a dormir.

Después de tomarle declaración respecto a su intervención en los problemas domésticos de los Deepneau, el detective John Leydecker había apartado la silla de su escritorio, había entrelazado los dedos bajo la nada despreciable nuca y le había dicho que McGovern le había contado que Ralph padecía insomnio. Ralph admitió que era cierto. Leydecker asintió con un gesto, volvió a acercar la silla a la mesa, palmeó el montón de papeleo bajo el que estaba enterrada la mayor parte de la superficie del escritorio y miró a Ralph con expresión solemne.

—Panales —dijo.

Su tono recordó a Ralph el de McGovern al sugerirle que el whisky era la solución, y su propia respuesta fue exactamente la misma que entonces.

—¿Cómo dice?

—Mi abuelo creía ciegamente en los panales —explicó Leydecker—. Un trocito de panal justo antes de acostarse. Chupa la miel del panal, mastica un poco la cera, como si fuera un chiclé y luego la escupe en la basura. Las abejas segregan una especie de sedante natural cuando hacen la miel. Lo dejará frito.

—Vaya —exclamó Ralph creyendo que eran sandeces y al mismo tiempo creyendo cada palabra—. ¿Y dónde consigo el panal?

—En Nutra, la tienda de productos dietéticos que hay en el centro comercial. Pruébelo. La semana que viene se habrán acabado todos sus problemas.

Ralph disfrutó mucho con el experimento, pues la miel de panal era tan intensa que parecía inundar todo su ser, pero pese a todo, después de la primera dosis se despertó a las tres y diez, después de la segunda, a las tres y ocho minutos, y después de la tercera, a las tres y siete. Por entonces, ya no quedaba nada del trocito de panal que había comprado, así que se apresuró a ir a Nutra a por más. Tal vez su efecto sedante era nulo, pero lo cierto es que era estupendo para picar; le habría gustado descubrirlo antes.

Intentó sumergir los pies en agua caliente. Lois le llevó algo llamado Compresas Multiuso con Gel de venta por catálogo, con las que había que envolverse el cuello, y se suponía que era muy beneficioso para la artritis y también ayudaba a dormir. A Ralph no le sirvió para ninguna de las dos cosas, pero la verdad es que tenía muy poca artritis. Tras encontrarse por casualidad con Trigger Vachon en la barra del restaurante de Nicky, intentó la manzanilla.

—La manzanilla es estupenda —le aseguró Trig—. Vas a dorrmir como un angelito, Rralph.

Y Ralph durmió como un angelito..., hasta las tres menos dos minutos de la madrugada.

Tales fueron los remedios populares y homeopáticos que probó. Los que no probó fueron un complejo vitamínico que costaba mucho más de lo que Ralph se podía permitir gastar de sus ingresos fijos, una postura de yoga llamada El Soñador, que tal como la describía el cartero, se le antojó una forma estupenda de mirarse las hemorroides, y la marihuana. Ralph consideró con toda meticulosidad esta última posibilidad antes de decidir que lo más probable era que resultara ser una versión ilegal del whiskey, el panal y la manzanilla. Además, si McGovern se enteraba de que Ralph fumaba maría le pegaría una bronca de campeonato.

Y durante todos aquellos experimentos, una voz interior no cesaba de preguntarle si no llegaría al extremo de probar el ojo de tritón y la lengua de sapo antes de renunciar e ir a ver al médico. Aquella voz no sonaba demasiado crítica, sino más bien curiosa. Lo cierto era que el propio Ralph sentía una curiosidad creciente.

El diez de septiembre, el día de la primera manifestación organizada por Amigos de la Vida delante del Centro de la Mujer, Ralph decidió que probaría algo de la farmacia..., pero no de la farmacia Rexall del centro, donde le habían vendido las recetas para Carol. Ahí lo conocían, lo conocían bien, y no quería que Paul Durgin, el farmacéutico de Rexall, lo viera comprando somníferos. Quizás fuese una tontería, como irse a la otra punta de la ciudad para comprar condones, pero eso no cambiaba nada. Nunca había comprado nada en Rite Aid, la farmacia situada al otro lado del parque Strawford, así que allí es donde pretendía ir. Y si la versión farmacéutica del ojo de tritón y la lengua de sapo no funcionaba, iría al médico.

¿Es verdad eso, Ralph? ¿Lo dices en serio?

—Sí, lo digo en serio —dijo en voz alta mientras caminaba despacio por Harris Avenue bajo el brillante sol de septiembre—. Que me aspen si aguanto esto por mucho más tiempo.

Eres un bocazas, Ralph, replicó la vocecilla con escepticismo.

Bill McGovern y Lois Chasse estaban de pie junto a la entrada del parque, sosteniendo lo que parecía una animada discusión. Bill alzó la vista, vio a Ralph y le indicó por señas que se acercara. Ralph obedeció, aunque no le gustó ni pizca la combinación que formaban sus respectivas expresiones; ojos brillantes de interés en el rostro de McGovern, consternación y preocupación en el de Lois.

—¿Te has enterado del asunto del hospital? —preguntó cuando Ralph se unió a ellos.

—No ha sido en el hospital, y no ha sido un asunto —corrigió McGovern malhumorado—. Ha sido una manifestación, o al menos así es como lo llaman, y ha sido delante del Centro de la Mujer, que está detrás del hospital. Han metido a un montón de gente en la cárcel, entre seis y veinticuatro personas; nadie parecer estar muy seguro del número.

—¡Uno de ellos era Ed Deepneau! —exclamó Lois sin aliento, con evidente sorpresa.

McGovern le lanzó una mirada de desagrado. Sin duda creía que le correspondía a él desvelar tan importante noticia.

—¡Ed! —exclamó Ralph con sobresalto—. ¡Pero si Ed está en Fresh Harbor!

—Te equivocas —replicó McGovern.

El maltrecho sombrero que lucía le confería un aspecto elegante, como el vendedor de periódicos de una película policíaca de los años cuarenta. Ralph se preguntó si no habría encontrado aún el panamá o si ya lo habría guardado hasta el verano siguiente.

—Hoy ha vuelto a dar con sus huesos en la pintoresca cárcel municipal.

—¿Qué es lo que ha pasado?

Pero ninguno de los dos lo sabía con exactitud. Por el momento, la historia era poco más que un rumor que se había propagado por el parque como un catarro contagioso, un rumor que revestía especial interés en aquella parte de la ciudad porque el nombre de Ed estaba vinculado a él. Marie Callan había contado a Lois que los manifestantes habían arrojado piedras y que por eso habían sido detenidos. Según Stan Eberly, que había transmitido la noticia a McGovern poco antes de que éste se topara con Lois, alguien, tal vez Ed, pero tal vez uno de los otros, había atacado con spray antivioladores a un par de médicos cuando pasaban por el caminito que separaba el Centro de la Mujer de la entrada posterior del hospital. Técnicamente, aquel caminito era propiedad pública y se había convertido en la guarida predilecta de los antiabortistas durante los siete años que el Centro de la Mujer llevaba practicando abortos.

Las dos versiones de la historia eran tan vagas y contradictorias que Ralph aún podía alentar esperanzas razonables de que ninguna de las dos fuera cierta, que tal vez sólo se trataba de unas cuantas personas demasiado entusiastas que habían sido detenidas por colarse en una propiedad privada o algo por el estilo. En lugares como Derry, esa clase de cosas sucedía; las noticias solían hincharse como balones de playa a medida que se propagaban.

No obstante, no podía librarse de la sensación de que aquella vez la situación sería más grave, sobre todo porque tanto la versión de Bill como la de Lois contenían el nombre de Ed Deepneau, y Ed no era el manifestante antiabortista corriente. Al fin y al cabo, se trataba del tipo que le había arrancado varios mechones de cabello a su mujer, además de arreglarle los dientes y fracturarle el pómulo sólo porque había visto su firma en una petición que mencionaba el Centro de la Mujer. Era el tipo que parecía sinceramente convencido de que alguien que se llamaba a sí mismo el Rey Carmesí (sería un nombre magnífico para un luchador profesional, pensó Ralph) se paseaba por Derry, y que sus secuaces sacaban a sus víctimas nonatas de la ciudad en camiones de caja plana (además de unas cuantas furgonetas que llevaban fetos embutidos en bidones de fertilizante). No, tenía la sensación de que Ed había participado en el incidente, que no había sido tan sólo cuestión de que alguien golpeara accidentalmente a otro en la cabeza con una pancarta de protesta.

—Vamos a mi casa —propuso Lois de repente—. Llamaré a Simone Castonguay. Su sobrina es la recepcionista del Centro de la Mujer. Si alguien sabe lo que ha pasado allí esta mañana, es Simone... Habrá llamado a Barbara.

—Estaba a punto de ir al supermercado —comentó Ralph.

Por supuesto, era una mentira, pero no muy gorda. El supermercado estaba al lado de la farmacia Rite Aid, en el pequeño centro comercial que había a media manzana del parque.

—¿Te parece bien que pase cuando vuelva?

—De acuerdo —accedió Lois con una sonrisa—. Nos encontraremos allí dentro de unos minutos, ¿eh, Bill?

—Sí —asintió McGovern.

De repente, la levantó en volandas; le costó algún esfuerzo, pero lo consiguió.

—Y mientras tanto, te tendré para mi solo. ¡Oh, Lois, los minutos volarán!

Desde el parque, un grupo de mujeres con bebés en cochecitos («madres de cháchara», se dijo Ralph) los había estado observando, sobre todo a Lois, cuyos ademanes tendían a tornarse extravagantes cuando se emocionaba. Cuando McGovern se inclinó sobre Lois, mirándola con el falso ardor de un mal actor al término de un tango, una de las madres dijo algo a otra, y ambas se echaron a reír. Era un sonido estridente y desagradable que recordó a Ralph el chirrido de la tiza sobre la pizarra y de los tenedores al ser arrastrados por una pica de porcelana. «Mira a esos viejos —decía aquella risa—. Mira a esos viejos fingiendo ser jóvenes otra vez.»

Ralph les lanzó una mirada iracunda en un intento de transmitirles un pensamiento: «También vosotras seréis viejas algún día. Tal vez ahora no lo creáis, pero algún día seréis viejas».

—¡Basta, Bill! —ordenó Lois.

Se estaba ruborizando, y quizás no sólo porque Bill le estaba gastando una de sus habituales bromas. También había oído las risas procedentes del parque. Sin duda, también habían llegado a oídos de McGovern, pero con toda certeza, creía que se reían con él, no de él. A veces, pensó Ralph cansado, un ego algo henchido podía constituir una buena protección.

McGovern la soltó, se quitó el sombrero y lo agitó ante su cintura al tiempo que se inclinaba en una reverencia exagerada. Lois estaba demasiado ocupada comprobando que su blusa de seda seguía metida en la cinturilla de su falda como para prestarle atención. El rubor de sus mejillas empezaba a disiparse, y Ralph se dio cuenta de que tenía aspecto de cansancio y de no encontrarse demasiado bien. Esperaba que no hubiera cogido algo.

—Pasa luego si puedes —dijo a Ralph en voz baja.

—Lo haré, Lois.

McGovern le rodeó la cintura en un gesto de afecto amistoso y sincero esta vez, y ambos empezaron a subir por Harris Avenue. Al observarlos, Ralph tuvo la intensa sensación de que ya había vivido aquella situación, como si los hubiera visto caminar juntos en algún otro lugar. En el momento en que McGovern bajó la mano recordó dónde había visto aquella escena; Fred Astaire sacando a una Ginger Rogers morena y más bien rolliza al decorado de una ciudad de provincias, donde ambos bailarían al son de alguna canción de Jerome Kern o tal vez de Lerner y Lowe.

«Qué raro —pensó mientras retrocedía en dirección al pequeño centro comercial que había en Up-Mile Hill—. Pero que muy raro, Ralph. Bill McGovern y Lois Chasse se parecen tanto a Fred Astaire y Ginger Rogers como...»

—¡Ralph! —lo llamó Lois.

Ralph se volvió. Estaban a un cruce y aproximadamente una manzana de distancia. Numerosos coches pasaban por Elizabeth Street, convirtiendo la visión de sus dos amigos en un moderado tartamudeo.

—¿Qué? —preguntó.

—¡Tienes mucho mejor aspecto! ¡Pareces más descansado! ¿Duermes mejor?

—¡Sí! —exclamó al tiempo que se decía: «Otra pequeña mentira por otra buena causa».

—¿No te dije que te encontrarías mejor en cuanto acabara el verano? ¡Hasta luego!

Lois agitó los dedos en ademán de saludo, y Ralph se sobresaltó al ver brillantes líneas azules brotando de sus uñas cortas pero extremadamente cuidadas. Parecían estelas.

¿Qué coño...?

Cerró los ojos con fuerza y los volvió a abrir. Nada. Sólo Bill y Lois de espaldas a él, caminando juntos hacia la casa de Lois. Ninguna línea azul brillante en el aire, nada de eso...

Ralph bajó la mirada hacia la acera y vio que Lois y Bill estaban dejando huellas sobre el hormigón, huellas exactamente iguales que las del viejo manual de baile de Arthur Murray, el librito que se podía comprar por correo. Las de Lois eran grises. Las de McGovern, más grandes pero extrañamente delicadas, eran de un oscuro color verde oliva. Brillaban sobre la acera, y Ralph, que estaba parado en el extremo más alejado de Elizabeth Street con la barbilla casi a la altura del esternón, de repente se dio cuenta de que de ambos emanaban nubecillas de humo de colores. O tal vez era vapor.

Un autobús que se dirigía hacia Old Cape pasó rugiendo junto a él, bloqueando su visión durante un instante, y cuando volvió a mirar, las huellas habían desaparecido. Sobre la acera no había nada aparte de un mensaje escrito con tiza dentro de un desvaído corazón rosado: «Sam + Deanie para siempre».

Esas huellas no han desaparecido, Ralph; es que nunca han estado ahí. Lo sabes, ¿verdad?

Sí, lo sabía. Se le había ocurrido la idea de que Bill y Lois parecían Fred Astaire y Ginger Rogers; pasar de aquella idea a la alucinación de que sus pies dejaban huellas imaginarias sobre la acera como si fueran las huellas del manual de baile de Arthur Murray tenía cierta lógica surrealista. Pero eso no lo tranquilizaba. El corazón le latía demasiado aprisa, y cuando cerró los ojos por un momento para intentar calmarse, vio aquellas líneas brotando de los dedos de Lois como brillantes estelas azules.

«Tengo que dormir más —se dijo—. Tengo que dormir más como sea, porque si no, empezaré a ver de todo.»

—Exacto —masculló para sus adentros al tiempo que echaba a andar de nuevo hacia la farmacia—. De todo.

Diez minutos más tarde, Ralph estaba en la farmacia Rite Aid contemplando el cartel que colgaba del techo con cadenas. ENCUÉNTRESE MEJOR CON RITE AID, rezaba como si insinuara que encontrarse mejor era un objetivo que cualquier consumidor razonable y que trabajara duro pudiera alcanzar. Ralph tenía sus dudas.

III

Aquello, decidió Ralph, era venta de fármacos a gran escala... Hacía que en comparación Rexall, la farmacia donde solía comprar los medicamentos, pareciera un cuartucho. Los pasillos diáfanos, iluminados por fluorescentes, parecían más largos que pistas de bolos y ofrecían desde tostadores hasta rompecabezas. Tras un breve estudio, Ralph decidió que el pasillo 3 contenía casi todos los medicamentos y, por tanto, era el lugar que le convenía. Atravesó despacio la sección denominada MEDICAMENTOS PARA EL ESTÓMAGO, hizo una breve visita al reino de los ANALGÉSICOS y atravesó a toda prisa la tierra de los LAXANTES. Y ahí, entre los LAXANTES y los DESCONGESTIONANTES, se detuvo.

Hasta aquí hemos llegado, amigos... Mi última apuesta. Después de esto sólo me quedará el doctor Lichtfield, y si me sugiere que mastique panal de abeja o beba manzanilla, lo más probable es que explote y que las enfermeras y la recepcionista tengan que aunar fuerzas para apartarme de él.

MEDICAMENTOS PARA DORMIR, rezaba el cartel que coronaba aquella sección del pasillo 3.

Ralph, que nunca había sido un gran consumidor de medicamentos, ya que, de lo contrario, habría recurrido a la farmacia mucho antes, sin lugar a dudas, no sabía exactamente qué esperar, pero desde luego, no esperaba encontrar aquella descontrolada y casi indecente profusión de productos. Paseó la mirada por las cajas, la mayor parte de las cuales eran de un apaciguador tono azul, leyendo los nombres de los medicamentos. La mayoría de ellos sonaban extraños y algo ominosos: Compoz, Nytol, Dorminal, Z-Fuerza, Sominex, Dorminex, Somno-Liento. Incluso había un producto sin marca.

«Debes de estar de guasa —pensó—. Ninguna de estas cosas te servirá de nada. Ya es hora de que dejes de hacer el gilipollas, ¿es que no te enteras? Cuando uno empieza a ver huellas de colores en la acera es que que ha llegado el momento de dejar de hacer el gilipollas e ir al médico.»

Pero en aquel momento recordó la voz del doctor Lichtfield, la recordó con tanta claridad como si se acabara de encender un radiocassete en su cabeza. *Tu mujer tiene cefaleas tensionales, Ralph... Son desagradables y dolorosas, pero no peligrosas. Creo que podremos solucionar el problema.*

Desagradables y dolorosas, pero no peligrosas... Sí, exacto, eso era lo que había dicho el hombre antes de coger su talonario y extender la primera receta de píldoras inútiles mientras el minúsculo bulto de células malignas que anidaba en la cabeza de Carolyn seguía enviando microseñales de destrucción. Tal vez el doctor Jamal estuviera en lo cierto, tal vez ya entonces era demasiado tarde, pero también era posible que Jamal fuera un imbécil, un extraño en un país extraño que intentaba adaptarse sin provocar tempestades. Quizás sí, quizás no.

Ralph no lo sabía con certeza y nunca llegaría a saberlo. Lo único que sabía era que Lichtfield no había estado presente cuando Ralph y Carolyn se enfrentaron a las dos últimas tareas de su matrimonio: en el caso de ella, morir, y en el caso de él, verla morir.

¿Es eso lo que quiero hacer? ¿Ir a ver a Lichtfield y ver cómo vuelve a coger su talonario de recetas?

«A lo mejor esta vez funcionaba», intentó convencerse. Al mismo tiempo, su mano se extendió como si actuara por voluntad propia y cogió una caja de Dorminex del estante. Ralph la giró, la apartó un poco de sí a fin de poder leer la letra pequeña del flanco, y recorrió con la mirada la relación de ingredientes activos. No tenía ni la menor idea de cómo se pronunciaba la mayor parte de los trabalenguas que figuraban en la lista, ni mucho menos de qué eran ni cómo actuaban.

«Sí —contestó a la voz—. A lo mejor esta vez funcionaba. Pero quizás la solución está en encontrar a otro mé...»

—¿En qué puedo servirle? —preguntó una voz justo detrás del hombro de Ralph.

Estaba a punto de volver a colocar la caja de Dorminex en su lugar para coger algo que no sonara tanto como el medicamento siniestro de una novela de Robin Cook cuando aquella voz lo sobresaltó. Ralph dio un respingo y tiró al suelo una docena de cajas de sueño sintético.

—¡Lo siento! ¡Qué patoso soy! —se disculpó Ralph mirando por encima del hombre.

—En absoluto. Ha sido culpa mía.

Y antes de que Ralph pudiera recoger dos cajas de Dorminex y una de cápsulas Somno-Liento, el hombre de la bata blanca que había hablado con él ya había recogido el resto de los medicamentos y los estaba distribuyendo por el estante con la rapidez de un jugador profesional repartiendo las cartas en una mano de póquer. Según la placa dorada que llevaba prendida en la solapa, se trataba de JOE WYZER, FARMACÉUTICO DE RITE AID.

—Bueno —dijo Wyzer sacudiéndose el polvo de las manos antes de volverse hacia Ralph con una amistosa sonrisa—. Volvamos a empezar. ¿En qué puedo servirle? Parece un poco perdido.

La primera reacción de Ralph, consistente en estar molesto por haber sido interrumpido cuando sostenía una profunda e importante conversación consigo mismo, empezaba a dar paso a cierto interés cauteloso.

—Bueno, pues no sé —confesó al tiempo que señalaba el amasijo de pociones para dormir—. ¿Sirven para algo estas cosas?

La sonrisa de Wyzer se ensanchó. Era un hombre alto, de mediana edad, tez clara y cabello castaño bastante ralo peinado con raya al medio. Extendió la mano, y Ralph apenas había amagado el mismo gesto cuando su mano desapareció en la del farmacéutico.

—Me llamo Joe —se presentó el farmacéutico llevándose la mano libre a la placa de identificación—. Antes me llamaba Joe Wyze, pero ahora soy más viejo y Wyzer.*

Sin duda alguna era un chiste viejísimo, pero no había perdido una pizca de gracia para Joe Wyzer, que lanzó una estruendosa carcajada. Ralph esbozó una leve sonrisa que mostraba un rictus de angustia casi imperceptible. La mano que había envuelto la suya era muy fuerte, y temía que si el farmacéutico se la oprimía con contundencia, acabaría el día con la mano enyesada. Por un momento deseó haber acudido con su problema a la farmacia de Paul Durgin. Pero Wyzer le estrechó la mano con firmeza un par de veces y luego se la soltó.

—Me llamo Ralph Roberts. Encantado de conocerle, señor Wyzer.

—Lo mismo digo. Y ahora, respecto a la eficacia de estos estupendos productos, permítame contestar a su pregunta con otra: ¿acaso los osos cagan en las cabinas telefónicas?

Ralph estalló en carcajadas.

—No creo —repuso cuando por fin pudo articular palabra.

—Correcto.

Wyzer echó un vistazo a las cajas de medicamentos, un muro de tonos azulados.

—Gracias a Dios soy farmacéutico y no vendedor, señor Roberts; me moriría de hambre si tuviera que vender a domicilio. ¿Tiene insomnio? Se lo pregunto en parte porque lo he visto examinar los productos de esta sección, pero sobre todo porque tiene el típico aspecto demacrado y los ojos hundidos.

—Señor Wyzer, sería el hombre más feliz del mundo si pudiera dormir cinco horas alguna noche, e incluso me conformaría con solo cuatro.

—¿Desde cuándo tiene este problema, señor Roberts? ¿O prefiere que lo llame Ralph?

—Sí, llámeme Ralph.

—Perfecto. Llámeme Joe.

—Pues empezó en abril, creo. Un mes o mes y medio después de la muerte de mi mujer.

—Vaya, siento mucho que haya perdido a su esposa. Le acompaño en el sentimiento.

—Gracias —dijo Ralph antes de repetir la consabida fórmula—: La echo mucho de menos, pero también me alegré de que dejara de sufrir.

—Pero ahora es usted el que está sufriendo. El que lleva sufriendo..., veamos —Wyzer contó con los dedos—, casi medio año.

* Juego de palabras intraducible entre Wyze (fonéticamente *wise*, «sabio») y Wyzer (fonéticamente *wiser*, «más sabio»). (*N. de la T.*)

114

De repente, Ralph quedó fascinado por aquellos dedos. De ellos no brotaban estelas azules, pero cada una de las puntas parecía envuelta en un brillante halo plateado, como una especie de papel de aluminio transparente. Pensó otra vez en Carolyn, en los olores imaginarios de los que se había quejado a veces el otoño anterior... Clavo, desagües, jamón quemado... Tal vez aquello era el equivalente masculino, y el nacimiento de su tumor cerebral no venía acompañado de dolores de cabeza, sino de insomnio.

El autodiagnóstico es de tontos, Ralph, así que, ¿por qué no paras?

Con gesto resuelto, se volvió de nuevo hacia el rostro grande y agradable de Wyzer. Nada de halos plateados ni de ninguna otra clase. Estaba casi seguro de ello.

—Exacto —corroboró—. Casi medio año. Se me ha hecho más largo. Mucho más largo, de hecho.

—¿Algún patrón concreto? Por lo general hay un patrón en estos trastornos. Quiero decir, le cuesta mucho dormirse o...

—Tengo problemas de despertar prematuro.

—Y por lo que veo, ha leído algunos libros al respecto.

Si Lichtfield le hubiera hecho un comentario de aquella índole, Ralph habría advertido en él un matiz de condescendencia, pero en el rostro de Joe Wyzer no vio condescendencia, sino auténtica admiración.

—He leído todo lo que hay en la biblioteca, pero no tienen gran cosa, y la verdad es que ningún libro me ha servido de mucho —hizo una pausa antes de continuar—. Bueno, ninguno me ha servido de nada, para serle sincero.

—Bueno, permítame que le diga lo que sé sobre el tema, y usted levante la mano cuando me meta en territorio que usted ya haya explorado. ¿Quién es su médico, por cierto?

—Lichtfield.

—Ajá. Y por lo general compra sus medicamentos en... ¿Peoples Drug del centro comercial? ¿Rexall?

—Rexall.

—O sea que hoy va de incógnito.

Ralph se ruborizó... y luego sonrió.

—Más o menos.

—Ajá. Y no hace falta que le pregunte si ha recurrido al doctor Lichtfield para exponerle su problema, ¿verdad? Si lo hubiera hecho no estaría aquí explorando el maravilloso mundo de los remedios milagrosos.

—¿Eso es lo que son? ¿Remedios milagrosos?

—Más o menos... En el caso de la mayor parte de estas porquerías, me sentiría mucho más cómodo vendiéndolas de pueblo en pueblo con una carreta roja de elegantes ruedas amarillas.

Ralph se echó a reír, y la brillante nube plateada que había empezado a formarse delante de la bata de Joe Wyzer desapareció.

—En ese tipo de venta sí que me metería —prosiguió Wyzer con una leve y nebulosa sonrisa—. Me agenciaría a una chica bien mona que bailara en sujetador de lentejuelas y pantalones de harén... La llamaría Pequeña Egipto, como en esa vieja canción de los Coasters; ella sería el preludio. Y también tendría un banjista. Me he dado cuenta de que nada como una buena dosis de música de banjo para que la gente se anime a comprar.

La mirada de Wyzer se perdió entre los laxantes y los analgésicos, disfrutando del ensueño. Al cabo de un momento se volvió de nuevo hacia Ralph.

—Para los que padecen despertar prematuro, Ralph, estos mejunjes no sirven para nada. Le iría mejor un trago o una de esas máquinas de ondas que venden por catálogo, pero por su aspecto diría que ya ha probado las dos cosas.

—Sí.

—Además de otras dos docenas de eficaces y antiquísimos remedios caseros.

Ralph se echó a reír de nuevo. Aquel hombre empezaba a caerle muy bien.

—Más bien cuatro docenas.

—Bueno, es usted muy aplicado, tengo que reconocerlo —alabó Wyzer al tiempo que señalaba las cajas azules—. Estas pócimas no son más que antihistamínicos. La verdad es que se basan en un efecto secundario, porque los antihistamínicos dan sueño. Si mira una caja de Comtrex o de Benadryl en la sección de descongestionantes, verá que dicen que no los tome si tiene intención de conducir o manejar maquinaria pesada. Para las personas que tienen algún que otro problema para dormir, una dosis de Sominex de vez en cuando puede funcionar. Pero no servirían de nada en su caso, porque su problema no reside en dormirse, sino en que se despierta antes de hora, ¿correcto?

—Correcto.

—¿Puedo hacerle una pregunta delicada?

—Claro, supongo.

—¿Tiene algún problema con el doctor Lichtfield en este aspecto? ¿Tal vez alguna duda en su capacidad de comprender lo fastidiado que está por culpa del insomnio?

—Sí —asintió Ralph agradecido—. ¿Cree que debería ir a verlo? ¿Intentar explicárselo para que lo entienda?

Por supuesto, Wyzer contestaría que sí, y Ralph podría por fin hacer la famosa llamada a la consulta del médico. Y el médico sería Lichtfield, tenía que ser Lichtfield, ahora lo veía claro. Era una locura pensar en recurrir a otro médico a su edad.

¿Puedes decirle al doctor Lichtfield que ves cosas? ¿Puedes contarle lo de las líneas azules que has visto brotar de los dedos de Lois Chasse? ¿Las huellas en la acera que se parecían a las del manual de baile de Arthur Murray? ¿Esa cosa plateada que envolvía los dedos de Joe Wyzer? ¿Vas a contarle todas estas cosas a Lichtfield? Y si no puedes, ¿para qué narices vas a ir a verle, te recomiende lo que te recomiende este tipo?

Sin embargo, Wyzer lo sorprendió con una pregunta del todo distinta.

—¿Todavía sueña?

—Sí, bastante, de hecho, teniendo en cuenta que sólo duermo unas tres horas por noche.

—¿Son sueños coherentes, sueños que consistan en sucesos perceptibles y tengan un hilo narrativo, por extraño que sea? ¿O se trata sólo de imágenes confusas?

Ralph recordó un sueño que había tenido la noche anterior. Él, Helen Deepneau y Bill McGovern estaban jugando al *frisbee* en medio de Harris Avenue. Helen llevaba unos enormes y desmañados zapatos de dos colores; McGovern lucía un jersey con una botella de vodka impresa en la pechera. LA MEJOR, proclamaba la prenda. El *frisbee* era rojo brillante con listas de color verde fluorescente. De repente, *Rosalie* aparecía en escena. El desvaído lazo azul que alguien le había atado alrededor del cuello se agitaba mientras la perra cojeaba hacia ellos. De pronto daba un salto, atrapaba el *frisbee* entre los dientes y se alejaba corriendo. Ralph quería perseguirla, pero McGovern decía: «Tranquilo, Ralph, nos van a regalar una caja entera por Navidad». Ralph se volvía hacia él con la intención de señalar que para Navidad faltaban más de tres meses y preguntarle qué narices iban a hacer si les apetecía jugar al *frisbee* entretanto, pero antes de que pudiera articular palabra, el sueño había terminado o bien desembocado en otra película mental menos vívida.

—Si entiendo bien lo que quiere decir —repuso Ralph—, mis sueños son coherentes.

—Bien. Y ahora quiero que me diga si son lúcidos. Los sueños lúcidos cumplen dos requisitos. En primer lugar, uno sabe que está soñando, y en segundo lugar, a menudo puede influenciar el rumbo del sueño; es decir, uno se convierte en algo más que un observador pasivo.

—Sí, sí, tengo sueños así —asintió Ralph—. De hecho, tengo muchos sueños así últimamente. Ahora mismo estaba pensando en el que tuve anoche. Una perra callejera a la que a veces veo por la calle se escapaba con el *frisbee* con el que estábamos jugando unos amigos y yo. Yo me enfadaba porque la perra había interrumpido el juego e intentaba que soltara el *frisbee* simplemente pensándolo. Una especie de orden telepática, ¿comprende?

Ralph emitió una risita algo avergonzada, pero Wyzer se limitó a asentir con toda seriedad.

—¿Y funcionó?

—Esta vez no —repuso Ralph—, pero creo que he conseguido que funcionara en otros sueños. Claro que no estoy seguro, porque la mayor parte de los sueños parecen disiparse en cuanto me despierto.

—Eso le pasa a todo el mundo —explicó Wyzer—. El cerebro trata los sueños como material desechable; los almacena en una memoria extremadamente volátil.

—Sabe mucho de esto, ¿eh?

—Me interesa mucho el insomnio. Escribí dos estudios sobre el vínculo que existe entre los sueños y los trastornos del sueño cuando estaba en la universidad —explicó al tiempo que miraba el reloj—. Hora del descanso. ¿Le apetece tomarse un café y un trozo de pastel de manzana conmigo? Hay un sitio aquí al lado, y tienen un pastel de manzana fantástico.

—Muy bien, pero creo que me dedicaré a la naranjada. He intentado reducir el consumo de café al mínimo.

—Comprensible pero completamente inútil —comentó Wyzer con aire risueño—. Su problema no es la cafeína, Ralph.

—No, supongo que no, pero... ¿cuál es mi problema entonces?

Durante toda la conversación, Ralph había conseguido que no se le notara la desdicha en la voz, pero en aquel momento volvió a hacer su aparición.

Wyzer le dio una palmada en el hombro y lo miró con amabilidad.

—Eso es precisamente de lo que vamos a hablar. Venga.

5

—Intente verlo desde este punto de vista —prosiguió Wyzer cinco minutos más tarde.

Se hallaban en una especie de restaurante postmoderno llamado Amanecer y Ocaso. El lugar era un poco demasiado modernillo para Ralph, que creía firmemente en los restaurantes anticuados cargados de cromados y olores grasientos, pero el pastel de manzana estaba muy bueno, y aunque el café no estaba a la altura del de Lois Chasse, quien preparaba el mejor café que Ralph había probado en su vida, estaba caliente y fuerte.

—¿Es decir? —lo alentó Ralph.

—Hay ciertas cosas que las personas no cesan de buscar. No me refiero a las cosas que salen en los libros de historia y ciencias sociales, al menos por lo general. Me refiero a cosas fundamentales. Un techo bajo el que cobijarse. Tres comidas calientes y una cama. Una vida sexual decente. Unos intestinos sanos. Pero tal vez lo más básico de todo es lo que usted no tiene, amigo mío. Porque no hay nada en el mundo que pueda compararse con dormir bien, ¿verdad?

—Y que lo diga —asintió Ralph.

—El sueño es el héroe olvidado y el médico del pobre. Shakespeare decía que era el hilo que teje la compleja manga del bienestar, Napoleón lo llamaba el bendito colofón de la noche, y Winston Churchill, uno de los grandes insomnes del siglo XX, decía que el sueño era lo único que aliviaba sus profundas depresiones. Incluí estos datos en mis estudios, pero todas estas citas se reducen a lo que acabo de decir; no hay nada en el mundo que pueda compararse con dormir bien.

—Usted ha tenido el mismo problema, ¿verdad? —preguntó Ralph de repente—. ¿Por eso... bueno... está intentando cuidar de mí?

—¿Es eso lo que estoy haciendo? —replicó Joe Wyzer con una sonrisa.

—Creo que sí.

—Bueno, pues perfecto. La respuesta es sí. Padezco sueño retardado desde los trece años. Por eso acabé escribiendo no un estudio sobre el tema sino dos.

—¿Y cómo le va ahora?

—Pues este año no ha sido malo —repuso Wyzer encogiéndose de hombros—. Tampoco ha sido el mejor, pero me conformo. Durante un par de años, cuando tenía unos veinte, el problema fue muy grave. Me acostaba a las diez, me dormía hacia las cuatro, me levantaba a las siete y me arrastraba todo el día como podía, con la sensación de ser un figurante en la pesadilla de otra persona.

Aquello le resultaba tan familiar a Ralph que se le puso la piel de gallina.

—Y ahora viene lo más importante, Ralph, así que escuche con atención.

—Lo escucho.

—Se aferra a que se encuentra bien dentro de lo que cabe, aunque la verdad es que está jodido casi siempre. No todas las clases de sueño son iguales, ¿sabe? Hay sueño bueno y sueño malo. Si sigue teniendo sueños coherentes y lo que quizás es aún más importante, sueños lúcidos, eso significa que todavía tiene un sueño bueno. Y precisamente por eso, las píldoras para dormir podrían ser lo peor en estos momentos. Y conozco a Lichtfield. Es un tipo majo, pero le encanta su talonario de recetas.

—Y que lo diga —convino Ralph pensando en Carolyn.

—Si le dice a Lichtfield lo que me ha dicho a mí cuando veníamos para acá, le recetará benzodiacepina, seguramente Dalmane o Restoril, o quizás Halcion, o incluso Valium. Dormirá, eso sí, pero pagará un precio por ello. Las benzodiacepinas son adictivas, deprimen la función respiratoria y lo peor para tipos como usted y yo, reducen de forma considerable el sueño REM. En otras palabras, el sueño de los sueños. ¿Qué le parece el pastel? Apenas lo ha probado.

Ralph se metió un enorme trozo en la boca y se lo tragó sin saborearlo.

—Muy bueno —aseguró—. Ahora cuénteme por qué la gente tiene sueños para convertir el sueño en buen sueño.

—Si pudiera contestar a esa pregunta, me retiraría del negocio de las pastillas y me haría gurú del sueño.

Wyzer había dado cuenta de su trozo de pastel y estaba recogiendo las migas del plato con la yema del índice.

—REM significa movimiento rápido del ojo, por supuesto, y los términos sueño REM y sueño onírico se han convertido en sinónimos para la opinión pública, pero nadie sabe con exactitud qué relación guardan los movimientos del ojo con los sueños. Parece improbable que los movimientos del ojo indiquen «observación» o «rastreo», porque los investigadores especializados en el sueño lo observan muy a menudo, incluso en los sueños que los sujetos de los experimentos describen como bastante estáticos... Sueños de conversaciones, por ejemplo, como la que estamos sosteniendo en este momento. De un modo similar, nadie sabe exactamente por qué parece existir una relación clara entre los sueños lúcidos y coherentes y la salud mental general. Cuantos más sueños de este tipo tenga una persona, tanto mejor parece ser su salud, y viceversa. Es proporcional.

—Pero salud mental parece un término muy general —objetó Ralph con escepticismo.

—Sí —admitió Wyzer—. Me recuerda un adhesivo que vi en un coche hace algunos años: APOYE LA SALUD MENTAL O LO MATO. En cualquier caso, estamos hablando de ciertos componentes básicos que se pueden medir con facilidad, como la capacidad cognitiva, la capacidad de resolver problemas, tanto con métodos inductivos como conductivos, la capacidad de entablar relaciones, la memoria...

—Últimamente tengo una memoria pésima —comentó Ralph.

Estaba pensando en su incapacidad de recordar el número del cine y la larga búsqueda del último sobre de sopa en el armario de la cocina.

—Sí, probablemente sufre una pérdida de memoria a corto plazo, pero lleva la bragueta subida, la camisa bien puesta y apuesto a que si pregunto cuál es su segundo nombre de pila me lo sabría decir. No es que quiera quitarle importancia a su problema, jamás se me ocurriría, pero le pido que cambie de perspectiva durante unos instantes. Que piense en todos los ámbitos de la vida en los que todavía funciona a la perfección.

—De acuerdo. Estos sueños lúcidos y coherentes, ¿indican lo bien que funciona uno, como la aguja de la gasolina en el coche, o realmente ayudan a funcionar bien?

—Nadie lo sabe con exactitud, pero la respuesta más probable es que se trate de una combinación de ambas cosas. A finales de los años cincuenta, cuando los médicos empezaban a descartar los barbitúricos (el último realmente popular fue un fármaco fortísimo llamado talidomida), unos cuantos científicos intentaron incluso sugerir que el buen sueño, sobre el que nos habíamos roto los cuernos, y los sueños no guardaban ninguna relación.

—¿Y?

—Pues que los experimentos no respaldan la hipótesis. La gente que deja de soñar o sufre constantes interrupciones del sueño tiene todo tipo de problemas, que incluyen la pérdida de la capacidad cognitiva y la estabilidad emocional. También empiezan a padecer problemas de percepción, como la hiperrealidad.

Detrás de Wyzer, en el extremo más alejado de la barra, un tipo leía un ejemplar del *Derry News*. Sólo se le veían las manos y la parte superior de la cabeza. Llevaba un anillo bastante ostentoso en el dedo meñique. El titular de la primera página rezaba DEFENSORA DEL DERE- CHO AL ABORTO ACCEDE A PRONUNCIAR UNA CONFERENCIA EN DERRY EL MES QUE VIENE. Debajo, en letras un poco más pequeñas, se hallaba el sub- título: *Grupos Pro Vida prometen protestas organizadas*. En el centro de la página se veía una fotografía en color de Susan Day que le hacía mucha más justicia que las sosas instantáneas del póster que había visto en el escaparate de Rosa Usada, Ropa Usada. En aquellas foto- grafías tenía un aspecto vulgar, tal vez incluso un poco siniestro; pero en ésta aparecía radiante. Llevaba el cabello de color miel apartado del rostro. Tenía ojos oscuros, inteligentes y llamativos. Por lo visto, el pesimismo de Hamilton Davenport había estado fuera de lugar. Su- san Day vendría a Derry.

Pero en aquel momento, Ralph vio algo que le hizo olvidar por completo a Ham Davenport y Susan Day.

Un aura de color gris azulado había empezado a formarse alrede- dor de las manos y la coronilla del hombre que leía el periódico. El aura era especialmente brillante en torno al anillo de ónix que lucía. No se oscurecía sino que parecía aclararse, transformando la piedra en algo que parecía un asteroide de una película de ciencia ficción muy realista...

—¿Cómo dice, Ralph?

—¿Eh? —farfulló Ralph haciendo un esfuerzo por apartar la mira- da de hombre del anillo—. No sé... ¿Estaba hablando? Me parece que le preguntaba qué es la hiperrealidad.

—Percepción sensorial acentuada —explicó Wyzer—. Es como un viaje de LSD, pero sin tener que consumir ninguna sustancia química.

—Ah —dijo Ralph mientras observaba cómo la brillante aura gris azulada empezaba a formar complicados dibujos rúnicos sobre la uña del dedo con el que Wyzer estaba aplastando migas. Primero le dieron la impresión de ser letras escritas sobre el hielo... luego, frases escri- tas en la niebla... y por último, extraños rostros jadeantes.

Parpadeó y las imágenes desaparecieron.

—Ralph, ¿me está escuchando?

—Sí, sí. Pero oiga, Joe... Si los remedios caseros y las pastillas del pasillo 3 no funcionan, y los medicamentos recetados por el médico pueden llegar a empeorar la situación en lugar de mejorarla, ¿qué queda? Nada, ¿verdad?

—¿Va a comerse el resto? —replicó Wyzer señalando el plato de Ralph.

Una fría luz gris azulada brotó de la punta del dedo del farmacéu- tico como letras árabes escritas en hielo seco.

—No, estoy lleno. Sírvase.

Wyzer se acercó el plato de Ralph.

—No tire la toalla tan pronto —lo animó—. Quiero que vuelva conmigo a la farmacia para que le pueda dar un par de tarjetas de visita. En mi calidad de amable farmacéutico del barrio, le aconsejo que vaya a ver a esos tipos.

—¿Qué tipos?

Ralph observó fascinado cómo Wyzer abría la boca para comerse el último pedazo de tarta. Todos sus dientes estaban iluminados por un intenso brillo gris. Los empastes de sus muelas relucían como pequeños soles. Los fragmentos de masa y manzana que tenía sobre la lengua despedían

(*lúcido Ralph lúcido*)

una brillante luz. En aquel momento, Wyzer cerró la boca para masticar, y el brillo desapareció.

—James Roy Hong y Anthony Forbes. Hong es acupuntor y su consulta está en Kansas Street. Forbes es especialista en hipnosis y tiene consulta en la parte este de la ciudad, en Hesser Street, creo. Y antes de que los acuse de curanderos...

—No voy a acusarlos de curanderos —aseguró Ralph en voz baja mientras se llevaba la mano al Ojo Mágico que todavía llevaba bajo la camisa—. Créame, no voy a hacerlo.

—Muy bien. Le aconsejo que vaya a ver primero a Hong. Las agujas tienen un aspecto amenazador, pero no duelen mucho, y Hong es un experto. No sé qué narices es ni cómo funciona, pero sé que cuando pasé por un mal momento hace dos inviernos, me ayudó mucho. Forbes también es bueno, al menos eso me han dicho, pero yo voto por Hong. Tiene un montón de trabajo, pero es posible que yo pueda echarle una mano en eso. ¿Qué le parece?

Ralph vio una brillante línea gris, no más gruesa que un hilo, surgir del rabillo del ojo de Wyzer y rodar por su mejilla como una lágrima sobrenatural. Aquello lo convenció.

—Me parece perfecto.

—¡Buen chico! —exclamó Wyzer dándole una palmada en el hombro—. Paguemos y salgamos de aquí —Sacó una moneda de veinticinco centavos—. ¿Nos jugamos la cuenta?

A medio camino de la farmacia, Wyzer se detuvo para mirar un póster pegado a un escaparate vacío que había entre Rite Aid y el restaurante. Ralph se limitó a echarle un breve vistazo. Ya lo había visto con anterioridad en el escaparate de Rosa Usada, Ropa Usada.

—Se busca por asesinato —se maravilló Wyzer—. La gente ha perdido completamente el sentido de la proporción, ¿sabe?

—Sí —asintió Ralph—. Si la gente tuviera cola, creo que la mayoría se pasaría el día dando vueltas para arrancársela.

—El cartel ya es horrible —exclamó Wyzer—, pero mire eso.

Estaba señalando algo que había junto al cartel, unas palabras escritas en el polvo que cubría la parte exterior del escaparate vacío. Ralph se acercó para leerlas. MATAD A ESA ZORRA, rezaba el mensaje. Bajo las palabras se veía una flecha que señalaba la foto de Susan Day.

—Dios mío —murmuró Ralph.

—Sí —asintió Wyzer.

Se sacó un pañuelo del bolsillo trasero y borró el mensaje, dejando en su lugar un brillante abanico plateado que Ralph sabía sólo él podía ver.

Siguió a Wyzer a la trastienda de la farmacia y esperó junto a la puerta de una oficina no mucho más grande que un lavabo público mientras Wyzer se sentaba en el único mueble de la estancia, un taburete alto que habría encajado a la perfección en la oficina de Ebenezer Scrooge,* y llamaba a la consulta de James Roy Hong, el acupuntor. Wyzer pulsó el botón de manos libres a fin de que Ralph pudiera escuchar la conversación.

La recepcionista de Hong, una fémina llamada Anne que parecía conocer a Wyzer por razones mucho más íntimas que las meramente profesionales, aseguró al principio que el doctor Hong no podría visitar a un nuevo paciente hasta después del Día de Acción de Gracias. Ralph bajó la cabeza. Wyzer alzó la mano en su dirección («Espere un momento, Ralph») y procedió a convencer a Anne para que encontrara (o tal vez creara) un hueco para Ralph a principios de octubre. Faltaba más de un mes, pero era mucho mejor que esperar hasta después de Acción de Gracias.

—Gracias, Anne —dijo Wyzer—. ¿Sigue en pie la cena del viernes?

—Sí —asintió la joven—. Y ahora desconecta el maldito altavoz, Joe... Tengo que decirte algo estrictamente confidencial.

Wyzer obedeció, escuchó, rió hasta que se le saltaron las lágrimas, que a Ralph se le antojaron maravillosas perlas líquidas, dio dos ruidosos besos telefónicos a su interlocutora y colgó.

—Arreglado —anunció al tiempo que entregaba a Ralph la tarjeta de James Roy Hong, en la que había apuntado el día y la hora de la consulta—. Cuatro de octubre. No mata, pero no ha podido hacer más. Anne es una buena chica.

—Me parece perfecto.

—Aquí está la tarjeta de Anthony Forbes, por si quiere llamarlo entretanto.

* Protagonista del *Cuento de Navidad* de Dickens. (*N. del E.*)

—Gracias —repuso Ralph al coger la tarjeta—. Le debo un favor.

—Lo único que me debe es una visita para contarme cómo le ha ido. Estoy preocupado. Hay médicos que no recetan nada para el insomnio. Les gusta decir que de falta de sueño no se muere nadie, pero le aseguro que eso es una chorrada.

Ralph suponía que aquella noticia debería asustarlo, pero la verdad es que estaba bastante tranquilo, al menos de momento. Las auras habían desaparecido... Las brillantes lágrimas grises que habían surgido de los ojos de Wyzer cuando éste se reía por lo que fuera que hubiera dicho la recepcionista de Hong habían sido las últimas. Empezaba a creer que no había sido más que una fuga mental causada por la combinación del cansancio extremo y el hecho de que Wyzer mencionara la hiperrealidad. Y había otra razón por la que se sentía bien; había pedido hora en la consulta de un hombre que había ayudado a este hombre a salir de una situación parecida a la suya. Ralph creía que dejaría que Hong le clavara agujas en el cuerpo hasta que pareciera un puercoespín si el tratamiento lo ayudaba a dormir hasta el amanecer.

Y había un tercer punto: las auras grises no daban miedo, sino que más bien resultaban... interesantes.

—Mucha gente muere por falta de sueño —decía Wyzer—, aunque el forense suele certificar muerte por suicidio en lugar de insomnio. El insomnio y el alcoholismo tienen mucho en común, pero lo más importante es que ambos son enfermedades del corazón y la mente, y si se permite que sigan su curso, por lo general destrozan el espíritu mucho antes de llegar a destruir el cuerpo. Así que... sí, la gente sí muere por falta de sueño. Es un momento muy delicado para usted, y tiene que cuidarse. Si empieza a sentirse realmente mal, llame al doctor Lichtfield. ¿Me oye? No se corte.

—Creo que prefiero llamarle a usted —repuso Ralph con una mueca.

Wyzer asintió como si hubiera esperado aquella respuesta.

—El número que hay debajo del de Hong es el mío.

Sorprendido, Ralph volvió a mirar la tarjeta. En efecto, había otro número, junto al cual se veían las iniciales J. W.

—Puede llamarme a cualquier hora —aseguró Wyzer—. De verdad. No molestará a mi mujer. Nos divorciamos en 1983.

Ralph intentó decir algo pero no pudo pronunciar palabra. Lo único que brotó de sus labios fue un sonido ahogado e inarticulado. Tragó saliva en un intento de aclararse la garganta.

Wyzer se dio cuenta de sus esfuerzos y le dio una palmadita en la espalda.

—En esta tienda no se llora, Ralph. Asusta a los compradores. ¿Quiere un Kleenex?

—No, estoy bien —aseguró Ralph con voz algo acuosa, pero audible y bastante controlada.

—No, todavía no está bien, pero lo estará —dijo Wyzer observándolo con ojo crítico.

La enorme mano de Wyzer volvió a tragarse la de Ralph, y esta vez no se preocupó.

—De momento, intente tranquilizarse. Y recuerde que debe estar agradecido por las horas que duerme.

—De acuerdo. Gracias otra vez.

Wyzer asintió con un gesto y regresó al mostrador de recetas.

Ralph recorrió de nuevo el pasillo 3, dobló a la izquierda junto a la formidable estantería de los condones y salió por una puerta sobre cuya barra de paso había un cartel que decía GRACIAS POR COMPRAR EN RITE AID. En el primer momento no creyó que la intensa claridad que le hizo entornar los ojos tuviera nada de especial; al fin y al cabo, era mediodía, y tal vez la farmacia fuera más oscura de lo que le había parecido. Volvió a abrir los ojos y se quedó sin aliento.

Una expresión de completa estupefacción se extendió por su rostro. Era la expresión que podría observarse en un explorador que, tras abrirse paso por otra de las sempiternas marañas de plantas, se encuentra ante una fabulosa ciudad perdida o una maravilla geológica impresionante, tal vez un acantilado de diamantes o una catarata que baja en espiral.

Ralph retrocedió sin respirar aún hasta el buzón azul que había junto a la entrada de la farmacia, mirando como un loco de izquierda a derecha mientras su cerebro intentaba comprender la maravillosa y terrible información que estaba recibiendo.

Las auras habían reaparecido, pero eso era como decir que en Hawai no hace falta llevar abrigo. Ahora, la luz estaba en todas partes, intensa y fluctuante, extraña y hermosa.

En el transcurso de su vida, Ralph sólo se había hallado una vez en una situación que pudiera compararse siquiera remotamente con la presente. En el verano de 1941, el año en que había cumplido los dieciocho, hizo autoestop desde Derry hasta la casa de su tío, situada en Pougheepsie, Nueva York, a unos setecientos kilómetros de distancia. La tarde de su segundo día en la carretera, una tormenta lo había obligado a buscar cobijo en el lugar más cercano, un viejo y decrépito granero que oscilaba como un borracho en el extremo más alejado de un alargado campo de heno. Aquel día había pasado más tiempo caminando que en coche, por lo que se durmió profundamente en uno de los establos del granero abandonado antes de que los truenos dejaran de retumbar en el cielo.

Al día siguiente, despertó a media mañana después de dormir catorce horas seguidas. Miró en derredor maravillado, en el primer momento sin saber siquiera dónde se encontraba. Sólo sabía que se trataba de un lugar oscuro que despedía un olor dulce, y que el mundo que lo rodeaba se había abierto en una brillante sinfonía de luz. De repente recordó que había entrado en el granero para cobijarse, y se dio cuenta de que aquella extraña visión se debía a las grietas de la pared y el techo del granero, combinadas con el brillante sol estival..., nada más. Sin embargo, permaneció sentado, mudo de asombro, durante al menos cinco minutos más, un adolescente con los ojos abiertos de par en par, paja en el cabello y polvo de ahechaduras en los brazos; permaneció sentado contemplando la ola dorada de motas que danzaban perezosas en los rayos inclinados y entrelazados del sol. Recordaba haber creído que era como estar en la iglesia.

Lo que estaba experimentando en aquel momento era lo mismo, pero elevado a la décima potencia. No podía describir con exactitud qué había sucedido y de qué forma había cambiado el mundo para tornarse tan maravilloso. Las cosas y la gente, sobre todo la gente, tenían auras, sí, pero eso no era más que el principio del increíble fenómeno. Las cosas jamás habían sido tan brillantes, nunca habían estado tan completamente presentes. Los coches, los postes telefónicos, los carritos de la compra que se alineaban en su jaula frente al supermercado, los bloques de pisos al otro lado de la calle... Todas las cosas parecían abalanzarse sobre él como imágenes en tres dimensiones de una vieja película. El sombrío centro comercial de Witcham Street se había convertido en el país de las maravillas, y aunque Ralph lo estaba mirando directamente, no estaba seguro de lo que estaba mirando, tan sólo de que se trataba de una visión rica, preciosa y fabulosamente extraña.

Lo único que fue capaz de aislar eran las auras que envolvían a las personas que entraban y salían de las tiendas, cargaban paquetes en los maleteros o subían a sus coches para marcharse. Algunas de aquellas auras eran más brillantes que otras, pero incluso la más apagada era cien veces más brillante que las que había visto en los albores del fenómeno.

Pero esto es de lo que hablaba Joe Wyzer, sin duda. Es la hiperrealidad, y lo que estás viendo no son más que las alucinaciones que tiene la gente bajo la influencia del LSD. Lo que estás viendo no es más que otro síntoma del insomnio, ni más ni menos. Míralo, Ralph, y maravíllate cuanto quieras, porque es maravilloso, pero no te lo creas.

No le hacía falta obligarse a mirarlo todo con los ojos abiertos como platos, porque había maravillas por todas partes. Una furgoneta de panadería estaba dando marcha atrás para salir del estacionamiento que había delante de Amanecer y Ocaso, y una brillante sustancia amarronada, de un color muy parecido al de la sangre seca, brotaba del tubo de escape. No era ni humo ni vapor, aunque poseía ciertas características de ambos. Aquella sustancia brillante manaba en puntas cada vez más tenues que recordaban las líneas de un electroencefalograma. Ralph bajó la mirada hacia el pavimento y vio que el rastro que los neumáticos de la furgoneta dejaban sobre el hormigón eran del mismo matiz marronoso. La furgoneta aceleró en cuanto salió del aparcamiento, y la estela fantasmal que escupía el tubo de escape adquirió el tono rojo intenso de la sangre arterial.

Había imágenes extrañas en todas partes, fenómenos que se entrecruzaban en líneas oblicuas y recordaron a Ralph una vez más la luz que se había colado oblicua a través de las grietas del techo y las paredes de aquel lejano granero. Pero lo más impresionante eran las personas, y era en torno a ellas que las auras se definían con mayor claridad y verosimilitud.

Un recadero salió del supermercado empujando un carrito repleto de productos; caminaba envuelto en un nimbo blanco tan brillante que parecía un foco ambulante. En comparación, el aura de la mujer que andaba a su lado, un halo del matiz gris verdoso del queso que ha empezado a enmohecer, parecía sombría.

Una muchacha llamó al recadero desde la ventanilla abierta de un Subaru y lo saludó por señas; su mano izquierda dejaba brillantes estelas rosadas al moverse, aunque empezaban a disiparse nada más aparecer. El recadero sonrió y le devolvió el saludo; su mano dejó una estela en forma de abanico y de color blanco amarillento. A Ralph le recordaba la aleta de un pez tropical. También esta estela empezó a disiparse, pero más despacio.

Ralph experimentó un miedo considerable ante aquella brillante y confusa visión, pero al menos por el momento, el temor había quedado relegado a segundo término por el asombro, el respeto y la estupefacción. Era lo más bello que había visto en su vida. «Pero no es real —se advirtió a sí mismo—. Recuérdalo, Ralph.» Se prometió intentarlo, pero de momento, aquella voz de advertencia le parecía muy lejana.

En aquel momento se percató de otra cosa; de cada persona que veía salía una línea de aquella lúcida brillantez. Se elevaba como un lazo de papel de crepé empavesado o de colores antes de atenuarse y por fin, desaparecer. En el caso de algunas personas, el lazo desaparecía a metro y medio de la cabeza, mientras que en otros se disipaba a tres o incluso a cinco metros. En la mayoría de los casos, el color de la brillante línea ascendente casaba con el resto del aura (blanco brillante para el recadero, gris verdoso como queso pasado para la clienta que caminaba junto a él), pero había algunas asombrosas excepciones. Ralph vio una línea de color óxido elevarse desde la cabeza de un hombre de mediana edad que paseaba envuelto en un aura de color azul oscuro, así como una mujer rodeada por un aura gris claro cuya línea ascendente era de un increíble y algo alarmante matiz magenta. En algunos casos, dos o tres, a lo sumo, las líneas ascendentes eran casi negras. A Ralph no le gustaban nada aquellas líneas, y se dio cuenta de que todas las personas de cuyas cabezas surgían aquellos «cordeles de globo» (se le ocurrió aquel nombre de repente) tenían mal aspecto.

Por supuesto. Los cordeles de globo son indicadores de la salud... y de la mala salud, en algunos casos. Como las auras kirlian que tanto fascinaban a la gente a finales de los sesenta y principios de los setenta.

«Ralph —le advirtió otra voz—, no estás viendo esas cosas de verdad, ¿vale? Mira, no es que quiera ponerme pesado, pero...»

Pero ¿no era al menos posible que el fenómeno fuera real? ¿Que su persistente insomnio, combinado con la influencia estabilizadora de sus sueños lúcidos y coherentes, le permitiera entrever una dimensión fabulosa a la que la percepción normal no tenía acceso?

«Para, Ralph, para ahora mismo. Tienes que esforzarte más o acabarás en el mismo barco que el pobre Ed Deepneau.»

Pensar en Ed desencadenó cierta asociación, algo que había dicho el día en que fue detenido por maltratar a su mujer, pero antes de que pudiera discernir de qué se trataba, una voz habló junto a su codo izquierdo.

—Mamá... ¡Mamá! ¿Me compras otro Toblerone?

—Ya veremos, cariño.

Una joven y un niño pequeño pasaron por delante suyo cogidos de la mano. Era el niño, que aparentaba unos cuatro o cinco años, quien había hablado. Su madre caminaba envuelta en un aura de color blanco casi cegador. El «cordel de globo» que se elevaba desde su cabello castaño rojizo también era blanco y muy ancho... Parecía más el lazo con que se adornaría un paquete de regalo que un cordel. Se elevaba hasta una altura de al menos siete metros y flotaba algo ladeado tras ella. A Ralph le recordaba a complementos de boda... Colas, velos, cascadas de gasa blanca.

El aura de su hijo era de un saludable color azul casi violeta, y cuando ambos pasaron delante suyo, Ralph vio algo fascinante. Unos zarcillos de aura surgían también de sus manos entrelazadas; blancos los de la mujer, azul oscuro los del pequeño. Se enzarzaban en espiral a medida que ascendían antes de desvaírse y desaparecer.

«Madre e hijo, madre e hijo», pensó Ralph. Había algo pura y simplemente simbólico en aquellas manos, que se entrelazaban como madreselva trepando por un poste de jardín. Mirarlos lo llenaba de júbilo... Un poco hortera, pero eso era exactamente lo que sentía. *Madre e hijo, azul y blanco, madre e...*

—Mamá, ¿qué está mirando ese hombre?

La mirada de la mujer del cabello castaño rojizo fue breve, pero antes de que se volviera, advirtió que sus labios se convertían en una fina línea. Y lo que era más importante, vio que la brillante aura que la envolvía se oscurecía de pronto y en ella empezaban a formarse espirales de color rojo sangre.

«Ése es el color del miedo —se dijo Ralph—. O quizás del enfado.»

—No lo sé, Tim. Vamos, no seas pesado.

Empezó a tirar de él, y su cabello peinado en cola de caballo oscilaba adelante y atrás, dejando en el aire pequeños abanicos de color gris mechado de rojo. A Ralph le recordaron los arcos que los limpiaparabrisas a veces dejan en los parabrisas sucios.

—¡Venga, mamá, para ya! ¡Deja de es-ti-rar!

El chiquillo tenía que trotar para no quedar a la zaga.

«Es culpa mía», se reprochó Ralph, y por su mente cruzó la imagen de lo que la joven madre debía de haber visto en él; un viejo de rostro cansado, grandes ojeras lívidas. Está de pie, agazapado más bien, junto al buzón que hay delante de la farmacia Rite Aid, mirándoles a ella y a su hijo con fijeza, como si fueran dos de las maravillas del mundo.

Que es más o menos lo que son, señora, si usted supiera.

Sin duda le había dado la impresión de ser el pervertido más pervertido del mundo. Tenía que librarse de aquello. Ya fuera realidad o alucinación, tenía que librarse de ello. Si no lo conseguía alguien acabaría llamando a la policía o a los tipos de las camisas de fuerza. Por lo que él sabía, aquella madre tan guapa podía haberse detenido ya en la hilera de teléfonos públicos que había junto a la entrada principal del supermercado.

Se estaba preguntando cómo desterrar de su mente algo completamente imaginario cuando se dio cuenta de que ya había sucedido. Fuera un fenómeno psíquico o una alucinación sensorial, lo cierto era que había desaparecido mientras pensaba en la terrible impresión que habría dado a aquella madre tan guapa. El día había vuelto a adquirir la anterior brillantez propia del veranillo de San Martín, lo que era maravilloso pero no se parecía gran cosa a aquella luz diáfana que lo impregnaba todo. La gente que cruzaba el aparcamiento en todas direcciones volvía a ser sólo gente; nada de auras, cordeles de globo ni fuegos artificiales. Sólo gente que se dirigía a comprar en el supermercado Compra y Ahorro, a buscar el último carrete de fotos de verano en Foto-Mat, o a comprar café para llevar en Amanecer y Ocaso. Algunos incluso entrarían en Rite Aid para comprar una caja de condones o, Dios nos proteja, MEDICAMENTOS PARA DORMIR.

Tan sólo los respetables y vulgares habitantes de Derry ocupándose de sus respetables y vulgares asuntos.

Ralph espiró el aire retenido durante tanto tiempo con un jadeo y se preparó para experimentar una oleada de alivio. Y de hecho, experimentó alivio, pero no en la poderosa ola que había esperado. No le acometió la sensación de haberse alejado del abismo de la locura en el último momento; ni la sensación de haber estado cerca de ninguna clase de abismo. Sin embargo, comprendía perfectamente que no podía vivir durante mucho tiempo en un mundo tan brillante y maravilloso sin que su salud mental peligrara; sería como tener un orgasmo que durara horas. Tal vez era así como experimentaban las cosas los genios y los grandes artistas, pero no estaba hecho para él; tantas emociones le fundirían los plomos en un abrir y cerrar de ojos, y cuando llegaran los hombres de las camisas de fuerza para darle una inyección y llevárselo, lo más probable era que los acompañara con mucho gusto.

La emoción más evidente que experimentaba en aquel momento no era alivio, sino una suerte de agradable melancolía que recordaba haber sentido a veces después de hacer el amor cuando era muy joven. Aquella melancolía no era profunda sino ancha, y parecía llenar los espacios vacíos de su cuerpo y su mente del mismo modo que una inundación deja una capa de tierra rica y suelta. Se preguntó si volvería a experimentar algún día otro momento de epifanía tan vigorizante y a un tiempo alarmante. Creía tener bastantes posibilidades..., al menos hasta el mes siguiente, cuando James Roy Hong le clavara sus agujas, o tal vez hasta que Anthony Forbes se pusiera a hacer oscilar el reloj de bolsillo dorado ante sus ojos y a decirle que tenía mucho..., mucho sueño. Era posible que ni Hong ni Forbes consiguieran curarle el insomnio, pero si uno de ellos lo lograra, Ralph suponía que dejaría de ver auras y cordeles de globo después de la primera noche en que durmiera a pierna suelta. Y después de un mes de noches de descanso, tal vez podría olvidar que todo aquello había sucedido. Por lo que a él respectaba, se trataba de una razón muy válida para sentir un toque de melancolía.

Será mejor que muevas el trasero, amigo. Si tu nuevo amigo mira por la ventana y te ve aquí parado como un imbécil, lo más probable es que él mismo llame a los de las camisas de fuerza.

—O llame al doctor Lichtfield —masculló Ralph mientras atravesaba el aparcamiento en dirección a Harris Avenue.

—¡Buenas! ¿Hay alguien en casa? —gritó metiendo la cabeza por la puerta principal de casa de Lois.

—¡Entra, Ralph! —invitó Lois—. ¡Estamos en el salón!

Ralph siempre había imaginado que la guarida de los hobbits se parecería mucho a la casita de Lois Chasse, situada calle abajo, a una media manzana de la Manzana Roja; ordenada y diminuta, un poco demasiado oscura, tal vez, pero escrupulosamente limpia. Y suponía que a un hobbit como Bilbo Baggins, cuyo interés en sus ancestros sólo se veía eclipsado por su interés en lo que había para cenar, le habría encantado el pequeño salón, donde toda suerte de parientes vigilaban desde todas las paredes. El lugar de honor, sobre el televisor, lo ocupaba una fotografía coloreada de estudio del hombre al que Lois siempre se refería como «el señor Chasse».

McGovern estaba sentado en el sofá, inclinado hacia delante y con un plato de macarrones con queso en equilibrio sobre las huesudas rodillas. El televisor estaba encendido y en él se veía la ronda final de un concurso.

—¿Qué quiere decir con eso de que «estamos en el salón»? —inquirió Ralph, pero antes de que McGovern pudiera contestar, Lois entró con un plato humeante en las manos.

—Toma —dijo—. Siéntate y come. He hablado con Simone y me ha dicho que probablemente saldrá en las noticias de mediodía.

—Dios mío, Lois, no deberías haberte molestado —exclamó al coger el plato.

Pero su estómago se quejó ruidosamente en cuanto percibió el olor a cebolla y cheddar suave. Echó un vistazo al reloj de pared, que apenas se veía entre las fotos de un hombre enfundado en un abrigo de mapache y de una mujer que tenía el aspecto de incluir las horteradas más insospechadas en su vocabulario habitual, y lo sorprendió comprobar que eran las doce menos cinco.

—Lo único que he hecho es meter unas cuantas sobras en el microondas —aseguró Lois—. Algún día, Ralph, cocinaré para ti de verdad. Y ahora siéntate y come.

—Pero no te sientes encima de mi sombrero —terció McGovern sin apartar la mirada del televisor.

Recogió el sombrero del sofá, lo dejó caer en el suelo, junto a él y se concentró de nuevo en su ración de macarrones, que estaba menguando a toda prisa.

—Está muy bueno, Lois.

—Gracias.

Lois se detuvo el tiempo suficiente para ver cómo uno de los concursantes ganaba un viaje a Barbados y un coche nuevo antes de apresurarse a volver a la cocina. El exaltado ganador desapareció de la pantalla para dar paso a un hombre enfundado en un pijama arrugado que no cesaba de dar vueltas en la cama. De repente, se incorporó y miró el reloj de la mesita de noche. Marcaba las tres y dieciocho, una hora del día con la que Ralph ya había hecho buenas migas.

—¿No puede dormir? —inquirió una voz televisiva en tono comprensivo—. ¿Está harto de pasarse noche tras noche en vela?

Una pequeña y reluciente píldora entró volando por la ventana del dormitorio del insomne. A Ralph se le antojó el platillo volante más pequeño del mundo, y no le sorprendió comprobar que la pastilla era azul.

Ralph se sentó junto a McGovern. Aunque ambos eran bastante delgados (el término escuálido habría encajado mejor con Bill), ocupaban casi todo el sofá.

Lois entró con un plato de macarrones para ella y tomó asiento en la mecedora situada junto a la ventana. Por encima de la música enlatada y los aplausos de estudio que indicaban el fin del concurso, la voz de una mujer anunció:

—Aquí Lisette Benson. Como noticia más destacada de nuestras noticias de mediodía, una conocida defensora de los derechos de la mujer accede a pronunciar una conferencia en Derry, lo que ha suscitado una protesta y seis detenciones en una clínica local. Además, Chris Altoberg les contará el pronóstico del tiempo y Bob McClanaham, las últimas noticias deportivas. Sigan con nosotros.

Ralph se llevó un bocado de macarrones a la boca y, al alzar la mirada, se dio cuenta de que Lois lo observaba con atención.

—¿Está bueno? —inquirió.

—Delicioso —repuso.

Y era cierto, pero tenía la sensación de que, en aquel momento, una lata de espaguetis francoamericanos fríos le habría parecido igual de buena. No es que tuviera hambre, sino que estaba famélico. Al parecer, ver auras quemaba muchas calorías.

—En pocas palabras, lo que ha pasado es lo siguiente —empezó McGovern tras engullir el último bocado de macarrones y dejar el plato junto a su sombrero—. A las ocho y media de la mañana, mientras llegaban los empleados, unas dieciocho personas se han plantado delante del Centro de la Mujer. La amiga de Lois, Simone, dice que se hacen llamar Amigos de la Vida, pero el núcleo del grupo son la flor y nata que formaba el grupo Pan de Cada Día. Dice que uno de ellos era Charlie Pickering, el tipo al que la poli, por lo visto, sorprendió a finales del año pasado cuando estaba a punto de poner una bomba en la clínica. La sobrina de Simone dice que la policía sólo ha detenido a cuatro personas. Parecía un poco decepcionada.

—¿Y Ed estaba con ellos? —inquirió Ralph.

—Sí —asintió Lois—. Y a él también lo han detenido. Al menos no hay heridos. Eso sólo era un rumor. Nadie ha resultado herido.

—Esta vez —agregó McGovern en tono sombrío.

En la diminuta pantalla en color del televisor de Lois apareció el logotipo de las noticias de mediodía, que a continuación se desvaneció para dar paso a Lisette Benson:

—Buenas tardes —saludó—. La noticia más destacada de este

maravilloso día de verano nos revela que la famosa escritora y controvertida defensora de los derechos de la mujer Susan Day ha accedido a pronunciar una conferencia en el Centro Cívico el próximo mes. El anuncio de su visita ha suscitado una manifestación ante el Centro de la Mujer, el centro de asistencia a la mujer y clínica en la que se practican abortos. El Centro de la Mujer ha acaparado...

—¡Ya están otra vez con la historia de la clínica de abortos! —exclamó McGovern—. ¡Por el amor de Dios!

—¡Chitón! —ordenó Lois en un tono perentorio que poco se parecía a sus suaves murmullos habituales.

McGovern le lanzó una mirada de asombro y se calló.

—... John Kirkland se encuentra en el Centro de la Mujer con el primero de dos reportajes —terminaba Lisette Benson en aquel instante.

La imagen cambió para mostrar al corresponsal informando desde la fachada de un edificio de ladrillo bajo y alargado. Las palabras sobreimpresas en pantalla informaban a los espectadores de que se trataba de un reportaje en directo. Uno de los flancos del Centro de la Mujer estaba surcado de ventanas. Dos de ellas estaban rotas, mientras que otras aparecían salpicadas de una sustancia roja que parecía sangre. La policía había acordonado la zona que mediaba entre el corresponsal y el edificio con la típica cinta amarilla. Tres policías uniformados de Derry y uno de paisano estaban agrupados en el extremo más alejado del edificio. A Ralph no le sorprendió reconocer a John Leydecker.

—Se hacen llamar Amigos de la Vida, Lisette, y afirman que la manifestación de esta mañana ha obedecido a un arranque espontáneo de indignación provocado por la noticia de que Susan Day, la mujer a la que los pro vida más radicales llaman «La asesina de bebés número uno de América», vendrá a Derry el próximo mes para pronunciar una conferencia en el Centro Cívico. Sin embargo, al menos un agente de la policía de Derry cree que esta versión no es cierta.

El reportaje de Kirkland pasaba a mostrar algunas imágenes, empezando por un primer plano de Leydecker, que parecía resignado a tolerar el micrófono delante de las narices.

—Este incidente no ha tenido nada de espontáneo —explicó—. Es evidente que ha sido preparado con meticulosidad. Lo más probable es que lleven toda la semana sabiendo que Susan Day iba a venir a la ciudad, preparándose y esperando a que la noticia trascendiera a los periódicos, lo cual ha sucedido esta mañana.

La cámara se alejó para incluir al corresponsal en el encuadre. Kirkland estaba observando a Leydecker con su mejor expresión de falso interés.

—¿Qué ha querido decir con «preparado con meticulosidad»? —inquirió.

—La mayor parte de las pancartas que llevaban mostraba el nombre de la señora Day. Y había docenas de ellas.

Una emoción sorprendentemente humana se coló en la máscara de policía-durante-una entrevista que cubría el rostro de Leydecker; a Ralph le pareció que se trataba de una expresión de disgusto. El detective alzó una gran bolsa de pruebas, y durante un terrible instante, Ralph estuvo convencido de que contenía un bebé mutilado y ensangrentado. Pero entonces se dio cuenta de que, fuera lo que fuera aquella sustancia roja, el cuerpo que había en la bolsa era el de una muñeca.

—Esto no lo han comprado en el K-Mart —explicó Leydecker al corresponsal—. Eso se lo aseguro.

La siguiente imagen mostraba un primer plano de las ventanas rotas y manchadas. La cámara las peinó con lentitud. Ahora más que nunca, la sustancia que manchaba los cristales parecía sangre, y Ralph decidió que no quería los dos o tres últimos bocados de su plato de macarrones con queso.

—Los manifestantes vinieron armados con muñecas en cuyos cuerpos blandos habían inyectado lo que la policía considera una mezcla de jarabe y colorante alimenticio rojo —explicó la voz de Kirkland—. Arrojaron las muñecas contra el flanco del edificio mientras entonaban cantos anti Susan Day. Rompieron dos ventanas, pero no se han producido desperfectos importantes.

La cámara se detuvo al llegar al vidrio de una ventana manchada con aquella siniestra sustancia.

—Casi todas las muñecas estallaron —prosiguió Kirkland—, y salpicaron las ventanas con una sustancia lo suficientemente parecida a la sangre como para asustar a los empleados que presenciaron el bombardeo.

La imagen de la ventana manchada fue sustituida por la de una encantadora mujer de cabello oscuro ataviada con pantalones y jersey.

—¡Mira, es Barbie! —exclamó Lois—. ¡Madre mía, espero que Simone lo esté viendo! Quizás debería...

Ahora le tocó el turno a McGovern de ordenarle que guardara silencio.

—Me asusté muchísimo —explicó Barbara Richards a Kirkland—. En el primer momento creí que estaban arrojando bebés muertos de verdad o quizás fetos que se habían agenciado de alguna forma. Ni siquiera me tranquilicé del todo después de que el doctor Harper saliera y gritara que no eran más que muñecas.

—¿Ha dicho que estaban cantando? —inquirió Kirkland.

—Sí. Lo que he oído con mayor claridad era «Mantén al Ángel de la Muerte alejado de Derry».

La siguiente mostraba de nuevo a Kirkland hablando a la cámara.

—Los manifestantes han sido conducidos del Centro de la Mujer a la comisaría de Main Street alrededor de las once de la mañana, Lisette. Creo que doce de ellos han sido interrogados antes de ser puestos en libertad, mientras que los otros han permanecido en las dependencias policiales acusados de perturbación del orden público, un delito menor. Así pues, por lo visto se ha librado una nueva batalla en la guerra del aborto que barre Derry. Les ha hablado John Kirkland de las noticias del Canal Cuatro.

—Otra batalla en... —empezó McGovern alzando las manos.

Lisette Benson había reaparecido en pantalla.

—A continuación daremos paso a Anne Rivers, que hace menos de una hora ha conversado con dos de los llamados Amigos de la Vida detenidos en la manifestación de esta mañana.

Anne Rivers estaba de pie en la escalinata de la comisaría de Main Street, flanqueada por Ed Deepneau y un individuo alto, de piel cetrina y barbita de chivo. Ed ofrecía un aspecto elegante y muy atractivo con su chaqueta de tweed gris y sus pantalones azul marino. El sujeto alto de la perilla vestía como sólo un liberal con sueños de lo que tal vez él consideraba «el proletariado de Maine» podría vestir; vaqueros desvaídos, camisa azul desvaída y tirantes rojos de bombero. A Ralph no le costó situarlo. Se trataba de Dan Dalton, el propietario de Rosa Usada, Ropa Usada. La última vez que lo había visto estaba detrás de las guitarras y las jaulas colgadas en su escaparate, agitando las manos en dirección a Ham Davenport en un gesto que decía: «¿Y a quién le importa un carajo lo que tú pienses?».

Pero Ralph no podía apartar los ojos de Ed, por supuesto; Ed, que en aquellos momentos parecía elegante y pulcro en más de un aspecto.

Por lo visto, McGovern estaba pensando lo mismo.

—Dios mío, me cuesta creer que sea el mismo hombre —murmuró.

—Lisette —decía la atractiva rubia en aquel momento—, tengo conmigo a Ed Deepneau y Daniel Dalton, ambos de Derry y ambos detenidos durante la manifestación de esta mañana. ¿No es así, caballeros? Han sido detenidos, ¿no es cierto?

Ambos asintieron con la cabeza. Ed, con un levísimo matiz de humor, Dalton, con austera y severa resolución. Con la mirada fija en Anne Rivers, Dalton parecía, al menos a los ojos de Ralph, estar intentando recordar en qué clínica de abortos la había visto entrar con la cabeza gacha y los hombros encogidos.

—¿Han salido en libertad bajo fianza?

—Hemos salido en libertad bajo palabra —repuso Ed—. Sólo hemos sido acusados de cargos menores. No teníamos intención de herir a nadie, y de hecho, nadie ha resultado herido.

136

—Hemos sido detenidos sólo porque las impías autoridades de esta ciudad quieren hacer de nosotros sus chivos expiatorios —terció Dalton.

Ralph creyó observar una sutil y breve mueca de enojo en el rostro de Ed. Una expresión que parecía decir: «Ya empezamos».

Anne Rivers volvió el micrófono de nuevo hacia Ed.

—No se trata de una cuestión filosófica, sino práctica —explicó éste—. Aunque a las personas que dirigen el Centro de la Mujer les gusta concentrarse en sus servicios de asesoramiento, terapias, mamografías gratuitas y otras funciones admirables, lo cierto es que este lugar tiene dos caras. Ríos de sangre se derraman en el Centro de la Mujer...

—¡Sangre inocente! —lo interrumpió Dalton a gritos, con los ojos relucientes en el rostro alargado y flaco.

En aquel momento, Ralph se percató de un detalle que lo dejó consternado; en todo el este de Maine, la gente estaba siguiendo aquella entrevista y decidiendo que el tipo de los tirantes rojos estaba loco, mientras que su compañero parecía un individuo bastante razonable. Casi resultaba divertido.

Ed trató la interrupción de Dalton como el equivalente pro vida del *Aleluya*, es decir, esperó en respetuoso silencio durante un segundo antes de seguir hablando.

—La matanza del Centro de la Mujer ha durado ya ocho años —explicó a la periodista—. A muchas personas, sobre todo feministas radicales como la doctora Roberta Harper, directora del Centro de la Mujer, les gusta dorar la píldora utilizando expresiones como «interrupción del embarazo», pero de lo que en realidad están hablando es de aborto, el mayor abuso de la sociedad sexista contra la mujer.

—Pero ¿cree usted que arrojar muñecas rellenas de sangre falsa contra las ventanas de una clínica privada es el mejor modo de dar a conocer sus ideas a la opinión pública, señor Deepneau?

Durante un instante, un brevísimo instante, la expresión de buen humor que adornaba los ojos de Ed dio paso a un destello de algo mucho más duro y frío. Durante un instante, Ralph reconoció al Ed Deepneau que había estado dispuesto a abalanzarse sobre un camionero que le sacaba cincuenta kilos. Ralph olvidó que la entrevista se había grabado hacía una hora y temió por la esbelta rubia, que era casi tan guapa como la mujer con la que todavía estaba casado el entrevistado. «Tenga cuidado, jovencita —pensó Ralph—. Tenga cuidado y tenga miedo. Está al lado de un hombre muy peligroso.»

Entonces aquel destello desapareció y el hombre de la chaqueta de tweed volvió a no ser más que un joven de aspecto serio que había dado con sus huesos en la cárcel a causa de su conciencia. Otra vez era Dalton, que tiraba nervioso de sus tirantes rojos como si fueran gomas rojas, quien parecía estar como un cencerro.

—Lo que estamos haciendo es lo que los llamados buenos alemanes no lograron en los años treinta —decía Ed en el tono paciente y condescendiente de un hombre que se ha visto obligado a señalar lo mismo una y otra vez..., sobre todo a personas que ya deberían saberlo—. Ellos callaron y seis millones de judíos perdieron la vida. En este país, un holocausto muy parecido...

—Más de mil bebés al día —lo interrumpió de nuevo Dalton con aire horrorizado y terriblemente cansado, olvidada ya su anterior estridencia—. Muchos de ellos son arrancados a pedazos del seno de sus madres, e incluso al morir agitan los bracitos para protestar.

—Oh, Dios mío —suspiró McGovern—. Es lo más ridículo que he oído en mi...

—¡Calla, Bill! —ordenó Lois implacable.

—¿... objetivo de esta protesta? —estaba preguntando Rivers a Dalton.

—Como probablemente sabe —repuso Dalton—, el ayuntamiento ha accedido a revisar las regulaciones urbanísticas que permiten operar al Centro de la Mujer donde y como lo hace en la actualidad. Los defensores del aborto temen que el ayuntamiento eche arena en los motores de su máquina mortal, así que han convocado a Susan Day, la principal defensora del aborto de este país para intentar que la máquina siga funcionando. Estamos aunando nuestras fuerzas...

El péndulo del micrófono se dirigió de nuevo hacia Ed.

—¿Habrá más protestas? —inquirió la periodista.

De repente, Ralph se vio embargado por la sensación de que Rivers tal vez sentía un interés no estrictamente profesional por él. ¿Y por qué no? Ed era un tipo apuesto, y la señorita Rivers no podía saber que creía que el Rey Carmesí y sus centuriones habían llegado a Derry para unirse a los asesinos de bebés del Centro de la Mujer.

—Hasta que no se corrija la aberración legal que abrió las puertas a esta matanza, las protestas continuarán —replicó Ed—. Y no abandonaremos la esperanza de que la historia del próximo siglo recuerde que no todos los americanos eran nazis buenos durante este oscuro período.

—¿Protestas violentas?

—Nosotros somos contrarios a la violencia.

Ed y ella se estaban mirando profundamente a los ojos, y Ralph pensó que Anne Rivers estaba, como habría dicho Carolyn, más encendida que la pipa de un indio. Dan Dalton se hallaba en un rincón de la pantalla, casi olvidado.

—Y cuando Susan Day venga a Derry dentro de un mes, ¿podrá usted garantizar su seguridad?

Ed esbozó una sonrisa, y en su mente, Ralph lo vio tal como lo había visto aquella calurosa tarde de agosto, hacía menos de un mes, arrodillado junto a Ralph, agarrándolo por los hombros y mascullando: «Queman los fetos en Newport» a pocos centímetros de su rostro. Ralph se estremeció.

—En un país en el que miles de niños son arrancados del vientre de sus madres con el equivalente médico de aspiradoras industriales, no creo que nadie pueda garantizar nada —repuso Ed.

Anne Rivers lo miró insegura durante unos instantes, como si intentara decidir si quería o no hacerle otra pregunta (tal vez pedirle el número de teléfono), y de repente se volvió hacia la cámara.

—Les ha hablado Anne Rivers desde la comisaría de policía de Derry.

Lisette Benson reapareció en la pantalla, y algo en el extrañado rictus que mostraba su boca hizo pensar a Ralph que quizás no había sido el único en percatarse de la atracción que había nacido entre entrevistadora y entrevistado.

—Les ofreceremos más detalles de esta noticia a lo largo de todo el día —anunció—. Sintonicen nuestro canal a las seis para enterarse de las últimas novedades. En Augusta, la gobernadora Greta Powers respondió a las acusaciones según las cuales...

Lois se levantó y apagó el televisor. Se quedó mirando la pantalla vacía con fijeza durante unos momentos antes de exhalar un pesado suspiro y dejarse caer de nuevo en la mecedora.

—Tengo compota de arándanos —dijo—. Pero después de esto, ¿alguno de vosotros quiere?

Los dos hombres denegaron con la cabeza.

—Qué miedo —comentó Bill volviéndose hacia Ralph.

Ralph asintió con un gesto. No podía desterrar el recuerdo de Ed paseando bajo el abanico de agua del aspersor, quebrando los arcoiris con el cuerpo, golpeándose la palma de la mano con el puño.

—¿Cómo han podido dejarlo en libertad bajo fianza y luego entrevistarlo en las noticias como si fuera una persona normal? —se preguntó Lois indignada—. ¡Después de lo que le hizo a la pobre Helen! ¡Dios mío, si esa Anne Rivers parecía a punto de invitarlo a cenar a su casa!

—O a comer galletas en la cama con ella —agregó Ralph con sequedad.

—La acusación de asalto y lo de hoy son cosas totalmente distintas —intervino McGovern—, y apuesto lo que sea a que el abogado o los abogados que estos chalados tienen en la manga harán lo que sea para que eso no cambie.

—E incluso el asalto no es más que un delito menor —le recordó Ralph.

—¿Cómo puede ser el asalto un delito menor? —exclamó Lois—. Lo siento, pero eso no lo he llegado a entender.

139

—Es un delito menor cuando la víctima es tu mujer —explicó McGovern enarcando una ceja con aire sarcástico—. Leyes a la americana, Lois.

Lois se frotó las manos con nerviosismo, bajó al señor Chasse del televisor, lo contempló un momento, volvió a colocarlo en su sitio y siguió frotándose las manos.

—Bueno, la ley es una cosa —comentó—, y soy la primera en reconocer que no la entiendo en absoluto. Pero alguien debería decirles que Ed está loco. Que pegaba a su mujer y que está loco.

—No sabes cuánto —puntualizó Ralph.

Y por primera vez, les contó lo que había sucedido el verano anterior junto al aeropuerto. Tardó unos diez minutos, y cuando terminó, ninguno de los dos pronunció palabra, sino que se lo quedaron mirando con los ojos abiertos de par en par.

—¿Qué? —preguntó por fin Ralph, algo incómodo—. ¿No me creéis? ¿Creéis que me lo he inventado?

—Pues claro que me lo creo —aseguró Lois—. Sólo que... bueno..., que me has dejado de piedra. Y también me has asustado.

—Ralph, creo que deberías contárselo a John Leydecker —intervino McGovern—. No creo que le sirva de nada, pero teniendo en cuenta a los nuevos compañeros de juegos de Ed Deepneau, creo que debería saberlo.

Ralph reflexionó sobre el asunto minuciosamente, asintió con un gesto y se levantó.

—Bueno, pues dicho y hecho —recitó—. ¿Quieres venir, Lois?

Lois se lo pensó y por fin denegó con la cabeza.

—Estoy cansada —explicó—. Y un poco... ¿Cómo lo dicen los críos de hoy en día? Un poco hecha polvo. Creo que voy a coger la horizontal un ratito. A hacer un siesta.

—Buena idea —exclamó Ralph—. Pareces agotada. Y gracias por la comida.

Movido por un impulso, se inclinó y la besó en la comisura de los labios. Lois lo miró con asombrada gratitud.

Ralph apagó el televisor al cabo de poco más de seis horas, cuando Lisette Benson puso punto final a las noticias de la tarde y pasó el testigo al tipo de los deportes. La manifestación ante el Centro de la Mujer había quedado relegada al segundo lugar, ya que la gran noticia de la tarde eran las alegaciones de que la gobernadora Greta Powers había esnifado cocaína cuando era alumna de postgrado. Y además, no había nada nuevo, salvo que se identificaba a Dan Dalton como el líder de Amigos de la Vida. Ralph creía que el término *marioneta* habría resultado más apropiado. ¿Acaso Ed no estaba todavía al mando? Si no lo estaba, Ralph creía que lo estaría muy pronto..., por Navidad, a lo sumo. Una cuestión potencialmente más interesante era qué pensaban los jefes de Ed acerca de sus aventuras legales en Derry. Ralph tenía la sensación de que les haría mucha menos gracia el incidente de la clínica que la acusación de malos tratos; hacía poco había leído que los Laboratorios Hawking no tardarían en convertirse en el quinto centro de investigación de la zona nororiental del país que empleaba tejidos fetales en su labor. Con toda probabilidad, no acogerían con demasiado entusiasmo la noticia de que uno de sus químicos había sido detenido por arrojar muñecas llenas de sangre falsa a las ventanas de una clínica que practicaba abortos. Y si supieran lo loco que estaba...

¿Y quién se lo va a contar, Ralph? ¿Tú?

No. Eso era más de lo que estaba dispuesto a hacer, al menos por el momento. Al contrario que bajar a la comisaría con McGovern para contarle a John Leydecker el incidente del verano anterior, le parecía que aquello constituiría una verdadera persecución. Como escribir MATAD A ESTA ZORRA junto a la fotografía de una mujer con cuyas ideas uno no coincide.

Eso es un chorrada y lo sabes.

—Yo no sé nada —dijo al tiempo que se levantaba para acercarse a la ventana—. Estoy demasiado cansado como para saber nada.

Pero mientras permanecía de pie junto a la ventana, observando a dos hombres que salían de la Manzana Roja con sendos *packs* de seis cervezas, de repente supo algo, recordó algo que le hizo estremecerse.

Aquella mañana, al salir de Rite Aid y quedarse petrificado a causa de las auras... y por la sensación de haber alcanzado un nivel superior de consciencia, se había conminado una y otra vez a disfrutar de ello sin creérselo; se había recordado que si no hacía aquella distinción crucial, lo más probable era que acabara igual que Ed Deepneau. Aquel pensamiento había estado a punto de abrir las puertas a un recuerdo, pero las auras del aparcamiento lo habían desterrado de su mente en un santiamén. Y en aquel momento lo recordó... Ed había dicho que veía auras, ¿verdad?

No, tal vez quería decir auras, pero la palabra que empleó fue colores, estoy casi seguro. Fue justo después de que dijera que veía cadáveres de bebés en todas partes, incluso en los tejados. Dijo...

Ralph observó a los dos hombres subir a una destartalada furgoneta y creyó que jamás lograría recordar las palabras de Ed con exactitud; estaba demasiado cansado. Pero entonces, cuando la furgoneta se alejó levantando tras de sí una nube de gases de escape que le recordó la brillante sustancia marrón que había visto brotar a mediodía del tubo de escape de la furgoneta de la panadería, otra puerta se abrió en su mente y de repente lo recordó.

—Dijo que a veces el mundo estaba lleno de colores —explicó Ralph al piso vacío—, pero que en un momento dado, todos los colores se transformaban en negro. Creo que eso fue lo que dijo.

Se acercaba bastante, pero ¿no habría algo más? Ralph creía que en el discurso de Ed había habido al menos algo más, pero no recordaba de qué se trataba. Y de todos modos, ¿qué importaba? Pero sus nervios le instaban a creer que importaba mucho. La fría línea que le recorría la espalda se había ensanchado y profundizado.

En aquel momento sonó el teléfono. Ralph se volvió y vio que el aparato estaba envuelto en un baño de funesta luz de color rojo oscuro, el color de la sangre que brota de la nariz y

(*gallos gallos de pelea*)

de las crestas de los gallos.

«No —gimió una parte de su mente—. Oh, no, Ralph, no empieces otra...»

Cada vez que sonaba el timbre del teléfono, la nube de luz se tornaba más brillante. Durante los intervalos de silencio, se oscurecía. Era como contemplar un corazón fantasmal que guardara en su seno un teléfono.

Ralph cerró los ojos con fuerza, y cuando los volvió a abrir, el aura roja del teléfono había desaparecido.

«No, lo que pasa es que ahora no la ves. No estoy seguro, pero creo que la has alejado a fuerza de voluntad. Como sucede en los sueños lúcidos.»

Al cruzar la estancia para coger el teléfono, se dijo en términos muy explícitos que esa idea era tan absurda como ver auras. Lo único que sucedía es que no era cierto y lo sabía. Porque si era una idea absurda, ¿cómo era que sólo había tenido que echar un vistazo al halo de luz roja para saber a ciencia cierta que era Ed Deepneau quien llamaba?

Eso es una tontería, Ralph. Crees que es Ed porque estabas pensando en Ed... y porque estás tan cansado que la cabeza empieza a jugarte malas pasadas. Vamos, coge el teléfono, ya verás. Esto no es el Corazón Delator, ni siquiera el Teléfono Delator.* Lo más probable es que sea algún tipo que quiere venderte una suscripción o la señora del banco de sangre para preguntarte cómo es que hace tanto tiempo que no vas.

Pero sabía que no era cierto.

Ralph cogió el teléfono y dijo diga.

No obtuvo respuesta. Pero había alguien al otro extremo de la línea. Ralph oía su respiración.

—¿Diga? —repitió.

* Título de un relato de E. A. Poe. (*N. del E.*)

No hubo respuesta inmediata, y estaba a punto de decir: «Voy a colgar» cuando oyó la voz de Ed Deepneau.

—Llamo por tu lengua, Ralph. Está intentando meterte en líos.

La línea fría que ascendía entre sus omóplatos ya no era una línea, sino una fina capa de hielo que le cubría toda la espalda, desde la nuca hasta el coxis.

—Hola, Ed. Te he visto en las noticias.

No se le ocurría otra cosa que decir. Su mano no sostenía el teléfono, sino que más bien parecía aferrarse a él con desesperación.

—No cambies de tema, amigo. Y ahora presta atención. Acabo de recibir la visita de ese corpulento detective que me detuvo en verano, Leydecker. De hecho, acaba de marcharse.

El corazón le dio un vuelco, pero no tan violento como había temido. Al fin y al cabo, el hecho de que Leydecker hubiera ido a ver a Ed no resultaba tan sorprendente, ¿verdad? Le había interesado mucho la historia que Ralph le había contado acerca del enfrentamiento del verano de 1993. Le había interesado muchísimo, de hecho.

—¿Ah, sí? —exclamó con voz neutra.

—Al detective Leydecker le parece que creo que ciertas personas, o tal vez seres sobrenaturales de algún tipo, están sacando fetos de la ciudad en camiones y furgonetas. Qué fuerte, ¿eh?

Ralph permaneció de pie junto al sofá, retorciendo sin cesar el cable del teléfono y percatándose de que veía una luz de apagado color rojo brotar de él como si de sudor se tratara. La luz latía al ritmo de la voz de Ed.

—Te has chivado, viejo amigo.

Ralph guardó silencio.

—Que llamaras a la policía después de que diera a esa zorra la lección que tanto se merecía no me molestó —prosiguió Ed—. Lo atribuí a... bueno, a una especie de preocupación paternal. O a lo mejor creíste que si Helen estaba lo suficientemente agradecida, quizás dejaría que te la tirases. Al fin y al cabo, eres viejo pero todavía no estás listo para el Parque Jurásico. A lo mejor pensaste que al menos te dejaría ponerle las manos encima.

Ralph guardó silencio.

—¿Verdad, viejo amigo?

—¿Crees que me vas a poner nervioso con el truco del silencio? No te esfuerces.

Pero la verdad era que Ed parecía nervioso, desconcertado. Era como si hubiera hecho aquella llamada con un guión preparado y Ralph se negara a seguir su papel.

—No puedes... Te aconsejo que no...

—Que llamara a la policía después de que pegaras a Helen no te molestó, pero es evidente que la conversación que has tenido hoy con

Leydecker sí te ha molestado. ¿Por qué, Ed? ¿Es que por fin estás empezando a hacerte preguntas acerca de tu comportamiento? ¿Has empezado a pensar?

Ahora fue Ed quien permaneció en silencio.

—Si no te tomas esto en serio, Ralph —advirtió por fin en un susurro ronco—, te aseguro que será el mayor error que hayas...

—Oh, sí que me lo tomo en serio —repuso Ralph—. He visto lo que has hecho hoy, vi lo que le hiciste a tu mujer el mes pasado... y también vi lo que hiciste el verano pasado. Y ahora la policía también lo sabe. Yo te he escuchado, Ed; ahora escúchame tú a mí. Estás enfermo. Debes de haber sufrido una especie de desmoronamiento mental, tienes alucinaciones...

—¡No tengo por qué escuchar tus gilipolleces! —casi gritó Ed.

—Claro que no. Puedes colgar si quieres. Al fin y al cabo, pagas tú. Pero hasta entonces voy a seguir hablando. Porque me caías bien, Ed, y quiero que me vuelvas a caer bien. Eres un tipo inteligente, con o sin alucinaciones, y creo que puedes entenderme perfectamente. Leydecker lo sabe y va a vigilarte...

—¿Ya ves los colores, Ralph? —inquirió Ed de repente.

Su voz se había calmado de nuevo. En aquel momento, el brillo rojo que envolvía el cable del teléfono se desvaneció.

—¿Qué colores? —replicó Ralph por fin.

—Has dicho que te caía bien —siguió Ed haciendo caso omiso de la pregunta de Ralph—. Bueno, pues tú también me caes bien. Siempre me has caído bien. Por eso voy a darte un buen consejo. Te estás metiendo en aguas profundas, y hay cosas flotando en el fondo que ni siquiera puedes llegar a imaginar. Crees que estoy loco, pero ni siquiera sabes lo que es la locura. No tienes ni la menor idea. Pero la tendrás si sigues metiéndote en asuntos que no te conciernen, créeme.

—¿Qué cosas? —preguntó Ralph en un intento de conservar un tono de voz despreocupado, aunque seguía aferrándose al auricular con tal fuerza que los dedos le palpitaban.

—Fuerzas —repuso Ed—. En Derry hay fuerzas de las que te conviene no saber nada. Son... bueno, digamos que son entes. Todavía no se han percatado de tu existencia, pero si sigues metiéndote conmigo acabarán por fijarse en ti. Y eso no te conviene. Créeme, no te conviene en absoluto.

Fuerzas. Entes.

—Me preguntaste cómo había averiguado todo esto. Quién me lo había contado. ¿Te acuerdas, Ralph?

—Sí —repuso.

Y era cierto. Había sido la última cosa que Ed le había dicho antes de esbozar aquella sonrisa digna de un concurso televisivo y disponerse a saludar a los policías. *Veo los colores desde que él vino y me lo dijo... De eso hablaremos más tarde.*

—Me lo dijo el médico. El médico calvo y bajito. Creo que es él ante quien tendrás que responder si vuelves a meterte en mis asuntos. Y entonces, que Dios te ayude.

—El médico bajito y calvo, ajá —repuso Ralph—. Ya entiendo. Primero el Rey Carmesí y los centuriones, y ahora el médico calvo y bajito. Supongo que lo siguiente será...

—Déjate de sarcasmos, Ralph. Simplemente, no te acerques a mí ni te metas en mis asuntos, ¿me oyes? Déjame en paz.

Se oyó un clic cuando Ed colgó. Ralph se quedó mirando el auricular durante largo tiempo antes de devolverlo lentamente a la horquilla.

No te acerques a mí ni te metas en mis asuntos.

Eso, ¿y por qué no? Ya tenía suficientes problemas propios.

Ralph entró despacio en la cocina, metió un plato preparado (filete de merlango, de hecho) en el horno e intentó desterrar de su mente las protestas contra el aborto, las auras, a Ed Deepneau y al Rey Carmesí.

Y lo cierto era que le costó menos de lo que había esperado.

6

El verano terminó como siempre sucede en Maine, sin que nadie se diera apenas cuenta. Ralph seguía despertándose de madrugada, y cuando los colores otoñales empezaron a arder en los árboles que flanqueaban Harris Avenue, ya abría los ojos alrededor de las dos y cuarto. Era un asco, pero al menos tenía ante sí la perspectiva de la consulta con James Roy Hong, y el extraño espectáculo de fuegos artificiales de que había disfrutado tras su primer encuentro con Joe Wyzer no se había repetido. En ocasiones advertía contornos brillantes alrededor de las cosas, pero Ralph descubrió que si cerraba los ojos y contaba hasta cinco, los contornos habían desaparecido cuando volvía a abrirlos.

Bueno, casi siempre.

La conferencia de Susan Day estaba programada para el viernes, ocho de octubre, y en las postrimerías de septiembre, las protestas y los debates públicos acerca del aborto libre se agudizaron y empezaron a centrarse cada vez más en la visita de la feminista. Ralph vio a Ed en la televisión muchas veces, en ocasiones en compañía de Dan Dalton, pero cada vez con mayor frecuencia solo, hablando con facilidad, de un modo razonable y a menudo con aquel matiz de humor no sólo presente en su mirada, sino también en su voz.

Caía bien a la gente, y por lo visto, Amigos de la Vida estaba atrayendo a una cantidad de adeptos que Pan de Cada Día no habría podido siquiera soñar. No se produjeron más lanzamientos de muñecas ni otras manifestaciones violentas, pero sí numerosas marchas y contramarchas, insultos, puños agitados y furiosas cartas al director. Los predicadores auguraban la condenación; los profesores pedían moderación y educación; media docena de mujeres que se hacían llamar Chorbas Lesbianas por Jesús fueron detenidas ante la Primera Iglesia Baptista de Derry con pancartas que rezaban NO OS METÁIS CON MI CUERPO, JODER. El *News* de Derry citó a un policía anónimo que afirmaba esperar que Susan Day pescara la gripe o algo por el estilo y se viera obligada a cancelar la visita.

Ralph no tuvo más noticias de Ed, pero el veintiuno de septiembre recibió una postal de Helen en la que había garabateado quince triunfantes palabras: «¡Hurra, tengo trabajo! ¡Biblioteca Pública de Derry! ¡Empiezo el mes que viene! Hasta pronto, Helen».

Más animado de lo que había estado desde que Helen lo llamara desde el hospital, Ralph bajó para mostrarle la postal a McGovern, pero la puerta del piso de su amigo estaba cerrada a cal y canto.

Pues entonces, Lois..., pero Lois tampoco estaba; lo más probable era que estuviera en una de sus timbas de cartas o tal vez en el centro, comprando lana para hacerse otra alfombra afgana.

Con cierta desazón y pensando en que las personas con las que más deseas compartir las buenas noticias nunca estaban cuando estabas a punto de estallar de impaciencia por comunicárselas, Ralph bajó al parque Strawford. Y allí encontró a Bill McGovern, sentado en un banco cerca del campo de béisbol y llorando a lágrima viva.

Tal vez llorando a lágrima viva fuera una expresión demasiado fuerte; quizás *goteando* se ajustaba más a la realidad. McGovern estaba sentado en el banco, con un pañuelo que le sobresalía del puño huesudo, contemplando a una madre y su hijo jugando a la pelota a lo largo de la línea de primera base del diamante en el que el último gran partido de la temporada, el Torneo Intramural de la ciudad, había concluido hacía tan sólo dos días.

De vez en cuando se llevaba el puño del pañuelo al rostro para secarse los ojos. Ralph, que jamás había visto llorar a McGovern, ni siquiera en el funeral de Carolyn, permaneció cerca del campo de juegos durante unos instantes, preguntándose si debía acercarse a McGovern o bien dar media vuelta y e irse por donde había venido.

Por fin hizo acopio de valor y se acercó al banco.

—Hola, Bill —saludó.

McGovern lo miró con ojos enrojecidos, acuosos y algo avergonzados. Volvió a secarse las lágrimas e intentó esbozar una sonrisa.

—Hola, Ralph. Me has pescado lloriqueando. Lo siento.

—No pasa nada —repuso Ralph al tiempo que se sentaba—. Yo también he lloriqueado lo mío. ¿Qué te pasa?

Se encogió de hombros antes de enjugarse de nuevo las lágrimas.

—Nada del otro mundo. Estoy sufriendo los efectos de una paradoja, nada más.

—¿Qué paradoja?

—Pues que algo bueno le está sucediendo a uno de mis mejores amigos, el hombre que me dio mi primer empleo como profesor, de hecho. Se está muriendo.

Ralph enarcó las cejas sin decir nada.

—Tiene una neumonía. Lo más probable es que su hija lo lleve al hospital mañana o pasado, y entonces le pondrán respiración asistida, al menos durante un tiempo, pero casi seguro que se muere. Me alegraré cuando muera, y supongo que es eso más que nada lo que me ha provocado esta depresión de caballo —hizo una pausa antes de continuar—: No entiendes nada, ¿verdad?

—No —admitió Ralph—. Pero da igual.

McGovern lo miró a los ojos, se apartó, volvió a mirarlo y a continuación resopló. Fue un sonido espeso y cargado de lágrimas, pero pese a todo, Ralph estaba convencido de que había sido una risa auténtica, por lo que se arriesgó a esbozar una leve sonrisa.

—¿He dicho algo gracioso?

—No —repuso McGovern al tiempo que le daba una palmadita en el hombro—. Es que te estaba mirando la cara, tan seria y sincera..., realmente eres un libro abierto, Ralph, y pensando en lo bien que me caes. A veces me gustaría ser tú.

—Pero no a las tres de la mañana —replicó Ralph en voz baja.

McGovern exhaló un suspiro y asintió.

—El insomnio.

—Exacto, el insomnio.

—Siento haberme reído, pero...

—No hace falta que te disculpes, Bill.

—... pero, por favor, créeme si te digo que ha sido una carcajada de admiración.

—¿Quién es ese amigo y por qué es bueno que se esté muriendo? —inquirió Ralph.

En realidad, ya imaginaba en qué radicaba la paradoja de McGovern; no era tan inocente ni duro de mollera como a veces parecía pensar Bill.

—Se llama Bob Polhurst, y el hecho de que tenga neumonía es bueno porque padece la enfermedad de Alzheimer desde el verano de 1988.

Era lo que Ralph había imaginado..., aunque también se le había ocurrido la posibilidad del sida. Se preguntó si eso escandalizaría a McGovern y experimentó una leve punzada de humor. Entonces miró a su amigo y se avergonzó de ello. Sabía que cuando se trataba de lobreguez, McGovern era un auténtico profesional, pero no creía que ello restara ni un ápice de autenticidad al dolor que sentía en aquellos momentos.

—Bob fue el jefe del departamento de Historia del instituto de Derry desde 1948, cuando no podía tener más de veinticinco años, hasta 1981 o 1982. Era un profesor excelente, una de esas personas increíblemente inteligentes con las que a veces te topas en el despoblado y que esconden su inteligencia a toda costa. Por lo general acaban dirigiendo sus departamentos, además de media docena de actividades extraescolares, simplemente porque no saben negarse. Desde luego, Bob no sabía.

La madre pasó con su hijo ante ellos en dirección al chiringuito que pronto cerraría sus puertas hasta el verano siguiente. El rostro del niño aparecía extraordinariamente translúcido, de una belleza ensalzada por el aura rosada que envolvía su cabeza y se deslizaba por su pequeño y vivaracho rostro en serenas olas.

—¿Podemos ir a casa, mamá? —preguntó—. Quiero jugar con el Play-Doh. Quiero hacer la Familia Plastilina.

—Primero comeremos algo, ¿vale, grandullón? Mamá tiene mucha hambre.

—Vale.

Una cicatriz en forma de gancho surcaba el puente de la nariz del chiquillo, y en ese punto, el aura rosada se teñía de un intenso color escarlata.

«Se cayó de la cuna cuando tenía ocho meses —pensó Ralph—. Cuando intentaba cazar las mariposas del móvil que su madre había colgado del techo. Se llevó un susto de muerte al entrar y ver toda aquella sangre; creyó que el pobre niño estaba a punto de morir. Se llama Patrick, pero ella lo llama Pat. Le pusieron ese nombre por su abuelo, y...»

Ralph cerró los ojos con fuerza. Tenía el estómago revuelto y la intensa sensación de que iba a vomitar de un momento a otro.

—Ralph —lo llamó McGovern—. ¿Estás bien?

Abrió los ojos. Ni rastro de auras, ni rosadas ni de ningún otro color; tan sólo una madre y su hijo dirigiéndose hacia el chiringuito a buscar un refresco, y era imposible, absolutamente imposible que supiera que la madre no quería llevar a Pat a casa porque el padre de Pat había empezado a beber otra vez después de dejarlo durante casi seis meses, y que cuando bebía se ponía violento...

Basta, por el amor de Dios, basta.

—Estoy bien —aseguró a McGovern—. Se me ha metido algo en el ojo. Sigue. Cuéntame más cosas de tu amigo.

—No hay mucho que contar. Era un genio, pero con los años he llegado a convencerme de que se exagera mucho la cuestión de la genialidad. Creo que este país está repleto de genios, tipos y tipas tan inteligentes que hacen que los titulares de los carnés de la Asociación de Superdotados parezcan auténticos payasos. Y creo que la mayoría de ellos son profesores, que viven y trabajan en el anonimato de pequeñas ciudades y pueblos porque eso es lo que les gusta. Desde luego, eso era lo que le gustaba a Bob. Escudriñaba en el interior de la gente de un modo que me daba miedo..., al menos al principio. Al cabo de un tiempo, uno se daba cuenta de que no había por qué tener miedo, porque Bob era amable, pero a primera vista inspiraba temor. A veces te preguntabas si te miraba con ojos normales o con una especie de aparato de rayos X.

Junto al chiringuito, la mujer se había agachado con un refresco en un vasito de papel. El niño alargó las dos manos con una amplia sonrisa y lo cogió. Bebió sediento. En ese momento, el halo rosado reapareció por un momento, y Ralph sabía que tenía razón; el niño se llamaba Patrick, y su madre no quería llevarlo a casa. Era imposible que supiera aquellas cosas, pero las sabía.

—En aquellos tiempos —prosiguió McGovern—, si eras del corazón de Maine y no heterosexual al cien por cien, intentabas con todas tus fuerzas parecerlo. Era la única posibilidad que tenías aparte de mudarte a Greenwich Village, llevar boina y pasar los sábados por la noche en el tipo de clubs de jazz en los que la gente chasqueaba los dedos en lugar de aplaudir. En aquellos tiempos, la idea de «quitarte la máscara» era ridícula. Para la mayoría de nosotros, la única posibilidad era la máscara. A menos que quisieras que una banda de estudiantes borrachos de la fraternidad te esperaran en un callejón para romperte la cara, tu mundo era esa máscara.

Pat dio cuenta del refresco y tiró el vaso al suelo. Su madre le ordenó que lo recogiera y lo llevara a la papelera, a lo que el chiquillo obedeció con muchísimo gusto. A continuación, la madre lo cogió de la mano y juntos se dirigieron despacio hacia la salida del parque. Ralph los siguió con la mirada turbada, esperando que los temores y las preocupaciones de la mujer resultaran ser injustificados, pero temiendo que no sería así.

—Cuando me presenté para el empleo en el departamento de Historia del instituto de Derry, en 1951, tenía a mis espaldas dos años como profesor en el quinto pino, en un pueblucho perdido que se llama Lubec, y creía que si había conseguido sobrevivir allí sin que me hicieran preguntas, me sucedería lo mismo en cualquier parte. Pero Bob me echó un vistazo, bueno, echó un vistazo dentro de mí con aquellos ojos de rayos X y lo supo de inmediato. Y no se cortó ni un pelo. «Si decido ofrecerle el empleo y usted decide aceptarlo, señor McGovern, ¿puede garantizarme que nunca surgirá ni el más mínimo problema a causa de sus preferencias sexuales?» ¡Preferencias sexuales, Ralph! ¡Dios mío! Jamás habría imaginado una expresión como aquélla, pero brotó de sus labios con más facilidad que una máquina engrasada con Tres en Uno. Me preparé para ponerme a la defensiva, para decirle que no tenía ni la menor idea de lo que estaba hablando pero que, aun así, lo encontraba extremadamente ofensivo... por principio, por así decirlo, pero entonces lo volví a mirar y decidí ahorrar saliva. Podía haber engañado a algunas personas en Lubec, pero no iba a engañar a Bob Polhurst. No llegaba a los treinta y probablemente no había estado al sur de Kitter más que una docena de veces en su vida, pero sabía todo lo que había que saber de mí, y descubrirlo no le había llevado más que una entrevista de veinte minutos. «No, señor, ni el más mínimo problema», le aseguré dócil como un corderito.

McGovern volvió a enjugarse las lágrimas, pero tenía la sensación de que esta vez se trataba de un gesto principalmente teatral.

—En los veintitrés años que pasaron antes de que me fuera a enseñar a la Universidad Local de Derry, Bob me enseñó todo lo que sé acerca de la pedagogía de la historia y del ajedrez. Era un excelente jugador..., seguro que habría sido un hueso duro de roer para ese fantasma de Faye Chapin, créeme. Sólo lo gané una vez, y eso fue después de que empezaran los síntomas de la enfermedad. No he vuelto a jugar con él desde entonces. Y había más cosas. Nunca olvidaba un chiste. Nunca olvidaba los cumpleaños o aniversarios de la gente que le importaba; no enviaba tarjetas ni regalos, pero siempre felicitaba y ofrecía buenos deseos, y nadie ha puesto jamás en duda su sinceridad. Ha publicado más de sesenta artículos sobre pedagogía de la historia y sobre la guerra de Secesión, que era su especialidad. En 1967 o 1968 escribió un libro titulado *A finales de verano*, que trataba de lo que había sucedido en los meses después de Gettysburg. Me dejó leer el manuscrito hace unos diez años, y creo que es el mejor libro sobre la guerra de Secesión que he leído en mi vida... El único que puede comparársele remotamente es *Los ángeles asesinos*, de Michael Shaara. Pero Bob no quería ni oír hablar de publicarlo. Cuando le pregunté por qué, me dijo que yo más que nadie debería comprender sus razones.

McGovern hizo una pausa para contemplar el parque, que aparecía bañado en una luz entre verde y dorada, surcada por sombras negras que se movían y desplazaban con cada soplo de brisa.

—Decía que le daba miedo convertirse en un personaje público.

—Vale —intevino Ralph—. Ya lo entiendo.

—Tal vez sea eso precisamente la mejor descripción de él; solía rellenar el gran crucigrama del dominical del *New York Times* con pluma. Una vez me metí con él por eso, incluso lo acusé de arrogante. Y él sonrió y me dijo: «Hay una gran diferencia entre la arrogancia y el optimismo, Bill... Y yo soy optimista, nada más». En fin, ya puedes imaginarte. Un hombre amable, buen profesor, mente privilegiada. Su especialidad era la guerra de Secesión, y ahora ni siquiera sabe lo que es una guerra de Secesión ni, por supuesto, quién ganó la nuestra. Maldita sea, si ni siquiera sabe cómo se llama y muy pronto, de hecho, cuanto antes mejor, morirá sin tener ni la menor idea de que ha vivido.

Un hombre de mediana edad, enfundado en una camiseta de la Universidad de Maine y unos andrajosos vaqueros se acercó arrastrando los pies por el campo de juegos, con una arrugada bolsa de papel bajo el brazo. Se detuvo junto al chiringuito para examinar el contenido de la papelera, con la esperanza de encontrar un par de envases retornables. Cuando se inclinó, Ralph vio el aura de color verde oscuro que lo envolvía y el cordel de globo verde claro que se elevaba vacilante desde su coronilla. Y de repente se sintió demasiado cansado para cerrar los ojos, demasiado cansado para desear que la imagen se desvaneciera.

—Hace un mes que veo cosas... —empezó volviéndose hacia McGovern.

—Supongo que estoy de luto —lo interrumpió McGovern al tiempo que volvía a secarse las lágrimas con ademán teatral—, aunque no sé si por Bob o por mí. ¿No te parece increíble? Pero si supieras lo inteligente que era en aquellos tiempos... lo pavorosamente inteligente...

—Bill, ¿ves a ese tipo que está al lado del chiringuito? ¿El que está revolviendo la papelera? Pues veo...

—Sí, últimamente están en todas partes —terció McGovern lanzando al borrachín, que había encontrado dos latas vacías de Budweiser y las estaba guardando en la bolsa, una mirada fulminante antes de volverse de nuevo hacia Ralph—. Odio ser viejo... Creo que ésa es la cuestión. Quiero decir que lo odio de verdad.

El borracho se acercó al banco con paso inseguro; la brisa anunciaba su llegada con un hedor que no recordaba precisamente a la fragancia de las rosas. Su aura, de un animado y enérgico color verde que recordó a Ralph los adornos del día de san Patricio, el patrón de Irlanda, no encajaba con su postura servil y su sonrisa enfermiza.

—¡Qué tal, chicos! ¿Cómo estáis?

—Pues podríamos estar mejor —replicó McGovern enarcando las cejas en su característico ademán sarcástico—, y creo que lo estaremos en cuanto te esfumes.

El borracho miró a McGovern con expresión insegura, pareció concluir que era una causa perdida y se volvió hacia Ralph.

—¿Tiene alguna monedilla, señor? Tengo que ir a Dexter. Mi tío me ha llamado al refugio de Neibolt Street y me ha dicho que me volverá a dar el trabajo que tenía antes en el molino, pero sólo si...

—Lárgate, tío —masculló McGovern.

El borracho le lanzó una mirada rápida y ansiosa antes de volver los ojos castaños inyectados en sangre de nuevo hacia Ralph.

—Ess un drabajo mu bueno, ¿sabe? Y puedo volver a tenerlo, pero sólo si voy hoy missmo. Hay un autobús...

Ralph rebuscó en uno de sus bolsillos, encontró una moneda de veinticinco y otra de diez, y las dejó caer en la palma extendida del hombre. El borracho sonrió. El aura que lo envolvía se tornó más brillante antes de desaparecer. Ralph experimentó una oleada de alivio.

—¡Eh, gracias! ¡Gracias, señor!

—De nada —repuso Ralph.

El borracho se alejó dando tumbos hacia el supermercado Compra y Ahorro, donde marcas como Night Train, Old Duke y Silver Satin siempre estaban de oferta.

«Oh, mierda, Ralph, no te pasaría nada por ser un poco caritativo también en tu cabeza, ¿verdad?, se reprochó. Siga un kilómetro en esa dirección y llegará a la central de autobuses.»

Bien cierto, pero Ralph había vivido lo suficiente como para saber que existía una diferencia abismal entre el pensamiento caritativo y las ilusiones. Si el borracho del aura verde oscuro iba a la central de autobuses, Ralph iba a Washington a presentarse como secretario de Estado.

—No tendrías que haberlo hecho, Ralph —le riñó McGovern—. Lo único que consigues es darles cuerda.

—Supongo que tienes razón —accedió Ralph con aire cansado.

—¿Qué estabas diciendo antes de que nos interrumpieran de un modo tan grosero?

Ahora, la idea de contarle a McGovern la historia de las auras le parecía increíble, y por nada del mundo podía imaginarse que hubiera estado a punto de hacerlo. El insomnio, por supuesto; era la única respuesta. Le había jugado una mala pasada a su sentido común además de a su memoria a corto plazo y su sentido de la percepción.

—Que esta mañana he recibido algo por correo —repuso Ralph—. A lo mejor te levanta el ánimo.

Le entregó la postal de Helen, quien la leyó y la releyó. Durante la segunda lectura, su rostro alargado y caballuno se iluminó con una gran sonrisa. La combinación de alivio y sincera alegría que se apreciaba en su expresión hizo que Ralph perdonara a McGovern su exagerado paso de lo sublime a lo trivial. Resultaba fácil olvidar que Bill podía ser generoso además de pomposo.

—Es fantástico, ¿verdad? ¡Tiene trabajo!

—Y que lo digas. ¿Quieres que lo celebremos? Hay un pequeño restaurante a dos puertas de Rite Aid; se llama Amanecer y Ocaso. Un poco pijo, quizás, pero...

—Gracias, pero he prometido a la hija de Bob que iría a su casa para hacerle compañía un rato. Claro que no tiene ni la menor idea de quién soy, pero yo sí sé quién es él. ¿Comprendes?

—Sí —asintió Ralph—. Entonces, ¿en otra ocasión?

—Exacto —repuso McGovern releyendo la postal una vez más, sin dejar de sonreír—. Esto es espléndido, absolutamente espléndido.

Ralph se echó a reír ante aquella encantadora expresión anticuada en su cara.

—Lo mismo digo.

—Habría apostado cinco dólares contigo a que volvía derechita con el chalado de su marido, empujando ante sí el maldito cochecito de la niña..., pero me habría alegrado mucho de perder. Supongo que parece una locura.

—Un poco —replicó Ralph.

Sin embargo, sólo lo dijo porque era lo que McGovern esperaba oír. Lo que en realidad pensaba era que Bill McGovern acababa de describir su carácter y su visión del mundo de un modo más sucinto del que Ralph habría podido emplear jamás.

—Da gusto enterarse de que alguien está mejorando en lugar de empeorar, ¿verdad?

—Desde luego.

—¿Se la has enseñado ya a Lois?

—No está en casa —repuso Ralph meneando la cabeza—. Se la enseñaré en cuanto la vea.

—Eso. ¿Qué tal duermes últimamente, Ralph?

—Pues no demasiado mal.

—Bien. Tienes mejor aspecto. Pareces más fuerte. No podemos rendirnos, Ralph, eso es lo importante, ¿no te parece?

—Supongo que sí —asintió Ralph con un gran suspiro—. Supongo que sí.

Dos días más tarde, Ralph estaba sentado a la mesa de la cocina, comiendo lentamente un bol de cereales integrales que en realidad no le apetecían (pero que, de algún modo remoto, suponía que le sentarían bien) y mirando la primera página del *News* de Derry. Había hojeado brevemente la noticia, pero era la fotografía lo que atraía su atención una y otra vez; parecía expresar todas las sensaciones desagradables con las que había vivido durante todo el mes anterior, aunque sin dar explicación a ninguna de ellas.

Ralph pensó que el titular que encabezaba la fotografía, UNA MANIFESTACIÓN ANTE EL CENTRO DE LA MUJER DESEMBOCA EN VIOLENCIA, no reflejaba con fidelidad la historia que seguía, pero eso no lo sorprendía. Llevaba años leyendo el *News* y se había acostumbrado a sus inclinaciones, que incluían una sólida postura antiabortista. Pese a todo, el periódico había procurado distanciarse de Amigos de la Vida en el editorial bueno-chicos-ya-basta-no-no-no de aquel día, y a Ralph no le extrañaba. Los Amigos de la Vida se habían congregado en el aparcamiento que compartían el Centro de la Mujer y el hospital de Derry, esperando a un grupo de alrededor de doscientos manifestantes proaborto que desfilaban por toda la ciudad desde el Centro Cívico. La mayoría de los manifestantes llevaba pancartas con fotografías de Susan Day y el eslogan ELECCIÓN, NO TEMOR.

Los manifestantes tenían la intención de recabar partidarios mientras desfilaban, como una bola de nieve que rodara por una pendiente. En el Centro de la Mujer organizarían un breve mitin, destinado a reclutar defensores para la visita de Susan Day y seguido de un refrigerio. Pero el mitin no llegó a celebrarse. Cuando los manifestantes abortistas se aproximaban al aparcamiento, la gente de Amigos de la Vida salieron a toda prisa y bloquearon la calle, blandiendo sus propias pancartas (UN ASESINATO ES UN ASESINATO, SUSAN DAY NO TE ACERQUES A LA CIUDAD, DETENED LA MATANZA DE INOCENTES) ante sí como escudos.

Los manifestantes habían llegado escoltados por la policía, pero nadie había previsto la rapidez con la que los gritos de protestas y las palabras furiosas degeneraron en patadas y puñetazos. Todo había empezado cuando una tipa de Amigos de la Vida había reconocido a su propia hija entre los manifestantes abortistas. La madre había dejado caer su pancarta para abalanzarse sobre la hija. El novio de la hija se había aferrado a la mujer para intentar detenerla. Cuando mamá le arañó el rostro, el joven la arrojó al suelo. Aquel gesto había suscitado una melé de diez minutos y más de diez detenciones repartidas equitativamente entre ambos grupos.

La fotografía de la primera página de aquella mañana mostraba a Hamilton Davenport y Dan Dalton. El fotógrafo había captado a Davenport exhibiendo un rictus que poco tenía que ver con su expresión habitual de tranquila satisfacción. Tenía un puño alzado por encima de la cabeza en un gesto primitivo de triunfo. Frente a él y luciendo la pancarta ELECCIÓN, NO TEMOR tras la cabeza como un halo surrealista de cartón, se encontraba el pez gordo de Amigos de la Vida. Los ojos de Dalton aparecían vidriosos y su boca, medio abierta. La fotografía en blanco y negro de alto contraste confería a la sangre que le brotaba de la nariz el aspecto de salsa de chocolate.

De vez en cuando, Ralph intentaba apartar la mirada de la imagen y concentrarse en su bol de cereales, pero entonces recordaba aquel día del verano anterior en que había visto por primera vez los pósters falsos de búsqueda que ahora salpicaban toda la ciudad, el día en que había estado a punto de desmayarse delante del parque Strawford. Recordaba sobre todo sus rostros...; el de Davenport, lleno de furiosa intensidad mientras miraba a través del polvoriento escaparate de Rosa Usada, Ropa Usada; el de Dalton adornado con una pequeña y desdeñosa sonrisa que parecía indicar que no cabía esperar que un simio como Hamilton Davenport entendiera la moralidad superior que entrañaba la cuestión del aborto, y que ambos lo sabían.

Ralph pensaba en aquellas dos expresiones y en la distancia que había mediado entre ambos hombres por aquel entonces, y al cabo de unos instantes, sus consternados ojos se volvían de nuevo hacia la foto del periódico. Detrás de Dalton había dos hombres empuñando carteles pro vida y observando el enfrentamiento con gran atención. Ralph no reconoció al hombre flaco de gafas de montura de concha y melena gris que pronto haría mutis por el foro, pero sí conocía al hombre que estaba junto a él. Se trataba de Ed Deepneau. Sin embargo, en aquel contexto, Ed Deepneau no parecía tener apenas importancia alguna. Lo que atraía (y asustaba) a Ralph eran los rostros de los dos hombres que desde hacía años tenían tiendas vecinas en Lower Witcham Street... El puño alzado y el rictus furioso de Davenport, y los ojos vidriosos y la nariz ensangrentada de Dalton.

Eso es lo que te pasa si no tienes cuidado con tus pasiones. Pero sería mejor que la cosa no pasara a mayores, porque...

—Porque si esos dos tipos tuvieran armas, ya se habrían matado a tiros —masculló.

En aquel instante sonó el timbre de la puerta principal de la casa, la que daba al porche. Ralph se levantó, echó un último vistazo a la fotografía y se vio embargado por una oleada de vértigo que iba acompañada de una extraña y fatal certeza; era Ed el que llamaba a la puerta, y sólo Dios sabía qué querría.

¡Pues entonces no vayas a abrir, Ralph!

Permaneció indeciso junto a la mesa de la cocina durante unos instantes, deseando con amargura poder atravesar la espesa niebla que parecía haberse apoderado de su mente aquel año. Al cabo de un rato, el timbre volvió a sonar, y Ralph se dio cuenta de que ya había tomado una decisión. No importaba que fuera el mismísimo Saddam Hussein quien llamara a la puerta; aquélla era su casa y no iba a esconderse en ella como un perro apaleado.

Ralph cruzó el salón, abrió la puerta del pasillo y empezó a bajar la penumbrosa escalera.

A medio camino de la entrada se tranquilizó un poco. La mitad superior de la puerta que daba al porche consistía en gruesos paneles de vidrio. Distorsionaban las imágenes, pero no lo suficiente como para que Ralph no se diera cuenta de que sus visitantes eran dos mujeres. De inmediato adivinó quién debía de ser una de ellas y bajó el resto de los escalones a la carrera, deslizando una mano sobre la barandilla. Abrió la puerta de par en par y ahí estaba Helen Deepneau, con una bolsa de lona (en uno de cuyos flancos se leían las palabras PRIMEROS AUXILIOS PARA EL BEBÉ) colgada de un hombro y Natalie mirando por encima del otro. Helen sonreía con aire esperanzado y algo nervioso a un tiempo.

De repente, el rostro de Natalie se iluminó, y la pequeña empezó a dar saltitos en la mochila en que Helen la llevaba, agitando los brazos en dirección a Ralph con aire encantado.

«Me recuerda —pensó Ralph—. ¡Mira por dónde!» Y cuando alargó los brazos para permitir que una de aquellas manitas se aferrara a su dedo índice, los ojos se le llenaron de lágrimas.

—¿Estás bien, Ralph? —inquirió Helen.

Ralph sonrió, asintió con la cabeza, avanzó un paso y la abrazó. Sintió que Helen le rodeaba el cuello con los brazos. Por un momento la cabeza le dio vueltas al percibir la fragancia de su perfume mezclada con el lechoso olor a bebé saludable, y entonces, Helen le plantó un ruidoso beso en la oreja antes de soltarlo.

—Estás bien, ¿verdad? —insistió.

También sus ojos aparecían llenos de lágrimas, pero Ralph apenas se percató de ello; estaba demasiado ocupado haciendo inventario en un intento de asegurarse de que no quedaba secuela alguna de la paliza. A juzgar por lo que vio, así era. Helen tenía un aspecto inmaculado.

—Mejor de lo que he estado en muchas semanas —aseguró—. Tienes un aspecto estupendo. Tú también, Nat.

Besó la mano diminuta y rolliza que seguía aferrada a su dedo, y no lo sorprendió demasiado ver la fantasmal marca gris azulada que sus labios dejaron en la piel de la niña. La marca se desvaneció casi al instante, y Ralph abrazó de nuevo a Helen, sobre todo para cerciorarse de que estaba realmente ahí.

—Mi querido Ralph —le murmuró la joven al oído—. Mi queridísimo Ralph.

En aquel momento, algo se agitó en su entrepierna, en apariencia a causa de la combinación de su suave perfume y la suave brisa de aquellas palabras que le acariciaban el oído..., y en aquel momento recordó otra voz que había sonado en su oído. La voz de Ed. *Llamo por tu lengua, Ralph. Está intentando meterte en líos.*

Ralph la apartó de sí y la sostuvo a distancia sin dejar de sonreír.

—Desde luego que tienes un aspecto estupendo, Helen. Maravilloso.

—Tú también. Me gustaría presentarte a una amiga mía. Ralph Roberts, Gretchen Tillbury. Gretchen, Ralph.

Ralph se volvió hacia la otra mujer y la estudió con atención por primera vez mientras su mano enorme y huesuda se cerraba sobre la esbelta y blanca de la mujer. Era el tipo de mujer que obligaba a un hombre (por mucho que pasara de los sesenta) a ponerse derecho y a meter la barriga. Era muy alta, tal vez llegaba al metro ochenta, y rubia, pero no era ésa la cuestión. Había algo más, algo que era como un olor, una vibración o

(*un aura*)

Exacto, como un aura. Era, en pocas palabras, una mujer a la que no se podía dejar de mirar, en la que no se podía dejar de pensar, sobre la que no se podía dejar de especular.

Ralph recordaba que Helen le había dicho que su marido le había abierto el muslo con un cuchillo de cocina y después la había abandonado para que se desangrara. Se preguntaba cómo era posible que un hombre pudiera hacer una cosa así, que pudiera acercarse a ella con otro sentimiento que no fuera el respeto y el amor.

Y también un poco de lujuria en cuanto dejara atrás la fase de «Hermosa camina en la noche». Y por cierto, Ralph, creo que ha llegado el momento adecuado para devolver tus ojos a sus órbitas.

—Encantada de conocerla —saludó al tiempo que le soltaba la mano—. Helen me ha contado que fue usted a verla al hospital. Gracias por ayudarla.

—Fue un placer ayudar a Helen —aseguró Gretchen dedicándole una sonrisa deslumbrante—. De hecho, es la clase de mujer por la que todo merece la pena..., pero creo que eso ya lo sabe.

—Creo que sí —asintió Ralph—. ¿Tienen tiempo para quedarse a tomar un café? Por favor, quédense si pueden. Sería un placer.

Gretchen lanzó una mirada a Helen, quien asintió con la cabeza.

—Nos encantaría —aceptó Helen—, porque... bueno...

—No es una visita estrictamente social, ¿verdad? —inquirió Ralph mirando alternativamente a Gretchen Tillbury y a Helen.

—No —repuso Helen—. Tenemos que hablar contigo, Ralph.

Al llegar a la cima de la oscura escalera, Natalie empezó a agitarse impaciente en la mochila y a parlotear en la jerga característica de los bebés que muy pronto dejaría paso a palabras articuladas.

—¿Puedo cogerla? —pidió Ralph.

—De acuerdo —accedió Helen—. Pero si se pone a llorar la volveré a coger yo.

—Hecho.

Pero el Bebé Ensalzado y Venerado no se echó a llorar. En cuanto Ralph la sacó de la mochila, la pequeña le rodeó el cuello con un brazo en ademán amigable y asentó el culito en la curva de su codo como si fuera su sillón particular.

—Vaya —exclamó Gretchen—. Estoy impresionada.

—¡Blig! —afirmó Natalie al tiempo que agarraba el labio inferior de Ralph y tiraba de él como si fuera la lámina de una persiana—. ¡Ganna-wig! ¡Andoo-sis!

—Creo que acaba de decir algo referente a las Andrews Sisters —explicó Ralph.

Helen echó atrás la cabeza y se echó a reír con ganas, como si la risa procediera de lo más profundo de su ser. Hasta aquel momento, Ralph no se dio cuenta de lo mucho que había echado de menos aquella risa.

Natalie soltó el labio de Ralph al entrar en la cocina, la estancia más soleada del piso a aquella hora del día. Se percató de que Helen miraba en derredor con curiosidad mientras él encendía la cafetera, y recordó que hacía mucho tiempo que su vecina no ponía los pies en su casa. Demasiado tiempo. Cogió la fotografía de Carolyn que había sobre la mesa de la cocina y la miró con atención y una leve sonrisa dibujada en las comisuras de los labios. El sol iluminaba las puntas de su cabello, que llevaba muy corto y peinado en una especie de corona alrededor de la cabeza. De repente, Ralph se vio embargado por una revelación; en gran parte, quería a Helen porque Carolyn la había querido; ambos habían accedido a los rincones más profundos de la mente y el corazón de Carolyn.

—Era tan guapa —murmuró Helen—. ¿Verdad, Ralph?

—Sí —asintió él mientras sacaba las tazas y procuraba colocarlas fuera del alcance de las inquietas e interesadas manos de Natalie—. Esa fotografía se hizo uno o dos meses antes de que empezaran los dolores de cabeza. Supongo que es excéntrico tener una fotografía de estudio enmarcada sobre la mesa de la cocina, delante del azucarero, pero aquí es donde paso más tiempo últimamente, así que...

—Creo que es un lugar perfecto —intervino Gretchen.

Su voz era baja y dulcemente ronca. *Si me hubiera murmurado ella al oído, estoy seguro de que el viejo Manolo habría hecho algo más que revolverse un poco mientras dormía.*

—Yo también —corroboró Helen.

Le dedicó una leve sonrisa sin mirarlo directamente a los ojos, y a continuación dejó la bolsa roja sobre el mostrador de la cocina. Natalie reanudó su parloteo impaciente y alargó de nuevo las manos en cuanto vio la funda rosa del biberón. Un recuerdo cruzó vívida pero fugazmente la mente de Ralph; Helen acercándose a la Manzana Roja dando tumbos, con un ojo a la funerala, las mejillas surcadas de sangre, Natalie colocada descuidadamente sobre una cadera, del modo en que los adolescentes llevan los libros.

—¿Quieres intentarlo, viejo amigo? —inquirió Helen.

Su sonrisa era más ancha y ahora sí lo miraba a los ojos.

—¿Por qué no? Pero el café...

—Yo me ocuparé del café, abuelo —terció Gretchen—. He preparado millones de cafés en mi vida. ¿Tienes leche semidesnatada?

—En la nevera.

Ralph se sentó a la mesa, dejando que Natalie apoyara la cabeza contra su hombro y agarrara el biberón con sus diminutas y fascinantes manos. Efectuó aquel gesto con seguridad absoluta antes de llevarse la tetilla a la boca y empezar a chupar de inmediato. Ralph sonrió a Helen y fingió no darse cuenta de que la joven se había echado a llorar de nuevo.

—Aprenden deprisa, ¿verdad? —comentó.

—Sí —repuso Helen al tiempo que arrancaba una toalla de papel del rollo colgado de la pared, junto al fregadero, y se enjugaba las lágrimas—. Es increíble lo cómoda que está contigo, Ralph. Antes no era así, ¿verdad?

—La verdad es que no me acuerdo —mintió.

Lo cierto era que Natalie nunca se había comportado así con él. No le había rechazado, pero nunca se había mostrado tan a gusto en su presencia.

—No te olvides de apretar la cámara que hay dentro del biberón, ¿vale? Es que si no se tragará un montón de aire y luego tendrá gases.

—Afirmativo —repuso Ralph volviéndose hacia Gretchen—. ¿Te las arreglas?

—Sí, perfectamente. ¿Cómo tomas el café, Ralph?

—Pues en una taza, si no te importa.

Gretchen se echó a reír y dejó la taza sobre la mesa, fuera del alcance de Natalie. Al sentarse cruzó las piernas, y Ralph se las quedó mirando... No podía evitarlo. Cuando alzó de nuevo la mirada, comprobó que Gretchen lo miraba con una leve sonrisa irónica.

«Qué narices —se dijo Ralph—. Nada como perro viejo. Aunque sea un perro viejo que apenas duerme dos horas o dos horas y media por noche.»

—Háblame de tu trabajo —comentó cuando Helen se sentó y empezó a sorber el café.

—Bueno, pues a mí me parece que deberían convertir el cumpleaños de Mike Hanlon en fiesta nacional... ¿Te haces una idea?

—Más o menos —repuso Ralph con una sonrisa.

—Estaba casi segura de que tendría que irme de Derry. Pedí formularios de solicitud a bibliotecas incluso de Portsmouth, pero la verdad es que no me hacía ninguna gracia. Voy a cumplir los treinta y cinco y sólo he vivido aquí siete años, pero Derry es mi hogar... No sé cómo explicarlo, pero es cierto.

—No tienes que dar explicaciones, Helen. Creo que el hogar no es más que una de esas cosas inherentes a una persona, como el cutis o el color de los ojos.

—Exacto —terció Gretchen asintiendo con la cabeza—. Exactamente eso.

—Mike me llamó el lunes para decirme que el empleo de ayudante en la sección infantil había quedado vacante. Y mira, llevo toda la semana pellizcándome para convencerme de que es cierto, ¿verdad, Gretchen?

—Bueno, llevas toda la semana muy contenta —repuso Gretchen—, y ha sido estupendo verte así.

Dedicó una sonrisa a su amiga, y para Ralph, aquella sonrisa fue una revelación. De repente comprendió que podía mirar a Gretchen Tillbury tanto como quisiera, pero que no importaba nada. Si el único hombre de la habitación hubiera sido Tom Cruise, tampoco habría importado nada. Se preguntó si Helen lo sabría, pero entonces se reprochó su estupidez. Helen era muchas cosas, pero tonta no.

—¿Cuándo empiezas? —inquirió.

—Pues la semana del Día del Descubrimiento —repuso Helen—. El doce. Turno de tarde y noche. El sueldo no es precisamente una fortuna, pero bastará para pasar el invierno se resuelva como se resuelva el... el resto de mi situación. ¿No te parece fantástico, Ralph?

—Sí —asintió él—. Es fantástico.

La pequeña había apurado la mitad del biberón y empezaba a perder el interés. Se le salió media tetilla de la boca y un fino reguero de leche le resbaló por la barbilla. Ralph alargó la mano para limpiársela, y sus dedos dejaron una serie de delicadas líneas de color gris azulado en el aire.

La pequeña Natalie intentó cogerlas y se echó a reír cuando se disolvieron en su puño. A Ralph se le cortó la respiración.

Lo ve. La pequeña ve lo que yo veo.

Eso es absurdo, Ralph. Es absurdo y lo sabes.

Pero la verdad era que no lo sabía. Acababa de verlo... Acababa de ver a Natalie intentar atrapar las estelas que habían dejado sus dedos.

—Ralph —dijo Helen—. ¿Estás bien?

—Sí, sí.

Alzó la mirada y vio a Helen envuelta en una lujosa aura de color marfil. Tenía el aspecto satinado de unas bragas caras. El cordel de globo que surgía de ella era del mismo matiz y tan ancho como el lazo de un regalo de boda. El aura que rodeaba a Gretchen Tillbury era de color naranja oscuro rematado de amarillo.

—¿Volverás a instalarte en la casa?

Helen y Gretchen cambiaron otra de aquellas miradas, pero Ralph apenas se dio cuenta. Descubrió que no le hacía falta observar sus rostros, sus gestos o su lenguaje corporal para leer sus sentimientos; le bastaba con contemplar sus auras. Los bordes color limón de su aura se oscurecieron hasta fundirse con el naranja del resto, mientras que el aura de Helen se encogió y a un tiempo adquirió un tono tan reluciente que resultaba difícil de mirar. Helen tenía miedo de volver. Gretchen lo sabía y ello la enfurecía.

«Y la impotencia —se dijo Ralph—. Eso la enfurece aún más.»

Y él sabía todas esas cosas. Las sabía. Así de fácil.

—Me quedaré un tiempo más en High Ridge —decía Helen en aquel instante—. Quizás hasta el invierno. Nat y yo volveremos a la ciudad en un momento dado, me imagino, pero la casa se va a vender. Si alguien la compra, aunque tal como está el mercado inmobiliario no lo tengo muy claro, el dinero irá a parar a una cuenta de depósito y se dividirá teniendo en cuenta el acuerdo. Bueno, ya sabes..., el acuerdo del divorcio.

Le temblaba el labio inferior. Su aura se había encogido aún más; ahora se adhería a su cuerpo como una segunda piel, y Ralph advirtió que diminutos rayos rojos la surcaban. Parecían chispas danzando sobre un incinerador. Alargó la mano, tomó la mano de Helen y se la oprimió. La joven le dedicó una sonrisa de agradecimiento.

—Me estás diciendo dos cosas —dijo Ralph—. Que vas a seguir adelante con lo del divorcio y que todavía le tienes miedo.

—Helen ha sido maltratada con regularidad durante los tres últimas años de su matrimonio —intervino Gretchen—. Por supuesto que todavía le tiene miedo.

Hablaba en voz baja, serena y razonable, pero contemplar su aura era como mirar a través de la ventanita de cola de pescado que suele encontrarse en las portezuelas de las estufas de carbón.

Bajó la mirada hacia la niña y la vio envuelta en su vaporosa y brillante nube del color de un vestido de novia. Era más pequeña que la de su madre, pero por lo demás, idéntica..., como los ojos verdes y el cabello castaño rojizo. El cordel de globo de Natalie surgía de su coronilla en un lazo blanco y puro que flotaba hasta el techo y allí se rizaba etéreo junto a la lámpara. Cuando un soplo de brisa entró por la ventana abierta que había junto al fogón, la ancha banda blanca se onduló. Se volvió y comprobó que los cordeles de globo de Helen y Gretchen también se movían al ritmo de la brisa.

«Y si pudiera ver mi propio cordel, vería que se mueve exactamente igual —pensó—. Es real... Crea lo que crea la parte razonable de mi mente, las auras son reales. Son reales y yo las veo.»

Esperó las objeciones de costumbre, pero esta vez no llegó ninguna.

—Últimamente tengo la sensación de pasar la mayor parte del tiempo en una lavadora emocional —dijo Helen—. Mi madre está enfadada conmigo... La verdad es que me ha llamado de todo menos rajada... y a veces tengo la sensación de que soy una rajada..., me da vergüenza...

—No tienes nada de qué avergonzarte —la interrumpió Ralph.

Alzó de nuevo la mirada hacia el cordel del globo de Natalie, que seguía ondeando al viento. Era bellísimo, pero no sentía necesidad de tocarlo; algún instinto profundo le decía que eso podría resultar peligroso para ambos.

—Supongo que eso ya lo sé —repuso Helen—, pero las niñas pasan por un montón de adoctrinamiento. Es como: «Aquí tienes tu Barbie, aquí tienes tu Ken y aquí tienes la cocinita. Aprende bien, porque cuando llegue el momento de la verdad, tú tendrás que encargarte de todas estas cosas, y si se rompe algo te echarán a ti la culpa».

Y creo que podría haber seguido con mi papel..., de verdad lo creo. Claro que nadie me había dicho que, en algunos matrimonios, Ken se vuelve más loco que un cencerro. ¿Te parece autocomplaciente?

—No. Es más o menos lo que ha pasado, por lo que he visto.

Helen se echó a reír..., un sonido estridente, amargo y culpable.

—Pues no intentes explicarle eso a mi madre. Se niega a creer que Ed haya hecho algo más que darme un cachete conyugal en el trasero de vez en cuando..., sólo para enderezarme cuando iba en la dirección equivocada. Cree que el resto me lo he inventado. No es que me lo haya dicho claramente, pero lo oigo en su voz cada vez que hablo con ella por teléfono.

—Pues yo no creo que te lo hayas inventado —intervino Ralph—. Yo te vi, ¿te acuerdas? Yo estaba ahí cuando me suplicaste que no llamara a la policía.

Sintió que le oprimían el muslo bajo la mesa y alzó la mirada asombrado. Gretchen Tillbury inclinó la cabeza en su dirección de un modo casi imperceptible y le volvió a oprimir la pierna, esta vez con mayor énfasis.

—Sí —asintió Helen—. Estabas ahí, ¿verdad?

Esbozó una leve sonrisa, lo cual estaba muy bien, pero lo que estaba sucediendo con su aura era aún mejor... Aquellas diminutas chispas rojas estaban desapareciendo y el aura volvía a ensancharse.

«No —pensó—. No ensanchándose, sino soltándose, relajándose.»

Helen se levantó y rodeó la mesa.

—Nat se está durmiendo. Será mejor que la coja.

Ralph bajó la vista y vio a Nat observando con ojos fijos y fascinados el otro extremo de la habitación. Siguió su mirada y vio el pequeño jarrón colocado sobre la repisa de la ventana que se abría junto a la fregadera. Apenas dos horas antes lo había llenado de flores otoñales, y ahora, una neblina verdosa brotaba de los tallos y rodeaba las flores con un brillo desvaído y difuminado.

«Están a punto de morir —pensó Ralph—. Oh, Dios mío, nunca volveré a cortar una sola flor en mi vida, lo prometo.»

Con gran suavidad, Helen levantó a Nat. La pequeña se dejó hacer, pero no apartó la mirada de las flores envueltas en niebla mientras su madre volvía a su silla, se sentaba y la acomodaba en la curva de su codo.

Gretchen dio unos golpecitos en la esfera de su reloj.

—Si queremos llegar a tiempo a la reunión de las doce...

—Sí, claro —exclamó Helen en tono de disculpa—. Estamos en el Comité de Bienvenida de Susan Day —explicó a Ralph—, y en este caso no es tan poca cosa como suena. En realidad, nuestra tarea principal no consiste sólo en darle la bienvenida, sino en ayudar a protegerla.

—¿Creéis que va a haber problemas?

—Digamos que la situación será tensa —terció Gretchen—. Tiene media docena de guardaespaldas, y nos enviarán todos los fax de amenazas relacionadas con Derry que hayan recibido. Parece ser que es su sistema habitual, porque Susan Day es muy conocida desde hace muchos años. Nos mantienen informados, pero también se aseguran de que comprendamos que, al ser el grupo anfitrión, su seguridad es responsabilidad del Centro de la Mujer además de suya.

Ralph abrió la boca para preguntar si se habían recibido muchas amenazas, pero creía que ya conocía la respuesta. Había vivido en Derry setenta años entre pitos y flautas, y sabía que se trataba de un engranaje peligroso, con muchas aristas y cantos afilados justo por debajo de la superficie. Ello podía aplicarse a numerosas ciudades, por supuesto, pero en Derry, los asuntos feos siempre parecían tener una dimensión adicional de fealdad. Helen la había llamado su hogar, y también era el hogar de Ralph, pero...

De repente recordó algo que había ocurrido casi diez años antes, poco después del Festival Días de Canal. Tres muchachos habían arrojado a un joven homosexual modesto e inofensivo al canal de Kendusekeag después de morderlo y apuñalarlo varias veces; se rumoreó que los tres chicos habían permanecido sobre el puente que se extendía detrás de Falcon Tavern para verlo morir. Ante la policía declararon que no les gustaba el sombrero que llevaba el joven. Aquello también era Derry, sólo un estúpido lo negaría.

Como movido por aquel recuerdo (lo que quizás fuera cierto), Ralph contempló una vez más la fotografía aparecida en primera página del periódico de aquel día... Ham Davenport con el puño alzado, Dan Dalton con la nariz ensangrentada, los ojos vidriosos y la pancarta de Ham sobre la cabeza.

—¿Cuántas amenazas? —inquirió—. ¿Más de una docena?

—Unas treinta —repuso Gretchen—. De las que la policía sólo se toma unas seis en serio. Dos son amenazas de volar el Centro Cívico si Susan Day no anula su conferencia. Otra (ésta es encantadora) es de alguien que dice que tiene una pistola de agua llena de ácido sulfúrico. «Si te disparo directamente, ni siquiera tus amigas tortilleras podrán mirarte a la cara sin vomitar», afirma.

—Qué encanto —comentó Ralph.

—En cualquier caso, eso nos lleva al quid de la cuestión —anunció Gretchen.

Rebuscó en su bolsa, extrajo una lata con tapa roja y la dejó sobre la mesa.

—Un pequeño obsequio de todas tus agradecidas amigas del Centro de la Mujer.

Ralph cogió la lata. En un lado se veía el dibujo de una mujer rociando con una nube de gas a un hombre que llevaba un sombrero gacho y antifaz. En el otro se leía una sola palabra impresa en brillantes letras mayúsculas:

GUARDAESPALDAS

—¿Qué es esto? —inquirió, consternado a pesar suyo—. ¿Aerosol antivioladores?

—No —repuso Gretchen—. El aerosol antivioladores es arriesgado en Maine desde el punto de vista legal. Esto es mucho más suave..., pero si se lo echas a alguien en la cara, ni se le ocurrirá meterse contigo al menos durante un par de minutos. Insensibiliza la piel, irrita los ojos y produce náuseas.

Ralph quitó la tapa, miró el pulverizador rojo que había debajo y a continuación volvió a colocar la tapa.

—Por el amor de Dios, ¿para qué quiero yo esto?

—Has sido nombrado oficialmente Centurion —anunció Gretchen.

—¿Qué? —inquirió Ralph.

Pero en aquel momento recordó a Ed Deepneau atravesando una y otra vez la lluvia del aspersor del césped, quebrando los arcoiris con el cuerpo mientras Grace Slick cantaba *Conejo Blanco*.

—Centurion —repitió Helen.

Nat estaba durmiendo a pierna suelta en sus brazos, y Ralph se dio cuenta de que las auras habían desaparecido.

—Es lo que los Amigos de la Vida llaman a sus peores enemigos, los cabecillas de la oposición.

—Vale —dijo Ralph—. Ya lo entiendo. Ed habló de unas personas a las que llamaba Centuriones el día en que... te atacó. Pero habló de muchas cosas aquel día, y todas eran absurdas.

—Sí, Ed está detrás de todo esto y está loco —repuso Helen—. No creemos que haya mencionado el asunto de los Centuriones más que a un reducido número de personas..., personas que están casi tan chaladas como él. El resto de Amigos de la Vida... no creo que tengan ni idea. Quiero decir, ¿lo sabías tú? Hasta el mes pasado, ¿sabías que estaba loco?

Ralph denegó con la cabeza. «No, y eso es lo que da tanto miedo», pensó, aunque sin expresarlo en voz alta.

—Los Laboratorios Hawking lo han despedido por fin —prosiguió Helen—. Ayer. Lo aplazaron tanto como pudieron, porque la verdad es que es muy competente y habían invertido mucho en él, pero al final tuvieron que despedirlo. Tres meses de sueldo en compensación. No está mal para un tipo que pega a su mujer y arroja muñecas llenas de sangre falsa a las ventanas de la clínica femenina de la ciudad

—comentó golpeando el periódico con los dedos—. Esta manifestación fue la gota que colmó el vaso. Es la tercera o cuarta vez que lo detienen desde que se unió a Amigos de la Vida.

—Tenéis a alguien infiltrado, ¿verdad? —aventuró Ralph—. Por eso sabéis todas estas cosas.

—No somos los únicos que tenemos a alguien infiltrado —repuso Gretchen con una sonrisa—. Siempre hacemos la broma de que no hay Amigos de la Vida, sino sólo un montón de agentes dobles. La policía de Derry tiene a alguien; la policía estatal también. Y ésos son sólo los que conoce nuestro..., nuestra persona. Maldita sea, si hasta es posible que el FBI los esté controlando también. Amigos de la Vida es una organización en la que es muy fácil infiltrarse, Ralph, porque están convencidos de que, en el fondo de su corazón, todo el mundo está de su parte. Pero creemos que nuestra persona es la única que ha logrado infiltrarse en la cúpula dirigente, y una vez te metes ahí, te das cuenta de que Dan Dalton no es más que la marioneta de Ed Deepneau.

—Ya me lo imaginé la primera vez que los vi juntos en las noticias —comentó Ralph.

Gretchen se levantó, recogió las tazas, las llevó a la pica y empezó a enjuagarlas.

—Milito en el movimiento feminista desde hace trece años y he visto muchas locuras, pero nunca he visto algo igual. Consigue que esos imbéciles crean que las mujeres de Derry se someten a abortos involuntarios, que la mitad de ellas ni siquiera se han dado cuenta de que están embarazadas cuando llegan los Centuriones en plena noche y les arrebatan sus bebés.

—¿Les ha contado lo de la incineradora de Newport? —inquirió Ralph—. ¿La que en realidad es un crematorio de bebés?

Gretchen se volvió hacia él con los ojos abiertos de par en par.

—¿Cómo lo sabías?

—Oh, Ed me dio el parte personalmente. Empezando en julio de 1992.

Titubeó un instante antes de contarles la historia del día en que se había encontrado con Ed junto al aeropuerto, la escena en que Ed había acusado al tipo de la furgoneta de transportar bebés muertos en los bidones de fertilizante. Helen escuchó en silencio, con los ojos cada vez más abiertos.

—El día que te maltrató no paró de hablar de lo mismo —terminó Ralph—, pero por entonces ya lo había adornado considerablemente.

—Seguramente, eso explica por qué está tan obsesionado contigo —comentó Gretchen—, pero en un sentido muy real, la razón no importa. La cuestión es que ha entregado a sus chalados amigos una lista de los presuntos Centuriones. No conocemos todos los nombres que figuran, pero estoy yo, está Helen, Susan Day, por supuesto... y tú.

«¿Por qué yo?», estuvo a punto de preguntar Ralph antes de darse cuenta de que no tendría sentido preguntar. Tal vez Ed la había tomado con él porque había llamado a la policía después de que pegara a Helen; pero lo más probable era que no existiera motivo comprensible alguno. Ralph recordaba haber leído en algún lugar que David Berkowitz, alias el Hijo de Sam, afirmaba haber matado en diversas ocasiones por orden de su perro.

—¿Qué esperáis que intenten hacer? —inquirió por fin—. ¿Asalto a mano armada, como en una película de Chuck Norris?

Esbozó una sonrisa, pero Gretchen no se la devolvió.

—La cuestión es que no sabemos qué intentarán hacer —puntualizó—. Lo más probable es que no hagan nada. Pero por otro lado, a Ed o a uno de los otros podría metérsele en la cabeza intentar tirarte por la ventana de tu propia cocina. En esencia, el aerosol no es más que gas lacrimógeno diluido. Una pequeña póliza de seguros, nada más.

—De seguros —repitió Ralph con aire pensativo.

—Te encuentras en la más selecta de las compañías —intervino Helen con una triste sonrisa—. Aparte de ti, el único Centurion varón de la lista, que nosotras sepamos, es Cohen, el alcalde.

—¿Le habéis dado uno de éstos? —inquirió Ralph levantando la lata, que no parecía más peligrosa que las muestras gratuitas de espuma de afeitar que recibía por correo de vez en cuando.

—No ha hecho falta —repuso Gretchen.

Volvió a mirar el reloj. Helen advirtió el gesto y se levantó con la niña dormida en brazos.

—Tiene licencia para llevar un arma oculta.

—¿Y cómo lo sabéis? —preguntó Ralph.

—Porque hemos comprobado los archivos del ayuntamiento —replicó Gretchen con una sonrisa—. Los permisos de armas son del dominio público.

—Ah.

De repente, se le ocurrió una cosa.

—¿Y qué hay de Ed? ¿Lo habéis comprobado? ¿Tiene un arma?

—No —repuso la mujer—. Pero los tipos como Ed no solicitan necesariamente una licencia de armas cuando llegan a determinados extremos... Lo sabes, ¿verdad?

—Sí —replicó Ralph—. ¿Y vosotras qué? ¿Estáis teniendo cuidado?

—Claro, viejito. Claro que sí.

Ralph asintió con la cabeza, pero no estaba del todo convencido. La voz de Gretchen mostraba cierto matiz condescendiente que no le hacía ni pizca de gracia, como si la mera pregunta hubiera sido una estupidez. Pero no era una estupidez, y si Gretchen no lo sabía, ella y sus amigas podrían meterse en apuros. En grandes apuros.

—Eso espero —dijo—. De verdad. ¿Quieres que lleve a Nat abajo, Helen?

—Mejor que no; se despertaría —Helen lo observó con aire solemne—. ¿Llevarás el aerosol por mí, Ralph? No soportaría que te hicieran daño sólo porque intentaste ayudarme y Ed está más loco que una cabra.

—Pensaré en ello, ¿te basta eso?

—Supongo que tendrá que bastarme —suspiró ella estudiando su rostro con gran atención—. Tienes mucho mejor aspecto que la última vez que te vi. Duermes bien, ¿verdad?

—Bueno —repuso Ralph con una sonrisa—, la verdad es que todavía tengo algunos problemas, pero debo de estar mejor, porque la gente no para de decírmelo.

Helen se puso de puntillas y lo besó en la comisura de los labios.

—Estaremos en contacto, ¿eh? Quiero decir, de verdad.

—Yo cumpliré mi parte si tú cumples la tuya, cariño.

—Cuenta con eso, Ralph —aseguró Helen con una sonrisa—. Eres el Centurión varón más amable que conozco.

Los tres estallaron en tales carcajadas que Natalie se despertó y los miró con soñolienta sorpresa.

Tras acompañar a las dos mujeres a la puerta (DIGO SÍ AL ABORTO Y VOTO, rezaba el adhesivo que lucía el parachoques posterior del Accord de Gretchen), Ralph subió lentamente al primer piso. El cansancio se había apoderado de sus talones como un peso invisible. Una vez en la cocina, miró primero el jarrón de flores, intentando ver aquella extraña y maravillosa neblina verde que había surgido de los tallos. Nada. A continuación cogió el aerosol y volvió a estudiar el dibujo impreso en uno de los lados. Una Mujer Amenazada defendiéndose heroicamente de su atacante; un Hombre Malo con antifaz y sombrero gacho. Nada de matices; un caso claro de venga, tipejo, alégrame el día.

De repente se le ocurrió que la locura de Ed debía de ser contagiosa. En toda Derry había mujeres, entre las que se hallaban Gretchen Tillbury y la dulce Helen, que llevaban aquellos pequeños aerosoles en el bolso, y en realidad, todos ellos decían lo mismo: *Tengo miedo. Los hombres malos del antifaz y el sombrero gacho han llegado a Derry y tengo miedo.*

Ralph no quería formar parte de aquel asunto. Se puso de puntillas y guardó el Guardaespaldas en el estante superior del armario de la cocina que había junto a la fregadera; a continuación se enfundó su vieja chaqueta de cuero gris. Iría al merendero que había cerca del aeropuerto para ver si podía jugar una partida de ajedrez. Y a falta de ajedrez, tal vez unas cuantas rondas de damas chinas.

Se detuvo en el umbral de la puerta de la cocina, mirando las flores con fijeza, intentando resucitar aquella brillante neblina verde. No sucedió nada.

Pero estaba ahí. La has visto; y Natalie también.

Pero ¿de verdad la había visto Natalie? Los bebés no paran de mirar cosas con los ojos como platos, todo los dejaba asombrados, así que, ¿cómo podía estar tan seguro?

—Pues simplemente porque lo estoy —explicó al piso vacío.

Correcto. La niebla verde de los tallos había existido realmente, las auras habían existido y...

—Y todavía existen —dijo sin saber si sentirse aliviado o consternado por la firmeza que advirtió en su voz.

Pues de momento, ¿por qué no intentas no sentirte ni aliviado ni consternado, cariño?

Idea suya, la voz de Carolyn, buen consejo.

Ralph cerró el piso con llave y se dirigió hacia la Derry de los Viejos Carcamales para ver si podía jugar una partida de ajedrez.

7

El dos de octubre, cuando Ralph se acercaba a su piso por Harris Avenue, con un par de novelas del oeste de Elmer Kelton que había comprado en Back Pages, vio que había alguien sentado en su porche, también con un libro en la mano. No obstante, el visitante no estaba leyendo, sino que observaba con soñadora concentración cómo el cálido viento que llevaba soplando todo el día levantaba las hojas doradas y amarillas de los robles y los tres olmos supervivientes del otro lado de la calle.

Ralph se acercó más, observando el remolino de fino cabello blanco que revoloteaba alrededor del cráneo del hombre sentado en el porche, así como su figura, cuyo peso entero parecía haberse concentrado por completo en el abdomen, las caderas y el trasero. Aquella ancha parte del cuerpo, unida al escuálido cuello, el pecho estrecho y las flacas piernas enfundadas en viejos pantalones de franela, producían la sensación de que el hombre se había tragado un tubo. Ni siquiera a ciento cincuenta metros de distancia le cabía a Ralph ninguna duda acerca de quién era el visitante; se trataba de Dorrance Marstellar.

Con un suspiro, Ralph recorrió los últimos metros que lo separaban de su casa. Hipnotizado en apariencia por las brillantes hojas muertas, Dorrance no se volvió hasta que la sombra de Ralph cayó sobre su cuerpo. En aquel instante se giró, estiró el cuello y esbozó su característica sonrisa dulce y vulnerable a un tiempo.

Faye Chapin, Don Veazie y algunos otros carrozas que solían encontrarse en el merendero situado junto a la pista 3 (se trasladarían al Centro de Billares de Jackson en cuanto el veranillo de San Martín diera paso al frío) consideraban que aquella sonrisa no era más que otro indicio de que el viejo Dor, con o sin libros de poemas, estaba como una cabra. Don Veazie, que no era precisamente un adalid de la sensibilidad, había adoptado la costumbre de llamar a Dorrance Viejo Tontorrón, y en cierta ocasión, Faye había confesado a Ralph que no le sorprendía en absoluto que el viejo Dor hubiera logrado llegar a los noventa y cinco.

—La gente a la que falta algún que otro tornillo siempre es la que vive más —había explicado a Ralph a principios de aquel año—. No tienen preocupaciones. Siempre tienen la tensión baja y es mucho más improbable que les explote una válvula o se les rompa un eje.

Sin embargo, Ralph no estaba demasiado convencido de ello. La dulzura de la sonrisa de Dorrance no le convertía, en su opinión, en un hombre de cabeza hueca, sino más bien en un ser etéreo y astuto a un tiempo..., una suerte de mago Merlín de provincias. No obstante, aquel día podría haber pasado sin una visita de Dor; aquella mañana había batido un nuevo récord al despertarse a las dos menos dos minutos de la madrugada, y estaba exhausto. Lo único que quería era sentarse en el salón, tomar café e intentar leer una de las novelas del oeste que había comprado en el centro. Y quizás más tarde intentaría una vez más hacer una siesta.

—Hola —saludó Dorrance.

El libro que sostenía en las manos se titulaba *Noches en el cementerio* y era obra de un hombre llamado Stephen Dobyns.

—Hola, Dor —saludó Ralph—. ¿Es bueno el libro?

Dorrance bajó la mirada hacia el libro como si hubiera olvidado que lo llevaba, y a continuación sonrió al tiempo que asentía con la cabeza.

—Oh, sí, muy bueno. Los poemas que escribe parecen historias. Eso no siempre me gusta, pero a veces sí.

—Qué bien. Mira, Dor, me alegro mucho de verte, pero la caminata me ha dejado agotado, así que a lo mejor podríamos vernos otro...

—Oh, no pasa nada —lo interrumpió Dorrance poniéndose en pie.

Dorrance despedía un leve olor a canela que a Ralph siempre le hacía pensar en momias egipcias conservadas bajo cortinajes de terciopelo rojo en tenebrosos museos. Su rostro apenas mostraba arrugas a excepción de las finas líneas de las patas de gallo que le flanqueaban los ojos, pero era evidente (y daba un poco de miedo) qué edad tenía; los ojos azules se habían desteñido hasta adquirir el acuoso matiz grisáceo de un cielo de abril, y su piel mostraba la claridad transparente que recordaba a Ralph la piel de Nat. Tenía los labios suaves y de un color muy parecido al espliego. Siempre emitían leves chasquidos cuando hablaba.

—No pasa nada. No he venido a hacerte una visita. Sólo a darte un mensaje.

—¿Qué mensaje? ¿De quién?

—No sé de quién —replicó Dorrance lanzando a Ralph una mirada que parecía indicar que creía que Ralph era tonto o bien se estaba haciendo el loco—. Yo no me meto en asuntos ajenos. Te dije que no lo hicieras, ¿es que no te acuerdas?

Ralph recordaba algo, pero que le asparan si lo recordaba con exactitud. Y tampoco le importaba. Estaba cansado y ya se había obligado a escuchar un pesado sermón sobre el tema de Susan Day de labios de Ham Davenport. No tenía ganas de hablar y hablar con Dorrance Marstellar después de aquello, por hermosa que fuera aquella mañana de sábado.

—Bueno, pues dame el mensaje —accedió—, y después me iré arriba, ¿qué te parece?

—Oh, de acuerdo, perfecto, muy bien.

Pero de repente, Dorrance se interrumpió para contemplar el otro lado de la calle, donde una nueva ráfaga de viento enviaba en aquel instante otra ola de hojas al brillante cielo de octubre. Tenía los desvaídos ojos muy abiertos, y algo en su expresión recordó otra vez a Ralph al Bebé Ensalzado y Venerado, el modo en que había intentado atrapar las marcas de color azul grisáceo que los dedos de Ralph habían dejado, así como el modo en que había observado las flores del jarrón de la cocina. Ralph había visto a Dor contemplar el aterrizaje y el despegue de los aviones en la pista 3 con la misma expresión extasiada, a veces durante más de una hora.

—Dor —urgió.

Las ralas pestañas de Dorrance aletearon.

—¡Oh! ¡Sí, claro, el mensaje! El mensaje es...

Frunció el ceño y bajó la mirada hacia el libro que ahora doblaba con las manos. De repente, su rostro se despejó y volvió a mirar a Ralph.

—El mensaje es: «Anula la visita».

Ahora fue Ralph quien frunció el ceño.

—¿Qué visita?

—No deberías haberte entrometido —prosiguió Dorrance antes de exhalar un profundo suspiro—. Pero ya es demasiado tarde. Lo hecho, hecho está. Pero anula la visita. No dejes que ese tipo te clave ninguna aguja.

Ralph se había vuelto hacia la escalinata del porche, pero en aquel momento se giró de nuevo para encararse a Dorrance.

—¿Hong? ¿Estás hablando de Hong?

—¿Y cómo quieres que lo sepa? —replicó Dorrance con aire irritado—. Yo no me entrometo, ya te lo he dicho. De vez en cuando doy algún mensaje, como ahora. Tenía que decirte que anularas la consulta con el pinchauvas y ya te lo he dicho. El resto depende de ti.

Dorrance estaba contemplando de nuevo los árboles del otro lado de la calle, y en su extraño rostro sin arrugas se dibujaba una expresión de apacible exaltación. El fuerte viento otoñal desordenaba su cabello como si de algas se tratara. Cuando Ralph le rozó el hombro, el anciano se volvió hacia él sin rechistar, y de repente, Ralph se dio cuenta de que lo que Faye Chapin y los demás tomaban por estupidez bien podía ser goce. En tal caso, el error diría más cosas de ellos que del viejo Dor.

—Dorrance.

—¿Qué, Ralph?

—Este mensaje... ¿Quién te lo ha dado?

Dorrance reflexionó sobre el asunto, o tal vez sólo fingió reflexionar, y a continuación le alargó el ejemplar de *Noches de cementerio*.

—Quédatelo.

—No, gracias —rechazó Ralph—. No me va mucho la poesía, Dor.

—Te gustarán. Son como historias...

Ralph contuvo el fuerte impulso de zarandear al viejo hasta que le crujieran todos los huesos.

—Acabo de comprar unas novelas del oeste en el centro, en Páginas Traseras. Lo que quiero saber es quién te ha dado el mensaje sobre...

De repente y con sorprendente fuerza, Dorrance golpeó la mano derecha de Ralph, en la que no llevaba las novelas del oeste, con el libro de poemas.

—Uno de ellos empieza: «Cada cosa que hago la termino a toda prisa para poder hacer otra».

Y antes de que Ralph pudiera pronunciar palabra, el viejo Dor atravesó el césped en dirección a la acera. Allí dobló a la izquierda y echó a andar hacia la Extensión con el rostro soñador vuelto hacia el cielo azul, donde las hojas revoloteaban agitadas, como si se dirigieran a alguna cita más allá del horizonte.

—¡Dorrance! —gritó Ralph con repentina furia.

Al otro lado de la calle, en la Manzana Roja, Sue estaba barriendo hojas muertas del asfalto delante de la puerta. Al oír la voz de Ralph se detuvo y lo miró con curiosidad. Sintiéndose estúpido, sintiéndose viejo, Ralph esbozó lo que esperaba tuviera el aspecto de una amplia y radiante sonrisa al tiempo que la saludaba con la mano. Sue le devolvió el saludo y siguió barriendo. Dorrance, entretanto, había seguido andando con toda tranquilidad. Ya había recorrido casi media manzana.

Ralph decidió dejarle ir.

Subió la escalinata del porche, cambió de mano el libro que Dorrance le había dado para buscar el llavero y en aquel momento se dio cuenta de que no tenía por qué molestarse, ya que la puerta no sólo no estaba cerrada con llave, sino que incluso estaba entreabierta. Ralph había reñido a McGovern en repetidas ocasiones por su negligencia respecto a la puerta, y creía que por fin había logrado hacérselo entender a su cazurro vecino. Sin embargo, McGovern había reincidido, por lo visto.

—Maldita sea, Bill —masculló para sus adentros mientras entraba en el oscuro pasillo y echaba un nervioso vistazo a la escalera.

No le costaba imaginarse a Ed Deepneau agazapado en el primer piso aunque fuera de día. Sin embargo, no podía quedarse en el vestíbulo todo el día. Hizo girar la cerradura de la puerta principal y empezó a subir la escalera.

Por supuesto, no había por qué preocuparse. Por un instante creyó ver a alguien de pie en el extremo más alejado del salón, pero no era más que su vieja chaqueta gris. Por una vez la había colgado en el perchero en lugar de dejarla sobre una silla o sobre el brazo del sofá; no era de extrañar que se hubiera llevado un susto.

Entró en la cocina y se quedó mirando el calendario con las manos embutidas en los bolsillos posteriores del pantalón. Había dibujado un círculo en el recuadro del lunes, y dentro del círculo había escrito *HONG 10.00*.

Tenía que decirte que anularas la visita con el pinchauvas y ya te lo he dicho. El resto depende de ti.

Por un instante, Ralph sintió que salía de su propia vida para poder observar el último fragmento del mural que en ella se había formado en lugar del detalle que era aquel único día. Lo que vio le produjo una sensación de temor... Un camino desconocido que conducía a un túnel en tinieblas donde podía esperarle cualquier cosa. Cualquier cosa.

Pues entonces retrocede, Ralph.

Pero tenía la sensación de que no podía hacer eso. Tenía la sensación de que se veía obligado a entrar en el túnel le gustara o no la idea. No tenía la sensación de que lo estuvieran guiando hacia allí, sino más bien de que lo empujaban unas poderosas manos invisibles.

—Da igual —masculló al tiempo que se masajeaba nervioso las sienes sin dejar de mirar la fecha marcada en el calendario, para la que tan sólo faltaban dos días—. Es el insomnio. Fue entonces cuando empezaron a pasar...

¿A pasar qué?

—Cosas raras —explicó al piso vacío—. Fue entonces cuando empezaron a pasar cosas pero que muy raras.

Sí, raras. Muchas cosas raras, pero, desde luego, las auras que veía eran lo más raro de todo. Una fría luz gris que parecía escarcha viva deslizándose sobre el hombre que leía el periódico en Amanecer y Ocaso. La madre y el hijo caminando hacia el supermercado con las auras entrelazadas que brotaban de sus manos como colas de cerdo. Helen y Nat enterradas en maravillosas nubes de luz marfileña; Natalie intentando atrapar las marcas que habían dejado los dedos de Ralph, estelas fantasmales que sólo ellos dos podían ver.

Y ahora el viejo Dor, que había aparecido en su puerta cual extraño profeta del Antiguo Testamento..., sólo que en lugar de decirle que se arrepintiera, le había ordenado que anulara su visita al acupuntor que Joe Wyzer le había recomendado. Debería haber sido divertido, pero no lo era.

La boca de aquel túnel. Más cerca cada día. ¿Existía de verdad ese túnel? Y en ese caso, ¿adónde conducía?

«Me interesa más saber qué puede esperarme dentro —se dijo Ralph—. Qué me espera en la oscuridad.»

No deberías haberte entrometido, había dicho Dorrance. *Pero ya es demasiado tarde.*

—Lo hecho, hecho está —murmuró Ralph.

De repente decidió que no quería seguir considerando las cosas en perspectiva; resultaba inquietante. Mejor volver a meterse en su cuerpo y sopesar las cosas una por una, empezando por la visita al acupuntor. ¿Iría o seguiría el consejo del viejo Dor, alias el Fantasma del Padre de Hamlet?

En realidad, no era una cuestión que requiriera demasiada reflexión, decidió Ralph. Joe Wyzer había engatusado a la secretaria de Hong para que le hiciera un hueco a principios de octubre, y Ralph tenía intención de ir. Si existía alguna salida de aquella maraña, lo más probable era que consistiera en empezar a dormir bien de nuevo. Y ello convertía a Hong en el siguiente paso lógico.

—Lo hecho, hecho está —repitió antes de dirigirse al salón para ponerse a leer una de las novelas del oeste.

Sin embargo, se decidió a hojear el libro de poemas que le había dado Dorrance, *Noches de cementerio*, de Stephen Dobyns. Dorrance había estado en lo cierto; la mayor parte de los poemas eran como historias, y Ralph descubrió que le gustaban bastante. El poema que había citado el viejo Dor se titulaba «Búsqueda» y comenzaba así:

> *Cada cosa que hago la termino a toda prisa*
> *para poder hacer otra. De esta guisa transcurren los días;*
> *una mezcla de carrera de coches y la interminable*
> *construcción de una catedral gótica.*
> *A través de las ventanillas de mi raudo coche veo*
> *desmoronarse todo cuanto amo; libros sin leer,*
> *chistes sin contar, paisajes sin visitar...*

Ralph leyó el poema dos veces, completamente absorto, pensando que tendría que leérselo a Carolyn. A Carolyn le gustaría, y eso estaba muy bien, y aún le gustaría más que Ralph, quien por lo general optaba por novelas históricas o del oeste, lo encontrara y se lo llevara como si de un ramo de flores se tratara. Llegó a levantarse para encontrar un pedazo de papel con que marcar la página cuando recordó que Carolyn llevaba muerta medio año, y entonces rompió a llorar.

Permaneció sentado en el sillón de orejas durante cerca de quince minutos, con *Noches de Cementerio* en su regazo, frotándose los ojos con el dorso de la mano izquierda. Por fin fue al dormitorio, se tendió en la cama e intentó dormir. Después de una hora de contemplar el techo, se levantó, se preparó un café y miró un partido de fútbol universitario por la tele.

Los domingos por la tarde, la Biblioteca Pública abría de una a seis, y el día después de la visita de Dorrance, Ralph decidió ir, sobre todo porque no tenía nada mejor que hacer. Por lo general, la sala de lectura de altos techos estaría salpicada de otros ancianos como él, la mayoría de los cuales hojeaba los distintos periódicos dominicales que por fin tenían tiempo de leer, pero cuando Ralph salió de los pasillos de estanterías en los que había estado rebuscando durante cuarenta minutos, descubrió que tenía toda la estancia para él solo. El maravilloso cielo azul del día anterior había dado paso a una persistente lluvia que aplastaba las hojas recién caídas sobre las aceras o bien las arrastraba consigo por las cunetas hacia los peculiares y desagradablemente enmarañados desagües de Derry. El viento seguía soplando con fuerza, pero ahora procedía del norte y se había tornado asquerosamente frío. Los ancianos con sentido común (o suerte) estaban en casa, calentitos, tal vez mirando el último partido de otra desafortunada temporada de los Red Sox, tal vez jugando a cartas o a la oca con los nietos, o quizás haciendo la siesta después de una opípara comida.

Pero a Ralph poco le importaban los Red Sox, no tenía hijos ni nietos y, a todas luces, había perdido por completo la capacidad de hacer la siesta que pudiera haber tenido antaño. Por lo tanto, había ido en el autobús de la línea verde hasta la biblioteca, y ahí estaba, deseando haberse puesto algo de más abrigo que su vieja y raída cazadora gris, porque en la sala de lectura hacía fresco. Y también había poca luz. La chimenea estaba apagada, y los silenciosos radiadores indicaban que lo más probable es que todavía no hubieran puesto en marcha la caldera. El bibliotecario del turno dominical tampoco se había molestado en encender las lámparas suspendidas del techo. La poca luz que lograba abrirse paso parecía desplomarse muerta en el suelo. Los leñadores, soldados, tambores e indios de los viejos cuadros de las paredes tenían aspecto de fantasmas malévolos. La fría lluvia gemía y repiqueteaba contra las ventanas.

«Debería haberme quedado en casa», suspiró Ralph, aunque en realidad no lo pensaba; los días como aquél resultaban aún más insoportables en el piso. Además, había encontrado un libro muy interesante en lo que había empezado a pensar como la Sección Mr. Sandman de las estanterías de libros: *Patrones de sueños*, de James A. Hall, doctor en medicina. Ralph encendió las luces del techo, lo que confirió a la estancia un aspecto algo menos siniestro, se sentó a una de las cuatro largas mesas de la sala y no tardó en estar enfrascado en la lectura.

> Antes de constatar que el sueño REM y el sueño NREM eran estados distintos —escribía Hall—, los estudios centrados en la privación absoluta de una fase concreta del sueño desembocaron en la conclusión de Dement (1960), según la cual la privación... provoca cierta desorganización de la personalidad en estado de vela...

«Vaya, tío, tienes toda la razón del mundo —pensó Ralph—. Ni siquiera soy capaz de encontrar un sobre de sopa instantánea.»

> ... los primeros estudios relativos a la ausencia de sueños también suscitaron la emocionante especulación de que la esquizofrenia podía ser un trastorno en el que la ausencia de sueños provocaba el desplazamiento del proceso onírico a la vida cotidiana en estado de vela.

Ralph se inclinó sobre el libro, los codos apoyados sobre la mesa, los puños oprimidos contra las sienes, la frente arrugada y el ceño fruncido en ademán de concentración. Se preguntaba si Hall se referiría a las auras, tal vez incluso sin percatarse de ello. Aunque lo cierto era que él seguía teniendo sueños, maldita sea..., sueños muy vívidos, en su mayoría. La noche anterior había tenido un sueño en el que estaba bailando en el Pabellón de Derry (edificio que ya no existía, pues había quedado destruido por una gran tormenta que había devastado la mayor parte del centro de la ciudad ocho años antes) con Lois Chasse. Al parecer, la había invitado a salir con la intención de pedir su mano, pero ni más ni menos que Trigger Vachon había intentado impedírselo una y otra vez.

Se frotó los ojos con los nudillos, intentó concentrarse y reanudó la lectura. No vio al hombre del holgado jersey gris aparecer en el umbral de la sala de lectura y permanecer ahí quieto, observándolo en silencio. Al cabo de unos tres minutos, el hombre introdujo la mano bajo el jersey (en cuya parte delantera se veía a Snoopy con su sombrero de Joe Cool) y se sacó un cuchillo de caza de la vaina del cinturón. Las lámparas del techo arrancaron destellos de la hoja dentada del cuchillo mientras el hombre lo giraba para admirar el filo. Al cabo de unos instantes se acercó a la mesa ante la que Ralph estaba sentado con la cabeza entre las manos. Se sentó junto a Ralph, quien apenas advirtió su presencia.

La tolerancia a la falta de sueño varía según la edad de la persona. En el caso de las personas jóvenes se observa antes la aparición de trastornos y un mayor número de reacciones físicas, mientras que las personas de mayor edad...

Una mano se cerró con firmeza sobre el hombro de Ralph, sobresaltándolo.

—Me pregunto qué aspecto tendrán —susurró una voz extasiada en su oído.

Las palabras del hombre flotaban en una ola que olía a bacon podrido friéndose despacio en un baño de ajo y mantequilla rancia.

—Me refiero a tus entrañas. Me pregunto qué aspecto tendrán cuando las esparza por el suelo. ¿Tú que crees, maldito y despiadado Centurión asesino de niños?

Un objeto duro y punzante oprimió el costado izquierdo de Ralph y se deslizó con lentitud a lo largo de sus costillas.

—No veo el momento de averiguarlo —prosiguió aquella vocecilla extasiada—. No veo el momento.

Ralph volvió la cabeza despacio; le crujieron los tendones del cuello. No sabía el nombre del tipo del mal aliento, el hombre que le apuntaba las costillas con algo que se parecía demasiado a un cuchillo como para no serlo, pero lo reconoció de inmediato. Las gafas de montura de concha ayudaban, pero el estrafalario cabello gris, que salía disparado en todas direcciones de un modo que a Ralph le recordó al mismo tiempo al mánager de boxeo Don King y a Albert Einstein, fue el dato decisivo. Era el hombre que estaba con Ed Deepneau al fondo de la fotografía del periódico en la que Ham Davenport aparecía con el puño alzado y Dan Dalton llevaba la pancarta ELECCIÓN, NO TEMOR por sombrero. Ralph tenía la impresión de haber visto al mismo tipo en algunos de los reportajes televisivos acerca de las constantes manifestaciones antiabortistas. Otro rostro más que blandía una pancarta y cantaba en la muchedumbre; un arponero más. Sólo que aquel arponero en particular parecía tener intención de acabar con él.

—¿A ti qué te parece? —inquirió el tipo del jersey de Snoopy con el mismo aire extasiado.

El sonido de su voz atemorizaba a Ralph mucho más que la hoja del cuchillo que se deslizaba lentamente por su cazadora de cuero, resiguiendo los vulnerables órganos que se hallaban en el lado izquierdo de su cuerpo... Pulmón, riñón, intestinos.

—¿De qué color?

Su aliento era nauseabundo, pero Ralph no quería apartarse ni volver la cabeza, por temor a que cualquier gesto hiciera que el cuchillo dejara de deslizarse y se hundiera en su carne. La hoja volvía a recorrer la tela de su cazadora. Tras los gruesos cristales de sus gafas de montura de concha, los ojos castaños del hombre flotaban como peces surrealistas. La expresión que se dibujaba en ellos era distante y extrañamente atemorizada, pensó Ralph. Los ojos de un hombre que veía señales en el cielo y tal vez oía voces que le susurraban desde las profundidades del armario por la noche.

—No lo sé —repuso Ralph—. Y tampoco sé por qué quiere hacerme daño.

Volvió los ojos con rapidez, sin mover la cabeza, con la esperanza de ver a alguien, a quien fuera, pero la sala de lectura seguía vacía. Afuera, el viento soplaba con fuerza y la lluvia golpeaba las ventanas.

—¡Porque eres un maldito Centurión! —espetó el hombre de la melena cana—. ¡Un maldito asesino de bebés! ¡Robas fetos y los vendes al mejor postor! ¡Lo sé todo!

Ralph apartó lentamente la mano derecha de la cabeza. Era diestro, y todo lo que recogía durante el día iba a parar, por lo general, al bolsillo derecho más conveniente de lo que llevara. Su vieja cazadora gris tenía grandes bolsillos de solapa, pero temía que, aunque lograra introducir la mano en uno de ellos sin que el otro se diera cuenta, lo más mortífero que hallaría en él sería el envoltorio arrugado de un caramelo de menta. No creía llevar siquiera un cortauñas.

—Se lo ha contado Ed Deepneau, ¿verdad? —inquirió Ralph.

De repente, lanzó un gruñido cuando el cuchillo le rozó el costado justo por debajo del punto en que acababan las costillas.

—No pronuncies su nombre —susurró el tipo del jersey de Snoopy—. ¡No te atrevas a pronunciar su nombre! ¡Secuestrador de bebés! ¡Asesino cobarde! ¡Centurión!

Empujó de nuevo la hoja del cuchillo, y esta vez, Ralph sintió auténtico dolor cuando la punta del cuchillo atravesó el cuero de la cazadora. Ralph no creía que el arma le hubiese cortado, al menos todavía, pero estaba bastante seguro de que aquel chalado había ejercido la suficiente presión como para dejarle un feo cardenal. Pero no pasaba nada; si salía de aquélla con tan sólo un morado se consideraría muy afortunado.

—Muy bien —dijo—. No pronunciaré su nombre.

—¡Pida perdón! —siseó el hombre del jersey de Snoopy al tiempo que empujaba de nuevo el cuchillo.

Esta vez, el arma atravesó la tela de la camisa, y Ralph sintió la primera oleada de sangre caliente deslizarse por su costado. «¿Qué hay debajo de la hoja ahora mismo? —se preguntó—. ¿El hígado? ¿La vesícula biliar? ¿Qué hay en ese punto del lado izquierdo?»

O no podía o no quería recordarlo. Una imagen cruzó su mente para intentar obstaculizar todo pensamiento organizado; se trataba de un ciervo colgado por las patas de una balanza frente a un almacén general durante la temporada de caza. Los ojos vidriosos, lengua colgando y una oscura raja que le recorría el vientre desde el punto en que un hombre armado con un cuchillo (un cuchillo exactamente igual que éste) lo había abierto en canal para arrancarle las entrañas y no dejar más que la cabeza, la carne y el pelaje.

—Lo siento —se disculpó Ralph ya no del todo firme—. De verdad que lo siento.

—¡Sí, claro! ¡Deberías sentirlo, pero no lo sientes! ¡No lo sientes!

Otro empujón. Una intensa punzada de dolor. Otra oleada caliente rodándole por el costado. Y de repente, la estancia se tornó más clara, como si dos o tres equipos de televisión de los que pululaban por Derry desde el inicio de las protestas antiabortistas hubieran entrado en la sala de lectura y encendido los focos que montaban sobre las cámaras de vídeo. No había ninguna cámara, por supuesto; las luces se habían encendido en su interior.

Se volvió hacia el hombre del cuchillo, el hombre que le había hundido el arma en el costado, y vio que estaba envuelto en un aura verde y negra que le recordó la

(*ciénaga en llamas*)

mortecina fosforescencia que en ocasiones había visto en los bosques pantanosos al caer la noche. En ella se retorcían erizadas zarzas del más profundo color negro. Contempló el aura del atacante con creciente consternación al tiempo que sentía la punta del cuchillo hundirse unos milímetros más en su carne. Vagamente se dio cuenta de que la sangre empezaba a formar un charquito en la parte inferior de su camisa, a lo largo del cinturón, pero eso fue todo.

Está loco y realmente tiene intención de matarme... No habla por hablar. Todavía no está preparado para hacerlo, todavía no está del todo a punto, pero casi. Y si intento salir corriendo, si intento apartarme siquiera un milímetro del cuchillo que me ha clavado, me matará sin dudarlo. Creo que espera que yo me decida a moverme... para entonces poder decir que yo me lo he buscado, que ha sido culpa mía.

—Tú y todos los de tu calaña —decía el tipo de la salvaje melena gris—. Sé todo lo que hay que saber sobre vosotros.

La mano de Ralph alcanzó el bolsillo derecho... y tocó un objeto alargado que no recordaba haber guardado allí. Claro que eso no significaba gran cosa; cuando uno no recordaba si los últimos cuatro dígitos del teléfono del cine eran 1317 o 1713, cualquier cosa era posible.

—¡Oh, sí, vosotros, Dios mío! —exclamó el hombre de la melena estrafalaria—. ¡Oh, Dios mío, DIOS MÍO!

Esta vez, Ralph no tuvo dificultad alguna en sentir el dolor cuando el hombre hundió la hoja un poco más; la punta extendió una delgada red roja desde la curva de su pecho hasta la nuca. Lanzó un leve gemido y su mano se cerró sobre el bolsillo de la chaqueta gris, adaptando el cuero a la forma curvada del objeto que había en su interior.

—No grites —ordenó el hombre de la melena salvaje en el mismo surruro bajo y extasiado—. ¡Por las barbas del profeta, no te conviene nada gritar!

Sus ojos castaños se clavaron en el rostro de Ralph, y los vidrios de sus gafas los aumentaban tanto que las diminutas partículas de caspa atrapadas en sus pestañas parecían casi tan grandes como guijarros. Ralph veía el aura del hombre incluso en sus ojos; se deslizaba por sus pupilas como humo verde por agua negra. Las zarzas serpenteantes que surcaban la niebla verde se habían tornado más gruesas y empezaban a enredarse, y Ralph comprendió aquel fenómeno cuando el cuchillo se hundió hasta el fondo; la parte de la personalidad de aquel hombre que producía aquellos tirabuzones negros era la que lo provocaba. El verde significaba confusión y paranoia, mientras que el negro significaba algo distinto. Algo

(*de fuera*)

mucho peor.

—No —jadeó—. No gritaré.

—Bien. Siento latir tu corazón, ¿sabes? Sube por la hoja del cuchillo y llega hasta la palma de mi mano. Debe de estar latiendo muy fuerte.

La boca del hombre se torció en una sonrisa histérica y carente de humor. Tenía saliva seca pegada en la comisura de los labios.

—A lo mejor te desplomas y te mueres de un ataque al corazón; así me ahorrarías el trabajo de matarte —otra ráfaga de aliento nauseabundo golpeó el rostro de Ralph—. Eres cantidad de viejo.

La sangre fluía por el costado de Ralph en lo que se le antojaban dos corrientes, tal vez incluso tres. El dolor del cuchillo que escarbaba en su interior resultaba enloquecedor..., como el aguijón de una abeja gigantesca.

«O una aguja», pensó Ralph, y se dio cuenta de que aquella idea le hacía gracia a pesar del lío en que estaba metido... o quizá precisamente por eso. Tenía delante al verdadero acupuntor; James Roy Hong no podía ser más que una imitación barata.

«Y no he tenido ocasión de cancelar la visita», se dijo Ralph. Pero por otro lado, tenía la sensación de que a aquel chalado le importaban un comino las cancelaciones. Los chalados como él tenían sus propios planes y los seguían contra viento y marea.

Sucediera lo que sucediera, Ralph sabía que no podría soportar durante mucho tiempo más la punta del cuchillo clavada en su costado. Levantó la solapa del bolsillo con el pulgar y deslizó la mano en su interior. Supo de qué se trataba en el instante en que lo rozó con las yemas de los dedos; era el aerosol que Gretchen había sacado de su bolso y colocado sobre la mesa de la cocina. «Un pequeño obsequio de todas tus agradecidas amigas del Centro de la Mujer», había dicho.

Ralph no tenía ni idea de cómo había llegado del estante superior del armario de la cocina hasta el bolsillo de su raída chaqueta de entretiempo, y la verdad era que no le importaba. Cerró la mano en torno al aerosol y volvió a emplear al pulgar, esta vez para retirar la tapa de plástico. En ningún momento apartó la mirada del rostro inquieto, atemorizado y extasiado del hombre de la salvaje melena.

—Sé una cosa —comentó Ralph—. Si promete no matarme se la contaré.

—¿Qué? —preguntó el hombre de la desordenada melena con avidez y un aliento que ahora olía a cadáveres de almejas en marea baja—. ¡Por las barbas del profeta! ¿Qué puede saber un desgraciado como tú?

«¿Qué puede saber un desgraciado como yo?», repitió Ralph mentalmente, y la respuesta se le ocurrió al instante, cruzó su mente como el premio gordo aparece en las ventanillas de las máquinas tragaperras. Se obligó a inclinarse hacia el aura verde que revoloteaba en torno al hombre, hacia la terrible y hedionda nube que brotaba de sus alteradas entrañas. Al mismo tiempo, extrajo el pequeño aerosol de su bolsillo, lo sostuvo contra el muslo y colocó el dedo índice sobre el botón del vaporizador.

—Sé quién es el Rey Carmesí —murmuró.

Los ojos del hombre se abrieron de par en par tras los sucios cristales de las gafas, en una expresión no sólo de sorpresa sino también de consternación, y el hombre de la melena salvaje retrocedió unos centímetros. La terrible presión que atenazaba el costado izquierdo de Ralph cedió por un instante. Era su oportunidad, la única que tendría, de modo que la aprovechó. Se lanzó hacia la derecha, cayó de la silla y fue a parar al suelo. Se golpeó la parte posterior de la cabeza con las baldosas, pero el dolor se le antojó distante e insignificante en comparación con el alivio que suponía librarse de la punta del cuchillo.

El hombre de la melena estrafalaria chilló con una combinación de furia y resignación, como si hubiera llegado a habituarse a aquella clase de reveses a lo largo de su larga y azarosa vida. Se inclinó sobre la silla vacía de Ralph con el rostro histérico adelantado y los ojos parecidos a las fantásticas y relucientes criaturas que moraban en las fosas más profundas del océano. Ralph alzó el aerosol y sólo dispuso de un instante para darse cuenta de que no había tenido tiempo de comprobar en qué dirección apuntaba el agujerito del vaporizador...

Era posible que lo único que consiguiera fuera rociarse a sí mismo con el Guardaespaldas.

Ya no había tiempo de preocuparse por eso.

Oprimió el vaporizador en el momento en que el tipo de la melena salvaje intentaba clavarle de nuevo el cuchillo. Una sutil niebla de gotas, que se parecía a lo que salía del ambientador con olor a pino que Ralph tenía en la cisterna del lavabo, envolvió el rostro del hombre. Los cristales de sus gafas se empañaron.

El resultado fue inmediato y rebasó todas las esperanzas de Ralph. El tipo lanzó un grito de dolor, dejó caer el cuchillo, que aterrizó sobre la rodilla izquierda de Ralph y fue a morir entre sus piernas, y se llevó las manos al rostro para quitarse las gafas, que cayeron sobre la mesa. Al mismo tiempo, el aura delgada y en cierto modo grasienta que lo envolvía se tornó de un brillante color rojo y por fin desapareció..., al menos de la vista de Ralph.

—¡*Me he quedado ciego!* —chilló el hombre de la melena estrafalaria en tono estridente—. ¡*Me he quedado ciego! ¡Me he quedado ciego!*

—No, no se ha quedado ciego —aseguró Ralph al tiempo que se levantaba tembloroso—. Sólo está...

El hombre de la melena salvaje volvió a gritar y cayó al suelo. Empezó a rodar hacia delante y hacia atrás sobre las baldosas blancas y negras, cubriéndose el rostro con las manos, aullando como un niño que acabara de pillarse la mano en una puerta. Ralph entreveía segmentos de mejillas entre sus dedos abiertos. La piel del rostro del hombre estaba adquiriendo un alarmante color rojo, como si hubiera pasado demasiado tiempo en la playa y el sol lo hubiera quemado.

Ralph se dijo que tenía que dejar al tipo tirado, que estaba como un cencerro y era más peligroso que una serpiente de cascabel, pero estaba demasiado horrorizado y avergonzado por lo que había hecho como para seguir tan acertado consejo. La idea de que había sido cuestión de vida o muerte, de que se trataba de poner fuera de combate a su atacante o morir ya empezaba a parecerle irreal. Se agachó y tocó vacilante el brazo del hombre. El chalado se alejó de él y comenzó a golpear el suelo con las sucias zapatillas deportivas como un niño con una rabieta.

—¡Hijo de putaaa! —gritó—. ¡Me has echado algo! —Y a continuación, aunque pareciera increíble—: ¡Te voy a poner una denuncia que te vas a enterar!

—Creo que tendrá que explicar lo del cuchillo antes de poder seguir adelante con la denuncia —replicó Ralph.

Vio el cuchillo tirado en el suelo, alargó la mano para cogerlo, pero se detuvo a tiempo. Sería mejor que sus huellas no aparecieran en él. Cuando se incorporó, una ola de vértigo se apoderó de él, y durante un instante, el sonido de la lluvia contra las ventanas se le antojó hueco y lejano. Alejó el cuchillo de una patada, tropezó y tuvo que aferrarse al respaldo de la silla en la que había estado sentado para no caer de bruces. El mundo volvió a estabilizarse. Oyó unos pasos que se aproximaban y el murmullo de voces interrogantes.

«Ahora venís —pensó Ralph cansado—. ¿Dónde estabais hace tres minutos, cuando este tipo estaba a punto de hacer estallar mi pulmón izquierdo como si fuera un globo?»

Mike Hanlon, delgado y con aspecto de no pasar de los treinta a pesar de su espesa mata de cabello gris, apareció en el umbral. Tras él asomaba un adolescente al que Ralph identificó como el ayudante de los fines de semana, y tras el adolescente se veían cuatro o cinco mirones, procedentes a buen seguro de la hemeroteca.

—¡Señor Roberts! —exclamó Mike—. ¡Dios mío! ¿Está herido?

—Yo estoy bien; es él quien está herido —repuso Ralph.

Pero al señalar al tipo del suelo se miró el cuerpo y vio que no estaba nada bien. Al señalar al otro con el brazo se le había subido un poco la chaqueta, y en el costado izquierdo de la camisa a cuadros que llevaba se apreciaba una mancha en forma de lágrima de un profundo color rojo, que empezaba justo debajo de la axila y se extendía por todo el lateral.

—Mierda —masculló con desmayo mientras volvía a sentarse.

Al hacerlo golpeó las gafas de montura de concha con el codo y éstas se deslizaron hasta el otro extremo de la mesa. La nube de gotitas de los cristales les confería el aspecto de ojos cegados por las cataratas.

—¡Me ha echado ácido en la cara! —chilló el hombre del suelo—. ¡No veo nada y la piel se me está fundiendo!

Los gritos sonaban a Ralph como una parodia casi consciente de la Bruja Mala del Oeste.

Mike echó un rápido vistazo al hombre del suelo y a continuación se sentó en la silla contigua a la de Ralph.

—¿Qué ha pasado?

—Bueno, lo qué está claro es que no era ácido —dijo Ralph mostrándole la lata de Guardaespaldas y dejándola sobre la mesa, junto a *Patrones de sueños*—. La señora que me lo dio me aseguró que no era tan fuerte como el spray antivioladores, sino que sólo irrita los ojos y da unas náuseas de la...

—No me preocupa lo que le ha pasado a él —lo interrumpió Mike con impaciencia—. Nadie que grite de esta forma se morirá en los próximos tres minutos. Me preocupa usted, señor Roberts. ¿Sabe si la herida es grave?

—La verdad es que no me ha apuñalado del todo —repuso Ralph—. Sólo me ha... pinchado o algo así.

Señaló el cuchillo que yacía sobre el suelo de baldosas. Al ver la punta teñida de rojo sintió otra oleada de vértigo. Era como un tren expreso hecho de almohadas de plumón. Eso era un tontería, por supuesto, no tenía ningún sentido, pero la verdad era que no estaba para sutilezas.

El ayudante estaba mirando con cautela al hombre del suelo.

—Oh, oh —canturreó—. Conozco a este tipo, Mike. Es Charlie Pickering.

—¡Válgame Dios, mira por dónde! —exclamó Mike—. ¡Qué sorpresa! —Se volvió hacia el joven ayudante y exhaló un suspiro—. Será mejor que llames a la policía, Justin. Me parece que tenemos un pequeño problema aquí.

—¿Tendré problemas por haber usado esto? —preguntó Ralph una hora más tarde, señalando una de las dos bolsas herméticas que había sobre el atestado escritorio del despacho de Mike Hanlon.

En al anverso se veía una tira de cinta amarilla con las palabras PRUEBA: AEROSOL, FECHA: 5/10/93 y LUGAR: BIBLIOTECA PÚBLICA DE DERRY impresas sobre ella.

—Pues no tantos como tendrá nuestro viejo amigo Charlie Pickering por usar esto —repuso John Leydecker señalando la otra bolsa hermética.

La bolsa contenía el cuchillo de caza; la sangre de la punta se había secado y adquirido un color marronoso. Leydecker llevaba un jersey de la Universidad de Maine con el que parecía tener las dimensiones aproximadas de un granero.

—Aquí en el campo todavía creemos bastante en el concepto de la defensa propia. Aunque no hablamos mucho del tema... Sería como admitir que uno cree que la tierra es plana.

Mike Hanlon, que estaba apoyado en el marco de la puerta, se echó a reír al tiempo que asentía con la cabeza.

Ralph esperaba que su rostro no delatara el profundo alivio que sentía. Mientras un enfermero (bien podría ser uno de los tipos que había llevado a Helen Deepneau al hospital el mes de agosto del año anterior) se ocupaba de él, fotografiando las heridas antes de desinfectarlas y por fin suturarlas y vendarlas, había permanecido sentado con los dientes apretados, imaginado que un juez lo condenaba a seis meses en la prisión del condado por asalto con arma semimortal. *Esperemos, señor Roberts, que esto sirva de ejemplo y advertencia a cualquier viejo carcamal de este lugar que pueda considerar justificado llevar encima aerosoles de gas nervioso...*

Leydecker echó otro vistazo a las seis fotografías Polaroid alineadas a lo largo del terminal del ordenador de Mike Hanlon. El técnico de urgencias con cara de pipiolo había tomado las tres primeras antes de remendar las heridas de Ralph. Todas mostraban un pequeño círculo oscuro, que se parecía a los enormes puntos que dibujaban los niños pequeños cuando aprendían a escribir, en la parte inferior del costado de Ralph. El técnico había tomado el segundo grupo de tres fotografías tras suturar la herida con grapas y hacer que Ralph firmara un formulario en el que atestiguaba que se le había ofrecido asistencia hospitalaria, pero que él la había rechazado. En el segundo grupo de fotografías se apreciaba ya el inicio de lo que se convertiría en un morado absolutamente espectacular.

—Dios bendiga a Edwin Land y Richard Polaroid —exclamó Leydecker al introducir las fotografías en otra bolsa de PRUEBA.

—No creo que el señor Richard Polaroid existiera jamás —intervino Mike Hanlon desde el umbral.

—Seguramente, pero Dios le bendiga de todas formas. Cualquier jurado que echara un vistazo a estas fotos te pondría una medalla, Ralph, y ni siquiera el sagaz abogado Clarence Darrow podría «desestimarlas como pruebas» —Se volvió hacia Mike—. Charlie Pickering.

—Charlie Pickering —asintió Mike con un gesto.

—Gilipollas.

—Gilipollas de primera —asintió de nuevo Mike.

Ambos hombres intercambiaron una mirada de completa solemnidad, y de repente estallaron al unísono en ruidosas carcajadas. Ralph los comprendía perfectamente... Era gracioso porque era terrible y era terrible porque era gracioso; tuvo que morderse los labios con fuerza para no unirse a las risas. Lo último que quería en el mundo era echarse a reír; le dolería un montón.

Leydecker se sacó un pañuelo del bolsillo trasero, se secó las lágrimas y empezó a controlarse.

—Pickering es uno de los pro vida, ¿no? —inquirió Ralph.

Recordaba el aspecto que tenía Pickering cuando el compañero de Hanlon lo había ayudado a incorporarse. Sin las gafas, el tipo parecía tan peligroso como un conejito en el escaparate de una tienda de animales.

—Tú lo has dicho —asintió Mike con sequedad—. Es uno de los que sorprendieron el año pasado en el aparcamiento que comparten el hospital y el Centro de la Mujer. Llevaba una lata de gasolina en la mano y una mochila llena de botellas vacías a la espalda.

—Y tiras de sábana, no lo olvides —intervino Leydecker—. Para hacer las mechas. En aquella época, Charlie era un miembro destacado de Pan de Cada Día.

—¿Y estuvo muy cerca de volar el centro? —preguntó Ralph con aire curioso.

—La verdad es que no —repuso Leydecker encogiéndose de hombros—. Por lo visto, alguien del grupo decidió que quemar la clínica femenina con bombas incendiarias tal vez se acercaba más al terrorismo que a la política, así que efectuó una llamada anónima a la policía local.

—Qué bien —tercio Mike.

Soltó un pequeño resoplido de risa y cruzó los brazos sobre el pecho como si quisiera contener una nueva carcajada.

—Sí —asintió Leydecker al tiempo que entrelazaba los dedos y extendía los brazos para hacer crujir los nudillos—. En lugar de meterlo en la cárcel, un juez sensato y sensible sentenció a Charlie a pasar seis meses en Juniper Hill, donde debería someterse a diversos tratamientos y terapias. Deben de haber decidido que está bien, porque volvió a la ciudad en julio o algo así.

—Sí —corroboró Mike—. Y viene aquí casi cada día. Para mejorar la categoría del lugar, por así decirlo. Acorrala a todos los que entran y les larga su eterno sermón de que las mujeres que abortan irán derechitas al infierno, y que los auténticos criminales como Susan Day arderán por siempre en un lago de fuego. Pero no entiendo por qué la ha tomado con usted, señor Roberts.

—Mala pata, me imagino.

—¿Está bien, Ralph? —inquirió Leydecker—. Está un poco pálido.

—Estoy bien —aseguró Ralph, aunque no era cierto, ya que, en realidad, había empezado a marearse en serio.

—No sé si está bien, pero lo que está claro es que es un tipo con suerte. Suerte de que aquellas mujeres le dieran el aerosol, suerte de que lo llevara encima, y sobre todo, suerte de que Pickering no se le acercara por la espalda y le clavara el cuchillo en la nuca sin más. ¿Se ve con ánimos de bajar a la comisaría y hacer una declaración formal o...?

De repente, Ralph se levantó con brusquedad de la vieja silla giratoria de Mike Hanlon, cruzó la estancia como una bala, cubriéndose la boca con la mano, y abrió la puerta que había en el rincón derecho de la oficina, rezando por que no fuera un armario. Si lo era, lo más probable era que acabara llenando los chanclos de Mike con un bocadillo de queso fundido medio procesado y un poco de sopa de tomate apenas usada.

Por fortuna, resultó ser el cuarto que necesitaba. Ralph cayó de rodillas ante el inodoro y vomitó con los ojos cerrados y el brazo derecho oprimido contra el agujero que Pickering le había practicado en el costado. El dolor que sintió cuando sus músculos se contrajeron y volvieron a soltarse seguía siendo increíble.

—Supongo que eso es una negativa —dijo Mike Hanlon detrás de él antes de colocar una mano en la nuca de Ralph para reconfortarle—. ¿Está bien? ¿Le vuelve a sangrar la herida?

—No lo creo —repuso Ralph.

Empezó a desabrocharse la camisa, pero de repente volvió a llevarse la mano al costado en el momento en que el estómago le daba otro ominoso vuelco antes de calmarse de nuevo. Levantó el brazo y se miró la camisa. Estaba impecable.

—Pues parece que no ha pasado nada.

—Bien —dijo Leydecker, que estaba justo detrás del bibliotecario—. ¿Ha terminado?

—Creo que sí —aventuró Ralph mirando a Mike con aire avergonzado—. Lo siento.

—No sea tonto —repuso Mike mientras ayudaba a Ralph a incorporarse.

—Vamos —dijo Leydecker—. Le llevaré a casa. Mañana ya habrá tiempo para la declaración. Lo que tiene que hacer es meterse en la cama el resto del día y dormir bien esta noche.

—Nada como dormir a pierna suelta toda la noche —corroboró Ralph al llegar a la puerta de la oficina—. Ya puede soltarme el brazo, detective Leydecker. Todavía no somos novios, ¿verdad?

Leydecker lo miró consternado y le soltó el brazo. Mike lanzó otra carcajada.

—«Todavía no somos...» Muy bueno, señor Roberts.

—Pues no, todavía no somos novios —terció Leydecker con una sonrisa—, pero puede llamarme Jack, si quiere. O John. Pero nada de Johnny. Desde que murió mi madre hace dos años, el único que me llama Johnny es el viejo profesor McGovern.

«El viejo profesor McGovern —repitió Ralph mentalmente—. Qué raro suena.»

—Muy bien..., John. Y vosotros podéis llamarme Ralph. Por lo que a mí respecta, *El señor Roberts* siempre será una obra de Broadway protagonizada por Jack Lemmon.

—Exacto —asintió Mike Hanlon—. Cuídate mucho.

—Lo intentaré —repuso Ralph antes de detenerse súbitamente—. Oye, tengo algo que agradecerte aparte de tu ayuda de hoy.

—¿Ah, sí? —exclamó Mike enarcando las cejas.

—Sí. Has contratado a Helen Deepneau. Es una de mis mejores amigas y necesita el empleo desesperadamente. Así que gracias.

—Aceptaré los elogios con mucho gusto —repuso Mike con una sonrisa y un gesto de asentimiento—, pero la verdad es que es ella quien me ha hecho el favor. En realidad, está demasiado cualificada para el trabajo, pero creo que quiere quedarse en la ciudad.

—Yo también, y tú lo has hecho posible. Así que gracias otra vez.

—No hay de qué —replicó Mike con una radiante sonrisa.

—Así que, por lo visto, el truco del panal ha funcionado, ¿eh? —comentó Leydecker cuando él y Ralph salieron de detrás del mostrador.

El comentario se alejaba tanto del hilo de los pensamientos de Ralph que en el primer momento no tenía ni la menor idea de lo que estaba hablando el detective..., como si le hubiera hecho una pregunta en esperanto.

—El insomnio —prosiguió Leydecker pacientemente—. Ya lo has superado, ¿verdad? Supongo que sí, porque tienes un aspecto trecientas veces mejor que el día en que te conocí.

—Aquel día estaba un poco tenso —repuso Ralph.

Le cruzó por la mente la vieja frase de Billy Cristal acerca de Fernando: «Mira, cariño, no seas un plomo; no importa cómo te encuentras, sino qué aspecto tienes. Y tienes un aspecto... ¡MARAVILLOSO!».

—¿Y hoy no? Venga, Ralph, que estás hablando conmigo. Así que suéltalo... ¿Ha sido el panal?

Ralph fingió reflexionar durante unos instantes y por fin asintió con la cabeza.

—Sí, supongo que debe de haber sido eso.

—¡Estupendo! ¡Ya te lo decía yo! —exclamó Leydecker risueño mientras se disponían a salir a la tarde lluviosa.

Estaban esperando a que cambiara el semáforo de la cima de Up-Mile Hill, el que regulaba el cruce de Witcham y Jackson, cuando Ralph se volvió hacia Leydecker para preguntarle qué posibilidades había de trincar a Ed como cómplice de Charlie Pickering.

—Porque ha sido Ed quien se lo ha ordenado —aseguró—. Eso lo sé tan bien como sé que el parque Strawford está ahí enfrente.

—Seguro que tienes razón —replicó Leydecker—, pero no te engañes... Hay muy pocas probabilidades de trincarlo como cómplice. Ni siquiera habría muchas si el fiscal del condado no fuera tan conservador como Dale Cox.

—¿Por qué no?

—Primero, no creo que podamos demostrar que existe una conexión significativa entre los dos hombres. Segundo, los tipos como Pickering tienden a defender a ultranza a los que consideran «amigos», porque tienen muy pocos... Su mundo se compone casi exclusivamente de enemigos. No creo que Pickering repita en el interrogatorio muchas de las cosas que te ha dicho mientras te hacía cosquillas en las costillas con el cuchillo de caza. Tercero, Ed Deepneau no tiene un pelo de tonto. A lo mejor está loco, quizás más loco que Pickering, bien mirado, pero no tiene un pelo de tonto. No confesará nada.

Ralph asintió con un gesto. Ésa era exactamente la opinión que tenía de Ed.

—Y si Pickering llegara a decir que Deepneau le ordenó encontrarte y acabar contigo, con la razón de que eres uno de esos Centuriones asesinos de bebés y secuestradores de fetos, Ed se limitaría a sonreírnos, asentir y decir que estaba seguro de que el pobre Charlie nos había dicho eso, que era posible que el pobre Charlie se lo creyera incluso, pero eso no quería decir que fuera verdad.

El semáforo cambió a verde. Leydecker atravesó el cruce y en Harris Avenue dobló a la izquierda. Los limpiaparabrisas se agitaban y golpeaban los cristales. A la derecha de Ralph, el parque Strawford parecía un vacilante espejismo a través de la lluvia que bajaba torrencial por la ventanilla de su lado.

—¿Y qué podríamos responder a eso? —preguntó Leydecker—. La verdad es que Charlie Pickering tiene un largo historial de trastornos mentales; de hecho, en cuestión de loqueros se lleva la palma: Juniper Hill, Hospital Acadia, Instituto de Salud Mental de Bangor... Cualquier sitio en el que hagan tratamientos eléctricos gratis y tengan chaquetas que se abotonan en la espalda, lo más seguro es que Charlie haya estado ahí. Últimamente se dedica al aborto. A finales de los sesenta se la tenía jurada a Margaret Chase Smith. Escribió cartas a todo el mundo, a la policía de Derry, a la policía del estado, al FBI, afirmando que era una espía rusa. Decía que tenía pruebas.

—Por el amor de Dios, es increíble.

—No, es Charlie Pickering, y apuesto lo que sea a que hay una docena de tipos como él en todas las ciudades americanas de este tamaño. Joder, y no sólo en las americanas.

Ralph se llevó la mano al costado izquierdo y se palpó el vendaje cuadrado. Sus dedos resiguieron los puntos de sutura que se adivinaban bajo la gasa. No podía desterrar de su mente la imagen de los ojos castaños y aumentados de Pickering, la expresión aterrorizada y a un tiempo extasiada que se leía en ellos. Ya le costaba creer que el hombre al que pertenecían aquellos ojos había estado a punto de matarlo, y temía que al día siguiente, toda aquella historia se le antojara uno de los llamados «sueños de descubrimiento» de que James A. Hall hablaba en su libro.

—Lo jodido es, Ralph, que un chiflado como Charlie Pickering es la marioneta perfecta para un tipo como Ed Deepneau. Ahora mismo, nuestro querido amigo pegamujeres tiene una excelente coartada.

Leydecker entró en el sendero de entrada contiguo a la casa de Ralph y aparcó detrás de un gran Oldsmobile con manchas de óxido sobre el maletero y un adhesivo muy antiguo, DUKAKIS '88, en el parachoques.

—¿De quién es este brontosaurio? ¿Del profe?

—No —repuso Ralph—, este brontosaurio es mío.

Leydecker le lanzó una mirada incrédula mientras ponía el punto muerto en su Chevrolet de incógnito del departamento de Policía.

—Si tienes coche, ¿cómo es que esperabas el autobús si estaba lloviendo a cántaros? ¿Es que no funciona?

—Sí que funciona —replicó Ralph algo irritado, sin querer añadir
que quizás se equivocaba en eso, pues hacía más de dos meses que no
tocaba el Oldsmobile—. Y no estaba bajo la lluvia; es una parada de
autobús con techo. No tiene televisión por cable, vale, pero ya verás el
año que viene.

—Pero aun así... —insistió Leydecker contemplando el Oldsmobile con aire dubitativo.

—Pasé los últimos quince años de mi vida laboral sentado a una
mesa, pero antes de eso era viajante. Durante unos veinticinco años
conduje una media de mil quinientos kilómetros a la semana. Cuando
por fin aterricé en la imprenta, no me importaba no volver a conducir
un coche en mi vida. Y desde que murió mi mujer, casi nunca tengo
motivos para coger el coche. El autobús me va de perlas para casi
todo.

Todo aquello era cierto; Ralph no veía la necesidad de agregar que
cada vez confiaba menos en sus reflejos y su visión de cerca. Un año
antes, un niño de unos siete años estaba persiguiendo su balón hasta
la calzada de Harris Avenue cuando Ralph volvía del cine, y aunque
no iba a más de treinta y cinco kilómetros por hora, durante dos eternos y horribles segundos había creído que iba a atropellar al chiquillo. Por supuesto, no lo había atropellado, ni siquiera había estado a
punto de atropellarlo, de hecho, pero desde entonces creía que podía
contar con los dedos de una mano las veces que se había sentado tras
el volante del Oldsmobile.

Tampoco veía la necesidad de contarle eso a John.

—Bueno, tú sabrás —comentó Leydecker agitando la mano con
gesto vago en dirección al coche—. ¿Te va bien venir a hacer la declaración mañana por la tarde? Llegaré a mediodía, así que podré vigilarte un poco. Y después puedo invitarte a un café.

—Me parece bien. Y gracias por traerme a casa.

—De nada. Otra cosa...

Ralph había empezado a abrir la puerta del coche, pero al oír las
palabras del policía, la cerró de nuevo y se volvió hacia él con las cejas
enarcadas.

Leydecker se miró las manos, se removió incómodo tras el volante, carraspeó y por fin alzó la mirada.

—Sólo quería decirte que creo que eres increíble —dijo el detective—. Muchos tipos cuarenta años más jóvenes que tú habrían acabado la aventurita de hoy en el hospital. O quizás en el depósito de cadáveres.

—Bueno, supongo que mi ángel de la guarda estaba vigilándo-
me —comentó Ralph recordando cuánto le había sorprendido descu-

brir lo que era el bulto redondeado que tenía en el bolsillo de la cazadora.

—Bueno, es posible, pero cierra bien la puerta esta noche, ¿me oyes?

Ralph sonrió y asintió con un gesto. Justificado o no, el elogio de Leydecker le había caldeado el alma.

—Lo haré, y si consigo que McGovern coopere, todo irá sobre ruedas.

«Y además —se dijo—, siempre puedo bajar a comprobar que la puerta está bien cerrada cuando me despierte, aproximadamente dos horas y media después de haberme dormido, tal como están las cosas.»

—Pues claro que todo irá sobre ruedas —aseguró Leydecker—. A nadie en el trabajo le hizo demasiada gracia que Deepneau más o menos cooptara Amigos de la Vida, pero la verdad es que a nadie le sorprendió; es un tipo atractivo y carismático..., siempre y cuando, claro está, lo pesques un día en que no se haya dedicado a usar a su mujer como punching.

Ralph asintió con la cabeza.

—Por otro lado, no es la primera vez que nos topamos con un tipo como él, y todos acaban por autodestruirse de una forma u otra. En el caso de Deepneau, el proceso ya ha empezado. Ha perdido a su mujer, ha perdido el trabajo... ¿Lo sabías?

—Ajá. Me lo dijo Helen.

—Y ahora está perdiendo a sus seguidores más moderados. Se están largando como cazas que vuelven a casa porque se les está acabando el combustible. Pero Ed no... Él sigue contra viento y marea. Me imagino que conservará a algunos hasta la conferencia de Susan Day, pero creo que después se va a quedar más solo que la una.

—¿Se te ha ocurrido que a lo mejor intenta algo el viernes? ¿Que a lo mejor intenta atacar a Susan Day?

—Claro —repuso Leydecker—. Claro que se nos ha ocurrido, eso te lo aseguro.

Ralph se alegró muchísimo de comprobar que la puerta del porche estaba cerrada con llave. La abrió el tiempo suficiente como para entrar y a continuación subió pesadamente la escalera, que aquella tarde se le antojaba más larga y tenebrosa que nunca.

El piso parecía demasiado silencioso pese al constante golpeteo de la lluvia contra el tejado, y el aire parecía oler a demasiadas noches en blanco. Ralph llevó una de las sillas de la mesa de la cocina al mostrador, se encaramó a ella y escudriñó el estante superior del armario más cercano a la fregadera. Era como si esperara encontrar otra lata de Guardaespaldas..., la lata original, la que había guardado allí tras acompañar a Helen y a su amiga Gretchen a la puerta, en el estante superior de la alacena, y de hecho, una parte de él lo esperaba realmente. Sin embargo, allí no había nada aparte de un palillo, un fusible viejo y un montón de polvo.

Se bajó de la silla con cuidado, comprobó que había dejado huellas de barro sobre el asiento y las limpió con unas cuantas toallas de papel. A continuación dejó la silla en su lugar y se dirigió al salón. Se quedó de pie, dejando que sus ojos vagaran por la estancia, desde el sofá con su cursi colcha de flores y el sillón de orejas hasta el viejo televisor colocado sobre la mesita de roble que había entre las dos ventanas que daban a Harris Avenue. Desde ahí dirigió la mirada hasta el rincón más alejado. El día anterior, al llegar al piso todavía un poco irritado por haber encontrado abierta la puerta del porche, Ralph había confundido por un instante la cazadora colgada del perchero con un intruso. Bueno, no hacía falta ser remilgado; había creído por un momento que Ed había decidido hacerle una visita.

«Pero yo nunca cuelgo los abrigos. Era una de las cosas, una de las pocas cosas, creo, que le molestaban a Carolyn de mí. Y si no conseguí acostumbrarme a colgarlos cuando ella vivía, está clarísimo que no iba a acostumbrarme después de su muerte. No, yo no colgué la chaqueta en el perchero.»

Ralph atravesó el salón, rebuscó en los bolsillos de la cazadora de cuero gris y dejó todo lo que encontró sobre el televisor. En el izquierdo no había nada, salvo un tubo viejo de caramelos, con pelusilla pegada en el primero, pero el bolsillo derecho era un cofre del tesoro aunque sin el aerosol. Había una piruleta de limón todavía envuelta, una arrugada circular publicitaria de la Casa de la Pizza de Derry, una pila AA, un pequeño recipiente de cartón que en su día había contenido una porción de tarta de manzana de McDonald's, la tarjeta de descuento del club de vídeo Dave, que estaba a punto de proporcionarle una película gratis (la tarjeta llevaba más de dos semanas desaparecida en combate, y Ralph estaba seguro de haberla perdido), una caja de cerillas, un recibo de MasterCard por una comida en Panda Garden, diversos fragmentos de papel de aluminio... y una hoja doblada de papel rayado azul.

Ralph lo desdobló y leyó una sola frase escrita con la letra desigual y algo insegura, propia de un anciano: *Cada cosa que hago la termino a toda prisa para poder hacer otra.*

No había nada más, pero bastaba para confirmar a su cerebro lo que el corazón ya sabía. Dorrance Marstellar estaba en la escalinata del porche cuando Ralph había vuelto de Páginas Traseras con sus novelas de bolsillo, pero había tenido otras cosas que hacer antes de sentarse a esperarlo. Había subido al piso de Ralph, había cogido el aerosol de la alacena y lo había metido en el bolsillo derecho de la vieja cazadora gris de Ralph. Incluso había dejado su tarjeta de visita: el principio de un poema garabateado sobre un pedazo de papel seguramente arrancado de la gastada libreta en la que a veces anotaba las llegadas y las salidas de la pista 3. Luego, en lugar de colocar la cazadora dondequiera que Ralph la hubiese dejado, el viejo Dor la había colgado pulcramente en el perchero. Una vez cumplida la misión

(*lo hecho hecho está*)

había regresado al porche para esperarlo.

La noche anterior, Ralph había reñido a McGovern por haber dejado otra vez abierta la puerta principal, y McGovern había aguantado la reprimenda con la misma paciencia con la que el propio Ralph había aguantado las reprimendas de Carolyn por dejar su chaqueta tirada sobre la primera silla que se encontraba en lugar de colgarla en el perchero, pero en aquel momento, Ralph se preguntó si no habría acusado a Bill injustamente. Tal vez el viejo Dor había forzado la cerradura... o quizás la había embrujado. Dadas las circunstancias, la brujería se le antojaba la opción más plausible. Porque...

—Porque mira —murmuró Ralph al tiempo que se guardaba todos los trastos que había colocado sobre el televisor en los bolsillos—. No sólo sabía que iba a necesitar esas cosas, sino que sabía dónde encontrarlas y dónde ponerlas.

Ralph se estremeció de pies a cabeza e intentó digerir aquella idea, tildarla de absurda, ilógica, del tipo de cosa que un hombre con un caso agudo de insomnio inventaría. Tal vez. Pero eso no explicaba lo del trozo de papel, ¿verdad?

Volvió a mirar las palabras garabateadas sobre el papel rayado azul. *Cada cosa que hago la termino a toda prisa para poder hacer otra.* Aquella no era su letra, del mismo modo que *Noches en el cementerio* no era su libro.

—Pero ahora sí que es mío; Dor me lo regaló —dijo Ralph con un nuevo estremecimiento tan sutil como una grieta en el parabrisas.

¿Y qué otra explicación se te ocurre? Esto no puede haber llegado a tu bolsillo volando. Y el papel tampoco.

La sensación de que unas manos invisibles lo empujaban hacia un siniestro túnel lo había embargado de nuevo. Ralph regresó a la cocina como en sueños. Por el camino se quitó la chaqueta gris y la dejó caer sobre el brazo del sofá sin siquiera darse cuenta. Permaneció en el umbral durante unos instantes, con la mirada fija en el calendario, en cuya fotografía se veía a dos chiquillos risueños tallando un farolillo de calabaza. Con la mirada fija en la fecha del día siguiente, que estaba marcada con un círculo.

Anula la visita con el pinchauvas, había dicho Dorrance; aquél era el mensaje y el tipo del cuchillo no había hecho más que subrayarlo hacía un rato. Bueno, subrayarlo era una forma suave de expresarlo.

Ralph buscó un número en las páginas amarillas y lo marcó.

—Ésta es la consulta del doctor James Roy Hong —le comunicó una agradable voz femenina—. En este momento no podemos atenderle, de modo que, por favor, deje su mensaje al oír la señal y nos pondremos en contacto con usted lo antes posible.

Se oyó la señal del contestador.

—Me llamo Ralph Roberts —dijo Ralph con una voz cuya firmeza lo asombró––. Tengo hora para mañana a las diez. Lo siento, pero no me será posible acudir. Ha surgido un imprevisto. Gracias. —Hizo una pausa antes de proseguir—: Por supuesto, pagaré el importe de la consulta.

Cerró los ojos, colocó el auricular en su horquilla y apoyó la frente contra la pared.

Pero ¿qué estás haciendo, Ralph? Por el amor de Dios, ¿qué estás haciendo?

«Hay un largo camino hasta el Edén, cariño.»

No pensarás en serio lo que estás pensando... ¿verdad?

(*«Un largo camino, así que no malgastes tus energías en las pequeñeces.»*)

¿Qué estás pensando exactamente, Ralph?

No lo sabía; no tenía ni la menor idea. Lo único que sabía era que unos anillos de dolor surgían del boquete de su costado izquierdo, el agujero que le había practicado el tipo del cuchillo. El técnico de urgencias le había dado media docena de analgésicos y suponía que debería tomarse uno, pero en aquel momento estaba demasiado cansado como para acercarse a la pica y llenarse un vaso de agua..., y si estaba demasiado cansado como para cruzar una habitación de mierda, ¿cómo cojones iba a recorrer el largo camino que lo separaba del Edén?

Ralph no lo sabía, y de momento no le importaba. Lo único que deseaba era quedarse donde estaba, con la frente apoyada contra la pared y los ojos cerrados para no tener que ver nada.

8

La playa era un largo fleco blanco, como una puntilla de seda que sobresaliera del dobladillo del brillante mar azul, y estaba totalmente desierta a excepción de un objeto redondo que se encontraba a unos setenta metros de distancia. El objeto redondo, del tamaño de un balón de baloncesto, llenó a Ralph de un temor profundo y, al menos de momento, infinito.

«No te acerques —se dijo—. Hay algo malo en él. Algo terrible. Es un perro negro ladrando a una luna azul, sangre en la pica, un cuervo posado sobre un busto de Atenea junto a la puerta de mis aposentos. No debes acercarte, Ralph, y no tienes necesidad de acercarte, porque éste es uno de los sueños lúcidos de Joe Wyzer. Puedes dar media vuelta y marcharte si quieres.»

Pero sus pies lo obligaban a avanzar, así que tal vez no se trataba de un sueño lúcido.

Ni tampoco de un sueño agradable, desde luego. Porque cuanto más se acercaba a aquel objeto que yacía en la playa, menos se parecía a una pelota de baloncesto.

Era, con mucho, el sueño más realista que Ralph había tenido en su vida, y el hecho de saber que se trataba de un sueño no hacía sino aguzar aquella sensación de realismo. Sentía la arena fina y suelta bajo sus pies, una arena cálida, pero no ardiente; oía el penetrante y ronco rugido de las olas al romper y esparcirse por la playa, donde la arena relucía como piel morena y mojada; olía la sal y las algas secas, un olor intenso y lacrimoso que le recordaba las vacaciones de verano pasadas en Old Orchard Beach cuando era niño.

Eh, viejo amigo, si no puedes cambiar este sueño, creo que lo mejor será que pulses el botón de expulsión y te largues de él..., es decir, que despiertes, y ahora mismo.

Había recorrido la mitad de la distancia que lo separaba del objeto, y ya no cabía ninguna duda... No se trataba de una pelota de baloncesto, sino de una cabeza. Alguien había enterrado a un hombre hasta la barbilla en la arena..., y de repente, Ralph se dio cuenta de que estaba subiendo la marea.

No se largó, sino que echó a correr. En ese preciso instante, la espumosa cresta de una ola rozó la cabeza, que abrió la boca y gritó. Pese a estar distorsionada por el chillido, Ralph reconoció aquella voz de inmediato. Era la voz de Carolyn.

La espuma de otra ola ascendió por la arena y apartó el cabello adherido a las mejillas mojadas de la cabeza. Ralph apretó el paso a sabiendas de que lo más probable era que llegara demasiado tarde. La marea subía con rapidez, y Carolyn se ahogaría mucho antes de que él pudiera liberar su cuerpo enterrado de la arena.

No tienes que salvarla, Ralph. Carolyn ya está muerta, y no sucedió en una playa desierta. Sucedió en la habitación 317 del hospital de Derry. Tú estabas con ella cuando llegó el fin, y el sonido que oíste no era el oleaje sino la nevisca golpeando la ventana, ¿lo recuerdas?

Lo recordaba, pero pese a ello corrió aún más deprisa, levantando tras de sí finas nubecillas de arena.

Pero si ni siquiera la alcanzarás; sabes que esto es un sueño, ¿verdad? Cada cosa a la que te acercas se convierte en otra.

No, el poema no iba así... ¿O sí? Ralph no estaba seguro. Lo único que recordaba con claridad era que al final, el narrador huía a ciegas de algo mortal

(*mirando por encima del hombro distingo su silueta*)

que lo perseguía por el bosque..., que lo perseguía y se acercaba cada vez más.

Sin embargo, sí se estaba acercando al oscuro bulto que sobresalía en la arena. Tampoco se estaba convirtiendo en otra cosa, y cuando cayó de rodillas ante Carolyn, comprendió de inmediato por qué no había reconocido a la que fuera su mujer durante treinta y tres años, ni siquiera de cerca; algo terrible sucedía con su aura. Se adhería a su piel como una sucia bolsa de tintorería. Cuando la sombra de Ralph cayó sobre ella, Carolyn puso los ojos en blanco como un caballo que se ha roto la pata tras saltar una valla muy alta. Respiraba en jadeos cortos y atemorizados, y cada espiración hacía brotar nubecillas de aura gris y negruzca de sus fosas nasales.

El cordel de globo que ascendía en jirones desde su coronilla era del color violeta negruzco de las heridas infectadas. Cuando Carolyn abrió la boca para volver a gritar, una desagradable sustancia brillante brotó de sus labios en gomosas tiras que desaparecieron casi antes de que advirtiera su existencia.

¡Te salvaré, Carol!, gritó. Cayó de rodillas y empezó a escarbar en la arena que le rodeaba como un perro que escarba en busca de su hueso... y en el momento en que se le ocurrió aquella comparación, se dio cuenta de que *Rosalie*, la carroñera que deambulaba de madrugada por

Harris Avenue, estaba sentada detrás de su mujer con aire cansado. Era como si hubiera invocado la presencia de la perra al pensar en ella. Advirtió que *Rosalie* también estaba envuelta en una de aquellas asquerosas auras negras. Tenía el panamá perdido de Bill McGovern entre las patas, y a juzgar por su aspecto, parecía que se lo había pasado en grande mordisqueándolo desde que había caído en su poder.

Así que es aquí donde estaba el maldito sombrero, pensó Ralph antes de volverse de nuevo hacia Carolyn y ponerse a escarbar aún más deprisa. No había logrado desenterrar siquiera los hombros.

¡No te preocupes por mí!, le gritó Carolyn. *Yo ya estoy muerta, ¿no te acuerdas? ¡Cuidado con las huellas del hombre blanco, Ralph! Las...*

Una ola de color verde vidrioso en la parte inferior y del color blanco cuajado de las jabonaduras en la cresta rompió a menos de tres metros de la playa. Ascendió por la arena hacia ellos, congelando las pelotas de Ralph y enterrando por un instante la cabeza de Carolyn en una ola de espuma salpicada de granitos. Cuando el agua retrocedió, Ralph elevó su propio grito de terror hacia el indiferente cielo azul. La ola había hecho en pocos segundos lo que la radiación había tardado casi un mes en ocasionar; se había llevado su cabello, la había dejado calva. Y su coronilla había empezado a hincharse en el punto del que brotaba el negruzco cordel de globo.

¡Carolyn!, aulló al tiempo que se ponía a escarbar más aprisa. La arena estaba empapada y se había tornado desagradablemente pesada.

No importa, dijo ella. Nubecillas de color gris negruzco brotaban de sus labios a cada palabra, como el vapor sucio de una chimenea industrial. *Sólo es el tumor, y es inoperable, así que no te preocupes por esta parte del espectáculo. Qué diablos, hay un largo camino hasta el Edén, así que no malgastes tus energías en las pequeñeces, ¿vale? Pero debes tener cuidado con esas huellas...*

¡Carolyn, no sé de qué me estás hablando!

Otra ola se abalanzó sobre ellos, empapando a Ralph hasta la cintura y enterrando a Carolyn una vez más. Cuando retrocedió, Ralph se dio cuenta de que la hinchazón de la coronilla de su mujer había empezado a abrirse.

Pronto lo sabrás, repuso Carolyn, y en aquel instante, el bulto de su cabeza estalló con un sonido semejante al de un martillo al golpear una gruesa tajada de carne. Una lluvia de sangre se elevó en el aire claro y salino, y de repente, un ejército de bichos negros del tamaño de cucarachas empezó a brotar de su interior. Ralph nunca había visto nada parecido, ni siquiera en sueños, y una oleada de repulsión casi histérica lo embargó. Habría salido huyendo, sin tener en cuenta a Carolyn, pero estaba petrificado, demasiado asombrado como para mover un dedo, por no hablar de levantarse y echar a correr.

Algunos bichos negros volvieron a introducirse en el cuerpo de Carolyn por su boca, pero la mayor parte de ellos descendieron a toda prisa por su mejilla y sus hombros hacia la arena mojada. Sus ojos acusadores y extraños no se apartaron de Ralph ni un instante. *Todo es culpa tuya*, parecían decir aquellos ojos. *Podrías haberla salvado, Ralph, y un hombre mejor que tú lo habría hecho.*

¡Carolyn!, gritó. Alargó las manos hacia ella, pero las apartó de inmediato, aterrorizado por los bichos negros que seguían surgiendo de su cabeza. Tras ella, *Rosalie* seguía sentada en su pequeña guarida de oscuridad, mirándolo con aire solemne y sujetando el inoportuno *chapeau* de McGovern entre los dientes.

Uno de los ojos de Carolyn salió despedido de su órbita y aterrizó en la arena empapada como un burujo de mermelada de arándanos. Más bichos negros brotaron de la cuenca vacía.

¡Carolyn!, chilló Ralph. *¡Carolyn! ¡Carolyn! ¡Car...*

—...olyn! ¡Carolyn! ¡Car...!

De repente, en el mismo momento en que supo que el sueño había terminado, Ralph se dio cuenta de que estaba cayendo. Apenas tuvo tiempo de asimilar la información antes de chocar contra el suelo del dormitorio. Logró amortiguar el golpe con la mano extendida, lo que, con toda probabilidad, evitó que se diera un feo golpe en la cabeza, pero le provocó una intensa punzada de dolor procedente del vendaje colocado en la parte superior de su costado. Pero por el momento apenas sentía dolor. Lo que experimentaba en aquel instante era miedo, repulsión, una terrible y aguda pena, y sobre todo, una abrumadora sensación de gratitud. La pesadilla, sin duda alguna la peor que había tenido jamás, había terminado, y había vuelto a la realidad.

Se subió la chaqueta casi desabrochada del pijama para ver si la herida estaba sangrando, comprobó que no era así y se incorporó. Aquel simple movimiento lo dejó exhausto; la idea de levantarse, aunque sólo fuera el tiempo suficiente para volverse a dejar caer en la cama le parecía impensable de momento; quizás en cuanto se le calmara el corazón, que le estaba latiendo como un caballo desbocado.

«¿Puede la gente morirse a causa de una pesadilla?», se preguntó, y de inmediato oyó la respuesta de Joe Wyzer: *Pues claro que sí, Ralph, aunque el forense suele certificar muerte por suicidio.*

En las temblorosas postrimerías de la pesadilla, sentado en el suelo y abrazándose las rodillas con el brazo derecho, a Ralph no le cabía ninguna duda de que algunos sueños eran lo bastante fuertes como para matar. Los detalles del que acababa de tener empezaban a desvanecerse, pero todavía recordaba a la perfección el punto culminante, aquel ruido sordo, como un martillo al golpear una gruesa tajada de carne, y la repugnante horda de bichos que brotaba de la cabeza de Carolyn. Bichos rollizos, rollizos y vivarachos. Y a fin de cuentas, ¿por qué no? Acababan de darse un festín con el cerebro de su mujer muerta.

Ralph lanzó un leve y tembloroso gemido al tiempo que se pasaba la mano izquierda por el rostro, lo que le provocó una nueva punzada de dolor procedente del vendaje. La palma de la mano le quedó empapada de sudor.

¿Con qué le había dicho Carolyn que debía tener cuidado? ¿Las trampas del hombre blanco? No, las huellas. Las huellas del hombre blanco, fueran lo que fueran. ¿Algo más? Tal vez sí, tal vez no. No lo recordaba con seguridad, pero de todos modos, ¿qué importaba? Había sido un sueño, por el amor de Dios, tan sólo un sueño, y al margen del mundo imaginario que describía la prensa sensacionalista, los sueños no significaban ni demostraban nada en absoluto. Cuando una persona se dormía, su mente se convertía en una especie de tacaño que rebuscaba entre las cestas de las ofertas de recuerdos recientes casi siempre insignificantes, a la caza no de artículos valiosos o siquiera útiles, sino de los más llamativos. Con ellos formaba absurdos collages que, con frecuencia, resultaban impresionantes, pero que, en su mayoría, tenían tanto sentido como la conversación de Natalie Deepneau. La perra *Rosalie* salía en el sueño, incluso el panamá perdido de Bill había hecho una breve aparición estelar, pero todo aquello no significaba nada..., salvo que la noche siguiente no se tomaría uno de los analgésicos que el técnico de urgencias le había dado aunque tuviera la sensación de que el brazo fuera a caérsele de un momento a otro. El que se había tomado durante las noticias de la noche no sólo no había logrado mantenerlo dormido, como había deseado y casi esperado, sino que, con toda probabilidad, había aportado su granito de arena a la pesadilla.

Ralph consiguió incorporarse y sentarse en el borde de la cama. Una oleada de vértigo flotaba por su cabeza como la lona de un paracaídas, y cerró los ojos hasta que se le pasó. Mientras estaba ahí sentado, con la cabeza gacha y los ojos cerrados, buscó a tientas la lámpara de la mesilla de noche y la encendió. Cuando abrió los ojos, la zona del dormitorio iluminada por la cálida luz amarilla se le antojó muy brillante y real.

Miró el reloj que había junto a la lámpara. Las dos menos doce minutos de la madrugada, y se sentía completamente despejado y alerta pese al analgésico. Se levantó de la cama, se dirigió con lentitud hacia la cocina y puso agua a hervir, masajeándose con aire ausente el vendaje que le cubría el costado por debajo de la axila en un intento de aplacar el dolor que sus más recientes aventuras habían despertado ahí. Cuando hirvió el agua, la vertió en una taza sobre una bolsita de infusión tranquilizante (¡toma ya!) y se llevó la taza al salón. Se dejó caer en el sillón de orejas sin molestarse siquiera en encender ninguna luz; le bastaban las farolas y la mortecina luz procedente del dormitorio.

«Bueno —pensó—. Aquí estoy otra vez, en el centro de la primera fila de platea. Que empiece el espectáculo.»

Pasó el tiempo, no podría haber asegurado cuánto, pero el dolor que le atenazaba el costado había cesado y el té se había quedado tibio cuando advirtió un movimiento por el rabillo del ojo. Volvió la cabeza, esperando ver a *Rosalie*, pero no se trataba de *Rosalie*, sino de dos hombres saliendo a la escalinata de entrada de una casa situada en la otra acera de Harris Avenue. Ralph no pudo distinguir los colores de la casa, ya que las farolas de alta intensidad y luz anaranjada que el ayuntamiento había instalado algunos años antes proporcionaban gran visibilidad pero hacían casi imposible percibir los colores verdaderos de las cosas; sin embargo, advirtió que el color de las puertas y los marcos era radicalmente distinto del color del resto del edificio. Aquel dato, unido a la situación de la casa, hizo que Ralph estuviera casi seguro de que se trataba de la casa de May Locher.

Los dos hombres de la escalinata eran muy bajos; probablemente no medían más de metro veinte. Aparecían envueltos en auras verdosas e iban ataviados con idénticas batas cortas de color blanco, que a Ralph le recordaban las que llevaban los actores en las viejas series de médicos que daban por la tele, melodramas en blanco y negro como *Ben Casey* o *Doctor Kildare*. Uno de los hombres sostenía algo en la mano. Ralph entornó los ojos. No pudo ver de qué se trataba, pero tenía un aspecto afilado y siniestro. No podría haber afirmado bajo juramento que era un cuchillo, pero creía que podía serlo. Sí, podía ser un cuchillo sin lugar a dudas.

Su primer pensamiento claro y analítico acerca de la experiencia que estaba viviendo fue que aquellos hombres parecían extraterrestres de una película sobre secuestros en ovnis... *El rostro de la muerte*, tal vez, o *A Fire in the Sky*. La segunda idea que se le ocurrió fue que se había quedado dormido allí mismo, en el sillón, sin siquiera darse cuenta.

Eso, Ralph; un poco más de acción barata, probablemente causada por el susto de haber sido apuñalado y ayudada por el maldito analgésico.

No percibió nada atemorizador en las dos figuras que estaban en la escalinata de la casa de May Locher aparte del objeto largo y de aspecto afilado que uno de ellos sostenía. Ralph suponía que ni siquiera la mente onírica podía sacarle demasiado partido a un par de tipos calvos y bajitos, enfundados en batas blancas y con aspecto de ser las sobras de la peor agencia de cásting del mundo. Asimismo, no había nada atemorizador en su conducta, ninguna actitud furtiva ni amenazadora. Simplemente estaban ahí plantados en la escalinata, como si tuvieran todo el derecho del mundo a estar ahí en la hora más oscura y silenciosa de la madrugada. Estaban uno frente a otro, y la postura de sus cuerpos y sus desproporcionadas cabezas calvas sugería que se trataba de dos amigos sosteniendo una conversación serena y civilizada. Parecían sensatos e inteligentes, la clase de viajeros del espacio que dirían «Venimos en misión de paz» en lugar de ponerse a secuestrar al personal, meterle una sonda en el culo y tomar nota de sus reacciones.

Muy bien, así que a lo mejor este nuevo sueño no es una pesadilla con todas las de la ley. No te quejarás, después de la de antes.

No, claro que no. Le bastaba con aterrizar en el suelo una vez por noche, gracias. Sin embargo, había algo muy inquietante en aquel sueño; tenía un realismo que le había faltado al de Carolyn. Aquello era el salón de su casa, no una extraña playa desierta que no había visto en su vida. Estaba sentado en el mismo sillón de orejas en el que se sentaba cada madrugada, sostenía en la mano una taza de té ya casi frío, y cuando se llevaba los dedos de la mano derecha a la nariz, como estaba haciendo en aquel momento, todavía olía la leve fragancia del jabón bajo las uñas..., Primavera Irlandesa, el gel que le gustaba utilizar en la ducha...

De repente, Ralph se llevó la mano a la axila izquierda y oprimió el vendaje con los dedos. El dolor fue inmediato e intenso..., pero los dos hombrecillos calvos de las batas blancas seguían en el mismo lugar, en la escalinata de la casa de May Locher.

No importa lo que creas que sientes, Ralph. No puede importar, porque...

—¡Y una mierda! —masculló Ralph con voz ronca.

Se levantó del sillón y dejó la taza sobre la mesilla que había junto a él. Un poco de infusión tranquilizante mojó la revista de programación televisiva que yacía sobre ella.

—¡Y una mierda! ¡Esto no es un sueño!

Corrió hacia la cocina con el pijama revoloteando a su alrededor y las viejas y desgastadas zapatillas restregándose contra el suelo; el lugar en que Charlie Pickering le había pinchado despedía pequeñas punzadas de dolor. Agarró una silla y la llevó al diminuto recibidor del piso. Allí había un armario. Ralph abrió la puerta, encendió la luz interior, colocó la silla de forma que le permitiera alcanzar el estante superior del armario y se encaramó a ella.

El estante era un amasijo de objetos perdidos u olvidados, la mayoría de los cuales había pertenecido a Carolyn. Eran cosas pequeñas, suspiros apenas, pero al verlos se disipó la última duda de que aquello pudiera ser un sueño. Había una bolsa vieja de M & M, su pequeño vicio secreto. Había un corazón de encaje, una solitaria zapatilla de satén blanco con el tacón roto, un álbum de fotos. Aquellas cosas dolían mucho más que la herida de cuchillo que tenía bajo el brazo, pero no tenía tiempo de preocuparse de ello en aquel momento.

Ralph se inclinó hacia delante, se aferró con la mano izquierda al polvoriento estante para no perder el equilibrio y empezó a rebuscar entre los trastos con la derecha, mientras rezaba por que a la silla no se le ocurriera largarse en cualquier momento. La herida del costado le producía ahora un dolor intenso, y sabía que empezaría a sangrar de nuevo si no dejaba de hacer atletismo muy pronto, pero...

Estoy seguro de que están por aquí..., bueno..., casi seguro...

Apartó a un lado su vieja caja de moscas y su cesta de pesca de mimbre. Detrás de la cesta había una pila de revistas. La primera era un número de *Look* con una foto de Andy Williams en la portada. Ralph empujó las revistas a un lado con el dorso de la mano, levantando una nube de polvo. La vieja bolsa de M & M cayó al suelo y se abrió, esparciendo caramelitos de colores en todas direcciones. Ralph se inclinó aún más; ya casi estaba de puntillas. Suponía que era fruto de su imaginación, pero le pareció notar que la silla se estaba preparando para volverse malvada.

En el momento en que aquel pensamiento cruzó por su mente, la silla chirrió y comenzó a deslizarse hacia atrás sobre el suelo de parquet. Ralph hizo caso omiso de ella, del dolor que le atenazaba el costado y de la voz que le advertía que debía dejarlo, que de verdad debía dejarlo, porque estaba soñando despierto, como afirmaba el libro de Hall que acababan por hacer muchos insomnes, y aunque los hombrecillos de la acera de enfrente no existían realmente, él sí podía seguir encaramado a aquella silla vacilante y podía realmente romperse el fémur cuando la silla se volcara, ¿y cómo narices explicaría lo que había sucedido cuando algún médico listillo de Urgencias del hospital de Derry se lo preguntara?

Con un gruñido, alargó el brazo hasta el fondo del estante, apartó a un lado una caja de cartón de la que sobresalía media estrella de árbol de Navidad como un extraño periscopio puntiagudo (tirando al mismo tiempo la zapatilla sin tacón al suelo) y vio lo que buscaba en el rincón izquierdo del estante: el estuche que contenía sus viejos prismáticos Zeiss-Ikon.

Ralph se bajó de la silla antes de que se fuera de picos pardos, la acercó más al armario y volvió a encaramarse a ella. No llegaba al rincón donde yacía el estuche de los prismáticos, de modo que cogió la red de truchas que llevaba diez años junto a la cesta de pesca y la caja de moscas y consiguió pescar el estuche al segundo intento. Tiró de él hasta poder alcanzar la correa, se bajó una vez más de la silla, aterrizó sobre la zapatilla de satén y se torció el tobillo. Trastabilló, agitó los brazos en un intento de mantener el equilibrio y consiguió evitar el choque frontal con la pared. Cuando regresaba lentamente al salón, sin embargo, percibió la presencia de un líquido cálido bajo el vendaje del costado. A fin de cuentas, se había abierto la herida otra vez. Genial. Una noche genial en *chez* Roberts... ¿Y cuánto rato llevaba apartado de la ventana? No lo sabía, pero le parecía que había pasado mucho rato, y estaba seguro de que los médicos calvos y bajitos ya se habrían marchado. La calle estaría desierta y...

De repente, se quedó petrificado, con el estuche de los prismáticos balanceándose al extremo de la correa y proyectando una sombra larga, lenta y trapezoidal en el lugar en que la luz anaranjada se esparcía por el suelo como una fea capa de pintura.

¿Médicos calvos y bajitos? ¿Era eso lo que acababa de ocurrírsele? Sí, por supuesto, porque así era como ellos los llamaban, los tipos que afirmaban que habían sido raptados... examinados... y a veces incluso operados por aquellos hombrecillos. Eran los médicos del espacio, los proctólogos del más allá. Pero eso no era lo más fuerte. Lo más fuerte era que...

«Ed utilizó esa expresión —pensó Ralph—. La utilizó la noche que me llamó para advertirme que no me metiera con él ni con sus intereses. Dijo que era el médico quien le había hablado del Rey Carmesí, los Centuriones y todo lo demás.»

—Sí —susurró Ralph mientras un escalofrío le recorría la espalda—. Sí, eso fue lo que dijo. «Me lo dijo el médico. El médico calvo y bajito.»

Al llegar a la ventana vio que los forasteros seguían ahí, si bien habían pasado de la escalinata de la casa de May Locher a la acera mientras buscaba sus prismáticos. Estaban justo debajo de una de las malditas farolas, de hecho. La sensación de que Harris Avenue tenía el aspecto de un escenario desierto tras la función de noche volvió a apoderarse de Ralph con extraña y retorcida fuerza, pero con un significado distinto. En primer lugar, el escenario ya no estaba desierto, ¿a que no? Una amenazadora sesión golfa había dado comienzo en lo que, sin lugar a dudas, aquellas dos extrañas criaturas creían que era un teatro completamente vacío.

¿Qué harían si supieran que tienen público?, se preguntó Ralph. *¿Qué me harían?*

Los médicos calvos mostraban ahora la actitud de hombres que están a punto de llegar a un acuerdo. En aquel momento, a Ralph no le parecía que tuvieran, en absoluto, aspecto de médicos a pesar de las batas, sino que parecían obreros que volvieran del turno de noche en alguna planta o fábrica. Estos dos tipos, a todas luces amigos, se han detenido junto a la entrada principal para zanjar un asunto que no puede esperar ni siquiera hasta la parada en el bar más cercano, y saben que, de todos modos, no les llevará más que un par de minutos; el acuerdo está a la vuelta de la esquina.

Ralph sacó los prismáticos del estuche, se los llevó a los ojos y perdió unos instantes manoseando confuso la ruedecilla de enfoque antes de percatarse de la razón por la que no sucedía nada... Había olvidado retirar los protectores de las lentes. Lo hizo y volvió a llevarse los prismáticos a los ojos. Esta vez, las dos figuras que estaban paradas bajo la farola aparecieron en su campo de visión de inmediato, grandes y perfectamente iluminadas, pero desenfocadas. Ralph hizo girar de nuevo la ruedecilla de enfoque, y los dos hombres quedaron perfectamente definidos al cabo de un instante. Ralph contuvo el aliento.

Sólo pudo echarles un vistazo muy breve; no pasaron más de tres segundos antes de que uno de los dos hombres (si es que eran hombres) inclinara la cabeza en ademán de asentimiento y diera a su compañero una palmadita en el hombro. A continuación, ambos se volvieron de espaldas, y Ralph no pudo ya ver más que sus cabezas calvas y sus espaldas lisas y cubiertas de blanco. Sólo tres segundos, como máximo, pero en aquel breve intervalo, Ralph vio lo suficiente como para sentirse profundamente inquieto.

Había corrido a buscar los prismáticos por dos razones, ambas impulsadas por su incapacidad de seguir creyendo que aquello era un sueño. En primer lugar, quería asegurarse de que podría identificar a los dos hombres si llegaba el caso. En segundo lugar (y esta razón era más inadmisible para su mente consciente, pero no por ello menos acuciante), quería desterrar la inquietante idea de que tenía un encuentro en la tercera fase.

Pero en lugar de desterrar la idea, lo que había visto a través de los prismáticos no había hecho más que intensificarla. Los médicos calvos y bajitos no parecían tener facciones. Tenían rostros, eso sí, con ojos, nariz y boca, pero parecían ser tan intercambiables como los cromados del mismo modelo y tipo de coche. Podría haberse tratado de mellizos, pero Ralph no lo creía. Más bien le habían parecido maniquíes de unos grandes almacenes, a los que habían quitado las pelucas al llegar la noche; el parecido existente entre ellos no parecía fruto de la genética, sino de la producción en masa.

La única cualidad que podía aislar y etiquetar era la suavidad sobrenatural de su piel; ninguno de los dos mostraba una sola arruga o línea visible. Tampoco lunares, manchas ni cicatrices, aunque Ralph suponía que esos detalles podían pasarse por alto incluso con unos prismáticos excelentes. Al margen de la cualidad suave y extrañamente lisa de su piel, todo se tornaba subjetivo. ¡Y sólo los había visto un instante! Si hubiera encontrado los prismáticos más deprisa, sin el engorro de la silla malvada y la red de pesca, si se hubiera dado cuenta en seguida de que los protectores de las lentes estaban puestos en lugar de perder más tiempo haciendo girar la ruedecilla de enfoque, tal vez podría haberse ahorrado una parte o toda la inquietud que ahora sentía.

«Parecen dibujados —pensó una centésima antes de que los hombrecillos le volvieran la espalda—. Eso es lo que me mosquea, creo yo. No las cabezas calvas idénticas, ni las batas idénticas, ni siquiera la falta de arrugas, sino que parecen dibujados... Los ojos, simples círculos, las orejitas rosadas, ganchitos pintados con rotulador, la boca, un par de trazos rápidos, casi descuidados, hechos con acuarelas. No parecen ni personas ni extraterrestres; parecen representaciones precipitadas de... bueno, de no sé qué.»

De una cosa estaba seguro; el doctor 1 y el doctor 2 estaban inmersos en brillantes auras que a través de los prismáticos brillaban verdes y doradas, con partículas de color naranja rojizo que parecían chispas que salieran despedidas de una hoguera de campamento. Aquellas auras transmitían una sensación de poder y vitalidad que sus rostros sosos y carentes de facciones no producían.

¿Los rostros? No estoy seguro de que pudiera volver a identificarlos ni aunque me mataran. Es como si estuvieran hechos para ser olvidados. Si siguieran calvos cuando los viera, entonces sí, sin ningún problema. Pero si llevaran pelucas y estuvieran sentados para que no viera lo bajitos que son... Quizás... la falta de líneas me serviría de algo... aunque quizás no. Pero las auras... esas auras verdes y doradas con chispas rojas... Las reconocería en cualquier parte. Pero hay algo que falla en ellas, ¿no? ¿Qué es?

La respuesta se le ocurrió tan repentina y fácilmente como las dos criaturas habían aparecido en su campo de visión en cuanto retiró los protectores de las lentes. Ambos médicos estaban envueltos en brillantes auras..., pero de sus cabezas lampiñas no surgían cordeles de globo. Ni rastro de cordeles.

Los hombrecillos bajaban lentamente por Harris Avenue en dirección al parque Strawford, moviéndose con la despreocupación de dos amigos dando un paseo en domingo. Justo antes de que salieran del brillante círculo de luz que proyectaba la farola situada ante la casa de May Locher, Ralph inclinó los prismáticos para comprobar qué llevaba en la mano el doctor 1. No era un cuchillo, como había supuesto, pero tampoco era la clase de objeto que uno se siente cómodo de ver en la mano de un desconocido en la hora más siniestra de la madrugada.

Se trataba de unas largas tijeras de acero inoxidable.

La sensación de verse empujado hacia la boca de un túnel en el que le esperaban toda suerte de cosas desagradables volvió a adueñarse de él, aunque esta vez iba acompañada de un acceso de pánico, porque parecía que le habían dado el último gran empujón mientras estaba dormido y soñando con su mujer muerta. Una parte de él quería ponerse a chillar de terror, y Ralph comprendió que si no hacía algo para calmar aquel impulso inmediatamente, pronto estaría chillando con todas las de la ley. Cerró los ojos y respiró profundamente, intentando imaginarse un alimento distinto con cada bocanada de aire: un tomate, una patata, un corte de helado, una col de Bruselas. El doctor Jamal había enseñado a Carolyn aquella sencilla técnica de relajación, y con frecuencia había acabado con sus dolores de cabeza antes de que se tornaran insoportables; incluso en las últimas seis semanas, cuando el tumor ya estaba fuera de control, el método había funcionado en ocasiones, y en aquel momento dominó el pánico de Ralph. El corazón empezó a latirle con más normalidad, y el impulso de echarse a gritar comenzó a remitir.

Sin dejar de respirar profundamente y pensar en

(*manzana, pera, porción de tarta de limón*)

comida, Ralph volvió a colocar los protectores sobre las lentes de los prismáticos. Las manos todavía le temblaban, pero podía utilizarlas. Una vez guardados los prismáticos, Ralph levantó el brazo con tiento y se miró el vendaje. En el centro se veía una mancha roja del tamaño de una aspirina, pero no parecía estar extendiéndose. Perfecto.

Esto no tiene nada de perfecto, Ralph.

Era verdad, pero eso no le ayudaría a concluir qué había sucedido exactamente o qué debía hacer al respecto. El primer paso consistía en relegar la pesadilla sobre Carolyn a segundo término y concluir qué había sucedido.

—Estoy despierto desde que he chocado contra el suelo —aseguró Ralph a la estancia vacía—. Lo sé y también sé que he visto a esos tipos.

Sí. Los había visto, y también había visto las auras en que estaban inmersos. Y no era el único; Ed también había visto a uno de ellos. Ralph apostaría su granja si tuviera granja que apostar. Sin embargo, no le tranquilizaba mucho saber que él y el paranoico que pegaba a su mujer hubieran visto a los mismos hombrecillos calvos.

Y las auras, Ralph... ¿No dijo también algo de las auras?

Bueno, no había empleado esa palabra, pero Ralph estaba bastante seguro de que había hablado de las auras al menos en dos ocasiones. *Ralph, a veces el mundo está lleno de colores.* Eso había sucedido en agosto, poco antes de que John Leydecker arrestara a Ed bajo acusación de violencia conyugal, un delito menor. Y también al cabo de casi un mes, cuando había llamado a Ralph por teléfono: *¿Ya ves los colores?*

Primero los colores y ahora los médicos calvos y bajitos; seguro que el Rey Carmesí llegaría en cualquier momento. Y aparte de todo eso, ¿qué narices debía hacer respecto a lo que acababa de ver?

La respuesta se le ocurrió con inesperada pero agradabilísima claridad. No se trataba de su cordura, ni de las auras ni de los médicos calvos y bajitos, sino de May Locher. Acababa de ver a dos desconocidos salir de casa de May Locher en mitad de la noche..., y uno de ellos llevaba unas tijeras.

Ralph alargó el brazo por encima del estuche de los prismáticos, cogió el teléfono y marcó el número de la policía.

—Agente Hagen —dijo una voz femenina—. ¿En qué puedo servirle, señor?

—Pues escuche con atención y actúe deprisa —repuso Ralph con sequedad.

La expresión de vaga indecisión que su rostro había mostrado con tanta frecuencia en los últimos tiempos había desaparecido; allí sentado en el sillón de orejas, el teléfono en su regazo y la espalda erguida, Ralph no aparentaba tener setenta años, sino que parecía tener cincuenta y cinco y estar en excelente forma.

—Es posible que pueda salvar la vida de una mujer.

—Señor, ¿podría darme su nombre y su...?

—Por favor, no me interrumpa, agente Hagen —la interrumpió el hombre que ya no era capaz de recordar los cuatro últimos dígitos del número del cine de Derry—. Hace un rato me he despertado y como no podía volver a dormirme, he decidido quedarme un rato levantado. El salón de mi casa da a la parte alta de Harris Avenue. Y he visto...

Ralph hizo una brevísima pausa, pensando no en lo que había visto, sino en lo que quería contarle a la agente Hagen que había visto. La respuesta le vino a la mente con tanta rapidez y facilidad como la decisión de llamar a la policía.

—He visto a dos hombres saliendo de una casa cerca de la tienda la Manzana Roja. La casa pertenece a una mujer llamada May Locher. Se escribe L-O-C-H-E-R, con ele de Lexington. La señora Locher está gravemente enferma, y yo nunca había visto a esos dos hombres. —Se detuvo de nuevo, aunque esta vez adrede, en un intento de que sus palabras surtieran el máximo efecto—. Uno de ellos llevaba unas tijeras en la mano.

—¿La dirección? —inquirió la agente Hagen con voz serena, aunque Ralph creía haberla puesto en guardia.

—No lo sé —replicó—. Búsquela en la guía, agente Hagen, o dígale a los agentes que vayan que busquen la casa amarilla con marcos y puertas de color rosa que está a media manzana de la Manzana Roja. Probablemente tendrán que utilizar una linterna para distinguir los colores, por culpa de las malditas farolas anaranjadas, pero seguro que la encuentran.

—Sí, señor, estoy seguro de que la encontrarán, pero necesito su nombre y su número de teléfono para los...

Ralph colocó el auricular en su horquilla con suavidad. Permaneció mirando el teléfono durante un minuto entero, esperando a que sonara. Pero no sonó, y Ralph se dijo que, o bien no tenían uno de los sofisticados equipos de localización que salían en los *reality shows* de la tele, o bien no los tenían encendidos. Perfecto. Eso no resolvía la cuestión de lo que haría o diría si sacaban a May Locher de su siniestra casa amarilla y rosa a pedacitos, pero al menos le concedía un poco más de tiempo para pensar.

Afuera, Harris Avenue seguía tranquila y silenciosa, iluminada tan sólo por las farolas de alta intensidad que se alineaban en ambas direcciones como un sueño surrealista de perspectiva. Por lo visto, el espectáculo (breve, pero lleno de emoción) había terminado. El escenario volvía a estar desierto. Estaba...

No, no estaba del todo desierto. *Rosalie* salió cojeando del callejón que separaba la Manzana Roja de la ferretería El Barato. El pañuelo desvaído revoloteaba alrededor de su cuello. No era jueves, no había bidones de basura que investigar, de modo que *Rosalie* cojeó rápidamente por la acera hacia la casa de May Locher. Ahí se detuvo y bajó el hocico. (Observando aquel hocico largo y bastante bonito, Ralph se dijo que debía de haber un collie en algún lugar del árbol genealógico de *Rosalie*.)

Ralph se dio cuenta de que algo relucía allí.

Volvió a extraer los prismáticos del estuche y enfocó a *Rosalie*. En aquel momento, su mente volvió al diez de septiembre, al momento en que se había encontrado con Bill y Lois en la entrada del parque Strawford. Recordaba que Bill había rodeado la cintura de Lois con el brazo y la había guiado calle arriba; que le habían hecho pensar en Ginger Rogers y Fred Astaire. Recordaba sobre todo las huellas espectrales que habían dejado tras de sí, huellas que le habían recordado a las viejas instrucciones de baile de Arthur Murray. Las huellas de Lois eran grises, mientras que las de Bill eran de color verde oliva. Alucinaciones, había pensado en aquel momento, en la época dorada antes de que empezara a atraer la atención de chiflados como Charlie Pickering y a ver médicos calvos y bajitos a altas horas de la madrugada.

Rosalie estaba olisqueando una huella parecida. Era del mismo matiz verde y dorado que las auras que envolvían al doctor Calvo 1 y al doctor Calvo 2. Lentamente, Ralph desvió los prismáticos de la perra y vio más huellas, dos juegos de huellas que se alejaban por la acera en dirección al parque. Se estaban desvaneciendo..., casi podía ver cómo se desvanecían mientras las miraba, pero estaban ahí.

Ralph volvió a enfocar a *Rosalie* y le embargó una abrumadora ola de afecto hacia la sarnosa perra callejera..., ¿y por qué no? Necesitaba una prueba definitiva y absoluta de que había visto en realidad lo que creía haber visto, y *Rosalie* era esa prueba.

«Si la pequeña Natalie estuviera aquí también las vería», pensó Ralph... y de repente, todas las dudas intentaron abrirse de nuevo paso en su mente. ¿Las vería? ¿De verdad las vería? Creía haber visto a la pequeña intentar cazar los pálidos rastros que habían dejado sus dedos, y había estado seguro de que miraba con fijeza el espectral humo verde que brotaba de las flores de la cocina, pero ¿cómo podía estar tan seguro? ¿Cómo podía nadie estar seguro de lo que miraba o intentaba coger un bebé?

Pero Rosalie... *Mira, ahí mismo, ¿lo ves?*

El único problema, se dio cuenta Ralph, era que no había visto las huellas hasta que *Rosalie* había empezado a olisquear la acera. Tal vez estaba husmeando un cautivador vestigio de cartero, y lo que él veía era fruto de su mente fatigada y hambrienta de sueño..., como los médicos calvos y bajitos.

En el campo de visión aumentada de los prismáticos, *Rosalie* echó a andar por Harris Avenue con el hocico pegado a la acera y la maltrecha cola oscilando de un lado a otro, alternando entre las huellas verdes y doradas del doctor 1 a las del doctor 2.

Bueno, Ralph, ¿por qué no me explicas qué está siguiendo esa perra callejera? ¿Crees que es posible que un perro olisquee una maldita alucinación? No es una alucinación; son huellas. Huellas reales. Las huellas del hombre blanco con las que Carolyn te ha dicho que tuvieras cuidado. Lo sabes perfectamente. Lo estás viendo.

—Pero es absurdo —se dijo en voz alta—. ¡Absurdo!

¿Era absurdo? ¿Era absurdo realmente? Tal vez el sueño había sido algo más que un sueño. Si existía eso de la hiperrealidad (y ahora podía dar fe de que existía), entonces quizás también existía la precognición. O fantasmas que aparecían en sueños y predecían el futuro. ¿Quién sabe? Era como si se hubiera entreabierto una puerta en la pared de la realidad... y por ella se colaban toda clase de cosas desagradables.

De una cosa estaba seguro; las huellas existían. Él las veía, *Rosalie* las olía y punto. Ralph había descubierto toda una serie de cosas extrañas e interesantes durante los seis meses que llevaba despertándose de madrugada, y una de ellas era que la capacidad de autoengaño del ser humano parecía quedar reducida al mínimo entre las tres y las seis de la madrugada, y ahora eran las...

Ralph se inclinó hacia delante para ver el reloj de la cocina. Poco más de las tres y media. Ajá.

Volvió a llevarse los prismáticos a los ojos y vio que *Rosalie* seguía rastreando las huellas de los matasanos calvos. Si apareciera alguien en Harris Avenue en aquel momento, lo que era improbable, pero no imposible, no verían más que un perro callejero con el pelaje sucio que olisqueaba la acera con la vaguedad de los perros sin entrenamiento ni amo. Pero Ralph veía lo que estaba olisqueando *Rosalie* y por fin se permitía dar crédito a sus ojos. Era un permiso que quizás se retirara en cuanto saliera el sol, pero de momento sabía exactamente lo que estaba viendo.

De repente, *Rosalie* alzó la cabeza e irguió las orejas. Por un momento le pareció casi hermosa, del mismo modo que los perros de caza son hermosos cuando están al acecho de una presa. Y entonces, segundos antes de que los faros de un coche que se aproximaba al cruce de Harris Avenue y Witcham Street iluminaran la calzada, la perra se fue por donde había venido, cojeando en zig zag de un modo que a Ralph le inspiró compasión. Bien mirado, ¿qué era *Rosalie* sino otro Viejo Carcamal de Harris Avenue, aunque ni siquiera tenía la distracción ocasional que suponía jugar una partida de remigio o de póquer a apuestas bajas con otros de su clase? La perra se metió en el callejón que separaba la Manzana Roja de la ferretería un instante antes de que un coche patrulla de la policía de Derry doblara la esquina y se aproximara lentamente por la avenida. Tenía la sirena apagada, pero las luces giratorias estaban encendidas y trazaban en las casas dormidas y los pequeños comercios alineados en aquel trecho de Harris Avenue pinceladas de luz roja y azul.

Ralph volvió a dejarse los prismáticos sobre el regazo y se inclinó hacia delante en el sillón de orejas, con los antebrazos apoyados en los muslos, mirando con atención. El corazón le latía con tal fuerza que lo sentía en las sienes.

El coche patrulla aminoró la marcha al pasar por la Manzana Roja. El foco instalado en el lado derecho se encendió, y el rayo de luz empezó a acariciar las fachadas de las casas dormidas del otro lado de la calle. En la mayoría de los casos también alumbraba los números de las casas colocados junto a las puertas o en las columnas de los porches. Al iluminar el número de la casa de May Locher (el 86, comprobó Ralph sin necesidad de utilizar los prismáticos), las luces de freno se encendieron y el vehículo se detuvo.

Dos policías uniformados se apearon para acercarse al sendero que conducía a la casa, sin percatarse ni de la presencia del hombre que los observaba desde la ventana oscura del primer piso de un edificio de la acera de enfrente ni de las desteñidas huellas verdes y doradas que estaban pisando. Estaban hablando, y Ralph alzó los prismáticos para verlos mejor. Estaba casi seguro de que el más joven era el policía uniformado que había ido con Leydecker a casa de Ed el día de la detención. ¿Knoll? ¿Era así como se llamaba?

—No —murmuró Ralph—. Nell. Chris Nell. O a lo mejor Jess.

Nell y su compañero parecían sostener una discusión muy seria, mucho más seria que la que habían sostenido los médicos calvos y bajitos mientras se alejaban de la casa. La conversación que estaba presenciando acabó cuando los dos policías sacaron las armas y subieron la estrecha escalinata del porche de la señora Locher en fila india, con Nell a la cabeza. El joven pulsó el timbre de la puerta, esperó unos instantes y volvió a pulsarlo, esta vez durante más de cinco segundos. Esperaron un poco más, y entonces el segundo policía se adelantó para pulsar de nuevo el timbre.

«A lo mejor ése conoce el Secreto Arte de Llamar a la Puerta —pensó Ralph—. Lo habrá aprendido contestando a un anuncio de los rosacruces.»

En cualquier caso, el método no funcionó en aquella ocasión. No obtuvieron respuesta, y a Ralph no le sorprendía. Extraños hombres calvos con tijeras o no, dudaba de que May Locher pudiera siquiera levantarse de la cama.

Pero si está postrada en cama, debe de tener a alguien que le haga compañía, alguien que le prepare la comida, la ayude a ir al baño o le dé la cuña...

Chris Nell... o Jess... salió a batear de nuevo. En esta ocasión prescindió del timbre y pasó directamente a los consabidos puñetazos, al método abra-en-nombre-de-la-ley. Para ello empleó el puño izquierdo. Seguía sosteniendo el arma con la derecha, el cañón apoyado contra la pernera del pantalón del uniforme.

Una imagen terrible, tan clara y persuasiva como las auras que había visto llenó de pronto la mente de Ralph. Vio a una mujer tendida en la cama, con una máscara transparente de oxígeno sobre la nariz y la boca. Por encima de la máscara sobresalían sus ojos vidriosos y abiertos de par en par. Por debajo de la máscara, su cuello aparecía abierto en una amplia y desgarrada sonrisa. Las sábanas y la pechera del camisón de la mujer estaban empapados de sangre. No muy lejos, en el suelo, yacía boca abajo el cadáver de otra mujer, la señora de compañía. Alineada en la espalda del camisón de franela rosada de la segunda mujer se veía media docena de heridas ocasionadas por las tijeras del doctor 1. Y Ralph sabía que al levantar el camisón para ver mejor las heridas, se comprobaría que todas ellas se parecían muchísimo a la que tenía él bajo el brazo..., una suerte de punto enorme como los que suelen dibujar los niños que aprenden a escribir, en otras palabras.

Ralph intentó desterrar aquella cruel imagen de su mente, pero no lo consiguió. Sintió un dolor sordo en las manos y se dio cuenta de que estaba apretando los puños con fuerza y se estaba clavando las uñas en las palmas. Abrió las manos y se agarró los muslos con ellas.

En aquel momento, vio mentalmente a la mujer del camisón rosa agitarse ligeramente...; estaba viva. Pero tal vez no por mucho tiempo. Seguro que no por mucho tiempo si aquellos dos zoquetes no intentaban hacer algo más productivo que quedarse en la entrada y turnarse para llamar a la puerta.

—Vamos, chicos —masculló Ralph apretándose los músculos—. Vamos, vamos, haced algo, ¿vale?

«Sabes que lo que estás viendo es fruto de tu imaginación, ¿verdad? —se dijo inquieto—. Quiero decir que es posible que haya dos mujeres muertas tiradas en casa de May, claro que es posible. Pero no lo sabes a ciencia cierta, ¿verdad? No es como las auras o las huellas...»

No, no era como las auras o las huellas, y sí, lo sabía. También sabía que nadie abría la puerta en el número 86 de Harris Avenue, y eso no decía mucho en favor del bienestar de la antigua compañera de clase de Bill McGovern. No había visto sangre en las tijeras del doctor 1, pero teniendo en cuenta la poca definición de sus viejos prismáticos Zeiss-Ikon, eso no demostraba gran cosa. En el momento en que aquella idea cruzaba por su mente, Ralph añadió a la cruel imagen anterior una toalla ensangrentada tirada junto a la víctima del camisón rosa.

—¡Vamos, chicos! —exclamó Ralph en voz baja— ¡Por el amor de Dios, ¿os vais a quedar ahí parados toda la noche?

Otros faros salpicaron Harris Avenue. Se trataba de un sedán Ford corriente con una luz roja parpadeante sobre el salpicadero. El hombre que se apeó de él iba de paisano, con una cazadora gris de popelina y una gorra de lana azul. Por un momento, Ralph albergó esperanzas de que se tratara de Johnny Leydecker, aunque Leydecker le había dicho que no llegaría hasta mediodía, pero no le hizo falta utilizar los prismáticos para cerciorarse de que no era él. Aquel hombre era mucho más delgado y lucía un bigote oscuro. El policía 2 bajó al sendero para recibirlo mientras Chris-o-Jess Nell doblaba la esquina de la casa de la señora Locher.

En aquel momento se produjo una de esas pausas que, con todo acierto, suelen eliminarse de las películas. El policía 2 se guardó el arma. Él y el detective recién llegado permanecieron al pie de la escalinata de la casa, en apariencia hablando y volviendo la mirada hacia la puerta de vez en cuando. En una ocasión, el policía uniformado avanzó un paso o dos en la dirección que había tomado Nell. El detective extendió la mano y lo agarró por el brazo para detenerlo. Hablaron un poco más. Ralph se apretó los muslos con mayor fuerza y se le escapó un leve gruñido de frustración.

Transcurrieron algunos minutos, y de repente, todo sucedió al mismo tiempo, del modo confuso y superpuesto en que parecen desarrollarse todas las situaciones de emergencia. Llegó otro coche de policía (la casa de la señora Locher, la de su derecha y la de su izquierda aparecían bañadas en rayos rojos y amarillos) y otros dos policías uniformados se apearon de él, abrieron el maletero y extrajeron un abultado artefacto que a Ralph le pareció un instrumento de tortura portátil. Creía que aquel trasto recibía el nombre de Mandíbulas de la Vida. Después de la gran tormenta de la primavera de 1985, una tormenta en la que habían perdido la vida más de cuarenta personas, muchas de las cuales habían quedado atrapadas en sus coches, donde se habían ahogado, los niños de las escuelas de Derry habían organizado una colecta para comprarlo.

Mientras los dos recién llegados llevaban las Mandíbulas de la Vida hacia la casa, la puerta de la casa contigua se abrió y los Eberly, Stan y Georgina, salieron al porche. Llevaban albornoces idénticos, y el cabello cano de Stan aparecía revuelto en desordenados mechones que a Ralph le recordaban a Charlie Pickering. Alzó los prismáticos, observó durante un instante sus rostros curiosos y emocionados y volvió a dejarlos sobre su regazo.

El siguiente vehículo que llegó era una ambulancia del hospital de Derry. Al igual que los coches patrulla que ya había ante la casa, llevaba la sirena apagada en atención a la avanzada hora, pero la hilera de luces rojas del techo estaba encendida y parpadeaba con energía. A Ralph, la escena que se desarrollaba en la acera de enfrente se le antojaba una escena de una de sus queridas películas de Harry el Sucio, pero con el volumen al mínimo.

Los dos policías que llevaban las Mandíbulas de la Vida las dejaron sobre el césped, a medio camino de la casa. El detective de la cazadora y la gorra de lana se volvió hacia ellos y alzó las manos hasta la altura de los hombros, con las palmas hacia afuera, como diciendo: *¿Adónde narices creéis que vais con eso? ¿A romper la jodida puerta o qué?* En aquel preciso instante, el agente Nell volvió a aparecer por la esquina de la casa, meneando la cabeza.

El detective de la gorra se volvió con brusquedad, apartó a un lado a Nell y a su compañero, subió la escalinata, alzó un pie y derribó la puerta principal de la casa. Se detuvo para bajarse la cremallera de la cazadora, probablemente para poder acceder libremente a su arma, y a continuación entró en la casa sin mirar atrás.

A Ralph le entraron ganas de ponerse a aplaudir.

Nell y su compañero cambiaron una mirada insegura antes de seguir al detective al interior de la casa. Ralph se inclinó aún más hacia delante, y ya estaba tan cerca de la ventana que su nariz dejaba pequeños círculos de vapor en los cristales. Tres hombres, cuyos pantalones blancos de hospital parecían anaranjados bajo la intensa luz de las farolas, se apearon de la ambulancia. Uno de ellos abrió las puertas traseras, y a continuación, los tres hombres se limitaron a quedarse ahí parados con las manos en los bolsillos, esperando a ver si los necesitaban. Los dos policías que habían acarreado las Mandíbulas de la Vida por el césped de la señora Locher cambiaron una mirada, se encogieron de hombros y se dispusieron a devolver el artefacto al coche patrulla. Había varios surcos en el lugar en que lo habían dejado caer.

«Que May esté bien, por favor —rogó Ralph en silencio—. Que May y quienquiera que estuviera con ella estén bien.»

El detective apareció en el umbral, y a Ralph se le encogió el corazón cuando hizo señas a los tipos parados junto a la ambulancia. Dos de ellos sacaron una camilla plegable, mientras que el tercero se quedó donde estaba. Los hombres de la camilla subieron por el sendero y entraron en la casa a paso ligero, pero sin correr, y cuando el que se había quedado junto a la ambulancia extrajo un paquete de cigarrillos y encendió uno, Ralph supo de forma absoluta y sin ningún género de dudas que May Locher había muerto.

Stan y Georgina Eberly se encaminaron hacia el seto que separaba su jardín del de la señora Locher. Iban cogidos de la cintura; a Ralph le recordaron los gemelos Bobbsey, pero en viejo, gordo y asustado.

Otros vecinos también estaban saliendo de sus casas, bien desvelados por la silenciosa convergencia de luces de emergencia o bien porque la red telefónica de aquel pequeño tramo de Harris Avenue ya se había puesto en marcha. La mayoría de la gente a la que vio Ralph eran viejos («Nosotros que estamos en la edad de oro», gustaba de decir Bill McGovern... siempre enarcando las cejas con aquel ligero sarcasmo que lo caracterizaba, por supuesto), hombres y mujeres cuyo sueño era ligero y se interrumpía con facilidad en el mejor de los casos. De repente, se dio cuenta de que Ed, Helen y la pequeña Natalie eran las personas más jóvenes que vivían entre su casa y la Extensión..., y ahora los Deepneau se habían marchado.

«Yo también podría bajar a la calle —se dijo—. No desentonaría en absoluto. Otro representante de la edad de oro, como dice Bill.»

Pero no podía bajar. Las piernas se le antojaban montones de bolsitas de té atadas con cordel fino, y estaba casi seguro de que si intentaba levantarse se desplomaría sin remedio. Así pues, permaneció sentado mirando por la ventana, permaneció sentado contemplando el espectáculo que se desarrollaba bajo él en el escenario que siempre estaba vacío a aquellas ahoras..., a excepción de las ocasionales apariciones de *Rosalie*, claro está. Vio a los camilleros salir de la casa, aunque ahora se desplazaban más despacio a causa de la figura cubierta con una sábana que yacía sobre la camilla. Rayos de luz roja y azul surcaron la sábana y la silueta de las piernas, las caderas, los brazos, el cuello y la cabeza que había debajo.

De repente, Ralph se vio de nuevo inmerso en su sueño. Vio a su mujer bajo la sábana..., no a May Locher sino a Carolyn Roberts, y en cualquier momento se le abriría la cabeza y empezarían a salir bichos negros, los que se habían cebado con la carne de su cerebro enfermo.

Ralph se llevó las manos a los ojos. De su garganta brotó un sonido, un sonido inarticulado de dolor, rabia, horror y cansancio. Permaneció sentado en aquella postura durante largo rato, deseando no haber visto nada de todo aquello y esperando que si realmente existía un túnel no se viera obligado a entrar en él a fin de cuentas. Las auras eran extrañas y bellas, pero toda su belleza no bastaba para compensar ni un solo instante del terrible sueño en que había descubierto a su mujer enterrada bajo la línea de la marea alta, no bastaba para compensar el increíble horror de sus noches perdidas en vela, ni la visión de la figura cubierta con una sábana que los enfermeros acababan de sacar de la casa.

No sólo deseaba que terminara el espectáculo; sentado ahí, con el dorso de las manos oprimido contra los párpados, deseaba que terminara todo. Por primera vez en sus veinticinco mil días de vida, Ralph Roberts deseó estar muerto.

9

En la pared del cubículo que servía de despacho al detective John Leydecker se veía el cartel de una película, probablemente comprado en el club de vídeo por un par de dólares. Mostraba al elefante Dumbo planeando con sus orejas mágicas extendidas. Sobre el rostro de Dumbo había una fotografía de Susan Day en primer plano, recortada de forma que encajara con el cuerpo de Dumbo. En el paisaje de dibujos animados que se extendía debajo, alguien había pintado un poste en el que se leía DERRY 400.

—Encantador —comentó Ralph.

—No demasiado diplomático, ¿eh?

—Por no decir otra cosa —dijo Ralph mientras se preguntaba qué le habría parecido el cartel a Carolyn... o a Helen, ya puestos.

Eran las dos menos cuarto de una tarde de lunes fría y nublada, y Leydecker y él acababan de llegar del juzgado comarcal de Derry, donde Ralph había prestado declaración acerca de su encuentro del día anterior con Charlie Pickering. Lo había interrogado un ayudante del fiscal del distrito que, a ojos de Ralph, tenía aspecto de que le faltaban aún un par de años para empezar a afeitarse.

Leydecker lo había acompañado tal como había prometido, y se había sentado en un rincón del ayudante sin decir palabra. La promesa de invitar a Ralph a un café resultó ser más que nada una forma de hablar, pues el mejunje de terrible aspecto había salido de la cafetera de la esquina de la sala del segundo piso del departamento de policía. Ralph tomó cuidadosamente un sorbo y sintió un gran alivio al comprobar que sabía un poco mejor de lo que parecía.

—¿Azúcar? ¿Leche? —inquirió Leydecker—. ¿O mejor un revólver para romper la taza en mil pedazos?

Ralph sonrió meneando la cabeza.

—Está bueno..., aunque seguramente es un error fiarse de mi gusto. El verano pasado rebajé el consumo a dos tazas al día, y ahora todo me parece bastante bueno.

—Como yo con los cigarrillos... Cuanto menos fumo, mejor me saben. El pecado es una putada.

Leydecker extrajo el tubito de palillos, lo agitó hasta sacar uno y se lo encajó en la comisura de los labios. A continuación dejó su taza de café sobre el terminal del ordenador, se acercó al cartel de Dumbo y empezó a arrancar las tachuelas que sujetaban las esquinas.

—No lo hagas por mí —dijo Ralph—. Es tu despacho.

—No, señor.

Leydecker retiró la fotografía recortada de Susan Day del póster, hizo de ella una bola y la arrojó a la papelera. A continuación procedió a enrollar el cartel en un cilindro prieto.

—¿Ah, no? Entonces, ¿cómo es que tu nombre está en la puerta y los niños de esta foto se parecen tanto a ti?

Ralph señaló una fotografía que mostraba a una mujer atractiva y rolliza flanqueada por dos niños de unos diez y ocho años respectivamente. La mujer sonreía, mientras que los niños miraban a la cámara con aire serio.

—Es mi nombre y es mi familia, pero el despacho te pertenece a ti y a todos los demás contribuyentes, Ralph. También a cualquier gilipollas con cámara que entre aquí, y si este póster saliera en las noticias de mediodía, me metería en un buen lío. Me olvidé de descolgarlo al marcharme el viernes por la noche, y he tenido libre casi todo el fin de semana..., una cosa muy poco corriente, créeme.

—No lo colgaste tú, me imagino —comentó Ralph al tiempo que quitaba unos cuantos papeles de la única silla adicional del despacho para sentarse.

—No. Algunos compañeros organizaron una fiesta en mi honor el viernes por la tarde. Con pastel, helado y regalos.

Leydecker rebuscó en un cajón, sacó una goma, la colocó alrededor del cartel para que no se abriera, miró a Ralph a través del tubo con aire divertido y por fin lo arrojó a la papelera.

—Me regalaron un juego de calzoncillos con los días de la semana bordados y la entrepierna recortada, un frasco de gel vaginal con fragancia de fresas, un paquete de literatura de Amigos de la Vida... incluyendo un tebeo llamado Embarazo Involuntario de Denise..., y este póster.

—No era una fiesta de cumpleaños, ¿verdad?

—No —repuso Leydecker mientras hacía crujir los nudillos y volvía los ojos hacia el techo con un suspiro—. Los chicos celebraban mi nombramiento con mucho entusiasmo.

Ralph vio leves retazos de aura azul en torno al rostro y los hombros de Leydecker, pero no le hizo falta intentar interpretarlos.

—Por lo de Susan Day, ¿verdad? Te han encargado la misión de protegerla mientras esté en Derry.

—Exacto. Claro que la policía del estado estará por aquí, pero, en estas situaciones, suelen limitarse a controlar el tráfico. Es posible que también venga el FBI, pero por lo general se quedan al margen, hacen fotos e intercambian contraseñas secretas.

—Pero ella tiene a su propia gente de seguridad, ¿no?

—Sí, pero no sé ni cuántos ni lo buenos que son. Esta mañana he hablado con el jefe y al menos es un tipo coherente, pero tenemos que poner a nuestra propia gente. Cinco personas, según las órdenes que me dieron el viernes. Es decir, yo y cuatro tipos más que se presentarán voluntarios en cuanto se lo ordene. El objetivo es... espera... esto te encantará... —Leydecker rebuscó entre los papeles de su mesa, encontró el que buscaba y lo sostuvo en alto—... garantizar una presencia intensa y alta visibilidad.

Dejó caer el papel y sonrió a Ralph sin demasiado humor.

—En otras palabras, si alguien intenta pegarle un tiro a la zorra o rociarla con ácido, queremos que Lisette Benson y los otros gilipollas de la prensa al menos graben que estábamos ahí.

Leydecker echó un vistazo al cartel enrollado de la papelera y le dedicó un gesto obsceno.

—¿Cómo puede caerte tan mal alguien a quien no has visto en tu vida? —preguntó Ralph.

—No sólo me cae mal, Ralph, sino que la odio, joder. Mira... Soy católico, mi amada esposa es católica, mis hijos son monaguillos en la iglesia de San José. Genial. Ser católico es genial. Ahora incluso te dejan comer carne los viernes. Pero si crees que por ser católico estoy a favor de volver a ilegalizar el aborto, entonces estás pero que muy equivocado. Mira, yo soy el católico a quien le toca interrogar a los tipos que pegan a sus hijos con tubos de goma o los tiran por la escalera después de pasarse toda la santa noche bebiendo buen whiskey irlandés y ponerse sentimentales acerca de sus madres.

Leydecker se metió la mano bajo la camisa y sacó un pequeño medallón de oro. Se lo colocó sobre los dedos para mostrárselo a Ralph.

—María, madre de Jesús. Lo llevo desde los trece años. Hace cinco años detuve a un tipo que llevaba uno igual. Acababa de hervir a su hijo de dos años. Te lo digo en serio. El tío puso a hervir una olla de agua, y cuando hirvió, agarró al crío por los tobillos y lo dejó caer en la olla como si fuera una langosta. ¿Por qué? Pues porque el niño no dejaba de mojar la cama, según nos explicó. Vi el cadáver y te aseguro que después de haber visto algo así, las fotos de abortos por aspiración que tanto les gusta enseñar a los hijos de puta de los antiabortistas ya no te parecen tan terribles.

A Leydecker empezaba a temblarle la voz.

—Lo que recuerdo mejor de todo es que el tipo estaba llorando, aferrándose al medallón de la Virgen que llevaba y diciendo que quería confesarse. Me hizo sentirme muy orgulloso de ser católico, Ralph, te lo aseguro..., y por lo que respecta al Papa, no creo que debieran dejarle opinar hasta que él mismo tenga un hijo o al menos pase un año ocupándose de los niños del crack.

—Vale —intervino Ralph—. Entonces, ¿qué te pasa con Susan Day?

—¡Pues que está causando un montón de problemas, coño! —gritó Leydecker— Viene a mi ciudad y yo tengo que protegerla. Perfecto. Tengo buenos hombres, y con un poco de suerte, creo que podremos conseguir que se vaya con la cabeza en su sitio y las tetas apuntando en la dirección correcta, pero ¿y lo que pase antes? ¿Y lo que pase después? ¿Crees que le importa un comino todo eso? ¿Crees que a la gente que lleva el Centro de la Mujer le importa un comino?

—No lo sé.

—Los defensores del Centro de la Mujer son un poco menos propensos a la violencia que los de Amigos de la Vida, pero por lo que hace al índice de gilipollez, no hay mucha diferencia. ¿Sabes de qué iba la historia cuando empezó?

Ralph rememoró su primera conversación acerca de Susan Day, la que había sostenido con Ham Davenport. Durante un instante consiguió recordarla, pero en seguida se le escapó. El insomnio había vencido otra vez. Ralph meneó la cabeza.

—Urbanismo —exclamó Leydecker con una risita de disgustado asombro—. Nada más que viejas regulaciones de urbanismo. Genial, ¿eh? A principios de verano, dos de nuestros concejales más conservadores, George Tandy y Emma Wheaton, solicitaron al Comité Urbanístico que reconsiderara las regulaciones del solar en que está el Centro de la Mujer, con la intención de falsificar lo que fuera para borrar el centro de la faz de la tierra. No sé si es la palabra exacta, pero ya me entiendes, ¿no?

—Sí.

—Pues eso, los abortistas piden a Susan Day que venga a Derry a dar una conferencia para ayudarles a aunar fuerzas para luchar contra los malos de la película, los pro vida. El único problema es que los malos de la película no han tenido ocasión de cambiar las regulaciones urbanísticas del distrito 7, ¡y la gente del Centro de la Mujer lo sabía! Jolines, si una de las directoras, June Halliday, está en el Ayuntamiento. Ella y la zorra de la Wheaton casi se escupen cada vez que se encuentran en el pasillo. Cambiar las regulaciones urbanísticas del distrito 7 siempre ha sido una especie de utopía, porque el Centro de la Mujer es técnicamente un hospital, como el de Derry, que está a un tiro de piedra. Si cambias las leyes urbanísticas para hacer que el Centro de la Mujer sea ilegal, haces lo mismo con uno de los tres hospitales que hay en el condado de Derry..., el tercer condado más grande de Maine. Así que no había ninguna posibilidad, pero no pasa nada, porque no se trata de eso. Se trata de ponerse gilipollas, chulo y pesado. Y para la mayoría de los abortistas (uno de los tipos con los que trabajo los llama Progres) se trata de tener razón.

—¿Tener razón? No lo entiendo.

—No es suficiente que una mujer pueda entrar en el centro por las buenas y librarse cuando quiera de la molesta cosita que tiene en la barriga; los abortistas quieren que acabe el debate. En el fondo, lo que quieren es que las personas como Dalton reconozcan que ellos tienen razón, y eso no pasará nunca. Es más probable que los árabes y los judíos decidan que se han equivocado y depongan las armas. Yo apoyo el derecho de una mujer a abortar si realmente lo necesita, pero la actitud justiciera de los abortistas me pone a parir. Son los nuevos puritanos, eso es lo que opino yo, gente que cree que si no piensas como ellos irás al infierno..., sólo que su versión del infierno es un sitio donde sólo te ponen música montañesa y lo único que hay para comer son escalopas de pollo.

—Lo que dices es muy amargo.

—Siéntate sobre un barril de pólvora durante tres meses y luego me dices qué te parece. Dime, ¿crees que Charlie Pickering te hubiera apuñalado ayer de no ser por el Centro de la Mujer, Amigos de la Vida y Susan Dejad-Mi-Chocho-Sagrado-En-Paz Day?

Ralph fingió reflexionar seriamente sobre el asunto, aunque en realidad estaba observando el aura de Leydecker. Era de un saludable color azul marino, pero los bordes estaban teñidos de una cambiante luz verdosa. Eran esos bordes los que interesaban a Ralph; creía saber lo que significaban.

—No, supongo que no —dijo por fin.

—Lo mismo digo. Te han herido en una guerra que ya está sentenciada, Ralph, y no serás el último. Pero si fueras a ver a los Progres (o a Susan Day), te abrieras la camisa, les enseñaras el vendaje y dijeras «Esto es culpa vuestra en parte, así que asumid lo que os corresponde», levantarían las manos y contestarían: «Oh, no, Dios mío, sentimos mucho que te hayan herido, Ralph, nosotros los Progres detestamos la violencia, pero no ha sido culpa nuestra, tenemos que mantener abierto el Centro de la Mujer, tenemos que acudir a las barricadas, y si se derrama un poco de sangre, así sea». Pero no se trata del Centro de la Mujer, y eso es lo que me pone como una moto. Se trata de...

—Del aborto.

—¡No, joder! El derecho al aborto está a salvo en Maine y en Derry, diga lo que diga Susan Day el viernes en el Centro Cívico. Se trata de quién tiene el mejor equipo, nada más. Se trata de saber de qué lado está Dios. De quién tiene razón. Me gustaría que se limitaran a cantar *We are the Champions* y a emborracharse.

Ralph echó atrás la cabeza y lanzó una carcajada, a la que Leydecker no tardó en unirse.

—Así que son unos gilipollas —terminó el detective con un encogimiento de hombros—, pero son nuestros gilipollas. ¿Te parece un chiste? Pues no. El Centro de la Mujer, Amigos de la Vida, Los Guardacuerpos, Pan de Cada Día..., todos ellos son nuestros gilipollas, gilipollas de Derry, y en realidad no me importa ocuparme de los míos. Por eso elegí este trabajo y por eso no abandono. Pero tendrás que perdonarme que no me haga precisamente mucha gracia ser elegido para proteger a una belleza zancuda de Nueva York que vendrá, dará una conferencia incendiaria y luego se irá con unos cuantos recortes de prensa más en su haber y material suficiente para el capítulo 5 de su nuevo libro. Nos dirá que somos una maravillosa comunidad bucólica, y cuando vuelva a su dúplex de Park Avenue, explicará a sus amigos que no ha podido quitarse del pelo el hedor de las fábricas de papel. Es una mujer, escucha cómo ruge... y si tenemos suerte, todo esto terminará sin que nadie muera ni quede inválido.

Ralph ya sabía con certeza qué significaban aquellos contornos verdosos.

—Pero tienes miedo, ¿verdad? —preguntó.

—¿Tanto se me nota? —replicó Leydecker con aire sorprendido.

—Sólo un poco —repuso Ralph mientras pensaba: «Sólo en el aura, John, nada más. Sólo en el aura».

—Sí, tengo miedo. A nivel personal me da miedo esta maldita misión, que no tiene absolutamente nada que pueda compensar todas las cosas que pueden ir mal. A nivel profesional me da verdadero pánico de lo que puede pasar si hay un enfrentamiento y el genio se escapa de la lámpara... ¿Quieres más café, Ralph?

—No, gracias. No tardaré mucho en irme, de todas formas. ¿Qué pasará con Pickering?

Lo cierto era que no le importaba demasiado el destino de Pickering, pero al corpulento policía probablemente le extrañaría que preguntara por May Locher antes de preguntar por Pickering. Tal vez incluso lo encontraría sospechoso.

—Lo más probable es que Steve Jalbert, el ayudante del fiscal del distrito que te ha interrogado, y el abogado de oficio de Pickering, estén negociando en este momento. El de Pickering estará diciendo que puede conseguir que su cliente (la idea de que Charlie Pickering sea cliente de alguien por cualquier cosa me parece increíble, por cierto) se declare culpable por asalto en segundo grado. Jalbert dirá que ha llegado el momento de acabar con Pickering del todo y que lo acusará de intento de asesinato. El abogado de Pickering fingirá escandalizarse, y mañana tu amigo será acusado de asalto en primer grado con arma mortal y el caso será visto para sentencia. Y dentro de un tiempo, tal vez en diciembre, pero probablemente a principios del año que viene, te citarán como testigo estelar.

—¿Y la fianza?

—Pues de unos cuarenta mil dólares, supongo. Puede salir con el diez por ciento si se garantiza el resto en caso de fuga, pero Charlie Pickering no tiene casa, ni coche, ni siquiera un reloj Timex. En fin, lo más probable es que lo vuelvan a meter en Juniper Hill, pero eso no es el quid de la cuestión. Esta vez conseguiremos tenerlo a la sombra durante mucho tiempo, y con gente como Charlie, eso es el quid de la cuestión.

—¿Hay alguna posibilidad de que Amigos de la Vida paguen la fianza?

—No. La semana pasada, Ed Deepneau pasó mucho tiempo con él, tomando café en Bagel Shop. Me imagino que Ed debía de estar calentándole la cabeza con toda esa historia de los Centuriones y el Rey de Rombos...

—El Rey Carmesí, es lo que Ed...

—Bueno, como se llame —lo interrumpió Leydecker agitando la mano—. Pero sobre todo, me imagino que se dedicó a explicarle que tú eras la mano derecha del diablo y que sólo un tipo inteligente, valiente y consagrado como Charlie Pickering podía quitarte de en medio.

—Lo estás dejando por los suelos —comentó Ralph.

Estaba recordando al Ed Deepneau con el que jugaba al ajedrez antes de que Carolyn cayera enferma. Aquel Ed era un hombre inteligente, elocuente, civilizado y amable en extremo. A Ralph todavía le resultaba casi imposible reconciliar a Ed con el hombre al que había visto por primera vez en julio de 1992. Había bautizado a ese nuevo personaje con el nombre de «Ed el gallo».

—No sólo eso, sino que además es peligroso —aseguró Leydecker—. Charlie no era más que un instrumento para él, como un mondapatatas que utilizas para pelar una manzana. Si se le desprende la hoja no vas y lo afilas, es demasiado complicado. Lo tiras a la basura y te compras un mondapatatas nuevo. Así es como los tíos como Ed tratan a los tíos como Charlie, y puesto que Ed es Amigos de la Vida, al menos de momento, no creo que tengas que preocuparte por que Charlie salga bajo fianza. En los próximos días estará más solo que la una, ¿vale?

—Vale —asintió Ralph un poco asustado al darse cuenta de que Pickering le daba pena—. Quiero darte las gracias por no mencionar mi nombre en el periódico..., si es que ha sido cosa tuya, claro.

La sección policial del *Derry News* había mencionado brevemente el incidente, pero sólo decía que Charles H. Pickering había sido detenido por «tenencia de armas» en la Biblioteca Pública de Derry.

—A veces les pedimos un favor y a veces ellos nos lo piden a nosotros —comentó Leydecker al tiempo que se levantaba—. Así funcionan las cosas en la vida real. Si los chalados de Amigos de la Vida y los perdonavidas de Amigos del Centro de la Mujer lo descubren, mi trabajo se volverá mucho más fácil.

Ralph cogió el cartel enrollado de Dumbo de la papelera y se levantó.

—¿Puedo llevármelo? Conozco a una niña a la que quizá le gustará mucho dentro de un año o algo así.

Leydecker extendió las manos en ademán significativo.

—Claro, tómatelo como un pequeño obsequio por ser tan buen ciudadano. Pero no me pidas las braguitas sin entrepierna.

—Nunca se me ocurriría —exclamó Ralph con una carcajada.

—En serio, Ralph, gracias por venir.

—De nada.

Alargó el brazo por encima de la mesa, le estrechó la mano a Leydecker y a continuación se dirigió hacia la puerta. Aunque pareciera absurdo, se sentía como el detective Colombo de la tele; lo único que le faltaba era el puro y la gabardina. Cuando estaba a punto de abrir la puerta se volvió.

—¿Puedo preguntarte algo que no tiene nada que ver con Charlie Pickering?

—Dispara.

—Esta mañana, en la Manzana Roja, me he enterado de que la señora Locher murió anoche. No es que me sorprenda; tenía enfisema. Pero hay cintas policiales entre la acera y su jardín, además de un aviso en la puerta que dice que el departamento de policía de Derry ha sellado la casa. ¿Sabes de qué va todo esto?

Leydecker lo miró durante tanto rato y con tal intensidad que Ralph se hubiera sentido muy incómodo..., de no ser por el aura del hombre. En ella no se apreciaba nada que transmitiera suspicacia.

Dios mío, Ralph, te estás tomando esas cosas un poco demasiado en serio, ¿no crees?

Bueno, tal vez sí y tal vez no. En cualquier caso, se alegraba de que los flecos verdes no hubieran reaparecido en el aura de Leydecker.

—¿Por qué me miras así? —inquirió Ralph—. Si me he metido donde no me importa, lo siento.

—No, en absoluto —repuso Leydecker—. Es que es un poco raro, nada más. Si te lo cuento, ¿prometes que no se lo contarás a nadie?

—Sí.

—Es tu vecino de abajo el que más me preocupa. Cuando se trata de discreción, no es que el profe se lleve la palma precisamente.

—No le diré nada, palabra de honor —prometió Ralph riendo con ganas—, pero es interesante que lo menciones; Bill fue al colegio con May Locher hace mil años. En la escuela primaria.

—Jolín, no puedo imaginarme al profe en la escuela primaria —exclamó Leydecker—, ¿y tú?

—Más o menos —replicó Ralph.

Sin embargo, la imagen que le cruzó la mente era muy peculiar: Bill McGovern con el aspecto de una mezcla entre el Pequeño Lord y Tom Sawyer en pantalones bombachos, calcetines largos blancos... y panamá.

—No estamos seguros de lo que le ha pasado a May Locher —dijo Leydecker—. Lo que sabemos es que, poco después de las tres de la madrugada, urgencias recibió una llamada anónima, de un hombre que afirmaba haber visto a dos personas, una de las cuales llevaba unas tijeras, salir de casa de la señora Locher.

—¿La han matado? —exclamó Ralph.

En aquel instante se dio cuenta de dos cosas; en primer lugar, que su voz sonaba mucho más creíble de lo que jamás habría esperado, y en segundo lugar, que acababa de cruzar un puente. No lo había quemado, al menos, todavía no, pero no podría volver atrás sin dar muchas explicaciones.

Leydecker extendió las manos y se encogió de hombros.

—Si la han matado no ha sido con las tijeras ni ningún otro objeto punzante, desde luego. No tenía ni una sola señal.

Eso, al menos, era un alivio.

—Por otro lado, es posible matar a alguien de un susto, sobre todo a una persona vieja y enferma, mientras se comete un crimen —explicó Leydecker—. En cualquier caso, me será más fácil explicártelo si me dejas que te cuente lo que sé. No tardaré mucho, te lo aseguro.

—Claro, perdona.

—¿Quieres que te diga algo divertido? Cuando miré la hoja de urgencias, lo primero que se me ocurrió fue que habías llamado tú.

—Por el insomnio, ¿no? —preguntó Ralph con voz firme.

—Por eso y porque la persona afirmaba haber visto a aquellos tipos desde el salón de su casa, y tu salón da a la avenida, ¿verdad?

—Sí.

—Pues eso. Incluso estuve a punto de escuchar la cinta, pero entonces me acordé de que vendrías hoy... y de que ya duermes mucho mejor. Es verdad, ¿no?

Sin ninguna suerte de vacilación, Ralph prendió fuego al puente que acababa de cruzar.

—Bueno, no duermo como cuando tenía dieciséis años y trabajaba en dos sitios distintos después de la escuela, no te voy a engañar, pero si fui yo quien llamó a urgencias anoche, lo hice dormido.

225

—Justo lo que me imaginaba. Además, si hubieras visto algo raro en la calle, ¿por qué ibas a hacer una llamada anónima?

—No lo sé.

«Pero ¿y si fuera algo más que raro, John? —pensó Ralph—. ¿Y si fuera algo completamente increíble? Estamos hablando de médicos bajitos del espacio exterior y huellas brillantes y auras que sólo yo puedo ver. O que sólo Ed Deepneau y yo podemos ver.»

—Ni yo —dijo Leydecker—. Tu salón da a Harris Avenue, sí, como otros veinte o treinta..., y sólo porque el tipo que llamó dijera que estaba dentro de su casa, eso no significa que sea verdad, ¿no?

—Supongo que no. Delante de la Manzana Roja hay una cabina telefónica desde la que podría haber llamado, y otra delante de la tienda de licores. Y un par más en el parque Strawford, si es que funcionan.

—La verdad es que hay cuatro en el parque, y todas funcionan; lo hemos comprobado.

—¿Por qué mentiría acerca del sitio desde el que llamaba?

—Lo más probable es que también mintiera acerca de todo lo demás. En cualquier caso, Donna Hagen dice que el tipo parecía joven y muy seguro de sí mismo.

Apenas aquellas palabras habían brotado de sus labios, Leydecker hizo una mueca y se llevó una mano a la cabeza.

—No pretendía ofenderte, Ralph, lo siento.

—No pasa nada. La idea de que parezco un vejestorio jubilado no es nada nuevo para mí. Soy un vejestorio jubilado. Sigue.

—Chris Nell era el agente encargado... el primero que llegó al lugar. ¿Lo recuerdas del día en que detuvimos a Ed?

—Recuerdo el nombre.

—Ajá. Steve Utterback, en efecto, era el detective encargado. Un buen hombre.

«El tipo de la gorra de lana», se dijo Ralph.

—La señora Locher estaba muerta en la cama, pero no había indicios de violencia. Tampoco parecía que hubiesen robado nada, aunque a las señoras mayores como May Locher suelen gustarles los trastos vendibles; nada de vídeos ni equipos de música sofisticados, no, no. Lo que sí tenía era una buena radio y dos o tres joyas bastante buenas. No quiere decir que no hubiera otras joyas tan buenas o incluso mejores, pero...

—Pero ¿por qué un ladrón se llevaría una parte y el resto no?

—Exacto. Lo más interesante es que la puerta principal, de la que, según el tipo de la llamada anónima, habían salido los dos hombres, estaba cerrada por dentro. Y no sólo con la cerradura normal, sino además con pestillo y cadena. Y lo mismo en la puerta trasera, por cierto. Así que, si el de la llamada tenía razón y si May Locher estaba muerta en su cama cuando los dos tipos se marcharon, ¿quién cerró las puertas?

«A lo mejor el Rey Carmesí», pensó Ralph..., y para su horror, casi lo dijo en voz alta.

—No lo sé. ¿Y qué hay de las ventanas?

—Cerradas a cal y canto. Con los pestillos corridos. Y por si todo esto te parece demasiado poco Agatha Christie, Steve dice que las persianas protectoras estaban puestas. Uno de los vecinos ha dicho que la señora Locher contrató a un chico la semana pasada para que se las pusiera.

—Sí, sí —corroboró Ralph—. Pat Monroe, el chico que reparte los periódicos. Ahora que recuerdo, lo vi instalarlas.

—Bazofia de novelas de misterio —espetó Leydecker, aunque Ralph creía que el policía no tardaría ni tres segundos en cambiar el asunto Susan Day por el caso May Locher—. El informe médico preliminar ha llegado justo antes de que saliera hacia el juzgado para encontrarme contigo. Le he echado un vistazo. Miocardio esto, trombosis lo otro... En resumen, un ataque al corazón. Ahora mismo consideramos que la llamada anónima fue una broma pesada (recibimos un montón, como en todas partes), que la muerte de la señora fue consecuencia de un ataque al corazón causado por el enfisema.

—En otras palabras, una coincidencia.

Aquella conclusión podía ahorrarle muchos problemas, si es que colaba, claro, pero Ralph percibió la incredulidad en su propia voz.

—Sí, a mí tampoco me gusta. A Steve tampoco, y por eso hemos sellado la casa. El instituto forense del estado la examinará a fondo, probablemente a partir de mañana por la mañana. Entretanto, a la señora Locher se la han llevado a dar un paseíto hasta Augusta para hacerle una autopsia más exhaustiva. ¿Quién sabe? A veces las autopsias revelan algunas cosas. Te quedarías de piedra.

—Ya me lo imagino —terció Ralph.

Leydecker arrojó el palillo a la papelera, permaneció en caviloso silencio durante unos instantes y por fin se le iluminó el rostro.

—Eh, tengo una idea... A lo mejor podría conseguir que alguien de administración hiciera una copia de la cinta. Podría traértela para que la escucharas. A lo mejor reconocerías la voz. Cosas más raras han pasado.

—Ya me lo imagino —repitió Ralph con una sonrisa inquieta.

—Bueno, de todas formas el caso es de Utterback. Venga, te acompaño a la puerta.

En el vestíbulo, Leydecker volvió a escudriñar el rostro de Ralph con gran intensidad. Aquella mirada inquietó a Ralph mucho más que la primera, porque no tenía idea de lo que significaba. Las auras se habían esfumado.

Ralph intentó esbozar una sonrisa que se le antojó sosa.

—¿Tengo monos en la cara o qué?

—No. Es que estoy impresionado por el buen aspecto que tienes después de todo lo que te pasó ayer. Y en comparación con el aspecto que tenías en verano... Si eso es lo que hace el panal de abeja, ahora mismo voy a comprarme un carro lleno.

Ralph se echó a reír como si fuera la frase más graciosa que hubiera oído en su vida.

1.42 de la madrugada del martes.

Ralph estaba sentado en el sillón de orejas observando las aureolas de neblina que rodeaban las farolas. Al otro lado de la calle, las cintas policiales colgaban desangeladas ante la casa de May Locher.

Apenas había dormido dos horas aquella noche y de nuevo empezaba a pensar que más le valdría estar muerto. No más insomnio. No más eternas esperas a que saliera el sol desde aquel odioso sillón. No más días en los que tenía la sensación de ver el mundo a través del Escudo Invisible del que hablaban en los anuncios de dentífrico. Aquello había sido en la primera época de la televisión, en la época en que todavía no le había salido la primera cana y se dormía cinco minutos después de que Carol y él hubieran terminado de hacer el amor.

Y la gente no para de decirme que tengo un aspecto increíble. Eso es lo más raro.

Pero en realidad no lo era. Teniendo en cuenta algunas de las cosas que había visto en los últimos tiempos, el hecho de que unas cuantas personas le dijeran que parecía otro hombre no encabezaba precisamente su lista de rarezas.

Ralph volvió la mirada hacia la casa de May Locher. Según Leydecker, la casa había estado cerrada a cal y canto, pero Ralph había visto a los dos médicos calvos y bajitos salir por la puerta principal, los había visto, maldita sea...

¿Los había visto?

¿De verdad los había visto?

Ralph rememoró la madrugada anterior. Sentado en el mismo sillón con una taza de té y pensando *Que empiece el espectáculo*. Y entonces había visto a aquellos hijos de puta calvos, maldita sea, ¡los había visto salir de la casa de May Locher!

Pero estaba equivocado, porque en realidad no había estado mirando la casa de May Locher, sino que más bien había apuntado los prismáticos en dirección a la Manzana Roja. Había creído que el movimiento que había captado por el rabillo del ojo era *Rosalie*, y entonces se había vuelto para mirar. En aquel momento había visto a los médicos calvos y bajitos en la entrada de la casa de May Locher. Ya no estaba completamente seguro de haber visto la puerta abierta; tal vez sólo lo había supuesto, y al fin y al cabo, ¿por qué no? Lo que estaba más claro que el agua era que no habían llegado por el sendero.

No puedes estar seguro de eso, Ralph.

Pero lo cierto era que sí podía estar seguro. A las tres de la madrugada, Harris Avenue estaba más desierto que el Sahara, y se captaba hasta el más mínimo movimiento dentro del campo de visión.

¿Habían salido el doctor 1 y doctor 2 realmente por la puerta principal? Cuanto más pensaba en ello, más lo dudaba.

Pues entonces, ¿qué pasó, Ralph? ¿Crees que salieron de detrás del Escudo Invisible? O... ¿Qué te parece esto? Tal vez atravesaron la puerta, como esos fantasmas que atormentaban a Cosmo Topper en aquella vieja serie de la tele.

Y lo más absurdo de todo el asunto era que aquello no le parecía tan absurdo.

¿Qué? ¿Que atravesaron la maldita puerta? Vamos, Ralph, necesitas ayuda. Debes hablar con alguien de lo que te está pasando.

Sí. Eso ero lo único de lo que estaba seguro; tenía que desahogarse con alguien antes de que todo aquello lo volviera loco. Pero ¿quién? Carolyn habría sido la mejor solución, pero estaba muerta. ¿Leydecker? El problema era que Ralph ya le había mentido acerca de la llamada. ¿Por qué? Pues porque la verdad habría sonado a auténtica locura. Habría parecido, de hecho, que Ralph había pescado la paranoia de Ed Deepneau como si fuera un resfriado. ¿Y acaso no era ésa la explicación más probable, si consideraba la situación con toda franqueza?

—Pero no es verdad —susurró—. Eran reales. Y las auras también.

Hay un largo camino hasta el Edén, cariño... y ten cuidado con las huellas verdes y doradas del hombre blanco por el camino.

Cuéntaselo a alguien. Desahógate. Sí. Y tenía que hacerlo antes de que John Leydecker escuchara esa cinta y se presentara para pedirle explicaciones. Para preguntarle, en suma, por qué Ralph le había mentido y qué sabía acerca de la muerte de May Locher.

Cuéntaselo a alguien. Desahógate.

Pero Carolyn estaba muerta, todavía no conocía a Leydecker lo suficiente, Helen estaba en el refugio del Centro de la Mujer, en el quinto pino, y Lois Chasse podía irse de la lengua con sus amigas. ¿Quién quedaba?

La respuesta se le ocurrió de inmediato al planteárselo de aquella forma, pero Ralph tenía sorprendentes reparos en hablar con McGovern de lo que le estaba pasando. Recordaba el día en que había encontrado a Bill sentado en un banco junto al campo de béisbol, llorando por su viejo amigo y mentor, Bob Polhurst. Ralph había intentado contarle lo de las auras, y fue como si McGovern no le oyera, porque estaba demasiado ocupado repasando su elaborado guión sobre lo asqueroso que era envejecer.

Ralph pensó en el satírico enarcamiento de cejas. El sempiterno cinismo. El rostro alargado, siempre tan siniestro. Las alusiones literarias, que, por lo general, hacían sonreír a Ralph aunque a menudo también le hacían sentirse un poco inferior. Y la actitud de Bill hacia Lois; condescendiente, incluso algo cruel.

Sin embargo, no estaba siendo justo y lo sabía. Bill McGovern podía ser muy amable y, lo que quizás era mucho más importante, comprensivo. Él y Ralph se conocían desde hacía más de veinte años; durante los últimos cinco habían vivido en el mismo edificio. Había sido uno de los portadores del féretro de Carolyn, y si Ralph no podía hablar con él de lo que le sucedía, ¿con quién podía hablar?

Por lo visto, la respuesta era... con nadie.

10

Los aureolas de neblina que envolvían las farolas habían desaparecido cuando el sol empezó a aclarar el cielo por el este, y a las nueve de la mañana hacía un día diáfano y cálido, tal vez el inicio del último aliento del veranillo de San Martín. Ralph bajó en cuanto terminaron las noticias de la mañana, resuelto a contar a McGovern lo que le estaba sucediendo (al menos, todo lo que se atreviera a contarle). Pero al llegar a la puerta del piso inferior oyó correr el agua de la ducha y el sonido por suerte lejano de William D. McGovern cantando *Dejé mi corazón en San Francisco*.

Ralph salió al porche, se embutió las manos en los bolsillos traseros y leyó el día como si de un catálogo se tratara. No había nada en el mundo, nada como el sol de octubre, se dijo; casi sentía físicamente cómo las penurias nocturnas abandonaban su cuerpo. Sin lugar a dudas volverían, pero en aquel momento se encontraba bien..., cansado y espeso, eso sí, pero bien, dadas las circunstancias. El día era más que bonito; era maravilloso, y Ralph no creía que fuera a tener la oportunidad de disfrutar de otro día tan magnífico antes de mayo del año siguiente. Decidió que sería una estupidez no aprovecharlo. Un paseo hasta la extensión de Harris Avenue y vuelta le llevaría media hora, cuarenta y cinco minutos si se encontraba con alguien con quien mereciera la pena charlar un poco, y por entonces Bill ya estaría duchado, afeitado, vestido y peinado. Y también dispuesto a escucharle, con un poco de suerte.

Llegó hasta el merendero que había junto a la valla del aeropuerto comarcal sin admitir que esperaba toparse con el viejo Dor. Si lo veía, tal vez los dos podrían tener una pequeña charla sobre poesía, sobre Stephen Dobyns, por ejemplo, y quizás incluso sobre filosofía. Podrían empezar por que Dorrance le explicara qué significaba eso de «asuntos ajenos» y por qué creía que Ralph no debería haberse «metido».

Pero Dorrance no estaba en el merendero; no había nadie salvo Don Veazie, quien tenía ganas de contarle a Ralph por qué Bill Clinton era un presidente tan desastroso y por qué habría sido mejor para los viejos Estados Unidos de América que el pueblo americano hubiera elegido a ese mago de las finanzas de Ross Perot. Ralph, que había votado a Clinton y en realidad creía que el hombre se lo estaba montando bastante bien, escuchó el tiempo suficiente como para no ser grosero y luego dijo que tenía hora en la peluquería. Fue lo primero que se le ocurrió a bote pronto.

—¡Y otra cosa! —gritó Don tras él—. ¡Esa mujer tan engreída que tiene! ¡Esa mujer es lesbiana! ¡Siempre lo adivino! ¿Sabes cómo? ¡Pues les miro los zapatos! ¡Los zapatos son como un código secreto entre ellas! ¡Siempre llevan esos zapatos de punta cuadrada y...!

—¡Hasta luego, Don! —saludó Ralph antes de batirse en retirada.

Había recorrido unos cuatrocientos metros cuando el día estalló en silencio a su alrededor.

Estaba frente a la casa de May Locher cuando sucedió. Ralph se paró en seco, mirando Harris Avenue con los ojos y la boca abiertos de par en par y una expresión de incredulidad pintada en el rostro. Se llevó la mano al cuello. Parecía un hombre sufriendo un ataque al corazón, y aunque su corazón funcionaba bien, por lo visto, al menos de momento, tenía la sensación de estar sufriendo algún tipo de ataque. Nada de lo que había visto a lo largo del otoño le había preparado para aquello. Ralph creía que nada podría haberle preparado para aquello.

Ese otro mundo, el mundo secreto de las auras, había reaparecido, y esta vez con mayor fuerza de la que Ralph habría osado siquiera soñar..., con tal fuerza que se preguntó brevemente si una persona podía morir de sobrecarga perceptiva. La parte alta de Harris Avenue se había convertido en un país de las maravillas inundado de esferas superpuestas, conos y medias lunas de color. Los árboles, que todavía estaban a una semana del clímax de su transformación otoñal, ardían como antorchas en los ojos y la mente de Ralph. El cielo estaba más allá del color; era una inmensa explosión sónica azul.

En la parte oeste de Derry, los cables telefónicos todavía estaban instalados sobre la superficie, y Ralph los miraba con fijeza, apenas consciente de que había dejado de respirar y que probablemente debería volver a empezar pronto si no quería desmayarse. Los cables negros despedían espirales rasgadas de color amarillo que a Ralph le recordaron el aspecto de los postes de barbería cuando era pequeño. De vez en cuando, aquel dibujo de abejorro se veía roto por un puntiagudo rayo rojo vertical o una chispa verde que parecía salir despedida en ambos sentidos, surcando los anillos amarillos durante un instante antes de desvanecerse.

«Estás viendo a la gente hablar por teléfono —pensó entumecido—. ¿Lo sabes, Ralph? La tía Sadie de Dallas está hablando con su sobrina favorita, que vive en Derry; un granjero de Haven está charlando con el distribuidor que le vende las piezas de recambio del tractor; un reverendo está intentando ayudar a un feligrés trastornado. Son voces, y creo que los rayos y las chispas brillantes proceden de personas que están experimentando emociones fuertes...: amor u odio, felicidad o celos.»

Y Ralph sentía que todo lo que estaba viendo y experimentando no era todo; más allá del alcance de sus sentidos esperaba otro mundo, un mundo tal vez tan increíble que haría que el que estaba presenciando en aquel momento palideciera. Y si había más, ¿cómo podría soportarlo sin volverse loco? Ni siquiera quedarse ciego le serviría de nada; de algún modo, comprendía que «ver» aquellas cosas se debía sobre todo al hecho de que toda la vida había aceptado la vista como su sentido principal. Pero el asunto no se reducía tan sólo a ver cosas, ni mucho menos.

A fin de demostrarse esa teoría cerró los ojos... y siguió viendo Harris Avenue. Era como si sus párpados se hubieran tornado de cristal. La única diferencia residía en que los colores habituales se habían invertido, creando un mundo que parecía el negativo de una fotografía en color. Los árboles ya no eran anaranjados y amarillos, sino del verde brillante y artificial del Gatorade de lima. La superficie de Harris Avenue, que había sido asfaltada de nuevo en junio, se había convertido en un gran sendero blanco, y el cielo era un increíble lago rojo. Volvió a abrir los ojos casi convencido de que las auras habrían desaparecido, pero no era así; el mundo seguía estallando e inundado de colores, movimientos y una profunda resonancia.

«¿Cuándo empezaré a verlos? —se preguntó Ralph mientras empezaba a caminar de nuevo lentamente colina abajo—. ¿Cuándo harán su aparición los médicos calvos y bajitos?»

Sin embargo, no había rastro de médicos, ni calvos ni de ninguna otra clase; no había ángeles en la arquitectura, ni diablos mirando por las rejillas de los desagües. Tan sólo...

—Cuidado, Roberts, a ver si mira por dónde va, ¿eh?

Aquellas palabras, pronunciadas en un tono brusco y algo alarmado, parecían tener auténtica textura física; era como pasar la mano por los paneles de roble de una abadía antigua o un edificio ancestral. Ralph se detuvo en seco y vio a la señora Perrine, que vivía cerca de su casa. La mujer se había refugiado en la cuneta para evitar que Ralph la arrollara; estaba hundida en hojas secas hasta los tobillos y miraba a Ralph con ojos furiosos que brillaban debajo de sus cejas pobladas y canosas. El aura que la envolvía era del color gris firme y sensato de los uniformes de West Point.

—¿Está borracho, Roberts? —preguntó la mujer con sequedad.

Y de repente, la orgía de color y sensaciones acabó y atrás quedó Harris Avenue, dormitando en una hermosa mañana de un día laborable de mediados de octubre.

—¿Borracho yo? En absoluto. Estoy completamente sobrio, palabra de honor.

Extendió la mano en su dirección. La señora Perrine, que contaba al menos ochenta años pero no estaba dispuesta a ceder ni un milímetro, le miró como si creyera que Ralph tenía un matasuegras escondido en la palma de la mano. *No me extrañaría de usted, Roberts*, decían sus fríos ojos grises. *No me extrañaría en absoluto*. La señora Perrine volvió a subir a la acera sin ayuda de Ralph.

—Lo siento, señora Perrine. No miraba por dónde iba.

—No, desde luego que no. Estaba dando tumbos con la boca abierta, sí señor. Parecía el tonto del pueblo.

—Lo siento —repitió Ralph al tiempo que se mordía la lengua para contener una carcajada.

—Hmm —masculló la señora Perrine al tiempo que lo miraba de arriba abajo como un sargento de instrucción que examinara a un nuevo recluta—. Tiene un agujero en la manga de la camisa, Roberts.

Ralph alzó el brazo izquierdo para comprobarlo. En efecto, se veía un gran siete en la manga de su camisa de cuadros favorita. A través del agujero veía el vendaje con su mancha de sangre seca, así como una fea maraña de pelos de sobaco de viejo. Bajó el brazo a toda prisa y se ruborizó.

—Hmm —repitió la señora Perrine, expresando todo lo que tenía que expresar acerca del tema de Ralph Roberts sin necesidad de recurrir a una sola vocal—. Llévela a mi casa, si quiere. Y también cualquier otra cosa que haya que remendar. Todavía me defiendo bien con la aguja.

—Oh, estoy seguro de ello, señora Perrine.

La señora Perrine le lanzó una mirada que decía *Eres un viejo lameculos, Ralph Roberts, pero me imagino que no puedes evitarlo*.

—Pero no venga por las tardes —dijo—. Ayudo a hacer la cena en el refugio para vagabundos y también ayudo a servirlo a las cinco. Es una misión de Dios.

—Sí, estoy seguro de que...

—En el cielo no habrá nadie sin casa, Roberts. Puede contar con eso. Ni tampoco habrá camisas rasgadas, estoy segura. Pero mientras estemos aquí debemos conformarnos con lo que tenemos. Es nuestra obligación.

Y yo la cumplo con una diligencia espectacular, proclamaba el rostro de la señora Perrine.

—Tráigame la ropa que tenga para remendar por la mañana o por la noche, Roberts. No haga ceremonias, pero no se presente en mi casa después de las ocho y media, porque me acuesto a las nueve.

—Es muy amable de su parte, señora Perrine.

Ralph tuvo que volverse a morder la lengua, aunque era consciente de que el truco dejaría de funcionar y muy pronto sería cuestión de risa o muerte.

—En absoluto; es un deber cristiano. Además, Carolyn era amiga mía.

—Gracias —respondió Ralph—. Qué lástima lo de May Locher, ¿verdad?

—No —replicó la señora Perrine—. Dios es misericordioso.

Tras dictar sentencia, la anciana se alejó antes de que Ralph pudiera decir nada más. Caminaba con la espalda tan erguida que a Ralph le dolía con sólo mirarla.

Avanzó algunos pasos y por fin no pudo contenerse más. Apoyó el antebrazo contra un poste telefónico, oprimió la boca contra el brazo y rió con todo el sigilo que pudo reunir..., rió hasta que se le saltaron las lágrimas. Cuando se le pasó el ataque (y eso era precisamente lo que se le antojaba, una suerte de ataque de histeria), Ralph levantó la cabeza y miró en derredor con ojos atentos, curiosos y un poco acuosos. No vio nada que los demás no pudieran ver, lo cual era un gran alivio.

Pero volverá, Ralph. Sabes que volverá. Todo.

Sí, suponía que lo sabía, pero eso sería más tarde. De momento, tenía que hablar de algunas cosas.

Cuando Ralph volvió por fin de su increíble viaje por Harris Avenue, McGovern estaba sentado en su silla del porche, hojeando el periódico de la mañana. Mientras subía por el sendero, Ralph tomó una decisión repentina. Contaría a Bill muchas cosas, pero no todo. Una de las cosas que omitiría, sin lugar a dudas, sería el hecho de que los dos tipos que había visto salir de casa de la señora Locher se parecían a los extraterrestres de los periódicos sensacionalistas a la venta en la Manzana Roja.

McGovern alzó la mirada cuando lo vio subir la escalinata.

—Hola, Ralph.

—Hola, Bill. ¿Puedo hablar contigo?

—Claro —repuso su amigo al tiempo que cerraba el periódico y lo doblaba con sumo cuidado—. Ayer se llevaron a mi viejo amigo Bob Polhurst al hospital por fin.

—Oh, creía que esperabas que se lo llevaran antes.

—Es verdad. Bueno, todo el mundo se lo esperaba. Pero nos engañó. De hecho, parecía estar mejorando, al menos, de la neumonía, y

235

de repente tuvo una recaída. Hacia el mediodía sufrió una crisis respiratoria, y su sobrina creyó que moriría antes de que llegara la ambulancia. Pero no murió, y ahora parece que se ha vuelto a estabilizar —McGovern miró calle arriba y suspiró—. May Locher la palma en mitad de la noche y Bob sigue dando guerra. Qué vida ésta, ¿eh?

—Bueno, sí.

—¿De qué querías hablar? ¿Has decidido por fin declararte a Lois? ¿Quieres algún consejo paternal sobre cómo debes llevar el asunto?

—Necesito consejo, sí, pero no sobre mi vida amorosa.

—Dispara —dijo Bill en tono lacónico.

Ralph disparó, agradecido y más que un poco aliviado por la silenciosa atención que le prestaba McGovern. Empezó repasando algunas cosas que Bill ya sabía, como el incidente que se había producido entre Ed y el tipo de la furgoneta en el verano de 1992, y en lo mucho que se parecían las vociferaciones de Ed en aquella ocasión con las cosas que había dicho el día en que había pegado a Helen por firmar la petición. Mientras hablaba se convencía cada vez más de que existía una relación entre todas las cosas raras que le habían sucedido, relación que casi podía ver.

Le contó a McGovern lo de las auras, aunque no lo del cataclismo silencioso que había vivido hacía apenas media hora, ya que eso era más de lo que estaba dispuesto a revelar, al menos de momento. McGovern sabía que Charlie Pickering había atacado a Ralph, por supuesto, y que Ralph había evitado heridas mucho más graves utilizando el aerosol que Helen y su amiga le habían dado, pero ahora Ralph le contó algo que se había guardado para sí el domingo por la noche, mientras contaba a McGovern lo del ataque durante una cena consistente en sobras: le contó que el aerosol había aparecido misteriosamente en su bolsillo, aunque, como dijo, creía que el responsable del misterio había sido el viejo Dor.

—¡La leche! —exclamó McGovern—. ¡Has estado viviendo peligrosamente, Ralph!

—Pues sí, supongo que sí.

—¿Y cuánto de todo esto le has contado a Johnny Leydecker?

Muy poco, empezó a decir Ralph antes de darse cuenta de que incluso eso constituiría una exageración.

—Casi nada. Y hay otra cosa que no le he contado. Algo mucho más... bueno, mucho más importante, supongo. Que tiene que ver con lo que pasó allí.

Ralph señaló la casa de May Locher, ante la que acababan de aparcar dos furgonetas azules y blancas. En los flancos se leían las palabras POLICÍA DEL ESTADO DE MAINE. Ralph suponía que se trataba de los del instituto forense que había mencionado Leydecker.

—¿May? —exclamó McGovern inclinándose hacia delante en su silla—. ¿Sabes algo sobre lo que le pasó a May?

—Creo que sí.

Hablando con mucho tiento, avanzando de palabra en palabra como un hombre que utilizara pasaderas para cruzar un arroyo traicionero, Ralph contó a McGovern todo lo relativo a la noche en que se había despertado, había ido al salón y visto a dos hombres salir de casa de la señora Locher. Describió la búsqueda fructífera de los prismáticos y contó lo de las tijeras que había visto en la mano de uno de los dos hombres. No mencionó la pesadilla que había tenido ni las huellas brillantes, y por supuesto, tampoco mencionó que más tarde había tenido la impresión de que los dos tipos podían haber atravesado la puerta, ya que ello lo habría despojado del último retazo de credibilidad que todavía pudiera poseer. Terminó con su llamada anónima al 911 y por fin se sentó en su propia silla, mirando a McGovern con expresión ansiosa.

McGovern sacudió la cabeza como para aclarársela.

—Auras, oráculos, misteriosos hombres que entran en casas y llevan tijeras... Ralph, de verdad que has estado viviendo peligrosamente.

—¿Qué te parece todo esto, Bill?

McGovern permaneció en silencio durante algunos instantes. Había enrollado el periódico mientras Ralph hablaba y empezó a darse golpecitos en la pierna con el tubo. Ralph estaba tentado de formular la pregunta de un modo mucho más directo: «¿Crees que me he vuelto loco, Bill?», pero se contuvo. ¿Realmente creía que era la clase de pregunta a la que la gente daba una respuesta sincera..., al menos sin que le hubieran administrado antes una saludable dosis de pentotal sódico? ¿Que Bill le diría: *Oh, sí, creo que estás más loco que una cabra, querido Ralph, así que, ¿por qué no llamamos a Juniper Hill para ver si tienen una cama libre para ti?* No era muy probable... y puesto que cualquier respuesta que Bill pudiera darle carecería de significado alguno, mejor sería olvidar la pregunta.

Pero lo cierto era que se trataba de una tarea extremadamente ardua.

—No sé exactamente lo que me parece —dijo Bill por fin—. Todavía no. ¿Qué aspecto tenían?

—Pues era difícil verles bien la cara, incluso con los prismáticos —repuso Ralph con la voz tan firme como el día anterior, cuando había negado ser el autor de la llamada anónima.

—Y tampoco tendrás ni idea de cuántos años tenían, ¿eh?

—No.

—¿Podría uno de ellos haber sido nuestro viejo amigo y vecino?

—¿Ed Deepneau? —replicó Ralph mirando a McGovern con expresión de asombro—. No, ninguno de los dos era Ed.

—¿Y Pickering?

—No, ni Ed ni Charlie Pickering. Los habría reconocido. ¿Qué quieres decir con esto? ¿Que mi mente me jugó una mala pasada y colocó a los tipos que me han causado más problemas en los últimos meses en la puerta de la casa de May Locher?

—Claro que no —aseguró McGovern.

Sin embargo, el golpeteo constante del periódico sobre su pierna cesó y sus ojos parpadearon. A Ralph se le encogió el estómago. Sí, eso era exactamente lo que había querido decir McGovern, y no era de extrañar, ¿verdad?

Quizá no, pero eso no cambiaba en nada el modo en que se sentía.

—Y Johnny dice que todas las puertas estaban cerradas.

—Sí.

—Por dentro.

—Sí, pero...

McGovern se levantó de la silla con tal brusquedad que Ralph creyó que iba a salir corriendo, tal vez gritando: *¡Cuidado con Roberts! ¡Se ha vuelto loco!* Pero en lugar de precipitarse escalinata abajo, se volvió hacia la puerta de la casa. En cierto modo, aquel gesto le pareció a Ralph aún más alarmante.

—¿Qué vas a hacer?

—Llamar a Larry Perrault —repuso McGovern—. Es el hermano menor de May Locher. Sigue viviendo en Cardville. Me imagino que se morirá en Cardville —McGovern lanzó una extraña y escudriñadora mirada a Ralph—. ¿Qué creías que iba a hacer?

—No lo sé —dijo Ralph incómodo—. Por un momento he pensado que te ibas a largar por patas.

—No.

McGovern alargó el brazo y le dio una palmadita en el hombro, pero a Ralph el gesto le pareció frío y poco consolador. Superficial.

—¿Qué tiene que ver el hermano de la señora Locher con todo esto?

—Johnny dijo que habían enviado el cadáver de May a Augusta para una autopsia más exhaustiva, ¿verdad?

—Bueno, creo que la palabra que empleó fue postmortem...

—Es lo mismo, créeme —lo interrumpió McGovern agitando la mano—. Si sale algo raro, cualquier cosa que sugiera que fue asesinada, tendrán que informar a Larry. Es su único pariente vivo.

—Sí, pero ¿no se preguntará por qué te interesa tanto?

—Oh, no creo que debamos preocuparnos por eso —repuso McGovern en un tono tranquilizador que a Ralph no le hizo ni pizca de gracia—. Le diré que la policía ha sellado la casa y que los rumores vuelan en Harris Avenue. Sabe que May y yo éramos compañeros de escuela y que la he visitado regularmente durante los dos últimos

238

años. No es que Larry y yo nos amemos con locura, pero no nos llevamos del todo mal. Me dirá lo que quiera saber aunque sólo sea porque los dos somos supervivientes de Cardville. ¿Entiendes?

—Sí, supongo, pero...

—Eso espero —lo interrumpió de nuevo McGovern, adquiriendo de repente el aspecto de un viejo y feo reptil, una especie de lagarto venenoso o tal vez un basilisco que señalaba a Ralph con el dedo—. No soy estúpido y sé guardar un secreto. Tu expresión me dice que no estabas seguro de eso, y eso me ha sentado muy mal. Me ha sentado fatal.

—Lo siento —se disculpó Ralph, asombrado por el arranque de McGovern.

McGovern lo miró durante unos instantes más con los labios curtidos apartados de sus dientes demasiado largos, y por fin asintió con la cabeza.

—Bueno, vale, acepto tus disculpas. Duermes fatal y eso debo tenerlo en cuenta, y por lo que a mí respecta, no puedo quitarme a Bob Polhurst de la cabeza —admitió exhalando uno de sus suspiros de pobre Bill más profundos—. Mira, si prefieres que no intente llamar al hermano de May...

—No, no —aseguró Ralph.

En realidad, lo que habría preferido sería retroceder el reloj diez minutos y así borrar toda la conversación. En aquel momento, una idea que estaba seguro gustaría a Bill McGovern surgió en su mente, completa y lista para usar.

—Siento haber dudado de tu discreción.

McGovern sonrió, primero algo reacio y luego con todo el rostro.

—Ahora ya sé lo que te impide pegar ojo... Pensar en todas estas tonterías. Y ahora quédate sentadito, Ralph, y piensa cosas bonitas de un hipopótamo, como decía mi madre. Vuelvo en seguida. Probablemente no lo localizaré, con todo lo del funeral y eso. ¿Quieres leer el periódico mientras esperas?

—Sí, gracias.

McGovern le entregó el periódico, que seguía enrollado, y entró en la casa. Ralph echó un vistazo a la primera página. El titular rezaba DEFENSORES DEL ABORTO Y GRUPOS PRO VIDA PREPARADOS PARA LA VISITA DE LA ACTIVISTA. El artículo estaba flanqueado por dos fotografías. En una de ellas se veía a media docena de mujeres jóvenes confeccionando pancartas que decían cosas como NUESTROS CUERPOS, NUESTRA DECISIÓN y ¡UN NUEVO DÍA EMPIEZA EN DERRY! La otra instantánea mostraba a unos manifestantes desfilando ante el Centro de la Mujer. No llevaban pancartas y no las necesitaban; las túnicas con capucha y las hoces que llevaban lo decían todo.

Ralph exhaló un suspiro, dejó caer el periódico sobre el asiento de la mecedora y se dispuso a contemplar la mañana de aquel martes desplegarse por Harris Avenue. Se le ocurrió que McGovern bien podría estar hablando con John Leydecker en lugar de Larry Perrault, y que ambos podrían estar sosteniendo en ese preciso instante una pequeña conversación entre alumno y profesor acerca del viejo loco insomne de Ralph Roberts.

He pensado que te gustaría saber quién hizo esa llamada anónima, Johnny.

Gracias, profe. Estábamos casi seguros, pero siempre conviene tenerlo confirmado. Me imagino que es inofensivo. La verdad es que me cae bastante bien.

Ralph desterró de su mente toda especulación acerca de con quién estaría hablando Bill. Era más fácil quedarse ahí sentado y no pensar en nada, ni siquiera en hipopótamos. Era más fácil mirar cómo entraba el camión de Budweiser en el aparcamiento de la Manzana Roja, cómo se detenía para dejar paso a la furgoneta de Magazines Incorporated que acababa de repartir su ración semanal de periódicos sensacionalistas, revistas y libros de bolsillo y que ya se marchaba. Era más fácil observar a la anciana Harriet Bennigan, que hacía que la señora Perrine pareciera un polluelo, inclinarse sobre su andador, con el brillante abrigo rojo de entretiempo revoloteando a su alrededor mientras avanzaba en su tambaleo matutino. Era más fácil contemplar a la niña ataviada con vaqueros, enorme camiseta blanca y sombrero del que al menos le sobraban cuatro tallas saltar a la comba en el solar cubierto de maleza que se extendía entre la Panadería de Frank y el Salón de Belleza de Vicky Moon (Especialidad en Apósitos Corporales). Era más fácil ver oscilar arriba y abajo las manos de la niña. Más fácil escuchar su eterno y repetitivo canturreo.

Tres-seis-nueve, la oca se mueve...

Desde algún lugar recóndito de su mente, Ralph se percató de que estaba a punto de dormirse en la escalinata del porche. Al mismo tiempo, las auras hicieron su aparición una vez más, inundando el mundo de fabulosos colores y movimientos. Era maravilloso, pero...

... pero había algo raro en ello. Algo. ¿Qué?

La niña saltando a la comba en el solar. Ella era lo raro. Sus piernas enfundadas en vaqueros subían y bajaban como la bobina de una máquina de coser. Su sombra saltaba junto a ella sobre el pavimento desigual de un antiguo callejón cubierto de maleza y girasoles. La cuerda subía y bajaba... daba vueltas... arriba y abajo... y no paraba de dar vueltas...

Pero no era una camiseta holgada, se había equivocado. La figura llevaba una bata. Una bata blanca como la que llevaban los actores en las viejas series de médicos de la tele.

Tres-seis-nueve, la oca se mueve.

El mono masca tabaco en el cable del tranvía...

Una nube cubrió el sol y una siniestra luz verde surcó el día, ahogándolo. Ralph sintió un escalofrío y se le puso la piel de gallina. La sombra saltarina de la niña desapareció. Cuando alzó la mirada, Ralph se dio cuenta de que no se trataba de una niña. La criatura que lo estaba mirando era un hombre que medía alrededor de un metro veinte. Ralph había tomado el rostro oscurecido por el sombrero por el de una niña porque era liso en extremo, sin una sola línea. Y sin embargo, transmitía a Ralph una clara impresión..., una impresión de mal, de una malignidad que ninguna mente cuerda podría llegar a comprender.

«Exacto —pensó Ralph vagamente sin apartar la mirada de la figura saltarina—. Eso es. Sea lo que sea esa cosa, está loca. Completamente chalada.»

Era como si la criatura le hubiera leído el pensamiento, porque en ese preciso instante abrió los labios en una sonrisa coquetona y repugnante a un tiempo, como si él y Ralph compartieran un desagradable secreto. Y estaba seguro, sí, casi del todo seguro de que de algún modo estaba canturreando por entre los dientes apretados, sin mover los labios en lo más mínimo:

(*¡El cable se* ROMPIÓ! *¡El mono se* AHOGÓ! *¡Y todos murieron juntos y la historia se* ACABÓ!)

No era ninguno de los dos médicos calvos y bajitos que Ralph había visto salir de casa de la señora Locher, de eso estaba casi seguro. Tal vez era pariente de ellos, eso sí, pero no era ninguno de ellos. Era...

La criatura arrojó la comba lejos de sí. La comba se tornó primero amarilla y después roja, y daba la sensación de despedir chispas mientras daba vueltas en el aire. La pequeña figura, el doctor 3, miraba a Ralph con fijeza, sonriendo, y de repente, Ralph se dio cuenta de otra cosa, algo que lo llenó de espanto. Por fin había reconocido el sombrero que llevaba la criatura.

Era el panamá perdido de Bill McGovern.

De nuevo le embargó la sensación de que la criatura le había leído el pensamiento. Se quitó el sombrero, dejando al descubierto el cráneo redondo y lampiño, y agitó el panamá de McGovern en el aire como un vaquero montado en un potro cerril corcoveante. En ningún momento dejó de sonreír.

De repente señaló a Ralph como si quisiera marcarlo. A continuación volvió a encasquetarse el sombrero y se adentró a toda prisa en el callejón estrecho y cubierto de maleza que se abría entre la panadería y el salón de belleza. El sol se libró de la nube que lo había cubierto, y la claridad móvil de las auras empezó a desteñirse de nuevo. Al cabo de pocos segundos, la criatura había desaparecido y Harris Avenue volvió a ser simplemente eso, la vieja y aburrida avenida, como siempre.

Ralph aspiró una temblorosa bocanada de aire sin poder apartar de sí la demencia de aquel rostro pequeño y sonriente. Sin poder apartar de sí el modo en que lo había señalado

(*el mono se* AHOGÓ)

como si

(*¡todos murieron juntos y la historia se* ACABÓ!)

quisiera marcarlo.

—Dime que me he dormido —masculló en un susurro ronco—. Dime que me he dormido y que esa cosa forma parte de mi sueño.

Pero su mente se negaba a aceptar el consuelo que suponía aquella idea; en lugar de eso, lo bombardeó con el recuerdo del día en que Ed Deepneau lo había llamado por teléfono. Al preguntarle Ralph quién le había contado lo del Rey Carmesí, Ed contestó que había sido el médico calvo y bajito. *Creo que es ante él ante quien tendrás que responder si vuelves a meterte en mis asuntos, Ralph*, le había dicho el futuro ex de Helen. *Y entonces, que Dios te ayude.*

Había dicho algo igual de inquietante en otro momento de la conversación...: que había criaturas en Derry que a Ralph no le convenía nada conocer..., como tampoco le convenía que ellas lo conocieran a él.

—Entes —murmuró Ralph—. Las llamó entes.

En aquel momento se abrió la puerta de la casa.

—Vaya, vaya, hablando solo, ¿eh? —exclamó McGovern—. Debes de tener dinero en el banco.

—Sí, lo justo para cubrir los gastos de mi entierro —replicó Ralph.

Se sentía como un hombre que acabara de sufrir un tremendo susto y todavía estuviera intentando combatir el miedo residual; casi esperaba que Bill corriera a su lado con expresión preocupada (o tal vez sólo suspicaz) y le preguntara qué le pasaba.

McGovern no hizo nada de eso. Se limitó a dejarse caer en la mecedora, cruzó los brazos sobre el estrecho pecho en ademán pensativo y paseó la mirada por Harris Avenue, el escenario sobre el que él, Ralph, Lois, Dorrance Marstellar y tantos otros viejos, miembros de la edad de oro, en McGovernesiano, estaban destinados a representar sus últimos actos a menudo aburridos y a veces dolorosos.

«¿Y si le contara lo del sombrero? —se preguntó Ralph—. ¿Y si abriera la conversación diciendo: "Bill, también sé lo que ha sido de tu panamá. Lo tiene un repugnante pariente de los tipos a los que vi anoche. Lo lleva mientras salta a la comba entre la panadería y el salón de belleza".»

Si Bill albergaba alguna duda acerca de su cordura, estaba más claro que el agua que aquello la disiparía por completo. Sí, señor.

Ralph mantuvo la boca cerrada.

—Perdona que haya tardado tanto —dijo McGovern—. Larry me ha dicho que lo he pescado justo cuando estaba a punto de ir a la funeraria, pero antes de que pudiera hacerle las preguntas que quería hacerle y librarme de él se ha puesto a contarme media vida de May y toda la suya. No ha parado de hablar durante tres cuartos de hora.

Convencido de que McGovern exageraba, pues no podía haberse ausentado durante más de cinco minutos, Ralph miró el reloj y quedó asombrado al comprobar que eran las once y cuarto. Se volvió hacia la calle y vio que la señora Bennigan había desaparecido, al igual que el camión de Budweiser. ¿Se habría quedado dormido? Debía de ser eso..., pero no podría hallar la interrupción de su percepción consciente aunque le fuera la vida en ello.

Vamos, no seas estúpido. Estabas dormido cuando has visto al tipejo calvo. Has soñado con el tipejo calvo.

Eso tenía mucho sentido. Incluso el hecho de que la criatura llevara el panamá de Bill tenía sentido. El mismo sombrero había aparecido en la pesadilla de Carolyn, concretamente entre las patas de *Rosalie*.

Pero esta vez no lo había soñado. Estaba seguro de ello.

Bueno..., casi seguro.

—¿No me preguntas qué me ha dicho el hermano de May? —inquirió McGovern en tono algo irritado.

—Perdona —se disculpó Ralph—. Estaba pensando en las musarañas.

—Perdonado, hijo mío..., siempre y cuando me escuches con mucha atención. El detective encargado del caso, Funderburke...

—Creo que se llama Utterback. Steve Utterback.

McGovern agitó la mano como sin dar importancia a la cosa, lo cual era su reacción más común cuando alguien le corregía.

—Bueno, como se llame. La cuestión es que ha llamado a Larry y le ha dicho que la autopsia sólo ha mostrado causas naturales. Lo que más les preocupaba, a causa de tu llamada, era que May hubiera sufrido un ataque al corazón provocado por un susto, literalmente, que unos ladrones la hubieran matado de un susto. El hecho de que las puertas estuvieran cerradas por dentro y de que no faltara ningún objeto de valor contradecía esa teoría, por supuesto, pero se han tomado tu llamada lo suficientemente en serio como para investigar dicha posibilidad.

Su tono de reproche, como si Ralph hubiera cometido la travesura de verter pegamento en una máquina que por lo general funcionara como una seda, llenó a Ralph de impaciencia.

—Pues claro que se la han tomado en serio. Vi a dos tipos salir de su casa e informé a las autoridades. Cuando llegaron ahí la encontraron muerta. ¿Cómo no iban a tomársela en serio?

—¿Por qué no les diste tu nombre cuando llamaste?

—No lo sé. ¿Qué más da? ¿Y cómo narices pueden estar tan seguros de que no la mataron de un susto?

—No sé si pueden estar seguros al ciento por ciento —repuso McGovern, también un poco malhumorado—, pero me imagino que están bastante seguros si han entregado el cadáver de May a su hermano para que la entierren. Lo más probable es que le hayan hecho algún análisis de sangre. Lo único que sé es que ese tipo, Funderburke...

—Utterback...

—... ha dicho a Larry que lo más probable es que May muriera mientras dormía.

McGovern cruzó las piernas, jugueteó por un instante con los pliegues de sus pantalones azules y por fin lanzó a Ralph una mirada directa y penetrante.

—Te voy a dar un consejo, así que escúchame bien. Vete al médico. Ahora. Hoy. Ve directamente a ver a Lichtfield sin pasar por la casilla de la salida ni cobrar los doscientos dólares. Esto se está poniendo feo.

«Los bichos a los que vi salir de casa de la señora Locher no me vieron, pero éste sí —pensó Ralph—. Me ha visto y me ha señalado. En realidad, bien podría haberme estado buscando.»

Bonita paranoia.

—Ralph, ¿me has oído?

—Sí. Supongo que no crees que realmente viera salir a nadie de casa de la señora Locher.

—Supones bien. He visto la expresión de tu cara cuando te he dicho que he tardado tres cuartos de hora en volver, y también he visto cómo mirabas el reloj. No creías que hubiera pasado tanto rato, ¿verdad? Y la razón por la que no te lo creías es que te has dormido sin darte cuenta. Has echado una cabezadita. Eso es probablemente lo que te pasó la otra noche, Ralph. Sólo que la otra noche soñaste con esos dos tipos, y el sueño era tan real que al despertar llamaste a la policía. ¿No te parece lógico?

Tres-seis-nueve, pensó Ralph. *La oca se mueve.*

—¿Y qué hay de los prismáticos? —inquirió—. Todavía están en la mesita que hay al lado del sillón. ¿Acaso no demuestran que estaba despierto?

—No veo por qué. A lo mejor eres sonámbulo, ¿no se te había ocurrido? Dices que viste a dos intrusos, pero ni siquiera puedes describirlos.

—Esas farolas anaranjadas de alta intensidad...

—Y todas las puertas cerradas por dentro...

—Lo mismo que...

—Y lo de las auras. Son culpa del insomnio, estoy casi seguro de eso. Pero en fin, podría ser peor.

Ralph se levantó, bajó los escalones del porche y se detuvo al principio del sendero de espaldas a McGovern. Le palpitaban las sienes y el corazón le latía con violencia. Demasiada violencia.

No sólo me ha señalado. Yo tenía razón, el hijo de puta me ha marcado. Y no ha sido un sueño. Y tampoco lo eran los que vi salir de casa de la señora Locher. Estoy seguro.

«Claro que estás seguro, Ralph —replicó otra voz—. Los locos siempre están seguros de las locuras que ven y oyen. Eso es lo que los convierte en locos, no las alucinaciones en sí mismas. Si realmente viste lo que viste, ¿qué ha pasado con la señora Bennigan? ¿Qué ha pasado con el camión de Budweiser? ¿Cómo es que perdiste esos cuarenta y cinco minutos que McGovern ha pasado colgado del teléfono?»

—Estás sufriendo unos síntomas muy graves —sentenció McGovern a sus espaldas.

A Ralph le pareció haber oído un matiz terrible en la voz de su amigo. ¿Satisfacción? ¿Podía en verdad tratarse de satisfacción?

—Uno de ellos llevaba unas tijeras —insistió Ralph sin volverse—. Yo las vi.

—¡Oh, vamos, Ralph! ¡Piensa un poco! ¡Utiliza el cerebro y piensa! El domingo por la tarde, menos de veinticuatro horas antes de que tuvieras hora con el acupuntor, un chalado por poco te apuñala. ¿Y te extraña que tu mente fabrique una pesadilla en la que aparece un objeto punzante? Las agujas de Hong y el cuchillo de Pickering se convierten en tijeras, nada más. ¿No ves que esta hipótesis cubre todas las posibilidades y la tuya no parece cubrir ninguna?

—¿Y cogí los prismáticos dormido? ¿Eso es lo que crees?

—Es posible. Incluso probable.

—Y lo mismo con el aerosol en el bolsillo de mi chaqueta, ¿no? El viejo Dor no tuvo nada que ver con eso.

—¡Me importan un bledo el aerosol y el viejo Dor! —gritó McGovern—. ¡El que me importa eres tú! Tienes insomnio desde abril o mayo, has estado deprimido y trastornado desde la muerte de Carolyn...

—¡No he estado deprimido! —gritó Ralph.

Al otro lado de la calle, el cartero se detuvo para mirar en su dirección antes de seguir caminando hacia el parque.

—Bueno, pues muy bien —concedió McGovern—. No has estado deprimido. Tampoco has dormido, ves auras, tipos que salen de casas cerradas en plena noche... —Y entonces, en tono engañosamente ligero, McGovern dijo lo que Ralph había temido durante toda la conversación—: Ten cuidado, viejo amigo. Empiezas a parecerte demasiado a Ed Deepneau.

Ralph se volvió. El rostro le ardía y el corazón le latía con fuerza.

—¿Por qué me haces esto? ¿Por qué te metes conmigo de esta forma?

—No me estoy metiendo contigo, Ralph. Estoy intentando ayudarte. Ser tu amigo.

—Pues no lo parece.

—Bueno, a veces la verdad duele un poco —repuso McGovern con calma—. Debes considerar al menos la idea de que tu mente y tu cuerpo están intentando darte un mensaje. Te voy a hacer una pregunta... ¿Es la única pesadilla que has tenido últimamente?

Ralph pensó un instante en Carol, enterrada hasta el cuello en la arena, gritando acerca de las huellas del hombre blanco. Pensó en los bichos que surgían de su cabeza.

—No he tenido ninguna pesadilla últimamente —aseguró con rigidez—. Me imagino que no te lo crees porque no encaja en la película que te has montado.

—Ralph...

—Ahora te voy a hacer yo una pregunta. ¿Crees realmente que el hecho de que viera a esos dos tipos y de que May Locher apareciera muerta es una coincidencia?

—Quizá no. Tal vez tu estado físico y emocional crearon condiciones necesarias para provocar un fenómeno psíquico breve pero auténtico.

Ralph guardó silencio.

—Creo que estas cosas pasan de vez en cuando —prosiguió McGovern al tiempo que se levantaba—. Probablemente suena raro viniendo de un viejo racional como yo, pero de verdad lo creo. No es que quiera decir que es lo que ha pasado en este caso, pero podría ser. De lo que estoy seguro es de que los dos hombres que crees haber visto no existen en el mundo real.

Ralph se quedó mirando a McGovern con los puños hundidos en los bolsillos con tal fuerza que se le antojaban rocas. Los músculos de los brazos le palpitaban con violencia.

McGovern bajó los escalones del porche y lo agarró por el codo con suavidad.

—Sólo creo que...

Ralph apartó el brazo con tal brusquedad que McGovern lanzó un gruñido de sorpresa y se tambaleó.

—Ya sé lo que crees.

—No me estás escuchando...

—Oh, sí, te he escuchado. He escuchado más que suficiente, créeme. Y perdona..., creo que me voy a dar otro paseo. A ver si me despejo un poco.

En sus mejillas y frente seguía bullendo la sangre caliente. Intentó colocar su cerebro en una marcha que le permitiera desterrar aquella rabia inútil e impotente, pero no lo consiguió. Se sentía casi como se había sentido al despertar de la pesadilla de Carolyn; su mente bullía de terror y confusión, y cuando empezó a caminar, no tuvo la sensación de estar caminando, sino cayendo, del mismo modo en que se había caído de la cama el lunes por la mañana. Pero aun sí, siguió andando. A veces era la única opción.

—¡Ralph, tienes que ir al médico! —gritó McGovern tras él.

Y esta vez, Ralph no pudo asegurarse de que no había oído un extraño y regañón matiz de placer en la voz de McGovern. Con toda probabilidad, la preocupación que lo cubría era auténtica, pero no se trataba más que de la capa de azúcar que doraba la píldora.

—Ni al farmacéutico, ni al hipnotista ni al acupuntor, sino a tu médico de cabecera!

«¡Sí, al tipo que enterró a mi mujer bajo la línea de la marea alta! —pensó en una suerte de grito mental—. El tipo que la enterró hasta el cuello en la arena y luego le dijo que no debía tener miedo de ahogarse mientras se tomara el Valium y las aspirinas!»

—¡Tengo que dar un paseo! —gritó—. ¡Eso es lo que tengo que hacer, nada más!

El corazón le latía en las sienes en golpes de martillo breves, pero intensos, y se le ocurrió que así debían de ser las embolias; si no se dominaba, pronto caería víctima de lo que su padre llamaba «una apoplejía de mal genio».

Oyó a McGovern bajando tras él por el sendero. «No me toques, Bill —pensó Ralph—. No se te ocurra ni tocarme el hombro, porque lo más probable es que me dé la vuelta y te tumbe de un puñetazo.»

—Estoy intentando ayudarte, ¿es que no lo entiendes? —gritó McGovern.

Al otro lado de la calle, el cartero se había detenido de nuevo para mirarlos, y delante de la Manzana Roja, Karl, el tipo que trabajaba por las mañanas, y Sue, la chica que trabajaba por las tardes, también los estaban mirando embobados. Ralph se dio cuenta de que Karl llevaba una bolsa de panecillos de hamburguesa en la mano. La verdad, era increíble las cosas que uno llegaba a ver en situaciones como aquélla... aunque no tan increíble como algunas de las cosas que ya había visto por la mañana.

Las cosas que has creído ver, Ralph, le susurró una voz traidora desde las profundidades de su mente.

—Un paseo —masculló Ralph con desesperación—. Un paseo, maldita sea.

En su cabeza había empezado una película mental. Se trataba de una película desagradable, la clase de película que pocas veces iba a ver aunque no pusieran nada más en el cine de Derry. La banda sonora de esta cinta mental de terror parecía ser, aunque pareciera increíble, la canción infantil «Ahí va la comadreja».

—¡Te voy a decir una cosa, Ralph! ¡A nuestra edad, las enfermedades mentales son muy comunes! ¡A nuestra edad, son más que corrientes, así que VE AL MÉDICO!

La señora Bennigan había salido al porche, y el andador aparecía abandonado al pie de la escalinata. Todavía llevaba el brillante abrigo rojo de entretiempo, y parecía tener la boca abierta mientras los miraba atentamente.

—¿Me oyes, Ralph? ¡Espero que sí! ¡De verdad, espero que sí!

Ralph apretó el paso, hundiendo la cabeza entre los hombros como para protegerse del viento frío. «¿Y si sigue gritando cada vez más fuerte? ¿Y si me sigue?»

«Si hace eso, la gente creerá que es él quien se ha vuelto loco», se dijo, pero eso no lo tranquilizó. En su mente seguía oyendo un piano tocando una canción infantil... Bueno, no tocándola realmente; sino desgranándola en torpes notas de guardería:

> *Por toda la morera*
> *El mono persigue a la comadreja*
> *El mono cree que todo es broma*
> *¡Y pum, ahí va la comadreja!*

Y en aquel instante, Ralph empezó a ver a los ancianos de Harris Avenue, a los que compraban las pólizas de seguros de las compañías que se anunciaban en la televisión por cable, a los que tenían piedras en la vesícula y tumores de piel, a aquellos cuya memoria disminuía mientras su próstata aumentaba, a los que vivían de la seguridad social y miraban el mundo a través de cataratas cada vez más densas en lugar de cristales de color de rosa. Era la gente que leían todo el correo comercial y repasaban la publicidad del supermercado en busca de ofertas, productos enlatados y platos congelados sin marca. Los veía enfundados en grotescos pantalones cortos y minifaldas lanudas, los veía ataviados con gorras de crío y camisetas que mostraban personajes como Beavis y Butt-Head o Rude Dog. Los veía, en suma, como los párvulos más viejos del mundo. Desfilaban alrededor de una hilera doble de sillas mientras un hombre calvo y bajito de bata blanca tocaba *Ahí va la comadreja* al piano. Otro calvo sisaba las sillas una a una, y cuando la música cesaba y todo el mundo se sentaba, una persona (esta vez le había tocado a May Locher y la próxima vez le tocaría, probablemente, al antiguo jefe de McGovern) se quedaba sin silla. Esa persona tenía que salir de la habitación, por supuesto. Y Ralph oyó a McGovern reírse. Se reía porque él había vuelto a conseguir una silla. Tal vez May Locher había muerto, Bob Polhusrt estaba a punto de morir, Ralph Roberts estuviera perdiendo la chaveta, pero él, señor don William D. McGovern, seguía sano y salvo, seguía tan mono como siempre, vertical, sano, capaz de encontrar una silla cuando la música cesara.

Ralph apretó el paso aún más y encogió más los hombros en espera de otra andanada de consejos y advertencias. No creía probable que McGovern lo siguiera por la calle, pero tampoco lo descartaba del todo. Si McGovern estaba lo suficientemente enfadado podría hacerlo, podría reconvenirle, decirle que dejara de hacer el imbécil y fuera al médico, recordarle que la música podía cesar en cualquier momento, en cualquier momento, sí señor, y que si no encontraba una silla cuando aún estaba a tiempo, tal vez jamás tendría otra oportunidad.

Sin embargo, no oyó más gritos a sus espaldas. Se sintió tentado de volverse para mirar a McGovern, pero decidió no hacerlo. Si Bill veía a Ralph mirar atrás podía ponerse otra vez como un energúmeno. Lo mejor sería seguir caminando. Así pues, Ralph empezó a dar largas zancadas en dirección al aeropuerto sin siquiera darse cuenta, siguió caminando cabizbajo, intentando hacer oídos sordos al despiadado piano, intentando no ver a los niños viejos desfilar alrededor de las sillas, intentando no ver la expresión aterrorizada que desmentían sus bocas sonrientes.

Mientras andaba se le ocurrió que sus esperanzas habían quedado truncadas. Lo habían empujado al interior del túnel pese a todo, y ahora estaba rodeado de tinieblas.

Segunda parte

LA CIUDAD SECRETA

Los ancianos deberían ser exploradores.

T. S. ELLIOT

11

La Derry de los Viejos Carcamales no era la única ciudad secreta que existía sigilosa dentro del lugar que Ralph siempre había considerado su hogar; cuando era niño y vivía en Mary Mead, donde ahora se alzaban las numerosas urbanizaciones de Old Cape, Ralph había descubierto que, además de la Derry que pertenecía a los adultos, había otra que pertenecía única y exclusivamente a los niños. Las junglas de vagabundos abandonadas cerca de la estación de Neibolt Street, donde a veces uno encontraba latas de sopa de tomate medio llenas de estofado de sobras, y botellas en las que quedaba algún trago de cerveza; el callejón detrás del Teatro Aladino, donde se fumaban cigarrillos Bull Durham y a veces estallaban petardos; el viejo olmo que se cernía sobre el río, donde centenares de niños y niñas habían aprendido a tirarse de cabeza; los cien (o tal vez incluso doscientos) senderos enmarañados que rodeaban el erial de los Barrens, un valle cubierto de maleza que segaba el centro de la ciudad como una cicatriz mal curada.

Todos aquellos caminos y calles secretos se hallaban por debajo del campo de visión de los adultos, y por tanto, éstos no se daban cuenta..., aunque había, por supuesto, algunas excepciones. Una de ellas había sido un policía llamado Aloysius Nell, el señor Nell para varias generaciones de niños de Derry, y fue en ese momento, mientras se dirigía hacia el merendero situado en el punto en que Harris Avenue se convertía en la extensión de Harris Avenue, cuando se le ocurrió que Chris Nell era probablemente el hijo del viejo señor Nell... aunque no podía ser, porque el policía al que Ralph había visto por primera vez en compañía de John Leydecker no tenía edad suficiente como para ser hijo del viejo señor Nell. Tal vez su nieto.

Ralph había descubierto una segunda ciudad secreta, la que pertenecía a los ancianos, más o menos al jubilarse, aunque no se había percatado de que formaba parte de ella hasta después de la muerte de Carolyn. Lo que había descubierto era una geografía sumergida siniestramente parecida a la que conociera de niño, un lugar que el resto del mundo que bullía y se tambaleaba a su alrededor, siempre con prisas, ignoraba; se trataba de la Derry de los Malditos, un lugar terrible habitado principalmente por borrachos, niños que se habían fugado de casa y chalados a los que no se podía tener encerrados.

Fue en el merendero donde Lafayette Chapin había revelado una de las consideraciones más importantes de la vida..., cuando uno se convierte en un Viejo Carcamal de buena fe, claro está. Dicha consideración guardaba relación con la «vida real». El tema había salido a colación cuando ambos hombres apenas se conocían. Ralph había preguntado a Faye a qué se dedicaba antes de empezar a ir al merendero.

—Bueno, pues en la vida real era carpintero y ebanista —había replicado Chapin mostrando los pocos dientes que le quedaban en una amplia sonrisa—, pero todo eso terminó hace unos diez años.

Como si la jubilación fuera algo parecido al beso de un vampiro, recordaba haber pensado Ralph, como si arrastrara a todos los supervivientes al mundo de los zombies. Y para ser completamente sinceros, ¿se alejaba eso tanto de la realidad?

Una vez a prudente distancia de McGovern (o al menos, eso esperaba), Ralph atravesó la pantalla de robles y arces que separaba el merendero de la Extensión. Comprobó que unas ocho o diez personas habían llegado desde su paseo anterior, la mayoría con cestas de comida y bocadillos comprados en la Taza de Café. Los Eberly y los Zell estaban jugando al tute con una grasienta baraja Top Hole que solía guardarse en un agujero de un roble cercano; Faye y el doctor Mulhare, un veterinario jubilado, estaban jugando al ajedrez; un par de mirones se paseaban entre las dos partidas.

Los juegos eran la nota dominante en el merendero..., bueno, en todos los rincones de la Derry de los Viejos Carcamales, pero Ralph creía que los juegos no eran más que la fachada. En realidad, la gente acudía al merendero para estar ahí, para dar el parte, confirmar (aunque sólo fuera a sí mismos) que seguían viviendo alguna clase de vida, ya fuera real o de cualquier otra índole.

Ralph tomó asiento en un banco vacío cerca de la valla anticiclones y, con ademán distraído, pasó un dedo por los surcos tallados, nombres, iniciales, muchos JÓDETE, mientras veía aterrizar aviones a intervalos precisos de dos minutos; un Cessna, un Piper, un Apache, un Twin Bonanza, el Expreso de las 11.45 procedente de Boston. Estaba atento a los altibajos de las conversaciones que se desarrollaban tras él. El nombre de May Locher fue mencionado en más de una ocasión (algunas de aquellas personas la conocían y la opinión general era que Dios había tenido por fin piedad de ella y puesto fin a su sufrimiento), pero la mayor parte de las charlas giraban en torno a la inminente visita de Susan Day. Por regla general, la política no formaba parte de las conversaciones de los Viejos Carcamales, quienes preferían un buen cáncer de colon o una buena embolia, pero incluso entre ellos el aborto se mostraba extraordinariamente capaz de concentrar, enardecer y dividir.

—Ha escogido la ciudad equivocada para visitar, y lo peor es que no creo que lo sepa —comentó el doctor Mulhare contemplando el tablero de ajedrez con taciturna concentración mientras Faye Chapin le arrebataba los últimos defensores de su rey en un fulminante *blitzkrieg*—. Aquí las cosas pasan a su manera. ¿Te acuerdas del incendio en Black Spot, Faye?

Faye emitió un profundo gruñido y se merendó el último alfil del veterinario.

—Lo que no entiendo es a estos imbéciles —intervino Lisa Zell al tiempo que recogía la primera sección del *News* de la mesa y golpeaba la fotografía de los manifestantes encapuchados desfilando ante el Centro de la Mujer—. Es como si quisieran volver a los días en que las mujeres se provocaban el aborto con perchas.

—Es lo que quieren —aseguró Georgina Eberly—. Creen que si a una mujer le da suficiente miedo morir, entonces tendrá el niño. Nunca parece ocurrírseles que una mujer puede tener más miedo de tener el bebé que de utilizar una percha para librarse de él.

—¿Qué tiene el miedo que ver con todo esto? —preguntó huraño uno de los mirones, un anciano con cara de palo llamado Pedersen—. El asesinato es asesinato con el bebé dentro o fuera, eso es lo que creo yo. Aunque haga falta un microscopio para verlo es asesinato. Porque llegaría a ser un niño si lo dejaran en paz.

—Supongo que eso te convierte en Adolf Eichmann cada vez que te haces una paja —terció Faye mientras movía la reina—. Jaque.

—¡La-fa-yette Cha-pin! —gritó Lisa Zell.

—Masturbarse no es lo mismo, en absoluto —masculló Pedersen frunciendo el ceño.

—¿Ah no? ¿No había un tipo en la Biblia al que Dios castigaba por meneársela? —inquirió el otro mirón.

—Debes de estar pensando en Onán —intervino una voz detrás de Ralph.

Ralph se volvió con un sobresalto y vio al viejo Dor de pie a sus espaldas. En una mano llevaba un libro de bolsillo con un gran número cinco impreso en la portada. *¿De dónde narices has salido?*, se preguntó Ralph. Casi habría podido jurar que no había nadie detrás suyo un minuto antes.

—Onán, Shmonan —repuso Pedersen—. Esos espermatozoides no son lo mismo que un bebé...

—¿No? —replicó Faye—. Entonces, ¿por qué la iglesia católica no vende condones en el bingo? A ver, explícamelo.

—Decir eso es pura ignorancia —espetó Pedersen—. Y si no entiendes...

—Pero Dios no castigó a Onán por masturbarse —terció Dorrance en su estridente y penetrante voz de anciano—. Lo castigó por negarse a preñar a la viuda de su hermano para que la saga continuase. Hay un poema de Allen Ginsberg, creo...

—¡Cierra la boca, viejo estúpido! —chilló Pedersen antes de volverse ceñudo hacia Faye Chapin—. Y si no entiendes que hay una gran diferencia entre pelársela y que una mujer tire al lavabo el niño que Dios le ha dado, entonces es que eres tan estúpido como él.

—Qué conversación más desagradable —comentó Lisa Zell con más fascinación que desagrado.

Ralph miró por encima del hombro de la mujer y vio que un pedazo de valla metálica había sido arrancada del poste que la sujetaba y doblada de nuevo hacia atrás, travesura que, probablemente, era obra de los críos que se adueñaban del lugar por las noches. Aquello resolvía al menos un enigma. No se había percatado de la presencia de Dorrance porque el viejo todavía no había llegado al merendero, sino que estaba vagando por el aeropuerto.

Se le ocurrió que ahora tenía la oportunidad de agarrar a Dorrance y tal vez obtener algunas respuestas de él..., aunque lo más seguro era que acabara más confundido que nunca. El viejo Dor se parecía demasiado al gato de *Alicia en el país de las maravillas*... Más sonrisa que sustancia.

—Una gran diferencia, ¿eh? —estaba preguntando Faye a Pedersen, en aquel momento.

—¡Sí! —gritó el aludido mientras el rubor le cubría las agrietadas mejillas.

—Mira, ¿por qué no lo dejamos y terminamos la partida, Faye? ¿De acuerdo? —intervino Mulhare agitándose incómodo en su silla.

Faye hizo caso omiso de su amigo, pues estaba concentrado por completo en Pedersen.

—Tal vez deberías volver a pensar en esos pequeños espermatozoides que han muerto en la palma de tu mano cada vez que te sentabas en el lavabo pensando en lo que te gustaría tener a Marylin Monroe haciéndote...

Pedersen alargó el brazo y barrió las figuras que quedaban del tablero. Mulhare se apartó con una mueca, los labios temblorosos y los ojos asustados tras las gafas de montura rosa que mostraban remiendos de cinta aislante en dos lugares.

—¡Eso, perfecto! —gritó Faye—. ¡Un argumento de lo más razonable, gilipollas!

Pedersen alzó amenazadoramente los puños en una exagerada pose de John L. Sullivan.

—¿Quieres hacer algo al respecto? —preguntó ansioso—. ¡Vamos, levántate!

Faye se puso en pie muy despacio. Llevaba a Pedersen cara de palo al menos treinta centímetros de estatura y treinta kilos de peso.

Ralph apenas daba crédito a sus ojos. Y si el veneno había penetrado hasta aquí, ¿qué estaría pasando con el resto de la ciudad? Daba la sensación de que Mulhare tenía razón; Susan Day no debía de tener ni la menor idea de lo mal que había hecho en escoger Derry para presentar su espectáculo. En algunos aspectos, en muchos, en realidad, Derry no era como otros lugares.

Empezó a moverse antes de saber qué quería hacer, y sintió un gran alivio al ver que Stan Eberly hacía lo mismo. Cambiaron una mirada mientras se acercaban a los dos hombres enfrentados, y Stan hizo una inclinación de cabeza casi imperceptible. Ralph deslizó un brazo en torno a los hombros de Faye un segundo antes de que Stan agarrara a Pedersen por el brazo izquierdo.

—No vais a hacer nada de eso —dijo Stan hablando directamente a una de las peludas orejas de Pedersen—. Al final tendremos que llevaros a los dos al hospital de Derry con un ataque al corazón, y no necesitas otro, Harley; ya has tenido dos, ¿no? ¿O quizá tres?

—¡No voy a dejar que bromee sobre las mujeres que asesinan a bebés! —exclamó Pedersen, y Ralph vio que tenía los ojos llenos de lágrimas—. ¡Mi mujer murió al tener a nuestra segunda hija! ¡La infección se la llevó en 1946! ¡Así que no voy a dejar que nadie hable de asesinar bebés!

—Dios mío —dijo Faye en otro tono—. No lo sabía, Harley, lo siento...

—¡Y una porra que lo sientes! —gritó Pedersen.

Se zafó de la mano de Stan Eberly y se abalanzó sobre Faye, quien alzó de nuevo los puños, pero los volvió a bajar cuando Pedersen pasó tambaleándose junto a él sin mirarlo. Atravesó el muro de árboles y desapareció por la Extensión. A su marcha siguieron treinta segundos de consternado silencio, roto tan sólo por el zumbido de avispa de un Piper Cub a punto de aterrizar.

—Dios mío —repitió Faye por fin—. Ves a un tipo cada dos por tres durante cinco o diez años y crees que lo sabes todo. Madre mía, Ralphie, no sabía de qué había muerto su mujer. Me siento como un imbécil.

—No te preocupes demasiado —lo tranquilizó Stan—. Seguramente tiene la regla.

—Cierra la boca —lo increpó Georgina—. Ya habéis dicho suficientes guarradas por hoy.

—Me alegraré mucho cuando esa Day se marche y todo vuelva a la normalidad —terció Fred Zell.

Mulhare estaba gateando por el suelo en busca de las figuras de ajedrez

—¿Quieres acabar la partida, Faye? —preguntó—. Creo que recuerdo dónde estaban todas las figuras.

—No —repuso Faye.

Su voz, que había permanecido firme durante el enfrentamiento con Pedersen, temblaba.

—Creo que he tenido bastante de momento. A lo mejor Ralph quiere jugar contigo la preliminar.

—Creo que paso —rechazó Ralph.

Estaba buscando a Dorrance con la mirada, pensando que podía intentar hablar con él a fin de cuentas, y por fin lo vio. Había pasado de nuevo el agujero de la valla, y estaba hundido hasta las rodillas en la hierba que flanqueaba la vía de servicio del aeropuerto, doblando el libro una y otra vez entre las manos mientras observaba el Piper Cub aproximarse a la terminal de Aviación General. Ralph recordó el día en que Ed se había acercado a toda pastilla por la misma vía de servicio en su viejo Datsun marrón, mascullando juramentos

(*¡Date prisa! ¡Date prisa y come mierda!*)

por lo lenta que era la puerta. Por primera vez en más de un año se preguntó qué habría ido a hacer Ed en el aeropuerto.

—... que antes.

—¿Eh? —farfulló haciendo un esfuerzo para volver a concentrarse en Faye.

—Digo que debes de dormir bien otra vez, porque tienes mucho mejor aspecto que antes. Pero ahora parece que te estás quedando más sordo que una tapia.

—Supongo que sí —repuso Ralph intentando esbozar una sonrisa—. Creo que voy a comer algo. ¿Quieres venir, Faye? Invito yo.

—No, ya he comido algo en la Taza de Café —repuso Faye—. Y la verdad es que me ha sentado como un tiro, si quieres que te diga la verdad. Madre mía, ese vejestorio estaba llorando, ¿te has fijado?

—Sí, pero yo de ti no le daría demasiada importancia —aconsejó Ralph.

Echó a andar hacia la Extensión, y Faye lo acompañó un trecho. Con los anchos hombros hundidos y la cabeza gacha, Faye se parecía bastante a un oso domesticado y enfundado en un traje.

—La gente de nuestra edad llora por cualquier cosa, ya lo sabes.

—Sí, supongo que sí —asintió Faye dedicando a Ralph una sonrisa de agradecimiento—. En cualquier caso, gracias por detenerme antes de que pudiera mandarlo todo al garete. Ya sabes cómo me pongo a veces.

«Ojalá alguien hubiera estado ahí cuando Bill y yo hemos empezado a pelearnos», pensó Ralph.

—De nada —dijo en voz alta—. En realidad, soy yo quien debería darte las gracias. Un punto más en mi currículum cuando me presente a ese empleo tan bien pagado que dan en Naciones Unidas.

Faye se echó a reír encantado mientras propinaba a Ralph una amistosa palmada en el hombro.

—¡Eso, Secretario General! ¡El pacificador número 1! ¡Podrías hacerlo, Ralph, en serio!

—Desde luego que sí. Cuídate, Faye.

Empezó a alejarse, pero Faye le tocó el brazo.

—Jugarás el torneo la semana que viene, ¿verdad? ¿El Clásico de la Pista Tres?

A Ralph le costó unos instantes entender de qué estaba hablando, aunque el torneo había sido el principal tema de conversación del carpintero jubilado desde que las hojas de los árboles empezaran a cambiar de color. Faye era el organizador del torneo de ajedrez que denominaba el Clásico de la Pista Tres desde el fin de su «vida real», es decir, desde 1984. El trofeo era un enorme tapacubos cromado con una elegante imagen de una corona y un cetro grabados en él. Faye, que sin duda era el mejor jugador entre los Viejos Carcamales, al menos en la parte oeste de la ciudad, se había entregado el trofeo a sí mismo en seis de las nueve ocasiones en que había sido otorgado, y Ralph albergaba la sospecha de que se había dejado ganar en las otras tres para que no decayera el interés de los demás participantes. Ralph no había prestado demasiada atención al ajedrez aquel otoño; había tenido otras cosas en qué pensar.

—Claro —dijo—. Supongo que jugaré.

—Bien —exclamó Faye con una sonrisa—. Deberíamos haberlo celebrado el fin de semana pasado según el programa, pero esperaba que si lo aplazaba, Jimmy V. pudiera jugar. Pero todavía está en el hospital, y si lo aplazamos durante mucho más tiempo hará demasiado frío para jugar al aire libre y acabaremos en la trastienda de la barbería de Duffy Sprague, como en 1990.

—¿Qué le pasa a Jimmy V.?

—Se le ha vuelto a declarar el cáncer —explicó Faye antes de agregar en voz más baja—: Y creo que esta vez no tiene ni la más mínima posibilidad de combatirlo.

Ralph sintió una repentina y sorprendentemente aguda punzada de dolor al oír aquella noticia. Jimmy Vandermeer y él habían llegado a conocerse bien durante sus «vidas reales». Ambos trabajaban en la carretera por entonces, Jimmy en la venta de caramelos y tarjetas de felicitación, Ralph en suministros de imprenta y artículos de papelería, y se llevaban lo suficientemente bien como para formar equipo en algunos viajes por Nueva Inglaterra, turnándose para conducir y compartiendo alojamientos más lujosos de lo que podrían haberse permitido por separado.

También habían compartido los secretos solitarios y comunes de los viajantes. Jimmy había contado a Ralph lo de la puta que le había robado la cartera en 1958, y que había mentido a su mujer acerca de ello, diciéndole que un autoestopista lo había atracado. Ralph había confesado a Jimmy que, a la edad de cuarenta y tres años, se había dado cuenta de que era un adicto a la codeína, y le había hablado de su dolorosa y por fin fructífera lucha contra el hábito. No había contado a Carolyn lo de su extraña adicción al jarabe para la tos, al igual que Jimmy V. no había hablado a su mujer de su última aventura en ruta.

Muchos viajes; muchas ruedas cambiadas; muchos chistes sobre viajantes y la hermosa hija del granjero; muchas charlas a medianoche que habían durado hasta las primeras horas de la mañana. A veces habían hablado de Dios, a veces de Hacienda. En suma, Jimmy Vandermeer había sido un estupendo compañero de viaje. Entonces, Ralph había conseguido un empleo sedentario en la imprenta y había perdido el contacto con Jimmy. Había empezado a tratarlo de nuevo en el merendero y en algunos otros lúgubres centros que delimitaban la Derry de los Viejos Carcamales, tales como la biblioteca, los billares, la trastienda de la barbería de Duffy Sprague y cuatro o cinco más. Cuando, poco después de la muerte de Carolyn, Jimmy le dijo que había salido de una batalla con el cáncer con un pulmón menos pero, por lo demás, bien, Ralph se había acordado del hombre que hablaba de béisbol o pescaba mientras arrojaba una colilla encendida de Camel tras otra a la corriente creada por la ventanilla de solapa del coche.

He tenido suerte, había dicho. *Yo y John Wayne, los dos hemos tenido suerte.* Pero ninguno de los dos había tenido suerte a la larga, por lo visto. Claro que nadie tenía suerte a la larga.

—Vaya, hombre —exclamó Ralph—. Qué mala noticia.

—Lleva casi tres semanas en el hospital de Derry —comentó Faye—. Le están dando esas radiaciones y haciendo tragar ese veneno que se supone mata el cáncer y de paso te deja medio muerto a ti. Me sorprende que no lo supieras, Ralph.

Ya me lo imagino, pero a mí no. El insomnio se traga las cosas, ¿sabes? Un día no sabes qué ha pasado con el último sobre de sopa, luego pierdes la noción del tiempo y más tarde te pasa lo mismo con tus viejos amigos.

—La verdad es que a mí también.

—Maldito cáncer —se lamentó Faye meneando la cabeza—. Es siniestro ver cómo espera para atacar.

Ralph asintió, pensando en Carolyn.

—¿Sabes en qué habitación está Jimmy? A lo mejor voy a visitarle.

—Pues sí, la 315. ¿Te acordarás?

—Al menos durante un rato —repuso Ralph con una sonrisa.

—Ve a verle si puedes; está bastante drogado, pero todavía se entera de quién entra, y estoy seguro de que le encantará verte. Una vez me contó que antes pasabais mucho tiempo juntos.

—Bueno, ya sabes —repuso Ralph—. Dos tipos en la carretera, nada más. Si nos jugábamos la cuenta de la cena a cara o cruz, Jimmy siempre pedía cruz.

De repente le entraron ganas de llorar.

—Qué porquería, ¿eh? —comentó Faye en voz baja.

—Sí.

—Bueno, ve a verle. Se alegrará mucho, y tú te sentirás mejor. Bueno, al menos eso dicen. Y no te olvides del maldito torneo de ajedrez —terminó Faye irguiéndose y haciendo un esfuerzo heroico por parecer alegre—. Si renuncias ahora fastidiarás todo el orden de las partidas.

—Lo intentaré.

—Sí, ya lo sé —asintió Faye cerrando el puño y asestándole un ligero golpe en el brazo—. Y gracias otra vez por detenerme antes de que pudiera hacer algo de lo que..., bueno, de lo que pudiera arrepentirme más tarde.

—De nada. El pacificador número 1, ése soy yo.

Ralph echó a andar por el sendero que desembocaba en la Extensión, pero de repente se volvió.

—¿Ves la vía de servicio? ¿La que va de la terminal de Aviación General a la carretera?

Señaló con el dedo. En aquel momento, una furgoneta del servicio de catering se alejaba de la terminal privada; el parabrisas los deslumbraba con brillantes reflejos de sol. La furgoneta se detuvo ante la verja tras pasar la célula fotoeléctrica. La verja empezó a abrirse.

—Sí —asintió Faye.

—El verano pasado vi a Ed Deepneau en esa vía, lo que significa que tenía una tarjeta para abrir la verja. ¿Tienes alguna idea de cómo podría haber ido a parar a sus manos?

—¿Te refieres al tipo de Amigos de la Vida? ¿El científico que el verano pasado hizo una investigación sobre cómo apalizar a una esposa?

Ralph asintió con un gesto.

—Pero lo vi en el verano de 1992. Llevaba un viejo Datsun marrón.

Faye lanzó una carcajada.

—No distinguiría un Datsun de un Toyota o de un Honda, Ralph... Dejé de ser capaz de distinguir las marcas de coches cuando al Chevrolet le quitaron las aletas del final del maletero. Pero puedo decirte quién suele utilizar ese camino; los de los servicios de catering, los mecánicos, los pilotos, la tripulación y los controladores aéreos. Algunos pasajeros tienen tarjetas magnéticas, creo, si viajan mucho en vuelos privados. Los únicos científicos son los que trabajan en la planta de análisis del aire. ¿Es eso lo que hace ese tipo?

—No, es químico. Trabajaba en Laboratorios Hawking hasta hace poco.

—Jugaba con ratas blancas, ¿eh? Bueno, pues no hay ratas en el aeropuerto, que yo sepa, al menos, pero ahora que lo dices, mucha gente utiliza esa verja.

—¿Ah sí? ¿Quién?

Faye señaló un edificio prefabricado de tejado ondulado que se alzaba a unos setenta metros de la terminal de Aviación General.

—¿Ves ese edificio? Es SoloTech.

—¿Qué es SoloTech?

—Una escuela —explicó Faye—. Donde enseñan a volar.

Ralph caminaba por Harris Avenue con sus grandes manos embutidas en los bolsillos y la cabeza baja, de forma que no veía mucho más que las grietas de la acera por debajo de sus zapatillas deportivas. Estaba pensando de nuevo en Ed Deepneau... y en SoloTech. No había forma de saber si SoloTech era la razón por la que Ed había ido al aeropuerto el día en que había topado con el señor Jardineros del West Side, pero de repente, se trataba de una pregunta para la que Ralph quería encontrar respuesta a toda costa. Asimismo, sentía curiosidad por saber dónde vivía Ed ahora. Se preguntó si Leydecker compartía su curiosidad acerca de aquellos dos extremos, y decidió averiguarlo.

Estaba pasando ante el sencillo escaparate doble que albergaba el despacho de George Lyford, asesor fiscal y financiero, y la joyería Maritime (COMPRAMOS ORO A LOS MEJORES PRECIOS) cuando un ladrido corto y ahogado lo arrancó de sus cavilaciones. Alzó la mirada y vio a *Rosalie* sentada en la acera junto a la entrada superior del parque Strawford. La vieja perra jadeaba a toda prisa; su lengua oscilante chorreaba saliva, que formaba un charco oscuro sobre el cemento, entre sus patas. Tenía el pelaje apelotonado en oscuros mechones, como si hubiera corrido, y el pañuelo azul desteñido que llevaba alrededor del cuello parecía estremecerse al ritmo de su acelerada respiración. Cuando Ralph la miró, la perra emitió otro ladrido, que en esta ocasión se parecía más a un gañido.

Miró al otro lado de la calle para averiguar por qué estaba ladrando *Rosalie*, pero no vio nada aparte de la lavandería Buffy-Buffy. En el interior había varias mujeres, pero a Ralph le parecía imposible que *Rosalie* les estuviera ladrando a ellas. En aquel momento no pasaba nadie por la acera delante de la lavandería.

Ralph se volvió de nuevo hacia *Rosalie* y de repente advirtió que la perra no estaba simplemente sentada en la acera, sino que estaba agazapada... encogida. Parecía estar muerta de miedo.

Hasta aquel momento, Ralph jamás había pensado en lo misteriosamente humanos que eran las expresiones y el lenguaje corporal de los perros; sonreían cuando estaban contentos, bajaban la cabeza cuando estaban avergonzados, mostraban angustia en los ojos y tensión en la postura de los hombros..., todas las cosas que hacían los seres humanos. Y, al igual que los seres humanos, mostraban rechazo, miedo absoluto en cada línea temblorosa del cuerpo.

Volvió a mirar hacia el otro lado de la calle, al lugar en el que parecía concentrarse la atención de *Rosalie*, y tampoco esta vez vio nada aparte de la lavandería y la acera desierta. Y de repente se acordó de Natalie, el Bebé Ensalzado y Venerado, intentando coger las estelas de color gris azulado que los dedos de Ralph habían dejado al extender la mano para enjugarle la leche de la barbilla. A cualquier otra persona le habría parecido que intentaba cazar aire, del modo en que los bebés siempre parecían cazar aire..., pero Ralph sabía la verdad.

Había visto la verdad.

Rosalie emitió una retahíla de asustados gañidos que dañaron el oído de Ralph como el sonido de bisagras sin engrasar.

Hasta ahora sólo ha sucedido por sí solo..., pero quizás puedo hacer que suceda. A lo mejor puedo obligarme a ver...

¿A ver qué?

Bueno, las auras. Las auras, por supuesto. Y quizás también lo que *Rosalie*

(*tres-seis-nueve*)

estaba viendo. Ralph ya creía saber

(*La oca se mueve*)

de qué se trataba, pero quería asegurarse. La cuestión era cómo hacerlo.

Para empezar, ¿cómo ve una persona?

Pues mirando, por supuesto.

Ralph miró a *Rosalie*. La miró con atención, intentando ver todo lo que había que ver: el dibujo desvaído del pañuelo azul que hacía las veces de collar, los mechones y nudos polvorientos de su descuidado pelaje, las motas grises alrededor de su hocico. Al cabo de unos instantes, *Rosalie* pareció percatarse de su mirada, pues volvió la cabeza, lo miró y gimió inquieta.

En aquel momento, Ralph sintió que algo se encendía en su mente..., algo que se le antojó el motor de arranque de un coche. Por un breve instante se vio embargado por la intensa sensación de que se había tornado más ligero, y de repente, la claridad inundó el día. Había encontrado el camino de regreso a aquel mundo más vívido, de textura más definida. Una lóbrega membrana que le recordó una clara de huevo podrido envolvió a *Rosalie*, y de ella surgió un cordel de globo de color gris oscuro. Sin embargo, su punto de origen no era el cráneo, como en el caso de todas las personas a las que Ralph había visto en estado de percepción aguzada, sino el hocico.

«Ahora ya conoces la diferencia esencial entre los perros y los seres humanos —se dijo—. Sus almas se encuentran en lugares distintos.»

(*¡Perrita! ¡Ven aquí, perrita!*)

Ralph hizo una mueca y se apartó de aquella voz, que sonaba como tiza arrastrándose por la pizarra. Estaba a punto de cubrirse los oídos con las palmas de la mano cuando se dio cuenta de que no serviría de nada; no estaba oyendo aquella voz con los oídos, y la parte de aquella voz que más dolía se hallaba en las profundidades de su cabeza, en un lugar al que sus manos no llegaban.

(*¡Eh, maldito saco de pulgas! ¡No tengo todo el día! ¡Mueve tu sucio culo y ven aquí!*)

Rosalie gimió y apartó la mirada de Ralph para volver a mirar lo que fuera que estaba mirando. Empezó a levantarse, pero en seguida se sentó de nuevo. El pañuelo que llevaba temblaba más que nunca, y Ralph vio una oscura media luna extenderse bajo su flanco izquierdo cuando su vejiga cedió.

Miró de nuevo hacia el otro lado de la calle y ahí estaba el doctor 3, de pie entre la lavandería y el viejo bloque de pisos que había junto a ella... El doctor 3 enfundado en su bata blanca, que, según comprobó Ralph, estaba muy manchada, como si la hubiera llevado durante mucho tiempo, y sus vaqueros de talla de enanito. Seguía llevando el panamá de McGovern. El sombrero parecía estar en equilibrio sobre las orejas de la criatura; le iba tan grande que la mitad superior de su cabeza parecía sumergida en él. Miraba a la perra con una sonrisa feroz, y Ralph distinguió una hilera doble de dientes blancos..., dientes de caníbal. En la mano izquierda sostenía algo que era, o bien un viejo bisturí, o bien una navaja de afeitar. Una parte de la mente de Ralph intentó convencerlo de que era sangre lo que veía en la hoja, pero estaba bastante seguro de que se trataba tan sólo de óxido.

El doctor 3 se introdujo dos dedos de la mano derecha en las comisuras de los labios y emitió un penetrante silbido que taladró la cabeza de Ralph. Más abajo, en la acera, *Rosalie* retrocedió y lanzó un breve aullido.

(*¡Te he dicho que muevas el culo, joder! ¡Ahora mismo!*)

Rosalie se levantó con el rabo entre las piernas y echó a andar hacia la calle. Gemía mientras caminaba, y el miedo había empeorado su cojera de tal modo que apenas se sostenía; las patas traseras amenazaban con ceder a cada paso vacilante que daba.

(«*¡Eh!*»)

Ralph no se dio cuenta de que había gritado hasta que vio la nubecilla azul flotar ante su rostro, surcada de finísimas líneas plateadas que le conferían el aspecto de un copo de nieve.

El enano calvo giró en redondo al oír el grito de Ralph, levantando el arma en ademán instintivo. En su rostro se leía una expresión de furiosa sorpresa. Ralph veía a *Rosalie* por el rabillo del ojo izquierdo. Se había detenido con las patas delanteras en la cuneta y lo miraba con los ojos castaños angustiados y abiertos de par en par.

(*¿Qué quieres, Mortal?*)

La voz denotaba furia por haber sido interrumpida, furia por haber sido desafiada..., pero a Ralph le pareció distinguir también otras emociones subyacentes. ¿Miedo? Le habría encantado creer eso. Perplejidad y sorpresa parecían apuestas más seguras. Fuera lo que fuera aquella criatura, no estaba acostumbrada a ser vista por seres como Ralph, y mucho menos a ser desafiada.

(*¿Qué pasa, Mortal? ¿Se te ha comido la lengua el gato? ¿O es que ya has olvidado lo que querías?*)

(«*¡Quiero que dejes a la perra en paz!*»)

Ralph se oyó de dos formas. Estaba bastante seguro de que había hablado en voz alta, pero el sonido de su voz real se le antojaba lejano y hueco, como la música que salía de unos auriculares que alguien se hubiera quitado por un momento. Si hubiera alguien a su lado, tal vez habría dicho lo que acababa de decir, pero Ralph sabía que sus palabras habrían sonado como un débil gemido sin aliento..., las palabras de un hombre al que acabaran de asestar un puñetazo en el estómago. En su cabeza, sin embargo, aquella voz sonó como no había sonado en muchos años... joven, fuerte, segura.

El doctor 3 debía de haberla oído de la segunda forma, pues retrocedió un poco y volvió a levantar el arma (Ralph estaba casi seguro de que se trataba de un bisturí) en ademán de autodefensa. Al cabo de unos instantes pareció recobrarse. Bajó de la acera y se aproximó despacio hasta el borde de Harris Avenue, deteniéndose en la franja de hierba que separaba la acera de la calzada. Se tiró de la cinturilla de los vaqueros a través de la sucia bata y miró a Ralph con expresión enfurecida durante unos instantes. A continuación levantó el bisturí y lo agitó en el aire en un gesto desagradablemente sugestivo.

(*¡Puedes verme..., qué bien! ¡No metas la nariz en lo que no te importa, Mortal! ¡El chucho es mío!*)

El médico calvo se volvió de nuevo hacia la perra agazapada.

(*¡No estoy para bromas, chucho! ¡Ven aquí! ¡Ahora mismo!*)

Rosalie lanzó a Ralph una mirada suplicante y desesperada y a continuación empezó a cruzar la calle.

Yo no me meto en asuntos ajenos, le había dicho el viejo Dor el día en que le había dado el libro de poemas de Stephen Dobyns. *Y te dije que tú tampoco lo hicieras.*

Sí, se lo había dicho, pero Ralph tenía la sensación de que era demasiado tarde. Y aunque no lo fuera, no tenía intención de dejar a *Rosalie* a merced de aquel asqueroso gnomo que estaba delante de la lavandería. Si es que podía evitarlo, claro.

(«*¡Rosalie! ¡Ven aquí, bonita! ¡Vamos, ven!*»)

Rosalie lanzó un solo ladrido y trotó en dirección a Ralph. Se situó detrás de su pierna derecha y ahí se sentó, jadeando y con la cabeza alzada hacia él. En su rostro se veía otra expresión que a Ralph no le costó ningún esfuerzo leer: una parte de alivio, dos partes de gratitud.

El rostro del doctor 3 se torció en una mueca de odio tan intensa que casi parecía de cómic.

(*¡Será mejor que me la envíes, Mortal! ¡Te lo advierto!*)

(«*No.*»)

(*Te joderé, Mortal. Te joderé bien jodido. Y también joderé a todos tus amigos, ¿me oyes? ¿Me...?*)

De repente, Ralph levantó una mano hasta la altura del hombro con la palma hacia adentro, hacia la sien, como si estuviera a punto de dar un golpe de karate. La bajó y observó, incrédulo, cómo una densa cuña de luz azul brotaba de las yemas de sus dedos y cruzaba la calle como una lanza. El doctor 3 se agachó a tiempo, sujetando el panamá de McGovern para que no se le escapara. La cuña azul pasó a pocos centímetros de aquella mano diminuta y chocó contra el escaparate de la lavandería. Allí se desparramó como un líquido sobrenatural, y por un instante, el polvoriento vidrio adquirió el mismo color azul brillante y perfecto que el día. Al cabo de un momento se desvaneció, y Ralph volvió a ver a las mujeres de la lavandería, que doblaban la ropa y cargaban las lavadoras como si nada hubiera sucedido.

El enano calvo se irguió, cerró los puños y los agitó en dirección a Ralph. Luego se quitó el sombrero de McGovern, se metió el ala en la boca y arrancó un trozo de un mordisco. Mientras representaba aquella extraña versión de una rabieta infantil, el sol arrancaba chispas de fuego de los lóbulos de sus pequeñas y finas orejas. Escupió el trozo de paja astillada y volvió a calarse el sombrero.

(*¡El perro era mío, Mortal! ¡Quería jugar con él! Pero supongo que ahora tendré que jugar contigo, ¿eh? ¡Contigo y con los gilipollas de tus amigos!*)

(«*Largo de aquí*»)

(*¡Anda y que te folle un pez, soplapollas! ¡Vete a joder a tu madre!*)

Ralph sabía dónde había oído aquella encantadora frase con anterioridad; se la había oído a Ed Deepneau en el aeropuerto el día en que había pegado al tipo de la Ford Ranger. No era la clase de cosas que se olvidaban con facilidad, y de repente sintió pavor. ¿En qué diablos se había metido?

Ralph volvió a llevarse la mano a la altura del hombro, pero algo había cambiado en su interior. Podía volverla a bajar como si diera un golpe de karate, pero estaba casi convencido de que esta vez ninguna cuña de color azul brillante saldría volando de ella.

Pero, por lo visto, el médico no sabía que Ralph lo estaba amenazando con un arma vacía. Se agachó de nuevo al tiempo que levantaba la mano en la que llevaba el bisturí a modo de escudo. El grotesco sombrero mordido le resbaló hasta los ojos, y por un instante adquirió el aspecto de una versión melodramatizada de Jack el Destripador... que podría haberse dedicado a estudiar las inadaptaciones patológicas causadas por una estatura extremadamente baja.

(*¡Me las pagarás por esto, Mortal! ¡Espera y verás! ¡Tú espera y verás! ¡A mí no me trata así ningún Mortal!*)

Pero, por el momento, el médico calvo y bajito ya había tenido suficiente. Giró en redondo y se adentró a la carrera en el callejón cubierto de maleza que separaba la lavandería del bloque de pisos, con la sucia bata revoloteando a su alrededor y golpeando las perneras de sus vaqueros. Con él desapareció la brillantez del día. Ralph lo advirtió con sentidos que hasta entonces no había siquiera sospechado existieran. Se sentía completamente despierto, lleno de energía y a punto de estallar de gozo.

«¡Dios mío, lo he echado! ¡He conseguido que ese hijo de puta se largara!»

No tenía ni idea de lo que era la criatura de la bata blanca en realidad, pero sabía que había salvado a *Rosalie* de ella, y de momento, eso bastaba. Tal vez volvieran a atormentarlo insistentes preguntas acerca de su cordura a altas horas de la madrugada, mientras permanecía sentado en el sillón de orejas, contemplando la calle desierta..., pero de momento, estaba más contento que unas pascuas.

—Lo has visto, ¿verdad, *Rosalie*? Has visto a ese asqueroso...

Bajó la vista y vio que *Rosalie* ya no estaba sentada junto a él. Alzó la mirada justo a tiempo para verla entrar cojeando en el parque, con la cabeza gacha y la pata derecha desviándose rígida hacia un lado a cada doloroso paso que daba.

—¡*Rosalie*! —gritó—. ¡Eh, bonita!

Y sin saber realmente por qué razón, salvo que acababan de compartir una extraordinaria experiencia, Ralph la siguió al parque, primero a un trote lento, luego corriendo y por fin en un sprint declarado.

Sin embargo, el sprint no duró mucho. Un pinchazo que le pareció procedía de una aguja de cromo ardiendo se enterró en el costado izquierdo antes de propagarse a toda prisa por la mitad izquierda de su tórax. Se detuvo junto a la entrada del parque, inclinándose en el cruce de dos senderos con las manos sobre los muslos, justo por encima de las rodillas. El sudor le inundó los ojos, quemándole como si de lágrimas se tratara. Jadeaba con dificultad, preguntándose si lo que estaba experimentando no era más que el pinchazo normal que recordaba de la última vuelta de la carrera de mil quinientos en el instituto, o si se trataba del inicio de un ataque al corazón letal.

Al cabo de treinta o cuarenta segundos, el dolor empezó a remitir, así que tal vez no había sido más que un pinchazo. Sin embargo, el asunto respaldaba la tesis de McGovern, ¿verdad? *¡Te voy a decir una cosa, Ralph! ¡A nuestra edad, las enfermedades mentales son muy comunes! ¡A nuestra edad, son más que corrientes!* Ralph no sabía si eso era cierto o no, pero sí sabía que del día en que había logrado clasificarse para el campeonato de atletismo del estado hacía ya más de medio siglo, y correr como un descosido en pos de *Rosalie* había sido estúpido y probablemente peligroso. Si el corazón le hubiera fallado, suponía que no habría sido el primer viejo castigado con una trombosis coronaria por alterarse y olvidar que ya no tenía dieciocho años.

El dolor había desaparecido por completo y estaba recobrando el aliento, pero las piernas todavía se le antojaban poco dignas de confianza, como si fueran a partirse a la altura de las rodillas y arrojarlo al suelo de grava sin avisar. Ralph alzó la cabeza en busca del banco más cercano y vio algo que lo hizo olvidarse de los perros callejeros, las piernas temblorosas e incluso los posibles ataques al corazón. El banco más cercano estaba a unos quince metros de distancia por el sendero de la izquierda, en la cima de una suave colina. Lois Chasse estaba sentada en ese banco con su mejor abrigo azul de entretiempo. Tenía las manos enguantadas cruzadas sobre el regazo y estaba sollozando como si se le hubiera roto el corazón.

12

—¿Qué te pasa, Lois?

Lois alzó la mirada hacia él, y Ralph se sobresaltó. Lo primero que se le ocurrió fue un recuerdo; una obra que había ido a ver con Carolyn en el Teatro Penobscot de Bangor ocho o nueve años antes. Algunos de los personajes estaban muertos, y su maquillaje consistía en pintura blanca con círculos oscuros alrededor de los ojos para dar la impresión de que se trataba de enormes cuencas vacías.

Su segundo pensamiento era mucho más sencillo: *mapache*.

Lois se dio cuenta de alguno de sus pensamientos o bien era consciente del aspecto que ofrecía, pues giró el rostro, manoseó un instante el cierre de su bolso y por fin se llevó las manos al rostro para que Ralph no pudiera verla.

—Vete, Ralph, por favor —le rogó con voz tensa y ahogada—. No me encuentro muy bien.

En circunstancias normales, Ralph habría hecho lo que Lois le pedía, marcharse sin mirar atrás, sin sentir más que una leve vergüenza por haberla sorprendido con el rímel corrido y las defensas bajas. Pero aquéllas no eran circunstancias normales, y Ralph decidió no irse, al menos, todavía no. Aún se sentía embargado por aquella ligereza y percibía que ese otro mundo, esa otra Derry, estaban muy cerca. Y había algo más, algo completamente sencillo y natural. No le hacía ni pizca de gracia ver a Lois, cuyo carácter risueño jamás había puesto en entredicho, sentada sola y llorando como una magdalena.

—¿Qué te pasa, Lois?

—¡Que no me encuentro bien! —gritó ella—. ¿Por qué no me dejas en paz?

Lois enterró el rostro en las manos enguantadas. Le temblaban la espalda y las mangas del abrigo azul, y de repente, Ralph recordó el aspecto de *Rosalie* cuando el médico calvo le gritaba que moviera el culo y fuera con él; desgraciada, muerta de miedo.

Ralph se sentó junto a Lois en el banco, la rodeó con el brazo y la atrajo hacia él. Lois se dejó hacer, pero con rigidez..., como si tuviera el cuerpo surcado de alambres.

—¡No me mires! —gritó con el mismo tono histérico—. ¡No te atrevas a mirarme! ¡Tengo el maquillaje hecho un desastre! Me lo he puesto especialmente para mi hijo y mi nuera... han venido a desayunar... íbamos a pasar la mañana... «Lo pasaremos muy bien, mamá», dijo Harold..., pero la razón por la que han venido, ¿sabes?... La verdadera razón...

La comunicación se interrumpió a causa de un nuevo acceso de llanto. Ralph rebuscó en el bolsillo trasero de sus pantalones, extrajo un pañuelo arrugado pero limpio y lo colocó en una de las manos de Lois, quien lo cogió sin mirarlo.

—Sigue —la animó Ralph—. Arréglate un poco si quieres, aunque no tienes mal aspecto, Lois, de verdad.

«Te pareces un poco a un mapache, nada más», pensó Ralph. Empezó a sonreír, pero la sonrisa se apagó en seguida. De repente recordó aquel día de septiembre en que había ido a Rite Aid para echar un vistazo a los somníferos sin receta y se había topado con Bill y Lois junto al parque, hablando sobre la manifestación de las muñecas que Ed había organizado delante del Centro de la Mujer. Era evidente que Lois estaba trastornada aquel día (Ralph recordaba haber pensado que parecía cansada pese a la emoción y la preocupación), pero también estaba hermosa, con su nada despreciable pecho subiendo y bajando, los ojos brillantes y las mejillas sonrosadas como una jovencita.

Ahora, aquella belleza casi irresistible era poco más que un recuerdo; por entre el rímel fundido, Lois Chase parecía un payaso triste y ya anciano, y Ralph sintió una punzada de rabia hacia la cosa o persona que hubiera provocado aquel cambio.

—¡Estoy horrible! —exclamó Lois mientras se limpiaba vigorosamente con el pañuelo de Ralph—. ¡Estoy hecha un asco!

—No, señora. Sólo un poco manchada.

Lois se volvió por fin hacia él. Sin lugar a dudas, le costó un gran esfuerzo, pues la mayor parte del colorete y el maquillaje de ojos que se había puesto estaba ahora en el pañuelo de Ralph.

—Vamos, Ralph Roberts, ¿cómo de mal estoy? Dime la verdad o te crecerá la nariz.

Ralph se inclinó hacia delante y la besó en una de las húmedas mejillas.

—De verdad, estás preciosa, Lois. Tendrás que dejar lo de etérea para otro día.

Lois le dedicó una sonrisa insegura, y el movimiento ascendente de su cabeza hizo que otras dos lágrimas se le escaparan de los ojos. Ralph cogió el arrugado pañuelo y se las enjugó con suavidad.

—Estoy contenta de que hayas pasado tú por aquí y no Bill. Me habría muerto de vergüenza si Bill me llega ver llorar en público.

Ralph miró en derredor. Vio a *Rosalie*, sana y salva al pie de la colina, tendida entre los dos lavabos portátiles con el hocico apoyado en una pata, pero, por lo demás, aquella zona del parque estaba desierta.

—Creo que de momento estamos solos —aseguró.

—Gracias a Dios por los pequeños dones que nos concede.

Lois volvió a coger el pañuelo y se puso a limpiarse de nuevo el maquillaje, esta vez con gestos más prácticos.

—Hablando de Bill, he pasado por la Manzana Roja antes de venir aquí, es decir, antes de empezar a compadecerme y ponerme a llorar como una idiota, y Sue me ha dicho que tú y Bill habéis tenido una buena discusión hace un rato. Con gritos y todo, ahí mismo, en el jardín.

—Bueno, no hay para tanto —repuso Ralph con una sonrisa incómoda.

—¿Puedo ser una entrometida y preguntar por qué habéis discutido?

—Por el ajedrez —replicó Ralph, pues fue lo primero que se le ocurrió—. El Torneo de la Pista Tres que Faye Chapin organiza cada año. Pero en realidad no ha sido nada. Ya sabes cómo son estas cosas... A veces la gente se levanta con el pie izquierdo y cualquier excusa vale.

—Quisiera que eso fuera lo que me pasa —comentó Lois con un suspiro.

Abrió el bolso, esta vez sin tener ningún problema con el cierre, y sacó la polvera, pero volvió a guardarla en seguida con un suspiro y sin abrirla.

—No puedo. Sé que me estoy portando como una cría, pero es que no puedo.

Ralph metió la mano en el bolso de Lois antes de que ésta pudiera cerrarlo, sacó la polvera, la abrió y sostuvo el espejito delante del rostro de su amiga.

—¿Lo ves? No está tan mal, ¿verdad?

Lois apartó el rostro como un vampiro intentando zafarse de un crucifijo.

—Uy —masculló—. Aparta eso.

—Si me prometes contarme lo que ha pasado.

—Lo que tú quieras, pero aparta eso.

Ralph obedeció. Durante un rato, Lois permaneció sentada en silencio, mirándose las manos mientras jugueteaba inquieta con el cierre del bolso. Ralph estaba a punto de insistir cuando Lois alzó la mirada hacia él con una conmovedora expresión de desafío.

—Pues resulta que no eres el único que no duerme bien, Ralph.

—¿De qué estás ha...?

—¡Insomnio! —espetó ella—. Me voy a la cama más o menos a la misma hora que siempre, pero ya no duermo toda la noche de un tirón. Y lo peor es que me despierto más temprano cada mañana.

Ralph intentó recordar si había hablado a Lois de ese aspecto de su problema. Creía que no.

—¿Por qué te sorprendes tanto? —preguntó Lois—. No creerías que eras la única persona en el mundo que no pegaba ojo, ¿eh?

—¡Claro que no! —replicó Ralph con cierta indignación.

Pero ¿acaso no había tenido a menudo la sensación de que era la única persona en el mundo que padecía aquella clase de insomnio? ¿Que era la única persona que tenía que presenciar impotente cómo su tiempo de sueño bueno disminuía minuto a minuto y cuarto de hora a cuarto de hora? Era como una extraña versión de la tortura china del agua.

—¿Desde cuándo te pasa? —inquirió.

—Desde un mes o dos antes de la muerte de Carolyn..., lo que significa que en realidad te gano, Ralph.

—¿Y cuántas horas duermes?

—Apenas una hora por noche desde principios de octubre.

Hablaba con calma, pero Ralph percibió el temblor de algo que podría ser pánico justo debajo de la superficie de su voz.

—Tal como van las cosas, por Navidad habré dejado de dormir del todo, y si pasa eso, no sé cómo sobreviviré. Apenas sobrevivo ahora.

Ralph intentó hablar y preguntó lo primero que le vino a la cabeza.

—¿Y cómo es que nunca he visto luz en tu casa?

—Pues por la misma razón que casi nunca veo luz en la tuya, me imagino —repuso Lois—. Vivo en esa casa desde hace casi veinticinco años, y no me hace falta encender las luces para moverme. Además, no me gusta ir divulgando mis problemas. Si empiezas a encender las luces a las dos de la mañana, tarde o temprano alguien acabará viéndolas. Las noticias vuelan, y entonces los chismosos empiezan a hacer preguntas. No me gustan las preguntas chismosas, y no soy una de esas personas a las que les gusta poner un anuncio en el periódico cada vez que están estreñidas.

Ralph lanzó una carcajada. Lois lo miró con expresión perpleja durante un instante, y por fin coreó sus risas. Todavía tenía el brazo alrededor de sus hombros (¿o tal vez había vuelto solo después de que él lo apartara? Ralph no lo sabía ni le importaba) y en aquel momento la abrazó con fuerza. Esta vez, Lois cedió sin resistencia; aquellos alambres habían desaparecido, y Ralph se alegraba de ello.

—No te estás burlando de mí, ¿verdad, Ralph?

—No. Desde luego que no.

Lois asintió con un gesto sin dejar de sonreír.

—Entonces perfecto. Nunca me has visto por el salón de mi casa, ¿verdad?

—No.

—Eso es porque no hay ninguna farola delante. Pero delante de la tuya sí. Te he visto sentado en ese viejo sillón de orejas muchas veces, mirando por la ventana y bebiendo té.

«Siempre había creído que era el único», se dijo Ralph, y de repente se le ocurrió una pregunta cómica y embarazosa a un tiempo. ¿Cuántas veces lo habría visto Lois hurgándose la nariz? ¿O rascándose las pelotas?

—La verdad es que nunca he distinguido mucho más que tu silueta, Ralph —prosiguió Lois como si le hubiera leído el pensamiento o se hubiera dado cuenta del rubor que le cubría el rostro—. Y siempre llevabas el albornoz, de lo más decente. Así que no te preocupes. Además, espero que sepas que si alguna vez hubieras empezado a hacer algo que no querrías que otra gente te viera hacer, yo no habría mirado. No me crié precisamente en un granero, ¿sabes?

—Lo sé, Lois —repuso Ralph sonriendo y dándole una palmadita en la mano—. Es que... me he llevado una sorpresa. Saber que mientras estaba ahí sentado, mirando, alguien me estaba mirando a mí.

Lois lo miró con una enigmática sonrisa que bien podía significar: *No te preocupes, Ralph... Para mí no eras más que otra parte del escenario.*

Ralph sopesó aquella sonrisa y por fin volvió sobre el tema principal.

—Bueno, Lois, ¿qué ha pasado? ¿Por qué estabas llorando? ¿Por el insomnio? Si es por eso, te comprendo, créeme. No hay nada que hacer al respecto, ¿eh?

La sonrisa de Lois se desvaneció. Volvió a entrelazar las manos enguantadas sobre el regazo y se las miró con expresión sombría.

—Hay cosas peores que el insomnio. La traición, por ejemplo. Especialmente cuando las personas que te traicionan son las personas a las que quieres.

Lois enmudeció. Ralph no la instó a seguir. Observó a *Rosalie*, que parecía mirarlo. Tal vez los miraba a los dos.

—¿Sabes que tenemos el mismo médico además del mismo problema, Ralph?

—¿También vas a Lichtfield?

—Iba a Lichtfield. Me lo recomendó Carolyn. Pero nunca volveré a poner los pies en su consulta. Eso se acabó —Lois hizo una mueca que puso al descubierto una hilera de pequeños dientes blancos que, a todas luces, eran auténticos—. ¡Traidor hijo de puta!

—¿Qué pasó?

—Pues me aguanté durante casi un año, esperando a que las cosas mejoraran por sí solas, que la naturaleza siguiera su curso, como suele decirse. No es que no intentara darle un empujoncito a la naturaleza de vez en cuando. Probablemente probamos muchas cosas parecidas.

—¿Panal de abeja? —inquirió Ralph volviendo a sonreír sin poder evitarlo.

«Qué día tan increíble —pensó—. Qué día tan increíblemente increíble... y ni siquiera es la una de la tarde.»

—¿Panal de abeja? ¿Qué pasa con el panal de abeja? ¿Funciona?

—No —repuso Ralph con una sonrisa de oreja a oreja—, no sirve para nada, pero está buenísimo.

Lois lanzó una carcajada y le oprimió la mano izquierda entre las suyas. Ralph le devolvió el apretón.

—Nunca has ido a ver al doctor Lichtfield por el insomnio, ¿verdad, Ralph?

—No. Una vez pedí hora, pero la cancelé.

—¿La cancelaste porque no confiabas en él? ¿Porque creías que la había fastidiado con Carolyn?

Ralph la miró con expresión de sorpresa.

—Da igual. No contestes —prosiguió Lois—. No tenía derecho a preguntarte eso.

—No, no importa. Es sólo que me sorprende oír esa idea de otras personas. Que Lichtfield..., bueno... se equivocara en el diagnóstico.

—¡Uf! —exclamó Lois con los bellos ojos relucientes—. ¡Todos lo pensamos! Bill decía que no podía creer que no llevaras a ese hijo de puta patoso a juicio el día después del entierro de Carolyn. Claro que en aquella época yo estaba en el otro bando, defendiendo a Lichtfield con uñas y dientes. ¿Se te ha ocurrido alguna vez llevarlo a juicio?

—No. Tengo setenta años y no quiero malgastar el tiempo que me quede con un pleito por negligencia. Además, ¿me devolvería eso a Carolyn?

Lois denegó con la cabeza.

—Pero lo que le pasó a Carolyn fue la razón por la que no fui a verle —prosiguió Ralph—. Eso creo, al menos. No confiaba en él, o quizá... no sé...

No, la verdad era que no lo sabía, eso era lo malo. Lo único que sabía con certeza era que había cancelado la hora con el doctor Lichtfield, al igual que había cancelado su hora con James Roy Hong, conocido en algunos círculos como el pinchauvas. Dicha visita había sido anulada por consejo de un hombre de unos noventa y dos o noventa y tres años que, probablemente, no recordaba ni su segundo nombre de pila. Pensó en el libro que el viejo Dor le había dado, así como en el poema que había citado... «Búsqueda», se llamaba, y Ralph no parecía poder desterrarlo de su mente..., sobre todo la parte

274

en la que el poeta hablaba de todas las cosas que dejaba atrás; los libros sin leer, los chistes sin contar, los viajes que jamás se realizarían.

—Ralph, ¿estás ahí?

—¿Qué quieres decir? Claro que estoy aquí.

—Por un momento parecía que estabas a miles de kilómetros de aquí.

—Estaba pensando en Lichtfield, supongo. Me preguntaba por qué anulé la visita.

Lois le dio una palmadita en la mano.

—Puedes estar contento. Yo no la anulé.

—Cuéntame lo que pasó.

Lois se encogió de hombros.

—Cuando empecé a encontrarme tan mal que creía que no podría soportarlo más, fui a verle y se lo conté todo. Creí que me recetaría unos somníferos, pero me dijo que ni siquiera podía hacerlo, porque a veces tengo arritmia, y los somníferos pueden agravarla.

—¿Cuándo fuiste a su consulta?

—A principios de la semana pasada. Y ayer, mi hijo Harold me llamó inesperadamente y me dijo que él y Janet querían invitarme a desayunar. Tonterías, dije yo. Todavía me defiendo muy bien en la cocina. Si queréis hacer todo el camino desde Bangor, le dije, os prepararé algo bueno y punto. Y después, si queréis que salgamos (estaba pensando en el centro comercial, porque siempre me gusta ir ahí), pues perfecto. Eso es lo que les dije.

Se volvió hacia Ralph con una sonrisa pequeña, amarga y feroz.

—En ningún momento se me ocurrió preguntarme por qué querían venir a verme entre semana, si los dos trabajan, y les debe de encantar su trabajo, porque no hablan de otra cosa. Simplemente pensé que era muy amable de su parte..., muy considerado..., así que me esforcé por estar guapa y hacerlo todo bien para que Janet no sospechara que tengo un problema. Creo que eso es lo que más me duele. La vieja tonta de Lois, «nuestra Lois», como dice siempre Bill... No, no te hagas el sorprendido, Ralph. Claro que lo sé. ¿Crees que nací ayer? Y tiene razón. Soy estúpida, soy tonta, pero eso no significa que no me duela como a cualquiera cuando me toman el pelo...

Lois empezó a sollozar de nuevo.

—Pues claro que no —la tranquilizó Ralph al tiempo que le daba palmaditas en la mano.

—Te habrías muerto de risa si me hubieras visto —prosiguió Lois—. Ahí estaba yo, haciendo magdalenas a las cuatro de la mañana, cortando setas para hacer una tortilla italiana a las cuatro y cuarto y empezando a maquillarme a las cuatro y media, sólo para estar segura, completamente segura de que Jan no empezaría con la típica historia de «¿Seguro que te encuentras bien, mamá Lois?». Me pone enferma cuando empieza con esas tonterías. ¿Y sabes qué, Ralph? Sabía perfectamente lo que me pasaba. Los dos lo sabían. Así que, supongo que el chiste era yo, ¿no te parece?

Ralph creía haber seguido la historia sin dificultad, pero, por lo visto, se había perdido.

—¿Que lo sabían? ¿Cómo lo sabían?

—¡Porque Lichtfield se fue de la lengua! —gritó Lois con el rostro contraído de nuevo, aunque, según advirtió Ralph, no de dolor ni de pena, sino de una terrible y triste rabia—. ¡Ese chismoso hijo de puta llamó a mi hijo por teléfono y SE LO CONTÓ TODO!

Ralph estaba estupefacto.

—Lois, no pueden hacer eso —dijo cuando por fin recobró el habla—. La relación entre médico y paciente es... bueno, es confidencial. Tu hijo debe de saberlo, porque es abogado, y lo mismo vale para los médicos. No pueden contarle a nadie lo que los pacientes les cuentan a ellos a menos que el paciente...

—Dios mío —lo interrumpió Lois poniendo los ojos en blanco—. Virgen Santa de los siete dolores. ¿En qué mundo vives, Ralph? Los tipos como Lichtfield hacen lo que mejor les parece. Supongo que ya lo sabía, o sea, que soy dos veces estúpida por ir a verle. Carl Lichtfield es un hombre vanidoso y arrogante al que le importa más cómo le quedan los tirantes y las camisas de diseño que sus pacientes.

—Eso es muy cínico.

—Y muy cierto, eso es lo peor. ¿Sabes algo? Tiene treinta y cinco o treinta y seis años, y no sé de dónde ha sacado que cuando cumpla cuarenta... ahí se quedará. Que seguirá teniendo cuarenta años tanto tiempo como le venga en gana. Cree que la gente es vieja al cumplir los sesenta, y que incluso los más fuertes chochean alrededor de los sesenta y ocho, y que cuando pasas de los ochenta, lo más piadoso sería que tus parientes te entregaran al doctor Kevorkian. Los niños no tienen derecho a la confidencialidad ante sus padres, y por lo que respecta a Lichtfield, los vejestorios como nosotros no tenemos derecho a la confidencialidad ante nuestros hijos. No sería lo mejor para nosotros, como puedes comprender.

»Lo que Carl Lichtfield hizo en cuanto salí de su consulta fue llamar a Harold a Bangor. Le contó que yo no dormía bien, que estaba deprimida y que tenía la clase de problemas sensoriales que aparecen con la pérdida prematura de la cognición. Y entonces le dijo: "Debe recordar que su madre se va haciendo mayor, señor Chasse, y yo de usted pensaría seriamente en su situación en Derry".

—¡No puede ser! —exclamó Ralph asombrado y horrorizado—. Quiero decir que..., ¿de verdad le dijo eso?

Lois asintió con expresión sombría.

—Se lo dijo a Harold, o Harold me le dijo a mí y ahora yo te lo digo

276

a ti. Tonta de mí, ni siquiera sabía lo que significaba «la pérdida prematura de la cognición», y ninguno de los dos me lo quiso decir. Busqué «cognición» en el diccionario, ¿y sabes lo que significa?

—Conocimiento —repuso Ralph—. Cognición significa conocimiento.

—Exacto. ¡Mi médico llamó a mi hijo para decirle que me estaba volviendo senil!

Lois lanzó una carcajada amarga y utilizó el pañuelo de Ralph para enjugarse las lágrimas de las mejillas.

—No puedo creerlo —comentó Ralph.

Pero lo peor de todo era que sí lo creía. Tras la muerte de Carolyn se había dado cuenta de que la ingenuidad con que había contemplado el mundo hasta los dieciocho años no había desaparecido del todo cuando atravesó el umbral entre la infancia y la edad adulta. Las cosas no dejaban de sorprenderle..., aunque sorpresa era una palabra demasiado suave. La verdad era que muchas cosas le dejaban absolutamente patidifuso.

Los botellines bajo el puente Kissing, por ejemplo. Cierto día de julio había dado un largo paseo por el parque Bassey y se había refugiado bajo el puente para protegerse del sol de la tarde durante un rato. Acababa de ponerse cómodo cuando advirtió un montoncito de cristales rotos en la maleza que flanqueaba el riachuelo que transcurría bajo el puente. Había rebuscado en la hierba alta con una rama desprendida y descubierto seis u ocho botellines. Uno de ellos tenía cierta sustancia blanca y crujiente en el fondo. Ralph la había recogido y mientras la hacía girar con ademán curioso, se dio cuenta de que estaba presenciando los restos de una fiesta de crack. Había dejado caer el botellín como si quemara. Aún recordaba el golpe que había sufrido, el intento fallido de convencerse de que estaba chiflado, de que no podía ser lo que creía que era, no en aquella pequeña ciudad de palurdos situada a más de doscientos kilómetros de distancia al norte de Boston. Pero, por supuesto, era el ingenuo en él quien se había quedado patidifuso; aquella parte de él parecía creer (o había creído hasta el descubrimiento de los botellines bajo el Puente Kissing) que todos aquellos artículos acerca de la epidemia de la cocaína eran cuentos chinos, no más reales que una serie policíaca o una película de Jean-Claude Van Damme.

En aquel momento se sentía de un modo similar.

—Harold dijo que querían «llevarme a Bangor en un momento» y enseñarme el sitio —decía Lois en aquel instante—. Nunca me lleva a pasear últimamente, sino que me lleva en un momento y me enseña sitios. Como si fuera un recado. Llevaban un montón de prospectos, y cuando Harold le ha dado la señal a Janet, ella los ha sacado tan deprisa...

—Eh, eh, para el carro. ¿Qué sitio? ¿Qué prospectos?

—Lo siento, creo que me estoy precipitando, ¿verdad? Es un sitio en Bangor llamado Urbanización Panorámica del Río.

A Ralph le sonaba el nombre; él mismo había recibido un prospecto, de hecho. Uno de esos *mailings* a gran escala, en este caso dirigido a personas de más de sesenta y cinco años. Él y McGovern se habían reído un rato..., aunque la risa había tenido cierto matiz de inquietud, como cuando los niños silban al pasar por un cementerio.

—Mierda, Lois... Es un asilo, ¿verdad?

—¡No, señor! —replicó ella abriendo los ojos con expresión inocente—. Eso es lo que he dicho yo, pero Harold y Janet me corrigieron. No, Ralph. La Urbanización Panorámica del Río es *un complejo de apartamentos para personas de la tercera edad de talante sociable.* Cuando Harold me ha dicho eso le he dicho: «¿Ah sí? Bueno, os voy a decir una cosa... Puedes poner una tarta de frutas de McDonald's en una bandeja de plata y llamarla tarteleta francesa, pero no deja de ser una tarta de frutas de McDonald's, por lo que a mí respecta». Cuando he dicho esto, Harold se ha puesto a farfullar no sé qué y a ponerse colorado, pero Janet se ha limitado a mirarme con esa dulce sonrisa suya, la que reserva para ocasiones especiales porque sabe que me pone histérica. Y entonces va y me dice: «Bueno, ¿por qué no miramos los prospectos de todas formas, mamá Lois? Nos harás ese favor, ¿no? Al fin y al cabo, los dos hemos tenido que tomarnos el día libre y hacer un montón de kilómetros para venir a verte».

—Como si Derry estuviera en el corazón de África —masculló Ralph.

Lois le tomó la mano y dijo algo que lo hizo reír.

—¡Oh, para ella está en el corazón de África!

—¿Eso ha sido antes o después de que averiguaras que Lichtfield se había ido de la lengua?

Había empleado adrede la misma expresión que Lois; le parecía más acorde con la situación que cualquier otra palabra o expresión más elegante. «Había roto el secreto profesional» era una expresión demasiado digna para aquella jugarreta. Lichtfield se había ido de la lengua, así de sencillo.

—Antes. Creí que no me haría ningún daño mirar los prospectos; al fin y al cabo, habían recorrido setenta kilómetros para verme, y además, no me iba a morir por eso. Así que les he echado un vistazo mientras ellos engullían la comida que había preparado (y te aseguro que no ha quedado ni una migaja) y tomaban café. Vaya sitio. Tienen servicio médico propio las veinticuatro horas del día, y también cocina propia. Cuando te instalas te hacen un reconocimiento completo y deciden qué puedes comer. Hay una Dieta Roja, una Dieta Azul, una Dieta Verde y una Dieta Amarilla. Había tres o cuatro colores más. No me acuerdo de todos ellos, pero el Amarillo es para diabéticos y el Azul para gordos.

Ralph reflexionó sobre lo que sería comer tres comidas científicamente equilibradas al día durante el resto de su vida (no más pizzas de salami de Gambino, no más bocadillos de la Taza de Café, no más hamburguesas con chile de Mexico Milt) y la perspectiva le pareció insoportablemente funesta.

—Además —prosiguió Lois con fingido entusiasmo—, tienen un sistema de tubos neumáticos que transportan tu ración diaria de pastillas directamente a tu cocina. ¿No es una idea fantástica, Ralph?

—Bueno, supongo que sí.

—Oh, sí que lo es. Es maravilloso, es el futuro. Hay un ordenador que lo controla todo, y apuesto lo que sea a que nunca tiene pérdidas de cognición. Tienen un autobús especial que lleva a la gente de la urbanización a lugares de interés paisajístico o cultural dos veces por semana, y que también los lleva de compras. Tienes que coger el autobús, porque no permiten que la gente de la urbanización tenga coche.

—Buena idea —exclamó Ralph oprimiéndole la mano—. ¿Qué son unos cuantos borrachos el sábado por la noche comparados con un vejestorio de cognición resbaladiza suelto en su Buick?

Al contrario de lo que había esperado Ralph, Lois no sonrió.

—Las fotos de esos prospectos me han puesto enferma. Señoras mayores jugando a la canasta. Hombres mayores jugando a encestar herraduras. Todos juntos en esa gran sala con paneles de pino que llaman la Sala del Río, bailando la danza de las figuras. Aunque la verdad es que es un nombre bastante bonito, ¿no te parece? La Sala del Río.

—No está mal.

—Suena como el tipo de sala que te encontrarías en un castillo encantado. Pero he visitado a unos cuantos amigos en Campos de Fresas, el geriátrico de Skowhegan, y reconozco una sala de recreo para viejos en cuanto la veo. No importa lo bonito que sea el nombre; siempre hay un armario lleno de juegos de salón en el rincón y rompecabezas a los que les faltan cinco o seis piezas, y en la tele siempre ponen un concurso familiar y nunca la clase de películas en las que gente joven y guapa se quita la ropa y se revuelca por el suelo delante de la chimenea. Esas salas siempre huelen a cola y a meados... y a las acuarelas baratas que vienen en cajas largas... y a desesperación.

Lois clavó sus ojos oscuros en Ralph.

—Sólo tengo sesenta y ocho años, Ralph. Sé que sesenta y ocho años no es poca cosa para el doctor Fuente de la Juventud, pero para mí lo es, porque mi madre tenía noventa y dos años cuando murió el año pasado, mi padre vivió hasta los ochenta y seis. En mi familia, morir a los ochenta es morir joven... y si tuviera que pasar doce años en un lugar donde anuncian la cena por megafonía, me volvería loca.

—Yo también.

—Pero he echado un vistazo a los prospectos. Quería ser cortés. Y al acabar, los he colocado en un ordenado montoncito y se los he devuelto a Jan. Le he dicho que eran muy interesantes y le he dado las gracias. Ella ha asentido, ha sonreído y se los ha vuelto a guardar en el bolso. Creía que eso zanjaría la cuestión, pero entonces Harold va y dice: «Ponte el abrigo, mamá».

»Por un momento me he asustado tanto que no podía ni respirar. ¡Creía que ya me habían inscrito! Y tenía la sensación de que si decía que no quería ir, Harold abriría la puerta y entrarían dos o tres hombres con batas blancas, y uno de ellos sonreiría y diría: "No se preocupe, señora Chasse; en cuanto haya recibido el primer puñado de píldoras directamente en su cocina, ya no querrá vivir en otro sitio por nada del mundo".

»"No quiero ponerme el abrigo —le he dicho a Harold intentando sonar como cuando tenía diez años y siempre ensuciaba la cocina de barro, pero el corazón me latía de tal forma que incluso me lo notaba en la voz—. He cambiado de opinión. Había olvidado que tengo muchísimas cosas que hacer hoy." Y entonces Jan se echa a reír de aquella forma que me fastidia incluso más que su sonrisa acaramelada y me dice: "Vaya, mamá Lois, ¿qué puede ser tan importante que no puedes venir con nosotros a Bangor después de que nosotros nos hayamos tomado la molestia de venir a Derry a verte?". Esa mujer siempre me pone los pelos de punta, y supongo que a ella le pasa lo mismo conmigo. Debe de ser así, porque nunca en mi vida he visto a una mujer sonreír tanto a otra sin odiarla a muerte. En fin, le he dicho que para empezar tenía que fregar el suelo de la cocina. "Échale un vistazo —le digo—. Está hecho una porquería."

»"¡Buf! —resopla Harold—. No puedo creer que nos dejes volver a la ciudad con las manos vacías después de haber hecho todo el camino, mamá." "Bueno, pues no voy a irme a vivir a ese sitio por muchos kilómetros que hayáis recorrido —le digo—, así que ya os lo podéis ir quitando de la cabeza. Llevo treinta y cinco años viviendo en Derry, la mitad de mi vida. Todos mis amigos están aquí y no pienso irme."

»Entonces se miran como se miran los padres cuando el nene ha dejado de ser un encanto y empezado a ponerse pesado. Janet me da una palmadita en el hombro y me dice: "Bueno, no te pongas así, mamá Lois... Sólo queremos que vengas a mirar". Como si se tratara otra vez de los prospectos y lo único que tuviera que hacer fuera ser cortés. Pero de todas formas, cuando me dijo que sólo era para mirar me tranquilicé un poco. Debería haber sabido que no podían obligarme a vivir ahí, y que tampoco se lo podrían permitir. En realidad, cuentan con el dinero del señor Chasse para eso..., su pensión y el dinero del seguro del ferrocarril, porque murió en un accidente de trabajo.

280

»Resulta que ya habían pedido hora para las once, y habría un hombre que me lo enseñaría todo para darme una idea. En cuanto lo he tenido todo claro se me ha pasado el susto, pero estaba dolida por la condescendencia con que me estaban tratando, y enfadada porque casi todo lo que salía de la boca de Janet eran días libres esto y días libres lo de más allá. Estaba bastante claro que se le ocurrían formas mucho mejores de pasar un día libre que venir a Derry para visitar al viejo saco gordo de su suegra.

»"Deja de remolonear y vámonos, mamá Lois —dice después de un poco más de tira y afloja, como si me gustara tanto la idea que ni siquiera pudiera decidir qué sombrero debía ponerme—. Ponte el abrigo. Te ayudaré a lavar los platos del desayuno cuando volvamos."

»"No me has entendido —le digo—. No voy a ir a ninguna parte. ¿Por qué malgastar un hermoso día de otoño como éste visitando un sitio en el que nunca viviré? ¿Y quién os da derecho a venir aquí a acosarme? Al menos, uno de vosotros podría haberme llamado y decirme: 'Eh, mamá, tenemos una idea, ¿te apetece oírla?' ¿No es así como habríais tratado a cualquiera de vuestros amigos?"

»Y cuando he dicho eso se han mirado otra vez...

Lois suspiró, se secó los ojos por última vez y le devolvió el pañuelo a Ralph algo mojado, pero, por lo demás, en buen estado.

—Bueno, por aquella mirada supe que todavía no había terminado la historia. Sobre todo por la expresión de Harold..., como cuando acababa de robar un puñado de virutas de chocolate de la despensa. Y Janet... le mira con la expresión que más me fastidia. Yo la llamo la expresión de bulldozer. Y entonces le pregunta si quiere contarme lo que ha dicho el médico o si me lo cuenta ella.

»Al final me lo han contado los dos, y cuando han terminado yo estaba tan enfadada y asustada que tenía ganas de arrancarme el pelo a mechones. Lo que más me sulfuraba por mucho que intentara calmarme era la idea de Carl Lichtfield contándole a Harold todas esas cosas que a mí me parecían íntimas. Llamándole y contándoselo todo, como si fuera la cosa más normal del mundo.

»"Así que creéis que estoy senil, ¿eh? —pregunto a Harold—. ¿Es eso? ¿Tú y Janet creéis que chocheo a la avanzada edad de sesenta y ocho años?"

»Harold se ha puesto rojo como un tomate y ha empezado a arrastrar los pies debajo de la silla y a farfullar no sé qué. Algo como que él no creía tal cosa, pero que tenía que velar por mi seguridad, como yo siempre había velado por la suya cuando era niño. Y mientras tanto, Janet sentada en el mostrador, mordisqueando una magdalena y mirándolo con una expresión que me daba ganas de matarla... como si creyera que Harold no era más que una cucaracha que había aprendido a hablar como un abogado. De repente se levanta y me pregunta si puede "ir al servicio". Le he dicho que sí y he conseguido callarme que sería un alivio perderla de vista durante un par de minutos.

»"Gracias, mamá Lois —me dice—. No tardaré mucho. Harry yo tenemos que irnos pronto. Si no quieres venir con nosotros y acudir a tu cita, entonces creo que ya no hay más que hablar."

—Qué encanto —terció Ralph.

—Bueno, pues eso ha sido la gota que ha colmado el vaso; estaba harta. «Yo siempre acudo a mis citas, Janet Chasse —le digo—, pero sólo a las que concierto yo misma. Me importan un comino las que los demás conciertan por mí."

»Entonces levanta las manos como si yo fuera la mujer más poco razonable de la faz de la Tierra y me deja a solas con Harold. Él me estaba mirando con esos grandes ojos castaños que tiene, como si esperara que me disculpara. Y la verdad es que casi me parecía que debía disculparme, aunque sólo fuera para borrar esa expresión de cocker spaniel de su cara, pero no lo he hecho. No quería hacerlo. Me he limitado a devolverle la mirada, y al cabo de un rato no ha podido soportarlo más y me ha dicho que debería dejar de estar enfadada. Me ha dicho que sólo está preocupado por mí, aquí sola en Derry, que sólo intenta ser un buen hijo y Janet ser una buena hija.

»"Supongo que eso lo entiendo —le digo yo—, pero deberías saber que actuar a espaldas de una persona no es forma de expresar amor y preocupación." Entonces se ha puesto todo tieso y me ha dicho que él y Janet no consideraban que aquello fuera actuar a espaldas de nadie. Al decirlo ha mirado un momento hacia el cuarto de baño, y más o menos he entendido que era Jan la que no consideraba que eso fuera actuar a espaldas de nadie. Y entonces me dice que no era lo que yo creía, que Lichtfield le había llamado a él, no al revés.

»"Muy bien —le contesto—. Pero ¿qué te impedía colgar en cuanto averiguaste de qué quería hablar? Eso fue juego sucio, Harry. ¿Me puedes explicar en qué diablos estabas pensando?"

»Entonces ha empezado a remolonear y a ponerse nervioso (daba la sensación de que él estaba a punto de disculparse), pero entonces ha vuelto Jan y todo se ha ido a la miércoles. Me ha preguntado dónde estaban mis pendientes de diamantes, los que me regalaron por Navidad. Ha sido un cambio de tema tan brusco que en el primer momento no he podido hacer más que farfullar, y supongo que sí parecía que me estaba volviendo senil. Pero por fin he conseguido decirle que estaban en el platito de porcelana de la cómoda del dormitorio, como siempre. Tengo un joyero, pero dejo los pendientes y otras dos o tres joyas fuera, porque son tan bonitas que sólo con mirarlas se me alegra el corazón. Además, sólo son lascas de diamante, así que no es que nadie vaya a entrar en mi casa para robármelos. Lo mismo con mi anillo de compromiso y el camafeo de marfil, que son las otras joyas que guardo en ese platito.

Lois lanzó a Ralph una mirada intensa y suplicante. Ralph le volvió a oprimir la mano.

—Esto es muy duro para mí.

—Si quieres dejarlo...

—No, quiero terminar..., pero la verdad es que a partir de cierto momento ya no me acuerdo de nada. Ha sido todo espantoso. Janet me ha dicho que ya sabía dónde los guardaba, pero que no estaban ahí. Mi anillo de compromiso estaba y el camafeo también, pero los pendientes de Navidad no. He ido a la habitación para comprobarlo, y Janet tenía razón. Lo hemos puesto todo patas arriba, buscando por todas partes, pero no los hemos encontrado. Han desaparecido.

Lois se aferraba a las manos de Ralph con las suyas y parecía estar contándole la historia a la cremallera de su cazadora.

—Hemos sacado toda la ropa de la cómoda... Harry incluso la ha apartado de la pared para mirar detrás..., debajo de la cama y de los almohadones del sofá..., y tenía la sensación de que cada vez que miraba a Janet, ella me estaba mirando a mí con esa expresión dulce y los ojos muy abiertos. Más dulce que el algodón de azúcar, excepto en los ojos, y no hacía falta que dijera en voz alta lo que estaba pensando, porque yo ya lo sabía. «¿Lo ves? ¿Comprendes ahora que el doctor Lichtfield ha hecho bien en llamarnos y que nosotros hemos hecho bien en pedir hora en ese sitio? ¿No ves lo tozuda que eres? Porque necesitas vivir en un lugar como Panorámica del Río, y esto lo demuestra. Has perdido los preciosos pendientes que te regalamos por Navidad, tienes una grave pérdida de cognición y esto lo demuestra. Dentro de poco empezarás a dejarte los quemadores del horno encendidos... o el calentador del baño...»

Lois rompió a llorar de nuevo, y sus lágrimas destrozaban el corazón de Ralph, pues eran los profundos e intensos sollozos de una persona que ha sentido el azote de la vergüenza en lo más hondo de su ser. Lois enterró el rostro en la cazadora de Ralph, quien la abrazó con más fuerza. *Lois*, pensó. *Nuestra Lois*. Pero no, ya no le gustaba cómo sonaba eso, si es que alguna vez le había gustado.

Mi Lois, pensó, y en aquel preciso instante, como si un poder superior lo aprobara, el día empezó a llenarse de luz otra vez. Los sonidos adquirieron una nueva resonancia. Bajó la mirada hacia sus manos y las de Lois, entrelazadas sobre el regazo de su amiga, y vio que un maravilloso nimbo gris azulado, del color del humo de los cigarrillos, las envolvía. Las auras habían regresado.

—Deberías haberlos echado en cuanto te has dado cuenta de que los pendientes habían desaparecido —se oyó decir, y cada palabra sonaba por separada y era encantadoramente única, como un tronido cristalino—. En ese mismo momento.

—Oh, eso lo sé ahora —repuso Lois—. Janet estaba esperando a que metiera la pata, y por supuesto, le he hecho el favor. Pero estaba tan trastornada... Primero la discusión sobre si iba o no iba con ellos a Bangor a ver la urbanización esa, después enterarme de que mi médico les había dicho cosas que no tenía derecho a decirles, y encima, averiguar que había perdido una de mis posesiones más preciadas. ¿Y sabes lo que ha sido el colmo? ¡Que ella haya descubierto que habían desaparecido los pendientes! ¿Todavía me echas la culpa por no haber sabido qué hacer?

—No —repuso Ralph al tiempo que se llevaba las manos enguantadas de Lois a los labios.

El sonido que produjeron al surcar el aire fue como el susurro ronco de una mano al deslizarse por una manta de lana, y por un instante vio con toda claridad la forma de los labios sobre el dorso de su guante derecho, impresa como un beso azul.

—Gracias, Ralph —dijo Lois con una sonrisa.

—De nada.

—Supongo que ya te imaginas cómo ha seguido la cosa, ¿no? Janet va y dice: «Deberías tener más cuidado, mamá Lois, claro que el doctor Lichtfield dice que has llegado a un punto en tu vida en que no puedes tener más cuidado, y por eso hemos pensado en la Urbanización Panorámica del Río. Siento haberte hecho enfadar, pero nos ha parecido importante darnos prisa. Ahora ya ves por qué».

Ralph alzó la mirada. El cielo era una catarata de fuego azul verdoso repleta de nubes que parecían aeronaves de cromo. Miró colina abajo y vio a *Rosalie* aún tendida entre los lavabos portátiles. El cordel de globo gris oscuro brotaba de su hocico, oscilando en la fresca brisa de octubre.

—Entonces me he enfadado mucho...

Lois se interrumpió y esbozó una sonrisa. Ralph se dijo que era la primera sonrisa que veía en su rostro aquel día que expresaba verdadero humor en lugar de una emoción menos agradable y más compleja.

—No, eso no es verdad —prosiguió Lois—. No sólo me he enfadado. Si mi sobrino nieto hubiera estado ahí, habría dicho: «Nana se ha puesto nuclear».

Ralph se echó a reír y Lois se unió a él, aunque su parte del dúo sonaba algo forzada.

—Lo que más me fastidia es que Janet lo sabía —continuó Lois—. Quería que me pusiera nuclear, creo, porque sabía lo culpable que me sentiría después. Y sabe Dios que es verdad. Les he gritado que se largaran. Harold parecía querer que se lo tragara la tierra (los gritos siempre le han puesto incómodo), pero Jan se ha limitado a quedarse sentada, con las manos cruzadas sobre el regazo, sonriendo y asintiendo con la cabeza, como si dijera: «Eso, mamá Lois, desahógate y líbrate de todo ese desagradable veneno que tienes dentro, y cuando termines a lo mejor estás dispuesta a atender a razones».

Lois aspiró una profunda bocanada de aire.

—Y entonces ha pasado algo. No estoy segura de qué. Y tampoco ha sido la primera vez, aunque sí la peor. Creo que ha sido una especie de... bueno... una especie de ataque. Bueno, la cuestión es que he empezado a ver a Janet de una forma muy rara... de una forma que daba miedo. Y por fin le he dicho algo que le ha tocado la moral. No recuerdo qué era y no estoy segura de querer recordarlo, pero lo que está claro es que borró esa sonrisa acaramelada que tanto me fastidia de su cara. De hecho, casi arrastró a Harold fuera de mi casa. Lo último que recuerdo es que me dijo que uno de los dos me llamaría cuando no estuviera tan histérica como para acusar de cosas tan feas a las personas que me querían.

»Me he quedado un rato en casa cuando se han ido, y luego he salido para venir a sentarme un rato en el parque. A veces, sólo con sentarte al sol te sientes mejor. He pasado por la Manzana Roja para tomar algo, y entonces me he enterado de que tú y Bill os habíais peleado. ¿Crees que la cosa es muy grave?

—Noo —aseguró Ralph meneando la cabeza—. Ya nos reconciliaremos. Bill me cae muy bien, pero...

—... pero tienes que tener mucho cuidado con lo que le dices —terminó Lois por él—. Y además, Ralph, perdona si añado que no puedes tomarte demasiado en serio las cosas que te dice.

Esta vez fue Ralph quien oprimió las manos de Lois.

—Harías bien en seguir el mismo consejo, Lois... No deberías tomarte demasiado en serio lo que ha pasado esta mañana.

—Quizá —reconoció ella con un suspiro—, pero es muy difícil. Al final he dicho cosas terribles, Ralph. Terribles. Por una parte desearía recordar lo que le he dicho para conseguir que dejara de sonreír de esa forma tan espantosa, pero por otra..., que es la dominante..., estoy muy agradecida por no recordarlo.

Un arco iris de comprensión trazó un repentino arco en el primer plano de la consciencia de Ralph. En su luz vio algo muy grande, tan grande que parecía incuestionable y predestinado. Se encaró con Lois por primera vez desde que las auras habían regresado... o desde que él había regresado a las auras. Lois estaba envuelta en una cápsula de translúcida luz gris, tan brillante como la bruma de una mañana de verano que está a punto de tornarse soleada. Aquella luz transformó a la mujer que Bill llamaba «nuestra Lois» en una criatura de gran dignidad... y belleza casi insoportable.

«Se parece a Eos —pensó—. La diosa del amanecer.»

Lois se removió incómoda en el banco.

—Ralph, ¿por qué me miras así?

«Porque eres hermosa y porque me he enamorado de ti —pensó Ralph, asombrado—. Ahora mismo estoy tan enamorado de ti que tengo la sensación de ahogarme, y es una muerte dulcísima.»

—Porque recuerdas exactamente lo que has dicho.

Lois se puso a juguetear otra vez con el cierre de su bolso.

—No, yo...

—Sí, señora. Le has dicho a tu nuera que ella ha cogido los pendientes. Los ha cogido porque se ha dado cuenta de que no ibas a ceder en lo de ir con ellos, y cuando no consigue lo que quiere se pone hecha una furia... se pone nuclear. Lo ha hecho porque la has cabreado, ¿no es así más o menos como ha ido la cosa?

Lois lo estaba mirando con ojos muy abiertos y asustados.

—¿Cómo lo sabes, Ralph? ¿Cómo sabes eso de ella?

—Lo sé porque tú lo sabes, y tú lo sabes porque lo has visto.

—Oh, no —susurró ella—. No, yo no he visto nada. Estaba en la cocina con Harold y no me he movido.

—No lo has visto en ese momento, cuando lo ha hecho, sino cuando ha vuelto. Lo has visto en ella y alrededor de ella.

Como él estaba viendo en ese preciso instante a la mujer de Harold Chasse en casa de Lois, como si la mujer sentada junto a él se hubiera convertido en una lente. Janet Chasse era una mujer alta, de piel clara y cintura esbelta. Tenía las mejillas salpicadas de pecas que cubría con maquillaje, y su cabello era de un vívido color melado. Aquella mañana había ido a Derry con ese fabuloso cabello cayendo sobre un hombro en una gruesa trenza como un fajo de hilo de cobre. ¿Qué más sabía acerca de aquella mujer a la que no había visto en su vida?

Todo, todo.

Se maquilla las pecas porque cree que le dan aspecto de niña; que la gente no se toma en serio a las mujeres pecosas. Tiene unas piernas preciosas y lo sabe. Lleva faldas cortas para ir a trabajar, pero hoy ha venido a ver a

(la vieja zorra)

mamá Lois en rebeca y vaqueros gastados, ropa especial para ir a Derry. No le viene la regla. Ha llegado a esa edad en la que la regla ya no viene puntual como un reloj, y durante esa incómoda pausa de dos o tres días que sufre cada mes, un intervalo en el que el mundo parece hecho de cristal y todos sus habitantes, estúpidos o malvados, su conducta se torna imprevisible. Ésta es probablemente la razón por la que ha hecho lo que ha hecho.

Ralph la vio salir del diminuto cuarto de baño de Lois. La vio lanzar una intensa y furiosa mirada hacia la puerta de la cocina (ahora no hay rastro de la sonrisa acaramelada en aquel intenso rostro alargado) y sacar los pendientes del platito de porcelana. La vio metérselos en el bolsillo delantero izquierdo de los vaqueros.

No, Lois no había visto aquel feo robo, pero éste había transformado el color verde pálido del aura de Jan Chasse en un complejo estampado superpuesto de marrones y rojos que Lois había visto y comprendido al instante, probablemente sin tener ni la menor idea de lo que le estaba ocurriendo en realidad.

—Sí, señor, los ha robado —prosiguió Ralph.

En aquel momento vio una neblina gris surcar perezosa las pupilas de los ojos muy abiertos de Lois. Podría haberse quedado todo el día contemplándola.

—Sí, pero...

—Si hubieras accedido a ir a la Urbanización Panorámica del Río, estoy seguro de que los habrías encontrado después de la próxima visita... o ella los habría encontrado, eso es más probable. Una casualidad afortunada... «¡Oh, mamá Lois, ven a ver lo que he encontrado!», debajo del lavabo, en un armario o tirados en algún rincón oscuro.

—Sí —asintió Lois observándolo fascinada, casi hipnotizada—. Debe de sentirse fatal... y no se atreverá a devolvérmelos, ¿verdad? No después de lo que le he dicho. Ralph, ¿cómo lo sabes?

—Pues por lo mismo que tú. ¿Cuánto tiempo llevas viendo las auras, Lois?

—¿Auras? No sé a qué te refieres.

Pero sí lo sabía, comprendió Ralph.

—Lichtfield le dijo a tu hijo que tenías insomnio, pero no creo que eso fuera suficiente para que Lichtfield..., bueno, se fuera de la lengua. De la otra cosa, lo que has dicho que él llamó problemas sensoriales, ni siquiera se había dado cuenta. Estaba demasiado asombrado por que alguien pudiera creer que estuvieras senil, aunque yo también tengo problemas sensoriales últimamente.

—¿Tú?

—Sí, señora. Y hace un momento has dicho algo aún más interesante. Has dicho que has empezado a ver a Janet de una forma muy rara. De una forma que daba miedo. No recordabas lo que has dicho justo antes de que los dos se marcharan, pero recordabas exactamente cómo te sentías. Estás viendo el otro lado del mundo, el resto del mundo. Siluetas alrededor de las cosas, siluetas dentro de las cosas, sonidos dentro de otros sonidos. Yo lo llamo el mundo de las auras, y eso es lo que estás experimentando, ¿verdad, Lois?

Lois lo miró en silencio por unos instantes y por fin se cubrió el rostro con las manos.

—Creía que me estaba volviendo loca —exclamó—. ¡Oh, Ralph, creía que me estaba volviendo loca!

Ralph la abrazó un instante y a continuación le alzó la barbilla.

—No llores más —pidió—. No tengo más pañuelos.

—No lloraré más —accedió Lois, aunque volvía a tener los ojos llenos de lágrimas—. Ralph, si supieras lo espantoso que ha sido...

—Lo sé.

—Sí..., lo sabes, ¿verdad? —se maravilló ella con una sonrisa radiante.

—Lo que hizo decidir a ese idiota de Lichtfield que te estabas volviendo senil, aunque probablemente, se inclinaba por la enfermedad de Alzheimer, no fue sólo el insomnio, sino el insomnio acompañado de otra cosa..., algo que él decidió que eran alucinaciones, ¿verdad?

—Supongo que sí, pero no dijo nada de eso en aquel momento. Cuando le conté las cosas que veía, los colores y todo eso, se mostró muy comprensivo.

—Ajá, y en cuanto saliste por la puerta llamó a tu hijo y le dijo que moviera el culo y viniera a Derry para hacer algo con su anciana madre, que había empezado a ver a la gente paseándose por ahí en sobres de colores y con cordeles de globo saliéndoles de la cabeza.

—¿También ves eso? ¿También ves eso, Ralph?

—Sí, también —asintió Ralph.

Lanzó una carcajada que se le antojó un poco boba, aunque no le sorprendía. Tenía mil cosas que preguntarle; estaba loco de impaciencia. Y algo más, algo tan inesperado que ni siquiera había logrado identificarlo al principio. Estaba caliente. No sólo interesado, sino caliente.

Lois había empezado a llorar de nuevo. Sus lágrimas eran del color de la niebla sobre un lago sereno, y humeaban un poco mientras rodaban por sus mejillas. Ralph sabía que tendrían un sabor oscuro y húmedo, como el musgo en primavera.

—Ralph... esto... esto es... ¡Oh, Dios mío!

—Más bestia que Michael Jackson en la Superbowl, ¿verdad?

—Bueno... un poco —repuso ella con una débil carcajada.

—Lo que nos está pasando tiene nombre, Lois, y no es insomnio, senilidad ni Alzheimer. Es hiperrealidad.

—Hiperrealidad —murmuró Lois—. ¡Qué palabra tan exótica!

—Sí, lo es. Me la enseñó un farmacéutico de Rite Aid, Joe Wyzer. Pero hay mucho más de lo que él sabe. Mucho más de lo que podría imaginar cualquier persona que estuviera en sus cabales.

—Sí, como la telepatía... si es que realmente hay telepatía. Ralph, ¿estamos en nuestros cabales?

—¿Se ha llevado tu nuera los pendientes?

—Esto... ella... sí —Lois irguió la espalda—. Sí, se los llevó.

—¿Seguro?

—Seguro.

—Entonces tú misma te has contestado. Estamos cuerdos, desde luego..., pero creo que no tienes razón con lo de la telepatía. No leemos el pensamiento, sino las auras. Mira, Lois, tengo muchísimas cosas que preguntarte, pero creo que sólo hay una cosa que tengo que saber ahora mismo. ¿Has visto...?

Se interrumpió con brusquedad, preguntándose si de verdad quería decir lo que tenía en la punta de la lengua.

—¿Si he visto qué?

—Bueno, esto te va a parecer mucho más raro que todo lo que me has contado tú, pero no estoy loco. ¿Me crees? No estoy loco.

—Te creo —repuso Lois con sencillez.

Ralph sintió que se le quitaba un peso de encima. Lois decía la verdad, sin lugar a dudas. Emanaba fe en él por todos los poros.

—Bueno, pues escucha. Desde que empezaron a pasarte todas estas cosas, ¿has visto a ciertas personas que no encajan muy bien en Harris Avenue? ¿Personas que no encajan muy bien en ninguna parte del mundo normal?

Lois lo observaba confusa, sin comprender.

—Son unos tipos calvos, muy bajitos, llevan batas blancas cortas y se parecen mucho a los dibujos de extraterrestres que a veces salen en primera página de los periódicos sensacionalistas que venden en la Manzana Roja. ¿No has visto a nadie parecido durante alguno de tus ataques de hiperrealidad?

—No, a nadie.

Ralph se golpeó la pierna con el puño en ademán de frustración, reflexionó unos instantes y por fin alzó de nuevo la mirada.

—El lunes de madrugada —prosiguió—, antes de que la policía llegara a casa de la señora Locher... ¿me viste?

Como en cámara lenta, Lois asintió con la cabeza. Su aura había adquirido un matiz más oscuro, y unas espirales de color escarlata, delgadas como hilos, empezaron a surcarla en diagonal.

—Me imagino que entonces ya tendrás una idea de quién llamó a la policía, ¿no?

—Oh, ya sé que fuiste tú —replicó Lois en voz baja—. Ya lo sospechaba, pero no he estado segura hasta ahora. Hasta que lo he visto..., bueno, en tus colores.

«En mis colores», repitió Ralph mentalmente. Ed también los llamaba así.

—Pero ¿no viste a dos versiones de tamaño de bolsillo de Mr. Proper salir de su casa?

—No —denegó Lois—, pero eso no significa nada, porque ni siquiera puedo ver la casa de la señora Locher desde la ventana de mi dormitorio. Me la tapa el tejado de la Manzana Roja.

Ralph entrelazó las manos sobre la cabeza. Claro que sí, debería haberlo sabido.

—La razón por la que creía que tú habías llamado a la policía era que, justo antes de ir a ducharme, te vi mirando con prismáticos. Nunca te había visto hacer eso, pero creí que quizás querías ver mejor a ese perro callejero que hace incursiones en la basura los jueves por la mañana —señaló colina abajo—. Él.

—No es él, sino ella —corrigió Ralph con una sonrisa—. Es la encantadora *Rosalie*.

—Ah. Bueno, estuve en la ducha mucho rato, porque me pongo una mascarilla especial en el pelo. No es tinte —puntualizó con sequedad, como si Ralph la hubiera acusado de ello—, sólo proteínas y cosas que, según dicen, hacen que tu pelo parezca un poco más abundante. Cuando salí de la ducha, la policía estaba por todas partes. Miré hacia tu casa, pero ya no te vi. O te habías ido a otra habitación o te habías retrepado en el sillón. A veces lo haces.

Ralph sacudió la cabeza como para aclarársela. No había estado en un teatro vacío todas aquellas noches; alguien había estado allí aparte de él, sólo que en otro palco.

—Lois, la pelea que hemos tenido Bill y yo no ha sido por el ajedrez. Ha sido...

Al pie de la colina, *Rosalie* emitió un oxidado ladrido e intentó levantarse. Ralph miró en aquella dirección y el corazón le dio un vuelco. Llevaban ahí sentados casi media hora y nadie se había acercado siquiera a los lavabos situados al pie de la colina, pero en aquel momento, la puerta de plástico del servicio portátil de caballeros empezó a abrirse con lentitud.

El doctor 3 salió del lavabo. Llevaba el sombrero de McGovern, el panamá con el mordisco en el ala, echado hacia atrás, lo que le confería el mismo aspecto que Ralph había advertido en McGovern la primera vez que lo había visto con la gorra marrón, de sagaz periodista en una película de gánsteres de los años cuarenta.

En una mano, el desconocido calvo llevaba el bisturí oxidado.

13

—Lois —empezó Ralph con una voz que se le antojó el eco de un cañón largo y profundo—. Lois, ¿estás viendo eso?

—No... —Lois se interrumpió en seco—. ¿Esa puerta la ha abierto el viento? No, ¿verdad? ¿Hay alguien ahí? ¿Por eso está inquieto el perro?

Rosalie se alejó lentamente del hombre calvo, con las orejas marchitas pegadas al cráneo, el hocico abierto, dejando al descubierto dientes tan erosionados que apenas resultaban más amenazadores que tacos de goma. Emitió una retahíla de vacilantes ladridos y luego empezó a gemir desesperada.

—¡Sí! ¿No lo ves, Lois? ¡Está ahí mismo!

Ralph se puso en pie. Lois lo imitó, protegiéndose los ojos con una mano. Miró colina abajo con desesperada intensidad.

—Veo como un brillo, nada más. Como el aire encima de un incinerador.

—¡Te he dicho que la dejaras en paz! —gritó Ralph—. ¡Basta! ¡Lárgate de aquí!

El hombre calvo miró en dirección a Ralph, pero esta vez no se apreciaba sorpresa alguna en su expresión, sino tan sólo desprecio casual. Alzó el dedo corazón de la mano derecha, se lo mostró a Ralph en ancestral saludo y descubrió los dientes, mucho más afilados y amenazadores que los de *Rosalie*, en una carcajada silenciosa.

Rosalie se encogió cuando el hombrecillo de la bata blanca se acercó a ella y de repente se llevó una pata a la cabeza en un gesto de cómic que habría resultado divertido de no ser por el terror que expresaba.

—¿Qué es lo que no puedo ver, Ralph? —gimió Lois—. Veo algo, pero...

—¡APÁRTATE de ella! —gritó Ralph volviendo a alzar la mano en actitud de karateka.

Sin embargo, la mano, aquella mano que por la mañana había

despedido aquella asombrosa cuña de luz azul, seguía pareciéndole un arma vacía, y esta vez, el médico calvo lo sabía, por lo visto. Miró a Ralph y agitó la mano a modo de saludo burlón.

(*Bah, déjalo, Mortal... Relájate, cierra el pico y disfruta del espectáculo.*)

La criatura al pie de la colina se concentró de nuevo en *Rosalie*, que yacía hecha un ovillo bajo un enorme y viejo pino. El árbol emanaba una leve neblina verde de las grietas de la corteza. El médico calvo se inclinó sobre *Rosalie* con la mano extendida en un gesto de solicitud que no encajaba en absoluto con el bisturí que sobresalía de su diminuto puño izquierdo.

Rosalie gimió... y a continuación estiró el cuello para lamer humildemente la mano de la criatura calva.

Ralph se miró las manos sintiendo algo en ellas..., no el poder que había tenido con anterioridad, nada de eso, pero sí algo. De repente vio chispas de luz blanca y transparente danzando por encima de sus uñas. Era como si sus dedos se hubieran convertido en bujías.

Lois se aferraba a él, frenética.

—¿Qué le pasa a la perra? ¿Ralph, qué le pasa?

Sin detenerse a pensar qué estaba haciendo ni por qué, cubrió los ojos de Lois con las manos, como si jugara a adivinar quién era. Sus dedos despidieron por un instante una luz blanca cegadora. «Debe de ser el blanco del que siempre hablan en los anuncios de detergente», se dijo.

Lois lanzó un grito. Se aferró a las muñecas de Ralph, pero no tardó en aflojar la presión.

—Dios mío, Ralph, ¿qué me has hecho?

Ralph apartó las manos y vio que un ocho de luz blanca le envolvía los ojos; era como si se acabara de quitar un antifaz que antes hubieran sumergido en azúcar molido. El blanco empezó a perder el brillo casi al instante... pero...

«No está perdiendo el brillo —pensó—, está cuajando.»

—No te preocupes por eso —exclamó al tiempo que señalaba con el dedo—. ¡Mira!

La expresión atónita que se dibujó en el rostro de Lois era lo único que necesitaba. El doctor 3, impasible ante los desesperados esfuerzos de *Rosalie* por entablar amistad, le apartó el hocico con la mano en la que sostenía el bisturí. Agarró el viejo pañuelo que llevaba en el cuello con la otra mano y tiró de su cabeza hacia arriba. *Rosalie* aulló consternada. Las babas le caían de ambos lados de la cara. El hombre calvo emitió una escabrosa risita que puso a Ralph la piel de gallina.

(«*¡Eh! ¡Para! ¡Deja de molestar a la perra!*»)

El hombre calvo volvió la cabeza con brusquedad. La sonrisa se borró de sus labios, y el ser gruñó a Lois como un perro.

(¡*Aaah, vete a tomar por el culo, vieja zorra de mierda! ¡El perro es mío, como ya le he dicho al soplapollas de tu amigo!*)

El hombre calvo había soltado el pañuelo azul al oír el grito de Lois, y *Rosalie* se apretaba de nuevo contra el tronco del pino, con los ojos en blanco y espuma en las comisuras del hocico. Ralph no había visto a una criatura tan aterrada en toda su vida.

—¡Corre! —gritó Ralph—. ¡Vete!

Rosalie no parecía haberlo oído, y al cabo de un instante, Ralph se dio cuenta de que no lo había oído, porque *Rosalie* ya no estaba del todo ahí. El médico calvo ya le había hecho algo, la había arrancado en parte de la realidad normal como un granjero que emplea el tractor y una cadena para arrancar un muñón.

Pese a todo, Ralph volvió a intentarlo.

(«¡*Corre*, Rosalie! ¡*Vete!*»)

Esta vez, las orejas gachas de *Rosalie* se irguieron y su cabeza empezó a girar en dirección a Ralph. No sabía si le habría obedecido o no, porque el hombre calvo volvió a agarrarla por el pañuelo antes de que pudiera hacer un solo movimiento y a tirar de su cabeza hacia arriba.

—¡Va a matarla! —chilló Lois—. ¡Va a cortarle el cuello con esa cosa que tiene en la mano! ¡No le dejes, Ralph! ¡Haz algo!

—¡No puedo! ¡A lo mejor tú puedes! ¡Dispárale! ¡Dispárale con la mano!

Lois lo miró sin comprender. Ralph empezó a hacer frenéticos gestos con la mano, pero antes de que Lois pudiera levantar la suya, *Rosalie* aulló de un modo que destrozaba el corazón. El médico calvo levantó el bisturí y volvió a bajarlo, pero no fue el cuello lo que le cortó a *Rosalie*.

Fue el cordel de globo.

De cada fosa nasal de *Rosalie* surgía un hilillo; ambos se encontraban a unos veinte centímetros de su hocico y formaban un delicado tirabuzón. Fue ahí donde el Calvorotas 3 aplicó el bisturí. Ralph observó petrificado de horror cómo el tirabuzón cortado se elevaba hacia el cielo como el cordel de un globo de helio, alisándose mientras ascendía. Creyó que se enredaría en las ramas del viejo pino, pero no fue así. Cuando el cordel alcanzó por fin una de las ramas, la atravesó.

«Por supuesto —se dijo Ralph—. Igual que los colegas de este tipo atravesaron la puerta cerrada de casa de May Locher después de hacerle lo mismo a ella.»

Aquella idea fue seguida de otra tan simple y cruelmente lógica que apenas podía creerla; no se trataba de extraterrestres ni de médicos calvos y bajitos, sino de Centuriones. Los Centuriones de Ed

Deepneau. No se parecían a los soldados romanos que salían en las epopeyas de romanos como *Espartaco* o *Ben Hur*, eso era cierto, pero tenían que ser Centuriones..., ¿no?

A unos cinco o seis metros del suelo, el cordel de globo de *Rosalie* se disolvió en la nada.

Ralph bajó la vista a tiempo para ver al enano calvo tirar del pañuelo azul que llevaba la perra y empujarla contra la base del árbol. Ralph observó con mayor atención y un estremecimiento lo recorrió de pies a cabeza. El sueño de Carolyn había regresado con cruel intensidad, y tuvo que hacer un enorme esfuerzo para contener un grito de terror.

Eso, Ralph, no grites. No te conviene porque si empiezas, a lo mejor ya no puedes parar... A lo mejor gritas hasta que te explote la garganta. No olvides a Lois, porque ella también está metida en esto ahora. Recuerda a Lois y no te pongas a gritar.

Ah, pero era muy difícil no hacerlo, porque los bichos que había visto salir de la cabeza de Carolyn en el sueño brotaban ahora de las fosas nasales de *Rosalie* en dos terribles torrentes negros.

No son bichos. No sé lo que son, pero no son bichos.

No, no eran bichos, sino cierta clase de aura. Una sustancia negra de pesadilla, ni líquida ni gaseosa, brotaba del hocico de *Rosalie* cada vez que respiraba. No se alejó flotando, sino que empezó a envolverla en espirales lentas y repugnantes de antiluz. Aquella negrura debería haberla tornado invisible, pero no era así. Ralph siguió viendo sus ojos suplicantes y aterrados cuando la oscuridad enterró su cabeza y empezó a extenderse hacia el lomo, los flancos y las patas.

Era una bolsa de la muerte, una bolsa de la muerte real esta vez, y vio cómo *Rosalie*, desprovista de su cordel de globo, la tejía incansable a su alrededor, como si de una placenta venenosa se tratara. Aquella metáfora dio vida a la voz de Ed Deepneau en su mente, diciendo que los Centuriones arrancaban a los bebés del vientre de sus madres y se los llevaban en camiones cubiertos.

¿Te has preguntado alguna vez qué hay debajo de esas lonas?, le había preguntado Ed.

¿Guardaba aquello alguna relación con esto?

El doctor 3 miraba a *Rosalie* con una sonrisa pintada en el rostro. A continuación desató el nudo del pañuelo y se lo ató al cuello con un nudo grande y suelto, al modo de los artistas bohemios. Una vez hecho esto, se volvió hacia Ralph y Lois con expresión de repulsiva complacencia. *¡Toma!*, decía aquella mirada. *Me he salido con la mía a pesar de todo, y vosotros no habéis podido hacer absolutamente nada, ¿eh?*

(«*¡Haz algo, Ralph! ¡Haz algo, por favor! ¡Haz que pare!*»)

Ya era demasiado tarde para eso, pero tal vez no para librarse de él antes de que pudiera disfrutar de la escena de *Rosalie* muriendo al pie del árbol. Estaba casi seguro de que Lois no podía disparar una cuña de luz azul con un golpe de karate como él había hecho, pero tal vez podía hacer otra cosa.

Sí, puede dispararle a su manera.

No sabía por qué estaba tan seguro de ello, pero de repente, lo estaba. Agarró a Lois por los hombros para que lo mirara y a continuación levantó la mano. Extendió el pulgar y señaló con el índice al hombre calvo. Parecía un niño pequeño jugando a policías y ladrones.

Lois lo miró con expresión consternada y perpleja. Ralph le cogió la mano y le quitó el guante.

(«*¡Tú, Lois, tú!*»)

Lois comprendió al fin, levantó la mano, extendió el dedo índice e hizo el gesto propio de un niño al disparar: ¡Pam! ¡Pam!

Dos siluetas alargadas del mismo color gris azulado del aura de Lois, aunque mucho más brillante, brotaron de la punta de su dedo y se abalanzaron colina abajo.

El doctor 3 chilló y dio un salto con los puños a la altura de los hombros y los talones de los zapatos negros rozándole las nalgas cuando la primera «bala» pasó por debajo de él. El proyectil chocó contra el suelo, rebotó como una piedra plana arrojada a la superficie de un lago y se estrelló contra el servicio de señoras. Durante un instante, toda la puerta adquirió un intensísimo brillo, como había sucedido con el escaparate de la lavandería.

El segundo proyectil gris azulado fue a parar a la cadera izquierda del calvorota y de ahí rebotó y salió despedido hacia el cielo. El médico gritó con un sonido agudo y penetrante que parecía retorcerse como un gusano en la cabeza de Ralph. Ralph se llevó las manos a las orejas aunque sabía que no serviría de nada, y vio que Lois lo imitaba. Estaba seguro de que si el grito no cesaba pronto, la cabeza se le haría añicos del mismo modo que el do agudo hace añicos el cristal fino.

El doctor 3 cayó al suelo cubierto de agujas de pino, junto a *Rosalie*, y empezó a rodar sobre sí mismo, aullando mientras se sujetaba la cadera como los niños pequeños se sujetan el lugar en que se han golpeado al caer del triciclo. Al cabo de unos instantes, sus chillidos empezaron a ceder, y el calvorota se puso en pie con dificultad. Sus ojos habían adquirido un brillante matiz verde y los miraban desde debajo de la superficie blanca de la frente. Llevaba el panamá de Bill echado hacia atrás, y el lado izquierdo de la bata estaba ennegrecida y humeante.

(*¡Me las pagarás! ¡Los dos me las pagaréis! ¡Malditos mortales entrometidos! ¡ME LAS PAGARÉIS!*)

El enano giró en redondo y echó a correr por el sendero que conducía al parque infantil y a las pistas de tenis. Corría a grandes zancadas, como un astronauta en la luna. A juzgar por la facilidad con que se desplazaba, el disparo de Lois no le había ocasionado lesiones demasiado graves.

Lois agarró a Ralph por el hombro y lo zarandeó. En aquel momento, las auras empezaron a desvanecerse.

(«¡Los niños! ¡Se está acercando a los niños!»)

La voz de Lois se estaba apagando, y eso parecía tener todo el sentido del mundo, porque de repente se dio cuenta de que Lois no estaba hablando, sino que tenía los oscuros ojos clavados en él mientras seguía aferrada a su hombro.

—¡No te oigo! —gritó Ralph—. ¡Lois, no te oigo!

—¿Qué te pasa, estás sordo? ¡Se está acercando al parque infantil! ¡No podemos permitir que haga daño a los niños!

—No les hará nada —aseguró Ralph con un profundo y tembloroso suspiro.

—¿Cómo puedes estar tan seguro?

—No lo sé, pero lo estoy.

—Le he disparado —se maravilló Lois al tiempo que se apuntaba el rostro con el dedo, como una mujer fingiendo un suicidio—. Le he disparado con el dedo.

—Ajá. Y le ha dolido. Y mucho, a juzgar por su aspecto.

—Ya no veo los colores, Ralph.

Ralph asintió con un gesto.

—Van y vienen, como las emisoras de radio por la noche.

—No sé cómo me siento... ¡Ni siquiera sé cómo quiero sentirme!

Lois pronunció las últimas palabras a gritos, y Ralph la abrazó con fuerza. Pese a todo lo que le estaba sucediendo desde hacía un tiempo, experimentaba una sensación muy clara: era maravilloso volver a abrazar a una mujer.

—No pasa nada.

Apoyó el rostro contra la cabeza de Lois. Su cabello despedía un olor dulce, desprovisto del oscuro matiz de salón de belleza que se había habituado a percibir en el cabello de Carolyn durante los últimos diez o quince años de su vida.

—Tranquilízate, ¿de acuerdo?

Lois alzó la mirada hacia él. Ralph ya no veía aquella niebla débil y perlada en sus pupilas, pero estaba seguro de que seguía allí. Y además, tenía unos ojos preciosos aun sin aquella atracción adicional.

—¿Para qué sirve, Ralph? ¿Sabes para qué sirve?

Ralph denegó con la cabeza. La tenía repleta de piezas de rompecabezas, sombreros, médicos, bichos, pancartas de protesta, muñecas que estallaban y salpicaban ventanas de sangre de pega... Nada encajaba. Y al menos por el momento, lo más persistente parecía ser la incoherente frase del viejo Dor: *Lo hecho, hecho está.*

Ralph tenía la sensación de que era una verdad como un templo.

Un triste gemido llegó a sus oídos; se volvió a mirar. *Rosalie* yacía al pie del gran pino y estaba intentando incorporarse. Ralph ya no veía aquella bolsa negra que la envolvía, pero estaba convencido de que seguía allí.

—¡Oh, Ralph, pobrecita! ¿Qué podemos hacer?

No podían hacer nada, de eso estaba seguro. Tomó la mano derecha de Lois entre las suyas y esperó a que *Rosalie* muriera.

En lugar de morir, *Rosalie* se estremeció de tal forma que quedó de pie y, de hecho, estuvo a punto de caer hacia el otro lado. Permaneció quieta durante un instante, con la cabeza tan baja que el hocico casi le llegaba al suelo, y a continuación estornudó tres o cuatro veces. Una vez zanjado aquel asunto, se volvió hacia Ralph y Lois. Les ladró una vez, un sonido breve y brusco. Ralph tenía la sensación de que les estaba diciendo que dejaran de preocuparse. Luego se volvió y atravesó un pequeño pinar en dirección a la entrada inferior del parque. Antes de que Ralph la perdiera de vista, *Rosalie* había adoptado de nuevo aquel andar cojo pero despreocupado que era su característica principal. La pata mala no estaba en mejores condiciones que antes de la intervención del doctor 3, pero tampoco parecía estar peor. *Rosalie*, evidentemente vieja pero aún muy lejos de la muerte, por lo visto («al igual que el resto de los Viejos Carcamales de Harris Avenue», pensó Ralph), desapareció entre los árboles.

—Creía que la iba a matar —dijo Lois—. De hecho, creía que la había matado.

—Yo también —repuso Ralph.

—Ralph, ¿todo esto ha pasado de verdad? Sí, ¿no?

—Sí.

—Los cordeles de globo... ¿Crees que son líneas de la vida?

Ralph asintió lentamente.

—Sí, como cordones umbilicales. Y *Rosalie*...

Rememoró la primera experiencia verdadera que había vivido con las auras, el día en que se había detenido ante la farmacia Rite Aid, de espaldas al buzón azul y con la boca tan abierta que el mentón casi le llegaba al esternón. De las sesenta o setenta personas que había visto antes de que desaparecieran las auras, sólo unas cuantas se hallaban envueltas en la niebla oscura que había bautizado como bolsas de la muerte, y la que *Rosalie* acababa de tejer a su alrededor era mucho más negra que cualquiera de las que había visto aquel día. Aun así, todas las personas del aparcamiento cuyas auras eran deslustradas y oscuras tenían muy mal aspecto..., como *Rosalie*, cuya aura ya era del color de un calcetín viejo y sudado, incluso antes de que Calvorotas 3 empezara a meterse con ella.

297

«A lo mejor sólo ha acelerado lo que de otra forma habría sido un proceso completamente natural», reflexionó.

—Ralph —dijo Lois—, ¿qué pasa con *Rosalie*?

—Creo que mi vieja amiga *Rosalie* vive con tiempo prestado —contestó Ralph.

Lois consideró sus palabras mientras miraba hacia el pie de la colina y la arboleda polvorienta en la que *Rosalie* había desaparecido. Por fin se volvió de nuevo hacia Ralph.

—Ese enano del bisturí era uno de los que viste salir de casa de May Locher, ¿verdad?

—No, eran otros dos.

—¿Has visto más?

—No.

—¿Crees que hay más?

—No lo sé.

Ralph tenía la sensación de que lo siguiente que le preguntaría Lois sería si se había dado cuenta de que aquella criatura llevaba el panamá de Bill, pero no fue así. Ralph suponía que era posible que no lo hubiera reconocido. Habían sucedido demasiadas cosas al mismo tiempo, y además, no había un mordisco en el ala del sombrero la última vez que Lois se lo había visto puesto. «Los profesores de historia jubilados no son de los que se dedican a mordisquear sombreros», se dijo con una sonrisa.

—Vaya mañanita, Ralph —comentó Lois al tiempo que lo miraba a los ojos con toda franqueza—. Creo que tenemos que hablar de ello, ¿no te parece? Tengo que saber qué está pasando.

Ralph recordó aquella mañana, que se le antojaba a mil años de distancia, cuando regresaba del merendero, repasando la corta lista de sus conocidos mientras intentaba decidir con quién debía hablar. Había descartado a Lois de aquella lista mental por temor a que se fuera de la lengua con sus amigas, y ahora se avergonzaba de aquel juicio tan superficial, que se basaba más en la opinión que McGovern tenía de ella que en la suya. En realidad, la única persona con la que Lois había hablado acerca de las auras era la única persona que debería haber sido capaz de guardar el secreto.

—Tienes razón —asintió—. Tenemos que hablar.

—¿Te apetece venir a comer a mi casa? Hago unas verduras salteadas que no están nada mal para un vejestorio que ni siquiera sabe dónde ha metido sus pendientes.

—Me encantaría. Te contaré lo que sé, pero tardaré un buen rato. Esta mañana, cuando he hablado con Bill, le he contado la versión abreviada.

—Conque os habéis peleado por culpa del ajedrez, ¿eh?

—Bueno, la verdad... —farfulló Ralph sonriendo y mirándose las manos—. La verdad es que ha sido algo más parecido a la pelea que has tenido tú con tu hijo y tu nuera. Y eso que no le he contado los detalles más raros.

—Pero ¿a mí me los contarás?

—Sí —aseguró Ralph mientras se ponía en pie—. Y además, estoy convencido de que eres una cocinera estupenda. De hecho...

Ralph calló de repente y se llevó una mano al pecho. Se dejó caer pesadamente en el banco con los ojos como platos y la boca entreabierta.

—Ralph, ¿te encuentras bien?

La alarmada voz de Lois parecía llegarle de muy lejos. Mentalmente volvió a ver la imagen de Calvorota 3 intentando conseguir que *Rosalie* cruzara Harris Avenue para poder cortarle el cordel de globo. Había fracasado en el primer intento, pero por fin lo había logrado

(*¡Quería jugar con ella!*)

antes de que terminara la mañana.

Tal vez el hecho de que Bill McGovern no sea de los que se dedican a mordisquear sombreros no sea la única razón por la que Lois no ha notado de quién era el sombrero que llevaba Calvorota 3, Ralph, viejo amigo. A lo mejor no lo ha notado porque no quería notarlo. A lo mejor hay un par de piezas que sí encajan, y si tienes razón, las consecuencias son enormes. Lo entiendes, ¿verdad?

—Ralph, ¿qué te pasa?

Vio al enano arrancar de un mordisco un trozo del ala del panamá antes de volvérselo a calar. Lo oyó decir que suponía que, en lugar de *Rosalie*, tendría que jugar con él.

Pero no sólo conmigo. Conmigo y con mis amigos, ha dicho. Conmigo y con los gilipollas de mis amigos.

Al pensar en ello, otra imagen le cruzó la mente. Vio el sol arrancando reflejos de fuego rojo de los lóbulos de las orejas del doctor 3 cuando éste (o eso) hincó el diente en el ala del sombrero de McGovern. El recuerdo era demasiado vívido como para negarlo, al igual que las consecuencias.

Las enormes consecuencias.

Tranquilo... No puedes estar seguro de nada, y el loquero está a la vuelta de la esquina, amigo mío. Creo que no debes olvidarlo, que incluso debes utilizarlo como punto de apoyo. No me importa que Lois también vea todas esas cosas. Los otros hombres de bata blanca, no los calvorotas de bolsillo, sino los tipos musculosos con camisas de fuerza e inyecciones de sedantes pueden aparecer en cualquier momento. Sí, sí, en cualquier momento.

Pero aun así...

Aun así.

—¡Ralph! ¡Por el amor de Dios, dime algo! —gritó Lois zarandeándole con todas sus fuerzas, como una esposa intentando despertar a su marido para que no llegue tarde al trabajo.

Se volvió hacia ella y forzó una sonrisa que se le antojó falsa, aunque a Lois debía de haberla convencido, porque se tranquilizó, al menos un poco.

—Lo siento —se disculpó Ralph—. Es que por un momento todo esto..., bueno, que se me ha hecho una montaña de pronto.

—¡No vuelvas a asustarme así! ¡Mira que agarrarte el pecho así, Dios mío!

—Me encuentro bien —aseguró Ralph con una sonrisa aún más ancha, aunque igual de falsa.

Se sentía como un niño tirando de una goma para ver cuánto podía tirar sin que se rompiera.

—Y si sigue en pie lo de la comida, me apunto.

Tres-seis-nueve, cariño, la oca se mueve.

Lois lo observó con atención y por fin se tranquilizó.

—Bien. Lo pasaremos bien. No cocino para nadie aparte de Simone y Mina, mis amigas, ya sabes, desde hace mucho tiempo —se echó a reír—. Bueno, no es eso lo que quería decir. No es por eso por lo que he dicho lo de pasarlo bien.

—¿Y por qué lo has dicho?

—Bueno, porque la verdad es que no cocino para un hombre desde hace mucho tiempo. Espero no haber olvidado cómo se hace.

—Bueno, un día fuimos Bill y yo a tu casa a ver las noticias contigo... Comimos macarrones con queso. También estaba muy rico.

Lois agitó la mano con gesto despectivo.

—Comida recalentada. No es lo mismo.

El mono masca tabaco en el cable del tranvía. El cable se rompió...

Con una sonrisa ancha, de oreja a oreja.

—Estoy seguro de que no has olvidado cómo se hace, Lois.

—El señor Chasse tenía un apetito voraz. Toda clase de apetitos voraces, la verdad. Pero entonces empezó a tener problemas de hígado —Lois suspiró, alargó la mano y cogió a Bill por el brazo con una mezcla de timidez y resolución que le pareció extremadamente entrañable—. Da igual. Estoy cansada de lloriquear y lamentarme por el pasado. Eso lo dejaré para Bill. Vamos.

Ralph se levantó, tomó a Lois por el brazo y la condujo colina abajo, hacia la entrada inferior del parque. Lois dedicó una sonrisa deslumbrante a las jóvenes madres que estaban en el parque infantil cuando Ralph y ella pasaron junto a ellas. Ralph se alegraba de poder distraerse un poco. Se podía advertir a sí mismo que no debía emitir juicios, podía recordarse una y otra vez que no sabía lo suficiente acerca de lo que les estaba pasando a él y a Lois como para creer que podía considerar el asunto con lógica, pero, pese a todo, no podía evitar llegar a una conclusión. Dicha conclusión le parecía correcta por instinto, y ya casi creía a pies juntillas que, en el mundo de las auras, el instinto y el conocimiento eran dos conceptos casi idénticos.

No sé los otros dos, pero el n.º 3 es un matasanos chiflado... y colecciona recuerdos. Los colecciona del mismo modo que los locos de Vietnam coleccionaban orejas.

No le cabía ninguna duda de que la nuera de Lois había cedido a un impulso malvado al robar los pendientes de diamantes del platito de porcelana y guardárselos en el bolsillo de los vaqueros. Pero Janet Chasse ya no los tenía; en aquel momento estaría reprimiéndose amargamente por haberlos perdido, así como preguntándose por qué se los había llevado.

Ralph sabía que el matasanos del bisturí tenía el sombrero de McGovern por mucho que Lois no lo hubiera reconocido, y ambos lo habían visto llevarse el pañuelo de *Rosalie*. Al levantarse del banco, Ralph había comprendido que aquellas chispas de luz que había visto surgir de los lóbulos de las orejas de la criatura calva significaban, casi con toda seguridad, que el doctor 3 también tenía los pendientes de diamantes de Lois.

La mecedora del difunto señor Chasse descansaba sobre el linóleo desvaído junto a la puerta del porche trasero. Lois llevó a Ralph hasta allí y le advirtió que «no molestara». Ralph creía poder lograrlo. Una luz intensa, la luz de las primeras horas de la tarde, cayó sobre su regazo cuando se sentó y empezó a mecerse. Ralph no sabía muy bien cómo podía haberse hecho tan tarde, pero así era. «A lo mejor me he quedado dormido —pensó—. A lo mejor todavía estoy dormido y todo esto es un sueño.» Vio a Lois coger una sartén china (tamaño de bolsillo, desde luego) de una alacena alta, y al cabo de cinco minutos, deliciosos aromas empezaron a llenar la cocina.

—Te dije que algún día cocinaría para ti —comentó Lois mientras añadía verduras del frigorífico y especias de uno de los armarios de la cocina—. Fue el mismo día en que Bill y tú vinisteis a comer macarrones con queso, ¿te acuerdas?

—Creo que sí —asintió Ralph con una sonrisa.

—Hay una jarra de sidra fresca en la caja de leche, en el porche delantero... La sidra se guarda mejor afuera. ¿Te importaría ir a buscarla? Y sírvela también, ¿quieres? Los vasos buenos están en el armario de encima del fregadero, ése al que no llego sin coger una silla. Pero creo que tú llegarás sin necesidad de subirte a una silla. ¿Cuánto mides, Ralph? ¿Un metro ochenta y cinco?

—Un metro ochenta y ocho. Al menos eso es lo que medía antes, pero supongo que he encogido un par de centímetros en los últimos diez años. La columna vertebral se acorta o algo así. Y no tienes que tomarte tantas molestias por mí, Lois, de verdad.

Lois lo miró a los ojos con los brazos en jarras y la cuchara con la que removía el contenido de la olla sobresaliéndole de una de las manos. La severidad de su mirada quedaba compensada por el asomo de una sonrisa.

—He dicho los vasos buenos, no los mejores, Ralph Roberts.

—Sí, señora —asintió Ralph con una sonrisa antes de añadir—: A juzgar por el olor, creo que no has olvidado cómo se cocina para un hombre.

—No lo sabrás hasta que lo pruebes —replicó Lois, aunque Ralph habría jurado que adoptaba una expresión complacida al volverse de nuevo hacia la olla.

La comida estaba deliciosa, y no hablaron de lo que había sucedido en el parque mientras daban cuenta de ella. El apetito de Ralph había disminuido desde el inicio de los síntomas del insomnio, pero ese día comió con ganas y regó las picantes verduras salteadas de Lois con tres vasos de sidra, esperando, algo inquieto al acabarse el tercer vaso, que las actividades del resto del día no lo alejaran demasiado de un lavabo. Al terminar, Lois se levantó, fue al fregadero y empezó a llenarlo de agua caliente para lavar los platos. En aquel momento reanudaron su conversación anterior como si fuera una prenda de lana a medio tejer que hubieran dejado de lado durante un rato para encargarse de recados más urgentes.

—¿Qué me has hecho? —inquirió Lois—. ¿Qué me has hecho para que volviera a ver los colores?

—No lo sé.

—Ha sido como si estuviera al borde de ese mundo, como si cuando me has puesto las manos sobre los ojos me hubieras vuelto a empujar a su interior.

Ralph asintió recordando el aspecto que ofrecía Lois los primeros segundos después de que él retirara las manos, como si acabara de quitarse unas gafas que antes hubiera sumergido en azúcar en polvo.

—Ha sido instintivo. Y tienes razón, es como un mundo. Yo siempre lo llamo así, el mundo de las auras.

—Es maravilloso, ¿verdad? Quiero decir... Da miedo, y cuando me empezó a pasar, a finales de julio o principios de agosto, estaba segura de que me volvía loca, pero incluso entonces me gustaba. No podía evitarlo.

Ralph la miró con sobresalto. ¿De verdad había considerado alguna vez que Lois era transparente? ¿Chismosa? ¿Incapaz de guardar un secreto?

No, aún peor, viejo amigo. Creías que era superficial. La veías a través de los ojos de Bill, de hecho..., como «nuestra Lois» Ni más ni menos.

—¿Qué pasa? —preguntó Lois algo incómoda—. ¿Por qué me miras así?

—¿Llevas viendo esas auras desde el verano? ¿Tanto tiempo?

—Sí, y cada vez más brillantes. Y más a menudo. Por eso me decidí finalmente a ir a ver a ese chismoso. ¿De verdad disparé esa cosa con el dedo, Ralph? Cuanto más tiempo pasa, más me cuesta creerlo.

—Pues lo has hecho. Yo he hecho algo muy parecido poco antes de encontrarme contigo.

Le relató su enfrentamiento anterior con el doctor 3 y cómo se había librado del enano..., al menos por un rato. Levantó la mano hasta la altura del hombro y la bajó de golpe.

—Esto es lo único que he hecho... como un niño imitando a Chuck Norris o Steven Segal. Pero con eso le he disparado un increíble rayo de luz azul, y ha puesto pies en polvorosa. Menos mal, porque no podría haberle disparado otra vez. Y tampoco sé cómo lo he hecho. ¿Tú habrías podido dispararle otra vez?

Lois lanzó una risita ahogada, se volvió hacia él y le apuntó con el dedo.

—¿Quieres averiguarlo? ¡Pim! ¡Pam!

—No me apunte con eso, señora —advirtió Ralph con una sonrisa, aunque no estaba del todo seguro de haberlo dicho en broma.

Lois bajó el dedo y vertió detergente líquido en el fregadero. Mientras removía el agua con una mano para formar burbujas, formuló a Ralph lo que éste consideraba las Grandes Preguntas:

—¿De dónde procede este poder, Ralph? ¿Y para qué sirve?

Ralph denegó con la cabeza y se acercó al escurridor de platos.

—No lo sé y no lo sé. Qué útil, ¿no? ¿Dónde guardas los paños, Lois?

—Da igual dónde guarde los paños. Siéntate. No me digas que eres uno de esos hombres modernos, Ralph... Esos que no paran de abrazarse y llorar como locos.

Ralph se echó a reír meneando la cabeza.

—No, es que me han educado bien, nada más.

—Bueno. Pero no empieces a contarme lo sensible que eres. Hay algunas cosas que a una chica le gusta descubrir por sí misma —comentó Lois mientras abría el armario de debajo del fregadero y le arrojaba un paño desvaído, pero inmaculado—. Sécalos y déjalos en el mostrador. Ya los guardaré yo. Mientras trabajas puedes contarme tu historia. La versión íntegra.

—Hecho.

Todavía se estaba preguntando por dónde empezar cuando su boca se abrió, en apariencia por sí sola, y empezó por él.

303

—Cuando por fin me había metido en la cabeza que Carolyn iba a morir, empecé a dar muchos paseos. Y un día, cuando estaba en la Extensión...

Le contó todo, desde su intervención en el altercado entre Ed y el gordo de la gorra de los Jardineros del West Side hasta el momento en que Bill le había dicho que fuera al médico, porque a su edad, las enfermedades mentales eran frecuentes, pero que muy frecuentes. Tuvo que retroceder en varias ocasiones para incluir algunos detalles, como el momento en que el viejo Dor había aparecido cuando intentaba evitar que Ed se abalanzara sobre el tipo de los Jardineros del West Side, por ejemplo, pero no le importaba, y Lois no parecía tener ninguna dificultad en seguirle. La sensación global que embargó a Ralph mientras desgranaba los detalles de su historia fue un alivio tan grande que casi resultaba doloroso. Era como si alguien le hubiera llenado el corazón y la mente de ladrillos y ahora los estuviera retirando uno por uno.

Cuando terminó, los platos estaban limpios y habían pasado de la cocina al salón repleto de fotografías enmarcadas y presidido por el señor Chasse desde su lugar sobre el televisor.

—¿Y bien? —dijo Ralph—. ¿Cuánto te crees?

—Todo, por supuesto —aseguró Lois sin percatarse de la expresión de alivio que iluminó el rostro de Ralph o bien fingiendo que no se percataba—. Después de lo que hemos visto esta mañana, por no hablar de lo que sabías acerca de mi maravillosa nuera, no me queda otro remedio que creérmelo todo. Ésa es mi ventaja sobre Bill.

«No la única», pensó Ralph, aunque no lo expresó en voz alta.

—Nada de todo esto es casual, ¿verdad? —inquirió Lois.

—No, no lo creo —repuso Ralph meneando la cabeza.

—Cuando tenía diecisiete años, mi madre contrató a un chico del pueblo, Richard Henderson, se llamaba, como chico de los recados. Podría haber contratado a cualquier chico, pero contrató a Richie porque le gustaba..., le gustaba la idea de que yo llegara a casarme con él, a ver si me entiendes.

—Claro que te entiendo. Estaba haciendo de casamentera.

—Eso, pero al menos no lo hacía de una forma escandalosa, cruel y embarazosa. Gracias a Dios, porque a mí Richie me importaba un comino, al menos en ese sentido. Aun así, mi madre hizo lo que pudo. Si yo estaba estudiando en la cocina, hacía que Richie llenara el cajón del leña aunque fuera mayo y ya hiciera calor. Si estaba dando de comer a los pollos, hacía que Richie cortara el heno al lado del corral. Quería que lo viera a menudo..., que me acostumbrara a él..., y si llegaba un momento en que nos gustaba estar juntos y Richie me pedía que fuera al baile de la feria con él, mi madre estaría encantada. Hacía un esfuerzo discreto, pero lo cierto es que hacía el esfuerzo. Me empujaba. Y esto es lo mismo.

—Pues a mí el empujón no me parece tan discreto —comentó dolido Ralph llevándose la mano al lugar en que Charlie Pickering le había pinchado con la punta del cuchillo.

—No, claro que no. Debió de ser horrible que un hombre te clavara un cuchillo en las costillas. Gracias a Dios que tenías el aerosol. ¿Crees que el viejo Dor también ve las auras? ¿Que algo de ese mundo le ordenó que pusiera el aerosol en tu bolsillo?

Ralph se encogió de hombros con ademán de impotencia. Ya se le había ocurrido lo que acababa de sugerir Lois, pero en cuanto uno pensaba en eso, las cosas empezaban a complicarse de un modo considerable; porque si Dorrance había hecho eso, significaba que algún

(*ente*)

ser o fuerza sabía que Ralph necesitaría ayuda. Y eso no era todo. Ese ser o fuerza también debía de saber que a) Ralph saldría el domingo por la tarde, b) el tiempo, que había sido muy agradable hasta entonces, empeoraría lo suficiente como para requerir una chaqueta y c) qué chaqueta se pondría Ralph. En otras palabras, se trataba de algo que podía predecir el futuro. La idea de que un ser de dichas características se hubiera fijado en él lo horripilaba. Reconocía que en el caso del aerosol, al menos, la intervención le había salvado la vida, con toda probabilidad, pero aun así, lo horripilaba.

—Es posible —repuso por fin—. A lo mejor algo utilizó a Dorrance como recadero. Pero ¿por qué?

—¿Y ahora qué hacemos? —agregó ella.

Ralph no pudo sino menear la cabeza una vez más.

Lois miró el reloj embutido entre la fotografía del hombre enfundado en el abrigo de mapache y la joven que parecía a punto de decir cualquier horterada en cualquier momento, y a continuación cogió el teléfono.

—¡Casi las tres y media! ¡Madre mía!

—¿A quién llamas? —inquirió Ralph rozándole la mano.

—A Simone Castonguay. Había quedado con ella y Mina para ir a Ludlow esta tarde, a una partida de cartas en la Grange, pero no puedo ir después de todo esto. Perdería hasta la camisa —se echó a reír y se sonrojó de un modo encantador—. Bueno, es un decir.

Ralph le cubrió la mano con la suya antes de que pudiera levantar el auricular.

—Ve a esa partida de cartas, Lois.

—¿De verdad? —replicó ella en tono dubitativo y algo decepcionado.

—Sí.

Todavía no estaba seguro de lo que estaba sucediendo, pero tenía la sensación de que las cosas estaban a punto de cambiar. Lois había hablado de empujones, pero a Ralph se le antojaba más bien que lo estaban llevando a alguna parte, del mismo modo que un río lleva a un hombre en un pequeño bote. Pero no sabía adónde se dirigía; la orilla estaba cubierta de espesa niebla y ahora, mientras la corriente del río arreciaba, ya oía el rugido de los rápidos.

Pero hay siluetas, Ralph. Siluetas en la niebla.

Sí, y no eran demasiado reconfortantes. Tal vez sólo se trataba de árboles que parecían manos..., pero, por otro lado, podía tratarse de manos intentando parecer árboles. Hasta que supiera a qué atenerse, prefería que Lois estuviera alejada de la ciudad. Intuía, aunque tal vez no fuera más que esperanza disfrazada de intuición, que el doctor 3 no podía seguirla hasta Ludlow, que tal vez ni siquiera podía seguirla más allá de los Barrens.

No puedes saber eso, Ralph.

Tal vez no, pero intuía que tenía razón y seguía estando convencido de que, en la ciudad secreta de las auras, intuir y saber era más o menos lo mismo. Una cosa que sabía con certeza era que el doctor 3 todavía no le había cortado el cordel de globo a Lois, el cordel que Ralph había visto con sus propios ojos, junto con el hermoso y saludable resplandor de su aura gris. Sin embargo, Ralph no podía dar la espalda a la creciente certeza de que el doctor 3, el Doctor Chiflado, tenía la intención de cortárselo y que, por muy buen aspecto que tuviera *Rosalie* al salir del parque Strawford, cortar el cordel constituía un acto mortal, asesino.

Supongamos que tienes razón, Ralph; supongamos que no puede cogerla esta tarde mientras juega a las cartas en Ludlow. ¿Y esta noche? ¿Y mañana? ¿Y la semana que viene? ¿Qué solución hay? ¿Que llame a su hijo y a la zorra de su nuera para decirles que ha cambiado de idea respecto a Panorámica del Río y que quiere ir a vivir allí a pesar de todo?

No lo sabía. Pero sabía que necesitaba tiempo para pensar, y también sabía que le costaría mucho pensar de forma constructiva hasta estar más o menos seguro de que Lois estaba a salvo, al menos por un rato.

—Ralph, ya tienes otra vez esa expresión mohosa.

—¿Esa expresión qué?

—Mohosa —repitió ella al tiempo que se atusaba el cabello con ademán coqueto—. Es una palabra que me inventé para describir la expresión que tenía el señor Chasse cuando fingía escucharme y en realidad estaba pensando en su colección de monedas. Reconocería una expresión mohosa en cualquier parte, Ralph. ¿En qué estás pensando?

—Me preguntaba a qué hora crees que volverás de la partida.

—Depende.

—¿De qué?

—De si pasamos por Tubby a tomar chocolate caliente o no —explicó Lois con el aire de una mujer que revelara un vicio secreto.

—¿Y si vuelves directamente?

—A las siete. Quizás a las siete y media.

—Llámame en cuanto llegues a casa, ¿de acuerdo?

—Sí. Quieres que me vaya de la ciudad, ¿verdad? Eso es lo que significa esa expresión mohosa.

—Bueno...

—Crees que esa asquerosa cosa calva quiere hacerme daño, ¿verdad?

—Creo que es posible.

—Bueno, pero ¡también puede hacerte daño a ti!

—Sí, pero...

Pero, que yo sepa, no lleva ninguno de mis complementos.

—¿Pero qué?

—No me pasará nada hasta que vuelvas, eso es todo.

Recordó su desdeñoso comentario acerca de los hombres modernos que no paraban de abrazarse y llorar como locos, de modo que intentó fruncir el ceño con gesto autoritario.

—Vete a jugar a las cartas y deja que yo me ocupe de este asunto, al menos de momento. Es una orden.

Carolyn se habría echado a reír o se habría enojado por aquella pose de machote de pacotilla. Lois, que pertenecía a una escuela de pensamiento femenino completamente distinta, se limitó a asentir y a mirarlo con agradecimiento por haber tomado la decisión en su lugar.

—De acuerdo —accedió bajándole la barbilla para poder mirarlo a los ojos—. ¿Estás seguro de que sabes lo que haces, Ralph?

—No, al menos de momento.

—Bueno, menos mal que lo reconoces.

Lois colocó una mano sobre el brazo de Ralph y le estampó un suave beso con la boca abierta en la comisura de los labios. Ralph sintió un agradabilísimo cosquilleo en la entrepierna.

—Iré a Ludlow y ganaré cinco dólares jugando al póquer con esas tontas que siempre intentan hacer escaleras. Esta noche hablaremos de lo que vamos a hacer, ¿de acuerdo?

—Sí.

La leve sonrisa de Lois, que se adivinaba más en los ojos que en la boca, sugería que tal vez no se limitarían a hablar si Ralph se mostraba valiente... y en aquel momento se sentía muy valiente, sí, señor. Ni siquiera la severa mirada del señor Chasse desde su trono del televisor podía arrebatarle aquella sensación.

14

Eran las cuatro menos cuarto cuando Ralph cruzó la calle y recorrió la corta distancia que lo separaba de su casa. Volvía a invadirlo el cansancio; tenía la sensación de que llevaba unos tres siglos sin dormir, aunque, al mismo tiempo, se encontraba mejor de lo que se había encontrado nunca desde la muerte de Carolyn. Más íntegro. Más entero.

¿O tal vez eso es sólo lo que quieres creer? ¿Que una persona no puede sentirse tan mal sin tener algún tipo de recompensa? Es una idea encantadora, Ralph, pero lo más probable es que no sea demasiado realista.

«De acuerdo —se dijo—. Pues a lo mejor estoy un poco confuso ahora mismo.»

Desde luego que estaba confuso. También estaba asustado, alegre, desorientado y un poco cachondo. Sin embargo, una idea se recortaba con claridad contra aquel enmarañado horizonte emocional, algo que tenía que hacer cuanto antes; tenía que hacer las paces con Bill. Si eso significaba pedir perdón, pediría perdón. Tal vez incluso le debía una disculpa. Al fin y al cabo, Bill no había ido a decirle: «Jolines, viejo amigo, tienes un aspecto terrible, cuéntamelo todo». No, él había recurrido a Bill. Había recurrido a él con recelo, era cierto, pero eso no quitaba que...

Ay, Ralph, ¿qué voy a hacer contigo? Era la voz risueña de Carolyn, que le hablaba con la misma claridad que las primeras semanas después de su muerte, cuando había combatido su dolor más profundo comentándolo todo con ella mentalmente... y a veces en voz alta, si estaba solo en el piso. *Ha sido Bill el que se ha puesto como una mona, cariño, no tú. Ya veo que estás tan decidido a reñirte a ti mismo como cuando yo vivía. Bueno, supongo que algunas cosas no cambian nunca.*

Ralph esbozó una sonrisa. Sí, bueno, tal vez algunas cosas no cambiaban nunca, y era posible que la discusión hubiera sido más culpa de Bill que suya. La cuestión residía en si quería privarse de la compañía de Bill por un estúpido altercado y un montón de tonterías acerca de quién tenía razón y quién no. Ralph creía que no, y si eso significaba pedir disculpas a Bill aunque no lo mereciera, ¿qué más daba? Que él supiera, las palabras «lo siento» no mordían.

La Carolyn que anidaba en su mente reaccionó ante aquella idea con silenciosa incredulidad.

«Da igual —le dijo Ralph al subir el sendero de entrada—. Lo hago por mí, no por él. Ni por ti, para el caso.»

Dio un respingo y no pudo menos que reírse al descubrir lo culpable que le hacía sentirse aquel pensamiento..., como si hubiera cometido un sacrilegio. Pero eso no cambiaba el hecho de que era cierto.

Estaba buscando la llave en el bolsillo cuando vio una nota clavada con una tachuela en la puerta. Ralph buscó las gafas de lectura, pero las había dejado sobre la mesa de la cocina. Se inclinó hacia delante y entornó los ojos para leer la letra exasperantemente pequeña y ladeada de Bill:

> Queridos Ralph/Lois/Faye/Quien sea,
>
> Creo que pasaré la mayor parte del día en el hospital de Derry. La sobrina de Bob Polhurst me ha llamado para decirme que lo más probable es que ahora la cosa vaya en serio; el pobre hombre está a punto de dejar de luchar. La habitación 313 de la UCI del hospital de Derry es más o menos el último lugar en el que me apetece pasar un hermoso día de octubre, pero creo que será mejor que siga con esto hasta el final.
>
> Ralph, siento haberte tratado tan mal esta mañana. Acudiste a mí en busca de ayuda y por poco te rompo la cara. Lo único que puedo decir en mi defensa es que el asunto de Bob me ha destrozado los nervios, ¿de acuerdo? Creo que te debo una cena... si todavía quieres comer con gente de mi calaña, claro está.
>
> Faye, por favor, por favor, POR FAVOR, deja de darme la paliza con el maldito torneo de ajedrez. Te prometí que jugaría y siempre cumplo mis promesas.
>
> *Adiós, mundo cruel.*
>
> *Bill*

Ralph se irguió con una intensa sensación de alivio y gratitud. ¡Si todo lo que le había sucedido últimamente se solucionara con tanta facilidad como aquel asunto!

Subió a su piso, agitó la tetera y la estaba llenando de agua cuando sonó el teléfono. Era John Leydecker.

—Hombre, menos mal que te encuentro por fin —dijo a modo de saludo—. Estaba empezando a preocuparme, viejo amigo.

—¿Por qué? —preguntó Ralph—. ¿Qué pasa?

—A lo mejor nada, pero a lo mejor sí. Charlie Pickering ha salido bajo fianza.

—Me dijiste que eso no pasaría.

—Pues me equivoqué, ¿vale? —replicó Leydecker en tono irritado—. Y no es lo único en lo que me he equivocado. Te dije que lo más
probable era que el juez fijara la fianza en unos cuarenta mil dólares,
pero no sabía que Pickering tendría al juez Steadman, que es conocido por afirmar que no cree en la demencia. Steadman fijó la fianza en
ochenta mil. El abogado de oficio de Pickering puso el grito en el cielo, pero no pudo hacer nada.

Ralph bajó la vista y comprobó que todavía sostenía la tetera.

—¿Y aun así salió bajo fianza?

—Sí. ¿Recuerdas que te dije que Ed lo desecharía como un
mondapatatas con la hoja rota?

—Sí.

—Bueno, pues otro strike para John Leydecker. A las once de la
mañana, Ed ha entrado en la oficina del alguacil con un maletín lleno
de dinero.

—¿Con ocho mil dólares? —inquirió Ralph.

—He dicho maletín, no sobre —replicó Leydecker—. No ocho mil
dólares, sino ochenta mil. Todavía se habla de eso en el juzgado.
Y creo que se seguirá hablando de eso después de Navidad.

Ralph intentó imaginarse a Ed Deepneau, ataviado con uno de sus
viejos suéteres y pantalones de pana gastados, el atuendo de científico
loco de Ed, lo llamaba Carolyn, sacando fajos de billetes de veinte y
cincuenta de un maletín, pero no pudo.

—Creía que habías dicho que el diez por ciento bastaba para salir.

—Y es verdad, siempre y cuando puedas retener algo, como una
casa u otra clase de propiedad, por ejemplo, que equivalga más o menos a la cantidad total. Por lo visto, Ed no ha podido hacer eso, pero sí
tenía un poco de dinero de emergencia debajo del colchón. O eso o le
ha hecho la mamada del siglo al ratoncito Pérez.

Ralph recordó la carta de Helen que había recibido una semana
después de que saliera del hospital y se trasladara a High Ridge. En
ella mencionaba que Ed le había enviado un cheque de setecientos
cincuenta dólares. *Lo que parece indicar que comprende sus responsabilidades*, había escrito. Ralph se preguntaba si Helen seguiría
pensando lo mismo de saber que Ed había entrado en el juzgado del
condado de Derry con dinero suficiente para mantener a su hija durante los primeros quince años de su vida... para sacar de la cárcel
a un tipo chiflado al que le gustaba jugar con cuchillos y cócteles
Molotov.

—Pero ¿de dónde narices ha sacado el dinero? —preguntó a Leydecker.

—No lo sé.

—¿Y no tiene la obligación de decirlo?

—No. Éste es un país libre. Creo que ha dicho algo acerca de liquidar unas acciones.

Ralph pensó en los viejos tiempos, en la maravillosa época antes de que Carolyn cayera enferma y muriera y Ed poco menos que cayera enfermo también. Recordó las ocasiones en que los cuatro comían juntos, cada dos semanas, más o menos, pizza en casa de los Deepneau o tal vez el pastel de pollo de Carolyn en la cocina de los Roberts; recordó que, en cierta ocasión, Ed había prometido que los invitaría a todos a una costillada en el León Rojo de Bangor cuando sus acciones arrojaran dividendos. *Sí, sí*, había replicado Helen mirando a Ed con una sonrisa cariñosa. En aquella época estaba embarazada, apenas si se le notaba, y no aparentaba más de catorce años con el pelo recogido en una cola de caballo y enfundada en un vestido premamá a cuadros que todavía le iba demasiado grande. *¿Cuáles crees que darán dividendos antes, Edward? ¿Las dos mil acciones de Calcetines Sudados Unidos o las seis mil de Sobacos Amalgamados?* Y Ed le había gruñido, un gruñido que había hecho reír a todos porque Ed era un buenazo, todo el mundo que lo conociera de más de dos semanas sabía que Ed era incapaz de hacer daño a una mosca. Claro que quizás Helen sabía cosas que los demás no sabían... Incluso en aquellos tiempos, era posible que Helen supiera más que los otros, a pesar de las sonrisas cariñosas.

—Ralph —lo llamó Leydecker—. ¿Estás ahí?

—Ed no tenía acciones —aseguró Ralph—. Era químico, por el amor de Dios, y su padre tenía una fábrica de envasado en un sitio perdido como Plaster Rock, Pensilvania. Ni un duro.

—Bueno, pues lo ha sacado de alguna parte, y mentiría si te dijera que me hace ni pizca de gracia todo este asunto.

—¿Crees que se lo han dado los otros de Amigos de la Vida?

—No, no lo creo. En primer lugar, no es que estén precisamente forrados... La mayoría de los miembros de Amigos de la Vida son trabajadores, héroes de la clase obrera. Dan lo que pueden, pero ¿tanto? No. Me imagino que podrían haber reunido propiedades suficientes para sacar a Pickering, pero no lo han hecho. La mayoría de ellos no se habrían prestado, aunque Ed se lo pidiera. Ed se ha convertido casi en persona *non grata* entre ellos, y me imagino que desearían no haber oído hablar nunca de Charlie Pickering. Dalton vuelve a dirigir Amigos de la Vida, y para la mayoría de ellos, eso es un gran alivio. Ed, Charlie y otras dos personas, un hombre llamado Frank Felton y una mujer llamada Sandra McKay, parecen funcionar prácticamente solos ahora. De Felton no sé nada y no está fichado, pero la McKay ha pasado por algunas de las mismas magníficas instituciones que Charlie. Es inconfundible... Piel grasienta, muchos granos, gafas tan gruesas que hacen que sus ojos parezcan huevos escalfados, unos ciento cincuenta kilos de peso.

—¿Estás de broma?

—No. Le encantan los pantalones pitillo de K-Mart y por lo general se desplaza en compañía de un selecto surtido de pastelillos y golosinas. Muchas veces lleva un suéter con las palabras FÁBRICA DE BEBÉS en la pechera. Afirma haber tenido quince hijos. La verdad es que no ha tenido ni uno y lo más probable es que no pueda.

—¿Por qué me cuentas todo esto?

—Porque quiero que tengas cuidado con esa gente —repuso Leydecker en tono paciente, como si hablara con un niño—. Pueden ser peligrosos. Charlie lo es, eso no hace falta que te lo diga, y Charlie está en la calle. No importa de dónde sacara Ed el dinero de la fianza..., pero lo ha sacado. Y no me sorprendería nada que volviera a por ti. Él, Ed o los otros.

—¿Y qué pasa con Helen y Natalie?

—Están con sus amigos, amigos a los que les encanta el riesgo que supone la gente a la que le falta un tornillo. Se lo he explicado a Mike Hanlon, y él también cuidará de ella. Nuestros hombres vigilan la biblioteca de cerca. No creemos que Helen esté en peligro en este momento, porque está en High Ridge, pero hacemos lo que podemos.

—Gracias, John. Te lo agradezco, y también te agradezco que me hayas llamado.

—Te agradezco que me lo agradezcas, pero todavía no he terminado. Debes recordar a quién llamó Ed para amenazarlo, amigo mío; no llamó a Helen, sino a ti. Helen ya no parece importarle mucho, pero a ti te tiene clichado, Ralph. He preguntado al jefe Johnson si podía asignarte a un hombre (yo votaría por Chris Nell) para que te proteja, al menos hasta que la zorra alquilada por el Centro de la Mujer se marche. Pero me ha dicho que no. Dice que hay demasiado que hacer esta semana..., pero por la forma en que me lo ha dicho, creo que si tú se lo preguntaras te asignaría a alguien. ¿Qué te parece?

«Protección policial —pensó Ralph—. Así es como lo llaman en las series policíacas de la tele y eso es de lo que está hablando... Protección policial.»

Intentó considerar la idea, pero demasiadas cosas se interponían en su camino y danzaban en su mente como extraños confites. Sombreros, médicos, batas, aerosoles. Por no mencionar los cuchillos, bisturíes y las tijeras entrevistas por las polvorientas lentes de sus viejos prismáticos. «Cada cosa que hago la hago a toda prisa para poder hacer otra —pensó Ralph, y a continuación—: Hay un largo camino hasta el Edén, cariño. Así que no malgastes tus energías en las pequeñeces.»

—No —dijo.

—¿Qué?

Ralph cerró los ojos y se vio a sí mismo descolgar ese teléfono y llamar para cancelar la visita con el pinchauvas. La historia se repetía, ¿verdad? Sí. Podía obtener protección policial contra los Pickering, McKay y Felton, pero la cosa no debía ir de aquel modo. Lo sabía, lo percibía en cada latido de su corazón, cada impulso de sangre.

—Ya me has oído —insistió—. No quiero protección policial.

—Pero por el amor de Dios, ¿por qué?

—Sé cuidarme solo —aseguró Ralph con una leve mueca ante la pomposa absurdidad de sus palabras, que había oído pronunciar en un sinfín de películas de John Wayne.

—Ralph, siento tener que ser yo quien te dé la noticia, pero eres viejo. El domingo tuviste suerte, pero es posible que no la vuelvas a tener.

«No es que tuviera suerte —se dijo Ralph—. Es que tengo amigos en puestos importantes. O tal vez debería decir entes en puestos importantes.»

—No me pasará nada —insistió.

—Si cambias de idea, llámame, ¿de acuerdo? —pidió Leydecker con un suspiro.

—Sí.

—Y si ves a a Pickering o a una mujer enorme con gafas de culo de botella y pelo rubio grasiento...

—Te llamo.

—Ralph, piénsatelo bien. Sólo un hombre aparcado en tu calle, nada más.

—Lo hecho, hecho está —recitó Ralph.

—¿Eh?

—Digo que gracias, pero no. Ya hablaremos.

Ralph colgó el teléfono con suavidad. Probablemente, John tenía razón, probablemente estaba loco, pero nunca se había sentido tan cuerdo en su vida.

—Cansado —explicó a su cocina soleada y vacía—, pero cuerdo. —Hizo una pausa antes de añadir—: Y también medio enamorado, quizás.

Aquella idea lo hizo sonreír, y todavía sonreía cuando por fin puso la tetera al fuego.

Estaba tomando la segunda taza de té cuando recordó lo que Bill había dicho acerca de que le debía una cena. Sin pensárselo dos veces, decidió quedar con Bill en Amanecer y Ocaso para cenar.

«Creo que debemos empezar de nuevo —se dijo Ralph—, porque ese enano psicópata tiene su sombrero y estoy casi seguro de que eso significa que está en apuros.»

Bueno, ahora o nunca. Cogió el teléfono y marcó un número que no le costaba nada recordar: el 951 5000. El número del hospital de Derry.

La recepcionista del hospital lo puso con la habitación 313. La mujer de voz cansada que contestó era Denise Polhurst, la sobrina del moribundo. Bill no estaba. Otros cuatro profesores de lo que denominó «los días de gloria del tío» se habían presentado hacia la una, y Bill había propuesto que fueran a comer juntos. Ralph sabía incluso cómo se habría expresado Bill; más vale tarde que nunca. Era una de sus expresiones favoritas. Cuando Ralph le preguntó si esperaba que volviera pronto, Denise Polhurst repuso que sí.

—Ha sido muy leal. No sé qué habría hecho sin él, señor Robbins.

—Roberts —la corrigió Ralph—. Por lo que cuenta Bill, el señor Polhurst es un hombre maravilloso.

—Sí, todos piensan lo mismo. Pero, claro, no enviarán las facturas a su club de fans, ¿eh?

—No —repuso Ralph incómodo—. Supongo que no. La nota de Bill decía que su tío está muy mal.

—Sí. Los médicos dicen que probablemente no pasará de esta noche, pero esa cantinela ya la he oído antes. Que Dios me perdone, pero a veces es como si tío Bob fuera uno de esos anuncios de ventas por catálogo, que siempre prometen el oro y el moro y nunca dan nada. Supongo que suena fatal, pero estoy tan cansada que no me importa. Esta mañana lo han desconectado de las máquinas... No podría haber asumido la responsabilidad yo sola, pero he llamado a Bill y me ha dicho que era lo que tío Bob habría querido. «Ya es hora de que Bob explore el próximo mundo —me ha dicho—. Éste ya lo ha explorado en profundidad.» ¿No le parece poético, señor Robbins?

—Sí. Y me llamo Roberts, señora Polhurst. ¿Puede decirle a Bill que ha llamado Ralph Roberts y que por favor le lla...

—Así que hemos desconectado las máquinas y yo ya estaba preparada... nerviosa, podría decirse, pero no se ha muerto. No lo entiendo. Él está preparado, yo estoy preparada, ya ha cumplido con su misión en la vida... ¿Por qué no se muere?

—No lo sé.

—La muerte es estúpida —prosiguió la mujer en el tono fastidiado y frío que tan sólo las personas muy cansadas y dolidas parecen emplear—. A un obstetra que tardara tanto en cortarle el cordón umbilical a un bebé podrían despedirlo por negligencia.

En los últimos tiempos, la mente de Ralph tenía tendencia a divagar, pero en ese momento se puso firme en un santiamén.

—¿Qué ha dicho?

—¿Cómo dice? —replicó ella con voz sobresaltada, como si también ella hubiera estado divagando.

—Ha dicho algo de cortar el cordón.

—No quería decir nada especial con eso —espetó la mujer.

El tono fastidiado se había tornado más intenso..., pero no era un tono fastidiado, se dio cuenta Ralph; era un tono quejumbroso y asustado. Algo andaba mal. El corazón le dio un vuelco.

—No quería decir nada en especial —insistió la mujer.

De repente, el teléfono adquirió un profundo y siniestro matiz azul.

Ha pensado en matarle, y no en plan pasivo precisamente; ha pensado en cubrirle la cara con una almohada y ahogarlo. «No tardaría mucho», piensa. «Misericordia», piensa. «Por fin se acabaría todo», piensa.

Ralph se apartó el auricular de la oreja. Una luz azul, fría como un cielo de febrero, brotaba de los orificios en rayos finísimos.

«El asesinato es azul», pensó Ralph mientras sostenía el teléfono lejos de sí y observaba con los ojos abiertos de par en par cómo los rayos azules empezaban a doblarse hacia el suelo. Desde muy lejos le llegaba la voz quejumbrosa y angustiada de Denise Polhurst. «No es que quisiera saberlo, pero ahora lo sé; el asesinato es azul.»

Se acercó de nuevo el teléfono, aunque mantuvo el auricular y su aura de estalactitas lejos de su oído. Temía que si se acercaba esa parte del teléfono demasiado a la oreja, la fría y enfurecida desesperación de la mujer podría dejarlo sordo.

—Dígale a Bill que Ralph ha llamado —dijo—. Roberts, no Robbins.

Colgó sin esperar respuesta. Los rayos azules se separaron del auricular y cayeron al suelo. Ralph pensó de nuevo en estalactitas, esta vez en el modo en que caían en una ordenada hilera si se pasaba la mano enguantada bajo el alero del tejado después de un cálido día de invierno. Desaparecían antes de chocar contra el linóleo. Ralph miró en derredor. En la habitación, nada brillaba, resplandecía ni vibraba. Las auras se habían esfumado otra vez. Empezó a exhalar un suspiro de alivio y en ese preciso instante, un coche petardeó.

En el piso vacío del primer piso, Ralph Roberts gritó.

No quería más té, pero todavía tenía sed. Encontró media lata de Coca Cola light, sin gas pero refrescante, en el fondo del frigorífico, la vertió en un vaso de plástico con un desvaído logotipo de la Manzana Roja y se la llevó afuera. No podía quedarse por más tiempo dentro del piso, que le parecía oler a desgraciada vigilia. Sobre todo después de lo que había sucedido por teléfono.

Hacía un día aún más bonito que antes, si cabía; soplaba un viento fuerte y cálido que proyectaba sombras y luces sobre la parte oeste de Derry y peinaba las hojas de los árboles, arrastrándolas por las aceras en castañeantes derviches anaranjados, amarillos y rojos.

Ralph dobló a la izquierda, no porque tuviera ningún deseo consciente de volver al merendero del aeropuerto, sino porque quería tener el viento de espaldas. No obstante, al cabo de unos diez minutos volvió a entrar en el pequeño claro. Estaba vacío, y no era de extrañar. El viento que soplaba no era frío, no lo suficiente como para obligar a los ancianos y ancianas a correr a cobijarse bajo techo, pero costaba mucho mantener las cartas sobre la mesa o las figuras de ajedrez sobre el tablero cuando el malicioso viento se empeñaba en barrerlas. Al acercarse a la mesita de caballetes desde la que Faye Chapin solía presidir el tribunal, Ralph no se sorprendió precisamente al ver una nota sujeta con una piedra, y creía saber cuál sería su contenido antes de dejar el vaso de plástico de la Manzana Roja y cogerla.

Dos paseos; dos visiones del médico calvo con el bisturí; dos ancianos sufriendo insomnio y viendo visiones de colores brillantes; dos notas. Es como Noé cuando llevó los animales al arca, no uno a uno, sino en parejas... ¿y caerá otro diluvio? Bueno, ¿tú qué crees, viejo?

No sabía qué creer..., pero la nota de Bill había sido una suerte de esquela anticipada, y no le cabía ni la menor duda de que la de Faye era lo mismo. Aquella sensación de ser llevado hacia delante, sin esfuerzo ni vacilación, era demasiado intensa como para permitir dudas; era como despertar en un extraño escenario y verse declamando un texto (o dando tumbos por él, en todo caso) de un drama para el que uno no recordaba haber ensayado, o ver una forma coherente en algo que hasta entonces había carecido por completo de sentido, o descubrir...

¿Descubrir qué?

—Otra ciudad secreta, eso es —murmuró para sí—. La Derry de las Auras.

Se inclinó sobre la nota de Faye y la leyó mientras el viento jugueteaba con su cabello ralo.

Aquellos que quieran dar su último adiós a Jimmy Vandermeer deberán hacerlo mañana a más tardar. El padre Coughlin ha pasado esta tarde cuando me iba hacia el torneo de ajedrez, y me ha dicho que el pobre está en las últimas. Puede recibir visitas. Está en el hospital de Derry, UCI, habitación 315.

Faye

P.D. Recordad que queda poco tiempo.

Ralph leyó la nota dos veces, la volvió a dejar sobre la mesa con la piedra encima para el siguiente Viejo Carcamal que pasara por allí y a continuación permaneció unos instantes inmóvil, con las manos hundidas en los bolsillos y la cabeza gacha, contemplando la pista 3 por debajo de la hirsuta maraña de sus cejas. Una hoja crujiente, anaranjada como una de esas calabazas de Halloween que pronto adornarían la calle, cayó del cielo azul intenso y aterrizó sobre su escaso cabello. Ralph se la apartó con ademán ausente y pensó en las dos habitaciones de hospital de la UCI del hospital de Derry, dos habitaciones contiguas. Bob Polhurst en una, Jimmy V. en la otra. ¿Y la siguiente habitación de ese pasillo? La 317, la habitación en la que había muerto su mujer.

—Esto no es una coincidencia —susurró—. Nada de esto es una coincidencia.

Pero ¿qué era? ¿Siluetas en la niebla? ¿Una ciudad secreta? Posibilidades muy sugestivas, pero no contestaban a ninguna pregunta.

Ralph se sentó sobre la mesa de pícnic que estaba junto a la que Faye había dejado su nota, se quitó los zapatos y cruzó las piernas. El viento le alborotaba el cabello. Permaneció allí sentado con la cabeza algo inclinada y el ceño fruncido en ademán pensativo. Parecía un Buda en la versión de Winslow Homer mientras meditaba abrazándose las rodillas y repasando con toda meticulosidad la impresión que le habían producido el doctor 1 y el 2... en comparación con la que se había llevado del doctor 3.

Primera impresión: los tres médicos le habían recordado a los extraterrestres que salían en los periódicos sensacionalistas como *Inside View* y en fotografías junto a las que siempre podía leerse la leyenda «concepto del artista». Ralph sabía que aquellas imágenes calvas y de ojos oscuros de misteriosos visitantes del espacio se remontaban a un pasado bastante lejano; la gente afirmaba haber entrado en contacto con calvos bajitos, los denominados «médicos bajitos» desde hacía mucho tiempo, tal vez desde el inicio de los informes acerca de los ovnis. Estaba casi seguro de haber leído al menos un artículo acerca de aquellas criaturas en los años sesenta.

—Muy bien, digamos que hay un montón de estos tipos —le dijo Ralph a un gorrión que acababa de posarse sobre el bidón de basura del merendero—. No sólo tres, sino trescientos. O tres mil. Lois y yo no somos los únicos que los vemos. Y...

¿Y acaso la mayoría de la gente que informaba acerca de aquellos encuentros no mencionaba así mismo la presencia de objetos punzantes?

Sí, pero no de tijeras ni bisturíes..., al menos, eso creía Ralph. La mayoría de la gente que afirmaba haber sido secuestrada por los médicos calvos y bajitos hablaba de sondas, ¿no?

El gorrión salió volando. Ralph ni tan siquiera se dio cuenta. Estaba pensando en los médicos calvos y bajitos que habían visitado a May Locher la noche de su muerte. ¿Qué más sabía de ellos? ¿Qué más había visto? Llevaban batas cortas blancas, como las que llevaban los médicos de las series de televisión de los cincuenta y los sesenta, como las que los farmacéuticos todavía llevaban en la actualidad. Pero, al contrario que en el caso del doctor 3, sus batas estaban limpias. El doctor 3 sostenía en la mano un bisturí oxidado; si había habido óxido en las tijeras que el doctor 1 sostenía en la mano, Ralph no se había dado cuenta, ni siquiera tras enfocarlas con los prismáticos.

Hay algo más, algo que probablemente carece de importancia, pero al menos te diste cuenta de ello. El doctor de las tijeras era diestro a juzgar por el modo en que sostenía el arma, pero el del bisturí es zurdo.

Sí, probablemente carecía de importancia, pero había algo en ello, otra de esas siluetas en la niebla, aunque muy pequeña, que le molestaba. Algo acerca de la dicotomía entre izquierda y derecha.

—Ve a la izquierda para tener derecho —masculló Ralph, repitiendo el final de algún chiste que había oído poco tiempos antes—. Ve a la derecha y te levantarás con el pie izquierdo.

No importaba. ¿Qué más sabía acerca de los médicos?

Bueno, estaban envueltos en auras, por supuesto, hermosas auras verdes y doradas, y dejaban tras de sí aquellas

(*huellas del hombre blanco*)

marcas tan parecidas a los diagramas del manual de baile de Arthur Murray. Y aunque sus facciones se le habían antojado por completo anónimas, sus auras transmitían una sensación de poder... sobriedad... y...

—Y dignidad, maldita sea —terminó Ralph.

Otra ráfaga de viento se levantó y barrió más hojas de los árboles. A unos cincuenta metros del merendero, no muy lejos de las viejas vías del ferrocarril, un árbol retorcido y medio arrancado parecía alargar las ramas en dirección a Ralph, unas ramas que en verdad recordaban un poco a unas manos.

De repente se le ocurrió a Ralph que había visto muchas cosas aquella noche para ser un viejo que se suponía debía estar viviendo al borde de la última fase de la vida, aquella que Shakespeare (y Bill McGovern) denominaban «pantalones escurridizos». Y nada de lo que había visto, ni una sola cosa, presuponía la existencia de peligro o malas intenciones. El hecho de que Ralph dedujera que había malas intenciones no resultaba demasiado sorprendente. Aquellos desconocidos tenían un aspecto físico aterrador; los había visto salir de la casa de una mujer enferma a una hora de la noche en la que casi nadie o nadie recibía visitas; los había visto pocos minutos después de despertar de una pesadilla de proporciones épicas.

Sin embargo, al recordar lo que había visto le volvían otras imágenes. Los veía parados junto a la entrada de la casa de la señora Locher, como si tuvieran todo el derecho de estar ahí; recordaba la sensación de que se trataba de dos amigos permitiéndose el lujo de charlar un ratito antes de separarse. Dos viejos amigos hablando una vez más del asunto antes de irse a casa después de una larga noche de trabajo.

Sí, ésa fue la impresión que te dieron, pero no puedes fiarte de ella, Ralph.

Pero Ralph creía que sí podía fiarse de ella. Viejos amigos, compañeros de trabajo después del turno de noche. La casa de May Locher había sido su última parada.

Muy bien; así pues, el doctor 1 y el doctor 2 no se parecían en lo más mínimo al doctor 3. Los primeros dos eran limpios mientras el tercero era sucio, ellos estaban envueltos en auras mientras que el tercero carecía de ella (al menos, que Ralph supiera), ellos llevaban tijeras mientras que él llevaba bisturí, ellos parecían más cuerdos y serenos que una pareja de respetables ancianos de pueblo, mientras que el n.º 3 parecía estar como un cencerro.

Pero una cosa está clara, ¿no? Tus compañeros de juegos son seres sobrenaturales, y aparte de Lois, la única persona que parece saber que existen es Ed Deepneau. ¿Cuánto crees tú que duerme Ed últimamente?

—No sé.

Se soltó las rodillas y se cubrió los ojos con las manos algo temblorosas. Ed había hablado de médicos calvos, y los médicos calvos existían. ¿Se refería a los médicos cuando hablaba de los Centuriones? Ralph no lo sabía. Casi lo esperaba, porque la palabra Centuriones empezaba a conjurar en su mente una imagen mucho más horrible cada vez que pensaba en ella: los Guardianes de los Anillos de la trilogía fantástica de Tolkien.* Figuras encapuchadas montadas en caballos esqueléticos de ojos rojos acercándose majestuosamente a un reducido grupo de hobbits encogidos de terror ante la Taberna del Pony Brincador de Bree.

Pensar en hobbits le hizo pensar en Lois y el temblor de sus manos se agudizó.

Carolyn: *Hay un largo camino hasta el Edén, cariño, así que no malgastes tus energías en las pequeñeces.*

Lois: *En mi familia, morir a los ochenta es morir joven.*

Joe Wyzer: *El forense suele certificar muerte por suicidio en lugar de insomnio.*

Bill: *Su especialidad era la Guerra Civil, y ahora ni siquiera sabe lo que es una guerra civil ni, por supuesto, quién ganó la nuestra.*

* El autor se refiere a *El señor de los Anillos*. (*N. del E.*)

Denise Polhurst: *La muerte es estúpida. A un obstreta que tardara tanto en cortarle el cordón umbilical...*

Era como si alguien acabara de encender un potente foco en su mente, y Ralph lanzó un grito en la soleada tarde otoñal. Ni siquiera el Delta 727 que se disponía a aterrizar en la pista 3 ahogó aquel grito.

Pasó el resto de la tarde sentado en el porche de la casa que compartía con Bill McGovern, esperando con impaciencia a que Lois regresara de su partida de cartas. Podría haber intentado de nuevo localizar a McGovern en el hospital, pero no lo hizo. Se le había pasado la necesidad de hablar con él. Ralph todavía no lo entendía todo, pero creía entender mucho más que antes, y si el repentino rayo de comprensión que lo había invadido en el merendero tenía aunque fuera un mínimo de validez, contarle a McGovern lo que había sucedido con su panamá no serviría de nada aunque Bill le creyera.

«Tengo que recuperar el sombrero —pensó Ralph—. Y también tengo que recuperar los pendientes de Lois.»

Fueron una tarde y un anochecer increíbles. Por un lado, no ocurrió nada; por otro, ocurrió todo. El mundo de las auras iba y venía a su alrededor como la majestuosa progresión de las sombras de las nubes en el cielo de la parte oeste de la ciudad. Ralph permaneció sentado, observándolo hechizado, rompiendo la magia tan sólo para comer algo e ir al baño. Vio a la señora Bennigan en el porche de su casa, enfundada en su brillante abrigo rojo, aferrada al andador mientras hacía inventario de sus flores de otoño. Vio el aura que la envolvía... Era del color rosado limpio y saludable de un bebé recién bañado; esperó que la señora B. no tuviera muchos parientes que esperaran su muerte. Vio a un joven de apenas veinte años caminando con paso indolente por la otra acera en dirección a la Manzana Roja. Era la personificación de la salud con sus vaqueros desteñidos y su camiseta sin mangas, pero Ralph vio una bolsa de la muerte pegada a él como una mancha de aceite, así como un cordel de globo que surgía de su coronilla como el cordel decrépito de la campanilla en una casa embrujada.

No vio a ningún médico calvo y bajito, pero poco después de las cinco y media vio una impresionante columna de luz violácea brotar de una alcantarilla en el centro de Harris Avenue; la luz se elevó hacia el cielo como un efecto especial de una película bíblica de Cecil B. DeMille durante unos tres minutos antes de desaparecer. También vio un enorme pájaro, que parecía un halcón prehistórico, planear entre las chimeneas de la vieja fábrica de productos lácteos que había a la vuelta de la esquina, en Howard Street, y corrientes térmicas de color rojo y azul retorciéndose sobre el parque Strawford en lazos largos y perezosos.

A las seis menos cuarto, cuando el entrenamiento de fútbol terminó en la escuela primaria de Fairmount, una docena de chiquillos llegó corriendo al aparcamiento de la Manzana Roja, donde podrían comprar toneladas de caramelos y fajos de cromos (cromos de fútbol en aquella época del año, suponía Ralph). Dos de ellos se detuvieron para discutir por algo, y sus auras, una de las cuales era verde y la otra, de un vibrante matiz anaranjado, encogieron, se tornaron más intensas y empezaron a resplandecer a causa de las espirales ascendentes de luz roja que las surcaban.

¡Cuidado!, gritó Ralph mentalmente al chiquillo del aura anaranjada, justo antes de que el Chiquillo Verde dejara caer sus libros de texto y le propinara un porrazo en la boca. Los dos chiquillos se agarraron, empezaron a dar vueltas en una danza torpe y agresiva y por fin cayeron sobre la acera. En torno a ellos se formó un pequeño círculo de niños que gritaban y jaleaban. Una suerte de cúpula entre violeta y roja se formó como un nubarrón alrededor y encima de la pelea. A Ralph, aquella silueta, que circulaba con lentitud en el sentido de las agujas del reloj, se le antojaba terrible y bella a un tiempo, y se preguntó qué aspecto tendría el aura de una batalla militar en toda regla. Justo en el momento en que el Chiquillo Anaranjado se encaramaba sobre el Chiquillo Verde para empezar a darle una paliza en serio, Sue salió de la tienda y les ordenó a gritos que dejaran de pelearse en el maldito aparcamiento.

El Chiquillo Anaranjado soltó al otro con reticencia. Los contrincantes se pusieron en pie sin dejar de mirarse con cautela. Por fin, el Chiquillo Verde, en un intento de aparentar impasibilidad, giró sobre sus talones y entró en la tienda. Sólo el vistazo rápido por encima del hombro para asegurarse de que su oponente no le seguía estropeó el efecto.

Los espectadores de la pelea siguieron al Chiquillo Verde a la tienda para abastecerse de suministros tras el entrenamiento o bien se agolparon alrededor del Chiquillo Anaranjado para felicitarlo. Sobre sus cabezas, invisible, aquella virulenta cúpula roja y violeta empezaba a disiparse como un banco de nubes antes del viento. Se resquebrajó, se desparramó y por fin desapareció.

La calle es un carnaval de energía, pensó Ralph. *El jugo que han exhalado esos dos chicos durante los noventa segundos de la pelea parecía bastar para abastecer a toda Derry durante una semana, y si fuera posible hacerse con la energía de los espectadores, la energía de ese champiñón, lo más probable es que pudiera abastecerse de electricidad a todo el estado de Maine durante un mes. ¿Puedes imaginarte lo que significaría penetrar en el mundo de las auras en Times Square a las doce menos dos minutos de Nochevieja?*

No podía y tampoco quería. Sospechaba que acababa de topar

con la vanguardia de una fuerza tan enorme y vital que, en comparación, todas las armas nucleares fabricadas desde 1945 parecían tener la potencia de una pistola de juguete disparada dentro de una lata vacía. Una fuerza suficiente para destruir el universo entero, tal vez..., o para crear otro.

Ralph subió a su piso, vertió una lata de alubias en una olla y un par de salchichas en otra, y empezó a pasearse por la casa vacía como un oso enjaulado, chasqueando los dedos y mesándose el cabello mientras esperaba con impaciencia a que su cena de soltero estuviera dispuesta. El profundo cansancio que lo invadía desde mediados de verano había desaparecido por completo, al menos de momento; se sentía embargado por una energía maníaca y grotesca, completamente repleto de ella. Suponía que por eso a la gente le gustaba tanto la bencedrina y la cocaína, aunque tenía la sensación de que su colocón era mucho mejor, de que cuando se le pasara no lo dejaría exhausto y maltrecho, más usado que usuario.

Ralph Roberts, sin saber que el cabello que mesaban sus dedos se había tornado más espeso y que en él se veían mechones negros por primera vez en cinco años, paseaba incansable por el piso, caminando sobre los talones, tarareando y luego cantando un viejo rock and roll de principios de los sesenta: «Eh, gua-paa, no puedes sentarte... tienes que saltar, tienes que bailar, por toda la ciudaaad...».

Las alubias bullían en una olla, las salchichas hervían en la otra, aunque a Ralph casi le parecía verlas bailar el Bristol Stomp al son del viejo tema de los Dovell. Sin dejar de cantar a pleno pulmón («Cuando oyes al hippy con el ritmo, no puedes sentarte»), Ralph cortó las salchichas en pedacitos, las añadió a las alubias, vertió un cuarto de litro de ketchup, agregó un poco de salsa de chile y lo mezcló todo vigorosamente antes de dirigirse hacia la puerta. En una mano llevaba la cena, que no había sacado de la olla. Bajó la escalera con la ligereza de un chiquillo que llega tarde el primer día de escuela. Cogió una vieja y holgada chaqueta de punto (que era de McGovern, pero qué diablos) del armario del recibidor y salió al porche.

Las auras habían desaparecido, pero a Ralph no le importaba; de momento le interesaba más el olor de la comida. No recordaba cuándo había sido la última vez que había tenido tanta hambre como en aquel instante. Se sentó en el escalón superior con los muslos largos y las rodillas huesudas sobresaliendo a cada lado de su cuerpo y aspecto de Ichabod Crane, y empezó a comer. Los primeros bocados le quemaron los labios y la boca, pero en lugar de disuadirlo, lo animaron a comer más deprisa, casi a devorar.

Se detuvo cuando la olla de alubias y salchichas estaba ya medio vacía. El animal que anidaba en su estómago no se había dormido, al menos no de momento, pero sí se había apaciguado un poco. Ralph eructó sin ningún reparo y contempló Harris Avenue con una satisfacción que no había experimentado en muchos años. Dadas las circunstancias, aquella sensación carecía por completo de sentido, pero eso no cambiaba nada. ¿Cuándo se había sentido tan bien por última vez? Tal vez la mañana que había despertado en aquel granero situado entre Derry, Maine y Poughkeepsie, Nueva York, anonadado por los rayos de luz, miles de rayos, le había parecido, que atravesaban entrelazados el lugar cálido y de aroma dulce en el que yacía.

O tal vez nunca.

Eso, tal vez nunca.

Vio a la señora Perrine aproximarse por la calle, probablemente de regreso de Un Lugar Seguro, la combinación de comedor social y refugio para vagabundos que se hallaba junto al Canal. Una vez más, Ralph se sintió fascinado por su extraño andar deslizante, que lograba sin ayuda de bastón y, en apariencia, sin desplazar las caderas lateralmente. Su cabello, aún más negro que gris, estaba sujeto (o quizás sería mejor decir subyugado) por la redecilla que llevaba cuando servía en el comedor. Gruesas medias del color del algodón de azúcar ascendían desde sus inmaculados zapatos de enfermera..., aunque Ralph no veía gran cosa ni de las medias ni de las piernas que cubrían; aquel día, la señora Perrine llevaba un abrigo de lana de hombre que le llegaba casi hasta los tobillos. Parecía depender por completo de sus muslos para desplazarse, y este modo de locomoción, combinado con el abrigo, confería a Ione Perrine un aspecto algo surrealista mientras se aproximaba. Parecía la reina negra de un tablero de ajedrez, una figura a la que, o bien guiaba una mano invisible, o bien se movía por sí sola.

Mientras se acercaba al lugar en el que Ralph estaba sentado, todavía con la camisa rota y ahora, a la postre, comiendo directamente de la olla, las auras reaparecieron en el mundo. Las farolas ya estaban encendidas, y Ralph vio que sobre cada una de ellas pendía un delicado arco de color espliego. También veía una neblina roja sobre algunos tejados, amarilla sobre otros, de un pálido color cereza sobre otros. Al este, donde la noche se disponía a extender su manto por el cielo, el horizonte aparecía salpicado de mortecinas motas verdes.

Volviendo su atención a lo más inmediato, observó cómo el aura de la señora Perrine cobraba vida a su alrededor, aquella aura que le recordaba el uniforme de un cadete de West Point. Unas cuantas motas oscuras, que parecían botones fantasma, resplandecían sobre su pecho (Ralph suponía que había un pecho escondido en alguna parte bajo el abrigo). No estaba seguro, pero creía que aquellas motas significaban que se avecinaban problemas de salud.

—Buenas tardes, señora Perrine —saludó en tono cortés al tiempo que observaba cómo las palabras se elevaban ante sus ojos como copos de nieve.

La mujer le lanzó una rápida mirada de pájaro, de arriba abajo, como si lo justipreciara y despidiera en una sola mirada.

—Veo que todavía lleva la misma camisa, Roberts —empezó.

Lo que no dijo, aunque Ralph estaba convencido de que lo estaba pensando, fue: *Y también veo que está aquí sentado comiendo alubias directamente de la olla, como un vagabundo que no supiera hacerlo mejor... y siempre me acuerdo de lo que veo, Roberts.*

—Sí —asintió Ralph—. Me he olvidado de cambiarme.

—Hmm —replicó la señora Perrine.

Ralph tuvo la sensación de que ahora estaba considerando su ropa interior. *¿Cuándo fue la última vez que se le ocurrió cambiarse de ropa interior? Me estremezco sólo de pensarlo, Roberts.*

—Qué tiempo tan magnífico, ¿verdad, señora Perrine?

Otra de aquellas miradas rápidas de pájaro, esta vez dedicada al cielo, antes de volverse de nuevo hacia Ralph.

—Va a hacer frío.

—¿Usted cree?

—Oh, sí, el veranillo de San Martín se ha acabado. Mi espalda ya no sirve para gran cosa aparte de para la previsión meteorológica, pero en eso no falla —hizo una pausa antes de continuar—: Creo que esa chaqueta es de Bill McGovern.

—Creo que sí —asintió Roberts preguntándose si la anciana le preguntaría a continuación si Bill sabía que la tenía él, lo cual no le extrañaría de ella.

Sin embargo, la señora Perrine le dijo que se la abrochara.

—No querrá pescar una neumonía, ¿verdad? —inquirió, y sus labios apretados agregaron: *Ni acabar en el loquero.*

—No, desde luego —convino Ralph.

Dejó la olla a un lado, se llevó las manos a los botones de la chaqueta y de repente se detuvo. Todavía llevaba la manopla de cocina en la mano izquierda. No se había dado cuenta hasta entonces.

—Le resultará más fácil si se quita eso —comentó la señora Perrine.

Ralph creyó ver un debilísimo brillo en sus ojos.

—Supongo que sí —repuso Ralph con humildad antes de quitarse la manopla y abotonarse la chaqueta de McGovern.

—Mi oferta sigue en pie, Roberts.

—¿Cómo dice?

—Mi oferta de remendarle la camisa. Si es que puede soportar separarse de ella durante un día, claro está. Tendrá otra camisa, supongo. Una que pueda llevar mientras le remiendo ésta.

—Oh, sí —aseguró Ralph—. Claro que sí. Tengo muchas.

—Escoger una cada día debe de ser todo un reto para usted. Tiene salsa en la barbilla, Roberts.

Una vez pronunciadas aquellas palabras, la señora Perrine volvió los ojos hacia la calle y empezó a desfilar.

Lo que Ralph hizo a continuación no fue fruto de premeditación ni comprensión alguna; fue una acción tan instintiva como el movimiento de karate que había empleado para alejar al doctor 3 de *Rosalie*. Levantó la mano en la que antes llevaba la manopla de cocina, formó un tubo con ella y se la llevó a la boca. A continuación inhaló con fuerza, emitiendo un débil y agudo silbido.

El resultado fue impresionante. Un lápiz de luz gris surgió del aura de la señora Perrine como la púa de un puercoespín. Se alargó hacia atrás con rapidez mientras la mujer avanzaba, cruzó el césped cubierto de hojas y por fin penetró como un rayo en el tubo formado por los dedos de Ralph. Lo sintió invadir su cuerpo mientras lo inhalaba, y fue como tragar energía pura. De repente se sintió iluminado, como un cartel de neón o la marquesina de un cine de gran ciudad. Una sensación explosiva de fuerza, una sensación de UAUU le atravesó el pecho, el estómago y las piernas hasta las puntas de los dedos de los pies. Al mismo tiempo salió disparada hacia su cabeza, amenazando con volarle la tapa de los sesos como si fuera la delgada capa de hormigón que protege los silos de misiles.

Veía rayos de luz grises, como niebla electrificada, surgir humeantes de entre sus dedos. Una terrible y gozosa sensación de poder iluminó sus pensamientos, pero sólo durante un instante. La siguió una intensa sensación de vergüenza y anonadado horror.

¿Qué estás haciendo, Ralph? Sea lo que sea esto, no te pertenece. ¿Meterías la mano en su bolso y le robarías el dinero mientras no mirara?

El rostro le ardía de rubor. Retiró la mano y cerró la boca. Cuando sus labios y dientes se juntaron, oyó y percibió una suerte de crujido en su interior. Era el sonido que se oía al morder un trozo de ruibarbo fresco.

La señora Perrine se detuvo, y Ralph observó con atención cómo daba un cuarto de vuelta y miraba la calle. «No lo he hecho adrede —le dijo mentalmente—. De verdad que no, señora Perrine. Todavía no estoy muy ducho en estas cosas.»

—Roberts.

—¿Sí?

—¿Ha oído algo? Casi parecía un disparo.

Ralph sintió que la sangre le palpitaba en los oídos mientras meneaba la cabeza.

—No..., pero mi oído ya no es lo que...

—Probablemente el tubo de escape de algún coche en Kansas Street —lo interrumpió ella sin hacer caso de sus pobres excusas—. Pero el corazón me ha dado un vuelco, eso se lo aseguro.

La anciana echó a andar de nuevo con aquel extraño paso deslizante de reina de ajedrez, pero de repente se detuvo y se volvió para mirar a Ralph. Su aura había empezado a desvanecerse, pero a Ralph no le costó esfuerzo alguno ver sus ojos, agudos como los de un cernícalo.

—Está cambiado, Roberts —dijo—. Parece más joven.

Ralph, que esperaba algo por el estilo de *Devuélvame lo que me ha robado, Roberts, ahora mismo*, no sabía qué decir.

—¿Usted cree...? Muy amable... quiero decir gracias por...

La anciana agitó una mano despectiva en su dirección.

—Probablemente es por la luz. Le aconsejo que no babee sobre la chaqueta, Roberts. Tengo la impresión de que el señor McGovern es una persona que tiene mucho cuidado con sus cosas.

—Debería haber tenido más cuidado con su sombrero —masculló Ralph.

Aquellos ojos brillantes, que habían empezado a alejarse, se volvieron de nuevo hacia él.

—¿Cómo dice?

—Su panamá —explicó Ralph—. Lo ha perdido.

La señora Perrine consideró aquellas palabras a la luz de su intelecto durante unos instantes, y por fin las desechó con otro *Hmm*.

—Entre en la casa, Roberts. Si se queda aquí afuera mucho más tiempo pescará un catarro de muerte.

Y dicho aquello reanudó su camino en el mismo estado, al menos a juzgar por su aspecto, que antes del precipitado robo de Ralph.

¿Robo? Estoy casi seguro de que ésa no es la palabra correcta, Ralph. Lo que has hecho se parecía más a...

—Vampirismo —terminó Ralph ceñudo.

Dejó la olla y empezó a frotarse las manos con lentitud. Estaba avergonzado..., se sentía culpable..., estaba a punto de explotar de energía.

Le has arrebatado una parte de su fuerza vital en lugar de sangre, pero un vampiro es un vampiro, Ralph.

Muy cierto. Y de repente se le ocurrió que no debía de ser la primera vez que lo hacía.

Está cambiado, Roberts. Parece más joven. Eso acababa de decir la señora Perrine, pero la gente le decía cosas parecidas desde finales de verano, ¿no? La razón principal por la que sus amigos no le habían instado a ir al médico residía en que no tenía aspecto de que le pasara nada malo. Se quejaba de insomnio, pero, en realidad, era la salud personificada. *Así que, por lo visto, el truco del panal ha funcionado,*

326

¿eh?, había dicho Johnny Leydecker justo antes de que salieran de la biblioteca el domingo por la noche... De vuelta a la Edad de Hierro, así era como se sentía en ese momento. Y cuando Ralph le preguntó de qué estaba hablando, Leydecker le contestó que estaba hablando de su insomnio. *Tienes un aspecto tropecientas veces mejor que el día en que te conocí.*

Y Leydecker no era el único. Ralph se arrastraba por la vida como si lo hubiera aplastado una apisonadora, mareado y mutilado..., pero la gente no cesaba de decirle que tenía un aspecto magnífico, fresco y joven. Helen..., McGovern..., incluso Faye Chapin le había dicho algo parecido una o dos semanas antes, aunque Ralph no recordaba con exactitud qué...

—Claro que me acuerdo —se corrigió en tono bajo y consternado—. Me preguntó si me ponía crema antiarrugas. ¡Crema antiarrugas, por el amor de Dios!

¿Ya robaba la fuerza vital de otras personas por aquel entonces? ¿La robaba sin tan siquiera darse cuenta de ello?

—Debía de hacerlo —se contestó en el mismo tono de voz—. Dios mío, soy un vampiro.

Pero ¿era ésa la palabra correcta?, se preguntó de repente. ¿Acaso no era al menos posible que, en el mundo de las auras, un ladrón de vidas recibiera el nombre de Centurión?

El rostro pálido y frenético de Ed se le apareció como un fantasma que vuelve para acusar a su asesino, y con repentino terror, Ralph se abrazó las rodillas y apoyó la cabeza en ellas.

15

A las siete y veinte, un Lincoln Town Car de finales de los setenta en perfecto estado se detuvo junto al bordillo frente a la casa de Lois. Ralph, que había pasado la última hora duchándose, afeitándose e intentando calmarse, salió al porche y vio a Lois salir del asiento posterior. Despedidas y risitas juveniles llegaron a los oídos de Ralph llevadas por la brisa.

El Lincoln se alejó y Lois empezó a subir el sendero de su casa. A medio camino se detuvo y giró en redondo. Por un eterno instante, los dos se miraron desde sus respectivas casas, viéndose con toda claridad a pesar de la creciente oscuridad y de los doscientos metros que los separaban. Y ardían el uno por el otro como antorchas secretas.

Lois lo apuntó con el dedo. Era un gesto muy parecido al que había empleado para disparar al doctor 3, pero no inquietó a Ralph en lo más mínimo.

«La intención —pensó con aire soñador—. La intención es lo que cuenta. En este mundo hay pocos errores... y una vez aprendes a manejarte, tal vez ya no quede ningún error.»

Un delgado y reluciente rayo gris de fuerza apareció en la yema del dedo de Lois y empezó a extenderse por la sombras profundas de Harris Avenue. Un coche que pasaba lo atravesó alegremente. Las ventanillas resplandecieron grises por un instante, y los faros parecieron parpadear, pero eso fue todo.

Ralph levantó el dedo y de él brotó un rayo azul. Ambas líneas de luz se encontraron en el centro de la avenida y se entrelazaron como madreselva. La espiral subió y subió al tiempo que palidecía. Entonces Ralph dobló el dedo y su mitad del nudo de amor se disipó de repente. Al cabo de un instante, la mitad de Lois también desapareció. Ralph descendió lentamente los escalones del porche y echó a andar por el césped. Lois se dirigió hacia él. Se encontraron en medio de la calle..., donde, en realidad, ya se habían encontrado antes.

Ralph rodeó con sus brazos la cintura de Lois y la besó.

Está cambiado, Roberts. Parece más joven.

Aquellas palabras seguían danzando en su mente como una cinta infinita mientras Ralph estaba sentado en la cocina de casa de Lois, tomando café. No podía apartar los ojos de ella. Parecía diez años más joven y pesar diez kilos menos que la Lois a la que se había acostumbrado a ver en los últimos años. ¿Había tenido aquel aspecto tan joven y hermoso aquella mañana, en el parque? Ralph no lo creía, aunque, por supuesto, aquella mañana había estado trastornada, trastornada y llorando, y suponía que en ello residía el cambio.

Aun así...

Sí, aun así. El sutil entramado de arrugas que le adornaba las comisuras de los labios había desaparecido, al igual que la incipiente papada y la carne fláccida que había empezado a penderle de los brazos. Aquella mañana había estado llorando y ahora aparecía radiante de felicidad, pero Ralph sabía que dicha circunstancia no podía ser la única responsable de la transformación.

—Ya sé lo que estás mirando —comentó Lois—. Da un poco de miedo, ¿verdad? Bueno, la verdad es que resuelve la cuestión de si todo esto es producto de nuestra imaginación o no, pero no deja de dar miedo. Hemos encontrado la fuente de la eterna juventud. Nada de Florida; está aquí mismo, en Derry.

—¿La hemos encontrado los dos?

Lois adoptó una expresión de sorpresa... y cautela, como si sospechara que Ralph se burlaba de ella, que le estaba tomando el pelo, tratándola de nuevo como «nuestra Lois». Por fin alargó el brazo y le oprimió la mano.

—Ve al baño. Mírate al espejo.

—Ya sé qué aspecto tengo. Mujer, si acabo de afeitarme. Y he tardado lo mío, te lo aseguro.

—Te has esmerado mucho, Ralph —asintió Lois—, pero no me refiero a tu barba de medio día. Mírate al espejo.

—¿Lo dices en serio?

—Sí —insistió ella con firmeza—. Lo digo en serio. No sólo te has afeitado —prosiguió cuando Ralph casi había alcanzado la puerta—; también te has cambiado de camisa. Eso está muy bien. No quería decir nada, pero la de cuadros tenía un roto.

—¿Ah, sí? —preguntó Ralph de espaldas a ella, por lo que Lois no pudo ver su sonrisa—. No me había dado cuenta.

Permaneció de pie, con los brazos apoyados en el lavabo, mirándose al espejo, durante al menos dos minutos. Fue eso lo que tardó en reconocer que realmente estaba viendo lo que estaba viendo. Los mechones negros, relucientes como plumas de cuervo, que habían reaparecido en su cabello eran impresionantes, al igual que la desaparición de las feas bolsas bajo los ojos, pero lo que más le asombraba era que las líneas y profundas arrugas de sus labios se habían esfumado como por encanto. Era tan sólo un detalle..., pero también era algo de proporciones inconmensurables. Tenía ante sí la boca de un hombre joven. Y...

Con ademán brusco, Ralph se pasó un dedo por la hilera inferior de los dientes. No estaba del todo seguro, pero se le antojaban más largos, como si una parte de la erosión no hubiera tenido lugar.

—Joder —murmuró.

En aquel momento recordó aquel aplastante día del verano anterior en que se había enfrentado a Ed en su jardín. Ed le había dicho que cogiera una silla y a continuación le había confiado que el condado de Derry había sufrido la invasión de criaturas siniestras que mataban bebés, que robaban la vida. *Todas las líneas del poder han empezado a converger aquí*, le había dicho Ed. *Sé que es difícil de creer, pero es cierto*.

A Ralph cada vez le costaba menos creerlo. Lo que le costaba era creer que Ed estuviera loco.

—Si esto no se acaba —le dijo Lois desde la puerta, dándole un susto—, tendremos que casarnos y dejar la ciudad, Ralph. Simone y Mina no podían, literalmente no podían quitarme los ojos de encima. Les he contado un montón de tonterías acerca de un maquillaje nuevo que me compré en el centro comercial, pero no se lo han tragado. Un hombre sí se lo tragaría, pero las mujeres saben lo que puede hacer el maquillaje. Y lo que no puede hacer.

Regresaron a la cocina, y aunque no había ni rastro de las auras por el momento, Ralph advirtió que veía una de todos modos; un rubor que subía desde el cuello de la blusa de seda blanca de Lois.

—Así que por fin les he dicho la única cosa que iban a creerse.

—¿Qué? —inquirió Ralph.

—Les he dicho que he conocido a un hombre —titubeó mientras la sangre le teñía las mejillas de rosa, y por fin se lanzó—. Y que me he enamorado de él.

Ralph le cogió el brazo para hacer que se encarara con él. Contempló el pequeño pliegue que se formaba en la parte interior de su codo y pensó en lo mucho que le gustaría rozarlo con la boca. O tal vez con la punta de la lengua. Por fin alzó los ojos para mirarla.

—¿Y es verdad?

Lois le devolvió la mirada con los ojos muy abiertos de esperanza y sinceridad.

—Creo que sí —repuso en voz baja, aunque clara—, pero todo es tan extraño. Lo único que sé es que quiero que sea verdad. Quiero un amigo. Hace ya mucho tiempo que estoy asustada y soy desgraciada. Creo que la soledad es lo peor de la vejez, no los achaques, los dolores, los intestinos caprichosos ni quedarse sin aliento después de subir una escalera que podrías haber subido volando a los veinte, sino la soledad.

—Sí —asintió Ralph—. Es lo peor.

—Nadie habla contigo... Oh, a veces te hablan, pero no es lo mismo, y por lo general es como si la gente ni siquiera te viera. ¿Te has dado cuenta de eso alguna vez?

Ralph pensó en la Derry de los Viejos Carcamales, una ciudad que la gente joven, siempre con prisas, ignoraba, y asintió.

—Ralph, ¿me das un abrazo?

—Con mucho gusto —repuso él antes de atraerla suavemente hacia sí.

Al cabo de un rato, cansados y aturdidos, pero felices, Ralph y Lois se sentaron en el sofá del salón, un mueble tan diminuto que, en realidad, no era mucho más que un sillón grande. A ninguno de los dos le importaba. Ralph tenía el brazo echado sobre los hombros de Lois. Ella se había soltado el cabello, y Ralph retorcía un mechón entre los dedos, reflexionando sobre cuán fácil era olvidar el tacto del cabello de una mujer, tan maravillosamente distinto del de un hombre. Lois le había contado todo lo referente a la partida de cartas, y Ralph había escuchado con atención, impresionado pero, como descubrió, no demasiado sorprendido.

Unas doce mujeres se reunían una vez por semana en la Grange para jugar con apuestas pequeñas. Era posible acabar perdiendo cinco dólares o ganando diez, pero lo más probable era acabar con un dólar de ganancias o unas pocas monedas de pérdidas. Aunque había un par de jugadoras excelentes y un par de auténticos desastres (Lois se contaba entre las primeras), de lo que se trataba en realidad era de pasar un rato agradable..., la variante de las Viejas Carcamales de los campeonatos de ajedrez y los maratones de remigio.

—Pero esta tarde no podía perder. Debería haber vuelto a casa completamente arruinada, porque todas me preguntaban una y otra vez qué vitaminas tomaba, dónde me había hecho la última limpieza de cutis, etc. ¿Quién puede concentrarse en un juego estúpido como las Siete y Media, el Hombre con el Hacha o Sietes Ganan cuando tienes que inventarte constantemente nuevas mentiras e intentar no tropezar con las que ya has dicho antes?

—Debe de haber sido muy difícil —convino Ralph intentando no sonreír.

—Sí, muy difícil. Pero en lugar de perder, he ganado todas las manos. ¿Y sabes por qué, Ralph?

Lo sabía, pero denegó con la cabeza para que ella se lo dijera. Le encantaba escucharla.

—Por sus auras. No siempre sabía exactamente qué cartas tenían, pero muchas veces sí. Y cuando no lo sabía, podía hacerme una idea de lo buenas que eran sus manos. No siempre veía las auras, ya sabes que van y vienen, pero incluso cuando no las veía he jugado mejor que en toda mi vida. La última hora he empezado a perder adrede para que no me odiaran. ¿Y sabes qué? Incluso perder adrede me ha costado —aseguró al tiempo que se miraba las manos, que había empezado a retorcer con nerviosismo sobre el regazo—. Y en el camino de vuelta he hecho algo de lo que me avergüenzo.

Ralph volvía a entrever su aura, un fantasma mortecino de color gris salpicado de informes burbujas azul oscuro.

—Antes de que me lo digas escucha lo que voy a contarte y dime si te suena.

Le habló del momento en que la señora Perrine se había aproximado mientras estaba sentado en el porche, comiendo alubias y salchichas directamente de la olla y esperando a Lois. Cuando le contó lo que le había hecho a la anciana, bajó la mirada y sintió que las orejas empezaban a arderle de nuevo.

—Sí —asintió Lois cuando terminó—. Es lo mismo que he hecho yo..., pero no lo he hecho adrede, Ralph..., al menos no lo creo. Estaba sentada en el asiento trasero con Mina, y ella ha empezado otra vez con todo eso de que estaba tan cambiada, de que parecía tan joven, y entonces he pensado (me da vergüenza decirlo en voz alta, pero creo que será lo mejor), he pensado: «Ya te haré callar, vieja fisgona y envidiosa». Porque era envidia, Ralph. Lo he visto en su aura. Grandes pinchos dentados del mismo color que los ojos de un gato. ¡No me extraña que digan que la envidia es un monstruo de ojos verdes! Bueno, pues, he señalado fuera con el dedo y le he dicho a Mina: «¡Oooh, Mina, mira qué casita más mona!». Y cuando se ha girado he hecho lo... lo mismo que tú, Ralph. Sólo que no he cerrado la mano, sino que he fruncido los labios... así... —Hizo una demostración y estaba tan encantadora con los labios fruncidos que Ralph sintió deseos (de hecho, se sintió tentado) de aprovecharse de la situación—... y he aspirado una gran nube de esa cosa.

—¿Y qué ha pasado? —inquirió Ralph entre asustado y fascinado.

—¿A mí o a ella? —replicó Lois con una sonrisa triste.

—A las dos.

—Pues Mina ha dado un respingo y ha empezado a darse cachetes en la nuca. «¡Tengo un bicho! —ha gritado—. ¡Me ha mordido! ¡Quítamelo, Lo! ¡Quítamelo, por favor!» No tenía ningún bicho en ninguna parte, claro, yo era el bicho, pero le he dado una palmadita en la nuca, he abierto la ventanilla y le he dicho que se había ido, que había salido volando. Ha tenido suerte de que no le rompiera la cabeza en lugar de darle palmaditas en la nuca... ¡Estaba tan llena de energía!

Tenía la sensación de que podía abrir la puerta del coche y volver a casa corriendo.

Ralph asintió con un gesto.

—Ha sido maravilloso..., demasiado maravilloso. Es como los programas sobre drogas que ponen en la tele, cuando explican que primero te transportan al cielo y luego te condenan al infierno. ¿Qué pasa si empezamos a hacer esto y luego ya no podemos parar?

—Sí —asintió Ralph—. ¿Y qué pasa si perjudica a la gente? No puedo dejar de pensar en vampiros.

—¿Sabes en qué pienso yo? —preguntó Lois en un susurro—. En esas cosas de las que me contaste que hablaba Ed Deepneau. Esos Centuriones. ¿Y si somos nosotros, Ralph? ¿Qué pasa si somos nosotros?

Ralph la abrazó y la besó en la coronilla. Escuchar sus peores temores de labios de Lois los hacía menos terribles a sus ojos, y aquello le recordó lo que Lois había dicho acerca de que la soledad es lo peor de la vejez.

—Lo sé —repuso—. Y lo que da más miedo es que lo que le he hecho a la señora Perrine ha sido totalmente espontáneo... No recuerdo haber pensado en ello antes, sólo recuerdo haberlo hecho. ¿A ti te ha pasado lo mismo?

—Sí, exactamente lo mismo —asintió ella apoyando la cabeza en su hombro.

—No podemos volver a hacerlo —sentenció Ralph—. Porque a lo mejor sí crea adicción. Cualquier cosa que te produzca una sensación tan maravillosa tiene que crear adicción, ¿no te parece? Y también tenemos que intentar evitar hacerlo inconscientemente, porque creo que eso es lo que he estado haciendo. Podría ser por eso que...

Se interrumpió al oír un chirrido de frenos y de neumáticos deslizándose por el pavimento. Se miraron con los ojos abiertos de par en par mientras afuera continuaba el ruido, el dolor en busca de un punto de impacto.

«Que no pase —rezó Ralph—. Por favor, que no pase, y si tiene que pasar, que no sea Bill McGovern quien esté al final de ese ruido.»

Pero mucho se temía que así sería.

Se oyó un golpe sordo cuando el chirrido de los frenos y los neumáticos enmudeció. Fue seguido por el breve grito de una mujer o un niño, Ralph no lo sabía con certeza.

—¿Qué ha pasado? —gritó alguien—. ¡Oh, Dios mío!

Se oyó el golpeteo de pasos rápidos por el pavimento.

—Quédate en el sofá —ordenó Ralph mientras corría hacia la ventana.

Al subir la persiana se dio cuenta de que Lois estaba junto a él, y sintió una punzada de aprobación. Era lo que Carolyn habría hecho en circunstancias parecidas.

Contemplaron el mundo nocturno que palpitaba con extraños colores y movimientos fabulosos. Ralph sabía que era a Bill a quien iba a ver, lo sabía; Bill atropellado, muerto en la calle, el panamá con el ala mordisqueada a pocos centímetros de su mano extendida. Rodeó a Lois con el brazo, y ella le oprimió la mano.

Pero no era McGovern el que yacía en el arco de luz que arrojaba el Ford atravesado en medio de Harris Avenue; era *Rosalie*. Sus expediciones de madrugada habían tocado a su fin. Yacía de costado en un charco de sangre que se propagaba deprisa, con el lomo encogido y quebrado en varios puntos. Cuando el conductor del coche que la había atropellado se arrodilló junto a la vieja perra callejera, la despiadada luz de los faros iluminó su rostro. Era Joe Wyzer, el farmacéutico de Rite Aid, cuya aura entre amarilla y anaranjada aparecía ahora salpicada de confusos remolinos rojos y azules. Acarició el costado del perro, y cada vez que su mano atravesaba la terrible aura negra que se adhería a *Rosalie*, desaparecía.

Una oleada de terror recorrió a Ralph de pies a cabeza, haciendo que le bajara la temperatura y se le encogieran las pelotas hasta adquirir la consistencia de huesos de melocotón. De repente estaba de nuevo en julio de 1992, Carolyn agonizaba, el reloj de la muerte avanzaba y algo extraño le había sucedido a Ed Deepneau. Ed había perdido los estribos, y Ralph se había visto obligado a evitar que el marido normalmente civilizado de Helen se abalanzara sobre el hombre de la gorra de los Jardineros del West Side para intentar estrangularlo. Y entonces, para colmo de todos los males, como habría dicho Carolyn, había aparecido Dorrance Marstellar. El viejo Dor. ¿Y qué había dicho?

Yo de ti no lo tocaría más... No te veo las manos.

No te veo las manos.

—Oh, Dios mío —susurró Ralph.

Lois lo arrancó de su ensimismamiento, pues se estaba tambaleando junto a él, como si estuviera al borde del desmayo.

—¡Lois! —exclamó al tiempo que la agarraba por el brazo—. Lois, ¿estás bien?

—Creo que sí... pero Ralph..., ¿estás viendo...?

—Sí, es *Rosalie*. Creo que...

—¡No me refiero a ella! ¡Me refiero a él! —gritó señalando hacia la derecha.

El doctor 3 estaba apoyado contra el maletero del Ford de Joe Wyzer, el panamá de McGovern echado con garbo hacia atrás sobre su cráneo lampiño. Miró a Ralph y Lois, esbozó una sonrisa insolente, se llevó el pulgar a la nariz y agitó el meñique en su dirección.

334

—¡Hijo de puta! —gritó Ralph al tiempo que golpeaba la pared junto a la ventana en ademán de impotencia.

Media docena de personas se estaban acercando al lugar del accidente, pero no podían hacer nada; *Rosalie* moriría antes de que el primero llegara al lugar en que yacía iluminada por la despiadada luz de los faros. El aura negra se tornaba cada vez más densa, se transformaba en algo que casi parecía un ladrillo manchado de hollín. La envolvía como un sudario a medida, y la mano de Wyzer desaparecía hasta la muñeca cada vez que se deslizaba a través de aquel terrible atuendo.

El doctor 3 levantó la mano con el índice extendido y ladeó la cabeza como si fuera un profesor, una pantomima tan acertada que casi decía *Atención, por favor* en voz alta. Avanzó de puntillas, una precaución innecesaria, pues la gente no lo veía, pero el efecto era el efecto, y alargó la mano hacia el bolsillo trasero de Joe Wyzer. Se volvió hacia Ralph y Lois como para preguntarles si seguían prestándole atención. Luego avanzó unos pasos más de puntillas, con la mano izquierda extendida.

—Haz algo, Ralph —gimió Lois—. Por favor, haz algo.

Lentamente, como si estuviera drogado, Ralph levantó la mano e hizo el consabido movimiento de karateka. Una cuña de luz azul brotó de sus dedos, pero se desparramó al atravesar la ventana. Una niebla de color pastel se extendió a unos metros de la casa de Lois antes de desaparecer. El médico calvo agitó el dedo en un enfurecedor ademán que parecía decir: *Qué chico tan travieso.*

—No ha servido de nada —dijo Ralph.

El doctor 3 alargó de nuevo la mano y extrajo algo del bolsillo trasero de Joe Wyzer, que seguía arrodillado en la calle, lamentándose por la muerte del perro. Ralph no supo de qué se trataba hasta que la criatura de la bata sucia se quitó el sombrero de McGovern y fingió aplicar el objeto que acababa de robar a su cabello inexistente. Era un peine de bolsillo negro, del tipo que puede comprarse en cualquier mercería por un dólar. A continuación dio un salto y juntó los talones como un elfo malvado.

Rosalie había levantado la cabeza al acercarse el médico calvo, pero ahora la dejó caer de nuevo y murió. El aura que la rodeaba desapareció al instante; no se fue desvaneciendo, sino que se esfumó de repente como una burbuja de jabón. Wyzer se puso en pie, se volvió hacia un hombre parado en la acera y empezó a contarle lo que había sucedido, gesticulando para indicar que el perro se había abalanzado a la calle delante de su coche. Ralph pudo leer una hilera de seis palabras cuando brotaron de los labios de Wyzer: *No sé de dónde ha salido.*

Y cuando Ralph volvió la mirada de nuevo hacia el costado del coche de Wyzer, comprobó que era allí donde había regresado el médico calvo y bajito.

16

Ralph consiguió poner en marcha su oxidado Oldsmobile, pero tardó media hora en cruzar la ciudad para llegar al hospital de Derry, situado en la parte este de la ciudad. Carolyn había entendido su creciente preocupación a la hora de conducir e intentado mostrarse comprensiva, pero lo cierto era que tenía una vena impaciente que los años no habían logrado calmar de forma significativa. En recorridos de más de un kilómetro, casi nunca era capaz de callarse las reprimendas. Bullía en silencio durante un rato y entonces empezaba a criticarle. Si estaba especialmente exasperada por su avance (o por la ausencia de avance), a veces le preguntaba si creía que un enema le ayudaría a librarse del plomo que tenía en el culo. Era un encanto, pero siempre había tenido una lengua muy afilada.

Después de semejantes observaciones, Ralph siempre se ofrecía, sin rencores, eso sí, a parar el coche y dejarla conducir, ofrecimiento que Carol siempre declinaba. Era de la opinión que, en los trayectos cortos al menos, era obligación del marido conducir y de la mujer ejercer una crítica constructiva.

Esperaba que Lois comentara algo acerca de su velocidad o de su descuidada forma de conducir (no creía ser capaz de acordarse de poner el intermitente bien ni aunque le fuera la vida en ello), pero Lois no dijo palabra, sino que se limitó a permanecer sentada donde Carolyn se había sentado en cinco mil ocasiones o más, sujetando su bolso sobre el regazo igual que Carolyn. Rayos de luz procedentes de los fluorescentes de las tiendas, los semáforos y las farolas surcaban sus mejillas y su frente. Sus ojos oscuros aparecían distantes y pensativos. Había llorado después de la muerte de *Rosalie*, había llorado con todas sus fuerzas y pedido a Ralph que bajara la persiana.

Ralph había estado a punto de no hacerlo. Su primer impulso había sido salir corriendo a la calle antes de que Joe Wyzer se fuera. Decirle a Joe que debía tener mucho cuidado. Decirle que aquella noche, cuando se vaciara los bolsillos, echaría en falta un peine barato, nada importante, la gente siempre perdía los peines, pero en este caso sí era importante, y la próxima vez podía ser el farmacéutico de Rite Aid quien estuviera tendido al final de las marcas de los neumáticos. *Escúchame, Joe, y escúchame con atención. Debes tener mucho cuidado, porque hay muchas noticias de la Zona de Hiperrealidad, y en tu caso, todas ellas vienen enmarcadas en negro.*

Pero el asunto presentaba algunos problemas. El más grave era que Joe Wyzer, por comprensivo que se hubiera mostrado el día en que había conseguido a Ralph hora con el acupuntor, creería que estaba loco. Además, ¿cómo defenderse de una criatura a la que ni siquiera se veía?

Así que había bajado la persiana..., pero antes había mirado intensamente a Joe Wyzer. Las auras seguían allí, y veía el cordel de globo de Wyzer, un cordel brillante entre amarillo y anaranjado, elevarse intacto desde su coronilla; de modo que todavía estaba bien.

Al menos de momento.

Ralph había llevado a Lois a la cocina y le había servido otra taza de café... solo y con mucho azúcar.

—La ha matado, ¿verdad? —preguntó Lois al tiempo que se llevaba la taza a los labios con las dos manos—. Ese pequeño monstruo la ha matado.

—Sí, pero no creo que la acabe de matar. Creo que la ha matado esta mañana.

—¿Por qué? ¿Por qué?

—Porque puede —replicó Ralph con aire sombrío—. Creo que es la única razón que necesita. Porque puede.

Lois lo miró con atención durante un largo instante, y de repente, una expresión de alivio se dibujó en su rostro.

—Lo entiendes todo, ¿verdad? Debería haberlo sabido en cuanto te he visto. Lo habría sabido si no hubiera tenido tantas cosas en eso que parece ser mi cabeza.

—¿Entenderlo? No entiendo casi nada, pero tengo algunas ideas. Lois, ¿quieres venir conmigo al hospital de Derry?

—Supongo que sí. ¿Quieres ver a Bill?

—No estoy seguro de a quién quiero ver. Quizás a Bill, pero quizás al amigo de Bill, Bob Polhurst. Tal vez incluso a Jimmy Vandermeer, ¿le conoces?

—¿Jimmy V.? ¡Pues claro que le conozco! Y aun conocía mejor a su mujer. De hecho, jugaba al póquer con nosotras hasta que murió. Fue un ataque al corazón, y tan repentino... —Se interrumpió mirando a Ralph con aquellos oscuros ojos españoles suyos—. ¿Jimmy está en el hospital? ¡Oh, Dios mío! Es el cáncer, ¿verdad? Se le ha reproducido el cáncer.

—Sí. Está en la habitación contigua a la de Bob Polhurst.

Ralph le contó la conversación que había sostenido con Faye aquella mañana y la nota que había encontrado sobre la mesa del merendero por la tarde. Le habló de la extraña conjunción de habitaciones y pacientes (Polhurst, Jimmy V. y Carolyn) y le preguntó si creía que se trataba tan sólo de una coincidencia.

—No, estoy segura de que no lo es —repuso ella mirando el reloj—. Vamos, las visitas terminan a las nueve y media, creo. Si queremos llegar a tiempo, será mejor que nos movamos.

Ahora, al doblar por Hospital Drive (*Te has vuelto a olvidar del maldito intermitente, cariño*, comentó Carolyn), miró a Lois, sentada con las manos aferradas al bolso y el aura invisble por el momento, y le preguntó si estaba bien.

—Sí —asintió ella—. No maravillosamente, pero bien. No te preocupes por mí.

«Pero me preocupo, Lois —pensó Ralph—. Me preocupo mucho. Y por cierto, ¿has visto al doctor 3 sacar el peine del bolsillo de Joe Wyzer?»

Qué pregunta más estúpida. Claro que lo había visto. El enano calvo quería que ella lo viera. Quería que los dos lo vieran. La cuestión era cuánta importancia le había dado Lois al detalle.

¿Cuánto sabes realmente, Lois? ¿Cuántas cosas has asociado? Me lo pregunto porque la verdad es que la cosa no es tan difícil.

Descubrió que le daba miedo preguntárselo.

En la carretera de acceso, a unos cuatrocientos metros de distancia, se alzaba un edificio bajo de ladrillo... El Centro de la Mujer. Unos focos, adquisiciones recientes, de eso estaba seguro, arrojaban abanicos de luz sobre el césped, y Ralph vio a dos hombres recorriendo una y otra vez las grotescas sombras alargadas... Guardias de seguridad, suponía. Otra arruga; otro detallito en la atmósfera malvada que se respiraba.

Dobló a la izquierda (esta vez se acordó de poner el intermitente, al menos) y condujó el Oldsmobile con cuidado por la rampa que desembocaba en el aparcamiento de varios niveles del hospital. Una barrera anaranjada le cortó el paso. PARE Y COJA EL TICKET, rezaba el cartel que había junto a ella. Ralph recordaba el tiempo en que había gente de verdad en aquellos lugares, lo que los hacía un poco menos siniestros. «Aquellos sí que eran tiempos, amigo mío, y creíamos que jamás acabarían», pensó mientras bajaba la ventanilla y cogía un ticket del expendedor automático.

—Ralph.

—¿Hmm?

Estaba concentrado en evitar los parachoques traseros de los coches aparcados en semibatería a ambos lados de los pasillos ascendentes. Sabía que los pasillos eran demasiado anchos como para que los parachoques de esos coches obstaculizaran su avance, lo sabía intelectualmente, pero por instinto sabía otra cosa. «Carolyn ya estaría gimiendo y quejándose de mi forma de conducir», pensó con distraído afecto.

—¿Sabes lo que estamos haciendo aquí o vamos improvisando sobre la marcha?

—Un momento; deja que aparque este maldito trasto.

Pasó junto a varios lugares vacíos y lo bastante grandes para el Oldsmobile en el primer nivel, pero ninguno de ellos le ofrecía espacio suficiente como para hacerle sentirse seguro. En el tercer nivel encontró tres lugares seguidos, que juntos habrían podido albergar sin dificultad un tanque Sherman, y aparcó el Oldsmobile en el del centro. Apagó el motor y se volvió hacia Lois. Otros motores sonaban por encima y por debajo suyo, aunque resultaba imposible dilucidar dónde se encontraban a causa del eco. Una luz anaranjada, de aquel matiz persistente y penetrante que es común denominador de todo ese tipo de centros, bañaba su piel como una capa delgada de pintura tóxica. Lois sostuvo su mirada. Ralph vio rastros de las lágrimas que había derramado por *Rosalie* en sus carnosos e hinchados labios, pero sus ojos aparecían calmos y confiados. A Ralph no dejaba de asombrarle lo mucho que había cambiado Lois desde aquella mañana, cuando la había encontrado sentada, llorando con los hombros caídos, en un banco del parque. «Lois —pensó—, si tu hijo y tu nuera te vieran ahora, creo que saldrían corriendo y gritando a pleno pulmón. No porque des miedo, sino porque la mujer a la que vinieron a convencer de que debía irse a vivir a Panorámica del Río ya no existe.»

—¿Y bien? —preguntó Lois con un atisbo de sonrisa—. ¿Vas a decirme algo o vas a quedarte ahí mirándome?

Ralph, que por lo general era un hombre cauto, dijo lo primero que le vino a la cabeza.

—Lo que en realidad me gustaría hacer es comerte como si fueras un helado.

La sonrisa de Lois se ensanchó hasta formarle hoyuelos en las comisuras de los labios.

—Más tarde ya veremos cuánto te apetece el helado, Ralph. De momento, dime por qué hemos venido aquí. Y no me digas que no lo sabes, porque no me lo creo.

Ralph cerró los ojos, aspiró una profunda bocanada de aire y los volvió a abrir.

—Creo que hemos venido a encontrar a los otros dos tipos calvos. Los que vi salir de casa de May Locher. Si alguien puede explicar qué está pasando, son ellos.

—¿Y qué te hace pensar que los encontrarás aquí?

—Creo que tienen cosas que hacer... Dos hombres, Jimmy V. y el amigo de Bill, agonizando en habitaciones contiguas. Debería haber sabido qué son los médicos calvos, qué hacen, desde el momento en que vi a los enfermeros sacar a la señora Locher en camilla y cubierta con una sábana. Lo habría sabido si no hubiera estado tan cansado. Pero no lo he sabido hasta hoy, y en realidad sólo lo he adivinado gracias a algo que ha dicho la sobrina del señor Polhurst.

—¿Qué ha dicho?

—Que la muerte es estúpida. Que si un obstreta tardara tanto en cortar el cordón umbilical de un bebé, lo demandarían por negligencia. Me ha hecho pensar en un mito que leí cuando iba a la escuela primaria y nunca me cansaba de los dioses, las diosas y los caballos de Troya. La historia iba de tres hermanas, las Hermanas Griegas, quizás, o tal vez se llamaban las Hermanas Raras.* Mierda, no lo sé; ni siquiera me acuerdo de poner los intermitentes la mitad de las veces. La cuestión es que esas hermanas eran responsables del curso de todas las vidas humanas. Una de ellas hacía el hilo, otra decidía lo largo que sería... ¿Te suena algo de todo esto, Lois?

—¡Pues claro! —casi gritó Lois—. ¡Los cordeles de globo!

—Exacto, los cordeles de globo. No recuerdo los nombres de las dos primeras hermanas, pero nunca he olvidado el de la tercera, Átropos, y según la historia, su tarea consiste en cortar el hilo que la primera hace y la segunda mide. Podías discutir con ella, podías suplicar, pero no importaba nada. Cuando decidía que había llegado el momento de cortar, cortaba.

—Sí —asintió Lois—, recuerdo esa historia. No sé si la leí o si alguien me la contó cuando era pequeña. Crees que es cierta, ¿verdad, Ralph? Sólo que en realidad son los Hermanos Calvos en lugar de las Hermanas Griegas.

—Sí y no. Si no recuerdo mal la historia, las tres hermanas estaban del mismo lado, eran un equipo. Y ésa es la impresión que me dieron los dos hombres que salieron de casa de la señora Locher, dos compañeros de siempre que se profesaban un respeto infinito. Pero el otro tipo, el que hemos visto otra vez hace un rato, no es como ellos. Creo que el doctor 3 es un canalla.

Lois se estremeció con un aire teatral que se convirtió en verdadero en el último momento.

—Es horrible, Ralph. Le odio.

—No me extraña.

Alargó la mano hacia el picaporte de la puerta, pero Lois lo detuvo.

—Le he visto hacer algo.

* El autor hace referencia a las Parcas. (*N. del E.*)

Ralph se volvió hacia ella. Los tendones del cuello le crujieron como oxidados. Creía saber lo que diría Lois.

—Ha metido la mano en el bolsillo del hombre que ha atropellado a *Rosalie* —comentó—. Mientras el hombre estaba arrodillado junto a ella en la calle, el hombre calvo le ha metido la mano en el bolsillo. Pero lo único que ha sacado es un peine. Y el sombrero que llevaba el calvo... Estoy casi segura de que lo he reconocido.

Ralph siguió mirándola con la ferviente esperanza de que no recordara nada más acerca del doctor 3.

—Era el de Bill, ¿verdad? El panamá de Bill.

—Sí, señora —asintió Ralph.

—Oh, Dios mío —exclamó Lois con los ojos cerrados.

—¿Qué dices, Lois? ¿Aún te quieres apuntar a esto?

—Sí —asintió ella al tiempo que abría la puerta y sacaba las piernas—. Pero vamos ahora, antes de que me arrepienta.

—Eso —repuso Ralph Roberts.

Cuando se acercaban a la entrada principal del hospital de Derry, Ralph se inclinó hacia Lois.

—¿Te está pasando a ti también? —le murmuró al oído.

—Sí —repuso ella con los ojos abiertos de par en par—. Dios mío, sí. Esta vez es fuerte, ¿verdad?

Cuando pasaron la célula fotoeléctrica y las puertas se abrieron ante ellos, la superficie del mundo desapareció de repente como si fuera la piel de alguna fruta exótica, y dio paso a otro mundo que resplandecía en colores invisibles y hervía de formas invisibles.

Sobre sus cabezas, en el enorme mural que mostraba Derry tal como había sido en los días felices de las serrerías, a principios de siglo, flechas de color marrón oscuro se perseguían, acercándose más y más hasta tocarse. En ese instante, despedían una breve chispa de color verde oscuro y cambiaban de dirección. Un brillante embudo plateado que parecía una tromba marina o un ciclón de juguete descendía por la escalera curva que conducía a las salas de reuniones, la cafetería y el auditorio del primer piso. Su ancha cabeza oscilaba hacia delante y hacia atrás mientras avanzaba escalón a escalón, y a Ralph le pareció un fenómeno decididamente amistoso, como un personaje antropomórfico de los dibujos animados de Disney. Mientras lo observaba, dos hombres con sendos maletines subieron la escalera a toda prisa, y uno de ellos atravesó el embudo plateado. En ningún momento dejó de hablar con su compañero, pero cuando salió del embudo, Ralph observó que se mesaba los cabellos con aire ausente, aunque en realidad, no tenía un pelo fuera de sitio.

El embudo alcanzó el pie de la escalera, recorrió el centro del vestíbulo en una ajustada pirueta en forma de ocho y a continuación desapareció, dejando tras de sí una débil neblina rosada que no tardó en disiparse.

Lois propinó un leve codazo a Ralph, empezó a señalar un punto detrás de la ventanilla de información central, advirtió que estaban rodeados de gente y decidió señalar con la barbilla. Aquella tarde, Ralph había visto una silueta en el cielo que parecía un pájaro enorme y transparente. En ese momento vio algo que parecía una larga serpiente translúcida que se deslizaba por el techo, sobre un cartel que indicaba POR FAVOR ESPERE AQUI PARA ANÁLISIS DE SANGRE.

—¿Está viva? —susurró Lois en tono alarmado.

Ralph miró con mayor atención y se percató de que aquella cosa no tenía cabeza... ni cola, al menos que él pudiera distinguir. Era toda cuerpo. Suponía que estaba viva, pues creía que todas las auras estaban vivas en cierto modo, pero no creía que fuera una auténtica serpiente ni que fuera peligrosa, al menos para las personas como ellos.

—No malgastes tus energías en las cosas pequeñas, cariño —susurró a Lois cuando se pusieron a la breve cola que había ante la ventanilla de información.

Y en aquel momento, la serpiente pareció fundirse con el techo y desapareció.

Ralph no sabía qué importancia tenían cosas tales como el pájaro y el ciclón en el mundo secreto de las auras, pero estaba seguro de que las personas seguían siendo los protagonistas. El vestíbulo del hospital de Derry era como un maravilloso espectáculo de fuegos artificiales del Cuatro de Julio, un espectáculo en el que los humanos representaban los papeles de cohetes y tracas.

Lois introdujo un dedo en el cuello de la camisa de Ralph para hacer que se inclinara hacia ella.

—Tendrás que hablar tú, Ralph —anunció con voz débil y anonadada—. Yo ya tengo suficiente con evitar orinarme encima.

El hombre que estaba delante de ellos se alejó de la ventanilla de información, y Ralph avanzó unos pasos. En aquel instante, un recuerdo vívido y dulcemente nostálgico de Jimmy V. se abrió paso en su mente. Ambos estaban en algún lugar de Rhode Island, en Kingston tal vez, y habían decidido de repente asistir a la concentración religiosa que tenía lugar en una carpa montada en un campo de heno cercano. Los dos estaban borrachos como cubas, por supuesto. Dos jóvenes muy acicaladas estaban apostadas junto a las cortinas descorridas de la carpa, distribuyendo folletos, y mientras se acercaban, Jimmy V. y él habían empezado a advertirse en susurros aromáticos que debían actuar como si estuviesen sobrios, maldita sea, como si estuviesen del todo sobrios. ¿Habían entrado aquel día? ¿O...?

—¿Sí? —preguntó la mujer de información en un tono que indicaba que estaba haciéndole un gran favor por el mero hecho de hablar con él.

Ralph miró a través del vidrio y vio a una mujer envuelta en una desgraciada aura anaranjada que parecía un zarzal en llamas. «He aquí a una mujer a la que le encantan los detalles insignificantes y hace todas las ceremonias que puede», se dijo, y de inmediato recordó que las dos jóvenes que flanqueaban el umbral de la carpa los habían husmeado y les habían impedido la entrada con modales corteses, pero firmes. Habían acabado pasando la velada en un bareto musical de Central Falls, según recordaba, y probablemente habían tenido mucha suerte de que no les trincaran al salir dando tumbos después de que dejaran de servir copas.

—Señor —preguntó la mujer de información en tono impaciente—. ¿Qué desea?

Ralph regresó al presente con un golpe que casi pudo sentir.

—Ah, sí, señora. Mi mujer y yo querríamos visitar a Jimmy Vandermeer, que está en la tercera planta, si...

—¡Eso es la UCI! —espetó la mujer—. No se puede entrar en la UCI sin un pase especial.

Ganchos anaranjados empezaron a salir disparados del resplandor que le envolvía la cabeza, y su aura adquirió el aspecto de una valla de alambre de espino colocado en una fantasmal tierra de nadie.

—Ya lo sé —repuso Ralph con toda humildad—, pero un amigo mío, Lafayette Chapin, me ha dicho...

—¡Dios mío! —lo interrumpió la mujer—. Es fantástico, todo el mundo tiene un amigo. Fantástico.

La mujer puso los ojos en blanco con aire satírico.

—Faye me ha dicho que Jimmy podía recibir visitas. Tiene cáncer, ¿sabe? Y por lo visto no le queda mucho ti...

—Bueno, miraré en los archivos —volvió a interrumpirlo la mujer en el tono desganado de alguien que sabe le están tomando por el pito del sereno—, pero el ordenador va muy despacio hoy, así que tardaré un rato. Dígame su nombre y luego siéntese ahí enfrente con su mujer. Le avisaré por megafonía en cuanto...

Ralph decidió que se había mostrado demasiado humilde ante aquel perro guardián burocrático con ganchos anaranjados innecesarios en el aura. Al fin y al cabo, no quería un visado de salida de Albania, sólo un maldito pase para la UCI.

Había una abertura en la parte inferior de la ventanilla. Ralph pasó la mano y agarró la muñeca de la mujer antes de que pudiera retirarla. Le acometió la sensación indolora, pero muy clara, de que aquellos ganchos anaranjados le atravesaban directamente la carne sin encontrar nada a qué aferrarse. Ralph le oprimió la muñeca con suavidad y sintió que un leve brote de fuerza, algo que no sería mayor que un perdigón en caso de ser visible, pasaba de él a la mujer. De repente, la estridente aura anaranjada que le envolvía el brazo y el costado izquierdo adquirieron el desvaído matiz turquesa del aura de Ralph. La mujer jadeó y se inclinó hacia delante en su silla, como si alguien le acabara de verter un vaso de papel lleno de cubitos de hielo por la espalda del uniforme.

No se preocupe por el ordenador. Deme un par de pases, por favor. Ahora.

—Sí, señor —repuso la mujer sin tardanza.

Ralph la dejó ir para que pudiera coger algo de debajo de la mesa. El resplandor turquesa de su brazo se estaba tornando anaranjado de nuevo, y el cambio se estaba produciendo desde el hombro izquierdo en dirección a la muñeca.

«Pero podría haber logrado que toda su aura se volviera turquesa —pensó Ralph—. Me podría haber apoderado de ella. Hacer que bailara como un muñeco de cuerda.»

De repente recordó a Ed citando el evangelio según san Mateo (*Y entonces Herodes, al verse burlado, ordenó, presa de ira*) y se vio acometido por una oleada de temor y vergüenza. También le vinieron de nuevo a la cabeza ideas sobre el vampirismo, así como una frase de un viejo cómic muy famoso: *Nos hemos topado con el enemigo, y somos nosotros mismos.* Sí, probablemente podría hacer lo que quisiera con esa gruñona de aura anaranjada; tenía las pilas bien cargadas. El único problema residía en que el jugo de aquellas baterías, al igual que el de las de Lois, era mercancía robada.

Cuando la mano de la mujer de información salió de nuevo a la superficie, sostenía dos pases plastificados de color rosa que indicaban: VISITANTE DE CUIDADOS INTENSIVOS.

—Aquí tiene, señor —dijo en tono cortés, totalmente distinto del tono con que se había dirigido a él en un principio—. Disfrute de la visita y gracias por su paciencia.

—Gracias a usted —replicó Ralph antes de hacerse con los pases y entregarle uno a Lois—. Vamos, querida. Deberíamos

(«*Ralph, ¿QUÉ le has hecho?*»)

(«*Nada, creo... Creo que está bien.*»)

ir arriba antes de que sea demasiado tarde.

Lois se volvió para mirar a la mujer de la ventanilla de información. Estaba atendiendo al cliente siguiente, pero muy despacio, como si acabaran de hacerle una revelación bastante increíble y tuviera que digerirla. El resplandor azul ya sólo se apreciaba en las yemas de sus dedos, y mientras Lois observaba, también de ahí desapareció.

Lois alzó la mirada hacia Ralph y le sonrió.

(«*Sí..., está bien. Así que deja de flagelarte.*»)

(«*¿Me estaba flagelando?*»)

(«*Creo que sí... Estamos hablando de esa forma otra vez, Ralph.*»)
(«*Ya lo sé.*»)
(«*Ralph.*»)
(«*¿Sí?*»)
(«*Es maravilloso, ¿no te parece?*»)
(«*Sí.*»)

Ralph intentó ocultarle el resto de lo que pensaba, que cuando les tocara pagar el precio de algo que producía una sensación tan maravillosa, tal vez descubrieran que era muy alto.

(«*Deja de mirar a ese bebé, Ralph. Estás poniendo nerviosa a su madre.*»)

Ralph miró a la mujer en cuyos brazos dormía el bebé y se dio cuenta de que Lois tenía razón..., pero le resultaba muy difícil desviar la mirada. El bebé, que no pasaría de los tres meses, se hallaba inmerso en una cápsula que alternaba con violencia entre el amarillo y el gris. Aquel intenso pero inquietante rayo giraba en torno al cuerpo diminuto a la vertiginosa velocidad de la atmósfera alrededor de un gigante gaseoso como Júpiter o Saturno.

(«*Dios mío, Lois, son lesiones cerebrales, ¿verdad?*»)
(«*Sí. La mujer dice que ha sufrido un accidente de coche.*»)
(«*¿Dice? ¿Has hablado con ella?*»)
(«*No, es —————.*»)
(«*No te entiendo.*»)
(«*Bienvenido al club.*»)

El inmenso ascensor del hospital subía con lentitud, sus ocupantes, los enfermos, los lisiados y un puñado de culpables sanos, no hablaban sino que observaban con fijeza el indicador de piso o bien se examinaban los zapatos. La única excepción era la mujer con el bebé alcanzado por el rayo, que miraba a Ralph con expresión de desconfianza y alarma, como si esperara que se abalanzara sobre ella en cualquier momento para arrebatarle al bebé.

«No es sólo por el hecho de que mirara —se dijo Ralph—. Al menos, no lo creo. Ha sentido que estaba pensando en el bebé. Ha sentido... percibido... oído..., bueno, maldita sea, algo.»

El ascensor se detuvo en el segundo piso y las puertas se abrieron con un susurro. La mujer que sostenía al bebé se volvió hacia Ralph. El pequeño se movió un poco, y Ralph pudo ver su coronilla. En el pequeño cráneo se abría una profunda hendidura. Una cicatriz roja la recorría de punta a punta. A Ralph se le antojó un reguero de agua corrompida en el fondo de un arroyuelo. La fea y confusa aura amarilla y gris que rodeaba al bebé brotaba de la cicatriz como vapor de una grieta en la tierra. El cordel de globo del niño era del mismo color que su aura, y no se parecía a ningún otro cordel de globo que Ralph hubiera visto hasta entonces; no parecía enfermizo a primera vista, pero sí era corto y feo, como un muñón.

—¿Es que su madre nunca le enseñó a tener buenos modales? —preguntó la mujer antes de salir del ascensor.

Las puertas del ascensor empezaron a cerrarse. Ralph miró a Lois, y por un instante, ambos compartieron un ramalazo de comprensión breve, pero absoluta. Lois agitó el dedo en dirección a las puertas como si las reprendiera, y una sustancia gris con textura de malla brotó de la yema. La sustancia alcanzó las puertas, y éstas volvieron a abrirse, como si estuvieran programadas para ello en cuanto se toparan con cualquier obstáculo.

(«¡Señora!»)

La mujer se detuvo y giró en redondo con expresión claramente confundida. Miró en derredor suspicaz, intentando averiguar quién había hablado. Su aura era de color amarillo oscuro y mantecoso, con trazos de color naranja desvaído en los contornos interiores. Ralph la miró con fijeza.

(«Siento haberla ofendido. Todo esto es muy nuevo para mi amiga y para mí. Somos como niños en un banquete formal. Lo siento mucho.»)

(«- - - - - - - - - - - - -.»)

No sabía qué intentaba comunicarle la mujer; era como observar a alguien hablar desde el interior de una cabina insonorizada, pero percibió alivio y una profunda inquietud, la clase de inquietud que una persona siente cuando cree que la han visto haciendo algo que no debería haber hecho. Sus ojos vacilantes permanecieron clavados en los de Ralph durante un instante más, y por fin, la mujer se volvió y echó a andar a toda prisa por el pasillo en dirección a un cartel que rezaba NEUROLOGÍA. La malla gris que Lois había disparado sobre las puertas se estaba desvaneciendo, y cuando las puertas intentaron cerrarse de nuevo, la atravesaron limpiamente. La cabina reanudó su lento viaje.

(«Ralph... Ralph, creo que sé lo que le ha pasado al bebé.»)

Lois extendió la mano y se la deslizó entre la nariz y la boca con la palma hacia abajo. Con la yema del pulgar le oprimió ligeramente uno de los pómulos, y con la yema del índice le oprimió el otro. Lo hizo con tanta rapidez y seguridad que ninguno de los otros tres ocupantes del ascensor lo advirtió. Y si lo hubieran advertido, no habrían visto más que a una esposa pulcra limpiando un rastro de crema o de espuma de afeitar, nada más.

Ralph se sentía como si acabaran de pulsar un interruptor de alto voltaje en su cerebro, un interruptor que encendía hileras enteras de focos en un estadio. En su breve, pero deslumbrante luz vio una terrible imagen: unas manos envueltas en una violenta aura entre marrón y lila se introducían en una cuna y agarraban al bebé que acababan de ver. Las manos zarandeaban al bebé y su cabeza oscilaba y oscilaba sobre el delgado tallo del cuello como si fuera la cabeza de una muñeca de trapo...

... Las manos lo arrojaban...

En aquel momento, las luces de su mente se apagaron, y Ralph exhaló un ronco y tembloroso suspiro de alivio. Pensó en los manifestantes pro vida que había visto en las noticias la noche anterior, hombres y mujeres que blandían pancartas con la fotografía de Susan Day y las palabras SE BUSCA POR ASESINATO, hombres y mujeres ataviados con túnicas de la muerte, hombres y mujeres llevando banderas que rezaban LA VIDA, QUÉ HERMOSA ELECCIÓN.

Se preguntó si el bebé alcanzado por el rayo tendría una opinión distinta acerca de aquello. Buscó los ojos asombrados y atormentados de Lois y extendió las manos para tomar las suyas.

(«Se lo hizo el padre, ¿verdad? ¿Arrojó el niño contra la pared?»)

(«Sí. El niño no paraba de llorar.»)

(«Y ella lo sabe. Lo sabe, pero no se lo ha contado a nadie.»)

(«No..., pero tal vez lo haga, Ralph. Está pensando en ello.»)

(«Y tal vez espere hasta que él vuelva a hacerlo. Y es posible que la próxima vez acabe con el pequeño.»)

En aquel momento se le ocurrió una idea terrible; le cruzó la mente como un meteoro ardiendo por un instante en un cielo estival a medianoche. Quizás sería mejor que acabara con él. El cordel de globo del bebé era tan sólo un muñón, pero un muñón sano. El niño podía llegar a vivir muchos años sin saber quién era, dónde estaba ni por supuesto, por qué existía, viendo a la gente ir y venir como árboles en la niebla...

Lois estaba a su lado con los hombros caídos y la mirada fija en el suelo del ascensor, emanando una tristeza que a Ralph le partía el corazón. Alargó el brazo, le deslizó un dedo bajo la barbilla y vio una delicada rosa azul brotar del punto en el que su aura se unió con la de ella. La obligó a alzar la cabeza y no le sorprendió comprobar que tenía los ojos bañados en lágrimas.

—¿Todavía crees que es maravilloso, Lois? —le preguntó en voz baja, y no obtuvo respuesta, ni en sus oídos ni en su mente.

Fueron los únicos en salir del ascensor en el tercer piso, donde el silencio era tan espeso como el polvo bajo las estanterías de libros. Un par de enfermeras estaban de pie en el pasillo, con las carpetas apoyadas contra el pecho cubierto de blanco y hablando en susurros. Cualquier otra persona que hubiera estado junto al ascensor habría supuesto que su conversación versaba sobre la vida, la muerte y medidas heroicas a tomar. Sin embargo, Ralph y Lois echaron un vistazo a sus auras superpuestas y supieron de inmediato que en aquel preciso instante, estaban discutiendo adónde irían a tomar algo cuando acabaran su turno.

Ralph lo vio y al mismo tiempo no lo vio, del mismo modo en que un hombre absorto ve y obedece las señales de tráfico sin verlas en realidad. La mayor parte de su mente estaba concentrada en una sensación mortal de *déjà vu* que le había embargado en el momento en que Lois y él habían salido del ascensor y entrado en aquel mundo en el que el leve chirrido de los zapatos de las enfermeras sobre el linóleo sonaba casi exactamente igual que el ligero pitido de las máquinas que mantienen de forma artificial las funciones vitales.

Habitaciones pares a la izquierda, impares a la derecha, pensó. *Y la 317, donde murió Carolyn, está junto a control de enfermería. Era la 317, sí, señor, lo recuerdo. Ahora que estoy aquí lo recuerdo todo. Que alguien siempre colocaba su historial al revés en la puerta. Que la luz de la ventana bañaba la cama en una suerte de rectángulo torcido los días soleados. Que podías sentarte en la silla de los visitantes y ver a la enfermera cuya tarea consiste en controlar las funciones vitales, las llamadas telefónicas y los encargos de pizza.*

Lo mismo. Otra vez lo mismo. Volvía a estar a principios de marzo, el ocaso mortecino de un día pesado y nuboso, la nevisca golpeando la única ventana de la habitación 317, y él sentado en la silla de los visitantes, con un ejemplar cerrado de *Nacimiento y caída del Tercer Reich*, de Shirer, en el regazo desde primeras horas de la mañana. Allí sentado, sin querer levantarse ni siquiera para ir al lavabo, porque el reloj de la muerte daba por entonces sus últimos tictacs; cada tic una sacudida, cada intervalo toda una vida; su compañera de siempre tenía que coger un tren y quería estar en el andén para despedirse de ella. Sólo tendría una oportunidad para hacerlo bien.

Era muy fácil oír la nevisca mientras tomaba cada vez más velocidad, porque el aparato de las funciones vitales estaba apagado. Ralph había desistido la última semana de febrero; Carolyn, que no había renunciado en su vida, había tardado algo más en comprender el mensaje. ¿Y qué decía exactamente aquel mensaje? Bueno, pues que en el combate a diez asaltos entre Carolyn Roberts y Cáncer, el ganador era Cáncer, el peso pesado más pesado de todos los tiempos, por KO total.

Estaba sentado en la silla de los visitantes, observando y esperando mientras la respiración de Carolyn se tornaba cada vez más pesada... La exhalación larga y susurrante, el pecho plano e inmóvil, la creciente certeza de que la última respiración había sido en verdad la última respiración, que el reloj se había detenido, que el tren había llegado a la estación para dejar subir a su única pasajera... y entonces se oía otro inmenso jadeo inconsciente cuando Carolyn arrancaba otra bocanada al inhóspito aire, sin respirar ya, sino tan sólo aspirando y espirando en un acto reflejo, como un borracho arrastrándose por un pasillo largo y oscuro en un hotel barato.

Plic plac plic plac; la nevisca seguía golpeteando la ventana con sus uñas invisibles mientras el sucio día de marzo daba paso a la sucia noche de marzo y Carolyn seguía luchando en la última mitad del último asalto. Por entonces ya funcionaba tan sólo con el piloto automático; el cerebro que antes había existido bajo aquel hermoso cráneo había desaparecido. Lo había sustituido un mutante, un estúpido delincuente negro grisáceo que no pensaba ni sentía, sino que tan sólo comía, comía y comía hasta reventar.

Plic plac plic plac, y entonces vio que el tubito respiratorio en forma de T que tenía introducido en la nariz estaba torcido. Esperó a que Carolyn aspirara de nuevo otra terrible y dificultosa bocanada de aire, y cuando lo exhaló se inclinó hacia delante y enderezó el tubito de plástico. Se había manchado los dedos de mucosa y se los limpió con un pañuelo de papel de la caja que había sobre la mesilla de noche. Se retrepó de nuevo en su asiento, esperando la siguiente respiración, con la intención de asegurarse de que no se le volvía a torcer el tubito, pero no llegó ninguna respiración, y en aquel instante se dio cuenta de que el tictac que llevaba oyendo en todas partes desde el verano anterior parecía haber enmudecido.

Recordaba haber contado los minutos, uno, tres, luego seis, incapaz de creer que todos los buenos años y buenos momentos (por no mencionar los pocos malos) habían terminado de aquel modo insulso y monótono. La radio de Carolyn, sintonizada en la emisora local más fácil de escuchar, emitía a poco volumen desde el rincón, y Ralph escuchó a Simon y Garfunkel cantar *Scarborough Fair*. La cantaron hasta el final. El siguiente fue Wayne Newton, que empezó a cantar *Danke Shoen*. La cantó hasta el final. A continuación dieron el parte meteorológico, pero antes de que el disc jockey acabara de explicar qué tiempo haría el primer día de viudedad de Ralph, todas aquellas historias acerca de cielos despejados, temperaturas en descenso y vientos desplazándose hacia el nordeste, Ralph logró por fin hacerse a la idea. El reloj había dejado de sonar, el tren había llegado, el combate de boxeo había tocado a su fin. Todas las metáforas habían desaparecido, dejando tras de sí a la mujer de la habitación, silenciosa al fin. Ralph empezó a llorar. Sin dejar de llorar, se acercó al rincón dando tumbos y apagó la radio. Recordaba el verano en que ambos habían tomado clases de pintura digital, y la noche en que habían acabado pintándose los cuerpos desnudos. Aquel recuerdo lo hizo llorar con más fuerza aún. Se acercó a la ventana, apoyó la cabeza contra el cristal frío y lloró. En aquel primer instante terrible de comprensión, tan sólo deseaba una cosa: estar muerto él también. Una enfermera lo oyó llorar y entró en la habitación. Intentó tomarle el pulso a Carolyn. Ralph le dijo que dejara de hacer el imbécil. La enfermera se acercó a él, y por un instante creyó que le iba a tomar el pulso a él, pero ella se limitó a rodearlo con sus brazos. Lo...

(«*Ralph. Ralph, ¿estás bien?*»)

Se volvió hacia Lois y estuvo a punto de asegurar que estaba perfectamente, pero entonces recordó que apenas podía ocultarle nada cuando se hallaban en aquel estado.

(«*Un poco triste. Este sitio me trae demasiados recuerdos. Y no buenos precisamente.*»)

(«*Lo comprendo..., pero mira, Ralph. ¡Mira el suelo!*»)

Ralph obedeció y de pronto abrió los ojos de par en par. El suelo estaba cubierto de una capa de huellas multicolores, algunas recientes, otras tan desvaídas que casi resultaban invisibles. Dos pares de huellas destacaban con claridad de entre las demás, pues brillaban como diamantes en un estercolero. Eran de un profundo matiz verde y dorado en el que nadaban algunas chispas diminutas de color rojizo.

(«*¿Son de los que andamos buscando, Ralph?*»)

(«*Sí, los médicos están aquí.*»)

Ralph cogió a Lois de la mano, una mano que se le antojó helada, y la condujo lentamente por el pasillo.

17

No habían avanzado mucho cuando sucedió algo muy extraño y bastante atemorizador. Por un instante, el mundo se tornó blanco ante ellos. Las puertas de las habitaciones se alineaban a lo largo del pasillo, apenas visibles en aquella brillante niebla blanca, y habían adquirido las dimensiones de portones de almacén. El pasillo pareció alargarse y crecer a un tiempo. Ralph sintió que el estómago le daba un vuelco, tal como solía sucederle cuando era un adolescente y cliente asiduo de la montaña rusa gigante de Old Orchard Beach. Oyó gemir a Lois, quien le oprimió la mano aterrada.

Aquella cegadora luz blanca duró tan sólo un segundo, y cuando los colores volvieron a abrirse paso en el mundo, eran más brillantes y claros que antes. La perspectiva normal volvía a dominar las cosas, pero los objetos parecían más gruesos, por así decirlo. Las auras seguían allí, pero parecían más delgadas y pálidas, coronas en tonos pastel en lugar de colores básicos aplicados a pistola. Al mismo tiempo, Ralph se percató de que veía cada grieta y cada poro de la pared de paneles de yeso que se erguía a su izquierda... y entonces advirtió que podía ver las tuberías, los cables y el aislamiento en el interior de las paredes si así lo deseaba; lo único que tenía que hacer era mirar.

«Oh, Dios mío —pensó—. ¿Es verdad todo esto? ¿Puede ser verdad?»

De todas partes le llegaban sonidos; timbres amortiguados, alguien tirando de la cadena, risas lejanas. Sonidos que una persona suele dar por sentados, considerar como parte de la vida cotidiana, pero no en aquel momento. No en aquel lugar. Al igual que la realidad visible de las cosas, los sonidos parecían poseer una textura extraordinariamente sensual, como delgados festones de seda y acero.

Y no todos los sonidos eran corrientes; había también muchos sonidos exóticos que se abrían paso entre los demás. Oyó a una mosca zumbar en las profundidades de un conducto de la calefacción. El susurro parecido a papel de lija fino de una enfermera subiéndose las medias en el lavabo del personal. El latido de corazones. La sangre al circular. La suave marea de las respiraciones. Cada sonido era perfecto en sí mismo; en armonía con los demás, componían un hermoso y complejo ballet sonoro, un *Lago de los Cisnes* de estómagos gorgoteantes, el zumbido de los enchufes, secadores huracanados, las ruedas susurrantes de los carritos de hospital. Ralph oía el sonido de un televisor procedente del final del pasillo, más allá de control de enfermería. Venía de la habitación 340, donde el señor Thomas Wren, un paciente aquejado de una dolencia de riñón, miraba *Cautivos del mal*, con Kirk Douglas y Lana Turner. «Si vienes conmigo, muñeca, nos comeremos esta ciudad», decía Kirk en aquel momento, y Ralph supo gracias al aura que envolvía las palabras que el señor Douglas tenía dolor de muelas el día que rodó aquella escena en particular. Y eso no era todo; sabía que podía

(*¿subir más?, ¿sumergirse más?, ¿expandirse más?*)

si quería. Pero Ralph estaba segurísimo de que no quería. Aquello eran las Ardenas, y uno podía perderse en la espesura.

O podían devorarlo los tigres.

(«*¡Dios mío! ¡Es otro nivel... Tiene que ser eso, Lois! ¡Un nivel totalmente distinto!*»)

(«*Lo sé.*»)

(«*¿Estás bien?*»)

(«*Creo que sí, Ralph... ¿Y tú?*»)

(«*Creo que sí, al menos de momento, pero si vuelve a pasar algo parecido, no sé. Vamos.*»)

Pero antes de que pudieran volver a seguir las huellas verdes y doradas, Bill McGovern y un hombre al que Ralph no conocía salieron de la habitación 313.

Lois se volvió hacia Ralph con expresión horrorizada.

(«*¡Oh, no! ¡Dios mío, no! ¿Lo ves, Ralph? ¿Lo ves?*»)

Ralph le cogió la mano con más fuerza. Sí, lo veía. El amigo de McGovern estaba envuelto en una aura de color ciruela. No tenía un aspecto demasiado saludable, pero Ralph tampoco creía que el hombre estuviera enfermo de gravedad; no era más que un montón de cosillas crónicas como reuma y cálculos en el riñón. Un cordel de globo del mismo matiz violáceo se elevaba desde la cima del aura, cabeceando como el tubo del aire de un submarinista en una corriente suave.

Sin embargo, el aura de McGovern era negra como la noche. El muñón de lo que había sido un cordel de globo sobresalía rígida de ella. El cordel de globo del bebé alcanzado por el rayo era corto pero saludable, pero lo que estaban viendo era el vestigio podrido de una brutal amputación. Ralph tuvo una visión tan real que casi era una alucinación; vio los ojos de McGovern saliéndose de sus órbitas y desprenderse empujados por un torrente de bichos negros. Tuvo que cerrar los ojos por un instante para no gritar, y cuando los abrió, Lois ya no estaba junto a él.

McGovern y su amigo se dirigían hacia control de enfermería, probablemente para beber agua en la fuente. Lois los perseguía. Trotaba por el pasillo y el pecho le subía y bajaba a cada paso. En su aura centelleaban vertiginosas chispas rosadas que parecían asteriscos de neón. Ralph se lanzó tras ella. No sabía qué pasaría si atraían la atención de McGovern, y lo cierto era que no quería averiguarlo. Sin embargo, lo más probable era que lo averiguara.

(«¡Lois! ¡Lois, no lo hagas!»)

Lois lo ignoró.

(«¡Bill, para! ¡Tienes que escucharme! ¡Te pasa algo malo!»)

McGovern no le prestó ninguna atención; estaba hablando acerca del manuscrito de Polhurst, *A finales de verano*.

—El mejor libro sobre la Guerra Civil que he leído en mi vida —aseguró al hombre del aura morada—, pero cuando le sugerí que lo publicara, me dijo que ni hablar. ¿Te imaginas? Un posible ganador del Pulitzer, pero...

(«¡Lois, vuelve! ¡No te acerques a él!»)

(«¡Bill! ¡Bill! ¡B...!»)

Lois alcanzó a McGovern justo antes de que Ralph la alcanzara y alargó la mano para agarrarlo por el hombro. Ralph vio sus dedos sumergirse en las tinieblas que lo envolvían... y luego deslizarse en su interior.

El aura de Lois cambió de inmediato de su habitual color gris azulado con motas rosadas a un rojo tan brillante como un camión de bomberos. Copos negros rasgados la atravesaron como un enjambre de pequeños insectos. Lois profirió un grito y retiró la mano. La expresión de su rostro era una mezcla de terror y aversión. Se llevó la mano ante los ojos y volvió a gritar, aunque Ralph no veía nada en ella. Delgadas tiras negras trazaban círculos vertiginosos en los contornos externos de su aura; a Ralph le parecían órbitas planetarias dibujadas en un mapa del sistema solar. Lois se volvió para salir corriendo. Ralph la agarró por los brazos, pero ella lo golpeó a ciegas.

Entretanto, McGovern y su amigo prosiguieron su plácido paseo por el pasillo, en dirección a la fuente, sin percatarse de la mujer que gritaba y forcejeaba a menos de tres metros de ellos.

—Cuando le pregunté a Bob por qué no quería publicar el libro —decía McGovern—, me contestó que yo debería conocer sus razones mejor que nadie. Le dije que...

Los estridentes gritos de Lois ahogaron su voz.

(«¡¡¡- - - - - -!!! ¡¡¡- - - - - -!!!»)

353

(«*¡Basta, Lois! ¡Para ahora mismo! ¡Sea lo que sea lo que te ha pasado, ya ha terminado! ¡Ha terminado y tú estás bien!*»)

Pero Lois siguió forcejeando, disparándole aquellos gritos inarticulados a la cabeza, intentando explicarle lo terrible que había sido, que Bill se estaba pudriendo, que había cosas en su interior que se lo estaban comiendo vivo, y eso era espantoso, pero no era lo peor. Aquellas cosas sabían, dijo, eran malas y sabían que ella estaba ahí.

(«*¡Lois, estás conmigo! ¡Estás conmigo y no pasa...!*»)

Uno de los puños de Lois lo alcanzó en un lado de la mandíbula, y Ralph vio las estrellas. Sabía que habían pasado a un plano de realidad en el que resultaba imposible entrar en contacto físico con los demás. ¿Acaso no había visto la mano de Lois penetrar directamente en el cuerpo de McGovern, como la mano de un fantasma? Pero, evidentemente, seguían siendo reales el uno para el otro; el cardenal de su mandíbula daba fe de ello.

La rodeó con sus brazos y la atrajo hacia sí, apresando sus puños entre los torsos de ambos. Sus gritos, sin embargo,

(«*¡¡¡- - - - - - !!! ¡¡¡- - - - - - !!!*»)

siguieron estallando en su mente. Entrelazó las manos detrás de los omóplatos de Lois y apretó. Sintió que la fuerza lo abandonaba de nuevo, al igual que aquella mañana, pero esta vez le acometió una sensación del todo distinta. Una luz azul atravesó la turbulenta aura roja y negra de Lois, tranquilizándola. El forcejeo remitió y por fin cesó. Ralph percibió que Lois aspiraba una profunda bocanada de aire. Sobre ella y a su alrededor, el resplandor azul se extendía y desvaía. Las bandas negras desaparecieron de su aura, una tras otra, de abajo arriba, y por fin empezó a desvanecerse también aquel alarmante brillo de color rojo infectado. Lois apoyó la cabeza en su brazo.

(«*Lo siento, Ralph... Me he puesto nuclear otra vez, ¿eh?*»)

(«*Creo que sí, pero no importa. Ahora ya estás bien, eso es lo importante.*»)

(«*Si supieras lo horrible que ha sido... tocarlo de esa forma...*»)

(«*Lo has llevado muy bien, Lois.*»)

Lois se volvió hacia el fondo del pasillo, donde el amigo de McGovern estaba bebiendo agua. McGovern estaba apoyado contra la pared, junto a él, contándole que el Ensalzado y Venerado Bob Polhurst siempre hacía los crucigramas del *Sunday New York Times* con tinta.

—Siempre me decía que no era por orgullo, sino por optimismo —explicó McGovern.

La bolsa de la muerte se arremolinaba perezosa a su alrededor mientras hablaba, flotando fuera y dentro de su boca, así como en torno a sus inquietos y elocuentes dedos.

(«*No podemos ayudarle, ¿verdad, Ralph? No podemos hacer absolutamente nada.*»)

Ralph le dio un breve, pero fuerte abrazo, y comprobó que el aura de Lois había vuelto a la normalidad.

McGovern y el hombre del aura color ciruela caminaban de nuevo hacia ellos. Movido por un impulso (un comportamiento que siempre parecía adecuado en el mundo de las auras), Ralph se separó de Lois y se colocó delante del señor Ciruela, quien escuchaba la perorata de McGovern acerca de la tragedia de la vejez y asentía en los momentos apropiados.

(«¡*Ralph, no lo hagas!*»)

(«*No pasa nada, no te preocupes.*»)

Pero de repente, ya no estaba seguro de que no pasara nada. Tal vez se habría apartado de haber dispuesto de un segundo. Pero en aquel momento, el señor Ciruela lo miró a la cara sin verlo y lo atravesó. A Ralph le embargó una sensación muy familiar cuando el hombre pasó a través de él; era el hormigueo que se produce cuando una extremidad dormida empieza a despertar. Durante un instante, las dos auras quedaron unidas, y Ralph supo todo lo que había que saber acerca de aquel hombre, incluso lo que había soñado cuando aún se hallaba en el vientre de su madre.

El señor Ciruela se detuvo en seco.

—¿Pasa algo? —inquirió McGovern.

—Supongo que no, pero... ¿no has oído un ruido en alguna parte? ¿Como un petardo o el tubo de escape de un coche?

—Pues no, pero mi oído ya no es lo que era —se disculpó McGovern con una risita ahogada—. Si ha explotado algo, espero que no haya sido en los laboratorios de radiología.

—Ahora no oigo nada. Probablemente han sido imaginaciones mías.

Los dos hombres entraron en la habitación de Bob Polhurst.

«La señora Perrine también oyó un ruido —recordó Ralph—. Dijo que sonaba como un disparo. La amiga de Lois dijo que tenía un bicho en el cuello, que tal vez la había mordido. Un ligero matiz, al igual que dos pianistas tocan con matices distintos. En cualquier caso, se dan cuenta cuando les hacemos algo. Quizás no sepan qué es, pero está claro que se dan cuenta de algo.»

Lois le tomó la mano y lo condujo despacio hacia la puerta de la habitación 313. Se quedaron en el pasillo, observando a McGovern mientras se sentaba en una silla de plástico a los pies de la cama. En la habitación había al menos ocho personas, y Ralph no veía a Bob Polhurst con claridad, pero una cosa sí vio: aunque estaba bien envuelto en su bolsa de la muerte, su cordel de globo seguía intacto. Estaba más sucio que un tubo de escape oxidado, deshilachado en algunos puntos y agrietado en otros..., pero seguía intacto. Se volvió hacia Lois.

(«*Es posible que esta gente tenga que esperar más de lo que cree.*»)

Lois asintió con un gesto y señaló las huellas verdes y doradas que cubrían el suelo, las huellas del hombre blanco. No entraban en la habitación 313, según vio Ralph, sino que se dirigían hacia la habitación contigua, la 315, la habitación de Jimmy V.

Se acercaron a su puerta y se detuvieron para mirar al interior. Jimmy V. tenía tres visitantes, y el que estaba sentado junto a la cama creía estar solo. Se trataba de Faye Chapin, que hojeaba con languidez la doble hilera de tarjetas que había sobre la mesilla de Jimmy. Los otros dos eran los médicos calvos y bajitos que Ralph había visto por primera vez en la entrada de la casa de May Locher. Estaban de pie junto a la cama de Jimmy V., solemnes en sus impecables batas blancas; ahora que los tenía tan cerca, Ralph comprendió que aquellos rostros lisos y casi idénticos revelaban muchísimo carácter; no era la clase de detalle que pudiera apreciarse a través de unos prismáticos, o tal vez no hasta subir un poco el listón de la percepción. Lo más destacado eran los ojos, que eran esferas oscuras, carentes de pupilas y salpicadas de motas doradas. Aquellos ojos brillaban inteligentes y perspicaces. Sus auras resplandecían y centelleaban a su alrededor como la capa de un emperador...

... o quizás de un Centurión en visita oficial.

Los médicos se volvieron hacia Ralph y Lois, que estaban parados en el umbral, cogidos de la mano como niños perdidos en un bosque de cuento, y les sonrieron.

(*Hola, mujer.*)

Ése había sido el doctor 1. En la mano derecha sostenía las tijeras. Era de hojas muy largas, y las puntas parecían muy afiladas. El doctor 2 avanzó un paso hacia ellos y se inclinó en una graciosa reverencia.

(*Hola, hombre. Os estábamos esperando.*)

Ralph sintió que Lois le oprimía la mano con más fuerza y a continuación se relajaba al decidir que no corrían un peligro inmediato. Avanzó un paso y miró alternativamente al doctor 1 y al doctor 2.

(«*¿Quiénes sois?*»)

El doctor 1 cruzó los brazos sobre el diminuto pecho. Las hojas de las tijeras eran tan largas como su antebrazo izquierdo, enfundado en la manga blanca.

(*No tenemos nombre, no como los Mortales, pero podéis llamarnos como los seres mitológicos de la historia que este hombre ya te ha contado. Poco nos importa que estos nombres pertenecieran en su origen a mujeres, puesto que carecemos de dimensión sexual. Yo seré Cloto, aunque no hago hilo, y mi colega y viejo amigo será Láquesis, aunque no agita varas y nunca ha lanzado las monedas. Entrad, por favor.*)

Ralph y Lois obedecieron y se apostaron entre la silla de los visitantes y la cama. Ralph no creía que los médicos pretendieran hacerles daño, al menos, de momento, pero aun así, no quería acercarse demasiado. Sus auras, tan brillantes y fabulosas en comparación con las de los humanos de a pie, lo intimidaban, y los ojos muy abiertos y la boca entornada de Lois revelaban que ella sentía lo mismo. Lois percibió que Ralph la miraba, se volvió hacia él e intentó sonreír. «Mi Lois», pensó Ralph antes de abrazarla.

Láquesis: (*Os hemos revelado nuestros nombres o, en cualquier caso, los nombres que podéis emplear. ¿No vais a revelarnos los vuestros?*)

Lois: («*¿Es que no los sabéis? Perdonadme, pero me resulta difícil de creer.*»)

Láquesis: (*Podríamos saberlos, pero decidimos no hacerlo. Nos gusta observar las reglas de la cortesía de los Mortales siempre que podemos. Las hallamos encantadoras, porque se transmiten de generación en generación y así crean una ilusión de longevidad.*)

(«*No lo entiendo.*»)

Ralph tampoco lo entendía y no estaba seguro de querer entenderlo. Percibía un leve matiz de condescendencia en el tono del que se hacía llamar Láquesis, algo que le recordaba a McGovern cuando se ponía en plan aleccionador o pontifical.

Láquesis: (*No importa. Estábamos seguros de que vendríais. Sabemos que nos estabais observando el lunes por la mañana, en casa de*)

En aquel instante se produjo una extraña superposición en la voz de Láquesis. Era como si dijera dos cosas al mismo tiempo, con las palabras unidas como una serpiente que se mordiera la cola:

(*May Locher*) (*La mujer acabada*)

Lois avanzó un paso con gesto vacilante.

(«*Me llamo Lois Chasse. Mi amigo se llama Ralph Roberts. Y ahora que ya nos hemos presentado como Dios manda, ¿os importaría explicarnos qué está pasando aquí?*»)

Láquesis: (*Hay otro al que hay que poner nombre.*)

Cloto: (*Ralph Roberts ya le ha puesto uno.*)

Lois miró a Ralph, quien asintió con un gesto.

(«*¿Estáis hablando del doctor 3, verdad, chicos?*»)

Cloto y Láquesis asintieron. Ambos exhibían idénticas sonrisas aprobadoras. Ralph suponía que debería haberse sentido halagado, pero no era así. En realidad, estaba asustado y muy enojado, pues los habían manipulado con toda meticulosidad desde el primer momento. No era éste un encuentro casual; había sido una reunión preparada desde el comienzo. Cloto y Láquesis, un par de médicos calvos y bajitos que disponían de tiempo, sentados en la habitación de Jimmy V., esperando a que llegaran los Mortales, yupi.

Ralph se volvió hacia Faye y vio que se había sacado un libro titulado *Cincuenta problemas clásicos de ajedrez* del bolsillo trasero. Mientras leía se hurgaba la nariz con aire meditabundo. Al cabo de unas cuantas exploraciones preliminares, Faye excavó hondo y extrajo uno de los grandes. Lo examinó y a continuación lo aparcó en la parte inferior de la mesilla. Ralph desvió la mirada y de repente se le ocurrió un proverbio que su abuela solía decir: *No espíes por las cerraduras u ofensas te infligirán*. Estaba a punto de cumplir los setenta y todavía no comprendía del todo aquel dicho; al menos, eso creía. Entretanto, se le había ocurrido otra cuestión.

(«*¿Por qué no nos ve Faye? ¿Y por qué no nos han visto Bill y su amigo, ya que estamos? ¿Y cómo ha podido ese hombre atravesarme sin más? ¿O lo habré imaginado?*»)

Cloto esbozó una sonrisa.

(*No, no lo has imaginado. Intenta pensar en la vida como si fuera una especie de edificio, Ralph..., lo que vosotros llamaríais rascacielos.*)

Pero no era eso en lo que estaba pensando Cloto, descubrió Ralph. Por un instante creyó captar una imagen de la mente del otro, una que le pareció emocionante y turbadora a un tiempo. Se trataba de una enorme torre construida en piedra oscura y hollinosa que estaba situada en medio de un campo de rosas rojas. Estrechas ranuras ascendían por sus costados en una perezosa espiral.

La imagen se esfumó.

(*Tú, Lois y todos los demás Mortales vivís en los primeros dos pisos de esta estructura. Por supuesto, hay ascensores...*)

«No —pensó Ralph—. No en la torre que he visto en tu mente, amiguito. En ese edificio, si es que existe en realidad, no hay ascensores, sólo una estrecha escalera festoneada de telarañas y puertas que conducen a Dios sabe dónde.»

Láquesis lo miró con una expresión de curiosidad extraña, casi suspicaz, y Ralph decidió que no le hacía ni pizca de gracia aquella mirada. Se volvió de nuevo hacia Cloto y le hizo señas para que prosiguiera.

Cloto: (*Como iba diciendo, hay ascensores, pero los Mortales no están autorizados a utilizarlos en circunstancias normales. No estáis*)

(*preparados*) (*listos*) (- - - - - - - - -.)

Sin lugar a dudas, la última explicación era la mejor, pero se desvaneció antes de que Ralph pudiera captarla. Miró a Lois, que denegó con la cabeza, y se volvió de nuevo hacia Cloto y Láquesis. Se estaba enfadando cada vez más. Todas aquellas largas, eternas noches sentado en el sillón de orejas, esperando a que amaneciera; todos aquellos días que había pasado sintiéndose como un fantasma dentro de su propia piel; la incapacidad de recordar una frase a menos que la leyera tres veces; los números de teléfono, que antes se sabía de memoria y ahora tenía que consultar cada vez...

Le asaltó un recuerdo que resumía y justificaba a un tiempo el enojo que sentía al mirar aquellas criaturas calvas de ojos dorados y auras casi deslumbrantes. Se vio a sí mismo mirando en el interior de la alacena que había sobre el mostrador de la cocina, buscando un sobre de sopa que su mente cansada y tensa insistía debía estar en alguna parte. Se vio a sí mismo rebuscando, deteniéndose y rebuscando otra vez. Vio la expresión de su rostro, una expresión de perplejidad distante que podría haberse confundido por un leve retraso mental, pero que, en realidad, no era más que fatiga. Y por fin se vio a sí mismo bajar los brazos y quedarse ahí parado, como si esperara que el sobre saliera del armario por sí solo.

Hasta aquel instante y aquel recuerdo no se dio cuenta de lo terribles que habían sido los últimos meses. Mirar atrás era como mirar un desierto pintado en desolados marrones y grises.

(*«Así que nos habéis metido en el ascensor... o tal vez eso no era lo bastante bueno para gente como nosotros y nos hicisteis subir por la escalera de incendios, para que nos aclimatáramos poco a poco y no se nos viniera el mundo encima de sopetón, me imagino. Y ha sido fácil. Lo único que teníais que hacer era arrebatarnos el sueño hasta que nos volviéramos medio locos. El hijo y la nuera de Lois quieren internarla en un geriátrico, ¿lo sabíais? Y mi amigo Bill McGovern cree que estoy como un cencerro. Entretanto, vosotros, los angelitos...»*)

Cloto esbozó tan sólo un ápice de su ancha sonrisa anterior.

(*No somos ángeles, Ralph.*)

(*«Ralph, no les grites, por favor.»*)

Sí, les había gritado, y Faye había captado al menos una parte de ello; había cerrado el manual de ajedrez, había dejado de hurgarse la nariz y se había erguido en la silla, paseando la mirada por la habitación con expresión inquieta.

Ralph miró a Cloto (quien retrocedió un paso y perdió lo poco que le quedaba de su sonrisa) y luego a Láquesis.

(*«Tu amigo dice que no sois ángeles. Bueno, pues, ¿dónde están ellos? Jugando al póquer seis u ocho pisos más arriba? Y supongo que Dios está en el ático y el diablo está cebando la caldera en la carbonera, ¿eh?»*)

No obtuvo respuesta. Cloto y Láquesis se miraron dubitativos. Lois tiró de la manga de Ralph, pero él no le hizo caso.

(*«Así que, ¿qué debemos hacer, chicos? ¿Encontrar a vuestra versión calva y de bolsillo de Haníbal Lecter y quitarle el bisturí? Bueno, pues que os den por el culo.»*)

En aquel momento, Ralph habría girado sobre sus talones y abandonado la habitación (había visto muchas películas y reconocía una frase contundente en cuanto la oía), pero Lois estalló en asustados sollozos, y aquello lo retuvo. La expresión de aturdido reproche que se dibujaba en su rostro le hizo lamentar su arranque al menos en parte. Volvió a rodearla con el brazo y miró a los dos calvos con ademán desafiante.

Los dos hombres cambiaron una mirada y se transmitieron algo, un mensaje que ni Ralph ni Lois eran capaces de comprender. Cuando Láquesis se volvió de nuevo hacia ellos estaba sonriendo, pero sus ojos irradiaban gravedad.

(*Oigo tu enojo, Ralph, pero es infundado. Ahora no lo crees, pero tal vez sí lo creas más adelante. De momento, tendremos que dejar de lado tus preguntas y nuestras respuestas, las respuestas que podamos darte.*)

(«*¿Por qué?*»)

(*Porque ha llegado el momento de la separación para este hombre. Observad con atención, a fin de que podáis aprender y saber.*)

Cloto se dirigió al lado izquierdo de la cama. Láquesis se acercó por la derecha, atravesando a Faye Chapin mientras andaba. Faye se inclinó hacia delante, presa de un repentino acceso de tos, y cuando se le pasó abrió de nuevo el manual de ajedrez.

(«*¡Ralph, no puedo mirar! ¡No puedo ver cómo lo hacen!*»)

Pero Ralph creía que miraría. Creía que ambos mirarían. La abrazó con más fuerza mientras Cloto y Láquesis se inclinaban sobre Jimmy V. Sus rostros aparecían iluminados por una expresión de amor, cariño y afecto; a Ralph le recordaban los rostros que había visto una vez en un cuadro de Rembrandt, *Guardia Nocturna*, si no recordaba mal. Sus auras se fundieron y superpusieron sobre el pecho de Jimmy, y de repente, el hombre tendido en la cama abrió los ojos. Por un instante miró hacia el techo a través de los dos médicos calvos y bajitos con una expresión vaga y confusa, y a continuación se volvió hacia la puerta. Esbozó una sonrisa.

—¡Eh! ¡Mira quién está aquí! —exclamó Jimmy V.

Hablaba con voz ronca y ahogada, pero Ralph distinguió el deje de listillo del sur de Boston, en el que *aquí* se convertía en un cadencioso *aquííí*. Faye dio un respingo. El manual de ajedrez se le cayó del regazo y fue a parar al suelo. Se inclinó hacia delante y cogió a Jimmy de la mano, pero Jimmy lo ignoró y siguió mirando a Ralph y a Lois.

—¡Es Ralph Roberts! ¡Y la mujer de Paul Chasse viene con él! Eh, Ralphie, ¿te acuerdas del día en que intentamos entrar en aquella concentración religiosa para poder oírlos cantar *Amazing Grace*?

(«*Sí que me acuerdo, Jimmy.*»)

Jimmy pareció sonreír y volvió a cerrar los ojos. Láquesis oprimió las mejillas del moribundo con ambas manos y le movió un poco la cabeza, como un barbero que se dispusiera a afeitar a un cliente. En aquel momento, Cloto se acercó más, abrió las tijeras y las adelantó de modo que encerraran el cordel de globo negro de Jimmy. Cuando

Cloto cerró las tijeras, Láquesis se inclinó para besar a Jimmy en la frente.

(*Ve en paz, amigo.*)

Se oyó un levísimo chasquido. La parte del cordel de globo que se había desprendido ascendió hacia el techo y desapareció. La bolsa de la muerte en la que yacía Jimmy V. se tornó de un deslumbrante color blanco y de repente se esfumó al igual que la de *Rosalie*. Jimmy volvió a abrir los ojos y miró a Faye. Empezó a sonreír, creyó Ralph, y entonces su mirada se volvió fija y distante. Los hoyuelos que habían comenzado a formarse en torno a las comisuras de sus labios se alisaron.

—Jimmy —lo llamó Faye sacudiéndole el hombro a través del costado de Láquesis—. ¿Estás bien, Jimmy? Oh, mierda.

Faye se levantó y salió de la habitación sin correr.

Cloto: (*¿Veis y comprendéis que lo que hacemos lo hacemos con amor y respeto? ¿Que, en realidad, somos los médicos de los desahuciados? Es de vital importancia para nuestra relación con vosotros, Ralph y Lois, que lo comprendáis.*)

(«*Sí.*»)

(«*Sí.*»)

Ralph no quería mostrarse de acuerdo con nada de lo que dijeran aquellos dos tipos, pero aquella frase, los médicos de los desahuciados, quebró su enojo con pulcritud y sin esfuerzo alguno. Parecía cierto. Habían librado a Jimmy V. de un mundo en el que no había nada para él aparte de dolor. Sí, sin lugar a dudas habían estado en la habitación 317 con Ralph una tormentosa tarde de hacía unos siete meses y hecho lo mismo con Carolyn. Y sí, hacían su trabajo con amor y respeto, cualquier duda que albergara al respecto se había disipado al ver a Láquesis besar a Jimmy V. en la frente. Pero ¿acaso el amor y el respeto les daba derecho a hacer de su vida y de la de Lois un infierno y luego enviarles a buscar a un ser sobrenatural descarriado? ¿Les daba derecho a siquiera soñar que dos personas normales, ninguna de las cuales era joven, podían enfrentarse a una criatura como aquélla?

Láquesis: (*Vámonos de aquí. Este sitio se va a llenar de gente, y tenemos que hablar.*)

(«*¿Acaso tenemos elección?*»)

Sus respuestas

(*¡Sí, por supuesto!*) (*¡Siempre hay elección!*)

fueron muy rápidas y llegaron teñidas de sorpresa.

Cloto y Láquesis se dirigieron hacia la puerta; Ralph y Lois se apartaron para dejarlos pasar. Sin embargo, las auras de los médicos calvos y bajitos los acariciaron por un instante, y Ralph percibió su sabor y textura; sabor a manzanas dulces, textura de corteza seca y liviana.

Cuando se marcharon, hombro con hombro, conversando con aire solemne y respetuoso, Faye volvió con un par de enfermeras. Los recién llegados pasaron a través de Láquesis y Cloto, luego a través de Ralph y Lois sin aflojar el paso ni, en apariencia, notar nada funesto.

Afuera, en el pasillo, la vida seguía a su habitual ritmo mortecino. No se activó ninguna sirena, no se encendió ninguna luz, no llegó ningún enfermero a la carrera con el carrito de urgencias, nadie gritó «¡Emergencia!» por los altavoces. La muerte era una visitante demasiado asidua allí. Ralph suponía que no era bien recibida, pero sí conocida y aceptada. También suponía que Jimmy habría estado orgulloso de su salida del tercer piso del hospital de Derry; se había ido sin aspavientos y no había tenido que mostrar a nadie su carné de identidad ni su tarjeta de la Cruz Azul. Había muerto con la dignidad que con frecuencia poseen las cosas sencillas y esperadas. Unos instantes de consciencia acompañada de un ligero aumento de percepción de lo que sucedía a su alrededor y de repente, puf. Recoge mi amor y mi pena, pájaro negro, adiós.

Se unieron a los médicos calvos en el pasillo, delante de la habitación de Bob Polhurst. Por la puerta abierta veían la vigilia alrededor de la cama del viejo profesor.

Lois: («*El hombre que está más cerca de la cama es Bill McGovern, un amigo nuestro. Le pasa algo. Algo terrible. Si hacemos lo que nos pedís, ¿podríais...?*)

Pero tanto Láquesis como Cloto estaban denegando con la cabeza.

Cloto: (*No puede hacerse nada.*)

«Sí —pensó Ralph—. Dorrance lo sabía: Lo hecho, hecho está.»

Lois: («*¿Cuándo sucederá?*»)

Cloto: (*Vuestro amigo pertenece al otro, al tercero, al que Ralph ya ha bautizado con el nombre de Átropos. Pero, al igual que nosotros, Átropos no puede predecir la hora exacta de la muerte del hombre. Ni siquiera puede predecir quién será el siguiente. Átropos es servidor del Azar.*)

La última frase heló el corazón de Ralph.

Láquesis: (*Pero éste no es el lugar adecuado para hablar. Vamos.*)

Láquesis tomó a Cloto de la mano y a continuación ofreció la otra a Ralph. Al mismo tiempo, Cloto alargó la mano hacia Lois, quien titubeó y miró a Ralph.

Ralph, a su vez, miró a Láquesis con aire sombrío.

(«*Será mejor que no le hagas daño.*»)

(*Ninguno de los dos sufrirá daño alguno. Cógeme de la mano.*)

Soy un forastero en el paraíso, terminó la mente de Ralph. Exhaló un suspiro por entre los dientes, hizo una inclinación de cabeza a Lois y cogió la mano extendida de Láquesis. De nuevo lo acometió aquella intensa sensación de reconocimiento, tan profunda y agradable como un encuentro inesperado con un viejo y querido amigo. Manzanas y corteza; recuerdos de huertos por los que había caminado de niño. De algún modo era consciente, aunque sin verlo, de que su aura había cambiado de color y había adquirido, al menos por un rato, el matiz verde con motas doradas de las de Cloto y Láquesis.

Lois cogió la mano de Cloto, emitió un leve jadeo y sonrió vacilante.

Cloto: (*Completad el círculo, Ralph y Lois. No tengáis miedo. Todo va bien.*)

«No podría estar menos de acuerdo con eso», pensó Ralph, pero cuando Lois extendió la mano hacia él, se aferró a ella. Al sabor a manzana y la textura de corteza seca se unió el olor de una especia oscura y desconocida. Ralph inhaló profundamente aquella fragancia y sonrió a Lois. Ella le devolvió la sonrisa, esta vez sin titubeos, y Ralph se vio acometido por una leve y distante confusión. ¿Cómo podía haber tenido miedo? ¿Cómo podía haber dudado si lo que traían producía una sensación tan buena y parecía tan correcto?

Te comprendo, Ralph, pero será mejor que sigas dudando, le aconsejó una voz.

(«*Ralph. ¡Ralph!*»)

Lois parecía alarmada y mareada a un tiempo. Ralph se volvió a tiempo para ver el marco superior de la puerta de la habitación 315 descender más allá de sus hombros..., pero la puerta no estaba bajando, sino que era ella quien estaba subiendo. Todos ellos estaban subiendo, aún cogidos de la mano en círculo.

Ralph acababa de asimilar aquella noticia cuando la más completa oscuridad, penetrante como el filo de un puñal, se adueñó de él por un instante, como la sombra proyectada por la tablilla de una persiana veneciana. Entrevió unas tuberías delgadas que, con toda probabilidad, formaban parte de los aspersores contra incendios del hospital y estaban rodeadas por penachos rosados de material aislante. De repente vio un pasillo largo y embaldosado. Un carrito de hospital rodaba directamente hacia su cabeza... que, como comprendió de pronto, había salido como un periscopio a la superficie de uno de los pasillos del cuarto piso.

Lois profirió un grito y le oprimió la mano con fuerza. Ralph cerró los ojos instintivamente y esperó a que el carrito le aplastara el cráneo.

Cloto: (*¡Tranquilos! ¡Tranquilos, por favor! Recordad que estas cosas existen en un nivel de realidad distinto que el nuestro.*)

Ralph abrió los ojos. El carrito había desaparecido, aunque oía sus ruedas alejándose. El sonido procedía de algún punto detrás de él.

El carrito, al igual que el amigo de McGovern, lo había atravesado sin más. Los cuatro entraron levitando en lo que debía de ser la unidad de pediatría, pues en las paredes hacían cabriolas y retozaban diversas criaturas de cuento, y en las ventanas de una sala de juegos amplia y muy iluminada se veían personajes de *Aladdin* y *La sirenita*. Un médico y una enfermera se acercaron a ellos comentando un caso.

—... parece indicado hacer más pruebas, pero sólo si podemos asegurarnos con al menos un noventa por ciento de certeza de que...

El médico atravesó a Ralph, y en ese momento, Ralph comprendió que el hombre había empezado a fumar de nuevo después de cinco años de abstinencia y se sentía muy culpable por ello. A continuación desaparecieron. Ralph bajó la mirada justo a tiempo para ver sus pies surgir del suelo embaldosado. Se volvió hacia Lois en un intento de sonreír.

(«*Esto es mucho mejor que el ascensor, ¿eh?*»)

Lois asintió. Seguía cogiéndole la mano con mucha fuerza.

Atravesaron el quinto piso, emergieron en una sala de médicos del sexto, donde había dos médicos de tamaño normal, uno de ellos viendo una reposición de *F Troop* y el otro roncando en el espantoso sofá de estilo sueco moderno, y por fin llegaron al tejado.

Era una noche clara, sin luna, maravillosa. Las estrellas centelleaban en el firmamento en una extravagante y nebulosa alfombra de luz. El viento soplaba con fuerza, y recordó a la señora Perrine diciendo que el veranillo de San Martín había terminado, de eso podía estar seguro. Ralph oía el viento, pero no lo sentía..., aunque creía poder sentirlo si así lo deseaba. Tan sólo se trataba de concentrarse del modo adecuado...

En medio de aquella reflexión percibió un cambio leve y momentáneo en su cuerpo, una suerte de parpadeo. De repente, el cabello se le apartó de la frente, y oyó cómo el dobladillo de los pantalones le revoloteaba alrededor de las espinillas. Un estremecimiento le recorrió el cuerpo de pies a cabeza. La espalda de la señora Perrine tenía razón acerca del cambio de tiempo. Ralph experimentó otro parpadeo interior, y el impulso del viento cesó. Se volvió hacia Láquesis.

(«*¿Puedo soltar tu mano?*»)

Láquesis asintió con la cabeza y le soltó. Cloto soltó la mano de Lois. Ralph miró hacia el oeste y vio las luces azules intermitentes de las pistas del aeropuerto. Más allá se veía la parrilla de farolas anaranjadas que delimitaba Cape Green, una de las urbanizaciones nuevas que habían construido en el extremo más alejado de los Barrens. Y en algún lugar del firmamento de luces que brillaba al este del aeropuerto se hallaba Harris Avenue.

(«*Es hermoso, ¿verdad, Ralph?*»)

Ralph asintió y se dijo que estar ahí y ver la ciudad desparramada en la noche compensaba todo lo que había pasado desde que comenzara a sufrir insomnio. Todo y más. Pero no confiaba del todo en aquella idea.

Se volvió hacia Láquesis y Cloto.

(«*Bueno, hablad. ¿Quiénes sois, quién es él y qué queréis que hagamos?*»)

Los dos médicos calvos se hallaban suspendidos entre dos ventiladores que despedían vertiginosos abanicos de luz entre marrón y violácea. Se miraron con nerviosismo, y Láquesis hizo a Cloto una inclinación de cabeza casi imperceptible. Cloto avanzó un paso y miró alternativamente a Ralph y Lois mientras parecía ordenar sus ideas.

(*Muy bien. En primer lugar, debéis comprender que las cosas que están sucediendo, aunque inesperadas y turbadoras, no son precisamente antinaturales. Mi colega y yo hacemos lo que estamos destinados a hacer. Átropos hace lo que está destinado a hacer; y vosotros, queridos amigos Mortales, haréis lo que estáis destinados a hacer.*)

Ralph le dedicó una radiante y amarga sonrisa.

(«*Bueno, se acabó la libertad de elección, supongo.*»)

Láquesis: (*¡No debes pensar así! Es sólo que lo que tú llamas libertad de elección forma parte de lo que nosotros denominamos* ka, *la gran rueda del ser.*)

Lois: («*Miramos a través de un cristal oscuro... ¿Es eso lo que quieres decir?*»)

Cloto, esbozando su juvenil sonrisa: (*La Biblia, creo. Y una forma excelente de expresarlo.*)

Ralph: («*Y muy conveniente para tipos como vosotros, pero dejemos esto de momento. Tenemos un dicho que no es de la Biblia, caballeros, pero es bastante bueno: No doréis la píldora. Espero que lo tengáis en cuenta.*»)

Sin embargo, Ralph tenía la sensación de que eso era mucho pedir.

Cloto empezó a hablar y continuó durante bastante tiempo. Ralph no sabía cuánto, porque el tiempo era distinto en aquel nivel, estaba comprimido, por así decirlo. A veces decía cosas que no eran palabras; los términos verbales quedaban sustituidos por simples imágenes brillantes que se parecían a las de un jeroglífico infantil. Ralph suponía que se trataba de telepatía y, por tanto, resultaba bastante asombroso, pero en aquel momento le pareció lo más normal del mundo.

A veces desaparecían tanto las palabras como las imágenes, y tan sólo quedaban unas extrañas pausas

(- - - - - - - - - - - - -)

en la comunicación. No obstante, incluso en aquellos momentos podía Ralph hacerse una idea de lo que Cloto intentaba transmitir, y tenía la sensación de que Lois comprendía lo que se ocultaba tras aquellos lapsos mejor que él.

(*En primer lugar, debéis saber que tan sólo existen cuatro constantes en la zona en la que vuestras vidas y las nuestras, las vidas de los*)

(- - - - - - - - - - -)

(*se superponen. Estas cuatro constantes son la Vida, la Muerte, el Propósito y el Azar. Todas estas palabras significan algo para vosotros, pero ahora tenéis un concepto algo distinto de la Vida y la Muerte, ¿verdad?*)

Ralph y Lois asintieron con un ligero titubeo.

(*Láquesis y yo somos agentes de la Muerte. Ello nos convierte en motivo de temor para la mayoría de los Mortales; incluso aquellos que fingen aceptarnos a nosotros y nuestra función suelen tenernos miedo. En ocasiones se nos plasma como un temible esqueleto o una figura encapuchada cuyo rostro no puede verse.*)

Cloto se llevó las diminutas manos a los hombros cubiertos de tela blanca y fingió estremecerse. La parodia fue tan graciosa que Ralph no pudo reprimir una sonrisa.

(*Pero nosotros no somos tan sólo agentes de la muerte, Ralph y Lois; también somos agentes del Propósito. Y ahora debéis escuchar con atención, pues no quiero malentendidos. Hay algunos de vuestra especie que creen que todo sucede según un plan establecido, mientras que otros creen que los acontecimientos no son más que producto de la suerte o del azar. Lo cierto es que la vida es azar y propósito, aunque no en igual medida. La vida es como*)

Cloto dibujó un círculo con los brazos, como un niño que intentara trazar la forma de la tierra, y en su interior Ralph vio una imagen brillante y evocadora: miles, tal vez millones de naipes se alineaban en un abanico parpadeante de corazones, picas, tréboles y diamantes. También vio un gran número de comodines en aquella ingente baraja; no los suficientes como para crear una baraja propia, pero sí muchos más, desde el punto de vista proporcional, de los dos o tres que suelen encontrarse en las barajas corrientes. Todos ellos sonreían y llevaban panamás con el ala mordisqueada.

Todos ellos sostenían bisturíes oxidados.

Ralph miró atentamente a Cloto con los ojos abiertos de par en par. Cloto asintió.

(*Sí. No sé exactamente qué has visto, pero sé que has visto lo que intentaba transmitirte. ¿Y tú, Lois?*)

Lois, que adoraba jugar a cartas, asintió débilmente.

(«*Átropos es el comodín de la baraja, eso es lo que quieres decir.*»)

(*Es agente del Azar. Nosotros, Láquesis y yo, servimos a la otra fuerza, la que es responsable de la mayoría de los acontecimientos tanto de*)

las vidas individuales como de la vida en su sentido más global. En
vuestro piso del edificio, Ralph y Lois, todas las criaturas son mortales y
disponen de un período establecido. Eso no significa que los niños sal-
gan del vientre de su madre con un cartelito alrededor del cuello que
diga: CORTAR EL CORDEL DENTRO DE 84 AÑOS, 11 MESES, 9 DÍAS, 6 HORAS, 4 MINU-
TOS Y 21 SEGUNDOS. *Esa idea es ridícula. Sin embargo, los períodos suelen*
estar establecidos, y como ambos habéis visto, una de las numerosas
funciones del aura de los Mortales es la función de reloj.)

Lois se agitó un poco, y cuando Ralph se volvió hacia ella vio algo
asombroso: el cielo estaba palideciendo. Suponía que debían de ser
las cinco de la mañana. Habían llegado al hospital alrededor de las
nueve de la noche del martes, y ahora, de repente, ya era miércoles,
seis de octubre. Ralph había oído decir que el tiempo vuela, pero
aquello era ridículo.

Lois: (*«Vuestro trabajo consiste en lo que nosotros llamamos muer-*
te natural, ¿verdad?»)

En su aura chispeaban imágenes confusas e incompletas. Un
hombre (el difunto señor Chasse, creía Ralph) tendido en una campana de oxígeno. Jimmy V. abriendo los ojos para mirar a Ralph y Lois
justo antes de que Cloto le cortara el cordel de globo. La sección de
necrológicas del *News* de Derry salpicada de fotografías, la mayoría
de ellas del tamaño de sellos, que mostraban la cosecha semanal procedente de los hospitales y las residencias geriátricas de la ciudad.

Tanto Cloto como Láquesis denegaron con la cabeza.

Láquesis: (*En realidad, la muerte natural no existe. Nuestro trabajo*
consiste en la muerte con un propósito. Nos llevamos a los ancianos y a
los enfermos, pero también a otros. Ayer mismo, por ejemplo, nos lleva-
mos a un joven de veintiocho años. Era carpintero. Hace dos semanas
mortales, se cayó de un andamio y se fracturó el cráneo. Durante las úl-
timas dos semanas, su aura estuvo)

Ralph vio la imagen fragmentada de una aura alcanzada por el
rayo como la que envolvía al bebé del ascensor.

Cloto: (*Por fin se produjo el cambio..., la transformación del aura.*
Sabíamos que se produciría, pero no en qué momento. Cuando sucedió,
acudimos a su lado y lo enviamos.)

(*«¿Adónde lo enviasteis?»*)

Preguntó Lois, sacando a colación el escabroso tema de la vida después de la muerte casi por accidente. Ralph se aferró a su cinturón de seguridad mental, con la esperanza de experimentar uno de aquellos peculiares lapsus, pero percibió las respuestas superpuestas con toda
claridad:

Cloto: (*A todas partes.*)

Láquesis: (*A mundos distintos de éste.*)

Ralph experimentó una mezcla de alivio y decepción.

(«*Suena muy poético, pero creo que lo que significa, y corregidme si me equivoco, es que la vida después de la muerte es un misterio tan insondable para vosotros como lo es para nosotros.*»)

Láquesis, en tono algo picado: (*Tal vez en otra ocasión tengamos tiempo para hablar de tales temas, pero ahora no; como sin duda habréis advertido, el tiempo pasa más deprisa en este piso del edificio.*)

Ralph miró en derredor y comprobó que la mañana estaba ya bastante avanzada.

(«*Perdón.*»)

Cloto, con una sonrisa: (*No importa; disfrutamos con vuestras preguntas y nos parecen refrescantes. La curiosidad existe en todo el continuo de la vida, pero en ningún lugar es tan profusa como aquí. Pero lo que llamáis vida después de la muerte no tiene cabida en las cuatro constantes, es decir, la Vida, la Muerte, el Propósito y el Azar, que ahora nos ocupan.*)

(*La cercanía de casi todas las muertes que sirven a la fuerza del Propósito toman un rumbo que conocemos muy bien. Las auras de aquellos que experimentarán una muerte con propósito se tornan grises al acercarse el fin. El gris se oscurece de forma constante hasta convertirse en negro. Nos llaman cuando el aura*)

(- - - - - - - - - -),

(*y hacemos exactamente lo que nos visteis hacer anoche. Liberamos a aquellos que sufren, llevamos la paz a los que viven sumidos en el terror, reposo a los que no encuentran reposo. La mayor parte de las muertes del Propósito son muertes esperadas, incluso bien recibidas, pero no en todos los casos. A veces nos encomiendan la tarea de llevarnos a hombres, mujeres y niños que gozan de excelente salud..., pero sus auras se transforman de repente y entonces llega el fin.*)

Ralph recordó al joven enfundado en una camiseta sin mangas de los Red Sox que había visto entrar en la Manzana Roja el martes por la tarde. En él había visto la personificación de la salud y la vitalidad..., salvo por la mancha espectral que lo envolvía.

Ralph abrió la boca, tal vez para mencionar a aquel joven (o interesarse por la suerte que había corrido), pero volvió a cerrarla en seguida. El sol se cernía vertical sobre ellos, y de repente, tuvo la certeza de que él y Lois se habían convertido en tema de conversaciones lascivas en la Derry de los Viejos Carcamales.

¿Alguien los ha visto?... ¿No?... ¿Creéis que se han largado?... ¿Que se han fugado para casarse, quizás?... No, hombre, a su edad, pero a lo mejor se han ido a vivir juntos... No sé si a Ralphie le queda algo de marcha en el viejo almacén de municiones, pero ella siempre me ha parecido un buen ligue. Sí, y camina como si lo supiera muy bien, ¿eh?

La imagen de su enorme cacharro oxidado esperando pacientemente tras una de las cabañas cubiertas de hiedra del motel Derry Cabins, mientras los muelles saltaban y chirriaban en su interior, cruzó la mente de Ralph. Esbozó una sonrisa; no pudo evitarlo. Al cabo de un instante, se le ocurrió la alarmante idea de que tal vez estaba transmitiendo aquellos pensamientos a su aura, de modo que borró todas esas imágenes. Pero ¿no estaba mirándolo Lois con cierta curiosidad juguetona?

Ralph se apresuró a concentrarse de nuevo en Cloto.

(*Átropos sirve a la fuerza del Azar. No todas las muertes que los Mortales llaman «inútiles», «innecesarias» o «trágicas» son obra suya, pero sí la mayoría. Cuando una docena de ancianos y ancianas mueren en un incendio que se declara en una residencia geriátrica, lo más probable es que Átropos haya estado allí, llevándose recuerdos y cortando cordeles. Cuando un bebé muere en su cuna sin motivo aparente, la causa suele ser Átropos y su bisturí oxidado. Cuando un perro, sí, incluso un perro, porque el destino de casi todos los seres vivientes del mundo de los Mortales se halla sujeto al Azar o bien al Propósito, muere atropellado porque el conductor del coche responsable ha escogido el momento menos apropiado para mirar el reloj...*)

Lois: («*¿Es eso lo que le pasó a Rosalie?*»)

Cloto: (*Átropos es lo que le pasó a Rosalie. Joe Wyzer, el amigo de Ralph, fue lo que denominamos «circunstancia complementaria».*)

Láquesis: (*Y Átropos es también lo que le pasó a vuestro amigo, el difunto señor McGovern.*)

Lois adoptó una expresión que reflejaba a la perfección los sentimientos de Ralph: consternación, pero no verdadera sorpresa. La tarde estaba ya muy avanzada, tal vez habían pasado ya dieciocho horas terrestres desde que vieran a Bill por última vez, y Ralph ya sabía entonces que al hombre le quedaba muy poco tiempo. Lois, que había deslizado sin querer la mano en su interior, lo sabía aún mejor.

Ralph: («*¿Cuándo ha sucedido? ¿Cuánto tiempo después de que lo viéramos por última vez?*»)

Láquesis: (*No mucho. Cuando estaba a punto de salir del hospital. Siento la pérdida que habéis sufrido, y también siento haberos dado la noticia con tan poco tacto. Hablamos tan pocas veces con los Mortales que olvidamos cómo hacerlo. No quería heriros, Ralph y Lois.*)

Lois le dijo que no importaba, que lo comprendía, pero gruesas lágrimas rodaban por sus mejillas, y Ralph sentía que estaba a punto de llorar. La idea de que Bill ya no estaba, de que el hijo de puta de la bata sucia se lo había llevado, era difícil de asimilar. ¿Debía creer que McGovern no volvería a enarcar las cejas en aquel gesto suyo tan sarcástico y brusco? ¿Que nunca más se lamentaría de lo espantoso que era envejecer? Imposible. De repente, se volvió hacia Cloto.

(«*Muéstranoslo.*»)

Cloto, sorprendido, vacilante: (*No... No creo que...*)

Ralph: («*Ver para creer, eso es lo que decimos los imbéciles de los Mortales. ¿No os sabíais ésta?*»)

Lois intervino de forma inesperada.

(«*Sí, mostrádnoslo. Pero sólo lo justo para que lo sepamos y podamos aceptarlo. Intentad no hacer que nos sintamos aún peor.*»)

Cloto y Láquesis cambiaron una mirada y luego parecieron encogerse de hombros, aunque sin moverlos. Láquesis levantó los dos primeros dedos de la mano derecha, creando un abanico de luz azul verdosa. En su interior, Ralph vio una diminuta y siniestramente perfecta imagen del pasillo de cuidados intensivos. Una enfermera que empujaba un carrito de medicamentos cruzó el arco. En el extremo más alejado de la imagen, pareció curvarse antes de desaparecer.

Lois, encantada a pesar de las circunstancias: («*¡Es como ver una película en una burbuja de jabón!*»)

McGovern y el señor Ciruela salieron de la habitación de Bob Polhurst. McGovern se había puesto un viejo suéter del instituto de Derry, y su amigo se subía la cremallera de la cazadora; sin duda alguna, habían terminado la vigilia por aquella noche. McGovern caminaba despacio, a la zaga del señor Ciruela. Ralph comprobó que su vecino y amigo desde hacía algún tiempo tenía muy mal aspecto.

Sintió que la mano de Lois se deslizaba sobre su brazo y se lo aferraba con fuerza, de modo que la cubrió con una de las suyas.

A medio camino del ascensor, McGovern se detuvo, apoyó una mano contra la pared y bajó la cabeza. Parecía un corredor completamente exhausto al término de una maratón. Durante un instante, el señor Ciruela siguió andando. Ralph vio que estaba moviendo la boca. «No sabe que está hablando con las paredes —se dijo—. Al menos de momento.»

De repente, Ralph no quiso ver nada más.

En el interior del arco azul verdoso, McGovern se llevó una mano al pecho y la otra al cuello, frotándoselo como si se mesara la barba incipiente. Ralph no habría podido asegurarlo, pero creía que en el rostro de su vecino se dibujaba una expresión atemorizada. Recordó el rictus de odio en el rostro del doctor 3 al darse cuenta de que un Mortal había intentado interferir en su trabajo con un perro callejero. ¿Qué había dicho?

(*Te joderé, Mortal. Te joderé bien jodido. Y también joderé a todos tus amigos, ¿me oyes?*)

Una idea terrible, casi una certeza, surgió en la mente de Ralph mientras veía a Bill McGovern deslizarse lentamente hacia el suelo.

Lois: («*¡Parad, por favor, parad!*»)

Sepultó el rostro en el hombro de Ralph. Cloto y Láquesis cambiaron una mirada inquieta, y Ralph se dio cuenta de que ya había empezado a modificar el concepto que tenía de ellos como seres omniscientes y todopoderosos. Tal vez eran seres sobrenaturales, pero no lo sabían todo ni de lejos. Tenía la sensación de que no estaban muy duchos en eso de predecir el futuro; probablemente, los tipos con bolas de cristal realmente eficaces no tendrían en su repertorio ninguna expresión como la que estaba presenciando.

«Avanzan a tientas, como todo el mundo», pensó Ralph, y de repente sintió un ramalazo de simpatía por los señores C. y L.

El arco de luz azul verdosa que flotaba delante de Láquesis, así como las imágenes que mostraba, se esfumó como por encanto, en un instante.

Cloto, en tono defensivo: (*Por favor, recordad que vosotros nos habéis pedido que os lo mostráramos, Ralph y Lois. No lo hemos hecho por voluntad propia.*)

Ralph apenas oyó sus palabras. Aquella idea terrible seguía cobrando forma, como una fotografía que uno no quería ver pero de la que no podía apartar los ojos. Estaba pensando en el sombrero de Bill..., en el desteñido pañuelo azul de *Rosalie*... y en los pendientes de diamantes que Lois había perdido.

(*Y también joderé a todos tus amigos, Mortal, ¿me oyes? Espero que sí. De verdad lo espero.*)

Miró alternativamente a Cloto y Láquesis, y la simpatía que había empezado a profesarles se desvaneció, dando paso a una sorda sensación de enojo. Láquesis había dicho que la muerte accidental no existía, y eso incluía la muerte de McGovern.

A Ralph no le cabía duda de que Átropos se había llevado a McGovern cuando se lo había llevado por una sencilla razón: quería herir a Ralph, castigar a Ralph por entrometerse en... ¿cómo lo había llamado Dorrance? Asuntos ajenos.

El viejo Dor le había sugerido que no lo hiciera; una buena actitud, sin lugar a dudas, pero Ralph no había tenido elección..., porque esos renacuajos calvos se habían metido con él. En un sentido muy real, habían provocado la muerte de Bill McGovern.

Cloto y Láquesis percibieron su enfado, retrocedieron un paso (aunque, por lo visto, lo hicieron sin mover los pies) y adoptaron una expresión más inquieta aún.

(«*Vosotros dos sois la razón por la que Bill McGovern ha muerto. Ésa es la verdad, ¿no?*)

Cloto: (*Por favor, permítenos que terminemos de explicar...*)

Lois estaba mirando a Ralph fijamente, con expresión preocupada y asustada.

(«*Ralph, ¿qué pasa? ¿Por qué estás enfadado?*»)

(«*¿Es que no lo entiendes? Esta pequeña treta le ha costado la vida a Bill. Estamos aquí porque Átropos ha hecho algo que a estos dos no les ha hecho ni pizca de gracia o bien se dispone a...*»)

Láquesis: (*Estás sacando conclusiones precipitadas, Ralph...*)

(«... *pero hay un solo problema fundamental:* ¡sabe que podemos verle! ¡Átropos SABE que podemos verle!)

Lois abrió los ojos con expresión de terror... y comprensión.

18

Una diminuta mano blanca se posó en el hombro de Ralph y permaneció allí como una nubecilla de humo.

(*Por favor...*, *permítenos que te expliquemos...*)

Percibió aquel cambio en su interior, aquel parpadeo, antes de ser consciente de que él mismo lo había provocado. Volvió a sentir el viento, que surgía de las tinieblas como la hoja de un cuchillo helado, y se estremeció. El contacto de la mano de Cloto no era más que una vibración fantasmagórica bajo la superficie de su piel. Los veía a los tres, pero la imagen era desvaída, difuminada. Se habían convertido en fantasmas.

He bajado. No hasta el lugar desde el que empezamos, pero al menos hasta un nivel donde apenas pueden establecer contacto físico conmigo. Mi aura, mi cordel de globo... Sí, estoy seguro de que podrían acceder a ellos, pero ¿y la parte física de mí que vive mi vida real en el mundo de los Mortales? Ni hablar del peluquín.

La voz de Lois, tan lejana como un eco al disiparse: («*Ralph, ¿qué estás haciendo?*»)

Contempló las imágenes espectrales de Cloto y Láquesis. Ahora no parecían sólo inquietos o ligeramente culpables, sino asustados de verdad. Sus rostros aparecían distorsionados y le costaba verlos, pero el miedo se apreciaba en ellos con toda claridad.

La voz de Cloto, lejana pero audible: (*¡Vuelve, Ralph! ¡Vuelve, por favor!*)

—Si vuelvo, ¿os dejaréis de jueguecitos y seréis sinceros con nosotros?

La voz de Láquesis, alejándose, desvaneciéndose: (*¡Sí, sí!*)

Ralph volvió a provocar aquel parpadeo interior. La imagen de los otros tres quedó enfocada de nuevo. Al mismo tiempo, el color volvió a rellenar las grietas del mundo y el tiempo reanudó la carrera anterior; vio la luna menguante descender por el extremo más alejado del cielo como una masa de mercurio ardiente. Lois le echó los brazos al cuello, y por un instante, Ralph no supo si estaba abrazándolo o intentando estrangularlo.

(«*¡Gracias a Dios! ¡Creía que ibas a abandonarme!*»)

Ralph la besó y, por un momento, su mente se llenó de una agradable mezcolanza de sensaciones: sabor a miel fresca, textura de lana cardada, olor a manzanas. Un pensamiento le cruzó la mente

(*¿qué tal sería hacer el amor aquí arriba?*)

pero lo desterró de inmediato. Tenía que pensar y hablar con mucha cautela en los próximos

(*¿minutos?, ¿horas?, ¿días?*)

y pensar en esas cosas no haría más que dificultarle la tarea. Se volvió hacia los médicos calvos y bajitos y los calibró con la mirada.

(«*Espero que lo digáis en serio, porque si no, creo que lo mejor será que cerremos la barraca y vayamos cada uno por nuestro lado.*»)

Esta vez, Cloto y Láquesis no se molestaron en cambiar una mirada, sino que asintieron con aire vehemente. Láquesis empezó a hablar en tono defensivo. Aquellos tipos, sospechaba Ralph, eran mucho más agradables de tratar que Átropos, pero no estaban más acostumbrados que él a que los interrogaran, a que los picaran en el amor propio, como habría dicho su madre.

(*Todo lo que os hemos contado es cierto, Ralph y Lois. Tal vez hemos omitido la posibilidad de que Átropos esté más al corriente de la situación de lo que quisiéramos, pero...*)

Ralph: («*¿Qué pasa si nos negamos a seguir escuchando estas tonterías?*) ¿*Qué pasa si damos la vuelta y nos largamos?*»)

No obtuvo respuesta, pero creyó ver algo terrible en sus ojos: sabían que Átropos tenía los pendientes de Lois, y sabían que él lo sabía. La única que no lo sabía, al menos eso esperaba, era Lois.

Lois le estaba tirando del brazo.

(«*No hagas eso, Ralph. Por favor, no lo hagas. Tenemos que escucharlos hasta el final.*»)

Ralph se volvió de nuevo hacia ellos y les hizo una brusca señal para que prosiguieran.

Láquesis: (*Bajo circunstancias normales, no nos interponemos en el camino de Átropos ni él en el nuestro. No podríamos interponernos en su camino aunque quisiéramos; el Azar y el Propósito son como las casillas blancas y negras de un tablero de ajedrez, que se definen precisamente por el contraste. Pero Átropos quiere intervenir en el curso de las cosas de hecho, él existe para intervenir en el curso de las cosas, y en muy pocas ocasiones se le brinda la oportunidad de hacerlo de un modo espectacular. Los esfuerzos por impedir su intervención son muy poco frecuentes...*)

Cloto: (*La verdad es un poco más fuerte, Ralph y Lois: en nuestra experiencia, jamás se ha realizado esfuerzo alguno por controlarlo o detenerlo.*)

(... y sólo se emprenden si la situación en la que pretende inmiscuir-se es muy delicada o cuando se hallan en la balanza asuntos de vital importancia. Ésta es una de esas situaciones. Átropos ha cortado un cordel vital al que no debería haberse acercado. Ello creará terribles problemas en todos los niveles, por no mencionar un grave desequilibrio entre el Azar y el Propósito, a menos que no se resuelva la cuestión. No podemos intervenir en lo que está sucediendo; la situación ha llegado a un punto que supera con mucho nuestras capacidades. No podemos ver con claridad ni, por supuesto, actuar. Sin embargo, nuestra incapacidad de ver las cosas apenas importa, pues, en definitiva, sólo los Mortales pueden oponerse a la voluntad de Átropos. Por eso estáis aquí.)

Ralph: («¿*Estás diciendo que Átropos cortó el cordel de globo de alguien que debía morir de muerte natural... o de muerte con propósito?*»)

Cloto: (*No exactamente. Algunas vidas, muy pocas, no tienen un destino concreto. Cuando Átropos interfiere en esas vidas, lo más probable es que haya problemas.* «*No hay garantías*», *como diríais vosotros. Estas vidas sin destino son como...*)

Cloto volvió a formar un círculo con los brazos, y entre ellos apareció otra imagen de una baraja. Una hilera de siete cartas a las que una mano invisible dio la vuelta con gran rapidez. Un as, un dos, un comodín, un tres, un siete, una reina. La última carta que descubrió la mano estaba en blanco.

Cloto: (*¿Os sirve de ayuda esta imagen?*)

Ralph frunció el ceño. No estaba seguro. Ahí afuera había una persona que no era ni una carta normal ni un comodín. Una persona en blanco, que podía inclinarse en cualquier dirección. Átropos había amputado el tubo de aire metafísico de aquel tipo, y ahora, alguien o algo había pedido tiempo muerto.

Lois: («*Estás hablando de Ed, ¿verdad?*»)

Ralph giró en redondo y le dirigió una mirada penetrante, pero Lois estaba mirando a Láquesis.

(«*Ed Deepneau es la carta en blanco.*»)

Láquesis asintió con la cabeza.

(¿«*Cómo lo sabes, Lois?*»)

(«*¿Quién si no podría ser?*»)

Lois no estaba sonriendo precisamente, pero Ralph percibió el aire de una sonrisa. Se volvió de nuevo hacia Cloto y Láquesis.

(«*Bueno, por fin vamos por buen camino. ¿Y quién ha dado la voz de alarma? No creo que hayáis sido vosotros, chicos... Tengo la sensación de que, al menos en este asunto, no sois más que una especie de jornaleros.*»)

Los dos médicos juntaron las cabezas y conferenciaron en susurros durante unos instantes, pero Ralph comprobó que un leve matiz ocre aparecía en el punto en el que sus auras verdes y doradas se superpusieron, y supo que tenía razón. Por fin, los dos seres se volvieron de nuevo hacia ellos.

Láquesis: (*Sí, más o menos. Tienes el don de ver las cosas en perspectiva, Ralph. No hemos sostenido una conversación como ésta desde hace mil años...*)

Cloto: (*Si es que alguna vez lo hemos hecho.*)

Ralph: («*Lo único que tenéis que hacer es decir la verdad, chicos.*»)

Láquesis, en el tono lastimero de un niño: (¡*Pero si os hemos contado la verdad!*)

Ralph: («*Toda la verdad.*»)

Láquesis: (*De acuerdo, toda la verdad. Sí, es el cordel de Ed el que Átropos ha cortado. No lo sabemos porque lo hayamos visto, hemos llegado a un punto en el que ya no podemos ver con claridad, como ya he dicho, sino porque es la única conclusión lógica. Deepneau no tiene destino ni en el reino del Azar ni en el del Propósito, al menos que nosotros sepamos, y su cordel debe de haber sido muy especial si ha causado tanto revuelo y preocupación. El hecho de que haya vivido durante tanto tiempo desde que le cortaron el cordel de globo indica el poder y la importancia que tiene. Cuando Átropos le cortó el cordel, desencadenó toda una serie de terribles acontecimientos.*)

Lois se estremeció y se acercó aún más a Ralph.

Láquesis: (*Nos has llamado jornaleros. Tienes más razón de la que crees. En este caso no somos más que simples mensajeros. Nuestro trabajo consiste en haceros comprender a ti y a Lois lo que ha sucedido y lo que se espera de vosotros, y casi hemos cumplido nuestra misión. Por lo que se refiere a quién «ha dado la voz de alarma», no podemos contestar a esa pregunta porque no lo sabemos en realidad.*)

(*No te creo.*)

Pero Ralph se dio cuenta de que su voz (si es que era una voz) carecía de convicción.

Cloto: (*No seas tonto, ¡claro que me crees! ¿Crees que los directores de una gran empresa automovilística invitarían a un simple obrero a la sala de juntas para así poder explicarle todos los motivos que encierra la política de la empresa? ¿O tal vez para explicarle con todo detalle por qué han decidido cerrar una factoría y dejar otra abierta?*)

Láquesis: (*Estamos un poco por encima de los hombres que trabajan en la cadena de producción, pero aun así, somos lo que vosotros llamaríais simples «currantes», Ralph, ni más ni menos.*)

Cloto: (*Tendréis que conformaros con esto: más allá de los niveles Mortales y Limitados de existencia en los que existimos Láquesis, Átropos y yo, hay otros niveles. Estos niveles están habitados por criaturas que podríamos llamar Ilimitados, seres que o bien son eternos o bien se acercan tanto a la eternidad que da lo mismo. Los Mortales y los Limitados viven en esferas yuxtapuestas de existencia, en pisos comunicados*) *del mismo edificio, por así decirlo, que se encuentran bajo el control del Azar y el Propósito. Por encima de estos pisos, inaccesibles para nosotros, pero que forman parte de la misma torre de existencia, viven otros seres. Algunos de ellos son maravillosos, fabulosos; otros son espeluznantes más allá de nuestra capacidad de comprensión, y por supuesto, de la vuestra. Podríamos llamar a estos seres Propósito Superior y Azar Superior... o tal vez no exista el Azar a partir de cierto nivel; sospechamos que es así, pero no podemos afirmarlo con certeza. Sí sabemos que hay algo en uno de estos niveles superiores que se ha interesado por Ed, y que otra cosa de allí arriba ha reaccionado a ello. Y esa reacción sois vosotros, Ralph y Lois.)*

Lois lanzó a Ralph una mirada de consternación que éste apenas advirtió. La idea de que algo los estaba moviendo como si fueran piezas de ajedrez en el querido Clásico de la Pista 3 de Faye Chapin, una idea que lo hubiera enfurecido en otras circunstancias, no se le ocurrió en aquel momento. Estaba recordando la noche en que Ed lo había llamado por teléfono. «Te estás metiendo en aguas profundas —había dicho—, y hay cosas flotando en el fondo que ni siquiera puedes llegar a imaginar.»

Entes, en otras palabras.

Seres demasiado espeluznantes como para poder comprenderlos, según el señor C., y el señor C. era un caballero que se dedicaba al negocio de la muerte.

«Todavía no se han percatado de tu existencia —le había dicho Ed aquella noche—, pero si sigues metiéndote conmigo acabarán por fijarse en ti. Y eso no te conviene. Créeme, no te conviene en absoluto.»

Lois: («*¿Cómo nos habéis traído hasta este nivel? Gracias al insomnio, ¿verdad?*»)

Láquesis, con cautela: (*En esencia, sí. Podemos introducir pequeños cambios en las auras de los Mortales. Estos ajustes causan una forma especial de insomnio que ha alterado vuestro modo de soñar y de percibir el mundo cuando estáis despiertos. Ajustar las auras de los Mortales es una tarea delicada y aterradora. Siempre existe el riesgo de la demencia.*)

Cloto: (*A veces habréis tenido la sensación de que os volvíais locos, pero ninguno de los dos ha estado cerca siquiera. Los dos sois mucho más fuertes de lo que creéis.*)

«Estos gilipollas creen de verdad que sus palabras son un consuelo», se maravilló Ralph, pero se apresuró a contener su enojo. No tenía tiempo para enfadarse ahora. Tal vez más tarde podría resarcirse. Eso esperaba. Se limitó a darle a Lois unas palmaditas en la mano y a continuación se volvió de nuevo hacia Cloto y Láquesis.

(«*El verano pasado, después de pegar a su mujer, Ed me habló de un ser llamado el Rey Carmesí. ¿Os suena de algo?*»)

Cloto y Láquesis cambiaron otra mirada, que Ralph tomó por solemne en el primer momento.

Cloto: (*Ralph, no olvides que Ed está loco, que existe en un estado delusorio...*)

(«*Y que lo digas.*»)

(... *pero creemos que su «Rey Carmesí» existe en una forma u otra, y que cuando Átropos le cortó el cordel vital, Ed Deepneau cayó directamente en manos de este ser.*)

Los dos médicos calvos y bajitos se miraron de nuevo, y esta vez, Ralph identificó correctamente la expresión que se dibujaba en sus rostros: no se trataba de solemnidad, sino de terror.

Había empezado un nuevo día, el jueves, que avanzaba con rapidez hacia el mediodía. Ralph no lo sabía con certeza, pero creía que la velocidad con la que pasaban las horas en el nivel Mortal estaba aumentando; si no ponían punto final a aquella conversación muy pronto, Bill McGovern no sería el único amigo al que sobrevivirían.

Cloto: (*Átropos sabía que el Propósito Superior enviaría a alguien para intentar frenar lo que él ha desencadenado, y ahora sabe de quién se trata. Pero no debéis permitir que Átropos os distraiga; debéis recordar que es poco más que un peón en este tablero. Átropos no es vuestro verdadero enemigo.*)

Se detuvo y miró a su colega con aire dubitativo. Láquesis le dirigió una inclinación de cabeza para que prosiguiera, pero a Ralph le dio un vuelco el corazón. Estaba seguro de que los dos médicos calvos tenían buenas intenciones, pero estaba claro que no sabían muy bien qué terreno pisaban.

Cloto: (*No debéis abordar a Átropos directamente, no lo olvidéis. Está rodeado de fuerzas mucho más importantes que él, fuerzas malignas y poderosas, fuerzas que son conscientes y no se detendrán ante nada. Sin embargo, creemos que, si no os acercáis a Átropos, tal vez podáis detener la terrible catástrofe que está a punto de sobrevenir..., es decir, que en realidad ya está sobreviniendo.*)

A Ralph no le hizo ni pizca de gracia la suposición implícita de que él y Lois iban a hacer lo que fuera que quisieran aquellos dos tipejos, pero no le parecía el momento más adecuado para protestar.

Lois: («*¿Qué está a punto de suceder? ¿Qué es lo que queréis de nosotros? ¿Tenemos que encontrar a Ed y convencerle de que no haga nada malo?*»)

Cloto y Láquesis la miraron con idénticas expresiones de horror.

(*¿Es que no has estado escuchando lo...?*)

(... *ni se te ocurra...*)

Se detuvieron en seco, y Cloto hizo señas a Láquesis para que hablara.

(*Si no nos has escuchado antes, Lois, escucha ahora. ¡No os acerquéis a Ed Deepneau!*) *Al igual que a Átropos, esta insólita situación le ha conferido temporalmente un gran poder. Acercarse siquiera a él supondría arriesgarse a recibir la visita del ente al que él llama el Rey Carmesí..., y además, ya no está en Derry.*)

Láquesis miró más allá del tejado, hacia donde las luces se encendían para recibir la noche del jueves, y por fin se volvió de nuevo hacia Ralph y Lois.

(*Se ha ido a*)

(- -.)

No había palabras en aquel mensaje, pero Ralph percibió una clara impresión sensorial que era en parte olor (aceite, grasa, humos de tubo de escape, sal marina), en parte tacto y sonido (el viento golpeando algo, tal vez una bandera) y en parte visión (un gran edificio oxidado con un enorme portalón corredero abierto sobre sus rieles).

(«*Está en la costa, ¿verdad? O al menos en camino hacia la costa*».)

Cloto y Láquesis asintieron con un gesto; sus rostros sugerían que la costa, que distaba unos ciento cuarenta kilómetros de Derry, era el lugar idóneo para Ed Deepneau.

Lois volvió a tirarle de la mano; se volvió hacia ella.

(«*¿Has visto el edificio, Ralph?*»)

Ralph asintió.

Lois: («*No es Laboratorios Hawking, pero está cerca de allí. Creo que es un sitio que conozco...*»)

Láquesis, hablando atropelladamente, como si quisiera cambiar de tema: (*No importa dónde esté ni qué planee. Vuestra misión os llevará a otro lugar, a aguas más seguras, pero es posible que debáis hacer uso de todos vuestros considerables poderes Mortales para llevarla a cabo, y aun así es posible que os expongáis a un grave peligro.*)

Lois lanzó una mirada nerviosa a Ralph.

(«*Diles que no haremos daño a nadie, Ralph, que a lo mejor accedemos a ayudarles si podemos, pero que no haremos daño a nadie, pase lo que pase.*»)

Sin embargo, Ralph no les dijo nada de eso. Estaba pensando en los destellos de los diamantes en los lóbulos de las orejas de Átropos, y cavilando sobre la perfección con que lo habían hecho caer en la trampa, a él y a Lois, por supuesto. Sí, haría daño a alguien para recuperar los pendientes. Eso estaba más claro que el agua. La cuestión era: ¿hasta dónde llegaría? ¿Llegaría a matar para recuperarlos? Creía que sí.

Reacio a tocar aquel tema, reacio incluso a mirar a Lois, al menos de momento, Ralph se volvió de nuevo hacia Cloto y Láquesis. Abrió la boca para hablar, pero Lois se le adelantó.

(«*Quiero saber una cosa antes de que sigamos.*»)

Fue Cloto quien respondió con aire algo burlón, muy parecido, de hecho, a Bill McGovern. A Ralph no le hizo ni pizca de gracia.

(*¿De qué se trata, Lois?*)

(«*¿Está Ralph en peligro? ¿Tiene Átropos algo de Ralph que debamos recuperar más adelante? ¿Algo como el sombrero de Bill?*»)

Láquesis y Cloto cambiaron una mirada rápida y aprensiva. Ralph no creía que Lois la hubiera captado, pero él sí. «Se está acercando demasiado», decía aquella mirada. Y entonces desapareció. Sus rostros aparecían inexpresivos cuando se volvieron de nuevo hacia Lois.

Láquesis: (*No. Átropos no se ha llevado nada de Ralph, porque, hasta ahora, no le habría servido de nada.*)

Ralph: («*¿Qué quieres decir con eso de «hasta ahora»?*»)

Cloto: (*Habéis vivido vuestra vida como parte del Propósito, Ralph, pero eso ha cambiado.*)

Lois: («*¿Cuándo cambió? Cuando empezamos a ver las auras, ¿verdad?*»)

Los médicos se miraron, miraron a Lois y por fin, con nerviosismo, a Ralph. No contestaron, y a Ralph se le ocurrió una idea interesante: al igual que en el mito del cerezo de George Washington, Cloto y Láquesis no podían mentir... y en momentos como aquél, lo más probable era que lo lamentaran. La única alternativa que les quedaba era la que estaban empleando, es decir, mantener la boca cerrada y esperar que la conversación se desviase hacia derroteros más seguros. Ralph decidió que no quería que se desviara, al menos todavía, aunque estaban a punto de permitir que Lois averiguara adónde habían ido a parar sus pendientes..., suponiendo que no lo supiera ya, una posibilidad que no se le antojaba tan descabellada, ni mucho menos. Se le ocurrió una vieja frase de feriante: *Acérquense, damas y caballeros..., pero si quieren jugar, tienen que pagar.*

(«*Oh, no, Lois, el cambio no se produjo cuando empecé a ver las auras. Creo que mucha gente vislumbra el mundo Limitado de las auras de vez en cuando, pero que no les pasa nada. No creo que me echaran de mi nidito del mundo del Propósito hasta que empezamos a hablar con estos dos tipos tan simpáticos. ¿Qué me decís, chicos? Habéis hecho de todo menos dejarnos un rastro de migas, aunque sabíais perfectamente lo que iba a ocurrir. ¿No va por ahí la cosa?*»)

Los médicos se miraron los pies y por fin, a regañadientes, alzaron la mirada hacia Ralph. Fue Láquesis quien contestó.

(*Sí, Ralph. Os atrajimos hacia nosotros aunque sabíamos que eso alteraría vuestro ka. Es una lástima, pero la situación lo requería.*)

«Ahora Lois preguntará acerca de su situación —pensó Ralph—. Tiene que hacerlo.»

Pero no lo hizo. Se limitó a mirar a los dos médicos calvos y bajitos con una expresión inescrutable, completamente distinta a cualquiera de sus habituales expresiones de *nuestra Lois*. Los miró con los ojos abiertos de par en par, entre interesada y confusa. Ralph se preguntó una vez más cuánto sabía o intuía, le sorprendió una vez más no tener ni la menor idea... y de repente, aquellas especulaciones desaparecieron bajo una nueva oleada de enojo.

(«*Vosotros... Oh, Dios mío... Vosotros...*»)

No terminó la frase, aunque tal vez lo habría hecho de no estar Lois junto a él: *Vosotros no os habéis limitado a interferir en nuestro sueño, ¿verdad? No sé Lois, pero yo tenía un nidito de lo más agradable en el Propósito..., lo que significa que me habéis convertido deliberadamente en una excepción a las reglas que os habéis pasado la vida entera defendiendo. En cierto modo, me he vuelto tan vacío como el tipo que se supone debemos encontrar. ¿Cómo lo ha expresado Cloto? «No hay garantías.» Cuánta razón tiene, joder.*

Lois: («*Has hablado de utilizar nuestros poderes. ¿Qué poderes?*»)

Láquesis se volvió hacia ella, visiblemente encantado con el cambio de tema. Juntó las palmas de las manos y las volvió a separar en un curioso ademán oriental. Entre ellas aparecieron dos breves imágenes: la mano de Ralph disparando una cuña de fuego azul al surcar el aire en un movimiento de karate, y el índice de Lois disparando brillantes balas de color azul grisáceo que parecían gotas nucleares para la tos.

Ralph: («*Sí, perfecto, tenemos algo, pero no es fiable. Es como...*»)

Se concentró y creó una imagen propia: unas manos abriendo la parte posterior de una radio y sacando un par de pilas AA con una sustancia azul grisácea incrustada en ellas. Cloto y Láquesis fruncieron el ceño sin comprender.

Lois: («*Intenta explicaros que no siempre podemos hacerlo, y que cuando podemos, sólo es durante un momento. Nuestras pilas se gastan, ¿entendéis?*»)

Una mezcla de comprensión e incredulidad se dibujó en sus rostros.

Ralph: («*¿Qué os parece tan gracioso, maldita sea?*»)

Cloto: (*Nada... Todo. No tenéis ni idea de lo extraños que tú y Lois nos parecéis. Ora increíblemente sabios y perspicaces, ora increíblemente ingenuos. Vuestras pilas, como las llamáis, no tienen por qué gastarse, porque los dos estáis junto a una reserva inagotable de fuerza. Suponemos que, puesto que ya habéis bebido de ella, sabéis a qué nos referimos.*)

Ralph: («*¿De qué narices estás hablando?*»)

Láquesis hizo de nuevo aquel peculiar gesto oriental. Esta vez, Ralph vio a la señora Perrine caminando con rigidez dentro de su aura del color de los uniformes de West Point. Vio una brillante flecha gris, tan delgada y recta como una púa de puercoespín, salir despedida de aquella aura.

Aquella imagen dio paso a la de una mujer flaca envuelta en una sucia aura marrón. Estaba mirando por la ventanilla de un coche. Una voz, la de Lois, exclamó: *¡Oooh, Mina, mira qué casita más mona!* Al cabo de un instante se oyó un leve silbido inspirado, y un delgado rayo salió despedido del aura de la mujer a la altura de su cuello.

Apareció una tercera imagen breve, pero intensa: Ralph pasando la mano por la ranura de la ventanilla de información para agarrar la muñeca de la mujer de la espinosa aura anaranjada..., pero, de repente, el aura que le envolvía el brazo izquierdo dejaba de ser anaranjada. De repente, adquiría el matiz turquesa desvaído que Ralph había bautizado como Azul Ralph Roberts.

La imagen se desvaneció. Láquesis y Cloto miraron a Ralph y a Lois; ellos les devolvieron la mirada, consternados.

Lois: («*¡Oh, no, no podemos hacer eso! ¡Es como...!*»)

IMAGEN: Dos hombres enfundados en trajes a rayas y antifaces negros saliendo de puntillas de la cámara acorazada de un banco, llevando a cuestas enormes sacos con el símbolo $ impreso en los costados.

Ralph: («*No, aún peor. Es como...*»)

IMAGEN: Un murciélago entra volando por una ventana a bisagra abierta, describe dos rápidos círculos en un rayo plateado de luna y a continuación se transforma en Ralph Lugosi con capa y esmoquin pasado de moda y todo. Se acerca a una mujer dormida, no una joven y sonrosada virgen, sino la vieja señora Perrine, enfundada en un prosaico camisón de franela, y se inclina sobre ella para chuparle el aura.

Cuando Ralph se volvió de nuevo hacia Cloto y Láquesis, los dos menearon la cabeza con fuerza.

Láquesis: (*¡No! ¡No, no, no! ¡Estáis pero que muy equivocados! ¿No os habéis preguntado por qué sois Mortales, por qué definís vuestras vidas en décadas y no en siglos? ¡Vuestras vidas son cortas porque ardéis como hogueras! Cuando extraéis energía de otros Mortales, es como...!*)

IMAGEN: Una niña a la orilla del mar, una encantadora chiquilla, con grandes pendientes de aro que rebotan contra sus hombros, corre por la playa hacia el lugar en que rompen las olas. En una mano lleva un cubo de plástico rojo. Se arrodilla y lo llena en el inmenso Atlántico azul grisáceo.

Cloto: (*Vosotros sois como esa niña, Ralph y Lois. Los demás Mortales son como el mar. ¿Lo entendéis ahora?*)

Ralph: («*¿De verdad tiene tanta energía aural la raza humana?*»)

Láquesis: (*Todavía no lo entendéis. Eso es lo que hay en...*)

Lois lo interrumpió con voz temblorosa, aunque Ralph no sabía si de temor o de éxtasis.

(«*Eso es lo que hay en cada uno de nosotros, Ralph. ¡Es lo que hay en cada ser humano que habita la faz de la tierra!*»)

Ralph emitió un leve silbido y paseó la mirada entre Láquesis y Cloto. Ambos asentían con la cabeza.

(«*¿Queréis decir que podemos hacer acopio de esa energía donde nos parezca? ¿Que no le pasará nada a la gente a la que se la quitemos?*»)

Cloto: (*Sí. No podéis hacerles daño, del mismo modo que no podéis vaciar el Atlántico con un cubo de niño.*)

Ralph esperaba que fuese cierto, porque tenía la sensación de que tanto él como Lois llevaban ya algún tiempo tomando prestada energía de las auras de las personas que los rodeaban; era la única explicación que encontraba a todos los cumplidos que le habían hecho en los últimos tiempos. La gente le decía que tenía un aspecto magnífico. La gente le decía que se le debía de haber pasado el insomnio, porque parecía tan descansado y saludable. La gente le decía que parecía más joven.

«Jolines —pensó—. Soy más joven.»

La luna había desaparecido de nuevo, y Ralph se percató con un sobresalto de que pronto amanecería el viernes. Ya era hora de volver sobre el tema central de la discusión.

(«*Al grano, chicos. ¿Por qué os habéis esforzado tanto? ¿Qué es lo que se supone que debemos evitar?*»)

Y entonces, antes de que pudieran responder, una luz de comprensión se le encendió en la mente con tal intensidad y brillo que resultaba imposible cuestionarla o negarla.

(«*Es Susan Day, ¿verdad? Pretende matar a Susan Day, asesinarla.*»)

Cloto: (*Sí, pero...*)

Láquesis: (*... pero eso no es lo que importa...*)

Ralph: («*Vamos, chicos, ¿no creéis que ha llegado el momento de que pongáis las cartas sobre la mesa?*»)

Láquesis: (*Sí, Ralph, ha llegado el momento.*)

Apenas se habían tocado desde que formaran un círculo para atravesar los pisos del hospital hasta la azotea, pero ahora, Láquesis rodeó con un brazo ligero como una pluma los hombros de Ralph, y Cloto cogió a Lois por el brazo, como un caballero de una época pasada habría conducido a una dama hacia la pista de baile.

Olor a manzanas, sabor a miel, textura de lana..., pero esta vez, la sensación agradable que le producía aquel impulso sensorial no pudo enmascarar la profunda inquietud que le embargó cuando Láquesis le hizo girar a la izquierda y se dirigió con él hacia el borde de la azotea plana del hospital.

Al igual que otras ciudades más grandes e importantes, Derry parecía estar construida en el lugar más inadecuado desde el punto de vista geográfico que sus primeros moradores habían podido encontrar. El centro se hallaba en las escarpadas laderas de un valle; el río Kenduskeag corría perezoso a través de la maraña de maleza de los Barrens, en el punto más bajo del valle. Desde su privilegiado punto de observación en la azotea del hospital, Derry parecía una ciudad cuyo corazón estuviera atravesado por una estrecha daga verde..., aunque en la oscuridad, la daga era negra.

Un lado del valle era Old Cape, hogar de un sórdido barrio de postguerra y un reluciente centro comercial nuevo. En el otro lado se encontraba todo lo que la gente quería significar al hablar del «centro». El centro de Derry se extendía en torno a Up-Mile Hill. Witcham Street era el camino más directo para subir aquella colina, y ascendía en una pronunciada cuesta antes de ramificarse en un amasijo de calles, una de las cuales era Harris Avenue, que configuraban la parte oeste de la ciudad. Main Street partía de Witcham Street a media cuesta y se dirigía hacia el suroeste a lo largo de la parte menos profunda del valle. Aquella zona de la ciudad se conocía por los nombres de Main Street y parque Bassey. Y cerca de la cima de Main Street...

Lois, casi en un gemido: («*Dios mío, ¿qué es eso?*»)

Ralph intentó decir algo consolador, pero no logró emitir más que un débil graznido. Cerca de la cima de Main Street Hill, una enorme silueta negra en forma de paraguas flotaba en el aire, bloqueando las estrellas que habían empezado a palidecer al acercarse el amanecer. Ralph intentó convencerse de que no era más que humo, que uno de los almacenes que había en aquella zona había ardido, tal vez incluso la estación abandonada que estaba al final de Neibolt Street. Pero los almacenes se hallaban más al sur, la vieja estación, más al oeste, y si aquel hongo de aspecto maligno fuera humo, el viento lo estaría transportando por el cielo en plumas y banderas. Pero nada de eso estaba sucediendo. En lugar de disiparse, la mancha silenciosa estaba suspendida en el cielo, más oscura que la oscuridad.

«Y nadie la ve —se dijo Ralph—. Nadie a excepción de mí..., de Lois... y de los médicos calvos y bajitos. Los malditos médicos calvos y bajitos.»

Entornó los ojos en un intento de distinguir la silueta que anidaba en el interior de la gigantesca bolsa de la muerte, aunque en realidad no le hacía falta; había vivido en Derry casi toda la vida y podría recorrer sus calles con los ojos cerrados (siempre y cuando no estuviera al volante de su coche, claro está). No obstante, distinguió el edificio que se hallaba dentro de la bolsa de la muerte, sobre todo ahora que la luz empezaba a elevarse desde el horizonte. El tejado plano y circular que coronaba la fachada curva de ladrillo y vidrio era la pista que necesitaba. Aquella evocación de los años cincuenta, diseñada casi en broma por el famoso arquitecto y antiguo vecino de Derry Benjamin Hanscom, era el nuevo Centro Cívico de Derry, sucesor del que la inundación había arrasado en 1985.

Cloto lo hizo girar hacia él.

(*Ya ves, Ralph, tenías razón. Quiere asesinar a Susan Day..., pero no sólo a Susan Day.*)

Se detuvo y lanzó una breve mirada a Lois antes de volverse de nuevo hacia Ralph.

(*Esa nube, lo que con razón llamáis bolsa de la muerte, significa que, en cierto sentido, ya ha hecho lo que Átropos le ha ordenado hacer. Esta noche se reunirán allí más de dos mil personas... y Ed Deepneau pretende matarlas a todas. Si el curso de los acontecimientos no se altera, las matará a todas.*)

Láquesis avanzó para unirse a su compañero.

(*Vosotros, Ralph y Lois, sois los únicos que podéis evitarlo.*)

Ralph recordó el cartel de Susan Day que había visto colgado en el escaparate vacío entre la farmacia Rite Aid y Amanecer y Ocaso. Recordó las palabras escritas en el polvo de la cara exterior del vidrio: MATAD A ESA ZORRA. Y en Derry bien podía pasar algo así. Derry era diferente. A Ralph le parecía que el ambiente había mejorado mucho desde la gran inundación acaecida ocho años antes, pero aun así, era diferente. Derry tenía una vena malvada, y cuando sus habitantes se ponían nerviosos, hacían cosas extremadamente feas.

Se pasó la mano por los labios y, por un instante, el tacto sedoso y distante de su mano lo distrajo. Distintos detalles no cesaban de recordarle que su estado de ser había cambiado de forma radical.

Lois, horrorizada: («*¿Cómo queréis que hagamos eso? Si no podemos acercarnos ni a Átropos ni a Ed, ¿cómo queréis que lo evitemos?*»)

Ralph se dio cuenta de que veía el rostro de Lois con claridad; el día avanzaba con la rapidez de un fotograma acelerado en un viejo documental de Walt Disney.

(«*Una amenaza de bomba, Lois. Eso debería funcionar.*»)

Cloto adoptó una expresión consternada al oír sus palabras; Láquesis se golpeó la frente con el dorso de la mano antes de mirar el cielo con aire nervioso. Cuando se volvió hacia Ralph, su pequeño rostro estaba cubierto de algo que podría ser pánico disimulado con todo cuidado.

(*Eso no funcionará, Ralph. Y ahora escuchadme los dos, escuchadme con atención; hagáis lo que hagáis en las próximas catorce horas, no subestiméis el poder de las fuerzas que Átropos desencadenó al descubrir a Ed y cortarle el cordel vital.*)

Ralph: («*¿Por qué no funcionará?*»)

Láquesis, entre enfadado y asustado: (*No podemos pasarnos el día contestando a vuestras preguntas, Ralph. A partir de ahora tendréis que confiar. Ya sabéis lo deprisa que pasa el tiempo en este nivel; si nos quedamos aquí mucho más tiempo, perderéis la oportunidad de evitar lo que va a suceder esta noche en el Centro Cívico. Debéis bajar, Ralph y Lois. ¡Debéis bajar!*)

Cloto alargó la mano hacia su colega antes de volverse de nuevo hacia Ralph y Lois.

(*Contestaré a la última pregunta, aunque estoy seguro de que pensando un poco te la podrías contestar tú mismo. Ya se han recibido veintitrés amenazas de bomba en relación con la conferencia de Susan Day. La policía tiene perros especializados en bombas en el Centro Cívico, llevan cuarenta y ocho horas pasando todos los paquetes y encargos que entran en el Centro Cívico por rayos X, y también registran el lugar con regularidad. Esperan amenazas de bomba y las toman en serio, pero, en este caso, suponen que los responsables son defensores del movimiento pro vida que intentan evitar que la señora Day pronuncie su conferencia.*)

Lois, en tono cansado: («*¡Oh, Dios mío, es como el cuento del pastor y el lobo!*»)

Cloto: (*Correcto, Lois.*)

Ralph: («*¿Ha puesto una bomba? Ha puesto una bomba, ¿verdad?*»)

Una luz brillante barrió la azotea, alargando las sombras de los ventiladores encendidos como si fueran chiclés. Cloto y Láquesis miraron aquellas sombras y luego hacia el este, donde el gajo superior del sol acababa de asomarse por el horizonte, con idénticas expresiones de consternación.

Láquesis: (*No lo sabemos y no importa. Debéis impedir que se celebre la conferencia, y sólo hay un modo de hacerlo: debéis convencer a las mujeres que la organizan que anulen la intervención de Susan Day. ¿Lo entendéis? ¡No debe aparecer en el Centro Cívico esta noche! No podéis detener a Ed y que no se os ocurra acercaros a Átropos, así que tendréis que detener a Susan Day.*)

Ralph: («*Pero...*»)

No fue la luz del sol lo que le hizo callar, ni la expresión de creciente terror que se dibujaba en los rostros de los médicos calvos y bajitos. Fue Lois, quien le puso una mano en la mejilla y le zarandeó la cabeza con suavidad y firmeza a un tiempo.

(«*Basta. Tenemos que bajar, Ralph. Ahora.*»)

Las preguntas le bullían en la cabeza como un enjambre de mosquitos, pero si Lois decía que no quedaba tiempo, significaba que no quedaba tiempo. Echó un vistazo al sol, comprobó que ya había dejado atrás el horizonte y asintió antes de rodearle la cintura con el brazo.

Cloto, angustiado: (*No nos falléis, Ralph y Lois.*)

Ralph: (*Déjate de monsergas, enano. Esto no es un partido de fútbol.*)

Antes de que ninguno de los dos pudiera responder, Ralph cerró los ojos y se concentró en regresar al mundo Mortal.

19

Percibió otra vez aquel parpadeo, y la brisa fresca de la mañana le barrió el rostro. Ralph abrió los ojos y miró a la mujer que estaba junto a él. Por un instante vio su aura flotar en jirones tras ella como la falda ligera de un vestido de baile, y de repente, sólo quedó Lois, con aspecto de tener veinte años menos que la semana pasada... y de estar absolutamente fuera de lugar, en la azotea de alquitrán y grava del hospital, enfundada en su abrigo ligero de entretiempo y el vestido de visitar a enfermos.

Ralph la abrazó con más fuerza cuando la sintió estremecerse. No había rastro de Láquesis y Cloto.

«Aunque podrían estar aquí mismo —pensó Ralph—. Probablemente están aquí mismo, de hecho.»

De repente le vino otra vez a la cabeza aquella vieja frase de feriante, la que decía que había que pagar si se quería jugar, acérquense, damas y caballeros y pongan aquí su dinero. Pero era más corriente que te la jugaran, no que jugaras. ¿Que te la jugaran? Sí, que te tomaran por gilipollas. ¿Y por qué tenía ahora mismo esa sensación?

Porque hay un montón de cosas que no has averiguado, le explicó Carolyn. *Te han hecho dar un montón de rodeos para alejarte del quid de la cuestión hasta que se ha hecho demasiado tarde para preguntar las cosas a las que quizás no querían responder... y no creo que esas cosas pasen por accidente, ¿y tú?*

No, tampoco él lo creía.

Aquella sensación de que unas manos invisibles lo empujaban hacia un túnel oscuro, donde podía esperarle cualquier cosa, se había hecho más intensa. Aquella sensación de ser manipulado. Se sentía pequeño..., vulnerable... y cabreado.

—B-Bueno, ya estamos de v-vuelta —tartamudeó Lois por entre los dientes castañeantes—. ¿Qué hora crees que es?

Daba la sensación de que eran alrededor de las seis, pero cuando

Ralph miró el reloj, no le sorprendió comprobar que estaba parado. No recordaba cuándo le había dado cuerda por última vez. Probablemente el martes por la mañana.

Siguió la mirada de Lois hacia el sudoeste y vio el Centro Cívico como una isla en medio de un océano de aparcamientos. A la luz temprana del sol, que arrancaba intensos destellos de las hileras curvadas de ventanas, parecía una versión aumentada del edificio de oficinas en que trabajaba ese personaje futurista de dibujos animados, George Jetson. La enorme bolsa de la muerte que lo envolvía instantes antes había desaparecido.

Oh, no, no ha desaparecido. No te engañes, amigo. A lo mejor no la ves en este momento, pero está ahí, sí, señor.

—Es pronto —dijo apretándola contra sí cuando el viento escupió una ráfaga y le alborotó el cabello, un cabello que ya tenía tantas hebras negras como blancas—. Pero creo que se hará tarde con rapidez.

Lois comprendió lo que quería decir y asintió.

—¿Dónde están L-Láquesis y C-C...

—En un nivel en el que el viento no te hiela el culo, supongo. Vamos. Busquemos una puerta y larguémonos de esta azotea.

Lois permaneció quieta unos instantes más, estremeciéndose y contemplando la ciudad.

—¿Qué ha hecho? —preguntó en un susurro—. Si no ha puesto una bomba, ¿qué puede haber hecho?

—Quizás ha puesto una bomba y los perros especializados no la han encontrado todavía. O a lo mejor es algo para lo que los perros no están entrenados. Una lata escondida en las vigas, por ejemplo, algo que el malvado de Ed ha mezclado en la bañera. Al fin y al cabo, es químico...; al menos lo era hasta que dejó el trabajo para convertirse en psicópata a jornada completa. A lo mejor tiene pensado gasearlos como si fueran ratas.

—¡Dios mío, Ralph!

Lois se llevó la mano al pecho, justo encima de la curva de los senos, y lo miró con los ojos muy abiertos y expresión consternada.

—Vamos, Lois. Larguémonos de esta maldita azotea.

Esta vez obedeció sin rechistar. Ralph la llevó hacia la puerta del tejado, que esperaba fervientemente estuviera abierta.

—Dos mil personas —casi gimió Lois cuando llegaron a la puerta.

Ralph sintió un gran alivio cuando el picaporte cedió bajo su mano, pero Lois le agarró la muñeca con los dedos fríos antes de que pudiera abrir la puerta. Su rostro alzado hacia él resplandecía de frenética esperanza.

—A lo mejor esos enanos mienten, Ralph. Tal vez tengan sus propios planes, algo que ni siquiera podemos aspirar a comprender, y nos hayan mentido.

—No creo que puedan mentir —replicó Ralph con lentitud—. Eso es lo jodido, Lois... No creo que puedan mentir. Y además está eso.

Señaló el Centro Cívico, la sucia membrana que no veían pero que ambos sabían que estaba ahí. Lois no se volvió a mirarla, sino que le cubrió la mano con los dedos helados, abrió la puerta del tejado y empezó a bajar la escalera.

Ralph abrió la puerta al pie de la escalera, se asomó al pasillo del sexto piso, vio que estaba vacío y tiró de Lois. Se dirigieron hacia los ascensores, pero se detuvieron ante una puerta junto a la que se leía SALA DE MÉDICOS en brillantes letras rojas. Se trataba de la estancia que habían visto al subir hacia la azotea con Cloto y Láquesis... Reproducciones torcidas de Winslow Homer en las paredes, un pedernal sobre un calientaplatos, espantosos muebles de estilo sueco moderno. La habitación estaba desierta, pero el televisor clavado a la pared estaba encendido, y su vieja amiga Lisette Benson presentaba en aquel momento las noticias de la mañana. Ralph recordaba el día en que él, Lois y Bill se habían sentado en el salón de casa de Lois a comer macarrones con queso mientras miraban el reportaje de Lisette Benson acerca del incidente de las muñecas en el Centro de la Mujer. De eso hacía apenas un mes, pero a Ralph le parecía que había pasado toda una vida desde entonces. De repente recordó que Bill McGovern no volvería a ver a Lisette Benson, ni a olvidarse de cerrar con llave la puerta principal, y se sintió embargado por una intensísima sensación de pérdida. No podía acabar de creérselo, todavía no. ¿Cómo podía Bill haber muerto tan deprisa y sin ceremonias? «No le habría gustado nada —pensó Ralph—. Y no sólo porque habría considerado que morir de un ataque al corazón en el pasillo de un hospital era de mal gusto, sino también porque lo habría considerado una pésima actuación.»

Pero lo había visto, y Lois lo había sentido corroer las entrañas de Bill. Aquello recordó a Ralph la bolsa de la muerte que envolvía el Centro Cívico y lo que sucedería si no lograban cancelar la conferencia. Echó a andar de nuevo hacia los ascensores, pero Lois tiró de él. Estaba mirando la televisión, fascinada.

—... se sentirán muy aliviados cuando se haya celebrado la conferencia que la feminista y defensora del aborto Susan Day dará esta noche —decía Lisette Benson en aquel instante—, pero no sólo la policía se sentirá aliviada. Por lo visto, tanto el grupo pro vida como los defensores del aborto empiezan a acusar la tensión de vivir al borde de la confrontación. John Kirkland en directo desde el Centro Cívico de Derry. ¿John?

El hombre pálido y serio que se hallaba junto a Kirkland era Dan

Dalton. La chapa que llevaba prendida en la camisa mostraba un bisturí descendiendo hacia un bebé en posición fetal. La imagen estaba rodeada por un círculo rojo cruzado por una línea diagonal también roja. En segundo plano, Ralph vio una docena de coches patrulla y dos furgonetas nuevas, una de ellas con el logotipo de la NBC. Un policía uniformado paseaba por el césped con dos perros, un sabueso y un pastor alemán.

—Exacto, Lisette, estoy aquí en el Centro Cívico, donde podría decirse que reina un ambiente de preocupación y serena resolución. Tengo junto a mí a Dan Dalton, presidente de Amigos de la Vida, la organización que se ha opuesto con gran vehemencia a la visita de la señora Day. Señor Dalton, ¿está de acuerdo con mi descripción de la situación?

—¿Se refiere al ambiente de preocupación y resolución? —preguntó Dalton con una sonrisa que a Ralph se le antojó nerviosa y despectiva a un tiempo—. Sí, supongo que es una forma de expresarlo. Nos preocupa que Susan Day, una de las criminales impunes más flagrantes de este país, logre enmascarar lo más importante que sucede aquí en Derry: el asesinato de doce a catorce fetos indefensos al día.

—Pero, señor Dalton...

—Y —lo interrumpió Dalton— estamos resueltos a mostrar a la nación que no estamos dispuestos a ser nazis buenos, que no nos acobarda en absoluto la religión de la corrección política, la temible ce-pe.

—Señor Dalton...

—Asimismo, estamos resueltos a mostrar a la nación que algunos de nosotros todavía somos capaces de alzarnos en defensa de nuestras creencias y asumir la sagrada responsabilidad que un Dios bondadoso nos...

—Señor Dalton, ¿ha planeado Amigos de la Vida alguna protesta violenta?

Aquellas palabras lo hicieron enmudecer por un instante, y toda la vitalidad enlatada pareció desvanecerse de su rostro. Bajo su máscara de jactancia, Dalton estaba muerto de miedo.

—¿Violencia? —preguntó por fin pronunciando la palabra con todo cuidado, como si pudiera cortarse la boca si la manejaba mal—. Dios mío, no. Amigos de la Vida rechaza la idea de que dos polos negativos hagan uno positivo. Tenemos intención de organizar una manifestación masiva; de hecho, en esta lucha nos apoyan los grupos pro vida de Augusta, Portland, Portsmouth e incluso Boston. Pero nada de violencia.

—¿Y qué hay de Ed Deepneau? ¿Responde de él?

Los labios de Dalton, que ya había apretado hasta convertirlos en una finísima línea, parecieron desaparecer por completo.

—El señor Deepneau ya no está con Amigos de la Vida —anunció en un tono en el que Ralph creyó detectar temor y furia al mismo tiempo—. Y tampoco Frank Felton, Sandra McKay ni Charles Pickering, por si quería preguntar por ellos.

La mirada que John Kirkland lanzó a la cámara fue breve pero significativa. Decía que, en su opinión, Dan Dalton estaba como un cencerro.

—¿Me está diciendo que Ed Deepneau y esos otros individuos (lo siento, no sé quiénes son) han formado su propio grupo antiabortista? ¿Una especie de organización disidente?

—¡No somos antiabortistas, sino pro vida! —gritó Dalton—. ¡No es lo mismo, pero parece que los periodistas no lo entienden!

—Lo siento. ¿Así que no conoce el paradero de Ed Deepneau ni sus planes, si es que los tiene?

—No sé dónde está, no me importa dónde está y tampoco me importan sus... sus organizaciones disidentes.

«Tienes miedo —pensó Ralph—. Y si un hijo de puta santurrón tiene miedo, creo que yo estoy aterrorizado.»

Dalton empezó a alejarse. Kirkland decidió que aún no había exprimido al hombre del todo y lo siguió, tirando al mismo tiempo del cable del micrófono.

—Pero ¿no es cierto, señor Dalton, que cuando era miembro de Amigos de la Vida, Ed Deepneau instigó diversas protestas violentas, incluyendo la del mes pasado, en que arrojaron muñecas rellenas de sangre falsa a...

—¡Todos sois iguales! —exclamó Dalton—. Rezaré por usted, amigo mío —terminó antes de alejarse con paso rígido.

Kirkland lo siguió con la mirada durante un instante, algo extrañado, y por fin se volvió de nuevo hacia la cámara.

—Hemos intentado localizar a la contraparte del señor Dalton, Gretchen Tillbury, quien ha asumido la enorme responsabilidad de coordinar este acontecimiento para el Centro de la Mujer, pero no ha sido posible. Ha llegado a nuestros oídos que se encuentra en High Ridge, un refugio y hogar para mujeres que pertenece al Centro de la Mujer. Al parecer, ella y sus socias están ultimando los preparativos de lo que esperan será una manifestación y una conferencia tranquilas y pacíficas en el Centro Cívico.

—Bueno, al menos ahora sabemos adónde tenemos que ir —comentó Ralph mirando a Lois.

En la pantalla volvió a aparecer Lisette Benson en el estudio.

—John, ¿hay indicios reales de posible violencia en el Centro Cívico?

De nuevo Kirkland, quien había regresado a su puesto original junto a los coches patrulla. Sostenía un pequeño rectángulo blanco con algo impreso ante la corbata.

—Bueno, la empresa privada de seguridad encargada de la vigilancia ha encontrado centenares de tarjetas como ésta esparcidas en los jardines del Centro Cívico a primeras horas de la mañana. Uno de los guardias afirma haber visto el vehículo desde el que las han arrojado. Según él, se trata de un Cadillac de finales de los sesenta, y es marrón o negro. No ha podido coger la matrícula, pero afirma que tenía un adhesivo en el parachoques trasero que decía EL ABORTO ES UN ASESINATO, NO UNA ELECCIÓN.

De vuelta al estudio, donde Lisette Benson escuchaba con expresión muy interesada.

—¿Qué dicen esas tarjetas, John?

De vuelta a Kirkland.

—Supongo que podría decirse que se trata de una especie de acertijo —explicó contemplando la tarjeta—. «Si tuvieras un arma con sólo dos balas y estuvieras en una habitación con Hitler, Stalin y un abortista, ¿qué harías?» —leyó antes de volverse de nuevo hacia la cámara—. La respuesta está al dorso de la tarjeta, Lisette, y es «Dispara al abortista dos veces». John Kirkland, en directo desde el Centro Cívico de Derry.

—Me muero de hambre —anunció Lois mientras Ralph descendía con cuidado por las rampas del garaje que, seguramente, los llevarían al exterior, siempre y cuando Ralph no pasara por alto las señales de salida—. Y no creo estar exagerando.

—Yo también —asintió Ralph—. Y teniendo en cuenta que no hemos comido nada desde el martes, supongo que no es de extrañar. Desayunaremos como Dios manda de camino a High Ridge.

—¿Tenemos tiempo?

—Nos lo buscaremos. Al fin y al cabo, los ejércitos luchan mejor con el estómago lleno.

—Supongo que sí, pero no me siento como un ejército. ¿Dónde...?

—Espera un momento, Lois.

Detuvo el Oldsmobile, puso punto muerto y escuchó. Del motor le llegaba un tintineo que no le hizo ni pizca de gracia. Claro que las paredes de hormigón tendían a aumentar los sonidos, pero...

—Ralph —dijo Lois con nerviosismo—. No me digas que le pasa algo al coche. No me lo digas.

—Creo que no pasa nada —la tranquilizó antes de reanudar la marcha—. Es que no he tenido mucho contacto con la vieja Nellie desde que murió Carolyn. Había olvidado los ruidos que hace. ¿Qué me ibas a preguntar?

—Que si sabes dónde está ese refugio. High Ridge.

Ralph denegó con la cabeza.

—Lo único que sé es que está en las afueras de Newport. No creo que les dejen contar a los hombres dónde está. Esperaba que quizás tú lo supieras.

Ahora le tocó el turno a Lois de denegar con la cabeza.

—Nunca he tenido que acudir a un sitio así, gracias a Dios. Tendremos que llamar a esa Tillbury. Tú la conoces. A ti te escuchará.

Lois le lanzó una breve mirada, una mirada que le caldeó el corazón (*cualquiera que tuviera dos dedos de frente te escucharía, Ralph*), pero Ralph meneó la cabeza.

—Estoy seguro de que las únicas llamadas que contesta son las que le hagan del Centro Cívico o de dondequiera que esté Susan Day —afirmó volviéndose hacia ella—. Sabes, esa mujer tiene agallas por venir aquí. O eso o es más tonta que un zapato.

—Probablemente un poco de las dos cosas. Si Gretchen Tillbury no contesta a las llamadas, ¿cómo vamos a ponernos en contacto con ella?

—Bueno, te diré una cosa. Fui vendedor durante buena parte de lo que Faye Chapin llamaría mi vida real, y apuesto algo a que todavía puedo ser imaginativo si hace falta. —Recordó a la mujer de información con el aura anaranjada y sonrió—. Incluso persuasivo, quizás.

—Ralph —dijo Lois en voz baja.

—Dime, Lois.

—A mí me parece que esto es la vida real.

—Te entiendo —repuso Ralph dándole una palmadita en la mano.

Un rostro delgado y conocido surgió de la ventanilla de caja del aparcamiento del hospital, iluminado por una sonrisa también muy conocida, de la que al menos media docena de dientes habían pasado a mejor vida.

—Eyyyyy, Ralph, ¿erés tú? ¡Pues clarro que sí! ¡Perfecto! ¡Perfecto!

—Trigger —dijo Ralph lentamente—. Trigger Vachon.

—¡El mismó!

Trigger se apartó el lacio cabello castaño de los ojos para poder ver mejor a Lois.

—¿Y quién es está prreciosidá? ¡La conosco de algó, sí señorr!

—Lois Chasse —presentó Ralph al tiempo que cogía el ticket del parking de encima del parasol—. A lo mejor conocías a su marido, Paul...

—¡Clarro que sí! —exclamó Trigger—. ¡Los dos érramos soldados voluntarios de la reserva en el setentá o en el setenta y uno! ¡Serramos la taberná de Nan más de una ves! ¡Vaya, vaya, vaya! ¿Y cómo está Paul, señorra?

—Falleció hace poco más de dos años —explicó Lois.

394

—¡Oh, maldita seá! Lo siento. Era un tipo magnífico, Paul Chasse. El mejorr. Caía bien a todó el mundó.

Trigger parecía tan trastornado como si Lois le hubiera dicho que la tragedia había sobrevenido aquella misma mañana.

—Gracias, señor Vachon.

Lois miró el reloj y luego a Ralph. Su estómago emitió un gruñido, como si quisiera poner la guinda a la conversación.

Ralph entregó el ticket por la ventanilla abierta del coche, y cuando Trigger lo cogió, se dio cuenta de repente de que el sello indicaría que él y Lois llevaban ahí desde el martes por la noche. Casi sesenta horas.

—¿Qué ha pasado con la tintorería, Trigger? —se apresuró a preguntar.

—Ahhh, me despidierron —explicó Trigger—. Despidierron a casi todó el mundó. Al principio me sento fatal, pero en abrril empecé a trrabajar aquí y... ¡eyyy! Esto me gustá mucho más. Tengo una telé pequeña parra cuando no hay trrabajo, y nadie me toca el claxon si no arranco a la prrimera cuando se pone verdé ni me corrtá en la Extensión. Todo el mundó tiene prrisa, no sé porr qué. Además, te dirré una cosa, Rralph; en esa furrgoneta hasía un frrío de la leche en invierno. Perrdón, señora.

Lois no respondió. Parecía examinarse el dorso de las manos con gran interés. Entretanto, Ralph observó con alivio cómo Trigger arrugaba el ticket y lo tiraba a la papelera sin siquiera echar un vistazo al sello. Pulsó uno de los botones de la registradora y en la pantalla de la cabina apareció $0,00.

—Vaya, Trig, eres muy amable —agradeció Ralph.

—Eyyy, de nada —repuso Trig al tiempo que pulsaba el botón que levantaba la barrera.

—Me alegro de verrte. La última ves fue en el aeropuerrto. Te acuerdas, ¿no? Hasía un calor de muerté, y esos dos tipós estaban a punto de pegarrse. Y entonses empesó a llover a cántaros. Y también granisó. Tú ibas a pie y te llevé a casá. Tienes mucho mejorr aspectó que aquel día, Ralphie, desde luegó. ¡Si no aparrentas más de sincuenta y sinco años. ¡Perfecto!

Junto a él, el estómago de Lois protestó de nuevo, esta vez con más insistencia. Lois siguió examinándose el dorso de las manos.

—Pero me siento un poco más viejo —repuso Ralph—. Oye, Trig, me alegro de verte, pero deberíamos...

—Maldita sea —lo interrumpió Trigger con expresión distraída—. Tenía que desirrte algo, Ralph. Al menos, eso creo. Sobre aquel día. ¡Dios mió, qué cabesa!

Ralph esperó un instante entre impaciente y curioso.

—Bueno, no te preocupes, Trig. Hace mucho tiempo.

—¿Qué narises...? —se preguntó Trigger volviendo los ojos hacia el techo de la pequeña cabina, como si esperara encontrar allí la respuesta.

—Ralph, tenemos que irnos —intervino Lois—. Y no sólo por el desayuno.

—Sí, tienes razón —asintió Ralph poniendo el Oldsmobile en marcha—. Si te acuerdas de aquello, llámame, Trig. Mi número está en la guía. Me alegro de verte.

Trigger Vachon hizo caso omiso de sus palabras; de hecho, parecía no darse cuenta de la presencia de Ralph.

—¿Fue algó que vimos? —preguntó al techo—. ¿O algó que hisimos? ¡Mierrda!

Seguía mirando el techo y rascándose el remolino de cabello que le crecía en la nuca cuando Ralph dobló a la izquierda y, saludándolo por última vez, condujo por Hospital Drive en dirección al edificio bajo de ladrillo que albergaba el Centro de la Mujer.

Ahora que había salido el sol, tan sólo había un guardia de seguridad y ningún manifestante. Su ausencia recordaba a Ralph todas las películas épicas de la selva que había visto de joven, sobre todo cuando los tambores de los nativos enmudecían y el protagonista, John Hall o Frank Buck, se volvía hacia el jefe de porteadores y le decía que aquello no le hacía ni pizca de gracia, que había demasiado silencio. El guardia se sacó una carpeta de debajo el brazo, entornó los ojos cuando el Oldsmobile de Ralph se acercó y anotó algo, la matrícula, suponía Ralph. A continuación se aproximó por el sendero cubierto de hojas.

A aquella hora de la mañana, Ralph pudo escoger entre los aparcamientos con límite de diez minutos que había frente al edificio. Aparcó, salió del coche y dio la vuelta para abrir la puerta a Lois, tal como le habían enseñado.

—¿Qué quieres hacer? —preguntó Lois cuando Ralph la cogió de la mano para ayudarla a salir.

—Probablemente tendremos que ponernos un poco acaramelados, pero no nos pasemos, ¿vale?

—Vale —asintió Lois al tiempo que se alisaba la pechera del abrigo con ademanes nerviosos y dedicaba una deslumbrante sonrisa al guardia de seguridad.

—Buenos días, agente.

—Buenos días —saludó el aludido mirando el reloj—. No creo que haya nadie aparte de la recepcionista y la mujer de la limpieza.

—Es a la recepcionista a quien queremos ver —anunció Lois en tono alegre, y Ralph la miró sorprendido—. Barbie Richards. Su tía

Simone tiene un recado para ella. Muy importante. Dígale que soy Lois Chasse.

El guardia de seguridad meditó unos instantes y por fin hizo una inclinación de cabeza en dirección a la puerta.

—No será necesario. Pase, señora.

—No tardaremos ni dos minutos, ¿verdad, Norton? —aseguró Lois con una sonrisa más deslumbrante que nunca.

—Minuto y medio, más bien —corroboró Ralph.

Cuando dejaron atrás al guardia de seguridad, Ralph se inclinó hacia ella.

—¿Norton? Por el amor de Dios, Lois. ¿Norton?

—Es lo primero que se me ha ocurrido —replicó ella—. Supongo que estaba pensando en *The Honeymooners*, Ralph y Norton, ¿te acuerdas?

—Sí. Un día de éstos, Alice... ¡pum! ¡Directos a la luna!

Dos de las tres puertas estaban cerradas con llave, pero la de la izquierda estaba abierta, y por ella entraron. Ralph oprimió la mano de Lois, y ella le devolvió el apretón. En aquel preciso instante sintió que su concentración se focalizaba, advirtió que su voluntad y su percepción se tornaban más estrechas y brillantes a un tiempo. A su alrededor, el ojo del mundo pareció parpadear y luego abrirse de par en par. Alrededor de los dos.

La recepción era casi deliberadamente simple. Las paredes eran de pino prensado, las sillas y los sofás, severos y funcionales, y la decoración, de lo más insulso. Los pósters de las paredes eran, en su mayoría, carteles que las agencias de viajes extranjeras enviaban por el precio del franqueo. La única excepción se hallaba a la izquierda de la mesa de la recepcionista; se trataba de una gran fotografía en blanco y negro, que mostraba a una joven enfundada en una bata de la maternidad. Estaba sentada en un taburete de bar, y en una mano sostenía un martini. SI ESTÁS EMBARAZADA, NO BEBAS NUNCA SOLA, rezaba la leyenda de la foto. No había indicio alguno de que en alguna habitación o habitaciones detrás de aquella estancia agradable y anodina se practicaran abortos.

«Bueno —pensó Ralph—, ¿y qué esperabas? ¿Propaganda? ¿Un póster con fetos abortados en un cubo de basura galvanizado entre el de la isla de Capri y el de los Alpes italianos? Venga ya, Ralph.»

A su izquierda, una corpulenta mujer de cuarenta y muchos o cincuenta y pocos años limpiaba el tablero de vidrio de una mesita de café; junto a ella había un carrito repleto de diversos artículos de limpieza. La mujer estaba envuelta en un aura de color azul marino con enfermizas motas negras que revoloteaban como extraños insectos en la zona del corazón y los pulmones, y miraba a los recién llegados con expresión abiertamente suspicaz.

Frente a ellos, otra mujer los observaba con atención, aunque sin la suspicacia de la mujer de la limpieza. Ralph la reconoció del reportaje que había salido en las noticias el día del incidente de las muñecas. La sobrina de Simone Castonguay tenía el cabello oscuro, alrededor de treinta y cinco años y era casi preciosa incluso a aquellas horas de la mañana. Estaba sentada tras una mesa de metal gris que casaba a la perfección con su aspecto, y envuelta en un aura de color verde pino que parecía mucho más saludable que la de la mujer de la limpieza. En una esquina de la mesa había un jarrón de cristal tallado lleno de flores otoñales.

La mujer les dedicó una sonrisa cauta, sin dar muestras de que había reconocido a Lois, y a continuación señaló con el dedo el reloj de la pared.

—No abrimos hasta las ocho —anunció—, y no creo que podamos atenderles hoy de todas formas. Todas las doctoras tienen el día libre... Bueno, la doctora Hamilton está de guardia teóricamente, pero ni siquiera estoy segura de que pueda ir a buscarla. Lo tenemos todo manga por hombro; hoy es un día muy importante para nosotros.

—Lo sé —repuso Lois oprimiendo la mano de Ralph antes de soltársela.

Por un instante, Ralph oyó la voz de Lois en su mente, muy débil, como en una pésima conferencia telefónica con el extranjero, pero audible:

(«*No te muevas de aquí, Ralph. Tiene...*»)

Lois le transmitió una imagen aún más débil que el pensamiento, que desapareció casi al instante. Aquella clase de comunicación resultaba mucho más sencilla en los niveles superiores, pero lo que vio le bastó. La mano con la que Barbara Richards había señalado el reloj descansaba relajada sobre la mesa, pero la otra estaba debajo, junto a un botoncito blanco instalado al lado de los cajones. Si cualquiera de los dos daba la más mínima muestra de comportamiento extraño, la joven pulsaría el botón, lo que atraería primero a su amigo de la carpeta y luego a la mayor parte de los guardias de seguridad del condado de Derry.

Y a mí me está vigilando con más atención, porque soy el hombre.

Mientras Lois se aproximaba a la mesa, una idea inquietante cruzó la mente de Ralph. Dado el ambiente que se respiraba por entonces en Derry, aquella clase de discriminación sexual, inconsciente pero muy real, podía perjudicar e incluso costarle la vida a aquella hermosa mujer de cabello negro. Recordó que Leydecker le había dicho que uno de los miembros del pequeño grupo de conchalados de Ed era una mujer. *Piel grasienta, muchos granos, gafas tan gruesas que hacen que sus ojos parezcan huevos escalfados.* Sandra Nosequé, se llamaba. Y si Sandra Nosequé se acercara a la mesa de la señora Richards como Lois lo hacía en aquel momento, abriendo el bolso y metiendo la mano dentro, ¿pulsaría la mujer envuelta en el aura color verde pino el botón oculto de alarma?

—Seguramente no te acuerdas de mí, Barbara —decía Lois—, porque no nos hemos visto desde que ibas a la universidad y salías con el chico de los Sparkmeyer...

—¡Oh, Dios mío!, Lennie Sparkmeyer. Hacía años que no pensaba en él —exclamó Barbara Richards con una risita avergonzada—. Pero sí que me acuerdo de usted. Lois Delancy. La compañera de póquer de tía Simone. ¿Todavía juegan?

—Mi apellido es Chasse, no Delancy, y sí, todavía jugamos.

Lois parecía encantada de que Barbara la recordara, y Ralph esperó que no olvidara el motivo de la visita. No tendría por qué haberse preocupado.

—Bueno, Simone me ha pedido que le dé un recado a Gretchen Tillbury —prosiguió Lois sacando un papel del bolso—. ¿Podrías dárselo?

—Ni siquiera sé si hablaré con ella por teléfono hoy —repuso Richards—. Está tan ocupada como todas nosotras. Incluso más.

—Ya me lo imagino —dijo Lois con una risita increíblemente auténtica—. Bueno, supongo que esto no corre demasiada prisa. Gretchen tiene una sobrina, y le han concedido una beca para la Universidad de New Hampshire. ¿Te has dado cuenta de que la gente siempre se esfuerza más por ponerse en contacto con uno cuando hay malas noticias? Es raro, ¿no?

—Supongo que sí —asintió Richards al tiempo que cogía el papel doblado—. Bueno, estaré encantada de dejar esto en la...

Lois la agarró por la muñeca, y un rayo de luz gris, tan brillante que Ralph tuvo que entornar los ojos para que no lo cegara, subió por el brazo, los hombros y el cuello de la mujer. Centelleó alrededor de su cabeza en un halo fugaz y a continuación desapareció.

«No, no ha desaparecido —se dijo Ralph—. No ha desaparecido, sino que ella lo ha absorbido.»

—¿Qué ha sido eso? —inquirió la mujer de la limpieza con aire suspicaz—. ¿Qué ha sido ese ruido?

—El tubo de escape de un coche —terció Ralph—. Nada más.

—Hum —replicó ella—. Los malditos hombres siempre creen que lo saben todo. ¿Lo has oído, Barbie?

—Sí —asintió la aludida.

Su voz se le antojó por completo normal a Ralph, y sabía que la mujer de la limpieza no vería la niebla gris perla que ahora le llenaba los ojos.

—Creo que tiene razón, pero ¿te importa ir a preguntárselo a Peter? Cualquier precaución es poca.

—Y que lo digas —espetó la mujer de la limpieza.

Dejó la botella de limpiacristales, se dirigió a las puertas, dedicando a Ralph una última mirada tenebrosa que decía: *Eres viejo, pero seguro que todavía tienes un pene en alguna parte,* y salió.

En cuanto se fue, Lois se inclinó sobre la mesa.

—Barbara, mi amigo y yo tenemos que hablar con Gretchen esta misma mañana —le dijo—. Personalmente.

—No está aquí. Está en High Ridge.

—Explícanos cómo ir allí.

Richards desvió la mirada hacia Ralph, a quien sus ojos grises y sin pupilas se le antojaron profundamente inquietantes. Era como mirar una estatua clásica que hubiera cobrado vida. Su aura verdioscura había palidecido considerablemente.

«No —se dijo—. Simplemente está cubierta por el gris de Lois.»

Lois se volvió, siguió la mirada de Barbara Richards y se concentró de nuevo en ella.

—Sí, es un hombre, pero no pasa nada, te lo prometo. Ninguno de los dos queremos hacer ningún daño a Gretchen Tillbury ni a cualquier otra mujer de High Ridge, pero tenemos que hablar con ella, así que explícanos cómo ir allí.

Volvió a tocar la mano de Richards y otro rayo de luz gris ascendió por el brazo de la joven.

—No le hagas daño.

—No le voy a hacer daño, pero así hablará —replicó Lois acercándose más a Richards—. ¿Dónde está? Vamos, Barbara.

—Salís de Derry por la 33 —explicó Richards—. La carretera vieja de Newport. Después de unos quince kilómetros, veréis una gran granja roja a vuestra izquierda. Detrás hay dos graneros. Giráis la primera a la izquierda...

La mujer de la limpieza volvió a entrar.

—Peter no ha oído...

Se detuvo en seco, tal vez porque no le gustó el modo en que Lois se inclinaba sobre la mesa de su amiga, tal vez porque no le gustaba la mirada vacía de los ojos de Barbara.

—Barbara, ¿estás bi...?

—Cállese —susurró Ralph en tono afable—. Están hablando.

Cogió el brazo de la mujer justo por encima del codo y sintió un breve pero intenso latido de energía. Por un instante, los colores del mundo se tornaron más brillantes. La mujer de la limpieza se llamaba Rachel Anderson. Había estado casada con un hombre que la pegaba mucho y muy fuerte hasta desaparecer ocho años antes. Ahora tenía un perro y a sus amigas del Centro de la Mujer, y eso le bastaba.

—Oh, claro —repuso Rachel Anderson con voz soñadora y pensativa—. Están hablando, y Peter dice que no pasa nada, así que supongo que será mejor que me calle.

—Buena idea —corroboró Ralph sin soltarle el brazo.

Lois se volvió para asegurarse de que Ralph tenía la situación bajo control, y de nuevo se concentró en Barbara Richards.

—Giramos a la izquierda después de la granja roja con los dos graneros. Vale, ¿qué más?

—Estaréis en un camino de tierra. Es una cuesta muy larga, de unos dos kilómetros y medio, y acaba en una granja blanca. Eso es High Ridge. Tiene una vista maravillosa...

—Ya me lo imagino —la interrumpió Lois—. Barbara, me alegro mucho de verte. Ahora mi amigo y yo...

—Yo también me alegro de verte, Lois —repuso Richards con voz distante e indiferente.

—Ahora mi amigo y yo vamos a marcharnos. No pasa nada.

—Bien.

—No hace falta que recuerdes nada de esto —prosiguió Lois.

—Claro que no.

Lois se volvió para alejarse, pero se detuvo para recoger el papel que había sacado del bolso. Había caído sobre la mesa cuando Lois había agarrado la muñeca de la mujer.

—¿Por qué no sigue trabajando, Rachel? —sugirió Ralph a la señora de la limpieza.

Le había soltado el brazo con cautela, aunque estaba preparado para volvérselo a coger si daba muestras de necesitarlo.

—Sí, será mejor que siga trabajando —asintió la mujer en tono mucho más amable—. Quiero terminar a mediodía, así podré ir a High Ridge para ayudar a hacer pancartas.

Lois se reunió con Ralph cuando Rachel Anderson se dirigió hacia su carrito de artículos de limpieza. Parecía asombrada y algo temblorosa.

—No les pasará nada, ¿verdad, Ralph? —inquirió.

—No, estoy seguro de que no. ¿Y tú? ¿Estás bien? ¿No te vas a desmayar ni nada por el estilo?

—Estoy bien. ¿Te acuerdas de las indicaciones?

—Claro que sí. Es lo que antes era la Huerta de Barrett. Carolyn y yo íbamos ahí cada otoño a recolectar manzanas y comprar sidra hasta que la vendieron a principios de los ochenta. Pensar que eso es High Ridge.

—Ya tendrás tiempo para asombrarte más tarde, Ralph. Me estoy muriendo de hambre.

—Vale. ¿Qué era ese papelito, por cierto? ¿La nota de la sobrina con la beca de la Universidad de New Hampshire?

Lois esbozó una sonrisa y le alargó el papel. Era la factura de la electricidad del mes de septiembre.

—¿Han podido dar el recado? —preguntó el guardia de seguridad cuando salieron y echaron a andar por el camino.

—Sí, gracias —repuso Lois encendiendo una vez más aquella deslumbrante sonrisa.

Sin embargo, Lois no se detuvo y se aferraba a la mano de Ralph con gran fuerza. Ralph la comprendió; no tenían ni idea de cuánto duraría el efecto de lo que les habían hecho a las dos mujeres.

—Bien —repuso el guardia siguiéndolos hasta el final del camino—. Va a ser un día eterno. Me alegraré mucho cuando haya pasado. ¿Saben cuántos guardias de seguridad habrá aquí desde mediodía hasta medianoche? Una docena. Y eso sólo aquí. Van a poner más de cuarenta en el Centro Cívico..., además de la policía local.

«Y no servirá de nada», pensó Ralph.

—¿Y para qué? Para que una rubia con más cara que espalda pueda decir lo que le salga de las narices.

Miró a Lois como si esperara que lo acusara de cerdo machista, pero Lois se limitó a ensanchar su sonrisa.

—Que le vaya todo muy bien, agente —saludó Ralph.

Cruzaron la calle en dirección al Oldsmobile. Ralph lo puso en marcha y dio la vuelta con dificultad en el camino de entrada del Centro de la Mujer, esperando que Barbara Richards, Rachel Anderson o tal vez las dos salieran corriendo por la puerta principal mirándolos con ojos furiosos y señalándolos con el dedo. Por fin consiguió enderezar el Oldsmobile en la dirección correcta y exhaló un profundo suspiro de alivio. Lois se volvió hacia él y asintió con ademán comprensivo.

—Creía que el vendedor era yo —comentó Ralph—, pero madre mía, nunca he visto una técnica como la tuya.

Lois esbozó una sonrisa recatada y entrelazó las manos sobre el regazo.

Se estaban acercando al aparcamiento del hospital cuando Trigger salió a toda prisa de su cabina, agitando los brazos. Lo primero que se le ocurrió a Ralph fue que no iban a salirse con la suya a fin de cuentas, que el guardia de seguridad de la carpeta había sospechado algo y llamado por teléfono o por radio a Trigger para que los detuviera. Pero entonces vio su expresión, sin aliento pero contenta, y lo que Trigger sostenía en la mano. Era una cartera negra muy vieja y maltrecha. Se abría y cerraba como una boca desdentada cada vez que su dueño agitaba el brazo.

—No te preocupes —dijo Ralph al tiempo que reducía la velocidad—. No sé qué quiere, pero estoy casi seguro de que no es nada malo. Al menos todavía.

—No me importa lo que quiera. Lo que yo quiero es salir de aquí y comer algo. Si empieza a enseñarte sus fotos de pesca, Ralph, yo misma pisaré el acelerador.

—Amén —terminó Ralph.

Sabía perfectamente que no eran fotos de pesca lo que Trigger Vachon quería enseñarle. Todavía no lo tenía todo claro, pero sí sabía una cosa: nada ocurría por casualidad. Ya no. Todo era obra del Propósito, sí, señor. Detuvo el coche junto a Trigger y pulsó el elevalunas eléctrico. La ventanilla se abrió con un malhumorado chirrido.

—¡Eyyyy, Rralph! —gritó Trigger—. ¡Creía que te me habías escapadó!

—¿Qué pasa, Trigger? Tenemos un poco de prisa...

—Sí, sí, sólo un segundó. Lo tengo aquí mismo, Rralph, en la carrtera. Guardo todós mis papeles aquí, y nunca pierdo nadá.

Abrió las mandíbulas fláccidas del viejo billetero, mostrando unos cuantos billetes arrugados, un acordeón de celuloide de fotografías (y que le asparan si no vislumbró a Trigger sosteniendo un gran bajo en una de ellas), y lo que se le antojaron al menos tarjetas de visita, la mayor parte de ellas ajadas y blandas por el uso. Trigger empezó a rebuscar entre ellas a la velocidad de una cajero veterano contando billetes.

—Nuncá tiro nada —insistió Trigger—. Son geniales parra apuntar cosás, mejor que una librreta, y grratis. Un momento... un momentito; maldita seá, ¿dónde estás?

Lois lanzó a Ralph una mirada impaciente y preocupada antes de señalar la carretera. Ralph hizo caso omiso de ambos gestos. Sentía una extraña comezón en el pecho. Se vio a sí mismo alargando el dedo índice y dibujando algo en el parabrisas empañado de la furgoneta de Trigger durante la tormenta de verano de hacía quince meses... Lluvia fría en un día caluroso.

—Ralph, ¿te acuerrdas de la bufanda que llevaba Deepneau aquel día? ¿Blanca con unas marrcas rojás?

—Sí, me acuerdo —asintió Ralph.

«¡Anda y que te folle un pez, soplapollas! —había dicho Ed al tipo corpulento—. ¡Vete a joder a tu madre!» Y sí, recordaba la bufanda, claro que la recordaba. Pero las cosas rojas que había en ella no eran tan sólo marcas, manchas o un dibujo sin importancia; se trataba de uno o varios ideogramas. La presión que sintió en la boca del estómago le dijo que Trigger podía dejar de rebuscar entre sus tarjetas ahora mismo. Ya sabía de qué iba aquello. Lo sabía.

—¿Estuvisté en esa guerrá, Rralph? —inquirió Trigger—. ¿La grande? ¿La Segunda?

—En cierto modo —repuso Ralph—. Luché la mayor parte de la guerra en Texas. Me enviaron al frente a principios del cuarenta y cinco, pero siempre estuve en la retaguardia.

Trigger asintió.

—O sea, en Eurropa. No había rretaguardia en el Pasífico, al menos al final.

—Inglaterra —explicó Ralph—. Y luego Alemania.

Trigger volvió a asentir con aire complacido.

—Si hubierras estado en el Pasificó, habrías sabido que lo de la bufandá no erra chino.

—Era japonés, ¿verdad? ¿Verdad, Trig?

Trigger asintió una vez más. En una mano sostenía una tarjeta que había escogido de entre las demás. Ralph vio en el dorso una copia aproximada del símbolo doble que habían visto en la bufanda de Ed, el símbolo doble que él había dibujado en la neblina del parabrisas.

—¿De qué estáis hablando? —inquirió Lois, no ya impaciente, sino simplemente asustada.

—Debería haberlo sabido —se oyó decir Ralph en tono débil, horrorizado—. A pesar de todo, debería haberlo sabido.

—¿Haber sabido qué? —inquirió Lois agarrándolo por el hombro para zarandearlo—. ¿Haber sabido qué?

Ralph no respondió. Como si estuviera soñando, alargó el brazo para coger la tarjeta. Trigger Vachon ya no sonreía, y sus ojos oscuros escrutaban el rostro de Ralph con solemnidad.

—Lo copié antes de que desaparresiera del parabrisas porque sabía que lo había visto antés, y aquella noche, cuando llegué a casá, supe dónde. Mi herrmano mayor, Marcel, luchó el último año de la Guerra del Pasificó. Una de las cosas que se trajo fue una bufanda con esas mismas marrcas de colorr rojo. —Trigger señaló la tarjeta que Ralph sujetaba entre los dedos—. Quería desírtelo la próxima vez que te vierra, pero no te he visto hasta ahorrá. Me alegraba de haberlo recordado, perro, por la cara que pones, creo que habrría sido mejor que lo olvidará.

—No, no pasa nada.

Lois le arrebató la tarjeta.

—¿Qué es? ¿Qué significa?

—Te lo explicaré más tarde —repuso Ralph extendiendo la mano hacia el cambio de marchas.

El corazón le pesaba como una piedra en el pecho. Lois estaba mirando los símbolos del dorso de la tarjeta, por lo que Ralph pudo leer la cara impresa, R. H. FOSTER, POZOS & PAREDES, rezaba. Debajo, el hermano mayor de Trigger había escrito una sola palabra en letras negras de imprenta.

KAMIKAZE.

Tercera parte

EL REY CARMESÍ

> Somos carcamales,
> cada uno de nosotros llevamos una navaja
> cerrada.
>
> Robert LOWELL
> *Walking in the Blue*

20

Sostuvieron una sola conversación mientras el Oldsmobile subía por Hospital Drive, y fue muy breve.

—Ralph.

Ralph se volvió un instante hacia ella antes de volver a concentrarse en la carretera. Aquel tintineo del motor había empezado de nuevo, pero Lois todavía no lo había mencionado. Esperaba que no dijera nada en aquel momento.

—Creo que sé dónde está —murmuró en tono casi tímido—. Me refiero a Ed. Estaba bastante segura, incluso ahí arriba en la azotea, de que conocía aquel viejo edificio destartalado que nos enseñaron.

—¿Qué es? ¿Y dónde está?

—El edificio es un garaje de aviones. Un comosellame. Un hangar.

—Dios mío —exclamó Ralph—. ¿Costal Air, en la carretera de Bar Harbor?

Lois asintió con un gesto.

—Tienen vuelos chárter, viajes en hidroavión y otras cosas por el estilo. Un sábado que habíamos salido a dar una vuelta en coche, el señor Chasse entró y preguntó a un hombre que trabajaba allí cuánto nos cobraría por llevarnos a dar una vuelta sobre las islas. El tipo dijo que cuarenta dólares, y eso era mucho más de lo que nos podíamos permitir para una cosa así, y en verano estoy segura de que el tipo no se habría dejado convencer, pero sólo era abril, y el señor Chasse consiguió regatear hasta veinte. A mí todavía me parecía demasiado para una excursión que no duraría ni una hora, pero luego me alegré de haber ido. Pasé miedo, pero fue precioso.

—Como las auras —comentó Ralph.

—Sí, como... —Le temblaba la voz, y al volverse hacia ella, Ralph vio que gruesas lágrimas le rodaban por las rollizas mejillas—... como las auras.

—No llores, Lois.

Lois encontró un Kleenex en el bolso y se enjugó las lágrimas.

—No puedo evitarlo. Esa palabra japonesa significa kamikaze, ¿verdad, Ralph? —preguntó antes de añadir con labios temblorosos—: Piloto suicida.

Ralph asintió con la cabeza. Sujetaba el volante con todas sus fuerzas.

—Sí —asintió—, eso es lo que significa. Piloto suicida.

La carretera 33, conocida como Newport Avenue en la ciudad, pasaba a cuatro manzanas de Harris Avenue, pero Ralph no tenía ni la más mínima intención de romper su prolongado ayuno en la parte oeste de la ciudad. La razón era tan sencilla como válida; Lois y él no podían permitirse que los viera ninguno de sus viejos amigos, no ahora que aparentaban quince o veinte años menos que el lunes anterior.

¿Habría denunciado alguno de sus amigos su desaparición a la policía? Ralph sabía que cabía la posibilidad, pero creía poder albergar la esperanza de que, de momento, se habían escurrido sin provocar comentarios ni preocupación, al menos en su círculo de amistades; Faye y los demás paisanos que solían quedar en el merendero de la Extensión estarían demasiado consternados por el fallecimiento, no de un Viejo Carcamal sino de un par de ellos, como para pasar demasiado tiempo preguntándose dónde estaría el viejo y flaco de Ralph Roberts.

«Lo más probable es que el velatorio ya haya pasado y que tanto Bill como Jimmy estén más que enterrados», se dijo.

—Si estás seguro de que tenemos tiempo para desayunar, Ralph, encuentra un sitio lo antes posible... Tengo tanta hambre que me comería un buey con todos los aperos.

Se hallaban a un kilómetro y medio al oeste del hospital, lo bastante lejos como para que Ralph se sintiera seguro, y ante él vio el Derry Diner. Él y Carolyn habían cenado allí en algunas ocasiones, y no estaba mal. Al poner el intermitente y entrar en el aparcamiento, se dio cuenta de que no había ido allí desde que Carolyn cayera enferma..., hacía un año al menos, o más.

—Ya hemos llegado —anunció—. Y no sólo vamos a comer, sino que vamos a atiborrarnos. A lo mejor no tenemos otra ocasión en todo el día.

Lois sonrió como una colegiala.

—Acabas de poner el dedo en la llaga de uno de mis grandes talentos, Ralph —dijo agitándose un poco en el asiento—. Además, tengo que hacer mis cositas.

Ralph asintió. Desde el lunes, ni comida ni visitas al lavabo. Lois podía ir a hacer sus cositas; él tenía intención de ir al lavabo de caballeros y hacer unas cuantas cosas enormes.

—Vamos —instó apagando el motor y acallando aquel preocupante tintineo del motor—. Primero el lavabo y después la bacanal.

De camino a la puerta, Lois le dijo en un tono que se le antojó un poquito demasiado casual que no creía que ni Mina ni Simone hubieran denunciado su desaparición, al menos por el momento. Cuando Ralph se volvió para preguntarle por qué, le asombró y divirtió comprobar que Lois se estaba ruborizando.

—Porque las dos saben que me gustas desde hace años.

—¿Estás de broma?

—Claro que no —protestó ella con cierta irritación—. Carolyn también lo sabía. A otra mujeres les habría molestado, pero ella sabía lo inofensiva que era yo. Era un encanto, Ralph.

—Sí.

—En cualquier caso, probablemente creerán que nos..., bueno, ya sabes...

—¿Qué hemos hecho una escapadita?

—Algo así —asintió Lois con una carcajada.

—¿Te gustaría hacer una escapadita, Lois?

Lois se puso de puntillas y le mordisqueó el lóbulo de la oreja, y de repente sucedió la cosa más asombrosa del mundo: se le puso más dura que una piedra en cuestión de segundos.

—Si salimos de ésta con vida me lo vuelves a preguntar.

Ralph la besó en la comisura de los labios antes de abrir la puerta.

—Cuente con ello, señora.

Se dirigieron a los lavabos, y cuando Ralph volvió a reunirse con ella, Lois lo miró con expresión pensativa y algo consternada.

—No puedo creer que sea yo —susurró—. Quiero decir, que acabo de pasarme al menos dos minutos mirándome en el espejo, y todavía no me lo puedo creer. Todas las patas de gallo han desaparecido, Ralph, y mi pelo... —Aquellos oscuros ojos españoles se alzaron hacia él, radiantes y maravillados—. ¡Y tú! Dios mío, no creo que tuvieras tan buen aspecto ni cuando tenías cuarenta años.

—No lo tenía, pero deberías haberme visto cuando tenía treinta.

Lois emitió una risita ahogada.

—Venga, tonto, vamos a sentarnos y a cargarnos de calorías.

—Lois.

Lois alzó la mirada de la carta que había cogido de la hilera sujeta entre el salero y el pimentero.

—Cuando estaba en el lavabo, he intentado hacer que volvieran las auras, pero esta vez no lo he conseguido.

—¿Por qué querías que volvieran, Ralph?

Ralph se encogió de hombros, reacio a explicarle la sensación de paranoia que lo había embargado mientras estaba junto a la pila del pequeño lavabo, lavándose las manos y observando su rostro extrañamente joven en el espejo salpicado de gotas. De repente, se le había ocurrido que tal vez no estaba solo ahí dentro. Aún peor, que tal vez Lois no estaba sola en el lavabo de señoras. Tal vez Átropos se estaba acercando a ella de puntillas, invisible, con los pendientes de diamantes oscilando bajo sus diminutas orejas..., el bisturí extendido...

De repente, en lugar de los pendientes de Lois o el panamá de McGovern, su mente conjuró la imagen de la comba con la que Átropos saltaba cuando Ralph lo había visto

(*tres-seis-nueve, cariño, la oca se mueve*)

en el solar que se abría entre la panadería y el salón de belleza, la comba que antes había sido la preciada posesión de una chiquilla que había tropezado mientras jugaba a pillar en su casa, se había caído por la ventana del segundo piso y se había roto el cuello (*un accidente terrible, tenía toda la vida por delante, y si Dios existe, ¿por qué deja que ocurran cosas así?*, etcétera, etcétera, por no hablar del bla bla bla).

Se había instado a dejarlo, que las cosas ya iban lo bastante mal para encima abandonarse a terribles fantasías de Átropos seccionando el cordel de globo de Lois, pero de poco le sirvió..., sobre todo porque sabía que Átropos podía realmente estar con ellos en el restaurante, con la comba en una mano y el bisturí oxidado en la otra, y Átropos podía hacer lo que le viniera en gana. Lo que le viniera en gana.

Lois alargó la mano y acarició la suya.

—No te preocupes. Los colores volverán. Siempre vuelven.

—Supongo que tienes razón.

Cogió una carta, la abrió y echó un vistazo a los desayunos. Tenía la impresión de que quería uno de cada.

—La primera vez que viste a Ed hacer el loco, salía del aeropuerto de Derry —comentó Lois—. Ahora ya sabemos por qué. Estaba tomando clases de vuelo, ¿verdad?

—Claro. Mientras me llevaba a Harris Avenue, Trig me explicó que incluso hace falta un pase especial para salir por aquella puerta, la de servicio. Me preguntó si sabía de dónde podría Ed haber sacado uno, y le dije que no. Ahora lo sé. Deben de dárselos a todos los alumnos de vuelo de Aviación General.

—¿Crees que Helen lo sabía? —inquirió Lois—. Probablemente no, ¿verdad?

—Estoy seguro de que no. Y apuesto lo que sea a que se cambió a Costal Air justo después de toparse con el tipo de los Jardineros del West Side. Aquel pequeño incidente lo convencería de que estaba perdiendo el control, y de que lo más conveniente sería tomar las clases de vuelo un poco más lejos de casa.

—O quizás fue Átropos quien le convenció —aventuró Lois en tono sombrío—. Átropos o alguien de más arriba aún.

A Ralph no le hacía ni pizca de gracia la idea, pero, aun así, no le parecía nada descabellada. «Entes —pensó con un estremecimiento—. El Rey Carmesí.»

—Lo están manipulando como si fuera una marioneta, ¿verdad? —preguntó Lois.

—¿Te refieres a Átropos?

—No. Átropos es un bicho asqueroso, pero, por lo demás, no creo que sea tan diferente de los señores C. y L., es decir, que es un simple obrero, tal vez poco más que un obrero sin cualificaciones de ningún tipo.

—Empleado de la limpieza.

—Bueno, sí, quizás —concedió Lois—. Empleado de la limpieza o recadero. Átropos debe de ser el que ha hecho la mayor parte del trabajo con Ed, y apuesto lo que sea a que le encanta el trabajo, pero apuesto aún más a que recibe órdenes de más arriba. De mucho más arriba. ¿Te parece más o menos correcto lo que digo?

—Sí. Probablemente nunca sabremos con exactitud lo loco que estaba antes de que empezara todo esto, ni cuándo le cortó Átropos el cordel de globo, pero lo que más me intriga ahora mismo es algo mucho más prosaico. Me gustaría saber cómo narices consiguió la fianza de Charlie Pickering y cómo pagaba sus malditas clases de vuelo.

Antes de que Lois pudiera responder, una camarera que mascaba chiclé se acercó a ellos al tiempo que sacaba una libretita y un bolígrafo del bolsillo de su delantal.

—Ustedes dirán.

—Yo tomaré una tortilla de queso y champiñones —pidió Ralph.

—Ajá —masculló la camarera cambiándose el chiclé de lado—. ¿De dos huevos o de tres, cariño?

—De cuatro, si no le importa.

La mujer enarcó las cejas, ciertamente sorprendida, y lo anotó en la libreta.

—No me importa si a usted no le importa. ¿Quiere alguna guarnición?

—Sí, por favor. Un zumo de naranja grande, bacon, salchichas y patatas fritas, ración doble —prosiguió mientras la camarera escribía deprisa y mascaba aún más deprisa—. Ah, ¿tiene bollos daneses?

—Creo que me queda uno de queso y otro de manzana —repuso la camarera alzando la mirada hacia él—. Tiene un poco de hambre, ¿no, cariño?

—Tengo la sensación de no haber comido en una semana —asintió Ralph—. Tomaré el de queso. Y café. Mucho café solo. ¿Lo ha apuntado todo?

—Oh, sí, cariño. No me perderé el aspecto que tiene cuando salga de aquí —comentó volviéndose hacia Lois—. ¿Y usted, señora?

Lois esbozó una sonrisa dulcísima.

—Tomaré lo mismo que él. Cariño.

Ralph miró más allá de la camarera, hacia el reloj de pared, puso su reloj en hora y le dio cuerda. Sólo eran las siete y diez, y eso debería haberle producido un gran alivio. Podían llegar a la Huerta de Barnett en menos de media hora, y si apuntaban a Gretchen Tillbury con sus lásers mentales, lo más probable era que la conferencia de Susan Day quedase cancelada, abortada, por así decirlo, antes de las nueve de la mañana. Sin embargo, en lugar de alivio sentía una gran inquietud, una angustia penetrante.

—Bueno —dijo—. Resumamos. Creo que podemos suponer que a Ed le interesa el tema del aborto desde hace mucho tiempo, que, probablemente, es un defensor pro vida desde hace años. De repente, empieza a dormir mal... a oír voces...

—... a ver hombrecillos calvos...

—Bueno, a uno en concreto —asintió Ralph—. Átropos se convierte en su guru, le explica todo lo referente al Rey Carmesí, los Centuriones y toda la pesca. Cuando Ed me habló del rey Herodes...

—... estaba pensando en Susan Day —terminó Lois por él—. Átropos lo ha... ¿cómo lo dicen en la tele? Lo ha sugestionado. Lo ha convertido en un misil teledirigido. ¿De dónde crees que sacó la bufanda?

—Átropos —repuso Ralph—. Átropos tiene un montón de cosas así, estoy seguro.

—¿Y qué crees que tiene en el avión que pilotará esta noche? —inquirió Lois con voz temblorosa—. ¿Explosivos? ¿Gas venenoso?

—Los explosivos serían mucho más seguros si realmente quiere matar a todo el mundo; un viento fuerte podría crearle problemas con el gas —explicó Ralph mientras tomaba un sorbo de agua y se daba cuenta de que la mano le temblaba un poco—. Por otro lado, no sabemos qué cosillas puede haber estado cocinando en su laboratorio, ¿verdad?

—No —corroboró Lois en un susurro.

Ralph dejó el vaso de agua sobre la mesa.

—No me interesa demasiado saber qué pretende utilizar.

—¿Y qué es lo que te interesa?

La camarera se acercó con el café, y el solo aroma pareció despertar todos los nervios de Ralph. Él y Lois cogieron las tazas y empezaron a beber en cuanto la camarera se alejó. El café era fuerte y estaba lo bastante caliente como para quemar los labios, pero sabía a gloria. Cuando Ralph dejó la taza en el platillo, estaba medio vacía y en su vientre había un lugar muy caliente, como si se hubiera tragado una brasa. Lois lo estaba mirando algo sombría por encima del borde de su taza.

—Lo que me interesa —explicó Ralph— somos nosotros. Has dicho que Átropos ha convertido a Ed en un misil teledirigido. Tienes razón; eso es exactamente lo que eran los pilotos kamikaze de la Segunda Guerra Mundial, Hitler y sus V 2; Hirohito y su Viento Divino. Lo que más me preocupa es que Cloto y Láquesis han hecho lo mismo con nosotros. Nos han cargado con un montón de poderes especiales y nos han programado para salir pitando hacia High Ridge en mi Oldsmobile y detener a Susan Day. Me gustaría saber por qué.

—Pero si lo sabemos —protestó Lois—. Si no intervenimos, Ed Deepneau se suicidará esta noche, durante la conferencia de esa mujer, y se llevará a dos mil personas por delante.

—Sí —asintió Ralph—, y haremos todo lo posible para evitarlo, Lois, no te preocupes por eso.

Se terminó el café y dejó la taza sobre la mesa. Su estómago estaba completamente despierto y pedía comida a gritos.

—Sería igual de incapaz de mantenerme al margen y permitir que Ed matara a toda esa gente que de quedarme quieto y no agacharme si alguien me tirara una pelota de béisbol a la cabeza. Es sólo que no hemos tenido ocasión de leer la letra pequeña del contrato, y eso me asusta —titubeó un instante—. Y también me cabrea.

—¿De qué estás hablando?

—De que nos están tomando por el pito del sereno. Sabemos por qué vamos a intentar que se cancele la conferencia de Susan Day; no podemos soportar la idea de que un chiflado mate a dos mil personas inocentes. Pero no sabemos por qué quieren que lo hagamos. Eso es lo que me asusta.

—Tenemos la oportunidad de salvar dos mil vidas —dijo Lois—. ¿Me estás diciendo que eso es suficiente para nosotros pero no para ellos?

—Eso mismo. No creo que las cifras impresionen mucho a esos tipos; nos borran de la faz de la tierra a millones. Y están acostumbrados a ver cómo el Azar y el Propósito se deshacen de nosotros a kilos.

—Catástrofes como el incendio de Coconut Grove —comentó Lois—. O la inundación que hubo hace ocho años aquí en Derry.

—Sí, pero incluso esas cosas son minucias en comparación con lo que puede pasar y pasa en el mundo cada año. La inundación de 1985 costó la vida a doscientas veinte personas más o menos, pero la primavera pasada hubo una inundación en Paquistán en la que murieron tres mil quinientas, y en el último gran terremoto de Turquía murieron más de cuatro mil. ¿Y qué hay del accidente del reactor nuclear en Rusia? He leído en alguna parte que se puede contar con unos setenta mil muertos. Hay muchos panamás, combas y p... pañuelos, Lois.

Se horrorizó al darse cuenta de lo cerca que había estado de decir *pendientes*.

—Calla —susurró Lois con un estremecimiento.

—A mí tampoco me gusta pensar en eso —aseguró Ralph—, pero no nos queda otro remedio, aunque sólo sea porque esos dos tipos estaban más que ansiosos por que no pensáramos en ello. ¿Entiendes lo que te quiero decir? Tienes que entenderlo. Las grandes tragedias siempre han formado parte del Azar; ¿por qué es tan distinta esta situación?

—No lo sé —replicó Lois—, pero es lo bastante importante como para que hayan recurrido a nosotros, y tengo la sensación de que eso ha sido un gran paso para ellos.

Ralph asintió. Sentía el golpe de la cafeína, que se le había subido a la cabeza y le hacía temblar los dedos.

—Estoy de acuerdo. Y ahora piensa otra vez en la azotea del hospital. ¿Has oído en toda tu vida a dos tipos que explicaran tantas cosas sin explicar nada?

—No te entiendo —dijo Lois, aunque su expresión indicaba otra cosa, que no quería entenderle.

—Lo que creo se reduce a una sola idea: a lo mejor no pueden mentir. Si tienes cierta información que no quieres revelar, pero tampoco puedes mentir, ¿qué haces?

—Intentar mantenerme alejada de la zona peligrosa —repuso Lois—. O de las zonas peligrosas.

—Bingo. ¿Y no es eso lo que han hecho ellos?

—Bueno —replicó Lois—. Supongo que sí, pero me ha dado la impresión de que tú llevabas la batuta, Ralph. De hecho, me han impresionado todas esas preguntas que les has hecho. Creo que me he pasado todo el rato que hemos estado en la azotea intentando convencerme de que todo aquello estaba ocurriendo de verdad.

—Claro que he hecho preguntas, muchas preguntas, pero...

Ralph se interrumpió sin saber cómo expresar el concepto que le bailaba en la cabeza, un concepto que se le antojaba a un tiempo complejo y muy simple. Intentó ascender un poco, encontrar de nuevo aquella sensación de parpadeo, sabiendo que si podía acceder a la mente de Lois, podría mostrarle una imagen que valdría más que mil palabras. No sucedió nada, y tamborileó con los dedos sobre el mantel en ademán de frustración.

—Yo estaba tan asombrado como tú —le aseguró por fin—. Si he expresado mi asombro con preguntas, es porque los hombres, al menos los de mi generación, aprenden que es de mala educación quedarse con la boca abierta. Eso es para las mujeres que eligen las cortinas.

—Machista —lo acusó Lois con una sonrisa.

Sin embargo, Ralph no le devolvió la sonrisa. Estaba pensando en Barbie Richards. Si Ralph se hubiera acercado a ella, lo más probable era que hubiera pulsado el botón de alarma que había bajo la mesa, pero había permitido que Lois se acercara porque se había tragado un poco demasiado de aquel rollo de hermanas para siempre.

—Sí —murmuró—. Soy un machista, soy anticuado y a veces eso me crea problemas.

—Ralph, no quería...

—Ya sé lo que querías decir, y no pasa nada. Lo que intento hacerte entender es que estaba tan asombrado..., tan hecho polvo..., tan completamente anonadado como tú. Y les he hecho preguntas, ¿y qué? ¿Han sido buenas preguntas? ¿Preguntas útiles?

—Supongo que no, ¿eh?

—Bueno, a lo mejor no empecé tan mal. Si no recuerdo mal, lo primero que les pregunté cuando por fin llegamos al tejado fue quiénes eran y qué querían. Escurrieron el bulto con un montón de basura filosófica, pero me imagino que sudaron la gota gorda durante un rato. Después nos explicaron todo el rollo del Propósito y el Azar, fascinante, pero no nos servía de gran cosa para salir escopeteados hacia High Ridge y convencer a Gretchen Tillbury para que cancelara la conferencia de Susan Day. Maldita sea, habríamos hecho mejor y ahorrado tiempo preguntándoles el camino en lugar de sacárselo a la sobrina de Simone.

—Es verdad —asintió Lois con expresión asombrada.

—Sí. Y mientras hablábamos, el tiempo volaba como vuela cuando subes un par de pisos. Y ellos se limitaban a mirar cómo volaba, eso te lo aseguro. Estaban cronometrando toda la escena de forma que, cuando acabaran de contarnos las cosas que necesitábamos saber, ya no quedara tiempo para hacer las preguntas que no querían contestar. Creo que querían dejarnos con la sensación de que todo este asunto es un servicio público, de que salvar todas esas vidas es el quid de la cuestión, pero no podían decirlo abiertamente porque...

—Porque eso habría sido una mentira, y ellos no pueden mentir.

—Exacto. A lo mejor no pueden mentir.

—Bueno, ¿y qué quieren, Ralph?

Ralph denegó con la cabeza.

—No tengo ni la menor idea, Lois. Ni la menor idea.

Lois se terminó el café, dejó la taza con cuidado sobre el platillo, se miró las yemas de los dedos un momento y por fin volvió a alzar la mirada hacia él. Una vez más, Ralph quedó asombrado por su belleza, casi anonadado.

—Eran buenos —aseguró Lois—. Son buenos. Lo presentí en aquel momento. ¿Tú no?

—Sí —concedió él a regañadientes.

Claro que lo había presentido. Eran todo lo que Átropos no era.

—Y vas a intentar detener a Ed de todos modos. Has dicho que eras tan incapaz de no intentarlo como de no agacharte si te tiraban una pelota de béisbol a la cabeza, ¿verdad?

—Sí —asintió Ralph aún a regañadientes.

—Entonces deberías soltar el resto —dijo Lois con calma, clavando sus ojos oscuros en los azules de Ralph—. No hace más que ocuparte lugar en el cerebro. Bloquearlo.

Ralph reconocía que tenía razón, pero no estaba seguro de poder abrir la mano y soltar aquella parte. Tal vez había que vivir hasta los setenta para apreciar de modo absoluto lo difícil que resultaba escapar a la educación que se había recibido. Él era un hombre cuya educación acerca de cómo ser un hombre había dado comienzo antes de que Adolf Hitler asumiera el poder, y seguía siendo prisionero de una generación que había escuchado a H. V. Kaltenborn y a las Andrew Sisters por la radio, una generación de hombres que creían en los cócteles a la luz de la luna y en recorrer un par de kilómetros para conseguir un Camel. Una educación como aquélla casi negaba la existencia de cuestiones morales tales como quién trabajaba para los buenos y quién trabajaba para los malos; lo importante era que no te tomaran el pelo. Que no te tomaran por el pito del sereno.

¿De verdad?, preguntó Carolyn en tono divertido. *Qué fascinante. Permíteme que te cuente un pequeño secreto, Ralph. Eso es una solemne tontería. Ya era una tontería antes de que Glenn Miller desapareciera en el horizonte y sigue siendo una tontería ahora. La idea de que un hombre debe hacer lo que debe hacer... Bueno, tal vez haya algo de verdad en ella, incluso hoy en día. En cualquier caso, hay un largo camino hasta el Edén, ¿verdad, cariño?*

Sí, un camino muy largo hasta el Edén.

—¿En qué estás pensando, Ralph?

Ralph se libró de la obligación de responder porque en aquel momento volvió la camarera con una enorme bandeja llena de comida. Por primera vez advirtió la chapa que llevaba prendida en el volante del delantal. LA VIDA NO ES UNA ELECCIÓN, decía.

—¿Va a manifestarse en el Centro Cívico esta noche? —le preguntó Ralph.

—Ahí estaré —repuso la mujer mientras dejaba la bandeja sobre la mesa contigua, que estaba desocupada—. Estaré afuera, llevando una pancarta. Dando vueltas y más vueltas.

—¿Es de Amigos de la Vida? —inquirió Lois mientras la camarera empezaba a repartir tortillas y guarniciones.

—¿Estoy viva? —replicó la camarera.

—Sí, tiene todo el aspecto de estarlo —aseguró Lois en tono muy cortés.

—Bueno, pues supongo que eso me convierte en Amiga de la Vida, ¿no? Matar algo que algún día podría llegar a escribir un maravilloso poema o inventar un medicamento para curar el sida o el cáncer, bueno, para mí eso está muy mal. Así que llevaré mi pancarta y me aseguraré de que las feministas de Norma Kamali y los liberales que conducen Volvos vean que la palabra que hay escrita encima es ASESINATO. Odian esa palabra. Nunca la pronuncian en sus cócteles ni en sus reuniones para recaudar fondos. ¿Quieren ketchup?

—No —denegó Ralph.

No podía apartar los ojos de ella. A su alrededor había empezado a formarse un débil halo verde que parecía surgir de entre sus poros. Las auras habían regresado en todo su esplendor.

—¿Tengo monos en la cara o qué? —preguntó la camarera antes de hacer un globo de chiclé y pasárselo al otro lado de la boca.

—La estaba mirando fijamente, ¿eh? —replicó Ralph ruborizándose—. Lo siento.

La camarera encogió los rollizos hombros, y la parte superior de su aura se movió de un modo lento y fascinante.

—Intento no obsesionarme con estas cosas, ¿sabe? Por lo general hago mi trabajo y mantengo la boca cerrada. Pero tampoco me doy por vencida. ¿Saben cuánto tiempo llevo participando en manifestaciones delante de ese matadero de ladrillos, en días tan calurosos que se me freía el culo y noches tan frías que por poco se me congela?

Ralph y Lois denegaron con la cabeza.

—Desde 1984. Nueve largos años. Y lo haré durante nueve años más si hace falta. ¿Saben lo que más me fastidia de esos abortistas?

—¿Qué? —inquirió Lois en voz baja.

—Que son los mismos que quieren ilegalizar las armas para que la gente no se mate, los mismos que dicen que la silla eléctrica y la cámara de gas son inconstitucionales porque son castigos crueles y poco corrientes. Dicen todas esas cosas y luego van y apoyan leyes que permiten a los médicos, ¡a los médicos!, meter aspiradoras en el vientre de las mujeres y hacer trizas a sus hijos e hijas no nacidos. Eso es lo que más me fastidia.

La camarera soltó todo aquel discurso, que daba la impresión de haber pronunciado ya muchas veces, sin levantar la voz ni dar muestra externa alguna de enfado. Ralph tan sólo la escuchaba a medias; estaba concentrado en el aura verde pálido que la envolvía. Pero no era sólo de color verde pálido. Una mancha amarillenta con motas negras daba vueltas lentamente sobre la parte inferior de su costado derecho, como una rueda sucia.

«El hígado —pensó Ralph—. Le pasa algo en el hígado.»

—Pero no querría que le pasara nada malo a Susan Day, ¿verdad? —inquirió Lois mirando a la camarera con expresión preocupada—. Parece usted una persona encantadora, y estoy segura de que no querría eso.

La camarera exhaló un suspiro por la nariz, de la que brotaron dos estelas de neblina verde.

—No soy tan encantadora como parece, cariño. Si Dios le hiciera algo, sería la primera en agitar los brazos y decir «Hágase Tu voluntad», créame. Pero si se refiere a los chalados como Charlie Pickering, eso ya es otra cosa. Esas cosas nos rebajan, nos ponen al mismo nivel que la gente a la que intentamos detener. Pero los chiflados como Pickering no lo ven así. Son los comodines.

—Sí —asintió Ralph—. Eso es lo que son, comodines.

—Supongo que en realidad no quiero que le pase nada a esa mujer —prosiguió la camarera—, pero podría pasarle algo. De verdad. Y por lo que a mí respecta, si le pasa algo, la culpa será sólo suya. Está jugando con fuego..., y la gente que juega con fuego no debería sorprenderse demasiado si se quema.

Ralph no estaba seguro de cuánto le apetecería comer después de aquello, pero lo cierto es que su apetito sobrevivió a las opiniones de la camarera sobre el aborto y Susan Day. La auras ayudaban; la comida nunca le había sabido tan bien desde que era un adolescente y comía cinco o seis veces al día si podía.

Lois se mantuvo a su altura bocado a bocado, al menos por un rato. Por fin empujó a un lado los restos de sus patatas fritas y las dos últimas tiras de bacon. Ralph entró airoso en la recta final. Envolvió el último pedazo de salchicha en el último trozo de tostada, se metió la combinación en la boca y se retrepó en la silla con un profundo suspiro.

—Tu aura se ha vuelto mucho más oscura, Ralph. No sé si eso significa que por fin te has llenado el estómago o que te vas a morir de una indigestión.

—A lo mejor las dos cosas —repuso Ralph—. Tú también las vuelves a ver, ¿eh?

Lois asintió en silencio.

—¿Sabes? De todas las cosas del mundo, lo que más me apetecería sería echarme una siesta.

Sí, señor, ahora que estaba calentito y tenía el estómago lleno, los últimos cuatro meses de noches casi en blanco parecían haberse esfumado como por arte de magia. Tenía los párpados más pesados que bloques de hormigón.

—No creo que sea muy buena idea —replicó Lois en tono alarmado—. La verdad es que me parece una idea terrible.

—Supongo que tienes razón —concedió Ralph.

Lois empezó a levantar la mano para pedir la cuenta, pero en seguida la bajó de nuevo.

—¿Qué te parece llamar a tu amigo el policía? Se llama Leydecker, ¿no?

Ralph consideró la posibilidad con toda la meticulosidad que le permitía su atontado cerebro, y por fin meneó la cabeza a regañadientes.

—No me atrevo. ¿Qué podríamos decirle que no nos comprometiera? Y eso es sólo una parte del problema. Si interviene..., pero de la forma equivocada..., puede empeorar las cosas en lugar de ayudar.

—Podría estorbarnos.

—Exacto.

—Vale —accedió Lois haciendo señas a la camarera—. Iremos a la granja con todas las ventanillas abiertas, y pararemos en el Dunkin Donuts de Old Cape para comprar cafés gigantes. Invito yo.

Ralph esbozó una sonrisa que se le antojó mareada y distante, como la sonrisa de un borracho.

—Sí, señora.

Cuando la camarera se acercó y deslizó la cuenta boca abajo delante de él, Ralph se dio cuenta de que la chapa con el mensaje LA VIDA NO ES UNA ELECCIÓN ya no estaba prendida en el volante de su delantal.

—Oigan —dijo con una seriedad que a Ralph le pareció casi dolorosamente conmovedora—. Perdonen si les he ofendido. Han venido a desayunar, no a que les suelte un discurso.

—No nos ha ofendido —aseguró Ralph mirando a Lois, quien asintió con la cabeza.

La camarera esbozó una breve sonrisa.

—Gracias, pero tengo la impresión de que me he pasado con ustedes. En otras circunstancias no lo habría hecho, pero esta tarde tenemos un mitin a las cuatro, y voy a presentar al señor Dalton. Me han dicho que tendré unos tres minutos, y creo que eso es lo que ha durado el discurso que les he soltado.

—No se preocupe —la tranquilizó Lois dándole una palmadita en la mano—. De verdad.

Esta vez, la sonrisa de la camarera fue más cálida y auténtica, pero cuando se alejó, Ralph vio desaparecer la expresión agradable del rostro de Lois. Estaba mirando la mancha amarilla y negra que flotaba justo encima de la cadera de la mujer.

Ralph cogió el bolígrafo que siempre guardaba en el bolsillo de la pechera, dio la vuelta a la cuenta y garabateó unas palabras al dorso. Cuando terminó, sacó la cartera y colocó cinco dólares debajo de lo que había escrito. Cuando la camarera fuera a recoger la propina, no podría dejar de ver el mensaje.

Cogió la cuenta y la agitó ante Lois.

—Nuestra primera cita de verdad y tendremos que pagar a medias —dijo—. Sólo me quedarán tres dólares si le dejo estos cinco. No me digas que estás sin blanca, por favor.

—¿Quién, yo? ¿La reina del póquer de Ludlow Grange? No seas tooonto, queriiiido.

Le alargó un desordenado fajo de billetes que había sacado del bolso. Mientras Ralph buscaba los que necesitaba, Lois leyó el mensaje que había escrito en la cuenta:

> Señora:
> Tiene usted problemas en la función hepática y debería ir al médico inmediatamente. Y le aconsejo que no se acerque al Centro Cívico esta noche.

—Es una tontería, ya lo sé —se disculpó Ralph.

—Intentar ayudar a la gente nunca es una tontería. Te quiero, Ralph —le aseguró antes de besarle en la punta de la nariz.

—Gracias. Pero no se lo creerá. Pensará que estamos cabreados por su chapa y el discurso a pesar de lo que le hemos dicho. Que lo que he escrito no es más que una extraña forma de vengarnos de ella.

—A lo mejor podemos convencerla de otra manera.

Lois clavó los ojos en la camarera, que estaba de pie y con el peso del cuerpo apoyado en una sola pierna junto a la ventanilla de la cocina, hablando con el cocinero mientras se tomaba una taza de café, con aire concentrado. Ralph vio que el aura de color azul grisáceo de Lois se oscurecía y encogía, convirtiéndose en una cápsula ceñida en lugar de una nube vaporosa.

Ralph no sabía con certeza qué estaba pasando..., pero lo sentía. Los pelos de la nuca se le erizaron y se le puso la piel de gallina. «Está poniéndose en marcha —pensó—. Activando todos los mandos, encendiendo todas las turbinas por una mujer a la que no había visto en su vida y a la que, probablemente, no volverá a ver jamás.»

Al cabo de unos instantes, la camarera también se dio cuenta. Se volvió para mirarlos como si hubiera oído que la llamaban. Lois esbozó una sonrisa casual y agitó los dedos a modo de saludo, pero cuando habló con Ralph, la voz le temblaba por el esfuerzo.

—Casi... casi lo he conseguido.

—¿Has conseguido qué?

—No lo sé. Lo que sea que necesito. Llegará dentro de unos segundos. Se llama Zoë, con diéresis sobre la e. Ve a pagar la cuenta. Distráela. Intenta evitar que me mire. Eso me lo pone más difícil.

Ralph obedeció y consiguió distraer a la camarera pese a que no dejaba de intentar mirar por encima de su hombro. La primera vez que intentó sumar el total de la cuenta en la registradora, le salió la cantidad de 234 dólares. Borró los números con ademán impaciente, y cuando miró a Ralph, una expresión pálida y molesta se dibujaba en su rostro.

—¿Qué le pasa a su mujer? —preguntó a Ralph—. Ya me he disculpado, ¿no? ¿Por qué me mira así?

Ralph sabía que Zoë no podía ver a Lois, porque casi estaba bailando para mantener su cuerpo entre ambas mujeres, pero también sabía que la mujer tenía razón... Lois la estaba mirando fijamente.

Intentó sonreír.

—No sé a qué...

La camarera dio un respingo y lanzó una mirada espantada e irritada al cocinero.

—¡Deja de dar golpes con las ollas! —gritó, aunque el único sonido que llegaba a Ralph desde la cocina era música de hilo musical.

Zoë se volvió de nuevo hacia Ralph.

—Dios mío, esto parece la Segunda Guerra Mundial. Y si pudiera decirle a su mujer que no es cortés...

—¿Mirar fijamente a la gente? No lo está haciendo, de verdad que no.

Ralph se hizo a un lado. Lois se había dirigido a la puerta y miraba la calle de espaldas a ella.

—¿Lo ve?

Zoë permaneció en silencio unos instantes, aunque se llevó la mano a la boca, sacó el chiclé y lo arrojó a la papelera. Hizo todos aquellos movimientos con la lentitud exagerada de un sonámbulo. Por fin se volvió de nuevo hacia Ralph.

—Sí, claro que lo veo. Y ahora, ¿por qué no se van con viento fresco?

—Vale. ¿Amigos?

—Lo que usted diga —repuso Zoë, aunque sin mirarlo.

Cuando Ralph se reunió con Lois, vio que su aura había regresado a su estado normal, más difuminado, pero de un matiz mucho más brillante.

—¿Todavía estás cansada, Lois? —preguntó en voz baja.

—No, de hecho, me encuentro muy bien. Vámonos.

Ralph empezó a abrir la puerta, pero se detuvo.

—¿Tienes mi bolígrafo?

—No, supongo que todavía está en la mesa.

Ralph fue a recogerlo. Debajo de su posdata, Lois había añadido cinco frases con la letra redonda del método Palmer:

En 1989 tuvo un hijo y lo dio en adopción en Santa Ana, Providence, Rhode Island. Vaya al médico antes de que sea demasiado tarde, Zoë. No es una broma. Nada de trucos. Sabemos de lo que estamos hablando.

—Madre mía —exclamó Ralph al reunirse con Lois—. Eso le dará un susto de muerte.

—Si va al médico antes de que el hígado le juegue una mala pasada, me da igual.

Ralph asintió, y salieron del restaurante.

—¿Te enteraste de lo de su hijo al penetrar en su aura? —inquirió Ralph mientras atravesaban el aparcamiento cubierto de hojas.

Lois asintió en silencio. Más allá del aparcamiento, toda la parte este de Derry relucía con matices brillantes, caleidoscópicos. Aquella luz secreta que giraba y giraba había regresado en todo su esplendor. Ralph alargó la mano y rozó el costado del coche. Tocarlo fue como saborear un jarabe para la tos, empalagoso y con sabor a regaliz.

—No creo haberle quitado mucha... sustancia —comentó Lois—, pero tengo la sensación de habérmela tragado entera.

Ralph recordó algo que había leído en una revista científica no hacía mucho tiempo.

—Si cada célula de nuestro cuerpo contiene un plano completo de cómo estamos hechos —dijo—, ¿por qué no iba a contener cada partícula del aura de una persona un plano completo de lo que somos?

—Eso no suena muy científico, Ralph.

—Supongo que tienes razón.

Lois le oprimió el brazo y le dedicó una sonrisa.

—Pero suena correcto.

Ralph le devolvió la sonrisa.

—Tú también tienes que absorber más colores —instó Lois—. Me sigue pareciendo mal, a pesar de lo que han dicho los dos hombrecillos, pero si no lo haces te desmayarás.

—En cuanto pueda. Ahora mismo, lo único que quiero es llegar a High Ridge.

Sin embargo, cuando se sentó al volante, retiró la mano de la llave de contacto antes de poner el coche en marcha.

—¿Qué pasa, Ralph?

—Nada... Todo. No puedo conducir así. Chocaré contra cualquier poste de teléfonos o me meteré en el salón de alguien.

Volvió los ojos hacia el cielo y vio uno de aquellos enormes pájaros transparentes posado sobre una antena parabólica instalada en una azotea de un bloque de pisos que había al otro lado de la calle. Una leve neblina de color limón surgía de sus alas prehistóricas.

¿Lo estás viendo de verdad?, le preguntó una vocecilla interior en tono dubitativo. *¿Estás seguro, Ralph? ¿Seguro, seguro?*

Sí, señor, lo estoy viendo. Por suerte o por desgracia, lo estoy viendo todo…, pero si hay un momento adecuado para ver cosas así, está claro que no es éste.

Se concentró y percibió de nuevo aquel parpadeo interior en lo más profundo de su ser. El pájaro se esfumó como una imagen fantasmal en una pantalla de televisión. La cálida y brillante paleta de colores esparcida por la mañana perdió su cualidad vibrante. Siguió percibiendo aquella otra parte del mundo mientras los colores se fundían unos con otros, creando la reluciente neblina azul grisácea que había empezado a ver el día en que fue a Amanecer y Ocaso a tomar café y tarta con Joe Wyzer, el nimbo desconocido que había supuesto su introducción en el mundo de las auras. De repente, todos los colores desaparecieron. Ralph sintió la necesidad casi abrumadora de hacerse un ovillo, descansar la cabeza en el brazo y dormir. En lugar de hacerlo se dedicó a aspirar profundas bocanadas de aire, y por fin hizo girar la llave de contacto. El motor rugió acompañado de aquel tintineo, que ahora se oía con mucha más claridad.

—¿Qué es eso? —inquirió Lois.

—No lo sé —repuso Ralph.

Sin embargo, creía saber qué era: una barra de acoplamiento o un pistón. En cualquier caso, les crearía problemas si se soltaba. Por fin, el sonido remitió, y Ralph puso la primera.

—Pégame un tortazo si ves que me duermo, Lois.

—No te preocupes, lo haré —aseguró ella—. Vámonos.

21

El Dunkin Donut de Newport Avenue era una risueña iglesia rosada situada en un anodino barrio de casas adosadas. La mayoría de ellas habían sido construidas en un solo año, 1946, y ahora se caían a pedazos. Este era el Old Cape de Derry, donde había coches viejos, con los tubos de escape sujetos con alambre y los parabrisas agrietados, que lucían adhesivos con mensajes tales como NO ME ECHEN LA CULPA A MÍ. YO VOTÉ A PEROT y HASTA LA MUERTE CON LA ASOCIACIÓN PRO ARMAS, donde en ninguna casa faltaba un triciclo Fisher Price en el soso jardín, donde las chicas tenían mucha marcha a los dieciséis y con demasiada frecuencia eran madres de tres hijos, mirada vacía y trasero enorme a los veinticuatro.

Dos chiquillos con bicicletas fluorescentes de manillares en forma de u hacían piruetas en el aparcamiento, esquivándose con una destreza que sugería un amplio historial de juegos de vídeo y un posible futuro muy bien pagado en el mundo del control aéreo..., si lograban mantenerse alejados de la coca y de los accidentes de tráfico, claro está. Ambos llevaban la gorra al revés. Ralph se preguntó por qué no estaban en la escuela un viernes por la mañana, o al menos de camino a la escuela, y decidió que no le importaba. Lo más probable era que a ellos tampoco les importara.

De repente, las dos bicicletas, que se habían esquivado hasta entonces con toda facilidad, chocaron. Ambos chiquillos cayeron al suelo y se levantaron casi al instante. Ralph sintió un gran alivio al comprobar que ninguno de los dos se había hecho daño; sus auras ni siquiera parpadeaban.

—¡Maldita sea! —gritó el de la camiseta de Nirvana, que tendría unos once años, a su amigo—. Pero ¿qué narices te pasa? ¡Montas en bici igual que los viejos follan!

—He oído algo —se defendió el otro al tiempo que se calaba la gorra sobre el sucio cabello rubio—. Como una explosión. ¡No me digas que no lo has oído! ¡Vamos, hombre!

—No he oído una mierda —replicó el de la camiseta de Nirvana extendiendo las manos, que ahora estaban sucias (o quizás sólo más sucias) y manchadas con la sangre de dos o tres rasguños sin importancia—. ¡Mira lo que me has hecho, gilipollas!

—Sobrevivirás —repuso su amigo con una notable ausencia de compasión.

—Sí, pero...

En aquel momento, el fan de Nirvana advirtió la presencia de Ralph, que estaba apoyado contra un enorme Oldsmobile con las manos embutidas en los bolsillos, observándolos.

—¿Qué coño mira?

—Pues a ti y a tu amigo —repuso Ralph—. Nada más.

—Nada más, ¿eh?

—Eso, nada más.

El fan de Nirvana miró a su amigo y se volvió de nuevo hacia Ralph. Los ojos le relucían con una suspicacia pura que, según la experiencia de Ralph, sólo podía encontrarse en Old Cape.

—¿Tiene algún problema?

—Yo no —aseguró Ralph.

Había inhalado una gran cantidad del aura rojiza del fan de Nirvana, y ahora se sentía más fuerte que Superman durante un vuelo. También se sentía como un pederasta.

—Estaba pensando que cuando yo era pequeño no hablábamos como tú y tu amigo.

El fan de Nirvana lo observó con insolencia.

—¿Ah, no? ¿Y cómo hablaban?

—No me acuerdo —repuso Ralph—, pero no creo que sonáramos como gilipollas.

Desvió la mirada cuando oyó la puerta mosquitera cerrarse de golpe. Lois salió del Dunkin Donuts con un gran vaso de café en cada mano. Mientras, los niños montaron en sus bicicletas fluorescentes y se alejaron. El fan de Nirvana lanzó a Ralph una última mirada desconfiada por encima del hombro.

—¿Puedes beberte esto y conducir al mismo tiempo? —inquirió Lois alargándole uno de los vasos.

—Creo que sí —asintió Ralph—, pero la verdad es que ya no lo necesito. Me encuentro bien, Lois.

Lois siguió con la mirada a los dos chiquillos y asintió.

—Vámonos.

El mundo ardía a su alrededor mientras recorrían la carretera 33 en dirección a lo que había sido la Huerta de Barrett, y no les hizo falta ascender ningún peldaño en la escala de la percepción para verlo.

Dejaron atrás la ciudad y condujeron entre bosques repoblados que brillaban con el fuego otoñal. El cielo era una senda azul sobre la carretera, y la sombra del Oldsmobile corría junto a ellos, serpenteando a través de hojas y ramas.

—Dios mío, es maravilloso —suspiró Lois—. ¿No te parece, Ralph?

—Sí.

—¿Sabes lo que me gustaría? ¿Más que nada en el mundo?

Ralph denegó con la cabeza.

—Que pudiéramos parar junto a la carretera, dejar el coche y adentrarnos un poco en el bosque. Encontrar un claro, sentarnos al sol y contemplar las nubes. Tú dirías: «Mira ésa, Lois, parece un caballo». Y yo diría: «Mira ésa otra, Ralph, es un hombre con una escoba». ¿No sería maravilloso?

—Sí —asintió Ralph.

El bosque se abrió en un estrecho pasillo a su izquierda; los postes de electricidad desfilaban por la escarpada pendiente como soldados. Los postes de alta tensión brillaban plateados bajo el sol de la mañana, sutiles como telas de araña. Los pies de los postes estaban sepultados en abultados montones de zumaque rojo, y cuando Ralph miró por encima del claro vio un halcón planeando en una corriente de aire tan invisible como el mundo de las auras.

—Sí —repitió—. Sería maravilloso. A lo mejor algún día tenemos ocasión de hacerlo, pero...

—Pero ¿qué?

—«Cada cosa que hago la termino a toda prisa para poder hacer otra.» —recitó Ralph.

Lois lo miró con cierto sobresalto.

—¡Qué idea tan terrible!

—Sí. Creo que la mayoría de las ideas verdaderas son terribles. Es de un libro de poemas llamado *Noches de cementerio*. Dorrance Marstellar me lo dio el día en que subió a mi piso y me metió la lata de Guardaespaldas en el bolsillo de la chaqueta.

Miró por el retrovisor y vio al menos tres kilómetros y medio de carretera 33 tras él, una tira de alquitrán negro que surcaba el ardiente bosque. El sol arrancaba destellos a unos cromados. Un coche. Tal vez dos. Y se acercaban a toda prisa, por lo visto.

—El viejo Dor —dijo Lois.

—Sí. ¿Sabes, Lois? Creo que él forma parte de todo esto. Sé que ve las auras. Cuando estaba intentando evitar que Ed y aquel otro tipo se hicieran papilla, Dor me dijo que dejara de tocarle. Dijo que no me veía las manos. Creo que ya entonces veía la bolsa de la muerte de Ed.

—Quizás —repuso Lois—. Y si Ed es un caso especial, quizás Dor también lo es.

—Sí, ya se me había ocurrido. Lo más interesante de él, de Dor, no de Ed, es que no creo que Cloto y Láquesis sepan nada de él. Es como si fuera de otro barrio completamente distinto.

—¿Qué quieres decir?

—No estoy del todo seguro. Pero el señor C. y el señor L. ni siquiera lo han mencionado, y eso... eso me parece...

Volvió a mirar por el retrovisor. Ahora había un cuarto coche, que iba detrás de los otros pero se acercaba a toda velocidad, y Ralph vio luces azules sobre los tres más próximos a ellos. Coches de policía. ¿Se dirigirían a Newport? No, probablemente a un lugar más cercano.

«A lo mejor nos siguen a nosotros —reflexionó Ralph—. A lo mejor no ha funcionado lo que Lois le ha dicho a la Richards acerca de olvidar que habíamos estado ahí.»

Pero ¿enviaría la policía cuatro coches patrulla a perseguir a dos carcamales en un Oldsmobile oxidado? Ralph no lo creía. De repente vio ante sí el rostro de Helen. Sintió una gran presión en la boca del estómago mientras se apartaba a un lado de la carretera.

—Ralph, ¿qué...?

En aquel momento oyó el aullido de la sirenas y se volvió con los ojos muy abiertos. Los primeros tres coches de policía pasaron a más de ciento cincuenta kilómetros por hora, salpicando el coche de Ralph de arenilla y convirtiendo a su paso las hojas muertas en derviches.

—¡Ralph! —casi gritó Lois—. ¿Y si es High Ridge? ¡Helen está ahí! ¡Helen y el bebé!

—Lo sé —repuso Ralph.

Cuando el cuarto coche pasó junto a ellos a velocidad suficiente para que el Oldsmobile se tambaleara, volvió a sentir en su interior aquella sensación de parpadeo. Alargó la mano hacia el cambio de marchas, pero la detuvo a unos seis centímetros de él. Tenía los ojos clavados en el horizonte. La mancha era menos espectral que el obsceno paraguas negro que habían visto suspendido sobre el Centro Cívico, pero Ralph sabía que se trataba de lo mismo: una bolsa de la muerte.

—¡Más deprisa! —le gritó Lois—. ¡Más deprisa, Ralph!

—No puedo —replicó él entre dientes—. Lo tengo al máximo.

«Además —agregó mentalmente—, es lo más deprisa que he conducido en treinta y cinco años, y estoy muerto de miedo.»

La aguja del cuentakilómetros temblaba justo por encima de los ciento cincuenta kilómetros por hora; el bosque quedaba atrás en una difuminada mezcla de rojos, amarillos y magentas; el motor ya no sólo tintineaba, sino que martilleaba como un pelotón de herreros borrachos. Pese a todo, los tres nuevos coches de policía que Ralph veía por el retrovisor estaban a punto de alcanzarlos.

La carretera describía una curva cerrada ante ellos. Haciendo caso omiso de su instinto, Ralph mantuvo el pie alejado del freno. Desaceleró al entrar en la curva... y volvió a pisar el acelerador a fondo cuando sintió que la parte posterior del coche estaba a punto de soltarse del resto de la carrocería. Estaba inclinado sobre el volante, con los dientes superiores apretados sobre el labio inferior, los ojos muy abiertos y salidos bajo las pobladas cejas. Los neumáticos posteriores del sedán emitieron un alarido, y Lois cayó sobre él, intentando aferrarse al respaldo de su propio asiento. Ralph, por su parte, se aferró al volante con fuerza y esperó a que volcaran. Sin embargo, el Oldsmobile era uno de los últimos monstruos auténticos de Detroit, ancho, pesado y bajo. Soportó la curva y, al otro lado, Ralph vio una granja roja a su izquierda. Tras ella se veían dos graneros.

—¡Ralph, ahí es donde hay que girar!

—Ya lo veo.

La nueva cuadrilla de coches patrulla los había alcanzado y se habían desplazado hacia la izquierda para adelantar. Ralph se apartó lo más posible, rezando por que ninguno de los coches chocara con él a aquella velocidad. No sucedió nada; lo adelantaron en apretada formación, doblaron a la izquierda y empezaron a subir por la larga cuesta que llevaba a High Ridge.

—Sujétate, Lois.

—Oh, ya me sujeto, ya, no te preocupes.

El Oldsmobile derrapó casi de lado cuando Ralph dobló a la izquierda en dirección a lo que Carolyn y él siempre habían conocido como la Huerta de Barrett. Si el estrecho camino rural hubiera estado asfaltado, lo más probable es que el enorme coche hubiera volcado como un coche de exhibición. Sin embargo, no estaba asfaltado, y en lugar de volcar, el Oldsmobile se limitó a derrapar de forma extravagante, levantando nubes secas de polvo. Lois emitió un estridente chillido, y Ralph le lanzó una mirada.

—¡Sigue! —le gritó ella agitando la mano con impaciencia en dirección al camino.

En aquel momento, se parecía tanto a Carolyn que Ralph casi creyó estar viendo un fantasma. Se preguntó qué le habría parecido a Carolyn, que no había dejado de decirle que fuera más deprisa durante los últimos cinco años de su vida, aquella pequeña excursión al campo.

—¡No te preocupes y mira la carretera!

Más coches de policía giraban por Orchard Road. ¿Cuántos había en total? Ralph no lo sabía; había perdido la cuenta. Tal vez una docena. Giró el volante del Oldsmobile hasta que las dos ruedas derechas rozaron el borde de una cuneta de aspecto amenazador, y los refuerzos, tres de ellos con las palabras POLICÍA DE DERRY impresas en los costados y dos de la policía del estado, los adelantaron como una exhalación, levantando nuevas nubes de tierra y grava. Por un instante, Ralph vio a un policía uniformado asomarse a la ventanilla de uno de los coches patrulla de Derry y hacerle señas. De repente, el Oldsmobile quedó sepultado en una nube amarilla de polvo. Pensando en Helen y Nat, Ralph contuvo de nuevo el deseo, esta vez más intenso, de pisar el freno a fondo. Al cabo de un instante volvió a tener visibilidad... o algo así. Los últimos coches de policía ya estaban a medio camino de la cima.

—Ese policía te ha hecho señas, ¿verdad? —inquirió Lois.

—Desde luego.

—Ni siquiera van a dejar que nos acerquemos —comentó Lois observando la mancha negra que pendía sobre la colina con expresión consternada.

—Nos acercaremos tanto como sea necesario.

Ralph miró por el retrovisor para comprobar si venían más coches, pero no vio más que polvo.

—Ralph.

—¿Qué?

—¿Estás arriba? ¿Ves los colores?

Ralph le lanzó una mirada rápida. Todavía le parecía hermosa e increíblemente joven, pero no había ni rastro de su aura.

—No —repuso—. ¿Y tú?

—No lo sé. Todavía veo eso —comentó señalando la mancha oscura de la colina—. ¿Qué es? Si no es una bolsa de la muerte, ¿qué es?

Ralph abrió la boca para decir en voz alta lo que Lois ya debía saber en el fondo, que se trataba de humo, y que ahí arriba sólo había una cosa que podía estar ardiendo, pero antes de que pudiera articular palabra, oyó una terrible explosión en el motor del Oldsmobile. El capó dio un respingo e incluso se abolló en un punto, como si un puño furioso le hubiera asestado un golpe desde el interior. El coche dio una última sacudida hacia delante, como si tuviera hipo; los indicadores rojos se encendieron y el motor se paró.

Ralph maniobró el Oldsmobile hacia la cuneta, y cuando el borde cedió bajo el peso de las ruedas derechas y el coche se deslizó en ella, Ralph tuvo la clara e intensa premonición de que acababa de terminar su última sesión como conductor de automóvil. Aquella idea no vino acompañada de pena alguna.

—¿Qué ha pasado? —casi gritó Lois.

—Nos hemos cargado una biela —explicó Ralph—. Bueno, parece que a partir de ahora iremos andando, que es gerundio. Lois, sal por mi lado, si no te hundirás en el barro.

Soplaba una fuerte brisa del oeste, y cuando salieron del coche advirtieron que el olor a humo de la cima de la colina era muy intenso. Iniciaron los últimos cuatrocientos metros sin hablar de ello, caminando cogidos de la mano, caminando a toda prisa. Cuando vieron el coche de la policía del estado atravesado en la cima de la carretera, el humo ascendía en tirabuzones por encima de los árboles y Lois intentaba desesperadamente recobrar el aliento.

—Lois, ¿estás bien?

De repente, le vino a la memoria la terrible imagen que Láquesis les había mostrado en el abanico creado entre sus dedos: Bill McGovern, primero caminando más despacio que el hombre del aura color ciruela, luego buscando a tientas la pared con una mano e inclinándose como un corredor agotado. ¿Qué sensación producía el inicio de un ataque al corazón? ¿Parecía un bisturí oxidado que te hubieran clavado en el pecho y allí se retorciera y seccionara todos los tubos y cables que mantenían la maquinaria en funcionamiento? Ralph suponía que así era. Y si algo así le sucedía a Lois...

—¿Estás bien? —repitió agarrándola por los hombros para obligarla a volverse hacia él—. ¿Te duele el...?

—Estoy bien —jadeó Lois—. Sólo que peso dem...

Crack crack crack: disparos más allá del coche que bloqueaba la carretera, seguidos de un sonido ronco y rápido, como una tos, que Ralph reconoció gracias a los reportajes sobre guerras civiles en países tercermundistas y asesinatos en ciudades americanas tercermundistas: una metralleta. Más disparos de revólver, luego el sonido más fuerte de un rifle, seguido de un alarido de dolor tan estridente que Ralph hizo una mueca y sintió deseos de taparse los oídos. Creía que se trataba del grito de una mujer, y de repente recordó algo que hasta entonces se le había escapado: el apellido de la mujer a la que había mencionado John Leydecker. McKay, Sandra McKay.

El hecho de que aquel pensamiento se le ocurriera de un modo tan repentino lo inundó de terror irracional. Intentó convencerse de que la persona que había gritado podría ser cualquiera, incluso un hombre, porque, a veces, los gritos de los hombres suenan como los de las mujeres cuando resultan heridos..., pero sabía que no era cierto. Era ella. Eran ellos. Los chiflados de Ed. Habían organizado un ataque a High Ridge.

Más sirenas tras él. El olor a humo, ahora más intenso. Lois mirándolo con expresión consternada y asustada, mientras seguía intentando recobrar el aliento. Ralph miró cuesta arriba y vio un buzón plateado colocado a un lado de la carretera. No llevaba ningún nombre, por supuesto; las mujeres que dirigían High Ridge habían hecho lo imposible por no destacar y conservar el anonimato, pero de poco les había servido. La banderita del buzón estaba levantada. Alguien

430

tenía una carta para el cartero. Aquello le recordó la carta que Helen le había enviado desde High Ridge, una carta cautelosa, pero llena de esperanza.

Más disparos. El aullido de un rebote. Cristales rotos. Un alarido que podría haber sido de furia, aunque, con toda probabilidad, era de dolor. El crujido hambriento de las llamas devorando madera seca. Sirenas. Y los oscuros ojos españoles de Lois, clavados en él porque él era el hombre y a ella la habían educado en la creencia de que el hombre sabía lo que tenía que hacer en situaciones como aquélla.

«¡Pues haz algo! —se gritó a sí mismo—. ¡Por el amor de Dios, haz algo!»

Pero ¿qué? La razón y el pensamiento coherente estaban sumergidos bajo un amasijo de imágenes vertiginosas: el panamá de Bill con un mordisco en el ala, huellas relucientes, las huellas del hombre blanco, sobre la acera que pasaba ante la casa de May Locher, la cartera de Trigger Vachon abriéndose y cerrándose mientras su dueño agitaba los brazos para que Ralph se detuviera, Dumbo con la cara de Susan Day pegada entre las enormes orejas extendidas.

—¡PICKERING! —aulló una voz amplificada por megáfono desde el lugar en que la carretera describía una curva en dirección a un grupo de piceas jóvenes, del tamaño de árboles de Navidad. Ralph veía ya chispas rojas y lenguas de fuego anaranjado entre el humo cada vez más denso que se elevaba por encima de los abetos.

—¡PICKERING! ¡AHÍ DENTRO HAY MUJERES! ¡DÉJANOS SALVAR A LAS MUJERES!

—Sabe que hay mujeres —murmuró Lois—. ¿Es que no entienden que lo sabe? ¿Es que son estúpidos, Ralph?

Un extraño grito tembloroso respondió a la voz del megáfono, y Ralph tardó unos segundos en darse cuenta de que aquella respuesta era una especie de carcajada. Otra salva de disparos de metralleta, contrarrestada por una andanada de disparos de revólver y rifle.

Lois le oprimió la mano; tenía los dedos helados.

—¿Qué hacemos, Ralph? ¿Qué hacemos ahora?

Ralph contempló el humo gris negruzco que se elevaba por encima de los árboles, luego los coches de policía que subían la cuesta a toda velocidad (esta vez eran más de media docena) y por fin el rostro pálido y tenso de Lois. Tenía la mente algo más despejada, no mucho, pero lo suficiente como para darse cuenta de que sólo había una respuesta a su pregunta.

—Pues subimos —dijo.

Otra vez el parpadeo, y las llamas que ascendían por la arboleda pasaron del naranja al verde. El chisporroteo hambriento quedó amortiguado, como el sonido de los petardos al estallar dentro de una caja cerrada. Sin soltar la mano de Lois, Ralph la condujo alrededor del parachoques delantero del coche de la policía del estado que bloqueaba la carretera.

Los coches de policía recién llegados se detenían detrás del vehículo atravesado. Agentes de uniforme azul se apeaban de ellos casi antes de que se detuvieran del todo. Algunos de ellos llevaban armas antidisturbios y la mayoría, chalecos negros acolchados. Uno de ellos atravesó a Ralph como una ráfaga de viento cálido antes de que pudiera hacerse a un lado; un joven llamado David Wilbert, que creía que su mujer estaba liada con su jefe de la agencia inmobiliaria, donde trabajaba de secretaria. El asunto de su mujer, sin embargo, había quedado relegado a segundo término (al menos de momento) por la acuciante necesidad que tenía de orinar, así como por la cantinela constante y aterrada que le recorría de pies a cabeza como una serpiente:

(«*No quedarás en ridículo, no quedarás en ridículo, no, no, no.*»)

—¡PICKERING! —aulló la voz amplificada, y Ralph se dio cuenta de que sentía el sabor de las palabras en la boca, como si de pequeñas balas de plata se tratara—. ¡PICKERING, TUS AMIGOS ESTÁN MUERTOS! ¡TIRA EL ARMA Y SAL AL JARDÍN! ¡DÉJANOS SALVAR A LAS MUJERES!

Ralph y Lois doblaron la esquina, invisibles a los hombres que corrían a su alrededor, y llegaron a un amasijo de coches patrulla aparcados en el lugar en que la carretera se convertía en un camino de entrada flanqueado por hermosas jardineras repletas de flores otoñales.

«Ese toque femenino tan importante», pensó Ralph.

El camino de entrada se abría al patio de una granja laberíntica de color blanco y al menos setenta años de antigüedad. Era un edificio de tres pisos, con dos alas y un porche largo que ocupaba toda la fachada y proporcionaba una vista impresionante hacia el oeste, donde las lejanas montañas azules se recortaban contra el cielo matinal. Aquella casa de tan bucólica vista había sido en otro tiempo el hogar de la familia Barrett y su negocio de manzanas, y en la actualidad era el hogar de docenas de mujeres maltratadas y asustadas, pero un breve vistazo bastó a Ralph para determinar que al día siguiente a la misma hora ya no sería el hogar de nadie. El ala sur estaba en llamas y aquel extremo del porche empezaba a arder; lenguas de fuego se asomaban a las ventanas y lamían con lascivia los aleros; las ripias flotaban hacia el cielo en fieros fragmentos. Vio una mecedora de mimbre ardiendo en el extremo más alejado del porche. Una bufanda a medio tejer yacía sobre uno de los brazos; las agujas que pendían de ella estaban al rojo vivo. En algún lugar, un carillón emitía una enloquecedora y repetitiva melodía.

Una mujer muerta, enfundada en pantalones de militar verdes y cazadora de combate, estaba tendida boca abajo sobre los escalones del porche, con la mirada furiosa clavada en el cielo a través de los cristales manchados de sangre de sus gafas. Tenía tierra en el pelo, una pistola en la mano y un agujero negro y rasgado en el vientre. Un hombre estaba doblado sobre la barandilla del extremo norte del porche; uno de sus pies calzados con botas estaba apoyado sobre el cortacésped. También llevaba pantalones de militar y cazadora de combate. Debajo, un rifle de asalto con cargador curvado sobresaliendo de él yacía en un parterre de flores. La sangre le corría por los dedos y caía gota a gota de las uñas. A Ralph, aquellas gotas se le antojaron negras y muertas.

«Felton —se dijo—. Si la policía todavía está gritando a Charlie Pickering, si Pickering está dentro, entonces éste debe de ser Felton. ¿Y qué hay de Susan Day? Ed está en algún lugar de la costa (Lois parecía estar muy segura de eso, y creo que tiene razón), pero ¿qué pasa si Susan Day está aquí? Dios mío, ¿es posible?»

Suponía que sí, pero las posibilidades no importaban, no en aquel momento. Con toda seguridad, Helen y Natalie estaban ahí dentro, junto con Dios sabía cuántas otras mujeres indefensas y aterrorizadas, y eso era lo que importaba.

Del interior de la casa llegó el sonido de cristales rotos, seguido de una leve explosión... casi un jadeo. Ralph vio nuevas llamas ascender tras los paneles de la puerta principal.

«Cócteles Molotov —pensó—. Charlie Pickering por fin tiene ocasión de lanzar unos cuantos cócteles Molotov. Qué bien.»

Ralph no sabía cuántos policías acechaban tras los coches aparcados en el extremo del camino de entrada, aunque creía que serían unos treinta, pero reconoció a los dos que habían detenido a Ed Deepneau de inmediato. Chris Nell estaba agazapado tras el neumático delantero del coche de la policía de Derry más próximo a la casa, mientras que John Leydecker, enfundado en una chaqueta de béisbol de los Osos Negros de Maine y pantalones de poliéster, estaba junto a él, rodilla en tierra. Nell era el del megáfono, y cuando Ralph y Lois se acercaron al fortín policial, lanzó una mirada a Leydecker. Leydecker asintió con un gesto, señaló hacia la casa y movió las manos con las palmas hacia fuera en dirección a Nell, un gesto que a Ralph no le costó interpretar: *Ten cuidado*. Leyó algo más inquietante en el aura de Chris Nell, que el joven estaba demasiado emocionado como para tener cuidado. Demasiado cargado. Y en aquel instante, como si el pensamiento de Ralph lo hubiera provocado, el aura de Nell empezó a cambiar de color. Pasó del azul celeste al gris oscuro y después al negro con aterradora rapidez.

—¡RÍNDETE, PICKERING! —gritó Nell sin darse cuenta de que era un hombre muerto que respiraba.

433

La culata de un rifle de asalto rompió el cristal de una de las ventanas de la planta baja del ala norte y desapareció. Al mismo tiempo, el abanico que había sobre la puerta principal estalló, salpicando el porche de fragmentos de vidrio. Las llamas surgieron rugiendo del agujero. Al cabo de un segundo, la puerta se abrió como empujada por una mano invisible. Nell se asomó un poco más, tal vez creyendo que el tirador había entrado por fin en razón y tenía intención de entregarse.

Ralph, gritando: («¡Tira de él, Johnny! ¡TIRA DE ÉL!»)

El rifle reapareció, esta vez con el cañón por delante.

Leydecker alargó la mano para agarrar a Nell por el cuello de la chaqueta, pero no fue lo bastante rápido. El rifle automático emitió otra serie de toses rápidas y secas, y Ralph oyó el *pink pink pink* metálico de las balas al agujerear el delgado acero del coche patrulla. El aura de Chris Nell se había tornado completamente negra..., se había convertido en una bolsa de la muerte. Cayó a un lado cuando una bala lo alcanzó en el cuello; se soltó de la mano de Leydecker y se desplomó en el patio con un pie agitándose espasmódicamente. El megáfono se le cayó de la mano con un breve aullido de acople. Un policía agazapado tras otro de los coches profirió un grito de sorpresa y horror. El grito de Lois fue mucho más fuerte.

Más balas surcaron el patio en dirección a Nell y agujerearon los muslos de su uniforme azul. Ralph entrevió al hombre de la bolsa de la muerte que lo estaba sofocando; estaba haciendo esfuerzos ciegos por darse la vuelta y levantarse. Su intento tenía algo especialmente horrible; a Ralph le parecía estar viendo a una criatura atrapada en una red y ahogándose en aguas poco profundas y asquerosas.

Leydecker salió de detrás del coche de policía, y cuando sus dedos desaparecieron en la membrana negra que envolvía a Chris Nell, Ralph oyó al viejo Dor decir: «Yo de ti no lo tocaría más, Ralph. No te veo las manos.»

Lois: («¡No! ¡No lo haga, ya está muerto!»)

El arma asomada a la ventana había empezado a desplazarse hacia la derecha. Ahora apuntó a toda prisa a Leydecker, y el hombre que la manejaba no parecía asustado ni herido por el aluvión de balas que le habían disparado los policías restantes. Ralph levantó la mano derecha y la bajó de nuevo en aquel movimiento de karateka, pero esta vez, en lugar de una cuña de luz, las yemas de sus dedos emitieron algo parecido a una enorme lágrima azul. Se desparramó por el aura color limón de Leydecker en el momento en que el rifle de la ventana volvía a abrir fuego. Ralph vio dos balas chocar contra el árbol que se alzaba a la derecha de Leydecker, arrancar fragmentos de corteza y practicar agujeros negros en la capa inferior entre amarillenta y blanquecina del abeto. Otra bala chocó contra la membrana azul que cubría el aura de Leydecker; Ralph vio una momentánea chispa de color rojo oscuro junto a la sien del detective y oyó un leve aullido cuando la bala rebotó o bien saltó, al igual que las piedras planas saltan sobre la superficie de un lago.

Leydecker tiró de Nell hasta detrás del coche, lo miró, abrió la portezuela del conductor y se precipitó al interior. Ralph ya no lo veía, pero sí lo oyó gritar a alguien por la radio, preguntarle dónde coño estaban los vehículos de rescate.

Más cristales rotos, y Lois se aferró frenética al brazo de Ralph, señalando algo, un ladrillo rodando en el patio. Había surgido de una de las ventanas bajas y estrechas de la parte inferior del ala norte. Aquellas ventanas quedaban casi ocultas por los parterres que flanqueaban la casa.

—¡Ayúdennos! —gritó una voz a través de la ventana rota mientras el hombre del rifle disparaba al ladrillo en un acto reflejo, levantando nubecillas de polvo rojizo y rompiendo el ladrillo en tres pedazos irregulares.

Ni Ralph ni Lois habían oído jamás aquella voz alzarse en un grito, pero ambos la reconocieron al instante; era la voz de Helen Deepneau.

—¡Ayúdennos, por favor! ¡Estamos en el sótano! ¡Hay niños con nosotras! ¡Por favor, no nos dejen morir abrasadas! ¡HAY NIÑOS CON NOSOTRAS!

Ralph y Lois cambiaron una mirada consternada y a continuación echaron a correr hacia la casa.

Dos figuras uniformadas, que con sus abultados chalecos Kevlar más parecían delanteros de fútbol que policías, salieron de detrás de uno de los coches patrulla y corrieron hacia la casa agachados y con las armas preparadas. Mientras atravesaban el patio en diagonal, Charles Pickering se asomó a la ventana sin dejar de reír como un demente, el cabello gris más estrafalario que nunca. La cantidad de disparos efectuados contra él era increíble; las astillas llovían sobre él desde ambos lados de la ventana, y el canalón del tejado se desplomó y chocó contra el suelo del porche con un golpe hueco, pero ni una sola bala le rozó siquiera.

«¿Cómo es posible que no le alcancen?», pensó Ralph mientras él y Lois subían la escalinata del porche en dirección a las llamas amarillas que ahora surgían de la puerta abierta. «Por el amor de Dios, si lo tienen perfectamente a tiro, ¿cómo es posible que no le alcancen?»

Pero en realidad conocía la respuesta... y también la razón. Cloto le había explicado que tanto Átropos como Ed Deepneau estaban rodeados de fuerzas malignas, aunque protectoras. ¿Acaso no era posible que esas mismas fuerzas estuvieran protegiendo ahora a Charlie Pickering, del mismo modo que Ralph había protegido a Leydecker cuando había salido de detrás del coche para poner a su compañero moribundo a cubierto?

Pickering abrió fuego contra los policías del estado, cambiando el arma a disparo a ráfagas. Apuntaba bajo para no disparar a los chalecos que llevaban y arrojarlos al suelo. Uno de ellos se desplomó en silencio. El otro se arrastró por donde había venido, chillando que estaba herido, estaba herido, oh, mierda, estaba gravemente herido.

—¡Barbacoa! —gritó Pickering por la ventana sin dejar de emitir aquella risa loca—. ¡Barbacoa! ¡Barbacoa! ¡Banquete sagrado! ¡Quememos a las zorras! ¡El fuego de Dios! ¡El fuego sagrado de Dios!

Se oyeron más gritos, al parecer procedentes de algún lugar bajo los pies de Ralph, y cuando bajó la mirada vio algo terrible: un amasijo de auras surgía de entre las tablas del porche como si de vapor se tratara; la variedad de colores estaba teñida del resplandor escarlata de sangre que las acompañaba... y las rodeaba. Aquella silueta de color rojo sangre no era lo mismo que el nubarrón que se había formado sobre la pelea entre el Chiquillo Verde y el Chiquillo Anaranjado delante de la Manzana Roja, pero Ralph creía que guardaba una estrecha relación; la única diferencia residía en que ésta se debía al miedo en lugar del enojo y la agresividad.

—¡Barbacoa! —seguía gritando Charlie Pickering, además de algo relativo a matar a las zorras diabólicas.

De repente, Ralph le odió más de lo que había odiado a nadie en toda su vida.

(«*Vamos, Lois... Entremos a acabar con ese cabrón.*»)

La cogió de la mano y la llevó al interior de la casa en llamas.

22

La puerta del porche daba a un pasillo central que llegaba hasta la parte posterior de la casa y estaba en llamas. A los ojos de Ralph eran de color verde brillante, y cuando él y Lois las atravesaron, las notaron frías; era como atravesar membranas esponjosas impregnadas de una sustancia mentolada. Los crujidos de la casa devorada por las llamas estaban amortiguados; los disparos quedaban tan lejanos e insignificantes como el sonido del trueno para un buzo..., y así era más que nada como se sentían, como buzos. Él y Lois eran seres invisibles nadando en un río de fuego.

Señaló una puerta que quedaba a su derecha y dirigió una mirada interrogante a Lois, la cual asintió en silencio. Ralph alargó la mano hacia el pomo y su cara se contrajo en una mueca de disgusto cuando sus dedos lo atravesaron. Pero, mejor, por supuesto; si hubiera podido coger el maldito pomo, se habría dejado las dos primeras capas de la piel de los dedos carbonizadas en él.

(«*Tenemos que atravesarla, Ralph.*»)

Ralph la observó con atención, vio mucho miedo y preocupación en sus ojos, aunque no pánico, y asintió. Atravesaron la puerta juntos en el momento en que la araña colgada a medio pasillo caía al suelo entre el estruendo de cristales y cadenas de hierro.

Al otro lado de la puerta había una sala, y lo que vieron allí hizo que el estómago de Ralph se contrajera de horror. Dos mujeres yacían apoyadas contra la pared, bajo un gran cartel que mostraba a Susan Day en vaqueros y camisa estilo del Oeste (NO DEJES QUE TE LLAME PEQUEÑA A MENOS QUE QUIERAS QUE TE TRATE COMO TAL, recomendaba el cartel). Habían recibido sendos disparos a quemarropa en la cabeza; trozos de cerebro, jirones de cuero cabelludo y fragmentos de hueso salpicaban el papel floreado de la pared y las elegantes botas de vaquera bordadas de Susan Day. Una de ellas estaba embarazada. La otra era Gretchen Tillbury.

Ralph recordó el día en que Gretchen había ido a su casa con He-

437

len para advertirle y darle una lata de algo llamado Guardaespaldas; aquel día la había considerado bella..., claro que aquel día, su cerebro seguía intacto y la mitad de su hermoso cabello rubio no estaba chamuscado por un disparo de rifle efectuado a bocajarro. Quince años después de escapar por los pelos del marido que había estado a punto de asesinarla, otro hombre había apuntado a la cabeza de Gretchen Tillbury con un arma y la había enviado al otro barrio. Nunca volvería a contarle a otra mujer a qué se debía aquella cicatriz que tenía en el muslo izquierdo.

Por un terrible instante, Ralph creyó que iba a desmayarse. Se concentró y consiguió evitar el desvanecimiento pensando en Lois. Su aura había adquirido un aterrado color rojo oscuro. Líneas melladas la surcaban y atravesaban. Parecían la lectura del electrocardiograma de una mujer que acabara de sufrir un ataque al corazón fatal.

(«¡Oh, Ralph! ¡Oh, Dios mío, Ralph!»)

En el extremo sur de la casa, algo estalló con fuerza suficiente como para abrir la puerta que acababan de atravesar. Ralph suponía que podía tratarse de uno o varios depósitos de propano..., aunque no importaba demasiado a aquellas alturas. Jirones llameantes de papel pintado entraron volando desde el pasillo, y Ralph vio las cortinas de la estancia y los restos del cabello de Gretchen flotar hacia la puerta mientras el fuego succionaba el aire de la habitación para alimentarse. ¿Cuánto tardaría el fuego en convertir a las mujeres y los niños del sótanos en bichos crujientes? Ralph no lo sabía y sospechaba que daba igual; la mayoría de las personas encerradas allá abajo morirían de asfixia o de intoxicación por humo mucho antes de arder.

Lois miraba a las mujeres muertas con expresión horrorizada. Gruesas lágrimas le rodaban por las mejillas. La espectral luz gris que manaba de las huellas que dejaban tras de sí parecía vapor manando de un bloque de hielo seco. Ralph la hizo cruzar el salón hasta la puerta de doble hoja que había al otro lado, se detuvo el tiempo suficiente para aspirar una profunda bocanada de aire, ciñó el brazo alrededor de los hombros de Lois y atravesó con ella la madera.

Se produjo un instante de oscuridad en el que no sólo su nariz, sino todo su cuerpo pareció impregnarse del dulce olor a serrín, y de repente se encontraron en la siguiente estancia, la habitación situada más al norte de toda la casa. Tal vez en otro tiempo había sido un estudio, pero ahora era una sala de terapia de grupo. En el centro se veía un círculo compuesto por alrededor de una docena de sillas plegables. Las paredes estaban cubiertas de carteles que afirmaban cosas como NO PUEDO ESPERAR RESPETO DE NADIE HASTA QUE NO ME RESPETE A MÍ MISMA. Sobre una pizarra colocada en un extremo de la habitación, alguien había escrito SOMOS UNA FAMILIA, TODAS MIS HERMANAS ESTÁN CONMIGO en letras de imprenta. Agazapado junto a la pizarra y junto a una de las ventanas que daban al este y al porche, ataviado con un chaleco de balas sobre el suéter de Snoopy que Ralph habría reconocido en cualquier parte, estaba Charlie Pickering.

—¡Asemos a todas las mujeres impías! —gritó.

Una bala pasó con un silbido junto a su hombro; otra se incrustó en el marco de la ventana, a su derecha, y envió una astilla contra el vidrio de sus gafas de montura de concha. La idea de que lo estaban protegiendo volvió a cruzar la mente de Ralph, aunque esta vez con total certeza.

—¡Barbacoa de lesbianas! ¡Vamos a darles un poco de su propia medicina! ¡Vamos a enseñarles cómo sienta!

(«*Quédate arriba, Lois... Quédate exactamente donde estás.*»)

(«*¿Qué vas a hacer?*»)

(«*Ocuparme de él.*»)

(«*¡No lo mates, Ralph! ¡No lo mates, por favor!*»)

«¿Por qué no? —pensó Ralph con amargura—. Le haría un favor al mundo.» Sin lugar a dudas, estaba en lo cierto, pero no era momento de discutir.

(«*¡De acuerdo, no lo mataré! Y ahora quédate quieta, Lois. Hay demasiadas balas como para que los dos nos arriesguemos a bajar.*»)

Antes de que Lois pudiera replicar, Ralph se concentró, invocó el parpadeo y descendió al nivel de los Mortales. Sucedió con tal rapidez y brusquedad que se sintió atontado, como si acabara de saltar de la ventana de un segundo piso y aterrizar sobre hormigón duro. Algunos de los colores desaparecieron y fueron sustituidos por ruido; el crujido del fuego, ya no amortiguado, sino penetrante y cercano; el petardeo de una andanada de disparos de escopeta; el traqueteo de disparos de revólver efectuados en rápida sucesión. El aire sabía a hollín, y en la sala hacía un color sofocante. Algo que parecía un insecto pasó zumbando junto a la oreja de Ralph. Tenía la sensación de que se trataba de un bicho del calibre 45.

Será mejor que te des prisa, cariño, le aconsejó Carolyn. *En este nivel, cuando las balas te alcanzan, te matan, ¿te acuerdas?*

Se acordaba.

Ralph corrió agachado hacia la espalda de Pickering. Sus pies crujían sobre los fragmentos de vidrio y las astillas de madera, pero Pickering no se volvió. Además del arma automática que tenía en la mano, llevaba un revólver en la cadera, y junto a su pie izquierdo había un pequeño talego militar verde. El talego tenía la cremallera abierta, y Ralph vio un montón de botellas de vino en su interior. Estaban abiertas, y los cuellos, rellenos con trapos mojados.

—¡Matemos a las zorras! —chilló Pickering disparando otra salva al patio.

Retiró el cargador y se levantó el suéter, dejando al descubierto tres o cuatro más que llevaba sujetos bajo el cinturón. Ralph introdujo la mano en el talego abierto, cogió una de las botellas de vino llenas de gasolina por el cuello y golpeó a Pickering en la sien. En aquel momento, comprendió la razón por la que Pickering no le había oído acercarse, aunque Ralph había hecho mucho ruido: el hombre llevaba tapones en los oídos. Antes de que pudiera reflexionar sobre la ironía que suponía que un hombre en misión suicida se tomara la molestia de protegerse los oídos, la botella se hizo añicos contra la sien de Pickering, inundándolo de líquido ambarino y cristal verde. Pickering retrocedió dando tumbos y se llevó la mano al cuero cabelludo, que tenía cortes en dos lugares. La sangre le fluía por entre los largos dedos, dedos que deberían haber pertenecido a un pianista o a un pintor, pensó Ralph, y también por el cuello. Se dio la vuelta con los ojos abiertos de asombro detrás de los cristales sucios de las gafas y el cabello apuntando al cielo, lo que le confería el aspecto de la caricatura de un hombre que acabara de recibir una potentísima descarga eléctrica.

—¡Tú! —aulló—. ¡Centurión enviado por el diablo! ¡Impío asesino de bebés!

Ralph pensó en las dos mujeres de la otra habitación, y una nueva oleada de enojo lo embargó..., aunque enojo era una palabra demasiado suave, y con mucho. Tenía la sensación de que los nervios le ardían bajo la piel. Y la idea que le tamborileaba en la mente era *una de ellas estaba embarazada así que quién es el asesino de bebés, una de ellas estaba embarazada así que quién es el asesino de bebés.*

Otro insecto de gran calibre pasó zumbando junto a su oreja. Ralph ni siquiera se dio cuenta. Pickering estaba intentando levantar el rifle con el que, sin lugar a dudas, había matado a Gretchen Tillbury y a su amiga embarazada. Ralph se lo arrebató de las manos y le apuntó. Pickering profirió un grito de terror. El sonido de aquel grito enfureció aún más a Ralph, y olvidó la promesa que había hecho a Lois. Levantó el rifle, resuelto a vaciar el cargador sobre el hombre que se acurrucaba acobardado contra la pared (en su ofuscación, a ninguno de los dos se le había ocurrido que el arma no tenía cargador en aquel momento), pero antes de que pudiera apretar el gatillo, un intenso enjambre de luz que surgió junto a él lo distrajo. Al principio carecía de forma; era tan sólo un fabuloso caleidoscopio cuyos colores habían escapado de algún modo del tubo que debía contenerlos, y de repente adquirió la forma de una mujer con un lazo gris largo y esponjoso surgiendo de su cabeza.

(«*No lo mates*.)

¡Ralph, por favor, no lo mates!

Por un instante vio la pizarra y leyó la cita escrita en tiza sobre ella, y los colores se convirtieron en su ropa, su cabello y su piel en el

440

momento en que llegó abajo. Pickering la miró bizco de pavor. Profirió otro grito, y la entrepierna de sus pantalones de combate se tornó más oscura. Se metió los dedos en la boca, como si quisiera mitigar los sonidos que emitía.

—¡Un fanfahma! —gritó por entre los dedos—. ¡Un Henfurión y un fanfahma!

Lois no le hizo caso y agarró el cañón del rifle.

—¡No lo mates, Ralph! ¡No lo mates!

De repente, Ralph se enfureció con ella también.

—¿Es que no lo entiendes, Lois? ¿Es que no lo captas? ¡Sabía lo que hacía! ¡En cierto modo, lo sabía! ¡Lo he visto en su aura!

—No importa —replicó sosteniendo el cañón del rifle para que apuntara al·suelo—. No importa lo que supiera o dejara de saber. No podemos hacer lo que hacen ellos. No podemos ser como ellos.

—Pero...

—Ralph, quiero soltar el cañón de este rifle. Está muy caliente. Me está quemando los dedos.

—De acuerdo —accedió Ralph, soltando el rifle al mismo tiempo que ella.

El arma cayó al suelo entre ellos, y Pickering, que se había deslizado hacia el suelo por la pared con los dedos aún metidos en la boca y la mirada brillante y vidriosa clavada en Lois, se abalanzó sobre ella con la rapidez de una serpiente cascabel al ataque.

Lo que Ralph hizo a continuación fue espontáneo y, desde luego, no fruto del enojo; actuó por puro instinto. Alargó los brazos hacia Pickering y le cogió ambos lados del rostro. En su mente, algo relampagueó con fuerza, algo que se le antojaba la lente de una potente lupa. Volvió a subir unos cuantos niveles, por una fracción de segundo, hasta un nivel en el que ninguno de los dos había estado todavía. Al término del ascenso, sintió una tremenda fuerza brillar en su cabeza y estallar en sus brazos. Al descender de nuevo, oyó el bang, un sonido hueco pero claro que no se parecía nada a los disparos que aún se efectuaban desde el patio.

El cuerpo de Pickering sufrió una tremenda sacudida, y sus piernas se abrieron con tal brusquedad que uno de sus zapatos salió despedido. Sus nalgas subieron y volvieron a bajar en un increíble espasmo. Sus dientes se cerraron sobre el labio superior y un reguero de sangre empezó a brotar de su boca. Por un instante, Ralph casi estuvo seguro de que había visto diminutas chispas azules surgir de las puntas de su estrafalario cabello. Las chispas desaparecieron y Pickering se derrumbó de nuevo contra la pared. Miró a Ralph y a Lois con una expresión desprovista de cualquier preocupación.

Lois profirió un grito. En el primer momento, Ralph creyó que gritaba por lo que acababa de hacerle a Pickering, pero entonces vio que se estaba dando manotazos en la coronilla. Un jirón de papel pintado en llamas le había aterrizado allí y su cabello estaba en llamas.

Ralph la rodeó con un brazo, golpeó las llamas con la mano y a continuación protegió su cuerpo con el suyo en el momento en que una nueva salva de disparos de rifle y escopeta agujereaba el ala norte de la casa. La mano libre de Ralph estaba apoyada contra la pared, y vio aparecer un orificio de bala entre el tercer y el cuarto dedo como si de un truco de magia se tratara.

(*«¡Sube, Lois! ¡Sube*
ahora mismo!»)

Subieron juntos, convirtiéndose en humo coloreado ante los ojos vacuos de Pickering... y desaparecieron.

(*«¿Qué le has hecho, Ralph? Por un momento has desaparecido... Estabas arriba... y entonces... entonces él... ¿Qué le has hecho?»*)

Lois observaba a Charlie Pickering atónita y horrorizada. El hombre estaba sentado con la espalda apoyada en la pared, en una postura casi idéntica a la de las dos mujeres muertas de la habitación contigua. Mientras Ralph lo miraba, una gran burbuja de saliva rosada apareció entre sus labios fláccidos, creció y estalló.

Se volvió hacia Lois, la agarró por los brazos justo debajo de los codos y creó una imagen en su mente; la caja cortacircuitos que tenía en el sótano de su casa de Harris Avenue. Unas manos abrían la caja y apagaban con rapidez todos los interruptores. No estaba seguro de que la imagen fuera precisa, pues todo había sucedido tan deprisa que no estaba seguro de nada, pero creía que se acercaba bastante.

Lois abrió mucho los ojos y asintió en silencio. Miró a Pickering y de nuevo a Ralph.

(*«Lo ha provocado él mismo, ¿verdad? No lo has hecho adrede.»*)

Esta vez fue Ralph quien asintió en silencio, y de nuevo percibieron gritos bajo sus pies, gritos que, estaba casi seguro de ello, no percibían con el oído.

(*«Lois.»*)

(*«Sí, Ralph, ahora mismo.»*)

Ralph deslizó las manos por los brazos de Lois y la tomó de las manos, del mismo modo en que los cuatro se habían cogido de las manos en el hospital, sólo que esta vez bajaron en lugar de subir, penetrando en el suelo de madera como si fuera una piscina. Ralph percibió de nuevo el filo de oscuridad que le bloqueaba la visión, y de repente se encontraron en el sótano, flotando lentamente hacia un suelo sucio de cemento. En las sombras vio tuberías de estufa cubiertas de polvo, un equipo quitanieves colocado a un lado de un mortecino cilindro que, con toda probabilidad, era el calentador de agua, y cajas apiladas contra una pared de ladrillo, cajas de sopa, alubias, salsa de espagueti, café, bolsas de basura y papel higiénico. Todos aquellos objetos parecían ligeramente alucinatorios, como si no estuvieran del todo ahí, y en el primer momento Ralph creyó que se trataba de otro efecto secundario de su paso al siguiente nivel. Pero entonces se dio cuenta de que no era más que humo... El sótano se estaba llenando rápidamente de humo.

En un rincón de la estancia alargada y penumbrosa se hallaban apiñadas unas dieciocho o veinte personas, en su mayoría mujeres. Ralph vio también a un chiquillo de unos cuatro años abrazado a las rodillas de su madre, cuyo rostro mostraba los moratones desvaídos de lo que podría haber sido un accidente, pero seguramente era obra de alguien, a una niña un par de años mayor con la cara sepultada en el estómago de su madre... y a Helen. Sostenía a Natalie en brazos y le soplaba el rostro, como si de ese modo pudiera mantener limpio el aire que la rodeaba. Nat tosía y profería alaridos ahogados y desesperados. Detrás de las mujeres y los niños, Ralph vislumbró una escalera que desaparecía en las tinieblas.

(«*Ralph. Tenemos que bajar ahora mismo, ¿verdad?*»)

Ralph asintió, provocó el parpadeo en su mente y de repente se encontró tosiendo al aspirar una bocanada de humo acre. Se materializaron justo delante del grupo apiñado al pie de la escalera, pero sólo el chiquillo abrazado a las rodillas de su madre reaccionó. En aquel momento, Ralph supo que había visto a aquel niño en alguna otra parte, pero no recordaba dónde... El día de finales de verano en que lo había visto jugar a pelota..., con su madre en el parque Strawford, estaba a años luz de su mente en aquel instante.

—¡Mira, mamá! —exclamó el niño señalando y tosiendo—. ¡Ángeles!

Ralph oyó mentalmente la voz de Cloto diciendo *No somos ángeles, Ralph*, y entonces, sin soltar a Lois, se abrió paso hacia Helen a través del humo cada vez más denso. Los ojos ya le ardían y lagrimeaban, y oyó toser a Lois. Helen lo miraba atónita, lo miraba igual que aquel día de agosto en que Ed le había dado aquella tremenda paliza.

—¡Helen!

—¿Ralph? ¡Ralph!

—¡Esa escalera, Helen! ¿Adónde lleva?

—¿Qué haces aquí, Ralph? ¿Cómo has llegado hasta...?

Un acceso de tos la acometió y la hizo inclinarse hacia delante. Natalie estuvo a punto de salir despedida, y Lois la tomó en brazos antes de que Helen la dejara caer.

Ralph miró a la mujer que estaba a la izquierda de Helen, vio que aún era menos consciente de lo que estaba sucediendo, volvió a agarrar a Helen y la zarandeó.

—¿Adónde lleva esa escalera? —preguntó Lois.

Helen la miró por encima del hombro.

—A la trampilla del sótano —explicó—. Pero no sirve de nada. Está...

Se inclinó acometida por un nuevo acceso de tos seca. El sonido se parecía extrañamente al traqueteo del arma automática de Charlie Pickering.

—Está cerrada —terminó Helen—. Esa mujer gorda la ha cerrado. Llevaba el candado en el bolsillo. La he visto colocarlo. ¿Por qué lo ha hecho, Ralph? ¿Cómo sabía que bajaríamos al sótano?

«¿Dónde si no ibais a ir?», pensó Ralph con amargura antes de volverse hacia Lois.

—A ver qué puedes hacer, ¿de acuerdo?

—De acuerdo.

Lois le entregó el bebé, que seguía gritando y tosiendo, y se abrió paso entre el reducido grupo de mujeres. Susan Day no se hallaba entre ellas, al menos eso creía Ralph. En el extremo más alejado del sótano, una parte del techo se desplomó levantando una nube de chispas y azotando a la gente con una oleada de intenso calor. La niña con la cara sepultada en el estómago de su madre empezó a gritar.

Lois subió cuatro escalones y extendió las manos con las palmas abiertas, como un reverendo que diera la bendición. A la luz de las chispas, Ralph entrevió la silueta inclinada de la trampilla, Lois apoyó las manos contra ella. Durante unos instantes no ocurrió nada, pero entonces, Lois desapareció en un vertiginoso arcoiris de colores. Ralph oyó un agudo estallido que parecía un aerosol al explotar en el fuego, y de repente, Lois reapareció. Al mismo tiempo, a Ralph le pareció ver un latido de luz blanca sobre su cabeza.

—¿Qué hace bang, mamá? —inquirió el chiquillo que había llamado ángeles a Ralph y Lois—. ¿Qué hace bang?

Antes de que su madre pudiera responder, una pila de cortinas colocadas sobre una mesilla a unos siete metros de distancia prendió, pintando las caras de las mujeres atrapadas de penetrantes colores negros y anaranjados, como en Halloween.

—¡Ralph! —gritó Lois—. ¡Ayúdame!

Ralph se abrió paso entre las mujeres anonadadas y subió rápidamente la escalera.

—¿Qué pasa? —preguntó con la garganta ardiente, como si hubiera hecho gárgaras de queroseno—. ¿No puedes abrirla?

—Sí, he oído cómo se rompía el candado, bueno, lo he sentido mentalmente, pero esta puñetera trampilla pesa demasiado para mí. Tendrás que abrirla tú. Dame a la niña.

Ralph le entregó a Nat, alargó los brazos e intentó abrir la trampilla. Pesaba mucho, sí, señor, pero Ralph estaba cargado de adrenalina pura, y cuando apoyó los hombros contra ella y empujó, la trampilla se abrió de golpe. Un torrente de luz y aire fresco inundó el sótano. En las películas favoritas de Ralph, momentos como aquél solían celebrarse con exclamaciones de triunfo y alivio, pero en el primer momento, ninguna de las mujeres que habían estado atrapadas en el sótano emitió sonido alguno. Se limitaron a permanecer quietas y en silencio, mirando con expresión serena y atónita el rectángulo de cielo azul que Ralph había conjurado en el techo de la habitación que la mayoría de ellas había aceptado como su tumba.

«¿Y qué dirán más tarde? —se preguntó—. Si realmente salen de ésta con vida, ¿qué dirán? Que un hombre flaco de cejas pobladas y una mujer más bien rolliza (pero de hermosos ojos españoles) se materializaron en el sótano, rompieron el candado de la trampilla y las pusieron a salvo?»

Bajó la mirada y vio al niño que tan familiar le resultaba mirándolo con los ojos muy abiertos en una expresión solemne. Una cicatriz en forma de gancho le atravesaba el puente de la nariz. Ralph tenía la sensación de que aquel niño era el único que los había visto realmente, incluso después de que regresaran al nivel de los Mortales, y Ralph sabía perfectamente lo que diría: que habían venido unos ángeles, uno masculino y otro femenino, y que los habían salvado. «Buen plato para las noticias de esta noche», pensó Ralph. Sí, a Lisette Benson y John Kirkland les encantaría.

Lois dio una palmada brusca, como una monitora que informara a los niños que se había acabado el recreo.

—¡Vamos, chicas! ¡Moveos antes de que el fuego llegue a los depósitos de las estufas!

La mujer que tenía a la chiquilla fue la primera en moverse. Levantó a la pequeña, que no cesaba de llorar, en volandas y subió la escalera dando tumbos, tosiendo y sollozando. Las otras la siguieron. El chiquillo alzó la mirada hacia Ralph con admiración al pasar junto a él.

—Guapo, tío —dijo.

Ralph le dedicó una sonrisa sin poder evitarlo, y a continuación se volvió hacia Lois y señaló la escalera.

—Si no me equivoco, esto da a la parte trasera de la casa. No les dejes dar la vuelta todavía. La policía puede cargarse a la mitad antes de darse cuenta de que están disparando a las personas que han venido a salvar.

—De acuerdo.

Nada de preguntas, nada de palabras innecesarias, y Ralph la amó por eso. Lois subió la escalera de inmediato, deteniéndose tan sólo para agarrar por el codo a una mujer que tropezó.

Sólo quedaban Ralph y Helen Deepneau.

—¿Es Lois? —inquirió Helen.

—Sí.

—¿Tiene a Natalie?

—Sí.

Otro trozo de techo se derrumbó levantando otro remolino de chispas, y las llamas avanzaban a ciegas a lo largo de las vigas en dirección a la caldera.

—¿Estás seguro?

Helen se aferró a su camisa y lo miró con ojos frenéticos e hinchados.

—¿Estás seguro de que tiene a Natalie?

—Completamente seguro. Vámonos.

Helen miró en derredor y pareció contar mentalmente. En su rostro apareció una expresión de alarma.

—¡Gretchen! —exclamó—. ¡Y Merrilee! ¡Tenemos que ir a buscar a Merrilee, Ralph! ¡Está embarazada de siete meses!

—Está arriba —repuso Ralph agarrando a Helen por el brazo cuando dio muestras de querer abandonar la escalera y volver a zambullirse en el sótano en llamas—. Y Gretchen también. ¿Había alguien más?

—No, creo que no.

—Bien. Vámonos. Tenemos que salir de aquí.

Ralph y Helen salieron por la trampilla en una nube de humo gris oscuro; en cierto modo parecía el fin del mejor truco de un ilusionista de primera clase. En efecto, se hallaban en la parte trasera de la casa, cerca de los tendederos. Vestidos, pantalones, ropa interior y sábanas se agitaban en la refrescante brisa. En aquel momento, un tizón en llamas aterrizó sobre una de las sábanas y le prendió fuego. Más llamas brotaban de las ventanas de la cocina. Hacía un calor sofocante.

Helen se derrumbó en sus brazos, no inconsciente sino completamente agotada por el momento. Ralph tuvo que ceñirle el brazo alrededor de la cintura para impedir que cayera al suelo. La joven se aferró débilmente a su cuello, intentando decir algo acerca de Natalie. Entonces vio que Lois la sostenía en brazos y se tranquilizó un poco. Ralph logró cogerla con mayor firmeza y la alejó de la trampilla medio en volandas, medio a rastras. Mientras lo hacía, vio los restos de lo que parecía un candado nuevo en el suelo, junto a la puerta abierta. Estaba partido en dos y extrañamente retorcido, como si unas manos de tremenda fuerza lo hubieran roto.

Las mujeres esperaban a unos quince metros de distancia, apiñadas junto a la esquina de la casa. Lois se hallaba de cara a ellas y les hablaba para impedir que siguieran adelante. Ralph creía que con un poco de preparación y otro poco de suerte no les pasaría nada cuando doblaran la esquina; los disparos efectuados desde el fortín policial no se habían detenido, pero sí se habían tranquilizado un tanto.

—¡PICKERING!

Parecía la voz de Leydecker, aunque la amplificación del megáfono impedía afirmarlo con certeza.

—¡PICKERING! ¿POR QUÉ NO ERES INTELIGENTE POR UNA VEZ EN TU VIDA Y SALES ANTES DE QUE SEA DEMASIADO TARDE?

Más sirenas se aproximaban, y entre ellas se oía el inconfundible aullido acuoso de una ambulancia. Ralph llevó a Helen con las demás mujeres. Lois le devolvió a Natalie y a continuación se volvió hacia la voz amplificada y se llevó las manos a la boca a modo de amplificador.

—¡Hola! —gritó—. Los de ahí, ¿pueden...?

Se interrumpió acometida por una tos tan fuerte que estuvo a punto de vomitar. Se inclinó hacia delante con las manos apoyadas sobre las rodillas y los ojos irritados por el humo llenos de lágrimas.

—¿Estás bien, Lois? —preguntó Ralph.

Por el rabillo del ojo vio que Helen cubría de besos el rostro del Bebé Ensalzado y Venerado.

—Estoy bien —aseguró Lois al tiempo que se enjugaba las lágrimas con la mano—. Es este maldito humo, nada más —volvió a llevarse las manos a la boca—. ¿Pueden oírme?

Los disparos seguían disminuyendo, pero todavía se oían algunas detonaciones aisladas de revólver. A Ralph no le hizo ni pizca de gracia. Uno de esos disparos aislados en el lugar equivocado podía matar a una mujer inocente.

—¡Leydecker! —aulló tras llevarse las manos a la boca—. ¡John Leydecker!

Hubo un silencio, y de repente, la voz amplificada dio una orden que alegró el corazón de Ralph.

—¡ALTO EL FUEGO!

Otra detonación y luego el silencio, roto tan sólo por los sonidos de la casa en llamas.

—¿QUIÉN HABLA? ¡IDENTIFÍQUENSE!

Pero Ralph creía que ya tenía suficientes problemas como para añadir uno más.

—¡Las mujeres están aquí atrás! —gritó reprimiendo un acceso de tos—. ¡Voy a enviarlas hacia allá!

—¡NO, NO LO HAGA! —replicó Leydecker—. ¡HAY UN HOMBRE ARMADO EN LA ÚLTIMA HABITACIÓN DE LA PLANTA BAJA! ¡YA HA MATADO A VARIAS PERSONAS!

Una de las mujeres gimió y se cubrió el rostro con las manos.

Ralph se aclaró la garganta irritada como pudo (en aquel momento creía que habría dado toda su jubilación por una Coca-Cola helada) y gritó:

—¡No se preocupen por Pickering! ¡Pickering está...!

Pero ¿cómo estaba Pickering exactamente? Buena pregunta, ¿eh?

—¡El señor Pickering ha perdido el conocimiento! ¡Por eso ha dejado de disparar! —gritó Lois a sus espaldas.

Ralph no creía que «perdido el conocimiento» fuera la expresión más adecuada, pero de momento serviría.

—¡Las mujeres irán a la parte delantera de la casa con las manos en alto! ¡No disparen! ¡Asegúrennos que no van a disparar!

Hubo un momento de silencio.

—¡NO DISPARAREMOS, PERO ESPERO QUE SEPAN LO QUE HACEN, SEÑORA!

Ralph hizo una seña a la mujer que llevaba al chiquillo.

—Vamos. Vosotros dos encabezaréis el desfile.

—¿Está seguro de que no nos harán daño?

Los cardenales desvaídos del rostro de la joven, un rostro que a Ralph le sonaba vagamente, sugerían que las cuestiones acerca de quién le haría daño y quién no formaban parte integrante de su vida.

—¿Está seguro?

—Sí —repuso Lois sin dejar de toser y con los ojos irritados, aún llenos de lágrimas—. Levanten las manos. Puedes hacerlo, ¿verdad, muchachote?

El niño levantó los brazos con el entusiasmo de un jugador veterano de policías y ladrones, pero sus ojos brillantes no se apartaron del rostro de Ralph.

—«Rosa —pensó Ralph—. *Si pudiera ver su aura, seguro que sería de ese color.*» No sabía con certeza si era intuición o recuerdo, pero sabía que así era.

—¿Y qué pasa con la gente que está dentro? —inquirió otra mujer—. ¿Y si dispara? Tenían armas... ¿Qué pasa si disparan?

—Nadie va a disparar desde la casa —aseguró Ralph—. Vamos.

La madre del pequeño lanzó a Ralph otra mirada titubeante y por fin se volvió hacia su hijo.

—¿Preparado, Pat?

—¡Sí! —asintió Pat con una sonrisa radiante.

Su madre asintió y levantó una mano. Ciñó la otra alrededor de los hombros del niño con un ademán frágil que conmovió a Ralph. Así doblaron la esquina de la casa.

—¡No nos hagan daño! —gritó—. ¡Vamos con las manos en alto y tengo a mi pequeño conmigo, así que no nos hagan daño!

Las demás esperaron unos instantes, y a continuación, la mujer que se había cubierto el rostro con las manos echó a andar.

La siguió la madre de la niña, que ahora iba en sus brazos, pero con las manos levantadas obedientemente. Las otras la siguieron, la mayoría de ellas tosiendo, todas ellas con las manos vacías en alto. Cuando Helen se disponía a unirse a la comitiva, Ralph le rozó el hombro. Helen alzó los ojos enrojecidos hacia él y lo observó con expresión serena y maravillada a un tiempo.

—Es la segunda vez que estás ahí cuando Nat y yo te necesitamos —comentó—. ¿Eres nuestro ángel de la guarda, Ralph?

—Quizá —repuso—. Quizá sí. Escucha, Helen, no hay mucho tiempo. Gretchen ha muerto.

Helen asintió y rompió a llorar.

—Lo sabía. No quería saberlo, pero de alguna forma lo sabía.

—Lo siento mucho.

—Nos lo estábamos pasando tan bien cuando llegaron esos tipos. Bueno, estábamos nerviosas, pero también nos reíamos y hablábamos mucho. Teníamos intención de pasar el día preparando la conferencia de esta noche. La manifestación y la conferencia de Susan Day.

—Es de esta noche de lo que quiero hablarte —dijo Ralph con toda la suavidad de que era capaz—. ¿Crees que todavía...?

—Estábamos preparando el desayuno cuando han llegado.

Hablaba como si no le hubiera oído; Ralph suponía que en verdad no le había oído. Nat miraba por encima del hombro de Helen, y aunque seguía tosiendo, había dejado de llorar. A salvo en los brazos de su madre, paseaba la mirada entre Ralph y Lois con vivaz curiosidad.

—Helen... —empezó Lois.

—¡Mirad! ¿Veis eso?

Helen señaló un viejo Cadillac marrón aparcado en el cobertizo de herramientas que había sido la prensa de la sidra en los tiempos en que Ralph y Carolyn iban a la Huerta de Barrett; lo más probable era que en High Ridge lo utilizaran como garaje. El Cadillac estaba en pésimo estado: parabrisas agrietado, suelos mellados, un faro cubierto de cinta aislante. El parachoques aparecía sembrado de adhesivos pro vida.

—Han venido en ese coche. Han ido a la parte trasera de la casa como si quisieran guardar el coche en el garaje. Creo que es eso lo que nos ha despistado. Han venido a la parte trasera como si fueran de la casa.

Contempló el coche por unos instantes, y a continuación clavó los ojos enrojecidos y tristes en Ralph y Lois.

—Alguien debería haber prestado atención a los adhesivos del maldito trasto.

De repente, Ralph recordó a Barbara Richards, la recepcionista del Centro de la Mujer, que se había tranquilizado al ver acercarse a Lois. No le había importado que Lois metiera la mano en el bolso para sacar algo; lo que le había importado era que Lois era una mujer.

Una hermana. Sandra McKay había estado al volante del Cadillac. A Ralph no le hacía falta preguntárselo a Helen para saberlo. Habían visto a una mujer y hecho caso omiso de los adhesivos. Somos una familia; todas mis hermanas están conmigo.

—Cuando Deanie ha dicho que los tipos que salían del coche llevaban ropa militar y armas, todas hemos creído que era una broma. Bueno, todas menos Gretchen. Nos ha dicho que bajáramos lo más deprisa posible. Y entonces ha ido a la sala. Para llamar a la policía, supongo. Debería haberme quedado con ella.

—No —replicó Lois pasando los dedos por entre el finísimo cabello castaño de Natalie—. Tenías que cuidar de Natalie, ¿verdad? Y ahora también tienes que cuidar de ella.

—Supongo que tiene razón —repuso Helen con una voz carente de inflexiones—. Supongo que tiene razón. Pero era amiga mía, señora Chasse. Amiga mía.

—Lo sé, querida.

La cara de Helen se contrajo, y rompió a llorar. Natalie miró a su madre con expresión de cómico asombro durante un instante y luego se unió a su llanto.

—Helen —dijo Ralph—. Helen, escúchame. Tengo que preguntarte algo. Es muy, muy importante. ¿Me estás escuchando?

Helen asintió, aunque sin dejar de llorar. Ralph no tenía ni idea de si le oía o no. Echó un vistazo a la esquina del edificio, preguntándose cuánto tardaría en aparecer la policía, y aspiró una profunda bocanada de aire.

—¿Crees que hay alguna posibilidad de que la reunión se celebre a pesar de todo? ¿Alguna posibilidad? Tú eras la mejor amiga de Gretchen Tillbury. Dime lo que piensas.

Helen dejó de llorar y lo miró con los ojos abiertos de par en par, como si no diera crédito a sus oídos. De repente, aquellos ojos se llenaron de aterradora furia.

—¿Cómo puedes preguntar eso? ¿Cómo se te ocurre ni siquiera preguntar eso?

—Bueno..., porque...

Ralph se detuvo en seco, incapaz de proseguir. La furia era la última reacción que había esperado.

—Si nos detienen ahora, habrán ganado —exclamó Helen—. ¿Es que no lo entiendes? Gretchen está muerta, High Ridge está quedando reducida a cenizas con todo lo que algunas de estas mujeres poseen dentro, y si nos detienen ahora, habrán ganado.

Una parte de la mente de Ralph, un lugar muy remoto, estableció una terrible comparación. Otra parte, la que quería a Helen, avanzó para bloquearla, pero llegó demasiado tarde. Los ojos de Helen se parecían a los de Charlie Pickering el día en que el hombre se había sentado junto a Ralph en la biblioteca, y ninguna clase de razón podía conferir a ningunos ojos un aspecto como aquél.

—¡Si nos detienen ahora, habrán ganado! —gritó, y en sus brazos, Natalie se echó a llorar con más fuerza—. ¿Es que no lo entiendes? ¿Es que no lo entiendes, joder? ¡No lo permitiremos! ¡Nunca! ¡Nunca! ¡Nunca!

Con ademán brusco, levantó la mano libre y dobló la esquina del edificio. Ralph alargó el brazo hacia ella y le rozó la espalda de la blusa con las yemas de los dedos. Nada más.

—¡No disparen! —gritaba Helen a la policía al otro lado de la casa—. ¡No disparen, soy una de las mujeres! ¡Soy una de las mujeres! ¡Soy una de las mujeres!

Ralph se abalanzó sobre ella sin pensar, tan sólo por instinto, pero Lois tiró de él por el cinturón.

—Será mejor que no salgas, Ralph. Eres un hombre, y a lo mejor creen que...

—¡Hola, Ralph! ¡Hola, Lois!

Ambos se volvieron hacia aquella voz nueva. Ralph la reconoció de inmediato, y quedó sorprendido y no sorprendido a un tiempo. Detrás de los tendederos cargados de sábanas y ropa en llamas, ataviado con unos pantalones desteñidos de franela y viejos deportivos de bota Converse remendados con cinta aislante, estaba Dorrance Marstellar. Su cabello, tan fino como el de Natalie, aunque blanco en lugar de castaño, ondeaba en torno a su cabeza al viento de octubre que peinaba la colina. Como de costumbre, llevaba un libro en la mano.

—Venid —instó haciéndoles señas y sonriendo—. Daos prisa. No queda mucho tiempo.

Los guió por un sendero cubierto de maleza y poco usado que se alejaba de la casa hacia el oeste. Primero atravesaba un huerto de tamaño respetable en el que ya se había efectuado la cosecha de todas las verduras salvo las calabazas y los calabacines, luego se adentraba en una huerta en que las manzanas ya estaban maduras, más tarde pasaba por unas enmarañadas zarzas cuyos espinos parecían apuntar en todas direcciones para rasgarles la ropa. Cuando salieron de los zarzales y llegaron a un tenebroso bosque de pinos y abetos, a Ralph se le ocurrió que debían de estar en la ladera de la sierra que pertenecía a Newport.

Dorrance caminaba con agilidad para un hombre de su edad, y en ningún momento se apagó la sonrisa plácida que exhibía. El libro que llevaba se titulaba *Para el Amor, Poemas 1950-1960*, de un hombre llamado Robert Creeley. Ralph jamás había oído hablar de él, pero suponía que el señor Creeley tampoco habría oído hablar jamás de Elmor Leonard, Ernest Haycox ni Louis L'Amour. Sólo intentó hablar con el viejo Dor una vez, cuando llegaron al pie de una pendiente que las agujas de los pinos hacían peligrosamente resbaladiza. Ante ellos, un pequeño y frío torrente fluía levantando crestas de espuma.

—Dorrance, ¿qué haces aquí? ¿Y cómo has llegado hasta aquí, ya que estamos? ¿Y adónde narices vamos?

—Oh, casi nunca contesto preguntas —replicó el viejo Dor con una sonrisa aún más ancha.

Contempló el riachuelo, levantó un dedo y señaló el agua. Una pequeña trucha marrón dio un salto, se sacudió gotas brillantes de la cola y volvió a sumergirse en el torrente. Ralph y Lois se miraron con idénticas expresiones de: *¿He visto lo que creo haber visto?*

—No, no —prosiguió Dor pasando de la orilla a una roca mojada—. Casi nunca. Demasiado difícil. Demasiadas posibilidades. Demasiados niveles, ¿eh, Ralph? El mundo está lleno de niveles, ¿verdad? ¿Cómo estás, Lois?

—Bien —repuso ella con aire ausente, mientras observaba a Dor cruzar el río por toda una serie de rocas colocadas de un modo muy conveniente.

Caminaba con los brazos extendidos, una postura que le confería el aspecto del acróbata más viejo del mundo. Cuando llegó a la otra orilla, oyeron una violenta exhalación procedente de la sierra..., no exactamente una explosión.

«Los depósitos de petróleo», se dijo Ralph.

Dor se volvió hacia ellos desde la otra orilla sin dejar de exhibir aquella plácida sonrisa de Buda. Ralph subió sin querer y sin percibir aquel parpadeo en su interior. Los colores inundaron el día, pero apenas se dio cuenta. Toda su atención estaba concentrada en Dorrance, y durante casi diez segundos se olvidó de respirar.

Ralph había visto auras de todos los colores durante el último mes, pero ninguna de ellas se acercaba siquiera al espléndido envoltorio que bañaba al anciano al que Don Veazie había descrito en cierta ocasión como «encantador, sí señor, pero un poco loco». Era como si el aura de Dor se hubiera filtrado a través de un prisma... o un arcoiris. Emanaba luz en vertiginosos arcos: azul seguido de magenta, magenta seguido de rojo, rojo seguido de rosado, rosado seguido del cremoso blanco amarillento de un plátano maduro.

Sintió que la mano de Lois lo buscaba y se la tomó.

(«*Dios mío, Ralph, ¿lo estás viendo? ¿Ves lo hermoso que es?*»)

(«*Desde luego.*»)

(«*¿Qué es? ¿Es humano siquiera?*»)

(«*No lo s...*»)

(«*Basta, los dos. Volved a bajar.*»)

452

Dorrance seguía sonriendo, pero la voz que habían oído en sus mentes era autoritaria y no tenía un pelo de vaguedad. Y antes de que Ralph pudiera obligarse a bajar, sintió un empujón. Los colores y la calidad aumentada de los sonidos desaparecieron al instante.

—Ahora no hay tiempo para estas cosas —comentó Dor—. Vaya, si ya es mediodía.

—¿Mediodía? —exclamó Lois—. ¡No puede ser! No eran ni las nueve cuando hemos llegado, y de eso no hace ni media hora!

—El tiempo pasa más deprisa cuando vuelas —explicó el viejo Dor en tono solemne, aunque le brillaban los ojos—. Pregunta a cualquiera que vaya a tomarse unas cervezas y escuchar música country el sábado por la noche. ¡Vamos! ¡Daos prisa! ¡El reloj hace tic tac! ¡Cruzad el río!

Lois lo cruzó en primer lugar, pasando con cuidado de una roca a otra, los brazos extendidos como había visto hacer a Dorrance. Ralph la siguió con las manos cerca de sus caderas, preparado para agarrarla si se tambaleaba, pero fue él quien estuvo a punto de caer al agua. Consiguió recuperar el equilibrio, pero a costa de mojarse un pie hasta el tobillo. En lo más profundo de su mente, le pareció oír reír a Carolyn.

—¿No puedes decirnos nada, Dor? —inquirió cuando llegaron a la otra orilla—. Vamos bastante perdidos.

«Y no sólo mental o espiritualmente», añadió en silencio.

No había visto aquel bosque en su vida, ni siquiera cuando salía a cazar perdices o ciervos de joven. Si el sendero por el que caminaban terminaba o si el viejo Dor perdía cualquiera que fuera su sentido de la orientación, ¿qué harían?

—Sí —asintió Dor al instante—. Puedo deciros una cosa absolutamente segura.

—¿Qué?

—Estos son los mejores poemas que Robert Creeley ha escrito en su vida —explicó el viejo Dor al tiempo que les mostraba su ejemplar de *Para el Amor*.

Antes de que ninguno de los dos pudiera replicar, Dorrance se volvió y echó a andar de nuevo por el difuso sendero que se dirigía hacia el oeste por el bosque.

Ralph miró a Lois, Lois le devolvió la mirada tan perdida como él.

—Vamos, viejo amigo —lo animó—. Será mejor que no le perdamos de vista. Me he olvidado las migas de pan.

Subieron otra cuesta, y desde la cima, Ralph vio que el sendero que habían tomado descendía hasta un viejo camino forestal dividido por una tira de hierba. El camino moría a unos cincuenta metros de distancia en una cantera. Junto a la entrada de la cantera había un coche parado, un Ford modelo nuevo y completamente anónimo que a Ralph, pese a todo, le sonaba. Cuando la puerta se abrió y el conductor salió, todas las piezas del rompecabezas encajaron. Por supuesto que conocía el coche; lo había visto por última vez desde la ventana del salón de casa de Lois el martes por la noche, atravesado en medio de Harris Avenue, y su conductor se había arrodillado en el abanico de luz de los faros..., se había arrodillado junto al perro moribundo al que había atropellado. Joe Wyzer los oyó llegar, alzó la mirada y agitó el brazo a modo de saludo.

23

—Me ha dicho que quería que condujese —explicó Wyzer mientras daba la vuelta al coche junto a la entrada de la cantera.

—¿Adónde? —inquirió Lois.

Estaba sentada en el asiento trasero con Dorrance. Ralph estaba en la parte delantera con Joe Wyzer, que no parecía muy seguro de dónde estaba ni de quién era. Ralph había subido un poco, sólo un poquito, al estrechar la mano del farmacéutico, ya que quería echar un vistazo al aura de Wyzer. Tanto ésta como el cordel de globo seguían ahí e irradiaban salud..., pero el estridente color amarillo anaranjado le parecía algo amortiguado. Ralph tenía la sensación de que se debía a la influencia del viejo Dor.

El camino forestal terminaba en un cruce en forma de T con un tramo de camino asfaltado de dos carriles. Wyzer se detuvo, verificó el tráfico y dobló a la izquierda. Pasaron junto a una señal que decía A LA AUTOPISTA I-95, y Ralph supuso que Wyzer se dirigiría al norte en cuanto llegaran a ella. Ya sabía dónde se encontraban, a unos cinco kilómetros al sur de la 33. Desde allí podían llegar a Derry en menos de media hora, y a Ralph no le cabía duda de que era ahí adonde se dirigían.

De repente, lanzó una carcajada.

—Bueno, aquí estamos —exclamó—. Tres alegres insomnes dando un paseo a mediodía. O quizá cuatro. Bienvenido al maravilloso mundo de la hiperrealidad, Joe.

Joe lo miró con una expresión irritada que se trocó en una ancha sonrisa.

—Así que es eso. —Y antes de que Ralph o Lois pudieran replicar—: Sí, supongo que sí.

—¿Has leído ese poema? —preguntó Dor a espaldas de Ralph—. ¿Ese que empieza «Cada cosa que hago la termino a toda prisa para poder hacer otra»?

Ralph se volvió y vio que Dorrance seguía exhibiendo aquella sonrisa ancha y plácida.

—Sí, Dor...

—¿No te parece una bomba? Es muy bueno. Stephen Dobyns me recuerda a Hart Crane, pero con menos pretensiones. O a lo mejor quiero decir Stephen Crane, pero no lo creo. Claro que no tiene la musicalidad de Dylan Thomas, pero ¿qué importa? Seguramente nada. En la poesía moderna no importa la musicalidad. Lo que importa es la cara dura... Quién la tiene y quién no.

—Madre mía —suspiró Lois poniendo los ojos en blanco.

—Probablemente podría contarnos todo lo que necesitamos saber si subiéramos unos cuantos niveles —intervino Ralph—, pero no quieres subir, ¿verdad, Dor? Porque el tiempo pasa más deprisa cuando subes.

—Bingo —repuso Dorrance.

Las señales azules que marcaban las entradas norte y sur de la autopista aparecieron ante ellos.

—Tendrás que subir más tarde, me imagino, y Lois también, así que es muy importante ahorrar todo el tiempo posible ahora. Ahorrar... tiempo.

Dorrance hizo un extraño gesto evocador, levantando sus huesudos dedos pulgar e índice y juntándolos en el aire como para visualizar un paso muy estrecho.

Joe Wyzer puso el intermitente, giró a la izquierda y subió por el carril de aceleración norte en dirección a Derry.

—¿Cómo te has metido en esto, Joe? —inquirió Ralph—. De todas las personas que viven en el West Side, ¿cómo es que Dorrance te ha escogido a ti como chófer?

Wyzer meneó la cabeza, y cuando el coche entró en la autopista, se desvió de inmediato hacia el carril de adelantamiento. Ralph alargó la mano y corrigió el rumbo a toda prisa, recordándose a sí mismo que lo más probable era que Joe Wyzer tampoco hubiera dormido mucho últimamente. Sintió un gran alivio al comprobar que la autopista estaba casi desierta, al menos a aquella distancia de la ciudad. Eso le ahorraría un poco de angustia, y sólo Dios sabía cuán ocupado estaría el departamento de angustias aquel día.

—Todos estamos vinculados por el Propósito —comentó Dorrance de repente—. Eso es el *ka-tet*, que significa uno hecho de muchos. Igual que muchas rimas hacen un poema, ¿comprendéis?

—No —replicaron Ralph, Lois y Wyzer al unísono, en un coro perfecto y espontáneo que les hizo reír con nerviosismo.

«Los tres insomnes del Apocalipsis —pensó Ralph—. Que Dios nos ayude.»

—Bueno, da igual —repuso el viejo Dor sin dejar de sonreír—.

Tendréis que creer en mi palabra. Tú y Lois... Helen y su hijita... Bill... Faye Chapin... Trigger Vachon... ¡y yo! Todos formamos parte del Propósito.

—De acuerdo, Dor —intervino Lois—, pero ¿adónde nos lleva el Propósito? ¿Y qué es lo que tenemos que hacer una vez allí?

Dorrance se inclinó hacia delante y susurró algo al oído de Joe Wyzer, protegiéndose los labios con una mano hinchada y manchada por la edad. A continuación se reclinó de nuevo en su asiento con aire de profunda satisfacción.

—Dice que vamos al Centro Cívico —explicó Joe.

—¡El Centro Cívico! —exclamó Lois alarmada—. ¡No, eso no puede ser! Esos dos hombrecillos dijeron que...

—Eso no importa ahora —la interrumpió Dorrance—. Recuerda... Lo que importa es la cara dura. Quién la tiene y quién no.

Silencio en el Ford de Joe Wyzer por espacio de más de un kilómetro. Dorrance abrió el libro de poemas de Robert Creeley y se puso a leer uno, resiguiendo las líneas con la uña amarillenta de uno de sus viejos dedos. Ralph recordó de repente un juego al que en ocasiones habían jugado de niños..., un juego bastante desagradable. Se llamaba la Caza de Agachadizas. Se trataba de coger a niños más pequeños y más crédulos que tú, contarles una bola impresionante sobre la mítica musaraña, darles bolsas y mandarlos a pasar una tarde agotadora en los bosques húmedos, buscando pájaros imaginarios. Aquel juego también se llamaba A la Caza de los Gamusinos, y de repente, Ralph se vio embargado por la sensación de que Cloto y Láquesis habían jugado con ellos a ese juego en la azotea del hospital.

Se volvió en su asiento y se encaró con el viejo Dor. Dorrance dobló la esquina superior de la página que estaba leyendo, cerró el libro y miró a Ralph con expresión de educado interés.

—Nos dijeron que no debíamos acercarnos ni a Ed Deepneau ni al doctor 3 —dijo Ralph hablando despacio y con toda claridad—. Concretamente, nos dijeron que ni se nos ocurriera acercarnos a ellos, porque la situación les había conferido grandes poderes y nos podían eliminar como si no fuéramos más que moscas. De hecho, creo que Láquesis dijo que si intentábamos siquiera acercarnos a Ed o a Átropos, podíamos acabar recibiendo una visita de uno de los tíos del nivel superior..., alguien a quien Ed llama el Rey Carmesí. Y por lo que parece, no es un tipo nada simpático.

—Sí —corroboró Lois con voz débil—. Eso es lo que nos dijeron en la azotea del hospital. Dijeron que teníamos que ir a High Ridge. Para convencer a las mujeres de que cancelaran la conferencia de Susan Day.

—¿Y lo habéis conseguido? —inquirió Wyzer.

—¡Claro que no! Los amigos chalados de Ed han llegado antes que nosotros, han incendiado la casa y matado al menos a dos mujeres. A tiros. Creo que una era la mujer con la que teníamos que hablar.

—Gretchen Tillbury —explicó Ralph.

—Sí —asintió Lois—. Pero seguro que ya no hace falta que hagamos nada más. No puedo creer que celebren la reunión después de lo que ha pasado. No pueden. ¡Dios mío, al menos han muerto cuatro personas! Tienen que cancelar la conferencia o al menos aplazarla, ¿no?

Ni Dorrance ni Joe respondieron. Ralph tampoco respondió; estaba pensando en los ojos enrojecidos y furiosos de Helen.

«¿Cómo puedes preguntar eso? —había dicho—. Si nos detienen ahora, habrán ganado.»

Si nos detienen ahora, habrán ganado.

¿Existía alguna vía legal por la que la policía pudiera detenerlas? Probablemente no. ¿El ayuntamiento, entonces? Quizás. Quizá pudieran celebrar una reunión de urgencia y retirar el permiso al Centro de la Mujer. Pero ¿lo harían? Si había dos o tres mil mujeres furiosas y dolidas desfilando alrededor del ayuntamiento y gritando *Si nos detienen ahora, habrán ganado*, ¿les retirarían el permiso?

Ralph empezó a sentir un gran vacío en la boca del estómago.

Era evidente que Helen consideraba la reunión de aquella noche más importante que nunca, y que no era la única. Ya no se trataba de la elección ni de quién tenía derecho a decidir qué hacía o dejaba de hacer una mujer con su cuerpo; ahora se trataba de causas lo bastante importantes como para morir por ellas y vengar a los amigos que habían muerto por ellas. El precio del póquer había subido mucho, mucho. Ahora ya no se trataba de política, sino de una especie de réquiem secular por los muertos.

Lois le había agarrado el hombro y lo zarandeaba. Ralph bajó de las nubes, pero muy despacio, como un hombre al que despiertan en medio de un sueño increíblemente vívido.

—Cancelarán la conferencia, ¿verdad? Y aunque no lo hagan, si por alguna razón absurda no lo hacen, la mayoría de la gente no irá, ¿verdad? Después de lo que ha pasado en High Ridge les dará miedo ir.

Ralph reflexionó unos instantes y por fin denegó con la cabeza.

—La mayoría de la gente creerá que el peligro ya ha pasado. En las noticias dirán que dos de los radicales que han atacado High Ridge han muerto y que el tercero está catatónico o algo así.

—Pero ¿y Ed? ¿Qué pasa con Ed? —gritó Lois—. ¡Es él quien les ha ordenado atacar, por el amor de Dios! ¡Es él quien los ha enviado allí!

—Es posible, incluso probable, pero ¿cómo quieres demostrarlo? —inquirió Ralph—. ¿Sabes lo que creo que encontrará la policía en dondequiera que esté el cuartucho de Charlie Pickering? Una nota diciendo que todo ha sido idea suya. Una nota exonerando a Ed por completo, probablemente camuflada de acusación..., diciendo que Ed los abandonó cuando más lo necesitaban. Y si no encuentran una nota en el cuartucho alquilado de Charlie, la encontrarán en el de Frank Felton. O en el de Sandra McKay.

—Pero eso... eso es...

Lois se interrumpió mordiéndose el labio inferior antes de volverse hacia Wyzer con aire esperanzado.

—¿Y qué hay de Susan Day? ¿Dónde está? ¿Lo sabe alguien? ¿Lo sabes tú? Ralph y yo la llamaremos por teléfono y...

—Ya está en Derry —explicó Wyzer—, aunque no creo que ni la policía sepa exactamente dónde. Pero cuando el viejo y yo veníamos para acá, he oído en las noticias que el mitin de esta noche se celebrará... y parece ser que lo ha dicho ella misma.

«Claro —pensó Ralph—. Claro que sí. Sigue el espectáculo, el espectáculo tiene que seguir, y ella lo sabe. Cualquiera que haya estado en la cresta de la ola del movimiento feminista todos estos años (maldita sea, desde la convención de Chicago de 1968) reconoce una oportunidad auténtica en cuanto la ve. Ha sopesado los riesgos y los considera aceptables. O eso o ha evaluado la situación y ha decidido que la pérdida de credibilidad que supondría largarse sería inaceptable. A lo mejor las dos cosas. En cualquier caso, es tan prisionera de los acontecimientos, del *ka-tet*, como todos nosotros.»

Ya estaban de nuevo a las afueras de Derry. Ralph ya divisaba el Centro Cívico en el horizonte.

Lois se volvió hacia el viejo Dor.

—¿Dónde está? ¿Lo sabes tú? No importa cuántos agentes de seguridad tenga alrededor; Ralph y yo podemos hacernos invisibles si queremos... y se nos da muy bien eso de hacer que la gente cambie de opinión.

—Oh, hacer cambiar de opinión a Susan Day no cambiaría nada —replicó Dor sin dejar de exhibir aquella sonrisa ancha y enloquecedora—. Irán al Centro Cívico pase lo que pase. Si llegan y se encuentran las puertas cerradas, las derribarán y entrarán y celebrarán el mitin a pesar de todo. Para demostrar que no tienen miedo.

—Lo hecho hecho está —recitó Ralph con voz neutra.

—¡Exacto, Ralph! —exclamó Dor en tono risueño, al tiempo que le daba una palmadita en el hombro.

Al cabo de cinco minutos, pasaron junto a la espeluznante estatua de Paul Bunyan, que se erigía ante el Centro Cívico, y doblaron después de un cartel que rezaba ¡SIEMPRE HAY LUGAR PARA APARCAR EN SU CENTRO CÍVICO!

El aparcamiento se extendía entre el edificio del Centro Cívico y el hipódromo del parque Bassey. Si el acontecimiento de aquella noche hubiera sido un concierto de rock, un salón náutico o una exhibición de lucha, tal vez habrían tenido todo el aparcamiento para ellos solos a aquellas horas de la mañana, pero el acontecimiento de aquella noche estaría a años luz de una exhibición de baloncesto o de tracción de camiones. Ya había unos sesenta o setenta vehículos en el aparcamiento, y varios grupos de gente mirando el edificio. La mayoría eran mujeres. Algunas llevaban hamacas de pícnic, otras lloraban y la mayor parte de ellas llevaba bandas negras en los brazos. Ralph vio a una mujer de mediana edad, rostro cansado e inteligente y una tupida melena de cabello gris, distribuyendo las bandas que sacaba de una bolsa. Llevaba una camiseta con una fotografía de Susan Day y las palabras Nℇ NꞨ MꞨVERÁN.

La zona de paso que había ante las puertas del Centro Cívico estaba más concurrida incluso que el aparcamiento. Nada menos que seis furgonetas de televisión estaban estacionadas ahí, y varios equipos técnicos esperaban bajo el dosel triangular en pequeños grupos, discutiendo cómo cubrir el evento de la noche. Y según la pancarta que pendía del dosel, oscilando perezosa en la brisa, el evento se celebraría. EL MITIN TENDRÁ LUGAR —decía en grandes y difuminadas letras escritas con spray. VENID A LAS 20 HORAS A MOSTRAR VUESTRA SOLIDARIDAD Y EXPRESAR VUESTRA INDIGNACIÓN. CONSOLAD A VUESTRAS HERMANAS.

Joe puso el Ford en punto muerto y se volvió hacia el viejo Dor enarcando las cejas. Dor asintió y Joe miró a Ralph.

—Creo que Lois y tú os bajáis aquí, Ralph. Buena suerte. Os acompañaría si pudiera; de hecho, incluso se lo pregunté a él, pero me dijo que no estoy equipado.

—No importa —repuso Ralph—. Te agradecemos mucho todo lo que has hecho por nosotros, ¿verdad, Lois?

—Desde luego —corroboró Lois.

Ralph alargó la mano hacia el tirador, pero volvió a retirarla para mirar de nuevo a Dorrance.

—¿De qué va todo esto? De verdad. No se trata de salvar a las dos mil personas que según Cloto y Láquesis van a venir esta noche, eso está claro. Para las fuerzas Inmortales de las que ellos hablaron, dos mil vidas no son más que una gota en el océano. Así que, ¿de qué va todo eso, Alfie? ¿Por qué estamos aquí?

La sonrisa de Dorrance se había borrado al fin; sin ella parecía mucho más joven y tenía un aspecto extrañamente formidable.

—Job le preguntó lo mismo a Dios —comentó—, y no obtuvo respuesta. Vosotros tampoco obtendréis respuesta, pero os diré una cosa: os habéis convertido en el eje central de grandes acontecimientos y poderosísimas fuerzas. La labor del universo superior se ha detenido casi por completo mientras tanto los del Azar como los del Propósito se vuelven para seguir vuestros progresos.

—Genial, pero no lo entiendo —replicó Ralph más resignado que furioso.

—Yo tampoco, pero esas dos mil vidas me bastan —intervino Lois en voz baja—. No podría seguir viviendo sin haber intentado al menos evitar lo que va a ocurrir. Soñaría con la bolsa de la muerte suspendida sobre este edificio durante el resto de mi vida. Aunque sólo durmiera una hora por noche soñaría con eso.

Ralph consideró sus palabras y por fin asintió. Abrió la portezuela y sacó un pie.

—Buen argumento. Y Helen también estará ahí. Tal vez incluso se lleve a Nat. Quizás para mierdecillas Mortales como nosotros eso sea suficiente.

«Y tal vez —añadió mentalmente—, lo que quiero es tomarme la revancha con el doctor 3.»

Oh, Ralph, gimió Carolyn. *¿Otra vez Clint Eastwood?*

No, nada de Clint Eastwood. Ni tampoco Sylvester Stallone ni Arnold Schwarzenegger. Ni siquiera John Wayne. No era un héroe ni una estrella de cine; sólo era el viejo Ralph Roberts de siempre, que vivía en Harris Avenue. Sin embargo, ello no paliaba en absoluto el rencor que sentía hacia el matasanos del bisturí oxidado. Y ahora, ese rencor no se reducía tan sólo a un perro callejero y un profesor de historia jubilado que había sido vecino suyo desde hacía unos diez años. Ralph no podía desterrar de su mente la imagen del salón de High Ridge y de las mujeres apoyadas contra la pared bajo el póster de Susan Day. No veía el vientre hinchado de Merrilee, sino el cabello de Gretchen Tillbury, su hermoso cabello rubio casi completamente chamuscado por el disparo a bocajarro que había acabado con su vida. Charlie Pickering había apretado el gatillo, y tal vez Ed Deepneau le hubiera dado el arma, pero Ralph echaba la culpa a Átropos, a Átropos el ladrón de combas, Átropos el ladrón de sombreros, Átropos el ladrón de peines.

Átropos el ladrón de pendientes.

—Vamos, Lois —instó—. Vamos...

Pero Lois le puso una mano en el brazo y denegó con la cabeza.

—No, todavía no. Entra y cierra la puerta.

Ralph la observó con atención y obedeció. Lois esperó un momento mientras ordenaba sus ideas y habló dirigiéndose al viejo Dor.

—Aún no entiendo por qué nos han enviado a High Ridge —dijo—. Y quiero entenderlo. Si teníamos que estar aquí, ¿por qué nos han enviado allí? Quiero decir, hemos salvado algunas vidas, y me alegro, pero Ralph tiene razón... Unas cuantas vidas no significan mucho para la gente que mueve los hilos.

Silencio durante unos instantes.

—¿Te pareció que Cloto y Láquesis eran sabios y omniscientes, Lois? —preguntó por fin Dor.

—Bueno..., me parecieron inteligentes, pero supongo que no eran precisamente unos genios —repuso Lois tras unos momentos de reflexión—. En un momento dado se describieron a sí mismos como obreros que estaban muchos peldaños por debajo de los altos ejecutivos que tomaban las decisiones.

Old Dor asintió con una sonrisa.

—Cloto y Láquesis son casi Mortales. Tienen sus propios miedos y lagunas mentales. También pueden tomar decisiones equivocadas..., pero en definitiva, eso no importa, porque también están al servicio del Propósito. Y del *ka-tet*.

—Creían que perderíamos si nos enfrentábamos con Átropos, ¿verdad? —preguntó Ralph—. Por eso se convencieron para creer que podíamos hacer lo que necesitaban que hiciéramos yendo a High Ridge en lugar de venir directamente aquí.

—Sí —asintió Dor—. Exacto.

—Genial —espetó Ralph—. Me encanta que me den votos de confianza, sobre todo cuando...

—No —lo interrumpió Dor—. No se trata de eso.

—¿De qué hablas?

—Son las dos cosas al mismo tiempo. Así es como funcionan las cosas muchas veces dentro del Propósito. Mira..., bueno... —Exhaló un profundo suspiro—. Odio todas estas preguntas. Casi nunca puedo contestar preguntas, ¿no os lo había dicho?

—Sí —asintió Lois—, ya nos lo habías dicho.

—Sí. Y ahora bingo. Un montón de preguntas. ¡Qué espanto! ¡Y qué inútil!

Ralph miró a Lois, y ella le devolvió la mirada. Ninguno de los dos hizo el menor gesto de salir del coche.

Dor suspiró de nuevo.

—Vale..., pero es lo último que digo, así que prestad atención. Cloto y Láquesis pueden haberos enviado a High Ridge por razones equivocadas, pero el Propósito os envió allí por las razones correctas. Habéis cumplido con vuestra misión allí.

—Salvando a las mujeres —constató Lois.

Pero Dorrance denegó con la cabeza.

—Entonces, ¿qué hemos hecho? —casi gritó Lois—. ¿Qué? ¿Es que no tenemos derecho a saber qué parte del maldito Propósito hemos cumplido?

—No —repuso Dorrance—. Al menos de momento. Porque tenéis que hacerlo otra vez.

—Esto es una locura —terció Ralph.

—No lo es —replicó Dorrance.

Ahora sostenía el libro ante el pecho, doblándolo hacia delante y hacia atrás mientras miraba a Ralph con expresión solemne.

—El Azar está loco. El Propósito está cuerdo.

«Muy bien —se dijo Ralph—. ¿Qué hemos hecho en High Ridge aparte de salvar a la gente del sótano? Y a John Leydecker, claro. Creo que Pickering lo habría matado como a Chris Nell si yo no hubiera intervenido. ¿Puede tener algo que ver con Leydecker?»

Suponía que sí, pero no le parecía probable.

—Dorrance —insistió—, ¿podrías darnos un poco más de información, por favor? Quiero decir...

—No —denegó el viejo Dor no sin amabilidad—. No más preguntas, no hay tiempo. Cuando todo haya pasado comeremos juntos..., si seguimos con vida, claro está.

—Tienes un don especial para alegrar a la gente, Dor —comentó Ralph antes de abrir de nuevo la portezuela.

Lois lo imitó, y ambos salieron al aparcamiento. Ralph se agachó para mirar a Joe Wyzer.

—¿Hay algo más? ¿Alguna cosa que se te ocurra?

—No, no creo...

Dor volvió a inclinarse hacia delante para susurrarle algo al oído. Joe escuchó con el ceño fruncido.

—¿Y bien? —preguntó Ralph cuando Dor se retrepó de nuevo en su asiento—. ¿Qué ha dicho?

—Dice que no me olvide del peine —explicó Joe—. No tengo ni idea de lo que está hablando, pero eso no es nada nuevo.

—No importa —lo tranquilizó Ralph con una débil sonrisa—. Ésa es una de las pocas cosas que entiendo yo. Vamos, Lois, vamos a ver quién hay por aquí. A mezclarnos un poco entre la gente.

A medio camino del edificio, Lois le propinó tal codazo que lo hizo tropezar.

—¡Mira! —susurró Lois—. ¡Allí enfrente! ¿No es Connie Chung?

Ralph siguió su mirada; sí, la mujer del abrigo de color crema que estaba entre los dos técnicos que lucían el logotipo de la CBS en las chaquetas era, con toda probabilidad, Connie Chung. Había admirado su rostro hermoso e inteligente y su agradable sonrisa durante demasiadas tazas de café como para que le cupiera ninguna duda.

—O ella o su hermana gemela —repuso.

Lois parecía haber olvidado todo lo referente al viejo Dor, High Ridge y los médicos calvos; en aquel momento se convirtió de nuevo en la mujer que McGovern gustaba de llamar «nuestra Lois»..., siempre con las cejas enarcadas con ademán levemente satírico.

—¡Que me aspen! ¿Qué hace aquí?

—Bueno... —empezó Ralph antes de cubrirse la boca para disimular un enorme bostezo—, creo que lo que está pasando en Derry se ha convertido en noticia nacional. Debe de haber venido para dar un reportaje en directo desde el Centro Cívico para las noticias de la noche. En cualquier caso...

De repente, sin previo aviso, las auras reaparecieron. Ralph se quedó sin aliento.

—¡Dios mío, Lois! ¿Estás viendo esto?

Pero no creía que lo estuviera viendo, porque en tal caso, Ralph no creía que Connie Chung hubiera ocupado ni una ínfima parte de su atención. Aquello era tan horrible que resultaba inconcebible, y por primera vez, Ralph se dio cuenta de que incluso el radiante mundo de las auras tenía su mitad oscura, una mitad que haría a una persona normal hincarse de rodillas y dar gracias a Dios por su limitada percepción.

«Y eso que ni siquiera hemos subido —pensó—. Al menos, no lo creo. Sólo estoy mirando el otro mundo, como si mirara por la ventana. No estoy dentro.»

Ni quería entrar. Tan sólo mirar algo como aquello casi le daba ganas de quedarse ciego.

Lois lo observaba con el ceño fruncido.

—¿Qué? ¿Los colores? No. ¿Quieres que lo intente? ¿Pasa algo con ellos?

Ralph intentó responder, pero no pudo. Al cabo de un instante la sintió pellizcarle el brazo por encima del codo y supo que no hacía falta explicación alguna. Para bien o para mal, Lois lo estaba viendo con sus propios ojos.

—¡Oh, Dios mío! —gimió en voz baja y sin aliento, al borde de las lágrimas—. ¡Oh, Dios mío, Dios mío, Dios mío de mi alma! ¡No puede ser!

Desde la azotea del hospital de Derry, el aura suspendida sobre el Centro Cívico se les había antojado un paraguas inmenso y fláccido, el logotipo de la Compañía de Seguros Travellers pintado de negro por el lápiz de un niño, tal vez. Pero ahí, en el aparcamiento, era como estar dentro de una mosquitera enorme e indescriptiblemente repugnante, una mosquitera tan vieja y descuidada que sus paredes vaporosas estaban impregnadas de moho verde negruzco. El brillante sol de octubre quedó reducido a un legañoso círculo de plata deslustrada. El aire adquirió una cualidad mortecina y tenebrosa que recordó a Ralph las pinturas de Londres de finales del siglo XIX. No estaban simplemente mirando la bolsa de la muerte del Centro Cívico, ya no; estaban sepultados vivos en ella. Ralph sentía su presión hambrienta sobre él, una presión que intentaba abrumarlo con sensaciones de pérdida, desesperación y consternación.

464

«¿Por qué molestarse?», se preguntó mientras observaba apático cómo el Ford de Joe Wyzer se alejaba hacia Main Street con el viejo Dor aún en el asiento trasero. «Quiero decir que oye, de verdad, ¿de qué coño sirve? No podemos cambiar esto, de ninguna manera. A lo mejor hemos hecho algo en High Ridge, pero hay tanta diferencia entre lo que ha pasado ahí y lo que está pasando aquí como entre una mancha y un agujero negro. Si intentamos meternos en este asunto, lo único que conseguiremos es pillarnos los dedos.»

Oyó un gemido junto a él y se dio cuenta de que Lois estaba llorando. Haciendo acopio de su escasa energía, Ralph le rodeó los hombros con un brazo.

—Aguanta, Lois —la animó—. Podemos enfrentarnos a esto.

Pero lo dudaba.

—¡Lo estamos inhalando! —sollozó Lois—. ¡Es como inhalar muerte! Oh, Ralph, vámonos de aquí. ¡Vámonos de aquí, por favor!

La idea le parecía tan buena como la de un vaso de agua debía de parecerle a un hombre a punto de morir de sed en el desierto, pero denegó con la cabeza.

—Dos mil personas morirán aquí esta noche si no hacemos algo. No tengo nada claro el resto de este asunto, pero eso sí que lo tengo clarísimo.

—De acuerdo —susurró Lois—. Pero no me sueltes, para que no me abra la cabeza si me desmayo.

Qué ironía, pensó Ralph. Ahora tenían los rostros y cuerpos de dos personas en los primeros años de una vigorosa madurez, y ahí estaban, arrastrándose por el aparcamiento como un par de vejestorios cuyos músculos se hubieran convertido en cuerdas y sus huesos, en cristal. Oía la respiración de Lois, rápida y dificultosa, como la respiración de una mujer que acabara de sufrir una herida grave.

—Te llevaré de vuelta si quieres —se ofreció Ralph.

Y lo decía en serio. La llevaría de nuevo al aparcamiento, la llevaría al banco naranja de la parada del autobús que veía desde ahí. Y cuando llegara el autobús, subir a él y regresar a Harris Avenue sería lo más fácil del mundo. Bastarían dos monedas de veinticinco.

Sintió de nuevo la presión del aura asesina que envolvía aquel lugar e intentaba sofocarlo como una bolsa de tintorería, y de repente recordó algo que McGovern había dicho acerca del enfisema de May Locher, que era una de esas enfermedades que no se acaba nunca. Y ahora se hacía una idea aproximada del modo en que May Locher se debía de haber sentido durante los últimos años de su vida. No importaba con cuánta fuerza intentara respirar el aire negro o que lo llevara hasta las profundidades de su vientre; nunca tenía suficiente. El corazón y la cabeza le seguían latiendo, produciéndole la sensación de que tenía la peor resaca de su vida.

Estaba abriendo la boca para decir que la llevaría de vuelta a casa cuando Lois habló en pequeños y entrecortados jadeos.

—Creo que aguantaré..., pero espero... que no dure mucho. Ralph, ¿cómo es posible que no sintamos algo tan horrible incluso sin poder ver los colores? ¿Por que no lo sienten ellos?

Señaló a la gente de los medios de comunicación que pululaba ante el Centro Cívico.

—¿Es que los Mortales somos insensibles? No me hace ninguna gracia la idea.

Ralph meneó la cabeza para indicar que no lo sabía, pero creía que tal vez los reporteros, los técnicos de vídeo y los guardias de seguridad que se agrupaban ante las puertas y bajo la pancarta pintada con spray del dosel sentían algo. Vio que muchas manos sostenían vasos de plástico llenos de café, pero no vio que ninguna de las personas bebiera. Sobre el capó de un coche familiar había una caja de donuts, pero el único que faltaba yacía sobre una servilleta con un solo mordisco. Ralph paseó la mirada por las dos docenas de rostros sin ver una sola sonrisa. Los periodistas hacían su trabajo, ajustaban los ángulos de las cámaras, marcaban los lugares desde los que los bustos parlantes hablarían para la televisión, extendían cables coaxiales y los pegaban con cinta al suelo, pero lo hacían sin el entusiasmo que Ralph habría esperado ver acompañado de una noticia tan importante como aquélla.

Connie Chung abandonó la protección del dosel con un cámara barbudo y apuesto (MICHAEL ROSENBERG, decía la placa de su chaqueta de la CBS), y levantó las diminutas manos formando un cuadro para indicarle cómo quería que filmara la pancarta que pendía del dosel. Rosenberg asintió en silencio. El rostro de Chung se veía pálido y solemne, y en un momento dado de la conversación con el cámara barbudo, Ralph la vio interrumpirse y llevarse una mano a la sien con gesto vacilante, como si hubiera perdido el hilo de sus pensamientos o tal vez estuviera mareada.

Creyó encontrar una similitud subyacente en todas las expresiones, un denominador común, y creía saber de qué se trataba: todos ellos sufrían de lo que se denominaba melancolía cuando él era niño, y la melancolía no era más que una palabra bonita para designar la tristeza.

Ralph recordó momentos en su vida en los que había tropezado con el equivalente emocional de una corriente fría cuando uno nada o una turbulencia cuando vuela. Vas tan tranquilo, a veces incluso sintiéndote de maravilla, a veces sólo bien, pero sin problemas... y de repente, por ningún motivo aparente, te derrumbas. Te embarga esa sensación de *¿Y de qué coño sirve?*, que no guarda ninguna relación con ningún suceso de tu vida real, pero que, de todas formas, es increíblemente intensa, y lo único que tienes ganas de hacer es volver a meterte en la cama y taparte hasta la cabeza.

«A lo mejor esto es lo que causa esas sensaciones —pensó—. A lo mejor es por tropezarse con algo así, una gran porquería de muerte o dolor esperando a atacar, extendida como una carpa hecha de telarañas y lágrimas en lugar de lona y cordel. No lo vemos, al menos no en el nivel Mortal, pero lo sentimos. Oh, sí, lo sentimos. Y ahora...»

Y ahora estaba intentando dejarlos secos. A lo mejor no eran ellos los vampiros, como habían temido, sino esa cosa. La bolsa de la muerte poseía una vida perezosa y medio sensible, y los dejaría secos si pudiera. Si ellos se dejaban.

Lois se desplomó contra él y Ralph tuvo que hacer esfuerzos ímprobos para evitar que ambos cayeran al suelo. Por fin, Lois levantó la cabeza (muy despacio, como si hubiera tenido el cabello sumergido en cemento), se llevó una mano a la boca y aspiró una profunda bocanada de aire. Al mismo tiempo, su cuerpo parpadeó un poco. Bajo otras circunstancias, Ralph habría tomado aquel parpadeo por una ilusión óptica, pero no en ese momento. Lois había subido un poco. Sólo un poco. Lo justo para alimentarse.

Ralph no había visto a Lois adentrarse en el aura de la camarera, pero ahora, todo sucedió ante sus ojos. Las auras de los periodistas eran como farolillos japoneses pequeños pero brillantes, que relucían valientes en una caverna grande y tenebrosa. Un intenso rayo de luz violeta brotó de uno de ellos, de Michael Rosenberg, el cámara barbudo de Connie Chung, de hecho. El rayo se partió en dos a escasos centímetros del rostro de Lois; la mitad superior volvió a partirse en dos y ascendió por sus fosas nasales; la mitad inferior se le metió en la boca por entre los labios abiertos. Ralph vio un reflejo de la luz detrás de sus mejillas, iluminándola desde dentro como las velas iluminan los farolillos de verbena.

Lois le soltó, y de repente, Ralph quedó liberado de la presión de su peso. Al cabo de un instante, el rayo de luz violeta desapareció. Lois se volvió hacia él. Sus mejillas plomizas habían recuperado un poco de color, no mucho, pero algo.

—Mejor..., mucho mejor. ¡Ahora tú, Ralph!

Ralph titubeó un instante, pues aún le daba la sensación de estar robando, pero tenía que hacerlo si no quería desplomarse en cualquier momento; sintió casi físicamente la energía que había tomado del fan de Nirvana correr por sus poros. Se llevó la mano a la boca como había hecho aquella mañana en el aparcamiento de Dunkin Donuts y se volvió un poco hacia la izquierda en busca de un objetivo. Connie Chung se había acercado varios pasos a ellos; seguía observando la pancarta que pendía del dosel y hablando de ella con Rosenberg, que no tenía peor aspecto que antes del préstamo de energía.

Sin pensárselo más, Ralph inhaló con fuerza por el tubo que formaban sus dedos.

El aura de Chung era del mismo encantador color marfil de vestido de novia que las auras que envolvían a Helen y Nat el día en que habían ido a su casa con Gretchen Tillbury. En lugar de un rayo de luz, algo parecido a un lazo largo y recto salió disparado del aura de Chung. Ralph sintió que la fuerza lo invadía casi de inmediato y desterraba el doloroso cansancio de sus articulaciones y músculos. Y además, podía pensar de nuevo con claridad, como si una gran nube de fango acabara de ser barrida de su cerebro.

Connie Chung se detuvo en seco, miró el cielo durante un instante y siguió hablando con el cámara. Ralph miró en derredor y vio que Lois lo observaba con expresión ansiosa.

—¿Te encuentras mejor? —susurró.

—Desde luego —aseguró él—, pero todavía tengo la sensación de estar embutido en un mono ceñido.

—Creo que... —empezó Lois justo antes de ver algo que estaba a la izquierda de las puertas del Centro Cívico.

De repente profirió un grito y se apretó contra Ralph con los ojos a punto de salírsele de las órbitas. Ralph siguió su mirada y se le cortó la respiración. Los urbanistas habían intentado suavizar las sencillas paredes de ladrillo plantando arbustos de hoja perenne a lo largo de ellas. Dichos arbustos habían sido descuidados o bien se les había permitido crecer de forma salvaje, de modo que ahora se entrelazaban y amenazaban con ocultar por completo la estrecha tira de césped que mediaba entre ellos y el camino de hormigón que flanqueaba el sendero de entrada.

Insectos gigantescos que parecían trilobites prehistóricos se arrastraban en torno a aquellos arbustos en enjambres, pisándose unos a otros, golpeándose las cabezas, a veces retrocediendo y tocándose con las patas delanteras como los ciervos entrelazan las cornamentas durante la época de apareamiento. No eran transparentes como el pájaro de la antena parabólica, pero poseían una cualidad fantasmal e irreal. Las auras parpadeaban febriles (y estúpidas, suponía Ralph) a través de un amplio espectro de colores; eran tan brillantes y efímeras a un tiempo que casi era posible pensar en ellas como extrañas luciérnagas.

Claro que no es eso lo que son. Tú sabes lo que son.

—¡Eh!

Era Rosenberg, el cámara de Chung, quien les gritaba, pero casi todas las personas que estaban ante el edificio los estaban mirando.

—¿Está bien la señora, amigo?

—Sí —repuso Ralph a gritos.

Seguía con la mano hecha un tubo ante la boca, por lo que la retiró sintiéndose como un estúpido.

—Es que...

—¡He visto un ratón! —intervino Lois con una sonrisa bobalicona y aturdida, una sonrisa de «nuestra Lois» de las mejores que Ralph había visto jamás.

Estaba muy orgulloso de ella. Lois señaló los arbustos que había a la izquierda de la puerta con un dedo casi del todo firme.

—Se ha metido ahí. ¡Madre mía, era enorme! ¿Lo has visto, Norton?

—No, Alice.

—Quédese por aquí, señora —exclamó Michael Rosenberg—. Esta noche verá una fauna de lo más variado.

Sus palabras suscitaron algunas risas intermitentes y algo forzadas, y a continuación todo el mundo volvió a sus tareas.

—¡Dios mío, Ralph! —susurró Lois—. ¡Esas... Esas cosas...!

Ralph le cogió la mano y se la apretó.

—Tranquila, Lois.

—Lo saben, ¿verdad? Por eso están aquí. Son como buitres.

Ralph asintió con un gesto. Mientras miraba, algunos bichos surgieron de las copas de los arbustos y empezaron a trepar por la pared sin rumbo fijo. Se movían con una suerte de pereza aturdida, como moscas que chocaran contra el cristal de una ventana en noviembre, y dejaban viscosos rastros de color tras ellos, rastros que se amortiguaban y desaparecían con rapidez. Otros insectos salieron de la parte inferior de los arbustos y se arrastraron hacia la tira de césped.

Uno de los presentadores locales se dirigió hacia aquella zona infestada, y cuando volvió la cabeza, Ralph vio que se trataba de John Kirkland. Estaba hablando con una atractiva mujer ataviada con uno de esos trajes chaqueta «de ejecutiva» que a Ralph le parecían, al menos en circunstancias normales, extremadamente sexy. Suponía que se trataba de la productora de Kirkland, y se preguntó si el aura de Lisette Benson se tornaba verde cuando aquella mujer andaba cerca.

—¡Se están acercando a esos bichos! —exclamó Lois en un fiero susurro—. Tenemos que detenerlos, Ralph. ¡Tenemos que detenerlos!

—No vamos a mover ni un dedo.

—Pero...

—Lois, no podemos ponernos a gritar que esto está lleno de unos bichos que nadie más puede ver. Acabaríamos en el loquero. Además, esos bichos no han venido a por ellos —hizo una pausa antes de proseguir—: Al menos, eso espero.

Observaron a Kirkland y a su atractiva colega pisar el césped... y penetrar en la gelatinosa maraña de trilobites viscosos. Uno de ellos se encaramó al brillantísimo zapato de Kirkland, permaneció allí hasta que el hombre se detuvo un momento y a continuación empezó a trepar por la pernera de su pantalón.

—Me importa un comino Susan Day, pase lo que pase —decía Kirkland en aquel momento—. La historia es el Centro de la Mujer, no sus... chorbas lloronas con bandas negras en los brazos.

—Cuidado, John —replicó la mujer con sequedad—. Se te empieza a notar la sensibilidad.

—¿De verdad? Maldita sea.

El bicho que le escalaba la pernera parecía dirigirse hacia la entrepierna. A Ralph se le ocurrió que si Kirkland adquiriera de repente la capacidad de ver lo que estaba a punto de arrastrarse por sus pelotas, lo más probable era que perdiera la chaveta en un abrir y cerrar de ojos.

—Vale, pero no olvides hablar con las mujeres que llevan el cotarro local —decía en aquel momento la productora—. Ahora que la Tillbury está muerta, las que cortan el bacalao son Maggie Petrowsky, Barbara Richards y Sallyann Rimbar. Rimbar va a presentar al Gran Jefe esta noche, creo, o tal vez en este caso es a la Gran Jefa.

La mujer se bajó de la acera y uno de sus altos tacones aplastó a uno de los pesados bichos de colores. Un arcoiris de entrañas salió disparado de su cuerpo, así como una sustancia cerosa blanquecina que parecía puré de patatas pasado. Ralph creía que aquella sustancia eran los huevos.

Lois sepultó el rostro en su brazo.

—Y trata de encontrar a una mujer llamada Helen Deepneau —advirtió la productora acercándose un paso más al edificio.

El bicho clavado en el tacón de su zapato se retorcía mientras caminaba.

—Deepneau —repuso Kirkland golpeándose la frente con los nudillos—. La verdad es que ese nombre me suena de algo.

—Es tu última neurona activa dándote la vara —replicó la productora—. Es la mujer de Ed Deepneau. Están separados. Si quieres lágrimas, ella es la mejor apuesta. Ella y la Tillbury eran buenas amigas. A lo mejor amigas especiales, ya me entiendes.

Kirkland adoptó una expresión maliciosa, tan distinta del aire que siempre mostraba ante las cámaras que Ralph quedó un poco desorientado. Entretanto, uno de los bichos de colores se había abierto paso por la puntera del zapato de la mujer y ascendía con cuidado por su pierna. Ralph observó con impotente fascinación cómo desaparecía bajo el dobladillo de la falda. Ver el bulto móvil subir por su muslo era como observar a un minino debajo de una toalla de baño. Y una vez más, la colega de John Kirkland pareció sentir algo; mientras comentaba con él las entrevistas que se efectuarían durante la conferencia de la Day, la mujer se rascó con aire ausente el lugar en que se hallaba el bicho, que ya casi había alcanzado la cadera derecha. Ralph no oyó el denso chasquido que aquella cosa frágil y viscosa emitió al estallar, pero podía imaginárselo. No podía evitar imaginárselo, al parecer. Y también imaginaba sus entrañas gotear por la pierna enfundada en nailon de la mujer como si de pus se tratara. Permanecería allí hasta que se duchara aquella noche, invisible, imperceptible, insospechado.

Los dos periodistas empezaron a hablar de la cobertura de la manifestación pro vida prevista para la tarde..., si es que llegaba a celebrarse, claro está. La mujer era de la opinión de que ni siquiera Amigos de la Vida serían lo bastante estúpidos como para aparecer en el Centro Cívico después de lo que había sucedido en High Ridge. Kirkland le dijo que era imposible subestimar la idiotez de los fanáticos; las personas que llevaban tanto poliéster en público eran sin duda una fuerza que había que tener en cuenta. Y mientras hablaban, intercambiando agudezas, ideas y habladurías, más piojos multicolores y gigantescos ascendían por sus piernas y torsos. Un insecto pionero llegó hasta la corbata roja de Kirkland y, por lo visto, se dirigía hacia su rostro.

Ralph captó un movimiento a su derecha por el rabillo del ojo. Se volvió hacia las puertas justo a tiempo para ver a uno de los técnicos dando un codazo a un colega y señalándolos a él y a Lois. De repente, Ralph se vio acometido por una idea clarísima de lo que estaban diciendo: dos personas sin motivo aparente para estar ahí (ninguno de los dos llevaba una banda negra en el brazo y a todas luces no eran representantes de ningún medio de comunicación) se hallaban en un extremo del aparcamiento. La señora, que ya había gritado una vez, tenía el rostro enterrado en el brazo del caballero..., y el caballero en cuestión miraba a ninguna parte en particular con expresión estúpida.

Ralph habló en voz baja y entre dientes, como un presidiario comentando la fuga en una vieja película de prisiones de la Warner Brother.

—Levanta la cabeza. Estamos llamando la atención más de lo que nos podemos permitir.

Durante un instante no creyó que Lois fuera capaz de obedecer..., pero de repente se sobrepuso y levantó la cabeza. Miró una vez más los arbustos que crecían a lo largo de la pared, una mirada rápida, involuntaria y horrorizada, y por fin se concentró de nuevo en Ralph y sólo en Ralph.

—¿Ves alguna señal de Átropos, Ralph? Por eso estamos aquí, ¿no? Para seguirle la pista.

—Tal vez. Supongo que sí. Ni siquiera me he fijado, la verdad; han pasado demasiadas cosas a la vez. Creo que deberíamos acercarnos un poco más al edificio.

En realidad, no le apetecía en absoluto hacer eso, pero le parecía muy importante hacer algo. Percibía la bolsa de la muerte a su alrededor, una presencia tenebrosa y sofocante que se oponía de forma pasiva a cualquier avance. Eso era lo que tenían que combatir.

—De acuerdo —accedió Lois—. Voy a pedirle un autógrafo a Connie Chung, y me voy a hacer la tonta al máximo para conseguirlo. ¿Podrás soportarlo?

—Sí.

—Bien, porque eso significa que si miran a alguien, ésa seré yo.

—Me parece bien.

Ralph lanzó una última mirada a John Kirkland y a la productora. En aquel momento comentaban qué acontecimientos de aquella noche los obligarían a interrumpir la programación normal y ofrecer reportajes en directo, sin darse cuenta de los gigantescos trilobites que se arrastraban por sus rostros. Uno de ellos se estaba introduciendo lentamente en la boca de John Kirkland.

Ralph apartó la mirada a toda prisa y dejó que Lois tirara de él hacia el lugar en que la señora Chung estaba con Rosenberg, el cámara barbudo. Vio que los dos observaban a Lois antes de cambiar una mirada que contenía una parte de diversión y tres de resignación (ahí viene una de ésas), y en aquel momento Lois le oprimió la mano en un gesto que significaba: *No te preocupes por mí, Ralph. Tú ocúpate de tus asuntos que yo me ocuparé de los míos.*

—Perdone, pero ¿no es usted Connie Chung? —preguntó Lois con su voz de ¿no-es-increíble? más gorjeante—. La he visto desde ahí y primero le he dicho a Norton: «¿Es la señora que sale en la tele con Dan Rather o es que me he vuelto loca? Y entonces...

—Soy Connie Chung. Encantada de conocerla, pero me estoy preparando para las noticias de esta noche, así que si me disculpa...

—Oh, claro, claro, ni en sueños se me ocurriría molestarla. Sólo quiero un autógrafo, un simple garabato bastaría, porque soy su fan número uno, al menos en Maine.

La señora Chung lanzó una mirada a Rosenberg. Éste ya tenía un bolígrafo preparado en la mano, del mismo modo que una buena enfermera de quirófano tiene preparado el siguiente instrumento que el médico necesitará antes de que éste se lo pida. Ralph concentró su atención en la zona que se extendía ante el Centro Cívico y aguzó su percepción sólo un poquito.

Lo que vio ante las puertas fue una sustancia negruzca semitransparente que en el primer momento le extrañó. Tenía unos cinco centímetros de espesor y se asemejaba a una formación geológica. Pero eso no podía ser..., ¿verdad? Si lo que estaba viendo era real (real en el sentido en el que los objetos eran reales en el mundo de los Mortales, al menos), la sustancia habría impedido que las puertas se abrieran, y no era así. Mientras miraba, dos técnicos de televisión se hundieron hasta los tobillos en aquella sustancia como si no tuviera más densidad que la niebla.

Ralph recordó las huellas aurales que la gente dejaba tras de sí, las que parecían los diagramas del manual de baile de Arthur Murray, y de repente creyó comprender. Las huellas se desvanecían como humo de cigarrillo..., pero el humo de cigarrillo no desaparecía en realidad; dejaba un residuo en las paredes, las ventanas y los pulmones. En apariencia, las auras humanas dejaban su propio residuo. Probablemente, no bastaba para verlas en cuanto se desvanecían los colores si se trataba de una sola persona, pero aquél era el centro público más grande de la cuarta ciudad más grande de Maine. Ralph pensó en todas las personas que habían entrado y salido por aquellas puertas, en todos los banquetes, convenciones, exposiciones de numismática, conciertos, torneos de baloncesto, y de repente comprendió qué era aquel fango semitransparente. Era el equivalente de la ligera hendedura que a veces se aprecia en el centro de los escalones muy usados.

No te preocupes por eso ahora, cariño, ocúpate de tus asuntos.

No muy lejos, Connie Chung garabateaba su nombre en el dorso de un ticket de compra del supermercado que Lois había encontrado en su bolso. Ralph contempló el sucio residuo que yacía sobre el delantal de cemento ante las puertas, en busca de algún rastro de Átropos, algo que pudiera percibir más con el olfato que con la vista, un aroma repugnante y carnoso como el del callejón que había tras la carnicería del señor Huston cuando Ralph era pequeño.

—¡Gracias! —gorjeaba Lois en aquel instante—. Le digo a Norton: «Es igual que en la tele, como una muñequita de porcelana». Eso es exactamente lo que le he dicho.

—De nada —repuso Chung—, pero ahora tengo que volver al trabajo.

—Claro, claro. Salude a Dan Rather de mi parte, ¿de acuerdo? Dígale que he dicho «¡Valor!».

—Lo haré —repuso Chung con una sonrisa al tiempo que le devolvía el bolígrafo a Rosenberg—. Y ahora, si nos disculpa...

«Si está aquí, está más arriba que yo —pensó Ralph—. Tendré que subir un poco más.»

Sí, pero debía tener cuidado, y no sólo porque el tiempo se había convertido en un bien de valor incalculable. Lo cierto es que si subía demasiado desaparecería del mundo Mortal, y eso sería la clase de suceso que podía distraer incluso la atención de los periodistas de la manifestación pro abortista... al menos por un rato.

Ralph se concentró, pero cuando se produjo el indoloro espasmo en su mente, no lo percibió como un parpadeo, sino como si una pestaña aleteara con toda lentitud. El color apareció silencioso en el mundo; todas las cosas adquirieron gran definición y brillantez. Sin embargo, el color más intenso, la clave opresiva era el negro de la bolsa de la muerte, y era la negación de todos los demás. La depresión y aquella sensación de debilidad volvieron a adueñarse de él, penetrando en su corazón como los extremos punzantes de un martillo sacaclavos. Advirtió que si tenía cosas que hacer ahí arriba, le convenía darse prisa y volver al nivel de los Mortales antes de quedar totalmente despojado de fuerza vital.

Volvió a mirar las puertas. Por un instante, no vio más que las auras desvaídas de Mortales como él mismo..., y de repente, lo que buscaba apareció con toda claridad, apareció como un mensaje escrito con zumo de limón que se hace visible cuando se acerca a la llama de una vela.

Había esperado algo que se asemejara y oliera como los despojos putrefactos de los cubos de basura que había detrás de la carnicería del señor Huston, pero la realidad era aún peor, tal vez porque resultaba tan inesperada. Vio abanicos de una sustancia mucosa y ensangrentada sobre las puertas, marcas que quizás habían dejado los inquietos dedos de Átropos, así como un charco repugnantemente grande de la misma sustancia que se sumergía en el residuo endurecido delante de las puertas. Había algo tan terrible en aquella sustancia, tan sobrenatural, que hacía que los insectos de colores parecieran casi normales en comparación. Era como un charco de vómito que hubiera dejado un perro aquejado de una nueva y peligrosa variedad de rabia. Un rastro de aquella sustancia se alejaba del charco, primero en coágulos y salpicaduras que empezaban a secarse, luego en gotitas que parecían pintura derramada.

«Claro —se dijo Ralph—. Por eso estamos aquí. Ese enano hijo de puta no puede mantenerse alejado del lugar. Es como la cocaína para un adicto.»

Podía imaginarse a Átropos en el mismo lugar en que él estaba en aquel momento, mirando..., sonriendo... y luego avanzando un paso y tocando las puertas con las manos. Acariciándolas. Creando aquellas repugnantes marcas. Podía imaginarse a Átropos sorbiendo fuerza y energía de la negrura que despojaba a Ralph de su vitalidad.

Tiene otros lugares a los que ir y otras cosas que hacer, por supuesto. Seguro que cada día es un día muy ocupado si eres un psicópata sobrenatural como él..., pero debe de ser difícil para él mantenerse alejado de este lugar durante mucho tiempo, por muy ocupado que esté. ¿Y cómo le hace sentirse eso? Seguramente como un buen polvo en una tarde de verano, eso es.

Lois le tiró de la manga desde detrás, y Ralph se volvió hacia ella. Seguía sonriendo, pero la febril intensidad de sus ojos hacía que la expresión de sus labios se asemejara sospechosamente a un grito. Tras ella, Connie Chung y Rosenberg se acercaban de nuevo al edificio.

—Tienes que sacarme de aquí —susurró Lois—. No aguanto más. Tengo la sensación de que me estoy volviendo loca.

(«*Vale, no hay problema.*»)

—No te oigo, Ralph... y creo que veo brillar el sol a través de ti. ¡Dios mío, sí que lo veo!

(«*Oh, espera un momento.*»)

Se concentró y sintió que el mundo se deslizaba un poco a su alrededor. Los colores se destiñeron; el aura de Lois pareció introducirse de nuevo en su piel.

—¿Mejor así?

—Bueno, al menos más sólido.

—Bien —repuso él con una breve sonrisa—. Vámonos.

La cogió por el codo y la condujo de nuevo hacia el lugar en que los había dejado Joe Wyzer. Era la misma dirección en que se alejaban las salpicaduras sangrientas.

—¿Has encontrado lo que buscabas?

—Sí.

Lois adoptó una expresión radiante.

—¡Genial! Te he visto subir, ¿sabes? Ha sido muy raro, como si te transformaras en una fotografía de color sepia. Y entonces... pensar que veía brillar el sol a través de ti... ha sido pero que muy curioso.

Lo observó con severidad.

—Muy mal, ¿eh?

—No, no mal exactamente. Sólo curioso. Esos bichos... Eso sí que estaba mal. ¡Argg!

—Te comprendo. Pero creo que siguen ahí detrás.

—Quizás, pero todavía nos falta mucho para salir de ésta, ¿verdad?

—Sí, hay un largo camino hasta el Edén, como habría dicho Carolyn.

—Quédate conmigo, Ralph Roberts, y no te pierdas.

—¿Ralph Roberts? No había oído hablar de él en mi vida. Yo me llamo Norton.

Y aquello, se alegró comprobarlo, la hizo reír.

24

Cruzaron lentamente el aparcamiento asfaltado con su red de líneas amarillas pintadas a pistola. Ralph sabía que aquella noche la mayoría de las plazas estarían llenas. Vengan, miren, escuchen, déjense ver... y, lo más importante, muestren a su ciudad y a todo el país que la rodea que los Charlie Pickering de este mundo no consiguen intimidarlos. Incluso la minoría que no acudiera por temor se vería sustituida por una horda de curiosos morbosos, suponía Ralph.

A medida que se acercaban al hipódromo, también se acercaban al borde de la bolsa de la muerte. En ese punto era más densa, como si constara de diminutas partículas de materia carbonizada. Recordaba un poco el aire que surge de las incineradoras, que resplandece de calor y fragmentos de papel quemado.

Ralph oyó dos sonidos superpuestos. El más audible era una suerte de argentino suspiro. El viento podría producir un sonido como aquél, se dijo Ralph, si aprendía a llorar. Era un sonido siniestro, pero el otro era decididamente desagradable, una suerte de masticación babosa, como si cerca de ellos una gigantesca boca desdentada ingiriera grandes cantidades de comida blanda.

Lois se detuvo cuando se acercaron a la membrana oscura y salpicada de partículas de la bolsa de la muerte; se volvió hacia Ralph con expresión de temor y disculpa. Cuando habló, lo hizo con voz de niña pequeña.

—No creo que pueda atravesar eso. —Se interrumpió, buscó las palabras que necesitaba y por fin soltó el resto—: Está vivo, sabes. Todo esto. Los ve a ellos... —Lois señaló con el pulgar a las personas que había en el aparcamiento y a los que estaban más cerca del edificio—... y eso está mal, pero también nos ve a nosotros, y eso es peor..., porque sabe que lo vemos. Y no le gusta que lo vean. Tal vez que lo sientan, pero no que lo vean.

Aquel sonido grave de masticación babosa parecía estar articulando palabras, y cuanto más escuchaba Ralph, más se convencía de que así era.

(*Largaos. A domar bor el gulo. A la buta galle.*)

—Ralph —susurró Lois—. ¿Lo oyes?

(*Odioñam Matañam Aaaañam.*)

Ralph asintió y la volvió a coger por el codo.

—Vamos, Lois.

—¿Vamos? ¿Adónde?

—Abajo. Abajo del todo.

Por un momento, Lois se lo quedó mirando perpleja, pero por fin comprendió y asintió. Ralph percibió el parpadeo en su interior, esta vez un poco más fuerte que el simple batir de pestañas de unos instantes atrás, y de repente, el día se aclaró a su alrededor. La barrera móvil y sucia que había ante ellos se fundió y desapareció. Sin embargo, contuvieron la respiración al aproximarse al lugar en que sabían que se encontraba el borde de la bolsa de la muerte. Ralph sintió que Lois le oprimía la mano con más fuerza al atravesar la barrera invisible, y cuando pasó él, una oscura maraña de recuerdos, entre los que se encontraban la lenta muerte de su esposa, la pérdida de su perro favorito cuando era niño, la imagen de Bill McGovern inclinándose hacia delante con la mano sobre el pecho, pareció rodear su mente y luego abalanzarse sobre ella como una mano cruel. Sus oídos se llenaron de aquel sollozo argentino, tan constante y tan siniestramente vacuo; la voz llorosa de un idiota congénito.

Y por fin atravesaron la bolsa de la muerte.

En cuanto pasaron bajo el arco de madera que se alzaba en el extremo más alejado del aparcamiento (ESTAMOS EN LAS CARRERAS DEL PARQUE BASSEY, rezaba la inscripción del arco), Ralph tiró de Lois hasta un banco y la obligó a sentarse, aunque ella aseguró con insistencia que se encontraba perfectamente.

—Me alegro, pero yo necesito un momento para recuperarme.

Lois le apartó un mechón de cabello de la sien y le besó justo debajo.

—Tómate todo el tiempo que necesites, amor mío.

Ralph necesitó unos cinco minutos. Cuando le pareció estar razonablemente seguro de que podía levantarse sin que se le doblaran las rodillas, Ralph volvió a coger a Lois de la mano y juntos se pusieron en pie.

—¿Lo has encontrado, Ralph? ¿Has encontrado su rastro?

Ralph asintió.

—Para verlo tenemos que subir unos dos pasos. Primero he intentado subir lo justo para ver las auras, porque eso no parece acelerar el tiempo, pero no ha funcionado. Hay que subir un poco más.

—De acuerdo.

—Pero debemos tener cuidado. Porque podemos ver...

—Podemos ser vistos. Sí. Y tampoco podemos perder la noción del tiempo.

—Desde luego que no. ¿Estás preparada?

—Casi. Creo que necesito otro beso. Con uno pequeño me conformo.

Ralph la besó con una sonrisa.

—Ahora sí que estoy preparada.

—Muy bien... Allá vamos.

Otra vez el parpadeo.

Las salpicaduras rojizas los condujeron a través de la zona de tierra prensada en la que se instalaba la feria durante la fiesta mayor, y a continuación, al hipódromo donde los caballos corrían de mayo a septiembre. Lois se detuvo junto a la valla de tablillas que le llegaba hasta el pecho, miró en derredor para asegurarse de que las gradas estaban desiertas, y por fin se encaramó para saltar al otro lado. Al principio se movió con la dulce agilidad de una jovencita, pero en cuanto pasó la pierna sobre la parte superior y se sentó a horcajadas en la valla, se detuvo en seco. En su rostro se dibujó una expresión de sorpresa y consternación a un tiempo.

(*«Lois, ¿estás bien?»*)

(*«Sí, perfectamente. Es mi maldita ropa interior. ¡Creo que he adelgazado, porque no quiere quedarse en su sitio! ¡Por el amor de Dios!»*)

Ralph advirtió que no sólo veía la puntilla del viso de Lois, sino siete u ocho centímetros de nailon rosa. Reprimió una sonrisa mientras Lois empezaba a tirar de la tela. Pensó en decirle que estaba monísima, pero decidió que tal vez no fuera una buena idea,

(*«Gírate mientras me pongo bien el maldito viso, Ralph. Y ya que estás, borra esa sonrisa satisfecha de tu cara, ¿quieres?»*)

Ralph se volvió de espaldas y observó el Centro Cívico. Si en verdad había tenido una sonrisa satisfecha pintada en el rostro (aunque creía que lo más probable era que Lois la hubiera visto en su aura), la visión de la bolsa de la muerte que giraba lentamente en torno al edificio se ocupó de borrarla de inmediato.

(*«Lois, quizá sería mejor que te lo quitaras.»*)

(*«Perdona, Ralph, pero no me educaron para que me quitara la ropa interior y la dejara tirada en los hipódromos, y si alguna vez has conocido a alguna chica que hiciera cosas así, espero que fuera antes de que conocieras a Carolyn. Ojalá...»*)

Vaga imagen de un imperdible reluciente en la mente de Ralph.

(*«No tendrás uno, ¿verdad, Ralph?»*)

Ralph denegó con la cabeza y le envió otra imagen: arena corriendo por un reloj.

(«*Vale, vale, mensaje recibido. Creo que lo he arreglado para que aguante al menos un ratito más. Ya puedes girarte.*»)

Ralph obedeció. Lois estaba bajando por el otro lado de la valla con gran seguridad, pero su aura había palidecido de forma considerable, y Ralph vio que volvía a tener ojeras. Sin embargo, la Revolución de la Fundación Ropa Interior había sido sofocada, al menos de momento.

Ralph trepó a la valla, pasó una pierna sobre ella y se dejó caer al otro lado. Le gustó la sensación que aquello le producía, ya que despertó recuerdos muy antiguos en lo más profundo de sus huesos.

(«*Tendremos que recargar las pilas dentro de poco, Lois.*»)

Lois, asintiendo con aire cansado: («*Ya lo sé. Vámonos.*»)

Siguieron el rastro hasta el otro lado del hipódromo, se encaramaron a la valla al otro lado y bajaron por una pendiente cubierta de maleza hasta Neibolt Street. Ralph vio que Lois se sujetaba encarnizadamente las bragas a través de la falda mientras se abrían paso por la pendiente; pensó en volver a preguntarle si no sería mejor que se quitara la maldita prenda y decidió meterse en sus propios asuntos. Si le molestaba lo suficiente, ya lo haría ella solita, sin necesidad de que él le diera ningún consejo.

La preocupación principal de Ralph, es decir, que el rastro de Átropos muriera de repente, demostró ser infundada al principio. Las desvaídas salpicaduras rosadas se alejaban directamente por la superficie agrietada y remendada de Neibolt Street, entre bloques de pisos sin pintar que deberían haber sido derribados hacía años. Ropa andrajosa colgaba de tendederos mal tensados; los coches aparcados junto a los bordillos (no existían caminos de entrada ni garajes en aquella parte de Derry) eran viejos, estaban oxidados y en su mayoría asquerosos. Niños sucios con las narices llenas de mocos los miraban pasar desde polvorientos jardines. Un precioso chiquillo de unos tres años y cabello de estopa les lanzó una mirada suspicaz desde la escalera de un porche, y a continuación se agarró el paquete con una mano y les dedicó un gesto obsceno con la otra.

Neibolt Street acababa junto a la antigua estación, y allí, Ralph y Lois perdieron el rastro por unos instantes. Se detuvieron junto a uno de los caballetes para serrar que bloqueaba una vieja entrada rectangular de sótano, lo único que quedaba de la vieja estación de pasajeros, y contemplaron un gran erial rectangular. Oxidadas vías de servicio relucían desde las profundidades de la maraña de girasoles y malas hierbas espinosas; los fragmentos de mil botellas rotas chispeaban al sol de la tarde. Sobre el astillado flanco de un antiguo cobertizo de gasóleo se veían las palabras SUZY ME LA MAMÓ BIEN MAMADA escritas con spray en letras de color fucsia. Aquella declaración de amor aparecía rodeada por un marco de esvásticas.

Ralph: («*¿Adónde narices habrá ido?*»)

(«*Allá abajo, Ralph... ¿Lo ves?*»)

Lois estaba señalando lo que había sido la vía principal hasta 1963, la única línea hasta 1983 y ahora tan sólo otro par de vías de acero oxidadas y cubiertas de maleza que no llevaban a ninguna parte. Incluso la mayor parte de las traviesas habían desaparecido, quemadas en hogueras de campamento bien por los borrachines locales o los vagabundos que pasaban por allí de camino a los campos de patatas del Aroostook Condado o los pomares y los barcos de pesca de la costa. Ralph vio salpicaduras rosadas sobre una de las traviesas supervivientes. Parecían más frescas que las que habían seguido en Neibolt Street.

Observó el trazo semioculto de las vías, intentando recordar. Si la memoria no le fallaba, aquella línea rodeaba el campo de golf municipal antes de dirigirse a..., bueno, de dirigirse a la parte oeste. Ralph creía que se trataba de las mismas vías difuntas que rodeaban el aeropuerto y pasaban junto al merendero en el que, en aquel preciso instante, Faye Chapin bien podía estar cavilando sobre el orden de las partidas del inminente Clásico de la Pista 3.

«Ha sido un gran rodeo —pensó Ralph—. Hemos tardado casi tres días, maldita sea, pero creo que al final estaremos donde empezamos..., no el Edén, sino Harris Avenue.»

—¡Hola! ¿Qué tal?

Era una voz que a Ralph casi le pareció reconocer, y aquella sensación se intensificó cuando echó el primer vistazo al hombre al que pertenecía. Estaba detrás de ellos, en el punto en que la acera de Neibolt Street desaparecía por fin. Aparentaba unos cincuenta años, pero Ralph creía que quizás tenía cinco o diez menos. Llevaba un suéter y unos vaqueros viejos y andrajosos. El aura que lo envolvía era tan verde como un vaso de cerveza el día de San Patricio. Fue aquello lo que encendió la bombillita en la mente de Ralph. Era el borracho que se había acercado a Bill y a él el día en que había encontrado a Bill en el parque Strawford, llorando por su viejo amigo, Bob Polhurst..., quien al final le había sobrevivido. A veces, la vida era más graciosa que Groucho Marx.

Una extraña sensación de fatalismo se adueñó de Ralph, y con ella la comprensión intuitiva de las fuerzas que los rodeaban. Podría haber pasado sin esa sensación. Apenas importaba si aquellas fuerzas eran benévolas o malignas, fruto del Azar o del Propósito; eran ingentes, eso era lo que importaba, y hacían que las cosas que Cloto y Láquesis habían dicho acerca de la libre elección y la voluntad parecieran un chiste. Se sentía como si él y Lois estuvieran atados a los radios de una rueda gigantesca, una rueda que los llevaba hacia el lugar del que habían venido al tiempo que los adentraba más y más en aquel horrible túnel.

—¿Tiene algo suelto, señor?

Ralph bajó un poco para que el borracho lo oyera cuando hablara.

—Apuesto algo a que su tío le ha llamado de Dexter —dijo—. Y le ha dicho que le daría su antiguo trabajo en la fábrica..., pero sólo si se presenta ahí hoy. ¿Tengo razón?

El borracho parpadeó con expresión de cautelosa sorpresa.

—Bueno..., sí. A-algo así.

Buscó a tientas la historia, una historia que, con toda probabilidad, se creía más que cualquier persona a la que se la hubiera contado últimamente, y por fin encontró el hilo perdido.

—Es un buen trabajo, ¿ssabe? Y me lo daría otra veez. Hay un autobús a Bangor y Aroonstook a las doss, pero el billete cuesta cinco dólares y medio, y de momento s-sólo tengo veinticinco centavos...

—Tiene setenta y seis —lo interrumpió Lois—. Dos monedas de veinticinco, dos de diez, una de cinco y una de uno. Pero teniendo en cuenta lo mucho que bebe, su aura tiene un aspecto de lo más saludable, todo hay que decirlo. Debe de tener la constitución de un buey.

El borracho le lanzó una mirada extrañada y a continuación retrocedió un paso al tiempo que se limpiaba la nariz con la palma de la mano.

—No se preocupe —lo tranquilizó Ralph—. Mi mujer ve auras en todas partes. Es una persona muy espiritual.

—¿Ah, s-sí?

—Ajá. Y también es muy generosa, y creo que le dará algo mejor que unas cuantas monedas, ¿verdad, Alice?

—Seguro que se las bebe —repuso Lois—. No hay ningún trabajo esperándole en Dexter.

—No, probablemente no —corroboró Ralph mirándola con fijeza—, pero su aura tiene un aspecto de lo más saludable. De lo más saludable.

—Usted t-también tiene su lado esp-piritual, ¿eh? —intervino el borracho sin dejar de pasear aquella mirada cauta entre Ralph y Lois, aunque en sus ojos se apreciaba un leve rayo de esperanza.

—¿Sabe? Tiene toda la razón —aseguró Ralph—. Y me ha salido hace muy poco.

Frunció los labios como si se le acabara de ocurrir una idea muy interesante e inhaló. Un brillante rayo verde salió disparado del aura del vagabundo, surcó los tres metros que lo separaban de Ralph y Lois y entró en la boca de Ralph. El sabor era claro y lo identificó de inmediato: sidra de la Granja Boone. Era un sabor áspero y vil, pero también agradable en cierto modo, ya que tenía una chispa de obrero. El sabor iba acompañado de aquella sensación de fuerza, lo cual estaba muy bien, así como de una perspicacia que era aún mejor.

Entretanto, Lois sostenía en la mano un billete de veinte dólares. Sin embargo, el borracho no lo vio en seguida, ya que estaba observando el cielo con el ceño fruncido. En aquel momento, otro brillante rayo verde salió disparado de su aura. Cruzó el claro cubierto de maleza que se abría junto a la entrada del sótano como el haz de luz de una linterna y se introdujo en la boca y la nariz de Lois. El billete que sostenía en la mano se agitó un instante.

(«*¡Oh, Dios mío, es tan maravilloso! Sabe como el vino que bebía Paul cuando miraba los partidos de los Red Sox los sábados por la noche.*»)

—¡Esos malditos cazas de la Base de las Fuerzas Aéreas de Charleston! —gritó el borracho con aire de desaprobación—. ¡No pueden romper la b-barrera del sonido hasta que están encima del m-mar! Por poco me meo en... —De repente vio el billete entre los dedos de Lois y su ceño se arrugó aún más—. ¡Eh! ¿Q-qué bromita es ésta? No soy i-imbécil, ¿sabe? A lo mejor me g-gusta tomarme una copita d-de vez en cuando, pero eso no quiere d-decir que s-sea imbécil.

«Tiempo al tiempo, señor —pensó Ralph—. Tiempo al tiempo.»

—Nadie cree que sea usted imbécil —aseguró Lois—. Y no es ninguna broma. Coja el dinero, señor.

El vagabundo intentó mantener el ceño fruncido con aire suspicaz, pero después de echar otro vistazo a Lois (y otro a Ralph por el rabillo del ojo), su expresión suspicaz se trocó en una sonrisa ancha y triunfal. Se acercó a Lois, alargando la mano para coger el dinero, que se había ganado aun sin saberlo.

Lois levantó la mano justo antes de que el borracho pudiera agarrar el billete.

—Pero cómprese algo para comer además de bebida. Y debería preguntarse si es feliz con su modo de vida.

—¡Tiene toda la razón! —exclamó el borracho con entusiasmo, aunque sin apartar los ojos del billete que sobresalía entre los dedos de Lois—. ¡Toda la razón, señora! Tienen un programa al otro lado del río, de desintoxicación y rehabilitación, ¿sabe? Estoy pensando en ello. De verdad. Pienso en ello cada puto día.

Pero sus ojos seguían fijos en el billete de veinte, y el hombre casi babeaba. Lois lanzó a Ralph una mirada vacilante, se encogió de hombros y le entregó el billete al hombre.

—¡Gracias! ¡Gracias, señora! —exclamó antes de volverse hacia Ralph—. ¡Es-sta señora es una princesa! ¡Espero que lo s-sepa!

Ralph dedicó a Lois una mirada cariñosa.

—La verdad es que lo sé —dijo.

Media hora más tarde, Ralph y Lois caminaban entre las oxidadas vías de acero que rodeaban en una curva suave el campo municipal de golf..., aunque en realidad habían subido un poco después de su encuentro con el borracho (tal vez para hacerle compañía), y no estaban caminando exactamente. No realizaban apenas esfuerzo alguno, y aunque movían los pies, Ralph tenía la sensación de que se deslizaban más que andaban. Tampoco estaba del todo seguro de que fueran visibles para el mundo Mortal; las ardillas brincaban tranquilamente a su alrededor, ocupadas en reunir provisiones para el invierno que se avecinaba, y en una ocasión vio que Lois se agachaba a toda prisa cuando un chochín estuvo a punto de cambiarle el peinado. El pájaro viró a la izquierda y hacia arriba, como si se hubiera dado cuenta en el último momento de que había un ser humano en su trayectoria. Los jugadores de golf tampoco les prestaron ninguna atención. Ralph opinaba que los jugadores de golf se ensimismaban hasta la obsesión, pero creía que aquella falta de interés era exagerada. Si él hubiera visto a una pareja de adultos bien vestidos pasear en pleno día por unas vías ferroviarias de Maine que habían fallecido hacía tiempo, creía que se habría tomado un descansito para intentar averiguar qué estaban haciendo y adónde se dirigían. *Creo que sobre todo querría averiguar por qué la señora no dejaba de mascullar «quédate en tu sitio, maldita» mientras se tiraba de la falda*, pensó Ralph con una sonrisa. Pero los jugadores de golf no les dedicaron ni una sola mirada, aunque un grupo de cuatro jugadores que se dirigía hacia el noveno hoyo pasó tan cerca que Ralph los oyó hablar preocupados de una incipiente bajada en el mercado de los bonos. La idea de que Lois y él se habían tornado invisibles, o al menos casi invisibles, empezó a parecerle cada vez más plausible. Plausible... y preocupante. «El tiempo pasa más deprisa cuando vuelas», había dicho el viejo Dor.

El rastro se tornaba más fresco a medida que se dirigían hacia el oeste, y a Ralph cada vez le hacían menos gracia las gotas y salpicaduras que lo formaban. En los lugares en que habían caído sobre las vías de acero, habían carcomido el óxido como ácido corrosivo. Los hierbajos sobre los que habían aterrizado aparecían negros y muertos... Incluso los más resistentes habían muerto. Cuando Ralph y Lois pasaron junto al tercer *green* del campo municipal de golf y se adentraron en una maraña de árboles escuálidos y maleza, Lois le tiró de la manga y señaló hacia delante. Grandes manchas del rastro de Átropos relucían como pintura enfermiza sobre los troncos de los árboles que se cernían sobre las vías, y en algunos de los hoyos que se habían formado entre los viejos rieles, lugares que, según suponía Ralph, antaño habían ocupado las traviesas, había charcos enteros.

(*«Nos estamos acercando al sitio donde vive, Ralph.»*)

(*«Sí.»*)

(«*Si vuelve y nos encuentra en su casa, ¿qué hará?*»)

Ralph se encogió de hombros. No lo sabía, y no estaba seguro de que le importara. Que las fuerzas que los rodeaban como peones en un tablero de ajedrez, las fuerzas que el señor C. y el señor L. habían llamado el Propósito Superior, se preocuparan de eso. Si aparecía Átropos, Ralph intentaría arrancarle la lengua a ese renacuajo calvo y estrangularle con ella. Si eso daba al traste con los planes de alguien, pues mala pata. No podía asumir la responsabilidad de esos ambiciosos planes ni de asuntos Limitados; su tarea consistía en proteger a Lois, que corría un grave riesgo, e intentar evitar la carnicería que se produciría no muy lejos de ahí al cabo de pocas horas. ¿Y quién sabía? A lo mejor incluso encontraba un hueco para intentar proteger su parcialmente rejuvenecido pellejo. Eso era lo que tenía que hacer, y si ese hijo puta enano se interponía en su camino, uno de los dos moriría en el intento. Y si eso no les gustaba al señor C. y al señor L., pues mala pata.

Lois estaba leyendo la mayor parte de aquello en su aura..., según él leyó en la suya cuando Lois le tocó el brazo y Ralph se volvió hacia ella.

(«*¿Qué quieres decir, Ralph? ¿Que intentarás matarlo si se interpone en nuestro camino?*»)

Ralph consideró sus palabras durante unos instantes, y por fin asintió.

(«*Sí, eso es exactamente lo que quiero decir.*»)

Lois reflexionó y por fin asintió.

(«*Ralph.*»)

Ralph la miró enarcando las cejas.

(«*Si hay que hacerlo te ayudaré.*»)

Ralph se sintió absurdamente conmovido al oír aquellas palabras... y le costó mucho ocultarle el resto de su pensamiento, es decir, que la única razón por la que Lois seguía con él era que, de aquel modo, Ralph podía protegerla. Aquella idea lo indujo a pensar en sus pendientes, pero desterró la imagen de su mente para que ella no la viera, ni tan siquiera la percibiera en su aura.

Sin embargo, Lois estaba pensando en algo distinto y un poco más seguro.

(«*Aunque entremos y salgamos sin encontrárnoslo, sabrá que alguien ha estado allí, ¿verdad? Y probablemente sabrá quién ha sido.*»)

Ralph no podía negarlo, pero no le parecía que importara demasiado; sus opciones habían quedado reducidas a una sola, al menos de momento. Avanzarían paso a paso, esperando que cuando el sol saliera al día siguiente, ellos estuvieran allí para verlo. «Aunque, puestos a escoger, preferiría dormir hasta después de que saliera el sol —se dijo Ralph con una sonrisa leve y melancólica—. Dios mío, tengo la sensa-

ción de que hace años que no duermo hasta después del amanecer.»
Su mente se desvió hacia el proverbio favorito de Carolyn, aquel que
decía que había un largo camino hasta el Edén. En ese momento le
parecía que el Edén podría dormir hasta mediodía... o tal vez incluso
un poco más.

Cogió a Lois de la mano, y juntos empezaron a seguir de nuevo el
rastro de Átropos.

Unos doce metros al este de la valla anticiclones que marcaba los
límites del aeropuerto, las vías oxidadas se interrumpían. Sin embargo, el rastro de Átropos continuaba, aunque no por mucho rato; Ralph
estaba casi seguro de que veía el lugar en que terminaba, y la imagen
de él y Lois atados a los radios de una gran rueda volvió a cruzar su
mente. Si tenía razón, la guarida de Átropos estaba a un tiro de piedra
del lugar en que Ed había chocado con aquel tipo gordo que llevaba
los bidones de fertilizante en la caja de su furgoneta.

El viento les envió una ráfaga que transportaba un hedor enfermizo y podrido procedente de un lugar cercano, y de un poco más lejos,
la voz de Faye Chapin arengando sobre su tema predilecto.

—¡... lo que siempre digo! ¡El *mah-jongg* es como el ajedrez, el ajedrez es como la vida, así que si sabes jugar a uno de estos dos juegos...!

El viento amainó. Ralph todavía oía la voz de Faye si aguzaba
el oído, pero ya no distinguía sus palabras. Pero no pasaba nada; había
oído el discursito tantas veces que más o menos ya sabía cómo seguía.

(«*¡Ralph, ese hedor es insoportable! Es él, ¿verdad?*»)

Ralph asintió, pero no creía que Lois lo viera. Le oprimía la mano
con fuerza, mirando al frente con los ojos abiertos de par en par. El
rastro de salpicaduras que empezaba ante las puertas del Centro Cívico terminaba en la base de un roble muerto e inclinado como un borracho que se hallaba a unos doscientos metros de distancia. La causa
tanto de la muerte del árbol como de su posición inclinada era evidente: un lado de la venerable reliquia había sido pelada como un plátano
por un rayo. Las grietas, las almenas y los bultos de su corteza gris
parecían las facciones de rostros que gritaran en silencio, semiente-
rrados en el tronco, y el árbol extendía sus ramas desnudas hacia el
suelo como si de ceñudos ideogramas se tratara..., ideogramas que
guardaban, al menos en la imaginación de Ralph, un inquietante parecido con los ideogramas japoneses que significaban *kamikaze*. El
relámpago que había acabado con el árbol no había conseguido derri-
barlo, pero, desde luego, había hecho lo imposible. La parte de sus
abundantes raíces que apuntaba hacia el aeropuerto estaba arrancada del suelo. Aquellas raíces se habían extendido bajo la valla de alam-

bre cruzado y tirado de una parte de ella hacia arriba y hacia fuera, formando una especie de campana que hizo pensar a Ralph, por primera vez en muchos años, en un amigo de la infancia llamado Charles Engstrom.

—No juegues con Chuckie —le decía su madre—. Es un niño muy sucio.

Ralph no sabía si Chuckie era un niño sucio o no, pero estaba como una cabra, eso sí que lo sabía. A Chuckie Engstrom le gustaba esconderse detrás del árbol que había en el jardín de su casa con una rama larga que llamaba el Palo Espía. Cuando pasaba una mujer con falda larga, Chuckie la seguía de puntillas, cogía el dobladillo con el Palo Espía y se la levantaba. Muchas veces llegaba a verles el color de la ropa interior (el color de la ropa interior de señora fascinaba a Chuckie) antes de que se dieran cuenta de lo que sucedía y persiguieran al chiquillo, que se partía de risa, hasta su casa, amenazándole con contárselo a su madre. La valla del aeropuerto, arrancada hacia arriba y hacia fuera por las raíces del viejo roble, recordaba a Ralph el aspecto que tenían las faldas de las víctimas de Chuckie cuando éste empezaba a subírselas con el Palo Espía.

(«*Ralph.*»)

Ralph se volvió hacia ella.

(«*¿Quién es Pablo Estría? ¿Y por qué estás pensando en él?*»)

Ralph lanzó una carcajada.

(«*¿Lo has visto en mi aura?*»)

(«*Supongo. No sé nada más. ¿Quién es?*»)

(«*Te lo contaré otro día. Vamos.*»)

La cogió de la mano y juntos se acercaron lentamente al roble bajo el que terminaba el rastro de Átropos, al olor cada vez más denso a podredumbre que era su olor.

25

Se detuvieron junto a la base del roble, mirando hacia abajo. Lois se mordía el labio inferior con ademán obsesivo.

(«*¿Tenemos que bajar ahí, Ralph? ¿De verdad tenemos que bajar ahí?*»)

(«*Sí.*»)

(«*Pero ¿por qué? ¿Qué tenemos que hacer? ¿Atraer a Átropos para que salga? ¿Quemar la guarida? ¿Recuperar algo que ha robado? ¿Matarle? ¿Qué?*»)

Aparte de recuperar el peine de Joe y los pendientes de Lois, Ralph no sabía..., pero estaba seguro de que lo averiguaría, de que los dos lo averiguarían a su debido tiempo.

(«*Creo que de momento lo mejor es que sigamos, Lois.*»)

El relámpago había actuado como una mano de gran fuerza, empujando el árbol hacia el este y abriendo un gran agujero en la base de su cara occidental. Para un hombre o una mujer con visión mortal, aquel agujero ofrecería un aspecto oscuro (y tal vez algo atemorizador con sus flancos arenosos y las raíces apenas visibles que se retorcían en las tenebrosas sombras como serpientes), pero por lo demás, nada insólito.

«Un niño con imaginación podría ver más —se dijo Ralph—. Ese espacio oscuro al pie del árbol podría hacerle pensar en tesoros de piratas..., escondrijos clandestinos..., guaridas de duendes...»

Pero Ralph no creía que ni siquiera un niño Mortal imaginativo fuera capaz de ver la mortecina luz roja que se filtraba desde la tierra o de percatarse de que aquellas raíces retorcidas eran en realidad toscos peldaños que conducían a un lugar desconocido y sin duda desagradable.

No..., ni siquiera un niño imaginativo vería esas cosas..., pero tal vez podría sentirlas.

Exacto. Y después de sentirlas, cualquier crío con dos dedos de frente se daría la vuelta y pondría pies en polvorosa. Como harían él y

Lois si tuvieran dos dedos de frente. Salvo por los pendientes de Lois. Salvo por el peine de Joe Wyzer. Salvo por su propio lugar perdido en el Propósito. Y por supuesto, salvo por Helen (y posiblemente Nat) y otras dos mil personas que aquella noche acudirían al Centro Cívico. Lois estaba en lo cierto. Tenían que hacer algo, y si se arredraban ahora, ese algo siempre sería fruto de lo hecho, hecho está.

«Y también están las cuerdas —pensó Ralph—. Esas cuerdas que las fuerzas utilizan para atarnos a nosotros, pobres y confusas criaturas Mortales, a su rueda.»

Veía a Cloto y Láquesis a través de un brillante cristal de odio, y creía que si estuvieran allí en aquel momento, habrían cambiado una de aquellas miradas inquietas para después retroceder un paso a toda prisa.

«Y harían bien —se dijo—... Harían muy bien.»

(«*Ralph, ¿qué pasa? ¿Por qué estás tan enfadado?*»)

Ralph se llevó la mano de Lois a los labios y la besó.

(«*No pasa nada. Vamos. Entremos antes de que nos arrepintamos.*»)

Lois lo observó un momento más y por fin asintió. Y cuando Ralph se sentó y metió las piernas en la boca abierta y repleta de raíces al pie del árbol, ella lo siguió sin titubear.

Ralph se deslizó tierra adentro de espaldas, cubriéndose el rostro con la mano libre para que no se le metiera tierra en los ojos abiertos. Intentó no retroceder cuando nudos de las raíces le acariciaban el cuello o le pinchaban en la parte baja de la espalda. El olor que percibía ahora era tan intenso que casi podía cortarse, un repugnante hedor de casa de monos que le produjo náuseas. Pudo convencerse de que se acostumbraría a ello hasta que se metió de lleno en el agujero que se abría bajo el roble, y entonces ya no pudo convencerse más. Se incorporó sobre un codo, sintiendo las raíces más pequeñas arañándole el cuero cabelludo y los colgajos de corteza haciéndole cosquillas en las mejillas, y vomitó todo lo que le quedaba en el estómago del desayuno. Oyó que Lois hacía lo mismo a su lado.

Un terrible y confuso mareo se adueñó de él en intensas oleadas. El hedor era tan denso que casi se lo estaba comiendo, y veía la sustancia roja que habían seguido hasta aquel lugar de pesadilla cubrirle las manos y los brazos. Mirarla ya había sido terrible; pero ahora estaba bañándose en ella, por el amor de Dios.

Algo le agarró la mano y estuvo a punto de dejarse llevar por el pánico antes de darse cuenta de que se trataba de Lois. Entrelazó sus dedos con los suyos.

(«*¡Ralph, sube un poco! ¡Es mejor! ¡Aquí podrás respirar!*»)

Comprendió lo que quería decir al instante, y tuvo que contenerse, obligarse a bajar en el último momento, ya que de lo contrario, habría subido por la escalera de la percepción como un cohete a plena propulsión.

El mundo se tambaleó, y de repente le pareció que había más luz en aquel agujero apestoso... y también un poco más de espacio. El olor no desapareció, pero se tornó soportable. Ahora era como estar en una tienda de campaña pequeña y cerrada llena de gente con los pies sucios y los sobacos sudorosos. No resultaba muy agradable, pero sí soportable, al menos durante un rato.

De repente, Ralph imaginó la esfera de un reloj de bolsillo cuyas manecillas avanzaban con demasiada rapidez. Aquel lugar era mejor ahora que el hedor no intentaba meterse en su garganta a cucharadas para ahogarlo, pero seguía siendo un lugar peligroso... ¿Y si salían de allí al día siguiente por la mañana, cuando el Centro Cívico no fuera más que un agujero humeante en Main Street? Podía suceder. Era imposible no perder la noción del tiempo ahí abajo, del tiempo Mortal, del tiempo Limitado y del tiempo Eterno. La mera idea parecía un chiste.

Déjalo, Ralph... No puedes hacer nada al respecto y tienes que respirar, así que déjalo.

Lo intentó, y en aquel momento se le ocurrió que el viejo Dor había tenido toda la razón del mundo el día en que Ed había chocado con la furgoneta del señor Jardineros del West Side; era mejor no meterse en asuntos ajenos. Y sin embargo, allí estaban, el Peter Pan y la Wendy más viejos del mundo deslizándose bajo un árbol mágico hacia un submundo viscoso que ninguno de los dos quería ver.

Lois lo estaba observando, el rostro pálido iluminado por aquella repugnante luz roja, los expresivos ojos llenos de temor. Vio unos hilillos oscuros en su barbilla y se dio cuenta de que era sangre. Había dejado de mordisquearse el labio inferior para empezar a arrancárselo a trozos.

(«*Ralph, ¿estás bien?*»)

(«*¿Estoy aquí debajo de un viejo roble con una chica guapísima y aún me lo preguntas? Estoy bien, Lois. Pero creo que será mejor que nos demos prisa.*»)

(«*De acuerdo.*»)

Buscó a tientas un punto de apoyo y colocó el pie sobre una raíz nudosa. La raíz soportó su peso, y Ralph se deslizó por la pendiente pedregosa, apoyándose en otra raíz y sin soltar la cintura de Lois. La falda se le subió hasta los muslos, y Ralph volvió a pensar en Chuckie Engstrom y su Palo Espía. Le divirtió y exasperó a un tiempo ver que Lois intentaba ponerse bien la falda.

(«*Sé que una señora intenta mantener la falda bien puesta siempre* que es posible, pero creo que esa regla no vale cuando estás bajando por escaleras de duende debajo de un roble. ¿Vale?)

Lois le dedicó una sonrisa avergonzada y asustada.

(«Si hubiera sabido lo que íbamos a hacer, me habría puesto pantalones. Creía que sólo íbamos al hospital.»)

«Si yo hubiera sabido lo que íbamos a hacer —pensó Ralph—, habría canjeado mis bonos, por muy mal que estuviera el mercado, y ahora mismo estaríamos en un avión en dirección a Río, querida.»

Buscó a tientas con el otro pie, consciente de que si se caía, lo más probable era que acabara en un lugar al que el equipo de rescate de Derry no podría acceder ni en pintura. Encima de sus ojos, un gusano rojizo surgió de la tierra, arrojando migas de tierra sobre su frente.

Durante lo que se le antojó una eternidad no sintió nada, y entonces su pie tocó madera blanda, no una raíz, sino algo que parecía un verdadero peldaño. Se deslizó hacia abajo sin soltar a Lois y esperó a ver si la cosa sobre la que se había detenido soportaba su peso o cedía.

La cosa aguantó y era lo bastante ancha para los dos. Ralph bajó la mirada y vio que era el peldaño superior de una estrecha escalera que descendía curvada hacia la oscuridad teñida de rojo. Había sido construida para un ser (y quizás por un ser) mucho más bajo que ellos, por lo que tuvieron que agacharse, pero, aun así, era mucho mejor que la pesadilla de los últimos instantes.

Ralph miró la cuña rasgada de luz natural que había sobre ellos con los ojos resaltados sobre el rostro surcado de tierra y sudor y una expresión de estúpido anhelo. La luz natural jamás se le había antojado tan dulce ni tan distante. Se volvió hacia Lois y asintió con la cabeza. Lois le oprimió la mano y le devolvió el gesto. Agachados, encogiéndose cada vez que una raíz colgante les tocaba el cuello o la espalda, empezaron a bajar la escalera.

El descenso se les antojó interminable. La luz roja se tornó más brillante, el hedor de Átropos, más denso, y Ralph era consciente de que los dos estaban «subiendo» al tiempo que bajaban; era cuestión de escoger entre eso o sucumbir ante el olor. Siguió diciéndose que estaban haciendo lo que debían hacer, que debía de haber un guardián del tiempo en una operación de aquella envergadura, alguien que les diera un toque si se les acababa el tiempo, pero aun así, estaba preocupado; porque a lo mejor no había ningún guardián del tiempo, ni un árbitro ni un equipo ni jueces de línea ataviados con camisas a rayas. No hay garantías, había dicho Cloto.

Cuando Ralph empezaba a preguntarse si la escalera llegaba hasta el mismísimo infierno, alcanzó el último peldaño. Un pasillo corto de piedra, de alrededor de un metro de altura y unos siete metros de longitud, conducía a una arcada. Tras ella, aquel brillo rojo latía y ardía como el calor de un horno abierto.

(*«Vamos, Lois, pero prepárate para encontrarte con cualquier cosa. Prepárate para encontrarte con él.»*)

Lois asintió, volvió a tirar del viso rebelde y lo siguió por el estrecho pasillo. Ralph dio una patada a algo que no era una piedra, de modo que se agachó para recogerlo. Era un cilindro de plástico rojo, uno de cuyos extremos era más ancho que el otro. Al cabo de un momento comprendió lo que era: el mango de una comba. Tres-seis-nueve, cariño, la oca se mueve.

No te metas en lo que no te importa, había dicho Átropos, pero se había metido, y no sólo porque lo que los médicos calvos y bajitos habían denominado *ka*. Se había metido porque lo que Átropos pretendía hacer sí le importaba, pensara lo que pensara el asqueroso renacuajo. Derry era su ciudad, Lois Chasse era su amiga, y Ralph albergaba el sincero deseo de hacer que el doctor 3 se arrepintiera de haber visto siquiera los pendientes de diamantes de Lois.

Arrojó a un lado el mango de la comba y echó a andar de nuevo. Al cabo de unos instantes, él y Lois pasaron por debajo de la arcada y se quedaron petrificados, contemplando el piso subterráneo de Átropos. Con los ojos abiertos como platos y las manos entrelazadas, parecían niños de cuento de hadas más que nunca, no Peter Pan y Wendy, sino Hansel y Gretel al llegar de la casita de chocolate de la bruja después de pasar varios días deambulando por el bosque.

(*«¡Oh, Ralph! ¡Dios mío, Ralph! ¿Lo estás viendo?»*)
(*«Chist, Lois, chist.»*)

Ante ellos se abría una pequeña y asquerosa estancia que parecía una combinación de cocina y dormitorio. El cuarto era sórdido y tenebroso. En el centro se veía una mesa baja y redonda que, por lo que veía Ralph, era la mitad superior de un barril. Sobre ella vieron los restos de una comida, unas gachas grises y rancias que parecían cerebros licuados congelándose en una sopera desportillada. Tenía una única silla plegable, que estaba muy sucia. A la derecha de la mesa había un primitivo váter que consistía en un tambor de acero oxidado con un asiento de inodoro en equilibrio sobre él. El olor que despedía todo aquello era increíblemente putrefacto. La única decoración de la estancia consistía en un espejo de cuerpo entero y marco de latón colgado de una pared, y su superficie estaba tan oscurecida por el tiempo que el Ralph y la Lois reflejados en ella tenían aspecto de estar flotando en tres o cuatro metros de agua.

A la izquierda del espejo se veía una cama austera consistente en un mugriento colchón y un saco de arpillera relleno de paja o plumas.

Tanto la almohada como el jergón sobre el que descansaba brillaban y ardían por los sudores nocturnos de la criatura que solía dormir allí. «Los sueños que esconde esa almohada de arpillera me harían perder el juicio», se dijo Ralph.

En alguna parte, sólo Dios sabía a cuánta profundidad, caían gotas de agua con un tintineo hueco.

En el extremo más alejado del piso se erigía otra arcada, ésta más alta, a través de la cual vieron una especie de almacén atestado y surrealista. Ralph parpadeó dos o tres veces para intentar asegurarse de que realmente estaba viendo lo que estaba viendo.

«Éste es el lugar, sí, señor —pensó—. Sea lo que sea lo que hemos venido a buscar, está aquí.»

Lois se acercó a la segunda arcada como hipnotizada. Los labios le temblaban de consternación, pero sus ojos estaban llenos de impotente curiosidad; era la expresión, Ralph estaba bastante seguro, que debió de adoptar la esposa de Barbazul al emplear la llave que abría la puerta de la habitación prohibida de su marido. De repente, Ralph se convenció de que Átropos estaba agazapado al otro lado de aquella arcada, bisturí oxidado en ristre. Se lanzó en pos de Lois y la detuvo antes de que pudiera cruzar el umbral. La cogió por el brazo, se llevó un dedo a los labios y meneó la cabeza antes de que Lois pudiera hablar.

Se agachó con los dedos de una mano apoyados contra el suelo de tierra compacta, como un corredor que esperara el pistoletazo de salida. De repente atravesó de un salto el arco (alegrándose por la rápida reacción de su cuerpo incluso en aquel momento), cayó sobre el hombro y rodó sobre sí mismo. Sus pies chocaron contra una caja de cartón y la volcaron, desparramando su contenido por el suelo: guantes y calcetines sin pareja, un par de libros viejos de bolsillo, unas bermudas, un destornillador con manchas marrones, tal vez pintura, tal vez sangre, en el mango de acero.

Ralph se puso de rodillas y miró a Lois, que estaba de pie bajo el arco y lo miraba con las manos entrelazadas bajo la barbilla. No había nadie a ningún lado de la arcada, y lo cierto era que no había espacio para nadie. A cada lado había más cajas apiladas. Ralph leyó las inscripciones con aire confundido: Jack Daniels, Gilby's, Smirnoff, J&B. Al parecer, a Átropos le gustaban tanto las cajas de licor como a cualquiera que no le gustara tirar nada.

(«*Ralph, ¿es seguro?*»)

¿Seguro? Vaya chiste. Pero Ralph asintió con la cabeza y alargó la mano. Lois se acercó a toda prisa al tiempo que tiraba otra vez de su viso y miraba en derredor cada vez más asombrada.

Desde el otro lado de la arcada, desde el pequeño y siniestro piso de Átropos, aquel almacén parecía grande. Pero ahora que estaban dentro, Ralph se dio cuenta de que era mucho más que eso; las salas de aquellas dimensiones solían recibir el nombre de naves industriales. Entre las enormes pilas de trastos, que parecían a punto de desplomarse, se abrían diversos pasillos. Sólo las cosas que había junto a la puerta estaban guardadas en cajas; el resto aparecía amontonado de cualquier manera, creando algo que era dos partes de laberinto y tres partes de trampa. Ralph decidió que ni siquiera el término nave industrial bastaba para describir aquello...; se trataba más bien de un barrio subterráneo, y Átropos podía estar al acecho en cualquier rincón..., y si estaba ahí, lo más probable era que los estuviera observando.

Lois no preguntó qué era lo que tenían delante; Ralph vio en su rostro que ya lo sabía. Cuando habló, lo hizo en un tono soñador que hizo que Ralph se estremeciera de pies a cabeza.

(«*Debe de ser muy viejo, Ralph.*»)

Sí. Muy viejo.

A unos veinte metros, en aquella estancia iluminada por el mismo brillo rojo mortecino y misterioso que la escalera, Ralph vio una enorme rueda con radios colocada sobre una silla de respaldo de mimbre, que a su vez, estaba sobre una plancha industrial vieja y astillada. Al ver la rueda sintió un estremecimiento aún mayor; era como si la metáfora que su mente había creado para ayudarle a comprender el concepto del *ka* se hubiera hecho realidad. Entonces se dio cuenta de la oxidada tira de hierro que rodeaba la circunferencia exterior de la rueda, y se dio cuenta de que debía de proceder de una de aquellas bicicletas Gay Nineties que parecían triciclos desproporcionados.

«Es una rueda de bicicleta, sí, señor, y tiene al menos cien años», pensó. Aquella idea le indujo a preguntarse cuántas personas, cuántos miles o decenas de miles de personas habrían muerto en Derry y sus alrededores desde que Átropos transportara de algún modo aquella rueda a este lugar. Y de aquellos miles de personas, ¿cuántas habían sido muertes del Azar?

¿Y cuántos años tiene? ¿Cuántos siglos?

Por supuesto, no había forma de saberlo; tal vez se remontaba al principio, cuando quiera que hubiera habido un principio. Y durante aquel tiempo, había cogido algo de todas las personas con las que se había metido... y ahí estaba todo.

Ahí estaba todo.

(«*Ralph.*»)

Giró en redondo y vio que Lois tenía ambas manos extendidas hacia él. En una sostenía un panamá con un pequeño mordisco en el ala. En la otra sostenía un peine de bolsillo de nailon negro, de los que pueden comprarse en cualquier mercería por un dólar veintinueve. Un brillo fantasmal de color naranja amarillento todavía se adhería al peine, lo que no sorprendió a Ralph en exceso. Cada vez que el dueño lo había utilizado, un poco de su aura y su cordel de globo debían de haber quedado pegados en él como caspa. Tampoco le sorprendió que el peine estuviera con el sombrero de McGovern; la última vez que había visto ambas cosas habían estado juntas. Recordó la sonrisa sarcástica de Átropos cuando se quitó el panamá y fingió peinarse la calva.

Y entonces dio un salto y juntó los talones.

Lois estaba señalando una vieja mecedora con una guía rota.

(«*El sombrero estaba ahí mismo, sobre el asiento. El peine estaba debajo. Es el del señor Wyzer, ¿verdad?*»)

(«*Sí.*»)

Lois se lo alargó de inmediato.

(«*Cógelo tú. No soy tan despistada como decía siempre Bill, pero a veces pierdo cosas. Y si pierdo esto nunca me lo perdonaré.*»)

Ralph cogió el peine, se dispuso a guardárselo en el bolsillo trasero, pero entonces pensó en la facilidad con que Átropos lo había sacado de ahí. Llegar y besar el santo. Se lo guardó en el bolsillo delantero y se volvió hacia Lois, quien contemplaba el sombrero mordido de McGovern con la expresión triste de Hamlet al mirar la calavera de su viejo amigo, Yorick. Cuando alzó la mirada, Ralph vio que tenía los ojos bañados en lágrimas.

(«*Le encantaba este sombrero. Creía que tenía un aspecto muy gallardo y elegante cuando lo llevaba. No era verdad; sólo tenía aspecto de Bill, pero él creía que le sentaba bien, y eso es lo que importa, ¿no te parece, Ralph?*»)

(«*Sí.*»)

Arrojó el sombrero sobre el asiento de la vieja mecedora y se volvió para examinar una caja de lo que parecía ropa de saldo. En cuanto se volvió de espaldas, Ralph se puso en cuclillas para mirar debajo de la mecedora, con la esperanza de ver dos destellos en la oscuridad. Si el sombrero de Bill y el peine de Joe estaban ahí, entonces quizás los pendientes de Lois...

No había nada bajo la mecedora excepto polvo y una botita de lana para bebé.

«Debería haberme imaginado que no iba a ser tan fácil», se dijo Ralph al incorporarse. De repente estaba exhausto. Habían encontrado el peine de Joe sin dificultad, y eso estaba muy bien, era genial, de hecho, pero Ralph tenía la sensación de que era un caso espectacular de suerte de novato. Aún debía preocuparse por los pendientes de Lois... y por hacer lo que fuera que debían hacer allá abajo, por supuesto. ¿Y qué era lo que debían hacer? No lo sabía, y si alguien de arriba estaba enviando instrucciones, la verdad era que no las estaba recibiendo.

(«*Lois, ¿tienes alguna idea de...?*»)

(«*Chist.*»)

(«*¿Qué pasa? Lois, ¿es él?*»)

(«¡*No! ¡Calla, Ralph! ¡Calla y escucha!*»)

Ralph escuchó. Al principio no oyó nada, pero de repente percibió de nuevo aquel parpadeo interior. Esta vez fue muy lento, muy cauteloso. Subió un poco más, ligero como una pluma llevada por el viento cálido. Percibió un sonido largo, parecido a un gruñido, como una puerta que no cesara de crujir. Había algo familiar en ello, no en el sonido en sí mismo, sino en sus asociaciones. Era como...

... *una alarma antirrobo o tal vez un detector de humo. Nos está diciendo dónde está. Nos está llamando.*

Lois le cogió la mano; tenía los dedos fríos como el hielo.

(«*Ahí está, Ralph, eso es lo que estamos buscando. ¿Lo oyes?*»)

Sí, lo oía. Claro que lo oía. Pero fuera lo que fuese, no tenía nada que ver con los pendientes de Lois... y sin lo pendientes de Lois, él no iba a ninguna parte.

Eso esperas, cariño, dijo la Carolyn de su mente. *Eso esperas.*

Sí. Eso esperaba.

(«¡*Vamos, Ralph! ¡Vamos! ¡Tenemos que encontrarlo!*»)

Dejó que le guiara a las profundidades de la estancia. En la mayoría de los casos, los *souvenirs* de Átropos estaban amontonados en pilas un metro más altas que ellos. Ralph no sabía cómo un renacuajo como él lo había logrado (tal vez mediante la levitación), pero como consecuencia de ello, no tardó en perder el sentido de la orientación mientras giraban y a veces incluso parecían retroceder. Lo único que sabía con certeza era que aquella especie de gruñido sonaba cada vez más cercano; cuando se aproximaron más a su fuente, se convirtió en un zumbido de insecto que a Ralph le parecía cada vez más desagradable. Tenía la sensación de que al doblar una esquina se toparían con una langosta gigante que los miraría con ojos marrones negruzcos del tamaño de pomelos.

Aunque las auras individuales de los objetos que atestaban el almacén se habían amortiguado como el aroma de los pétalos de flor prensados entre las páginas de un libro, seguían allí bajo el hedor de Átropos, y a ese nivel de percepción, con todos los sentidos despiertos y agudizados, era imposible no sentir aquellas auras y verse afectado por ellas. Aquellos recordatorios mudos de las muertes del Azar resultaban a un tiempo horribles y patéticas. Ralph se dio cuenta de que el lugar era más que un museo o la guarida de una persona que nunca tira nada; era una iglesia profana en la que Átropos tomaba su propia versión de la comunión... Dolor en lugar de pan, lágrimas en lugar de vino.

Su excursión errante por los zigzagueantes pasillos fue una experiencia cruel, casi demoledora. Cada giro no del todo azaroso descubría cien objetos que Ralph deseaba no haber visto jamás ni tener que recordar; cada uno de ellos profería un débil grito de dolor y confusión. No tenía que preguntarse si Lois sentía lo mismo... Estaba sollozando sin cesar a su lado.

El destartalado trineo de un niño, con la cuerda de tracción aún anudada sobre la barra de dirección. El niño al que había pertenecido había muerto de convulsiones un día frío y soleado de enero de 1953.

Un bastón de *mayorette*, todavía envuelto en espirales violetas y blancas de papel de celofán, los colores de la Academia Grant. Había sido violada y asesinada a golpes con una piedra en otoño de 1967. Su asesino, al que jamás habían encontrado, había metido su cuerpo en una pequeña cueva, donde sus huesos, junto con los huesos de otras dos desafortunadas víctimas, aún yacían.

El camafeo de una mujer golpeada por un ladrillo mientras se dirigía por Main Street a comprar el último número de *Vogue*. Si hubiera salido de casa treinta segundos antes o treinta segundos más tarde, no le habría pasado nada.

El machete de un hombre que había muerto en un accidente de caza en 1937.

La brújula de un *boy scout* que se había caído y roto el cuello mientras estaba de excursión en el monte Katahdin.

La zapatilla de un niño pequeño llamado Gage Creed, atropellado por un camión cisterna en la carretera 15, a la altura de Ludlow.

Anillos y revistas; llaveros y paraguas; sombreros y gafas; sonajeros y radios. Parecían objetos distintos, pero Ralph creía que eran la misma cosa; las voces lejanas y dolidas de personas que se habían visto borradas del guión en medio del segundo acto, cuando todavía se estaban aprendiendo el texto del tercero, personas a las que se habían llevado sin ceremonias antes de que acabaran el trabajo o cumplieran con sus obligaciones, personas cuyo único delito consistía en haber nacido en el Azar... y en que el loco del bisturí oxidado se hubiera fijado en ellas.

Lois, entre sollozos: («*¡Le odio! ¡Le odio tanto!*»)

Ralph la comprendía. Una cosa era oír decir a Cloto y Láquesis que Átropos también formaba parte del plan general, que incluso podía estar al servicio de un propósito más elevado, pero ver la gorra desvaída de los Red Sox de un niño que se había caído por una trampilla de sótano cubierta de maleza y había muerto en la oscuridad, muerto tras una larga agonía, muerto sin voz después de pasarse seis horas llamando a su madre, era otra bien distinta.

Ralph alargó la mano y rozó la gorra. Su dueño se llamaba Billy Weatherbee. Su último pensamiento había sido para un helado.

Ralph oprimió la mano de Lois.

(«*Ralph, ¿qué pasa? Te oigo pensar, estoy segura, pero es como escuchar a alguien que murmura para sus adentros.*»)

(«*Estaba pensando que tengo ganas de romperle las costillas a ese enano hijo de puta, Lois. Tal vez podríamos enseñarle lo que es pasarse la noche sin pegar ojo. ¿Qué te parece?*»)

Lois le oprimió la mano con más fuerza. Era la única respuesta que Ralph necesitaba.

Llegaron a un lugar en el que el estrecho pasillo que habían seguido se bifurcaba. Aquel zumbido constante y grave procedía del de la izquierda, y no de muy lejos, a juzgar por el sonido. No podían andar uno al lado del otro, y a medida que avanzaban hacia el extremo, el pasillo se estrechaba más y más.

Aquel sudor rojizo que Átropos dejaba tras de sí se había tornado muy denso; goteaba de las desordenadas pilas de *souvenirs* y formaba pequeños charcos sobre el suelo de tierra. Lois le apretaba tanto la mano que le dolía, pero no se quejó.

(«*Es como el Centro Cívico, Ralph... Pasa mucho tiempo aquí.*»)

Ralph asintió. La cuestión era: ¿qué iba a ver el señor A. al final de aquel pasillo? O qué demonios, ¿con qué iba a comulgar? Se acercaban al final del pasillo, que estaba bloqueado por una pared maciza de trastos, y aún no veía qué producía aquel zumbido que empezaba a volverle loco; era como tener un tábano atrapado en medio del cerebro. Mientras se aproximaban al final del pasillo, se convenció más y más de que lo que buscaban se hallaba al otro lado de la pared de trastos que lo bloqueaba, de modo que tendrían que dar media vuelta y encontrar otro acceso, o bien abrirse paso por allí. Cualquiera de las dos opciones podía llevarles más tiempo del que podían permitirse perder. Ralph sintió que la desesperación empezaba a corroerle la mente.

Pero el pasillo no era un callejón sin salida; a la izquierda había un orificio, que se abría debajo de una mesa de comedor cubierta de platos y fajos de papel verde y...

¿Papel verde? No, no exactamente. Fajos de billetes. Billetes de diez, veinte y cincuenta dólares que estaban apilados al azar sobre los platos. Había un montón de billetes de cien en una salsera desportillada, así como un billete de quinientos enrollado que sobresalía ebrio de una polvorienta copa de vino.

(«*¡Dios mío, Ralph, es una fortuna!*»)

Lois no estaba mirando la mesa, sino la otra pared del pasillo. El último metro y medio estaba construido con ladrillos de billetes. Se encontraban en un pasillo hecho literalmente de dinero, y Ralph se percató de que ahora podía responder a otra de las preguntas que lo habían preocupado: de dónde sacaba Ed el dinero. Átropos estaba forrado..., pero Ralph tenía la sensación de que, a pesar de todo, tenía problemas para ligar.

Se agachó para ver mejor el orificio de debajo de la mesa. Al parecer, había otra habitación al otro lado, ésta muy pequeña. Una lenta luz roja aparecía y desaparecía por la abertura como el latido de un corazón, arrojando inquietantes pulsaciones de luz sobre sus zapatos.

Ralph señaló y miró a Lois, quien asintió. Ralph se hincó de rodillas y se arrastró debajo de la mesa cargada de billetes hacia el templo que Átropos había creado en torno a la cosa que yacía en medio de la habitación. Era eso lo que debían encontrar, no le cabía ninguna duda, pero todavía no tenía ni la menor idea de qué se trataba. El objeto, no mucho mayor que una canica, estaba envuelto en una bolsa de la muerte tan impenetrable como el corazón de un agujero negro.

Oh, genial, precioso. ¿Y ahora qué?

(«¡*Ralph! ¿Oyes a alguien cantando? Viene de muy lejos.*»)

Ralph la miró con aire dubitativo, y de repente se volvió. Ya odiaba aquel diminuto espacio, y aunque no era claustrofóbico por naturaleza, sintió que un deseo mezclado con pánico de salir de ahí se abría paso en sus pensamientos. Una voz muy clara se alzó en su cabeza. *No se trata sólo de lo que quiero, Ralph, sino de lo que necesito. Haré lo posible por no dejarte en la estacada, pero si no terminas pronto lo que sea que se supone debes hacer, no importará lo que ninguno de los dos queramos. Me haré cargo de la situación y pondré pies en polvorosa.*

El terror controlado de aquella voz no lo sorprendió, porque en verdad era un lugar espantoso; no era una habitación, sino el fondo de una profunda madriguera cuyas paredes circulares estaban construidas de trastos varios y artículos robados: tostadoras, banquetas, radio-despertadores, cámaras, libros, jaulas, zapatos, rastrillos. Casi delante de los ojos de Ralph, un destartalado saxofón pendía de una correa raída con la palabra PETE grabada con polvorientos diamantes falsos. Ralph alargó la mano para cogerlo y apartárselo de la cara. Pero en aquel momento imaginó que al quitar aquel objeto provocaría un corrimiento de tierras que derrumbaría las paredes sobre ellos, los enterraría vivos. Retiró la mano. Al mismo tiempo, abrió la mente y los sentidos tanto como pudo. Por un momento creyó oír algo, un suspiro lejano, como el susurro del océano en una caracola, pero en seguida se apagó.

(«*Si aquí dentro hay voces no puedo oírlas, Lois. Esta maldita cosa las ahoga.*»)

Señaló el objeto que había en el centro del círculo, tan negro que estaba más allá de cualquier concepto que pudiera tenerse del negro, una bolsa de la muerte que era la apoteosis de todas las bolsas de la muerte. Pero Lois denegó con la cabeza.

(«*No, no las está ahogando, sino secando.*»)

Contempló aquella cosa negra y zumbante con horror y repugnancia.

(«*Esta cosa está sorbiendo la vida de todas las cosas amontonadas a su alrededor... y también está intentando sorber la nuestra.*»)

Claro que sí. Ahora que Lois lo había dicho, Ralph sintió que la bolsa de la muerte (o el objeto que envolvía) sorbía algo de las profundidades de su cabeza, tiraba de ello, lo retorcía, lo empujaba..., intentaba arrebatárselo como se arrebata un diente a la encía rosada.

¿Intentando sorberles la vida? Casi, pero no del todo. Ralph no creía que fuera su vida lo que la cosa dentro de la bolsa de la muerte quería, ni sus almas..., al menos, no exactamente. Quería su fuerza vital. Su *ka*.

Lois abrió los ojos como platos al captar ese pensamiento... y de repente desvió la mirada hacia un lugar justo por encima del hombro derecho de Ralph. Aún de rodillas, se inclinó hacia delante y alargó el brazo.

(«*Lois, yo de ti no lo haría... Todo esto se nos puede caer enci...*»)

Demasiado tarde. Lois tiró de un objeto, lo miró con horrorizada comprensión y se lo alargó.

(«*Está vivo... Todo lo que hay aquí está vivo. No sé cómo puede ser, pero es así..., de algún modo es así. Pero tiene muy poca fuerza. ¿Por qué tiene tan poca fuerza?*»)

Lo que le alargaba era una diminuta zapatilla blanca que pertenecía a una mujer o a un niño. Cuando la cogió, Ralph la oyó cantar con voz débil y lejana. El sonido era tan solitario como el viento de noviembre en un día nublado, pero increíblemente dulce al mismo tiempo, un antídoto contra el eterno rebuzno de la cosa negra del suelo.

Y era una voz que conocía. Estaba seguro.

En la puntera de la zapatilla se veía una salpicadura marronosa. En el primer momento, Ralph creyó que se trataba de leche chocolateada, pero entonces reconoció de qué se trataba: era sangre seca. De repente se hallaba de nuevo en la Manzana Roja, agarrando a Nat antes de que Helen la dejara caer. Recordó que Helen había tropezado con sus propios pies; recordó que se había tambaleado hacia atrás, apoyándose contra la puerta de la Manzana Roja como un borracho contra una farola, extendiendo las manos hacia él. *Dabe a bi bebé. Bebé. Dabe... Na-halie.*

Conocía la voz porque era la voz de Helen. Aquella zapatilla era la que llevaba aquel día, y las gotas de sangre de la puntera procedían de la nariz destrozada de Helen o bien de su mejilla lacerada.

Cantaba y cantaba, y su voz no quedaba del todo sepultada por el zumbido de la cosa envuelta en la bolsa de la muerte, y ahora que los oídos de Ralph, o lo que fuera que hiciera las veces de oídos en el mundo de las auras, estaban completamente abiertos, podía oír las voces de todos los objetos. Cantaban como un coro perdido.

Vivos. Cantando.

Podían cantar, todas las cosas alineadas en aquellas paredes podían cantar, porque sus propietarios podían cantar.

Sus propietarios seguían vivos.

Ralph alzó la mirada de nuevo, esta vez advirtiendo que mientras que algunos de los objetos que veía eran viejos, como por ejemplo, el destartalado saxo alto, gran parte de ellos eran nuevos; no había ruedas de bicicletas Gay Nineties en aquella habitación. Vio tres radiodespertadores, todos ellos digitales. Un juego de afeitar que parecía apenas estrenado. Un lápiz de labios que todavía llevaba pegada la etiqueta de Rite Aid.

(«*Lois, Átropos ha cogido estas cosas de la gente que irá al Centro Cívico esta noche, ¿verdad?*»)

(«*Sí, estoy segura de que tienes razón.*»)

Ralph señaló el capullo negro que chillaba en el suelo, casi ahogando todas las canciones que sonaban a su alrededor..., ahogándolas mientras se alimentaba de ellas.

(«*Y sea lo que sea que contiene esa bolsa de la muerte, tiene que ver con lo que Cloto y Láquesis llamaron el cordel maestro. Es lo que une todos estos objetos distintos..., todas estas vidas distintas.*»)

(«*Lo que las convierte en ka-tet. Sí.*»)

Ralph le devolvió la zapatilla.

(«*Esto nos lo llevamos. Es de Helen.*»)

(«*Ya lo sé.*»)

Lois contempló la zapatilla por un instante y entonces hizo algo que a Ralph se le antojó extremadamente inteligente: tiró del cordón y se la ató a la muñeca como si fuera una pulsera.

Ralph se acercó a la pequeña bolsa de la muerte y se inclinó sobre ella. No le resultó fácil aproximarse, pero quedarse cerca aún le costó más, ya que era como aplicar la oreja a la estructura de un taladro percutor sin bizquear. Esta vez le pareció percibir palabras sepultadas en el zumbido, las mismas que había oído cuando se acercaban a la bolsa de la muerte que envolvía el Centro Cívico: *Largaos. A domar bor el gulo. A la buta galle.*

Ralph se cubrió los oídos con las manos por un instante, pero, por supuesto, no sirvió de nada. Los sonidos no procedían del exterior, no del todo. Dejó caer las manos y miró a Lois.

(«*¿Qué te parece? ¿Tienes alguna idea de lo que debemos hacer ahora?*»)

No sabía lo que había esperado de ella, pero desde luego, no la respuesta rápida y positiva que obtuvo.

(«*Abrirlo y sacar lo que hay dentro..., y ya. Esa cosa es peligrosa. Además, puede estar llamando a Átropos, ¿no se te ha ocurrido? Puede estar yéndose de la lengua como el Doctor Eterna Juventud.*»)

Ralph sí había considerado aquella posibilidad, aunque no en términos tan vívidos. «Muy bien —se dijo—. Abrir la bolsa y sacar el premio. Pero ¿cómo hacemos eso?»

Recordaba el rayo que había enviado a Átropos cuando el siniestro renacuajo calvo intentaba engatusar a *Rosalie* para que cruzara la calle. Buen truco, pero una cosa así podía resultar más perjudicial que beneficiosa ahí dentro; ¿qué ocurriría si pulverizaba la cosa que debían llevarse?

No creo que puedas hacer eso.

Bueno, vale, de hecho no creía que pudiera hacerlo..., pero cuando uno estaba rodeado de las posesiones de un montón de personas que podían estar muertas cuando saliera el sol al día siguiente, correr riesgos parecía una mala idea. Una idea absurda.

¿Y qué pasa si no es un rayo, sino unas tijeras bien afiladas, como las que Cloto y Láquesis utilizan para...?

Se quedó mirando fijamente a Lois, anonadado ante la claridad de la imagen.

(*«No sé lo que se te acaba de ocurrir, pero date prisa y hazlo, sea lo que sea.»*)

Ralph se miró la mano derecha, una mano de la que habían desaparecido las arrugas y los primeros indicios de artritis, una mano envuelta en una brillante corona de luz azul. Sintiéndose un poco estúpido, acercó los dos últimos dedos a la palma y extendió los primeros dos, pensando en un juego al que había jugado de pequeño..., piedra, papel y tijera.

«Que sea tijera —pensó—. Necesito unas tijeras. Ayúdame.»

Nada. Miró a Lois y comprobó que lo miraba con una calma serena que resultaba aterradora en cierto modo. *Oh, Lois, si tú supieras*, pensó, pero desterró la idea de su mente a toda prisa, porque había sentido algo, ¿verdad? Algo.

Esta vez no creó palabras en su mente, sino una imagen; no las tijeras que Cloto había empleado para enviar a Jimmy V., sino las tijeras de acero inoxidable de la caja de coser de su madre... Hojas largas y delgadas que acababan en una punta casi tan afilada como la punta de un cuchillo. Haciendo un gran esfuerzo por concentrarse más, vio incluso dos palabras diminutas grabadas en el acero justo debajo de la punta: ACEROS SHEFFIELD. Y entonces sintió de nuevo aquella cosa en su mente, no un parpadeo esta vez, sino un músculo extremadamente poderoso que se flexionaba con gran lentitud. Se miró los dedos con fijeza e hizo que las tijeras se abrieran y cerraran en su mente. Al mismo tiempo, abrió y cerró los dedos, creando una V que se ensanchaba y estrechaba alternativamente.

De repente sintió que la energía que había arrebatado al fan de

Nirvana y al vagabundo de la estación se concentraba en su mente y a continuación descendía por su brazo derecho hasta los dedos como un extraño calambre.

El aura que envolvía los primeros dos dedos extendidos de su mano derecha empezó a espesarse... y alargarse. A adquirir la silueta delgada de dos hojas. Ralph esperó hasta que tuvieran alrededor de doce centímetros de longitud a partir de sus uñas y entonces volvió a mover los dedos. Las hojas se abrieron y cerraron.

(«¡*Vamos, Ralph! ¡Hazlo!*»)

Sí, no podía permitirse esperar y hacer experimentos. Se sentía como una batería de coche que tuviera que cargar un motor demasiado potente para ella. Sentía que toda aquella energía, tanto la que había tomado de otros como la suya, descendía por su brazo derecho hacia aquella hojas. No duraría mucho.

Se inclinó hacia delante, con los dedos juntos como si señalara, y sepultó la punta de las tijeras en la bolsa de la muerte. Se había concentrado tanto en crear y luego mantener las tijeras que había dejado de oír aquel zumbido constante y ronco, al menos con la mente consciente, pero cuando la punta de las tijeras se hundió en su piel negra, la bolsa de la muerte inició un nuevo ciclo, esta vez de gritos de dolor y alarma. Ralph vio regueros de una sustancia oscura y pegajosa brotar de la bolsa de la muerte y extenderse por el suelo. Parecían mocos contaminados. Al mismo tiempo, sintió que la fuente de energía de su interior redoblaba sus fuerzas. De hecho, lo vio; su aura fluía por su brazo derecho y el dorso de su mano en olas lentas y peristálticas. Y percibió cómo se amortiguaba en el resto de su cuerpo a medida que su protección esencial se tornaba más débil.

(«¡*Date prisa, Ralph! ¡Date prisa!*»)

Hizo un tremendo esfuerzo y abrió los dedos. Las brillantes hojas azules también se abrieron e hicieron una pequeña ranura en el huevo negro. La cosa gritó, y dos rayos rojos brillantes y rasgados surcaron su superficie. Ralph juntó los dedos y observó mientras las tijeras que brotaban de sus dedos se cerraban y atravesaban aquella densa sustancia negra que era en parte cáscara y en parte carne. Profirió un grito. No era exactamente dolor lo que sintió, sino una sensación de terrible cansancio. «Eso es lo que debes de sentir cuando te desangras», pensó.

Algo dentro de la bolsa despedía destellos dorados.

Ralph hizo acopio de todas las fuerzas que le quedaban e intentó abrir los dedos para practicar otro corte. En el primer momento no creyó que fuera a conseguirlo, ya que las tijeras parecían estar pegadas con Super Glue, pero de repente, las hojas se abrieron y ensancharon la ranura. Ya casi podía ver el objeto que contenía el huevo, algo pequeño, redondo y brillante. «Sólo puede ser una cosa», pensó, y el corazón le dio un vuelco. Las hojas azules parpadearon.

(«¡*Lois, ayúdame!*»)

Lois le agarró la muñeca. Ralph sintió que la fuerza volvía a invadirle en grandes oleadas. Observó maravillado cómo las tijeras volvían a solidificarse. Ahora tan sólo una de las hojas era azul. La otra era de color gris perla.

Lois, gritando en su mente: («¡*Córtalo!* ¡*Córtalo ahora!*»)

Ralph volvió a juntar los dedos, y esta vez las hojas abrieron la bolsa del todo. Ésta profirió un último grito tembloroso, se tornó completamente roja y por fin desapareció. Las tijeras que brotaban de los dedos de Ralph también se esfumaron. Cerró los ojos por un instante, consciente de pronto de que el sudor le corría en cálidos goterones por las mejillas, como si de lágrimas se tratara. En el oscuro espacio detrás de sus párpados veía absurdas imágenes de lo que parecían hojas de tijeras danzantes.

(«¿*Estás bien, Lois?*»)

(«*Sí..., pero agotada. No tengo ni la menor idea de cómo voy a llegar a esa escalera debajo del árbol, por no hablar de subirla. Ni siquiera sé si puedo levantarme.*»)

Ralph abrió los ojos, apoyó las manos en los muslos y se inclinó de nuevo hacia delante. En el suelo, donde había estado la bolsa de la muerte, yacía un anillo de boda. No le costó leer lo que había grabado en la ancha curva interior: HD—ED 5.8.87.

Helen Deepneau y Ed Deepneau. Casados el 5 de agosto de 1987.

Era eso lo que habían ido a buscar. Era la señal de Ed. Lo único que le quedaba por hacer era recogerlo..., guardárselo en el bolsillo pequeño de los pantalones..., encontrar los pendientes de Lois... y largarse por piernas.

Al alargar la mano hacia el anillo, unos versos cruzaron su mente... y no eran de Stephen Dobyns esta vez, sino de J. R. R. Tolkien, que había inventado los hobbits en los que Ralph había pensando la última vez en el salón acogedor y repleto de fotografías de casa de Lois. Hacía casi treinta años que había leído la historia de Tolkien sobre Frodo, Gandalf y Sauron, el Señor Oscuro...., una historia que contenía una señal muy parecida a ésta, ahora que lo pensaba, pero los versos se le presentaron tan claros como las hojas de las tijeras hacía tan sólo un momento:

> *Un Anillo para dominarlos.*
> *Un Anillo para encontrarlos.*
> *Un Anillo para traerlos y en la oscuridad atarlos.*
> *En la Tierra de Mordor donde yacen*
> *las Sombras.**

---

* J. J. R. Tolkien: *El señor de los anillos*, Minotauro, Barcelona, 1990. (*N. del E.*)

«No podré recogerlo —pensó—. Estará tan atado a la rueda del *ka* como Lois y yo, y no podré recogerlo. O eso o será como coger un cable de alta tensión, y moriré antes de darme cuenta de lo que pasa.»

Pero, en realidad, no creía que fuera a suceder ninguna de esas cosas. Si no estaba destinado a coger el anillo, ¿por qué había tenido una bolsa de la muerte para protegerlo? Si no estaba destinado a coger el anillo, ¿por qué las fuerzas que anidaban a Cloto y Láquesis (y Dorrance, no podía olvidar a Dorrance) los habían enviado a realizar aquel viaje?

Un Anillo para dominarlos. Un Anillo para encontrarlos, pensó Ralph antes de cerrar los dedos en torno al anillo de boda de Ed. Por un instante sintió un profundo y vítreo dolor en la mano, la muñeca y el antebrazo; al mismo tiempo, el canto dulce de las voces de los objetos que Átropos tenía encerrados ahí dentro se elevó en un grito intenso y armónico.

Ralph emitió un sonido, tal vez un grito, tal vez sólo un gemido, y levantó el anillo encerrándolo con fuerza en la mano derecha. Una sensación de triunfo cantaba en sus venas como si fuera vino o como...

(«*Ralph.*»)

Ralph la miró, pero Lois estaba observando el lugar que había ocupado el anillo de Ed con una expresión entre atemorizada y confusa.

El lugar que el anillo de Ed había ocupado; el lugar que el anillo de Ed aún ocupaba. Yacía exactamente en la misma posición que antes, un centelleante círculo de oro con la inscripción HD—ED 5.8.87 grabadas en la curva interior.

Ralph percibió una oleada de desorientación y la controló con un esfuerzo. Abrió la mano, casi esperando que el anillo no estuviera a pesar de lo que le dictaban sus sentidos, pero el anillo seguía en el centro de la palma, colocado exactamente en la intersección de la línea del amor y de la vida, centelleando en la funesta luz roja de aquel repugnante lugar. HD—ED 5.8.87.

Ambos anillos eran idénticos.

Uno en la mano; el otro en el suelo; ninguna diferencia. Al menos por lo que Ralph podía apreciar.

Lois alargó la mano hacia el anillo que había reemplazado el que Ralph había recogido, titubeó un momento y por fin lo recogió. Mientras miraban, una niebla dorada y fantasmal se formó en el suelo de la estancia y se solidificó formando un tercer anillo. Al igual que los otros dos, llevaba HD—ED 5.8.87 grabado en el arco interior.

Ralph recordó otra historia, no el largo cuento de Tolkien sobre el

Anillo, sino un relato del doctor Seuss que había leído a los hijos de una de las hermanas de Carolyn en los cincuenta. Hacía mucho tiempo de eso, pero nunca había olvidado del todo la historia, que había sido más densa y siniestra que las habituales tonterías risueñas que el doctor Seuss escribía acerca de ratas, murciélagos y gatos inquietantes. Se llamaba *Los quinientos sombreros de Bartholomew Cubbins*, y Ralph suponía que en realidad no era de extrañar que se le acabara de ocurrir aquella historia.

El pobre Bartholomew era un chiquillo del pueblo que había tenido la mala fortuna de encontrarse en la gran ciudad cuando el rey pasaba por ahí. Todo el mundo estaba obligado a quitarse el sombrero en presencia de tan augusta personalidad, y Bartholomew lo intentó, pero sin éxito; cada vez que se quitaba el sombrero, otro, idéntico al anterior, aparecía debajo.

(«*Ralph, ¿qué está sucediendo? ¿Qué significa?*»)

Ralph meneó la cabeza sin responder, paseando la mirada entre el anillo que tenía en la palma de la mano, el que tenía Lois y el que estaba en el suelo una y otra vez. Tres anillos idénticos, igual que los sombreros que Bartholomew Cubbins intentaba quitarse una y otra vez. El pobre muchacho seguía intentando presentar sus respetos al rey, incluso cuando el verdugo lo llevaba por una escalera curvada hacia el lugar en el que sería decapitado por haber faltado al respeto al monarca...

Pero no era correcto, porque, al cabo de un rato, los sombreros del pobre Bartholomew empezaban a cambiar, tornándose cada vez más fabulosos y rococó.

¿Y son todos los anillos iguales, Ralph? ¿Estás seguro?

No, suponía que no estaba seguro. Al coger el primero, había sentido que un dolor momentáneo y profundo se extendía por su brazo como si de reuma se tratara, pero Lois no había dado muestras de sentir dolor alguno al recoger el segundo.

Y las voces... No las he oído gritar cuando Lois ha recogido su anillo.

Ralph se inclinó hacia delante y recogió el tercer anillo. No percibió dolor alguno ni oyó ningún grito procedente de los objetos que formaban la pared de la habitación... Se limitaron a seguir cantando en voz baja. Entretanto, un cuarto anillo se materializó en lugar del tercero, se materializó exactamente como si fuera otro sombrero sobre la cabeza del desventurado Bartholomew Cubbins, pero Ralph apenas le echó un vistazo. Siguió mirando el primer anillo, colocado en la intersección de la línea del amor y la línea de la vida en la palma de su mano derecha.

«Un Anillo para dominarlos —pensó—. Un Anillo para atarlos. Y creo que ése eres tú, encanto. Creo que los otros no son más que buenas falsificaciones.»

Y tal vez existía un modo de comprobarlo. Ralph se llevó ambos anillos a los oídos. El de la izquierda permanecía en silencio, mientras que el de la derecha, el que estaba dentro de la bolsa de la muerte cuando la abrió, emitió un eco débil, pero siniestro del último grito de la bolsa de la muerte.

El de la mano derecha estaba vivo.

(«*Ralph.*»)

La mano de Lois en su brazo, fría y urgente. Ralph se volvió hacia ella y dejó caer el anillo de la mano izquierda. Levantó el otro y contempló el rostro tenso y extrañamente joven de Lois a través de él, como si mirara por un telescopio.

(«*Es éste. Los otros no son más que añadidos, creo...; como los ceros en un problema matemático muy complicado.*»)

(«*¿Quieres decir que no tienen importancia?*»)

Ralph vaciló sin saber cómo responder..., porque sí importaban, ésa era la cuestión. Simplemente no sabía cómo expresar aquella certeza intuitiva. Mientras los anillos falsos siguieran apareciendo en aquel repugnante cuartucho, como sombreros en la cabeza de Bartholomew Cubbins, el futuro representado por la bolsa de la muerte sobre el Centro Cívico seguiría siendo el único futuro cierto. Pero el primer anillo, el que Átropos había arrancado del dedo de Ed (tal vez mientras éste yacía dormido junto a Helen en la casita estilo Cape Cod que ahora estaba vacía), podía cambiar la situación por completo.

Las réplicas eran prendas que conservaban la forma del *ka* del mismo modo que los radios que surgen del cubo conservan la forma de una rueda. El original, sin embargo...

Ralph creía que el original era el cubo: un Anillo para atarlos.

Cerró la mano con fuerza en torno al aro de oro, sintiendo cómo su curva dura se enterraba en la palma y los dedos. A continuación se lo guardó en el bolsillo pequeño de los pantalones.

Hay una cosa respecto al ka *que no nos contaron*, se dijo. *Es escurridizo. Escurridizo como un pez asqueroso que no quiere desengancharse del anzuelo y no para de retorcerse entre tus dedos.*

Y también era como escalar una duna de arena; retrocedes un paso por cada dos que consigues avanzar. Habían ido a High Ridge y conseguido algo, aunque Ralph no sabía qué, pero Dorrance les había asegurado que era cierto; según él, habían cumplido su misión allí. Y ahora habían ido a aquel subterráneo y cogido la prenda de Ed, pero todavía no bastaba, ¿y por qué? Porque el *ka* era como un pez, como una duna, el *ka* era como una rueda que no quería detenerse, sino seguir rodando y rodando, aplastando todo cuanto se interpusiera en su camino. Una rueda con muchos radios.

Pero sobre todo, tal vez el *ka* era como un anillo.

Como un anillo de boda.

De repente comprendió todo aquello que la conversación en la azotea del hospital y todos los esfuerzos de Dorrance no habían conseguido transmitir: la vida sin destino de Ed, unida al descubrimiento de Átropos del pobre y confuso hombre le habían conferido un poder ingente. Una puerta se había abierto y por ella había pasado un demonio llamado el Rey Carmesí, un ser más fuerte que Cloto, Láquesis, Átropos, cualquiera de ellos. Y no tenía intención de que un Viejo Carcamal de Derry como Ralph Roberts se interpusiera en su camino.

(«*Ralph.*»)

(«*Un Anillo para dominarlos, Lois... Un Anillo para encontrarlos.*»)

(«*¿De qué estás hablando? ¿A qué te refieres?*»)

Ralph se tocó el bolsillo, sintiendo el bulto pequeño pero decisivo que era el anillo de Ed. De repente alargó los brazos y la agarró por los hombros.

(«*Las réplicas, los anillos falsos, son radios, pero éste es el cubo. Coge el cubo y la rueda no podrá girar.*»)

(«*¿Estás seguro?*»)

Sí, señor, estaba seguro. Lo que pasaba era que no sabía cómo hacerlo.

(«*Sí. Y ahora vámonos... Salgamos de aquí antes de que sea demasiado tarde.*»)

Ralph la hizo pasar por debajo de la atestada mesa de comedor, se arrodilló y la siguió. Se detuvo a medio camino para mirar por encima del hombro y vio algo extraño y terrible: aunque el zumbido no había regresado, la bolsa de la muerte había empezado a formarse de nuevo en torno a la réplica del anillo de boda. El oro brillante ya se había amortiguado hasta convertirse en un aro fantasmal que parecía un pequeño sol intentando lucir por entre una densa capa de contaminación.

Lo miró fijamente por unos instantes, fascinado, casi hipnotizado, y por fin apartó los ojos con un esfuerzo y empezó a arrastrarse en pos de Lois.

Ralph temía perder un tiempo valiosísimo intentando encontrar el camino por el laberinto de pasillos que surcaban el almacén de recuerdos de Átropos, pero no hubo ningún problema. Sus huellas, desvaídas pero aún visibles, estaban ahí para guiarlos.

Empezó a recuperar fuerzas en cuanto salieron del terrible cuartucho, pero Lois se tambaleaba exhausta. Cuando llegaron a la arcada que separaba el almacén del asqueroso piso de Átropos, Lois ya se apoyaba en él. Le preguntó si se encontraba bien. Lois consiguió encogerse de hombros y esbozar una sonrisa leve y cansada.

(«*La mayor parte de mi problema reside en estar en este lugar. En* realidad no importa cuánto subamos; sigue siendo asqueroso y lo odio. En cuanto respire un poco de aire fresco, creo que me encontraré bien, de verdad.»)

Ralph esperaba que tuviera razón. Cuando se agachó para pasar por la arcada y entrar en el piso de Átropos, intentó buscar un pretexto para que Lois se adelantara. Así tendría ocasión de registrar a toda prisa el piso. Si no encontraba los pendientes, tendría que suponer que Átropos todavía los llevaba.

Advirtió que el viso le colgaba por debajo del dobladillo del vestido y abrió la boca para decírselo, pero entonces captó un movimiento por el rabillo del ojo. Se dio cuenta de que habían tenido mucho menos cuidado en el camino de vuelta, en parte porque estaban exhaustos, y que tal vez ahora tendrían que pagar un precio muy alto por haber bajado la guardia.

(«¡Cuidado, Lois!»)

Demasiado tarde. Ralph sintió que el brazo de Lois se apartaba de él cuando la criatura de la bata sucia la agarró por la cintura y tiró de ella hacia atrás con un gruñido. Átropos apenas le llegaba a la axila, pero eso bastaba para que sostuviera el bisturí oxidado por encima de su cabeza. Cuando Ralph hizo un gesto instintivo para abalanzarse sobre él, Átropos bajó la hoja hasta rozar el cordel gris perla que surgía de la coronilla de Lois. Enseñó los dientes a Ralph en una sonrisa que no tenía nombre.

(No des un paso más, Mortal... ¡Ni un paso más!)

Bueno, al menos no tenía que preocuparse más por los pendientes perdidos de Lois. Relucían con una turbia luz entre rosada y roja sobre los diminutos lóbulos de las orejas de Átropos. Fueron más ellos que el grito lo que hizo que Ralph se detuviera en seco.

El bisturí retrocedió un poco..., pero sólo un poco.

(Y ahora, Mortal... Me has robado algo, ¿verdad? No intentes negarlo; lo sé. Y ahora me lo vas a devolver.)

El bisturí se acercó de nuevo al cordel de globo de Lois; Átropos lo acarició con la parte plana de la hoja.

(Devuélvemelo o esta zorra va a morir aquí mismo, delante de tus narices... Puedes quedarte ahí parado y ver cómo la bolsa se vuelve negra. Así que, ¿qué me dices, Mortal? Devuélvemelo.)

26

La sonrisa de Átropos relucía, llena de repulsivo triunfo, llena de...
Llena de miedo. Te ha pillado por sorpresa, tiene el bisturí en el cordel de globo de Lois y la mano alrededor de su cuello, pero aun así, está muerto de miedo. ¿Por qué?

(*¡Vamos! ¡No perdamos más tiempo, capullo! ¡Dame el anillo!*)

Ralph se llevó la mano lentamente al bolsillo y cogió el anillo mientras se preguntaba por qué Átropos no había matado a Lois en seguida. Sin duda no tenía intención de dejarla marchar, de dejarlos marchar a ninguno de los dos.

Tiene miedo de que le lance otro de esos golpes telepáticos de karate. Y no sólo eso. Creo que también tiene miedo de cagarla. Miedo de la cosa, el ente que lo domina. Miedo del Rey Carmesí. Tienes miedo del jefe, ¿eh, asqueroso amiguito?

Sostuvo el anillo entre el pulgar y el índice y volvió a mirar a través del círculo.

(«*Ven a buscarlo, ¿quieres? No seas tímido.*»)

El rostro de Átropos se contrajo de ira. Aquella expresión convirtió su sonrisa nerviosa y maligna en un ceño de chiste.

(*La mataré, Mortal, ¿no me has oído? ¿Es eso lo que quieres?*)

Ralph levantó la mano izquierda lenta y deliberadamente. Hizo un gesto en el aire como si estuviera serrando algo y se alegró al ver que Átropos hacía una mueca cuando vio que la palma de la mano le apuntaba por un momento.

(«*Si la rozas con ese cuchillo, te pegaré tal viaje que necesitarás una navaja para arrancar tus dientes de la pared, eso te lo aseguro.*»)

(*Dame el anillo, Mortal.*)

«No pueden mentir —pensó Ralph de repente—. No recuerdo si me lo han dicho o si sólo lo he intuido, pero estoy seguro de que es cierto; no pueden mentir. Pero yo sí.»

(«*Mira, señor A. Prométeme un trueque y te daré el anillo.*»)

(*¿Un trueque?... ¿Qué quieres decir con un trueque?*)

(«¡*Ralph, no!*»)

Ralph la miró antes de fijarse de nuevo en Átropos. Levantó la mano izquierda para rascarse la mejilla sin tener en cuenta qué pensaría el médico calvo y bajito de aquel gesto. En un abrir y cerrar de ojos, Átropos volvió a oprimir el bisturí contra el cordel de globo de Lois, esta vez con fuerza suficiente como para abollarlo y provocar una mancha oscura en el punto de contacto. Parecía una ampolla de sangre. Grandes goterones de sangre brillaban sobre la frente de Átropos, y cuando habló, lo hizo a gritos llenos de pánico.

(¡*No empieces a dispararme esos rayos de poca monta! ¡Mataré a la mujer si lo haces!*)

Ralph bajó la mano a toda prisa y a continuación entrelazó las dos detrás de la espalda, como un niño arrepentido. El anillo de boda de Ed seguía encerrado en su mano, y ahora, casi sin pensárselo, se lo guardó en el bolsillo trasero de los pantalones. Fue entonces cuando se dio cuenta de que no tenía intención de devolvérselo. Aunque ello le costara la vida a Lois, aunque les costara la vida a los dos, no tenía intención de devolvérselo.

Pero tal vez la cosa no iría tan lejos.

(«*Un trueque significa que los dos nos marchamos, señor A. Yo te doy el anillo, tú me devuelves a mi amiga. Lo único que tienes que hacer es prometer que no le harás daño. ¿Qué te parece?*»)

(«¡*No, Ralph, no!*»)

Átropos no respondió, sino que se limitó a mirar a Ralph con ojos relucientes de odio, miedo e impotencia. Si alguna vez en su larga vida había deseado poder mentir, Ralph suponía que lo estaría deseando en aquel momento. Lo único que tenía que decir era *Vale, trato hecho*, y la pelota volvería de nuevo al campo de Ralph. Pero no podía decirlo porque no podía hacerlo.

«Sabe que está acorralado —se dijo Ralph—. En realidad no importa si le corta el cordel o la suelta... Debe de pensar que pretendo fulminarle en cualquier caso, y tiene razón.»

¿Cuánto daño puedes hacerle realmente, cariño?, preguntó Carolyn en tono dubitativo desde el lugar que ocupaba en su mente. *¿Cuánto jugo te queda después de cortar la bolsa de la muerte del anillo?*

Por desgracia, la respuesta era «no mucho». Tal vez suficiente para chamuscarle la calva, pero seguramente no lo suficiente como para salteársela. Y...

De repente, Ralph vio algo que no le hizo ninguna gracia; el pánico de la sonrisa de Átropos dio paso a una cautelosa confianza. Y sintió aquellos ojos dementes recorrerle de arriba abajo, recorrer su rostro, su cuerpo, pero sobre todo su aura. De pronto, Ralph vio una clara imagen de un mecánico utilizando la varilla para comprobar cuánto aceite quedaba en el cárter del cigüeñal de un coche.

Haz algo, le rogaron los ojos de Lois. *Por favor, Ralph.*

Pero no sabía qué hacer. Se le habían acabado las ideas.

La sonrisa de Átropos adquirió un matiz malicioso y repugnante.

(*Estás vacío, Mortal, ¿eh? Oh, qué pena.*)

(«*Hazle daño y lo descubrirás, calvorota de mierda.*»)

La sonrisa de Átropos se ensanchó aún más.

(*No podrías ni darle una patada a una rata con lo que te queda. ¿Por qué no te portas como un niño bueno y me devuelves el anillo antes de que...?*)

(«*¡Hijo de puta!*»)

Era Lois. Ya no estaba mirando a Ralph, sino que tenía la vista clavada en el otro lado de la habitación, en el espejo en el que Átropos, sin duda, comprobaba la caída de sus últimas adquisiciones de moda, como el pañuelo de *Rosalie* o el panamá de McGovern. Tenía los ojos abiertos de par en par, llenos de furia, y Ralph sabía exactamente lo que acababa de ver.

(«*¡Son MÍOS, ladrón asqueroso!*»)

Lois dio un violento empujón hacia atrás, sirviéndose de su peso para estrellar a Átropos contra el flanco de la arcada. El enano calvo emitió un gruñido de sorpresa. La mano que sostenía el bisturí salió disparada hacia arriba; la hoja arrancó tierra de la pared. Lois se volvió hacia él con el rostro contraído de furia, una mirada tan poco propia de *nuestra Lois* que McGovern se habría desmayado al verla. Le agarró el rostro con las manos en un intento de coger los pendientes. Uno de sus dedos se clavó en la mejilla del enano. Átropos aulló como un perro al que acabaran de pisarle la pata, y a continuación volvió a agarrarla por la cintura para darle la vuelta.

Giró la hoja del bisturí hacia dentro, preparándose para atacar. Ralph agitó el dedo índice de la mano derecha como si riñera a alguien. Un rayo de luz tan pálido que casi era invisible surgió de la uña y chocó contra la punta del bisturí, alejándolo por un instante del cordel de globo de Lois. Y eso era todo; Ralph estaba convencido de que su arsenal personal se había agotado.

Átropos le enseñó los dientes por encima del hombro de Lois mientras ella se encabritaba y retorcía en sus brazos. No estaba intentando huir, sino darse la vuelta y atacarle. Sus pies se agitaron cuando lo empujó con todo su peso en un intento de aplastarlo contra la pared, y sin tener la menor idea de lo que quería hacer, Ralph se lanzó hacia delante y se arrodilló con las manos extendidas. Parecía un pretendiente maníaco en medio de una vigorosa proposición de matrimonio, y uno de los pies de Lois estuvo a punto de golpearle en la garganta. Agarró el dobladillo de sus bragas, que se soltaron con un suave susurro de nailon rosa. Entretanto, Lois seguía gritando.

(«*¡Ladrón asqueroso! ¡Toma esto! ¿Qué, te gusta?*»)

Átropos profirió un grito de dolor, y cuando Ralph alzó la mirada, vio que Lois había sepultado los dientes en su muñeca derecha. Su mano izquierda, la que sostenía el bisturí, se agitó a ciegas en busca del cordel de globo, y no lo cortó de milagro. Ralph se puso en pie de un salto, sin saber todavía qué estaba haciendo, y arrojó el viso rosa de Lois sobre la mano de Átropos... y sobre su cabeza.

(«¡*Apártate de él, Lois! ¡Corre!*»)

Lois escupió la diminuta mano blanca y avanzó dando tumbos hacia la mesa hecha con la mitad superior de un barril que estaba en el centro de la habitación, al tiempo que se limpiaba la sangre de Átropos con un gesto de repulsión atávica...; pero la expresión dominante en su rostro seguía siendo la furia. Átropos, que por el momento no era más que una silueta que aullaba y se retorcía bajo el viso rosado, alargó la mano libre hacia ella. Ralph la apartó y la estrelló de nuevo contra el flanco de la arcada.

(«*No, no, amigo mío... Nada de eso.*»)

(¡*Sácame de aquí! ¡Sácame de aquí, cabrón! ¡No puedes hacer esto!*)

«Y lo más extraño de todo es que se lo cree —pensó Ralph—. Está tan acostumbrado a salirse con la suya que ha olvidado lo que pueden hacer los Mortales. Pero creo que eso lo puedo arreglar.»

Ralph recordó el momento en que Átropos había cortado el cordel de globo de *Rosalie*, después de que la perra le lamiera la mano, y el odio que sentía por aquel ser chulo, malicioso, autocomplaciente y chiflado estalló de repente en su mente como una linterna de señales de color verde podrido. Agarró un lado del viso de Lois y retorció el puño dos veces en torno a él, tirando hacia arriba, apretando tanto que las facciones de Átropos quedaron marcadas con toda claridad como una máscara de la muerte de nailon rosa.

Entonces, justo cuando la hoja del bisturí empezaba a cortar la tela, Ralph dio la vuelta a Átropos, utilizando el viso como si fuera una honda, y lo estrelló contra la arcada. El daño podría haber sido menor si Átropos se hubiera caído, pero no fue así; sus pies chocaron, pero no llegaron a cruzarse. Chocó contra la pared de piedra de la arcada con un golpe sordo, profirió un grito ahogado de dolor y cayó de rodillas. Manchas de sangre salpicaron el viso de Lois como pétalos de flor. El bisturí había desaparecido de nuevo de la grieta que había abierto en la tela. Ralph se abalanzó sobre Átropos justo en el momento en que reaparecía para alargar el corte original y dejar al descubierto el rostro atónito del ser calvo. Le sangraba la nariz, así como la frente y la sien derecha. Antes de que pudiera incorporarse, Ralph lo agarró por los escurridizos bultos rosados que eran sus hombros.

(¡*Basta! ¡Te lo advierto, Mortal! ¡Te arrepentirás de haber...!*)

Ralph ignoró aquella fanfarronada y empujó a Átropos con todas sus fuerzas. Los brazos del enano seguían enredados en el viso, por lo que cayó al suelo de bruces. Profirió un grito que denotaba cierto asombro, pero sobre todo dolor. Ralph sintió a Lois en las profundidades de su mente, diciéndole que ya bastaba, que no le hiciera demasiado daño, que no hiciera demasiado daño a ese psicótico de bolsillo que había intentado matarla. Átropos intentó rodar sobre sí mismo. Ralph le asestó un rodillazo en la espalda y lo dejó plano otra vez.

(«*No te muevas, amiguito. Prefiero que te quedes tal como estás.*»)

Alzó la mirada hacia Lois y vio que su increíble furia había desaparecido tan súbitamente como había aparecido, como un extraño fenómeno meteorológico. Tal vez un tornado, que aparece en un cielo completamente azul, arranca el techo de un granero y se esfuma como por arte de magia. Sin embargo, su dedo no tembló al apuntar a Átropos.

(«*Tiene mis pendientes, Ralph. Ese ladronzuelo de mierda tiene mis pendientes. ¡Lleva mis pendientes!*»)

(«*Ya lo sé. Lo he visto.*»)

Un lado del rostro contraído de Átropos apareció por la raja del nailon como si fuera el bebé más feo del mundo en el momento de nacer. Ralph sintió que los músculos del pequeño ser temblaban bajo la rodilla con que lo sujetaba, y recordó un viejo proverbio que había leído en alguna parte..., tal vez en la etiqueta de una bolsa de té Salada: *Aquel que agarre a un tigre por la cola que no ose soltarlo.* En aquella increíble guarida subterránea, sintiéndose como un personaje de cuento inventado por un loco, Ralph creía haber alcanzado una suerte de comprensión divina de aquel proverbio. Mediante la combinación de la ira repentina de Lois y la pura suerte, había logrado cierta ventaja, al menos momentánea, sobre el escurridizo y asqueroso renacuajo. La cuestión cada vez más acuciante residía en qué hacer a continuación.

La mano que sostenía el bisturí salió disparada hacia arriba, pero fue un ataque débil y a ciegas. Ralph lo evitó sin dificultad, haciendo una mueca al percibir el olor que dejaba tras de sí la hoja: tiras de carne pasada pudriéndose en algún rincón olvidado de un matadero. Entre sollozos y juramentos, sin miedo pero claramente herido y casi consumido por la rabia impotente que lo invadía, Átropos amagó un nuevo ataque.

(¡*Deja que me levante, hijo de puta Mortal! ¡Viejo estúpido! ¡Cara arrugada de mierda!*)

(«*Pues últimamente tengo mejor aspecto, ¿no te has dado cuenta?*»)

(¡*Cabrón! ¡Estúpido cabrón Mortal! ¡Me las pagarás! ¡Te juro que me las pagarás!*)

«Bueno —pensó Ralph—, al menos no suplica. Casi había esperado que se pusiera a suplicar.»

Átropos siguió atacándole débilmente con el bisturí. Ralph evitó dos o tres envites con facilidad, y por fin acercó una mano a la garganta del ser que yacía bajo él.

(*«¡No lo hagas, Ralph!»*)

Ralph meneó la cabeza sin saber si expresaba molestia, tranquilidad o ambas cosas. Rozó la piel de Átropos y sintió su estremecimiento. El médico calvo profirió un grito ahogado de repulsión, y Ralph lo comprendía perfectamente. Era asqueroso para ambos, pero no apartó la mano, sino que intentó cerrarla en torno al pescuezo de Átropos, y no le sorprendió demasiado comprobar que no podía hacerlo. Pero aun así, ¿no había dicho Láquesis que sólo los Mortales podían plantar cara a Átropos? Creía que sí. La cuestión era cómo.

Debajo de él, Átropos lanzó una repugnante carcajada.

(*«¡Por favor, Ralph! ¡Por favor, coge los pendientes y vámonos!»*)

Átropos volvió los ojos hacia ella y luego los clavó de nuevo en Ralph.

(*¿Creías que podías matarme, Mortal? Bueno, pues mira por dónde.*)

No, no había creído que pudiera matarle, pero tenía que averiguarlo.

(*La vida es una mierda, ¿eh, Mortal? ¿Por qué no me devuelves el anillo? Lo cogeré tarde o temprano, eso te lo garantizo.*)

(*«A tomar por el saco, comadreja.»*)

Sí, palabras, pero las palabras de poco servían. La cuestión más acuciante seguía sin respuesta: ¿qué narices debía hacer con ese monstruo?

Sea lo que sea, no podrás hacerlo mientras Lois esté aquí mirándote, le advirtió una voz que no era exactamente la de Carolyn. *No pasaba nada cuando estaba cabreada, pero ya no está cabreada. No tiene estómago para lo que sea que vaya a pasar a continuación, Ralph. Tienes que conseguir que se vaya.*

Se volvió hacia Lois, que tenía los ojos entornados. Parecía a punto de desplomarse bajo la arcada y dormirse.

(*«Lois, quiero que salgas de aquí ahora mismo. Sube la escalera y espérame debajo del ár...»*)

El bisturí volvió a atacar y esta vez no le arrancó la punta de la nariz por los pelos. Ralph se apartó y la rodilla le resbaló sobre el nailon. Átropos le dio un tremendo empujón y estuvo a punto de escabullirse. En el último momento, Ralph volvió a aplastar la cabeza del hombrecillo contra el suelo con la palma de la mano (algo que, al parecer, no contravenía las reglas), y volvió a colocar la rodilla en su sitio.

(*¡Aaauuu! ¡Aauuu! ¡Basta! ¡Me estás matando!*)

Ralph le ignoró y miró a Lois.

(*«¡Vete, Lois! ¡Sube! ¡Iré lo antes posible!»*)

(*«No creo que pueda subir sola... Estoy demasiado cansada.»*)

(*«Sí que puedes. Tienes que hacerlo y puedes.»*)

514

Átropos volvió a calmarse, al menos de momento; era un motor pequeño y jadeante bajo la rodilla de Ralph. Pero eso no bastaba, ni mucho menos. El tiempo pasaba, pasaba muy deprisa, y en aquel momento, el tiempo era el verdadero enemigo, no Ed Deepneau.

(*«Mis pendientes...»*)

(*«Te los llevaré cuando suba, Lois. Te lo prometo.»*)

Con lo que se le antojó un esfuerzo supremo, Lois se irguió y miró a Ralph con solemnidad.

(*«No deberías hacerle daño, Ralph, no si no es necesario. No es cristiano.»*)

No, no es nada cristiano, convino una criatura traviesa en las profundidades de la mente de Ralph. *No es nada cristiano, pero... no veo el momento de empezar.*

(*«Vete, Lois. Yo me ocuparé de todo.»*)

Lois lo miró con aire triste.

(*«No serviría de nada que te pidiera que no le hicieras daño, ¿verdad?»*)

Ralph se lo pensó un momento y por fin denegó con la cabeza.

(*«No, pero te prometo una cosa; se lo pondré tan fácil como él me permita. ¿Te basta eso?»*)

Lois consideró sus palabras con toda minuciosidad y por fin asintió.

(*«Sí, creo que eso me basta. Y a lo mejor consigo subir si me lo tomo con calma..., pero ¿qué hay de ti»?*)

(*«Lo conseguiré. Espérame debajo del árbol.»*)

(*«De acuerdo, Ralph.»*)

Ralph la observó atravesar la mugrienta habitación; la zapatilla de Helen oscilaba bajo su muñeca. Se agachó para pasar bajo el arco que separaba el piso de la escalera y empezó a subir lentamente. Ralph esperó hasta perder de vista sus pies y luego se concentró de nuevo en Átropos.

(*«Bueno, amiguete, aquí estamos, dos amigos reunidos. ¿Qué hacemos? ¿Jugamos a algo? A ti te gusta jugar, ¿verdad?»*)

Átropos reanudó sus forcejeos al instante, blandiendo el bisturí sobre la cabeza e intentando apartar a Ralph al mismo tiempo.

(*¡Basta! ¡Quítame las manos de encima, maricón de mierda!*)

Átropos se debatía con tal violencia que aplastarlo con la rodilla contra el suelo era como aplastar a una serpiente. Ralph hizo caso omiso de los gritos, los corcoveos y el bisturí que se agitaba a ciegas. Toda la cabeza de Átropos asomaba ahora por el viso, lo cual facilitaba mucho las cosas. Ralph agarró los pendientes de Lois y tiró de ellos. No se movieron, pero sí arrancaron un sincero grito de dolor a Átropos. Ralph se inclinó hacia delante con una leve sonrisa.

(*«Son para orejas perforadas, ¿eh, amigo?»*)

(*¡Sí! ¡Sí, maldita sea!*)

(«*Para citar tus propias palabras, la vida es una mierda, ¿eh?*»)

Ralph volvió a coger los pendientes y los arrancó de las orejas de Átropos. Dos abanicos de sangre brotaron de las orejas del enano cuando los diminutos agujeros de los lóbulos de sus orejas se convirtieron en colgajos.

El aullido del hombrecillo fue tan agudo como el que produce una broca nueva. Ralph sintió una inquietante mezcla de compasión y desprecio.

Este renacuajo de mierda está acostumbrado a hacer daño a otras personas, pero no a que le hagan daño a él. A lo mejor nadie le ha hecho daño jamás. Bueno, pues ya puedes ir acostumbrándote al modo de vida de la otra mitad, amigo.

(*¡Basta! ¡Basta! ¡No puedes hacerme esto!*)

(«*Tengo una noticia para ti, amiguito... Lo estoy haciendo. Y ahora, ¿por qué no dejas que siga el espectáculo?*»)

(*¿Qué crees que vas a conseguir con esto, Mortal? Pasará de todas formas, ¿sabes? Toda esa gente del Centro Cívico la va a palmar, y no vas a evitarlo quitándome el anillo.*)

«Como si no lo supiera», pensó Ralph.

Átropos seguía jadeando, pero ya no se retorcía. Ralph creyó que podía apartar la vista de él por un instante y echar un vistazo rápido a la habitación. Suponía que lo que estaba buscando en realidad era inspiración..., aunque sólo fuera un poquito.

(«*¿Me permite una sugerencia, señor A.? ¿Como su nuevo amigo y compañero de juegos? Sé que está muy ocupado, pero creo que debería encontrar un hueco para hacer algo con este sitio. No digo que tenga que presentarlo en una revista de decoración ni nada por el estilo, pero ¡jolines! ¡Vaya pocilga!*»)

Átropos, mohíno y cauto a un tiempo: (*¿Crees que me importa un comino lo que pienses, Mortal?*)

Sólo se le ocurría una forma de proceder. No le hacía mucha gracia, pero lo haría de todas formas. Tenía que hacerlo; su mente había formado una imagen que lo garantizaba. Se trataba de una imagen de Ed Deepneau volando hacia Derry desde la costa en avioneta con una caja de explosivos de gran potencia o bien con un depósito de gas nervioso almacenado en el morro.

(«*¿Qué puedo hacer con usted, señor A.? ¿Tiene alguna idea?*»)

La respuesta fue inmediata e inequívoca.

(*Déjame marchar. Ésa es la respuesta. La única respuesta. Te dejaré en paz, os dejaré en paz a los dos. Os dejaré para el Propósito. Viviréis otros diez años. Maldita sea, tal vez otros veinte, no es imposible. Lo único que tú y tu amiguita tenéis que hacer es no meteros en esto. Iros a casa. Y cuando llegue el big bang, miradlo en la tele.*)

Ralph intentó fingir que reflexionaba en serio sobre sus palabras.

(«¿Y nos dejarías en paz? ¿Prometerías dejarnos en paz?»)

(*¡Sí!*)

El rostro de Átropos había adquirido una expresión esperanzada, y Ralph vio los primeros indicios de un aura aparecer en torno al asqueroso renacuajo. Era del mismo color rojo mortecino que el latido que iluminaba el piso.

(«¿*Sabe algo, señor A.?*»)

Átropos, con aire más esperanzado que nunca: (*No, ¿qué?*)

Ralph extendió la mano, agarró la muñeca izquierda de Átropos y se la retorció con todas sus fuerzas. Átropos profirió un chillido de dolor. Sus dedos se aflojaron en torno al bisturí, y Ralph se apoderó de él con la agilidad de un carterista veterano al robar una cartera.

(«*Te creo.*»)

(*¡Devuélvemelo! ¡Devuélvemelo! ¡Devuélvemelo! Devuél...!*)

En su histeria, Átropos podría haber seguido gritando durante horas, de modo que Ralph puso fin a su letanía de la forma más discreta que conocía. Se inclinó hacia delante y le practicó una incisión vertical poco profunda en la parte posterior de la desproporcionada cabeza calva, que sobresalía del viso de Lois. Ninguna mano invisible intentó apartarle, y su propia mano se movía sin ningún problema. La sangre brotó con asombrosa abundancia del corte. El aura de Átropos adquirió el matiz rojo oscuro y funesto de una herida infectada. Volvió a gritar.

Ralph se acercó más y le susurró al oído en tono afable.

(«*A lo mejor no puedo matarte, pero lo que está claro es que puedo joderte bien jodido, ¿verdad? Y no me hace falta estar cargado de jugo psíquico para eso. Este encanto de bisturí servirá.*»)

Utilizó el arma para practicar una incisión perpendicular a la primera y formar una t minúscula en el cogote de Átropos. El enano gritó y empezó a agitar los brazos como un loco. Ralph quedó asqueado al comprobar que una parte de él, el gremlin travieso, estaba disfrutando como un enano.

(«*Si quieres que siga rajándote, sigue forcejeando. Si quieres que pare, para tú también.*»)

Átropos se calmó al instante.

(«*Vale. Ahora te voy a hacer unas cuantas preguntas. Creo que te darás cuenta de que te conviene mucho contestarlas.*»)

(*¡Pregúntame lo que quieras! ¡Lo que quieras! ¡Pero no me rajes más!*)

(«*Buena actitud, amiguito, pero creo que todo es mejorable, ¿no te parece? Vamos a ver.*»)

Ralph volvió a bajar el bisturí para abrirle un largo tajo en un lado del cráneo. Un colgajo de piel se desprendió como papel pintado mal encolado. Átropos aulló. Ralph sintió un espasmo de repugnancia en la boca del estómago, y aquello lo alivió..., pero cuando habló/pensó de nuevo, procuró con todas sus fuerzas que aquel sentimiento no trasluciera.

(«*Muy bien, ésta ha sido mi clase de motivación, doctor. Si me obligas a repetirla, tendrás que echar mano del Super Glue para evitar que la parte superior de tu cabeza salga volando cuando haga viento. ¿Lo has entendido?*»)

(*¡Sí! ¡Sí!*)

(«*¿Y me crees?*»)

(*¡Sí! ¡Maldito vejestorio cabrón, SÍ!*)

(«*Muy bien, perfecto. Ahí va la pregunta, señor A.: Si haces una promesa, ¿estás obligado a cumplirla?*»)

Átropos tardó bastante en contestar, lo cual era buena señal. Ralph apoyó la parte plana de la hoja contra su mejilla para meterle prisa, lo que le granjeó otro grito y cooperación instantánea.

(*¡Sí! ¡Sí! ¡Pero no me rajes más! ¡No me rajes más!*)

Ralph apartó el bisturí. La silueta de la hoja ardía sobre la mejilla completamente lisa del enano como si fuera una marca de nacimiento.

(«*Muy bien, encanto, escúchame con atención. Quiero que me prometas que nos dejarás en paz a Lois y a mí hasta que termine la manifestación del Centro Cívico. No más persecuciones, no más amputaciones, no más gilipolleces. Prométemelo.*»)

(*¡Vete a tomar por el saco! ¡Métete la promesa donde te quepa!*)

Ralph no se molestó por aquel arranque, sino que su sonrisa se hizo aún más amplia. Porque Átropos no había dicho *No quiero*, y lo que aún era más importante, Átropos no había dicho *No puedo*. Simplemente había dicho no. Una ligera reincidencia, en otras palabras, que podía remediarse con facilidad.

Haciendo acopio de fuerzas, Ralph deslizó el bisturí verticalmente por la espalda de Átropos. El viso se rasgó, la sucia bata que llevaba debajo se rasgó, y también la piel que había bajo la bata se rasgó. La sangre empezó a brotar en un repugnante torrente, y el chillido agudo y atormentado de Átropos golpeó los oídos de Ralph.

Se acercó de nuevo a la diminuta oreja, haciendo una mueca de disgusto al percibir que la sangre caliente le empapaba las perneras del pantalón.

(«*No tengo ganas de seguir haciendo esto, amiguito... De hecho, dos cortes más y creo que tendré que vomitar otra vez, pero quiero que sepas que puedo hacerlo y seguiré haciéndolo hasta que me prometas lo que te he pedido o hasta que esa fuerza que me ha impedido estrangularte me detenga de nuevo. Creo que si esperas a eso lo vas a pasar pero que muy mal. Así que, ¿qué te parece? ¿Quieres hacerme esa promesa o prefieres que te pele como si fueras una manzana?»*)

Átropos estaba lloriqueando. Era un sonido horrible, nauseabundo.

(*¡No lo entiendes! ¡Si consigues detener lo que ya ha empezado, hay pocas probabilidades, pero es posible que el ser al que llamas el Rey Carmesí te castigue!*)

Ralph apretó los dientes y cortó de nuevo con los labios tan apretados que su boca tenía el aspecto de una cicatriz curada largo tiempo atrás. Percibió un leve tirón cuando la hoja del bisturí cortó el cartílago, y entonces la oreja de Átropos cayó al suelo. La sangre empezó a brotar del cráneo calvo, y esta vez, su grito fue tan fuerte que hirió los oídos de Ralph.

«Desde luego, no son dioses ni de lejos —se dijo Ralph, casi enfermo de consternación y horror—. La única diferencia real que existe entre ellos y nosotros es que viven más tiempo y es un poco más difícil verlos. Y supongo que no soy demasiado buen soldado, porque con toda esta sangre creo que me voy a desmayar. Mierda.»

(*¡De acuerdo, lo prometo! ¡Pero deja de rajarme! ¡No me rajes más! ¡Por favor, no me rajes más!*)

(*«Buen comienzo, pero tendrás que concretar un poco más. Quiero oírte decir que prometes no acercarte a Lois ni a mí ni a Ed hasta que termine la manifestación del Centro Cívico.»*)

Esperaba que Átropos empezara a forcejear de nuevo, pero se llevó una sorpresa.

(*¡Lo prometo! ¡Prometo no acercarme a ti ni a la zorra con la que vas...!*)

(*«Lois. Di su nombre. Lois.»*)

(*¡Sí, sí, Lois Chasse! Prometo no acercarme a ella ni a Deepneau. A ninguno de vosotros, siempre y cuando no me rajes más. ¿Estás satisfecho? ¿Te basta eso, maldita sea?*)

Ralph decidió que estaba satisfecho..., o tan satisfecho como uno puede estar cuando los métodos que emplea y las acciones que realiza lo asquean. No creía que la promesa de Átropos encerrara ninguna trampa; el hombrecillo calvo sabía que podía pagar un precio muy alto si cedía ahora, pero en definitiva, eso no había sido capaz de disipar el dolor y el terror que Ralph le había infligido.

(*«Sí, señor A., creo que me basta.»*)

Ralph se apartó de su pequeña víctima con el estómago revuelto y la sensación (tenía que ser falsa, ¿no?) de que su garganta se abría y cerraba como la concha de una almeja. Contempló el bisturí salpicado de sangre por un momento y luego echó el brazo hacia atrás y lo arrojó lejos de sí con todas sus fuerzas. El arma voló dando vueltas a través del arco y se perdió en el almacén.

«¡Enhorabuena!», pensó Ralph. Ya no tenía ganas de vomitar. Ahora tenía ganas de llorar.

Átropos se puso de rodillas con dificultad y miró en derredor con la expresión confundida de un hombre que acabara de sobrevivir a una tormenta espantosa. Vio su oreja tirada en el suelo y la recogió. Le dio la vuelta entre las diminutas manos y contempló las tiras de cartílago que surgían de la parte posterior. Luego alzó la vista hacia Ralph. Sus ojos aparecían bañados en lágrimas de dolor y humillación, pero también había algo más...; una ira tan profunda y mortal que Ralph retrocedió un paso. Todas las precauciones que había tomado se le antojaban endebles y estúpidas a la vista de aquella ira. Retrocedió un paso tambaleándose y señaló a Átropos con un dedo tembloroso.

(«*Recuerda tu promesa.*»)

Átropos enseñó los dientes en una sonrisa cruel. El colgajo de piel que pendía a un lado de su rostro oscilaba como una vela fláccida, y la carne viva que asomaba debajo rezumaba sangre.

(*Claro que la recordaré. ¿Cómo iba a olvidarla? De hecho, me gustaría hacerte otra. Dos por el precio de una, por así decirlo.*)

Átropos hizo un gesto que Ralph recordaba bien de la azotea del hospital; separó los dos primeros dedos de la mano en forma de V y los levantó formando un arco rojo en el aire. En su interior, Ralph vio una figura humana. Tras ella, apenas entrevista como entre una bruma de sangre, se hallaba la Manzana Roja. Empezó a preguntarse quién era la persona que estaba en primer plano, en la acera de Harris Avenue..., pero de repente lo supo. Miró a Átropos consternado.

(«¡*Dios mío, no! ¡No puedes hacerlo!*»)

La sonrisa de Átropos se amplió aún más.

(*¿Sabes? Eso era lo que yo pensaba de ti, Mortal, pero estaba equivocado. Y tú también. Mira.*)

Átropos separó los dedos un poco más. Ralph vio a alguien tocado con una gorra de los Red Sox salir de la Manzana Roja, y esta vez, Ralph supo de inmediato de quién se trataba. Aquella persona llamó a la que estaba al otro lado de la calle, y entonces empezó a suceder algo terrible. Asqueado, Ralph desvió la mirada del sangriento arco del futuro que se abría entre los deditos de Átropos.

Pero oyó lo que sucedía.

(*El que te he mostrado primero pertenece al Azar, Mortal, es decir, a mí. Y ahí va mi promesa: si sigues interponiéndote en mi camino, lo que acabas de ver sucederá. No puedes hacer nada, dar ningún aviso que lo impida. Pero si lo dejas, si tú y la mujer os mantenéis al margen y dejáis que los acontecimientos sigan su curso, entonces me reprimiré.*)

Las vulgaridades que formaban parte integrante del discurso habitual de Átropos habían desaparecido como una costumbre desechada, y por primera vez, Ralph se hizo una idea clara de cuán ancestral y malévolamente sabio era aquel ser.

(*Recuerda lo que dicen los yonkies, Mortal: morir es fácil, vivir es difícil. Es un dicho muy cierto. Créeme, yo lo sé muy bien. Así que, ¿qué me dices? ¿Te lo estás pensando mejor?*)

Ralph estaba de pie en el centro de aquella mugrienta estancia, con la cabeza gacha y los puños apretados. Los pendientes de Lois le quemaban la mano como ascuas diminutas. El anillo de Ed también parecía quemarle, y sabía que no había nada en el mundo que le impidiera sacárselo del bolsillo y arrojarlo a la otra habitación para que hiciera compañía al bisturí. Recordó una historia que había leído en la escuela hacía mil años. Se titulaba «¿La Dama o el Tigre?», y ahora comprendía qué significaba tener un poder tan terrible... y hallarse ante una decisión tan terrible. A primera vista parecía muy sencillo; al fin y al cabo, ¿qué era una sola vida en comparación con casi dos mil trescientas?

Pero esa vida...

«Sin embargo, no es que se tenga que enterar nadie —pensó fríamente—. Nadie excepto Lois, quizás..., y Lois aceptaría mi decisión. Es posible que Carolyn no la hubiera aceptado, pero son dos mujeres muy distintas.»

Sí, pero ¿tenía derecho a hacerlo?

(*Claro que sí, Ralph; eso es precisamente de lo que van estas cuestiones de vida o muerte: de quién tiene el derecho. Esta vez eres tú. Así que, ¿qué me dices?*)

(«*No sé lo que digo, no sé lo que pienso. ¡Lo único que sé es que ojalá los tres ME HUBIERAIS DEJADO EN PAZ, JODER!*»)

Ralph Roberts alzó la cabeza hacia el techo de raíces de la guarida de Átropos y gritó.

27

Cinco minutos más tarde, la cabeza de Ralph se asomó a las sombras que caían bajo el viejo roble inclinado. Vio a Lois de inmediato. Estaba de rodillas delante de él, escudriñando su rostro alzado con expresión ansiosa entre la maraña de raíces. Levantó una mano mugrienta y manchada de sangre, y Lois la agarró con firmeza, sosteniéndole mientras subía los últimos escalones, raíces retorcidas que en realidad eran más bien travesaños de una escalera de mano.

Ralph forcejeó para salir de debajo del árbol y se tendió de espaldas, aspirando grandes bocanadas de aire fresco. No creía que el aire le hubiera sabido tan bien en toda su vida. A pesar de todo, estaba increíblemente agradecido por haber salido de ahí. Por ser libre.

(«*Ralph, ¿estás bien?*»)

Ralph le giró la mano, se la besó y colocó los pendientes donde acababa de posar los labios.

(«*Sí, estoy bien. Esto es tuyo.*»)

Lois los miró con curiosidad, como si fuera la primera vez que veía unos pendientes, y luego se los guardó en el bolsillo del vestido.

(«*Los has visto en el espejo, ¿verdad, Lois?*»)

(«*Sí, y me he enfadado..., pero no creo que me sorprendiera demasiado en el fondo.*»)

(«*Porque lo sabías.*»)

(«*Sí, creo que sí. Tal vez desde la primera vez que vi a Átropos con el sombrero de Bill. Pero lo aparqué..., bueno..., lo aparqué en lo más profundo de mi mente.*»)

Lois lo estaba observando con atención, evaluándolo.

(«*No te preocupes por los pendientes ahora... ¿Qué ha pasado ahí abajo? ¿Cómo has conseguido escapar?*»)

Ralph temía que si Lois seguía observándolo con tanta atención durante mucho rato vería demasiado. También tenía la sensación de que si no se movía pronto, tal vez nunca volviera a moverse; su agotamiento era tan profundo que se le antojaba un gran objeto, como un

522

crucero hundido desde hacía mucho tiempo, incrustado en su interior, intentando arrastrarlo hacia el fondo. Se levantó a toda prisa. No podía permitir que ninguno de los dos fuera arrastrado hacia el fondo, ahora no. Las noticias que transmitía el cielo no eran tan malas como habría cabido esperar, pero tampoco eran buenas... Eran al menos las seis de la tarde. En toda Derry, las personas a las que importaba un comino la cuestión del aborto (la inmensa mayoría, en otras palabras) estaban sentadas a la mesa para cenar. En el Centro Cívico, las puertas ya estarían abiertas y bañadas por focos de televisión de diez mil watios, y las cámaras de vídeo estarían transmitiendo imágenes en directo de los primeros defensores del aborto que pasaban en coche junto a Dan Dalton y sus Amigos de la Vida, que blandirían pancartas. No muy lejos de ahí, muchas personas estarían cantando el tema favorito de Ed Deepneau, aquel que decía: *Ei, ei, Susan Day, ¿a cuántos niños has matado hoy?* Hicieran lo que hicieran Lois y él, tendrían que hacerlo en los siguientes sesenta o noventa minutos. El reloj avanzaba sin cesar.

(«*Vamos, Lois. Tenemos que movernos.*»)

(«*¿Volvemos al Centro Cívico?*»)

(«*No, para empezar, creo que para empezar deberíamos...*»)

Ralph descubrió que no podía esperar para oír lo que tenía que decir. ¿Adónde creía que tenían que ir para empezar? ¿Otra vez al hospital de Derry? ¿A la Manzana Roja? ¿A su casa? ¿Dónde vas cuando tienes que encontrar a dos tipos bienintencionados pero, desde luego, nada omniscientes que te han sumido a ti y a tus pocos amigos íntimos en un mundo de dolor y problemas? ¿O puedes esperar sin temor a equivocarte que ellos te encuentren a ti?

A lo mejor no quieren encontrarte, Ralph. De hecho, a lo mejor se están escondiendo de ti.

(«*Ralph, ¿seguro que te en...?*»)

De repente pensó en *Rosalie* y lo vio claro.

(«*El parque, Lois, el parque Strawford. Allí es donde tenemos que ir. Pero tenemos que hacer una parada por el camino.*»)

La condujo a lo largo de la valla anticiclones, y no tardaron en oír el sonido perezoso de varias voces superpuestas. Ralph olió también el aroma de perritos calientes al asarse, y después del nauseabundo hedor de la guarida de Átropos, aquella fragancia se le antojó divina. Al cabo de uno o dos minutos llegaron a la entrada del pequeño merendero situado junto a la pista 3.

Ahí estaba Dorrance, envuelto en su increíble aura multicolor y observando cómo una avioneta se cernía sobre la pista. Tras él, Faye Chapin y Don Veazie estaban sentados a una de las mesas con un tablero de ajedrez entre ellos y una botella medio vacía de vino Blue Nun. Stan y Georgina Eberly bebían cerveza y giraban tenedores con perritos calientes empalados en ellas en el aire tembloroso por el calor de la barbacoa, un aire que a los ojos de Ralph era de un extraño color rosa seco, como arena color coral.

Por un instante, Ralph permaneció inmóvil, petrificado por su belleza, la belleza poderosa y efímera que suponía era la esencia de la vida de los Mortales. Un retazo de una canción de al menos veinticinco años de antigüedad cruzó por su mente: *Somos polvo de estrellas, somo dorados*. El aura de Dorrance era distinta, fabulosamente distinta, pero incluso la más prosaica de las auras de los otros relucía como una gema exótica e infinitamente deseable.

(«*Oh, Ralph, ¿ves eso? ¿Ves lo hermosos que son?*»)

(«*Sí.*»)

(«*¡Qué pena que no lo sepan!*»)

Pero ¿era una pena en realidad? A la luz de todo lo que había sucedido, Ralph no estaba tan seguro. Y tenía la sensación, una intuición vaga pero fuerte que jamás habría podido expresar en palabras, de que tal vez la verdadera belleza era algo que la mente consciente no podía reconocer, una obra siempre en marcha, cuestión de ser más que de ver.

—Vamos, tontorrón, mueve —exclamó una voz.

Ralph dio un respingo, creyendo en un principio que la voz se dirigía a él, pero era Faye y se refería a Don Veazie.

—Eres más lento que Jesucristo con artrosis.

—Deja —replicó Don—. Estoy pensando.

—Puedes pensar hasta que se congele el infierno, burro, pero aun así te daré mate en seis jugadas.

Don sirvió un poco de vino en un vaso de papel y puso los ojos en blanco.

—¡Oh, córcholis! —exclamó—. ¡No me había dado cuenta de que estaba jugando al ajedrez con Boris Spassky! ¡Creía que sólo estaba jugando con el viejo Faye Chapin! ¡Lo siento en el alma!

—Fantástico, Don. Un numerito como éste te lo puedes llevar de gira y forrarte de millones. Y no tendrás que esperar mucho; podrás empezar dentro de sólo seis jugadas, fíjate.

—Qué listillo —replicó Don—. Lo que pasa es que no sabes cuándo...

—¡Chist! —espetó Georgina Eberly con sequedad—. ¿Qué ha sido eso? ¡Parecía una explosión!

«Eso» era Lois absorbiendo un torrente de un vibrante color verde bosque del aura de Georgina.

Ralph levantó la mano derecha, formó un tubo alrededor de sus labios y empezó a inhalar una corriente similar de luz azul del aura de Stan Eberly. De inmediato se sintió inundado de energía; era como si unas luces fluorescentes se encendieran en su cerebro. Pero aquel barco hundido hacía mucho, que en realidad no se debía más que a unos cuatro meses de noches en blanco, seguía ahí y seguía intentando aplastarle para que no pudiera moverse.

La decisión también seguía ahí..., aún sin tomar, pero pendiente.

Stan también miró en derredor. Aunque Ralph absorbió gran cantidad de su aura, o al menos eso le parecía, ésta no perdió ni un ápice de su denso brillo. En apariencia, lo que les habían explicado respecto a las reservas casi inagotables que envolvían a cada ser humano era la verdad y nada más que la verdad.

—Bueno —empezó Stan—. He oído algo...

—Yo no —replicó Faye.

—Claro que no, si estás más sordo que una tapia —exclamó Stan—. Deja de interrumpir un momento, ¿vale? Iba a decir que no puede haber sido un depósito de combustible, porque no hay fuego ni humo. Y tampoco puede haber sido un pedo de Dor, porque no hay ardillas cayendo fulminadas de los árboles con el pelaje chamuscado. Supongo que ha debido de ser el petardeo de uno de esos camiones de la Guardia Nacional Aérea tan grandes. No te preocupes, cariño, yo te pertejo.

—Pertege esto —replicó Georgina dedicándole un corte de manga, aunque con una sonrisa.

—Madre mía —exclamó Faye—. Mirad al viejo Dor.

Todos se volvieron hacia Dorrance, que sonreía y miraba en dirección a la Extensión de Harris Avenue.

—¿Qué es lo que ves allí, viejo? —le preguntó Don Veazie con una sonrisa.

—A Ralph y Lois —repuso Dorrance con una sonrisa radiante—. Veo a Ralph y Lois. Acaban de salir de debajo del viejo árbol.

—Ya —intervino Stan.

Se protegió los ojos con la mano y los señaló. Aquello encendió la alarma del sistema nervioso de Ralph, que no se apagó hasta que se percató de que Stan señalaba el lugar hacia el que Dorrance agitaba la mano.

—¡Y mira! ¡Elvis y Glenn Miller salen justo detrás de ellos! ¡Vaya. vaya!

Georgina le propinó un codazo y Stan se apartó con un traspiés, sin dejar de sonreír.

(«¡Hola, Ralph! ¡Hola, Lois!»)

(¡Dorrance! ¡Vamos al parque Strawford! ¿Es correcto?»)

Dorrance, con una sonrisa feliz: («No lo sé. Todo esto es un asunto Limitado ahora, y mi misión ya ha terminado. Dentro de poco me iré a casa a leer un libro de Walt Whitman. Va a hacer mucho viento esta noche, y Whitman siempre es lo mejor cuando sopla el viento.»)

Lois, en tono casi frenético: («¡Dorrance, ayúdanos!»)

La sonrisa de Dor se esfumó. Después miró a Lois con aire solemne.

(«*No puedo. Ya no está en mis manos. Ahora sois Ralph y tú los que tenéis que hacer lo que haya que hacer.*»)

—Argh —masculló Georgina—. No me gusta nada cuando se pone a mirar al vacío. Casi parece que ve a alguien de verdad. —Volvió a coger su tenedor largo de barbacoa para asar la salchicha un poco más—. ¿Alguien ha visto a Ralph y Lois, por cierto?

—No —repuso Don.

—Están escondidos en uno de esos moteles X que hay en la costa con una caja de cerveza y una botella de aceite Johnson's para niños —explicó Stan—. Ya te lo dije ayer.

—Qué guarro eres —se escandalizó Georgina propinándole otro codazo, esta vez con un poco más de fuerza y mucha más puntería.

Ralph: («*Dorrance, ¿no puedes darnos ninguna pista? ¿Al menos decirnos si vamos por buen camino?*»)

Por un instante estuvo convencido de que Dor iba a contestar. Pero entonces, un zumbido cada vez más cercano llegó a sus oídos desde el cielo, y el anciano miró hacia arriba. Su sonrisa chiflada y hermosa reapareció.

—¡Mirad! —gritó—. ¡Un viejo Grauman Yellow! ¡Y es una preciosidad!

Trotó hasta la valla para ver cómo aterrizaba el pequeño avión y les dio la espalda.

Ralph agarró a Lois por el brazo e intentó esbozar una sonrisa. Le costó un gran esfuerzo; no creía haber estado tan asustado y confuso en toda su vida, pero, de todos modos, lo intentó.

(«*Vamos, querida. Vámonos.*»)

Ralph recordaba haber pensado cuando caminaban a lo largo de las vías abandonadas que los habían llevado hasta el aeropuerto, que en realidad no estaban caminando exactamente, sino más bien deslizándose. Regresaron desde el merendero hasta el parque Strawford de la misma forma, aunque el deslizamiento era más rápido y pronunciado esta vez. Era como si una cinta transportadora invisble los llevara.

Dejó de caminar como experimento. Las casas y los escaparates seguían quedando atrás sin prisas. Se miró los pies para asegurarse, y sí, estaban completamente quietos. Parecía que la acera se movía, no él.

Ahí venía el señor Dugan, jefe del Departamento de Créditos y Fideicomisos de Derry, ataviado en su acostumbrado traje de tres piezas y sus gafas sin montura. Como siempre, a Ralph le parecía que era el único hombre de la historia de la humanidad que había nacido sin agujero del culo. En cierta ocasión había rechazado la solicitud de crédito personal de Ralph, lo que, según suponía Ralph, podía ser responsable de los sentimientos negativos que albergaba hacia el hombre. En aquel momento comprobó que el aura de Dugan era del color gris mortecino y uniforme de los pasillos de un hospital de veteranos de guerra, y Ralph decidió que no le sorprendía. Se tapó la nariz como si lo obligaran a cruzar a nado un canal contaminado y pasó a través del banquero. Dugan ni se inmutó.

Eso le pareció bastante divertido, pero cuando miró a Lois se puso serio al instante. Vio la preocupación pintada en su rostro y también las preguntas que quería hacerle. Cuestiones para las que carecía de respuestas satisfactorias.

Ante ellos se extendía el parque Strawford. En aquel momento, las farolas se encendieron. El pequeño parque infantil en el que él y McGovern (y con frecuencia, también Lois) solían sentarse a mirar cómo jugaban los niños estaba casi desierto. Dos adolescentes estaban sentados uno junto al otro en los columpios, fumando y hablando, pero las madres y los chiquillos que iban allí durante el día ya no estaban.

Ralph pensó en McGovern, en su charla incesante y morbosa, en su autocompasión, tan difícil de apreciar cuando uno no lo conocía bien, tan difícil de pasar por alto después de haber pasado mucho tiempo con él, ambas cualidades aligeradas y en cierto modo convertidas en algo mejor por su ingenio irreverente y sus sorprendentes e impulsivos arranques de amabilidad; pensó en todo ello y se vio embargado por una profunda oleada de tristeza. Tal vez los Mortales eran polvo de estrellas e incluso dorados, pero cuando se iban lo hacían como las madres y los bebés que aparecían en breves visitas al parque infantil las tardes de verano.

(«*Ralph, ¿qué estamos haciendo aquí? ¡La bolsa de la muerte está encima del Centro Cívico, no del parque Strawford!*»)

Ralph la condujo hacia el banco en que la había encontrado hacía varios siglos, llorando por la disputa que había sostenido con su hijo y su nuera... y por los pendientes que había perdido. Al pie de la colina, los lavabos portátiles relucían a la débil luz del anochecer.

Ralph cerró los ojos. «Me estoy volviendo loco —pensó—, y a marchas forzadas. ¿Qué será? ¿La dama... o el tigre?»

(«*Ralph, tenemos que hacer algo. Esas vidas... esos miles de vidas...*»)

En la oscuridad que reinaba tras sus párpados cerrados, Ralph vio a alguien salir de la Manzana Roja. Una figura en pantalones de pana oscura y gorra de los Red Sox. Pronto volvería a suceder aquella cosa tan terrible, y puesto que no quería presenciarlo, abrió los ojos y miró a la mujer que estaba junto a él.

(«*Todas las vidas son importantes, Lois, ¿no estás de acuerdo? Todas y cada una de ellas.*»)

No sabía lo que Lois había visto en su aura, pero sin duda la aterrorizó.

(«*¿Qué ha pasado allá abajo después de que me fuera? ¿Qué te ha hecho o qué te ha dicho? ¡Ralph! ¡Dímelo!*»)

Bueno, ¿qué iba a ser? ¿Uno o muchos? ¿La dama o el tigre? Si no se decidía pronto, el propio tiempo le quitaría la decisión de las manos. Así que, ¿qué iba a ser? ¿Qué iba a ser?

—Ninguno... o los dos —masculló con voz ronca, sin saber que en su agitación estaba hablando en voz alta y se encontraba en varios niveles a un tiempo—. No escogeré entre uno u el otro. No lo haré. ¿Me oyes?

Se levantó del banco de un salto y miró en derredor con expresión feroz.

—¿Me oyes? —gritó—. ¡Me niego a tomar esa decisión! ¡Tendré a los dos o a ninguno!

En uno de los caminos que había al norte del parque, un borracho que escudriñaba el interior de un bidón de basura en busca de botellas y latas retornables echó un vistazo a Ralph y de repente se volvió y puso pies en polvorosa. Lo que había visto era un hombre que parecía estar en llamas.

Lois se levantó y apretó el rostro de Ralph entre las manos.

(«*Ralph, ¿qué pasa? ¿Quién es? ¿Tú? ¿Yo? Porque si soy yo y te estás reprimiendo por mi causa, no quiero que...*»)

Ralph aspiró una profunda bocanada de aire para tranquilizarse y apoyó la frente contra la de Lois, mirándola fijamente a los ojos.

(«*No eres tú, Lois, ni tampoco soy yo. Si fuera uno de los dos, habría podido elegir. Pero no es así, y te aseguro que no voy a seguir siendo un peón, maldita sea.*»)

Se zafó de sus manos y se apartó de ella. Su aura brillaba con tal intensidad que Lois tuvo que protegerse los ojos; era como si estuviera explotando en cierto modo. Y cuando habló, su voz reverberó en su cabeza como un trueno.

(«*¡CLOTO! ¡LÁQUESIS! ¡VENID, MALDITOS SEÁIS! ¡VENID AHORA MISMO!*»)

Dio otros dos o tres pasos y miró hacia el pie de la colina. Los dos adolescentes sentados en los columpios lo observaban con idénticas expresiones de terror pintadas en el rostro. Echaron a correr en cuanto los ojos de Ralph se iluminaron en su dirección, corrieron como una exhalación hacia las farolas de Witcham Street como dos ciervos, abandonando sus cigarrillos para que se consumieran en los hoyos que los pies dejaban bajo los columpios.

(«*¡CLOTO! ¡LÁQUESIS!*»)

Durante unos instantes no ocurrió nada, pero de repente, las puertas de los lavabos portátiles situados al pie de la colina se abrieron al unísono. Cloto salió del de caballeros, Láquesis del de señoras. Sus auras, del brillante color verde y dorado de las libélulas, relucían a la luz cenicienta del final del día. Se acercaron el uno al otro hasta que sus auras se superpusieron, y así subieron la cuesta, los hombros enfundados en tela blanca casi tocándose. Parecían un par de niños asustados.

Ralph se volvió hacia Lois. Su aura todavía centelleaba y ardía.

(«*Quédate aquí.*»)

(«*Sí, Ralph.*»)

Lois lo dejó bajar media pendiente y entonces hizo acopio de valor para llamarlo.

(«*Pero intentaré detener a Ed si tú no lo haces. Lo digo en serio.*»)

Claro que lo decía en serio, y su corazón reaccionó ante su valentía..., pero ella no sabía lo que él sabía. No había visto lo que él había visto.

Se volvió hacia ella por un instante y luego siguió avanzando hacia el lugar desde el que los dos médicos calvos y bajitos lo observaban con sus ojos luminosos y asustados.

Láquesis, nervioso: (*No te mentimos, de verdad que no.*)

Cloto, aún más nervioso (si cabe): (*Deepneau está en camino. Tienes que detenerlo, Ralph... Al menos tienes que intentarlo.*)

«La verdad es que no tengo que hacer nada, y vuestra expresión lo demuestra», pensó Ralph. Entonces se volvió hacia Cloto y se alegró de comprobar que el hombrecillo calvo se encogía ante su mirada y bajaba los ojos oscuros y desprovistos de pupilas.

(«*¿Ah, sí? Cuando estábamos en la azotea del hospital nos dijisteis que no nos acercáramos a Ed, señor C. Insistió usted mucho en eso.*»)

Cloto se movió incómodo y empezó a retorcerse las manos.

(*Yo..., bueno, nosotros... podemos equivocarnos. Y esta vez nos hemos equivocado.*)

Pero Ralph sabía que no era ésa la mejor palabra para describir la situación; lo cierto era que se habían autoengañado. Quería reñirlos por ello, oh, la verdad era que quería reñirlos por meterle en todo aquel lío, pero se dio cuenta de que no podía, porque según el viejo Dor, incluso su autoengaño estaba al servicio del Propósito; por alguna razón, el rodeo a High Ridge no había sido en absoluto un rodeo. No comprendía por qué ni cómo podía ser, pero tenía intención de averiguarlo a ser posible.

(«*Olvidemos eso de momento, caballeros, y hablemos de por qué está sucediendo todo eso. Si queréis ayudarnos a Lois y a mí, creo que lo mejor es que me lo contéis.*»)

Los enanos se miraron con aquellos ojos muy abiertos y asustados y por fin se volvieron de nuevo hacia Ralph.

Láquesis: («*Ralph, ¿no crees realmente que todas esas personas vayan a morir? Porque si no...*»)

(«*Sí que me lo creo, pero estoy harto de que me las paséis por la cara. Si un terremoto al servicio del Propósito estuviera previsto para esta zona y la carnicería ascendiera a diez mil en lugar de sólo dos mil y pico, ni siquiera pestañearíais; ¿verdad? Así que, ¿qué tiene de especial esta situación? ¡Decídmelo!*»)

Cloto: (*Ralph, nosotros no hacemos las reglas, igual que tú. Creíamos que lo entendías.*)

Ralph exhaló un suspiro.

(«*Ya estáis escurriendo el bulto otra vez, y el único tiempo que estáis perdiendo es el vuestro.*»)

Cloto, incómodo: («*Bueno, a lo mejor la imagen que te mostramos no quedó del todo clara, pero había poco tiempo y teníamos miedo. Y debes comprender que, dejando de lado todo lo demás, ¡esas personas morirán si no consigues detener a Ed Deepneau!*»)

(«*Olvidemos a todos ellos de momento; sólo quiero que me habléis de uno de ellos, el que pertenece al Propósito, y no podéis perder sólo porque un tipejo sin destino y sin un montón de tornillos se presente con un avión cargado de explosivos. ¿Quién es esa persona que no podéis entregar al Azar? Es la Day, ¿verdad? Susan Day.*»)

Láquesis: (*No. Susan Day es del Azar. No nos concierne en absoluto.*)

(«*Entonces, ¿quién?*»)

Cloto y Láquesis cambiaron otra mirada. Cloto asintió casi imperceptiblemente, y ambos se volvieron de nuevo hacia Ralph. Una vez más, Láquesis abrió los dos primeros dedos de la mano derecha, formando un abanico de luz. No fue a McGovern a quien Ralph vio esta vez, sino a un niño pequeño de cabello rubio y flequillo, con una cicatriz en forma de gancho que le atravesaba el puente de la nariz. Ralph lo situó en seguida... Era el niño del sótano de High Ridge, el de la madre con los cardenales. El que los había llamado a él y a Lois ángeles.

«Y un niño los guiará —pensó completamente pasmado—. Oh, Dios mío. Miró a Cloto y Láquesis con expresión incrédula.»

(«*¿Lo he entendido bien? ¿Todo esto ha sido por un niño?*»)

Esperaba más palabrería, pero la respuesta de Cloto fue simple y directa: (*Sí, Ralph.*)

Láquesis: (*Ahora mismo está en el Centro Cívico. Su madre, cuya vida Lois y tú ya habéis salvado esta mañana, ha recibido una llamada de la canguro hace menos de una hora, diciéndole que se había cortado con un vidrio y no podría cuidar del pequeño esta noche. Pero ya era de-*

*masiado tarde para encontrar otra canguro, claro, y esta mujer lleva se-
manas decidida a ver a Susan Day..., a estrecharle la mano e incluso
darle un abrazo si es posible. Adora a la Day.*)

Ralph, que recordaba los cardenales desvaídos de su rostro, suponía que podía llegar a comprender esa adoración. Y creía entender
otra cosa aún mejor: la herida de la canguro no había sido un accidente. Algo estaba resuelto a que el chiquillo de los mechones rubios y la-
nudos y los ojos enrojecidos por el humo estuviera en el Centro Cívico
aquella noche, y estaba dispuesto a remover cielo y tierra para conseguirlo. Su madre no se lo había llevado al Centro porque fuera una
mala madre, sino porque estaba sujeta a la naturaleza humana como
todo el mundo. No quería perderse la única oportunidad que tendría
de ver a Susan Day, eso era todo.

«No, no es todo —pensó Ralph—. También se lo ha llevado porque
creía que ahí estaría a salvo, puesto que Pickering y sus chiflados de
Pan de Cada Día estaban muertos. Le debió de parecer que lo peor de lo
que tendría que proteger a su hijo esta noche sería un montón de antiabortistas blandiendo pancartas, que el rayo no podía alcanzarlos a
ella y a su hijo dos veces en un día.»

Ralph había estado contemplando Witcham Street. En ese momento se volvió de nuevo hacia Cloto y Láquesis.

(«*¿Estáis seguros de que está ahí? ¿Seguros, seguros?*»)

Cloto: (*Sí. Está sentado en la parte superior de la cara norte de las
gradas, con su madre, un póster de McDonalds para colorear y algunos
libros de cuentos. ¿Os sorprendería saber que uno de esos cuentos es
Los quinientos sombreros de Bartholomew Cubbins?*)

Ralph denegó con la cabeza. A aquellas alturas, nada podía sorprenderle.

Láquesis: (*El avión de Deepneau chocará contra la cara norte del
Centro Cívico. El niño morirá en el acto si no se toman medidas para
evitarlo... y eso no puede permitirse. Ese niño no debe morir antes de
que le llegue la hora.*)

Láquesis observaba a Ralph con gran solemnidad. El abanico de
luz azul verdosa que abría sus dedos se había esfumado.

(*No podemos seguir hablando, Ralph... Ya está en el aire, a menos
de ciento cincuenta kilómetros de aquí. Pronto será demasiado tarde
para impedírselo.*)

Aquello puso a Ralph frenético, pero no dio ni un paso. Al fin y al
cabo, ellos querían que se pusiera frenético. Que los dos se pusieran
frenéticos.

(«*Os digo que nada de todo esto importa hasta que entienda qué es
lo que está en juego. No dejaré que importe.*»)

Cloto: (*Entonces escucha. De vez en cuando llega un hombre o una mujer cuya vida afectará no sólo a los que le rodean o a los que viven en el mundo Mortal, sino a los que viven en muchos niveles tanto por encima como por debajo del mundo Mortal. Estas personas son los Elegidos y sus vidas siempre están al servicio del Propósito. Si desaparecen antes de tiempo, todo cambia. La balanza deja de estar equilibrada. ¿Puedes imaginarte, por ejemplo, lo distinto que podría haber sido el mundo si Hitler se hubiera ahogado en la bañera cuando era pequeño? A lo mejor crees que el mundo sería mejor por ello, pero te aseguro que el mundo no existiría siquiera si eso hubiera sucedido. Supongamos que Winston Churchill hubiera muerto de intoxicación antes de convertirse en Primer Ministro. O que César Augusto hubiera nacido muerto, estrangulado con su propio cordón umbilical. Sin embargo, la persona a la que queremos que salvéis es mucho más importante que cualquiera de los que hemos citado.*)

(«*¡Maldita sea, Lois y yo ya hemos salvado a ese niño una vez! ¿Es que eso no ha arreglado la situación, no lo ha devuelto al Propósito?*»)

Láquesis, pacientemente: (*Sí, pero no está a salvo de Ed Deepneau, porque Deepneau no tiene destino ni en el Azar ni en el Propósito. De todas las personas del mundo, sólo Deepneau puede hacerle daño antes de que llegue su hora. Si Deepneau fracasa, el niño volverá a estar a salvo... Vivirá su tiempo en paz hasta que le llegue la hora y pase al estado en que deberá desempeñar el papel breve pero de capital importancia que se le ha asignado.*)

(«*Una sola vida significa tanto, ¿eh?*»)

Láquesis: (*Sí. Si el niño muere, la Torre de toda existencia se desmoronará, y las consecuencias de tal desemoronamiento están fuera del alcance de vuestra comprensión. Y también fuera del alcance de la nuestra.*)

Ralph se miró los zapatos fijamente. Tenía la sensación de que la cabeza le pesaba una tonelada. En todo aquel asunto había una ironía que no le costó captar a pesar del cansancio que lo embargaba. Al parecer, Átropos había puesto a Ed en marcha inflamando una especie de complejo mesiánico que tal vez ya existía..., un subproducto de su carencia de destino, tal vez. Lo que Ed no comprendía (y nunca creería si se lo dijeran) era que Átropos y sus jefes de los niveles superiores tenían intención de utilizarlo no para salvar al Mesías, sino para matarlo.

Miró de nuevo los rostros ansiosos de los dos médicos calvos y bajitos.

(«*Vale, no sé cómo detener a Ed, pero lo intentaré.*»)

Cloto y Láquesis se miraron y esbozaron sendas sonrisas de alivio idénticas y muy humanas. Ralph levantó un dedo en ademán de advertencia.

(«*Esperad. Todavía no he terminado.*»)

Las sonrisas se esfumaron.

(«*Quiero algo a cambio. Una vida. Os cambio la vida de vuestro niño de cuatro años por...*»)

Lois no oyó el resto; la voz de Ralph se hizo imperceptible por un momento, pero cuando advirtió que Cloto y Láquesis meneaban la cabeza, el corazón le dio un vuelco.

Láquesis: (*Comprendo tu dolor, y sí, Átropos puede hacer lo que amenaza con hacer. Sin embargo, sin duda comprendes que esta vida no puede compararse con...*)

Ralph: («*Pero para mí es igual de importante, ¿es que no lo entendéis? Para mí lo es. Lo que tenéis que meteros en la cabeza es que para mí, las dos vidas son igual de...*»)

Lois volvió a perderlo, pero no le costó oír la voz de Cloto, que casi lloraba de consternación.

(*¡Pero esto es diferente! La vida de este niño es diferente!*)

En aquel momento oyó con claridad a Ralph, que hablaba (si podía llamarse a aquello hablar) con una lógica aguerrida y despiadada que a Lois le recordó a su padre.

(«*Todas las vidas son diferentes. Importan todas o ninguna. Por supuesto, eso no es más que mi humilde opinión de Mortal, pero me parece que no os queda más remedio que aceptarla, porque aquí el bacalao lo corto yo. La cuestión es la siguiente: os propongo un canje justo, la vida del vuestro por la vida del mío. Lo único que tenéis que hacer es prometérmelo y trato hecho.*»)

Láquesis: (*¡Ralph, por favor! ¡Por favor, comprende que no podemos hacerlo!*)

Se produjo un largo silencio. Cuando Ralph habló, su voz era débil pero aún audible. Sin embargo, fue el último retazo que Lois oyó de su conversación.

(«*Hay un abismo entre no ser capaz y no poder, ¿no os parece?*»)

Cloto dijo algo, pero Lois tan sólo captó un aislado

(*el cambio podría ser*).

Láquesis meneó la cabeza con gestos vigorosos. Ralph contestó, y Láquesis replicó haciendo un sombrío gesto con los dedos que imitaba el movimiento de unas tijeras.

Sorprendentemente, Ralph se echó a reír y asintió.

Cloto posó una mano sobre el brazo de su colega y le habló con gran seriedad antes de volverse de nuevo hacia Ralph.

Lois retorció las manos sobre el regazo, deseando que llegaran a algún tipo de acuerdo. Cualquier acuerdo que impidiera a Ed Deepneau matar a toda esa gente mientras ellos estaban ahí de cháchara.

De repente, la ladera de la colina quedó bañada por una deslumbrante luz blanca. En el primer momento, Lois creyó que procedía del cielo, pero eso tan sólo se debía a que la mitología y la religión le habían enseñado a creer que el cielo era la fuente de toda emanación sobrenatural. En realidad, parecía llegar de todas partes, de los árboles, el cielo, el suelo, incluso de su interior, brotando de su aura como brillantes tirabuzones de bruma.

Y entonces sonó una voz... o mejor dicho, una Voz. Pronunció tan sólo dos palabras, pero retumbaron en la mente de Lois como campanas de hierro.

(*ASÍ SEA*.)

Observó que Cloto, con el rostro transformado en una máscara de terror y respeto, se metía la mano en el bolsillo trasero y sacaba las tijeras. Estuvo a·punto de dejarlas caer, una patochada nerviosa que provocó en Lois un ramalazo de simpatía hacia él. Por fin las cogió con un mango en cada mano y las hojas abiertas.

Aquellas dos palabras volvieron a sonar.

(*ASÍ SEA*.)

Esta vez fueron seguidas de una luz tan deslumbrante que, por un instante, Lois creyó que se iba a quedar ciega. Se cubrió los ojos con las manos pero vio (en el último instante en que pudo ver algo) que la luz se centraba en las tijeras que Cloto sostenía en algo como si fuera un relámpago de dos puntas.

No había forma de escapar a aquella luz; le convirtió los párpados y las manos que los protegían en cristal. El resplandor resaltaba los dedos de sus manos como lápices de rayos X mientras surcaba su carne. En algún lugar lejano oyó a una mujer, cuya voz se parecía sospechosamente a la de Lois Chasse, gritar a pleno pulmón con la voz de su mente:

(«*¡Apagadla! ¡Por Dios, apagad esa luz antes de que me mate!*»)

Y por fin, cuando ya le parecía que no podría soportarlo más, la luz empezó a mitigarse. En cuanto desapareció, aunque dejando violentas manchas azules que flotaban en la nueva oscuridad como unas tijeras fantasmales, Lois abrió los ojos lentamente. Por un instante no vio nada aparte de la cruz azul y creyó que se había quedado ciega. Pero entonces, con la lentitud de una fotografía al revelarse, el mundo empezó a resurgir. Vio a Ralph, a Cloto y a Láquesis retirándose las manos de los ojos y mirando en derredor con la ciega extrañeza de una guarida de topos vuelta del revés por la hoja de una grada.

Láquesis contemplaba las tijeras que sostenía su compañero como si no las hubiera visto en su vida, y Lois estaba dispuesta a apostar lo que fuera a que nunca las había visto tal como aparecían en aquel momento. Las hojas seguían brillando, despidiendo siniestros y fantasmales destellos de luz en brumosas gotas.

Láquesis: (*¡Ralph, ése es...!*)

Lois no oyó el resto de la frase, pero el tono que había empleado Láquesis era el de un campesino humilde que abre la puerta y se encuentra con que el Papa se ha detenido en su casa para escuchar sus oraciones y oírle en confesión.

Cloto seguía mirando las tijeras con fijeza. Ralph también las miró, pero por fin se volvió de nuevo hacia los médicos calvos.

Ralph: («¿... *el dolor?*»)

Láquesis, con la voz de un hombre que acaba de despertar de un profundo sueño: (*Sí...*, *no tardará mucho, pero... la agonía será intensa... ¿cambias de idea, Ralph?*»)

De repente, Lois tuvo miedo de aquellas tijeras tan brillantes. Quería llamar a Ralph, decirle que no se preocupara por aquella vida, que les diera la que ellos querían, que les diera al pequeño. Quería decirle que hiciera lo que fuera con tal de que volvieran a guardarse las tijeras.

Pero ni de su boca ni de su mente brotó palabra alguna.

Ralph: («... *en absoluto... sólo quería saber qué me esperaba.*»)

Cloto: (*¿... preparado?... Debe ser...*)

¡Diles que no, Ralph!, intentó transmitirle Lois. *¡Diles que NO!*

Ralph: («... *preparado.*»)

Láquesis: (*¿Comprendes... las condiciones... y el precio?*)

Ralph, en tono impaciente: («*Sí, sí. Por favor, ¿podemos...?*»)

Cloto, con infinita solemnidad: (*Muy bien, Ralph. Así sea.*)

Láquesis rodeó los hombros de Ralph con un brazo; él y Cloto lo condujeron hacia el pie de la colina, al lugar en que los niños pequeños empezaban sus carreras de trineos en invierno. Allí había una pequeña explanada redonda del tamaño de un escenario de club nocturno. Cuando llegaron allí, Láquesis detuvo a Ralph y le hizo girarse a fin de encararlo con Cloto.

De repente, Lois sintió deseos de cerrar los ojos, pero no pudo. Lo único que hizo fue mirar y rezar por que Ralph supiera lo que se hacía.

Cloto le murmuró algo al oído. Ralph asintió y se quitó el suéter, lo dobló y lo dejó pulcramente sobre la hierba cubierta de hojas. Cuando se incorporó, Cloto le cogió la muñeca derecha y le extendió el brazo. Hizo un gesto de asentimiento a Láquesis, quien le desabotonó el puño y le arremangó la camisa hasta el codo con tres movimientos rápidos. A continuación, Cloto giró el brazo de Ralph para que la muñeca mirara hacia arriba. El fino entramado de venas azules que asomaban justo debajo de la piel se apreciaba con extremada claridad y quedaba resaltado por delicados trazos de aura. Todo aquello le resultaba terriblemente familiar a Lois; era como observar a un paciente en una serie de médicos de la tele cuando lo preparan para una operación.

Pero no estaban en la tele.

Láquesis se inclinó hacia delante y habló de nuevo. Aunque Lois no oyó sus palabras, sabía que le estaba diciendo a Ralph que aquella era su última oportunidad.

Ralph asintió, y aunque su aura revelaba a Lois que estaba aterrado por lo que le esperaba, de algún modo logró esbozar una sonrisa. Cuando se volvió hacia Cloto para decirle algo, no parecía buscar consuelo sino darlo. Cloto intentó devolverle la sonrisa, pero no lo consiguió.

Láquesis rodeó con una mano la muñeca de Ralph, más para mantener el brazo firme (o al menos eso creía Lois) que parecía inmovilizárselo. Le recordaba a una enfermera atendiendo a un paciente al que van a administrar una inyección muy dolorosa. Láquesis se volvió hacia su compañero con expresión atemorizada y asintió. Cloto le devolvió el gesto, aspiró una profunda bocanada de aire y se inclinó sobre el brazo vuelto hacia arriba de Ralph, cuyo árbol fantasmal de venas azules relucía bajo la piel. Se detuvo un instante y por fin abrió las hojas de las tijeras con las que él y su viejo amigo convertían la vida en muerte.

Lois se levantó insegura y se tambaleó sobre unas piernas que se le antojaban leños. Tenía intención de romper la parálisis que la había sumido en un silencio tan cruel, llamar a Ralph a gritos y decirle que parara, decirle que no sabía lo que aquellos tipos pretendían hacerle.

Pero sí lo sabía. De ello daban fe la palidez de su rostro, sus ojos entornados, sus labios apretados dolorosamente, pero sobre todo, los trazos rojos y negros que surcaban su aura como meteoros, y el aura en sí misma, que se había encogido hasta convertirse en una ceñida cáscara azul.

Ralph hizo un gesto de asentimiento a Cloto, quien bajó la hoja de las tijeras hasta tocar el antebrazo de Ralph justo por debajo del codo. En el primer momento, la piel tan sólo formó un hoyuelo, pero entonces, una ampolla de sangre se formó en lugar del hoyuelo. Cuando Cloto apretó los dedos para juntar las hojas de las tijeras, la piel de cada lado del corte longitudinal se apartó con la rapidez de una persiana. La grasa subcutánea relucía como hielo fundido en la violenta luz azul del aura de Ralph. Láquesis atenazó con más fuerza la muñeca de Ralph, pero por lo que Lois podía ver, Ralph no hizo siquiera el primer gesto instintivo de apartar el brazo, sino que se limitó a bajar la cabeza y alzar el puño izquierdo como si hiciera el saludo del Poder Negro. Lois vio que los tendones del cuello le sobresalían como cables, pero Ralph no emitió sonido alguno.

Ahora que aquel terrible asunto ya había comenzado, Cloto procedía a una velocidad que era brutal y misericordiosa a un tiempo.

Cortó por el centro del antebrazo de Ralph hasta la muñeca, empleando las tijeras como si cortara las cintas de un paquete muy bien embalado, ayudando a las hojas con los dedos y apretando con el pulgar. Dentro del brazo de Ralph, los tendones centelleaban como tajadas de carne de ijada. La sangre fluía en regueros, y cada vez que se partía una vena brotaba una fina lluvia escarlata. Muy pronto, abanicos de salpicaduras adornaron las batas blancas de los dos hombrecillos, lo que les confería más que nunca aspecto de médicos.

Cuando las hojas seccionaron por fin el Brazalete de la Fortuna de la muñeca de Ralph (la operación no había tardado ni tres segundos, pero a Lois se le antojaron una eternidad), Cloto retiró las tijeras chorreantes y se las entregó a Láquesis. El brazo de Ralph estaba abierto desde el codo hasta la muñeca en un surco oscuro. Cloto oprimió las manos sobre el punto inicial del surco y Lois pensó: «Ahora el otro cogerá el suéter de Ralph y lo utilizará para hacer un torniquete». Pero Láquesis no hizo movimiento alguno, sino que se limitó a observar la escena sin soltar las tijeras.

Durante un momento, la sangre siguió fluyendo por entre los dedos de Cloto, pero luego se detuvo. Apartó lentamente las manos del brazo de Ralph, y la carne que apareció estaba entera y firme, aunque atravesada por una gruesa cresta blanca de tejido cicatrizado.

(*Lois... Lo-isssss...*)

Aquella voz no procedía del interior de su cabeza ni del pie de la colina, sino de detrás suyo. Una voz suave, casi halagadora. ¿Átropos? No, en absoluto. Bajó la mirada y vio una luz verde y mortecina que fluía a su alrededor, brotaba por entre sus brazos, su cuerpo, sus piernas, incluso sus dedos. Ondulaba la sombra escuálida y retorcida que proyectaba, la sombra de una mujer ahorcada. La acariciaba con dedos frescos de color musgo.

(*Date la vuelta, Lo-isss...*)

En aquel momento, lo último que quería Lois Chasse era darse la vuelta y ver la fuente de aquella luz verde.

(*Date la vuelta, Lo-isss..., mírame, Lo-isss..., ven a la luz, Lo-isss..., ven a la luz..., mírame y ven a la luz...*)

No era una voz que pudiera desobedecerse. Lois se dio la vuelta tan lentamente como una bailarina de juguete con el engranaje oxidado, y sus ojos parecieron quedar bañados en el fuego de san Telmo.

Lois fue a la luz.

28

Cloto: (*Ahora tienes tu señal visible, Ralph... ¿Estás satisfecho?*)

Ralph se miró el brazo. El dolor, que se lo había tragado como la ballena se había tragado a Jonás, ya parecía un sueño o un espejismo. Suponía que se trataba de la misma clase de distanciamiento que permitía a las mujeres tener muchos hijos y olvidar el tremendo dolor y esfuerzo físico del parto en cuanto éste terminaba con éxito. La cicatriz parecía un trozo de maltrecho cordel blanco que ascendía ondulado por los bultos de sus escasos músculos.

(«*Sí. Habéis sido valientes y rápidos. Os agradezco ambas cosas.*»)

Cloto sonrió en silencio.

Láquesis: (*Ralph, ¿estás preparado? Queda muy poco tiempo.*)

(«*Sí, estoy...*»)

(«*¡Ralph! ¡Ralph!*»)

Era Lois, de pie en la cima de la colina, haciéndole señas. Por un instante creyó que su aura había pasado del habitual gris perla a un color más oscuro, pero en seguida olvidó aquella idea, sin duda provocada por el miedo y el cansancio. Subió la colina con dificultad para encontrarse con ella.

Los ojos de Lois aparecían distantes y aturdidos, como si acabara de escuchar una palabra increíble que hubiera cambiado toda su vida.

(«*Lois, ¿qué hay? ¿Qué te pasa? ¿Es por mi brazo? Porque si es por eso, no te preocupes. ¡Mira! ¡Como nuevo!*»)

Extendió el brazo para que Lois pudiera comprobarlo por sí misma, pero Lois no miró el brazo, sino que clavó los ojos en él, y Ralph advirtió entonces la profundidad de su shock.

(«*Ralph, ha venido un hombre verde.*»)

¿Un hombre verde? Ralph alargó las manos y le cogió las manos con expresión preocupada.

(«*¿Verde? ¿Estás segura? ¿No era Átropos ni...?*»)

No completó el pensamiento. No hacía falta.

Lois denegó con la cabeza.

(*«Era un hombre verde. Si en esta historia hay bandos, no sé de qué bando está esta... persona. Producía una sensación de bondad, pero podría estar equivocada. No le he visto bien, porque su aura era demasiado brillante. Me ha dicho que te los devolviera.»*)

Alargó la mano hacia él y dejó caer dos objetos diminutos y brillantes sobre su palma: sus pendientes. Ralph vio una manchita marrón en uno de ellos y supuso que se trataba de la sangre de Átropos. Empezó a cerrar la mano en torno a ellos y de repente hizo una mueca al sentir una punzada de dolor en la yema del dedo. Más sangre, esta vez la suya.

(*«Te has olvidado de los cierres, Lois.»*)

Lois habló en el tono lento y perdido de una mujer en sueños.

(*«No, no me he olvidado, sino que los he tirado. El hombre verde me ha dicho que los tirara. Ten cuidado. Era... cálido..., pero no lo sé en realidad, ¿verdad? El señor Chasse siempre me decía que era la mujer más crédula de la faz de la tierra, que siempre estaba dispuesta a pensar lo mejor de todo el mundo. De cualquier persona.»*)

Lois alargó la mano y lo agarró por las muñecas sin dejar de mirarlo con aire solemne.

—No lo sé.

Expresar la idea en voz alta pareció despertarla y se quedó ante él parpadeando. Ralph suponía que era posible (remotamente) que Lois se hubiera quedado dormida, que hubiera soñado lo del llamado «hombre verde». Pero tal vez sería más sensato coger los pendientes. A lo mejor no significaban nada, pero, por otro lado, llevarlos en el bolsillo no le haría ningún daño..., a menos que se pinchara con ellos, claro.

Láquesis: (*Ralph, ¿qué ocurre? ¿Pasa algo malo?*)

Él y Cloto habían quedado rezagados, por lo que no habían oído la conversación que Ralph acababa de sostener con Lois. Ralph meneó la cabeza y giró la mano para que no vieran los pendientes. Cloto había recogido su suéter y sacudido las pocas hojas brillantes que se habían adherido a él. Se lo alargó a Ralph, que se guardó los pendientes sin cierre de Lois en el bolsillo con toda discreción antes de ponerse la prenda.

Había llegado el momento de marcharse, y la línea de calor que le recorría el brazo derecho, a lo largo de la cicatriz, le reveló por dónde debían empezar.

(*«Lois.»*)

(*«¿Sí, querido?»*)

(*«Tengo que pedirte un préstamo de aura, y será un préstamo considerable. ¿Lo entiendes?»*)

(*«Sí.»*)

(*«¿No te importa?»*)

(«*Claro que no.*»)
(«*Sé valiente... No tardaré mucho.*»)
Apoyó los brazos en sus hombros y entrelazó las manos detrás del cuello de su amiga. Lois le imitó, y se acercaron lentamente hasta que sus frentes se rozaron y sus labios quedaron a escasos centímetros de distancia. Ralph olió un resto de perfume que tal vez procedía de los huecos oscuros y dulces de detrás de las orejas de Lois.
(«*¿Preparada, querida?*»)
La respuesta le pareció extraña y reconfortante a un tiempo.
(«*Sí, Ralph. Mírame. Ven a la luz. Ven a la luz y toma la luz.*»)
Ralph frunció los labios e inhaló. Una ancha banda de luz brumosa fluyó de la boca y la nariz de Lois hacia él. Su aura se iluminó al instante y siguió abrillantándose más hasta convertirse en una corona deslumbrante y nebulosa a su alrededor. Pero Ralph siguió inhalando, respirando con algo que estaba más allá de la respiración, sintiendo que la cicatriz de su brazo ardía más y más hasta transformarse en un filamento eléctrico enterrado en su carne. No podría haberse detenido aunque hubiera querido... y no quería.
Lois se tambaleó una vez. Ralph vio que sus ojos se ponían vidriosos y sus manos se aflojaban en su nuca. Pero entonces sus ojos, grandes, brillantes y llenos de confianza, volvieron a fijarse en los suyos, y sus manos recuperaron su firmeza. Por fin, cuando aquella titánica inhalación se acercaba a la cúspide, Ralph advirtió que el aura de Lois había palidecido tanto que apenas la veía. Tenía las mejillas blancas como el papel, y las canas habían regresado a su cabello, en tal cantidad que el negro casi había desaparecido. Tenía que parar, tenía que parar o la mataría.
Consiguió separar la mano izquierda de la derecha, y eso pareció romper una suerte de circuito; pudo apartarse de ella. Lois se tambaleó y se habría desplomado si Cloto y Láquesis, con aspecto de liliputienses de *Los viajes de Gulliver,* no la hubieran cogido por los brazos y sentado con cuidado en el banco.
Ralph se acercó a ella rodilla en tierra. Estaba loco de temor y culpa, y al mismo tiempo, inundado de una sensación de poder tan grande que le parecía que un solo movimiento brusco podía hacerlo estallar, como una botella llena de nitroglicerina.
Podía derribar un edificio con un golpe de karate, tal vez toda una hilera de ellos.
Pero aun así, había hecho daño a Lois. Tal vez mucho daño.
(«*¡Lois, Lois! ¿Me oyes?*»)
Lois lo miró con ojos aturdidos, una mujer que había pasado de los cuarenta a los sesenta en cuestión de segundos... y de ahí a los setenta como un cohete que hubiera pasado de largo su objetivo. Intentó esbozar una sonrisa que no le salió muy bien.

(*Lois, lo siento. No lo sabía, y en cuanto he empezado ya no podía parar.*)

Láquesis: (*Si quieres tener alguna oportunidad debes irte ahora, Ralph. Está a punto de llegar.*)

Lois hizo un gesto de asentimineto.

(«*Vete, Ralph... Estoy un poco débil, nada más. Ya se me pasará. Me quedaré aquí sentada hasta que recupere fuerzas.*»)

Desvió la mirada hacia la izquierda, y Ralph se volvió. Vio al borracho al que habían ahuyentado a mediodía. Había regresado para inspeccionar las papeleras de la cima de la colina en busca de latas y botellas retornables, y aunque su aura no parecía tan saludable como la del tipo con el que se habían topado junto a la estación abandonada, Ralph suponía que para un caso de emergencia serviría... y de eso se trataba, desde luego.

Cloto: (*Nos encargaremos de que se acerque, Ralph. No tenemos mucho poder sobre los aspectos físicos del mundo Mortal, pero creo que hasta ahí llegamos.*)

(«*¿Estáis seguros?*»)

(*Sí.*)

(«*De acuerdo. Muy bien.*»)

Ralph echó un vistazo rápido a los dos hombrecillos, notó su expresión asustada y ansiosa y asintió con un gesto. A continuación se inclinó y besó la mejilla fría y arrugada de Lois, quien le dedicó la sonrisa de una abuelita cansada.

«Yo le he hecho esto —se dijo Ralph—. Yo.»

Pues entonces asegúrate de que haya servido de algo, replicó la voz de Carolyn con aspereza.

Ralph miró a los tres (Cloto y Láquesis flanqueaban ahora a Lois con aire protector) por última vez y empezó a bajar por la pendiente una vez más.

Al llegar a los lavabos, permaneció entre ellos un momento y luego apoyó la cabeza en el de señoras. No oyó nada. Pero cuando rozó con la cabeza la pared de plástico del de caballeros, oyó una voz débil y monótona que cantaba:

> *¿Quién cree que mis sueños más imposibles*
> *Y mis planes más absurdos se harán realidad?*
> *Tú, muñeca, nadie más que tú.*

Dios mío, está como un cencerro.

Eso no es nada nuevo, cariño.

Ralph suponía que no. Se acercó a la puerta del lavabo portátil y la abrió. Ahora también oía el zumbido lejano del motor de un avión, pero no vio nada que no hubiera visto ya docenas de veces: el asiento agrietado del retrete, que descansaba torcido sobre la taza, un rollo de papel higiénico, hinchado de un modo extraño y en cierto modo ominoso, y a la izquierda, un urinario que parecía una lágrima de plástico. Las paredes eran selvas de *graffiti*. El más grande y exuberante aparecía escrito en grandes letras rojas sobre el urinario: TONY BOYNTON TIENE EL CULO MÁS PEQUEÑO Y PRIETO DE TODA LA CIUDAD. Un empalagoso ambientador con olor a pino cubría los aromas de mierda, meados y pedos de borracho como el maquillaje cubre el rostro de un cadáver. La voz que oía parecía proceder del agujero de la taza del inodoro o tal vez se filtraba por las mismísimas paredes:

> *Desde que me voy a la cama*
> *Hasta que llega la mañana*
> *Sueño contigo, muñeca, sólo contigo.*

«¿Dónde está? —se preguntó Ralph—. ¿Y cómo narices voy a ir hasta él?»

De repente, Ralph sintió calor junto a la cadera; era como si alguien le hubiera metido una brasa en el bolsillo del pantalón. Frunció el ceño, pero de repente recordó lo que tenía allí dentro. Introdujo un dedo en el bolsillo, tocó el aro de oro que había guardado allí y lo sacó. Lo puso sobre la palma de su mano, en la bifurcación de la línea del amor y la de la vida y lo rozó con cuidado. Ya no estaba caliente. Ralph no se sorprendió.

HD—ED 8.5.87.

—Un Anillo para dominarlos. Un Anillo para atarlos —murmuró Ralph al tiempo que se ponía el anillo de boda de Ed en el dedo corazón de la mano izquierda. Le cabía a la perfección. Lo empujó hasta que rozó el anillo de boda que Carolyn le había colocado en el dedo hacía unos treinta y cinco años. Luego alzó la mirada y vio que la pared posterior del lavabo portátil había desaparecido.

Lo que vio enmarcado en las paredes restantes fue un cielo crepuscular y un pedazo de paisaje de Maine desvaneciéndose en la bruma gris del ocaso. Calculó que se hallaba a unos tres mil metros de altitud. Vio lagos y estanques relucientes y grandes mantos de bosque verdioscuro que descendían hacia el asiento del lavabo portátil y luego desaparecían. A lo lejos, hacia el tejado del cubículo, vio una parrilla de luces parpadeantes. Con toda probabilidad se trataba de Derry, que estaba a pocos minutos de distancia. En el cuadrante izquierdo inferior de aquella visión, Ralph vio una parte de un salpicadero. Sobre el altímetro había pegada una pequeña fotografía en color que le hizo contener el aliento. Era Helen, con un aspecto imposiblemente feliz e imposiblemente bello. En sus brazos dormía a pierna suelta el Bebé Ensalzado y Venerado, que apenas contaba cuatro meses de edad.

«Quiere que sean la última cosa que vea en este mundo —pensó Ralph—. Se ha convertido en un monstruo, pero me parece que ni siquiera los monstruos olvidan lo que es amar.»

Algo empezó a emitir pitidos en el salpicadero. Una mano apareció en la imagen y pulsó un interruptor. Antes de que desapareciera, Ralph vio una hendedura blanca en el dedo corazón de aquella mano, desvaída pero aún visible, el lugar en que el anillo de boda había descansado durante al menos seis años. Y también vio otra cosa... El aura que envolvía la mano era la misma que había envuelto al bebé fulminado por el rayo en el ascensor del hospital, una membrana turbulenta que se movía a toda prisa y parecía tan extraña como la atmósfera de un gigante gaseoso.

Ralph miró por encima del hombro y levantó la mano. Cloto y Láquesis le devolvieron el saludo. Lois le envió un beso. Ralph agitó el brazo y entró en el lavabo portátil.

Titubeó un instante, preguntándose qué debía hacer con el asiento del inodoro, pero entonces recordó el carro de hospital que se le había acercado y debería haberle aplastado el cráneo, pero no lo había hecho, de modo que se acercó a la parte posterior del cubículo. Apretó los dientes, preparado para machacarse la espinilla (lo que uno sabía era una cosa, pero lo que uno creía después de setenta años de darse trompazos contra las cosas era otra bien distinta) y atravesó el asiento como si fuera de humo... o como si él fuera de humo.

Percibió una aterradora sensación de ingravidez y vértigo, y por un momento estuvo convencido de que iba a vomitar. Aquella sensación iba acompañada de otra de drenaje, como si le arrebataran toda la fuerza que había absorbido de Lois. Suponía que así era. Al fin y al cabo, aquello era una especie de teletransporte, una maravilla de la ciencia ficción, y eso debía de gastar mucha energía.

La sensación de vértigo desapareció para dar paso a otra percepción que eran aún peor, la sensación de que, de alguna forma, lo estaban partiendo en dos por el cuello. Se dio cuenta de que ahora tenía una imagen completamente clara de toda una parte del mundo.

Dios mío, ¿qué me ha pasado? ¿Qué es lo que sucede?

Sus sentidos le aseguraron reacios que no sucedía nada malo exactamente, sino que se hallaba en una posición que debería haber sido imposible. Él medía un metro ochenta y cinco; la cabina del avión medía un metro cincuenta desde el suelo hasta el techo. Eso significaba que cualquier piloto mucho más alto que Cloto y Láquesis tendría que agacharse para llegar a su asiento. Sin embargo, Ralph había entrado en el avión en pleno vuelo y de pie, y seguía de pie entre y un poco detrás de los dos asientos de la cabina. La razón por la que tenía una imagen completamente clara de las cosas era a un tiempo simple y terrible: su cabeza sobresalía del techo del avión.

Una imagen de pesadilla cruzó la mente de Ralph: su viejo perro, *Rex*, al que le gustaba asomar la cabeza por la ventanilla del coche y dejar que sus enormes y fláccidas orejas flotaran al viento. Cerró los ojos.

«¿Y si me caigo? Si puedo sacar la cabeza por el maldito techo, ¿qué me impide atravesar el suelo del avión y caer hasta el suelo? ¿O incluso atravesar el suelo y después toda la Tierra?»

Pero eso no estaba sucediendo, y nada por el estilo iba a suceder, no a aquel nivel... No tenía más que recordar la facilidad con que habían ascendido por los pisos del hospital y la facilidad con que se habían mantenido en la azotea. Si recordaba aquellas cosas no le ocurriría nada. Ralph intentó concentrarse en aquella idea, y cuando creyó haberse dominado, volvió a abrir los ojos.

Justo debajo suyo e inclinado hacia fuera estaba el parabrisas del avión. Más allá estaba el morro, rematado por una nube azogada que era la hélice. La parrilla de luces que había observado desde la puerta del lavabo portátil se había aproximado.

Ralph dobló las rodillas y su cabeza se deslizó con facilidad a través del techo de la cabina. Por un momento sintió en la boca el sabor del aceite, y los pelillos de la nariz se le pusieron de punta como impulsados por una descarga eléctrica, y de repente se encontró de rodillas entre el asiento del piloto y el del copiloto.

No sabía qué había esperado sentir al ver a Ed después de tanto tiempo y bajo circunstancias tan increíblemente extrañas, pero la punzada de pesar, no sólo pena sino auténtico pesar que le acometió lo cogió desprevenido. Al igual que el día de verano de 1992 en que Ed había chocado con el camión de los Jardineros del West Side, llevaba una camiseta vieja en lugar de una camisa con botones en la pechera y colgador en la espalda. Había adelgazado mucho, Ralph creía que tal vez unos veinte kilos, y ello surtía un efecto extraordinario en él, ya que le confería un aspecto no demacrado, sino heroico en un sentido gótico/romántico. A Ralph le recordó el poema predilecto de Carolyn, «El salteador de caminos», de Alfred Noyer. La tez de Ed aparecía blanca como el papel, los ojos verdes oscuros y claros a un tiempo («como esmeraldas a la luz de la luna», pensó Ralph) tras las gafitas redondas estilo John Lennon, los labios tan rojos que parecían pintados. Llevaba la bufanda blanca de seda con los caracteres japoneses atada alrededor de la frente de modo que los flecos le colgaban por la espalda. En los relámpagos de su aura, el rostro expresivo e inteligente de Ed estaba lleno de un terrible pesar y una determinación feroz. Era hermoso (hermoso), y Ralph percibió una espantosa sensación de *déjà vu* que le recorría de pies a cabeza. Ahora sabía lo que había visto el día en que se había interpuesto entre Ed y el hombre de los Jardineros del West Side; lo estaba viendo de nuevo, esta vez con ojos que veían más de lo que Ralph Roberts había querido ver en su vida. Observar a Ed, perdido en un aura huracanada de la que no brotaba ningún cordel de globo, era como observar un jarrón Ming de valor incalculable que alguien hubiera arrojado contra la pared para que se hiciera añicos.

Al menos él no puede verme, no a este nivel. Al menos, eso creo.

Como en respuesta a este pensamiento, Ed se volvió y miró directamente a Ralph. Tenía los ojos abiertos de par en par y llenos de una cautela demente; las comisuras de sus labios exquisitamente moldeados temblaban y relucían de saliva. Ralph se encogió, convencido de que Ed lo estaba viendo, pero Ed no reaccionó ante el movimiento repentino de Ralph. Lanzó una mirada suspicaz a la cabina de cuatro plazas vacía que se abría tras él, como si hubiera oído los movimientos furtivos de un polizón. Al mismo tiempo alargó la mano justo al lado de Ralph y tocó una caja de cartón que estaba sujeta con el cinturón de seguridad en el asiento del copiloto. La mano acarició la caja unos instantes, y luego Ed se la llevó a la frente para ajustarse la bufanda que le servía de cinta para la cabeza. A continuación siguió cantando..., aunque esta vez se trataba de una canción distinta que provocó un estremecimiento a Ralph:

Una píldora te engrandece
Otra te empequeñece
Y las que te da tu madre
No surten ningún efecto...

«Exacto —pensó Ralph—. Pregúntale a Alicia cuando mida tres metros.»

El corazón le latía con violencia, pues ver que se volvía y lo miraba fijamente lo había asustado de un modo en que no había conseguido asustarlo el hecho de volar a tres mil metros de altitud con la cabeza asomada por el techo del avión. Ed no lo veía, de eso estaba convencido Ralph, pero quienquiera que dijera que los sentidos de los chiflados eran más agudos que los de los cuerdos debía saber mucho del asunto, porque Ed tenía la sensación de que algo había cambiado.

La radio crujió y ambos hombres dieron un respingo.

—Llamando al Cherokee sobre South Haven. Se encuentra en el límite del espacio aéreo de Derry a una altitud que requiere un plan de vuelo registrado. Repito, está a punto de entrar en el espacio aéreo controlado de una zona urbana. Mueva el culo a cinco mil metros, Cherokee y tome rumbo 170, uno-siete-cero. Y entretanto, identifíquese y notifique estado de procedencia...

Ed cerró el puño y empezó a golpear la radio. Fragmentos de vidrio salieron disparados por la cabina, y pronto los siguió la sangre, que salpicó el panel de instrumentos, la foto de Helen y Natalie y la camiseta gris limpia de Ed. Siguió asestando puñetazos al aparato hasta que la voz de la radio empezó a perderse en un mar de interferencias y por fin enmudeció.

—Bien —masculló Ed en el tono bajo y semejante a un suspiro propio de las personas que hablan mucho solas—. Mucho mejor. Odio todas esas preguntas. Sólo...

Se detuvo en seco al verse la mano ensangrentada. La levantó, la observó con más atención y volvió a cerrar el puño. Un gran fragmento de vidrio sobresalía del meñique, justo debajo del tercer nudillo. Ed se lo arrancó con los dientes, lo escupió con aire indiferente y luego hizo algo que heló el corazón de Ralph: se deslizó el puño ensangrentado por la mejilla izquierda y luego por la derecha, dejando un par de marcas rojas. Introdujo la mano en el bolsillo elástico de la pared izquierda del avión, sacó un espejo de mano y se miró la pintura de guerra casera. Lo que vio pareció complacerle, pues esbozó una sonrisa y asintió antes de volver a guardar el espejo en el bolsillo.

—Recuerda lo que dijo el ratón —se aconsejó con aquella voz débil y susurrante antes de empujar los mandos del avión. El morro del Cherokee apuntó hacia abajo, y el altímetro empezó a descender. Ralph vio que Derry estaba ya justo delante de ellos. La ciudad parecía un puñado de ópalos esparcidos sobre terciopelo azul marino.

Había un agujero en la caja colocada sobre el asiento del copiloto. De él salían dos cables que llegaban hasta un timbre instalado en el brazo del asiento de Ed. Ralph suponía que en cuanto divisara el Centro Cívico y empezara su ataque kamikaze, Ed pondría un dedo sobre el botón blanco que había en el centro del rectángulo de plástico. Y justo antes de que el avión chocara contra el Centro, lo pulsaría. Ding-dong, llamada de Avon.

¡Rompe esos cables, Ralph! ¡Rómpelos!

Una idea excelente con un único inconveniente; no podía romper ni una telaraña mientras estuviera en aquel nivel. Eso significaba que tendría que volver al país de los Mortales, y se estaba preparando para hacerlo cuando una voz suave y conocida se alzó a su derecha y lo llamó por su nombre.

(Ralph.)

¿A su derecha? Eso era imposible. No había nada a su derecha aparte del asiento del copiloto, el flanco del avión y montones de aire crepuscular de Nueva Inglaterra.

La cicatriz que le recorría el brazo empezó a hacerle cosquillas como el filamento de un radiador eléctrico.

(*Ralph.*)

No mires. No prestes atención. Ignóralo.

Pero no podía. Una fuerza inmensa y despiadada se cernía sobre él, y empezó a girar la cabeza. Intentó evitarlo, consciente de que el ángulo de descenso del avión se había hecho más pronunciado, pero no le sirvió de nada.

(*Ralph, mírame... No tengas miedo.*)

Hizo un último esfuerzo por desobedecer aquella voz, pero no lo consiguió. Su cabeza seguía girándose, y de repente, Ralph se encaró con su madre, que había muerto de cáncer de pulmón hacía veinticinco años.

Bertha Roberts estaba sentada en su mecedora de madera a un metro y medio más allá del lugar en que había estado la pared lateral del Cherokee, meciéndose en el aire a más de un kilómetro y medio del suelo. Llevaba las zapatillas que Ralph le había regalado por su quincuagésimo cumpleaños (festoneadas con visón auténtico, qué hortera) y un chal rosa echado sobre los hombros. Una vieja chapa política (¡VENCE CON WILKIE!) cerraba el chal.

«Exacto —pensó Ralph—. Siempre la llevaba como si fuera una joya... Era su pequeña excentricidad. Lo había olvidado.»

Lo único que discordaba, además del hecho de que estaba muerta y se estaba meciendo a casi dos mil metros de altitud, era el brillante trozo de manta roja que descansaba sobre su regazo. Ralph jamás había visto a su madre tricotar, ni siquiera estaba seguro de que supiera hacerlo, pero ahí estaba, tricotando furiosamente. Las agujas centelleaban y parpadeaban en su avance por los puntos.

(*¿Madre? ¿Mamá? ¿Eres tú?*)

Las agujas se detuvieron cuando la mujer alzó la vista de la manta carmesí que yacía en su regazo. Sí, era ella... o al menos, la versión que Ralph recordaba de su adolescencia. Rostro alargado y estrecho, frente ancha, ojos castaños y un moño color sal y pimienta muy tirante en la nuca. Era su boca pequeña, que parecía mezquina y ruin..., hasta que sonreía.

(*¡Vaya, Ralph Roberts! ¡Me sorprende que te haga falta preguntar eso!*)

«Pero eso no es ninguna respuesta, ¿verdad?», se dijo Ralph. Abrió la boca para decírselo, pero entonces decidió que tal vez resultaría más sensato, al menos por el momento, cerrar el pico. Una silueta lechosa flotaba en el aire a la derecha de la mujer. Cuando Ralph la miró, la silueta se oscureció y solidificó hasta convertirse en un revistero pintado con anilina de color madera de cerezo que él le había hecho en la clase de manualidades durante el segundo año en el instituto de Derry. Estaba lleno de *Reader's Digest* y números de la revista *Life*. Y de repente, la tierra empezó a desaparecer bajo ella en un estampado de cuadrados marrones y rojos que surgían de la mecedora en un anillo cada vez más ancho, como los círculos concéntricos de una laguna. Ralph lo reconoció al instante; era el linóleo de la cocina de la casa de Kansas Street, la casa en la que había crecido. Primero vio la tierra a través de él, geometrías de campos de cultivo y, no muy lejos, el Kenduskeag atravesando Derry, pero al cabo de unos instantes, el linóleo se solidificó. Una silueta fantasmal que parecía una gran bola de algodoncillo se convirtió en el viejo gato de Angora de su madre, *Futzy*, que estaba acurrucado en el alféizar de la ventana y observaba las gaviotas sobrevolar en círculos el viejo vertedero de los Barrens. *Futzy* había muerto en la época en que Dean Martin y Jerry Lewis habían dejado de hacer películas juntos.

(*El viejo tenía razón, muchacho. No debes meterte en asuntos ajenos. Presta atención a tu madre y no te metas en lo que no te importa. Hazme caso.*)

Presta atención a tu madre..., obedece. Aquellas palabras resumían de un modo bastante acertado las opiniones de Bertha Roberts acerca del arte y la ciencia de la educación de los hijos, ¿verdad? Se tratara de la orden de esperar una hora después de comer antes de bañarse o de asegurarse de que el viejo ladrón del carnicero Bowers no ponía un montón de patatas podridas en el fondo de la cesta que te había mandado a buscar, el prólogo (*Presta atención a tu madre*) y el epílogo (*Hazme caso*) nunca variaban. Y si no prestabas atención, si no le hacías caso, entonces tenías que enfrentarte a la Ira de la Madre, y entonces, que Dios te ayudara.

La mujer recogió las agujas y se puso a tricotar de nuevo, tejiendo puntos escarlata con dedos que también parecían remotamente rojizos. Ralph suponía que se debía a una ilusión óptica. O tal vez el tinte de la lana no era demasiado bueno y estaba manchando los dedos del hombre.

¿Los dedos del hombre? Qué error tan estúpido. Los dedos de la mujer.

Pero...

Bueno, unos bigotes habían aparecido en las comisuras de los labios de la mujer. Bigotes largos. Repugnantes. Y desconocidos. Ralph recordaba que una sutil pelusilla adornaba el labio superior de su madre, pero ¿bigotes? De ningún modo. Aquellos bigotes eran nuevos.

¿Nuevos? ¿Nuevos? ¿Dónde tienes la cabeza? Murió dos días después de que asesinaran a Robert Kennedy en Los Ángeles, así que, ¿qué puede ser nuevo en ella, por el amor de Dios?

Dos paredes convergentes habían aparecido a cada lado de Bertha Roberts, creando el rincón de la cocina en el que su madre había pasado tanto tiempo. En una de ellas había un cuadro que Ralph recordaba bien. Mostraba a una familia a la hora de la cena... Papá, mamá y dos hijos. Se estaban pasando las patatas y el maíz, y parecían estar hablando de lo que habían hecho durante el día. Ninguno de ellos se daba cuenta de que había una quinta persona en la estancia, un hombre de túnica blanca, barba de color arena y cabello blanco. Observaba a la familia desde un rincón. JESUCRISTO, EL VISITANTE INVISIBLE, rezaba la placa bajo el cuadro. Pero el Jesucristo que Ralph recordaba parecía amable y un poco avergonzado por estar espiando. Esta versión, sin embargo, tenía una expresión fríamente pensativa..., calculadora..., sentenciosa, tal vez. Y tenía la tez muy enrojecida, casi colérica, como si acabara de oír algo que lo hubiera puesto furioso.

(*Mamá, ¿estás...?*)

La mujer volvió a dejar las agujas sobre la manta roja, esa manta roja tan extrañamente brillante, y levantó una mano para hacerle callar.

(*Ni mamá ni puñetas, Ralph. Sólo presta atención y hazme caso. ¡No te metas en esto! Es demasiado tarde para que metas las narices. Lo único que conseguirás es empeorar las cosas.*)

La voz encajaba, pero el rostro no, y lo cierto era que cada vez encajaba menos. En su mayor parte se debía a la piel. La única vanidad de Bertha Roberts había sido su piel, suave y sin arrugas. La piel de la criatura de la mecedora era áspera..., de hecho, más que áspera. Era escamosa. Y a los lados del cuello tenía sendas protuberancias (¿o tal vez eran llagas?). Al verlas, un terrible recuerdo

(*quítamelo de encima Johnny oh por favor QUÍTAMELO DE ENCIMA*)

se agitó en las profundidades de su mente. Y...

Bueno, su aura. ¿Dónde estaba su aura?

(*No te preocupes por mi aura ni por esa puta vieja y gorda con la que tonteas últimamente..., aunque apuesto algo a que Carolyn se está revolviendo en su tumba.*)

La boca de la mujer

(*no es una mujer esa cosa no es una mujer*)

de la mecedora ya no era pequeña. El labio inferior se había estirado e hinchado, y mostraba los dientes con languidez. Un gesto que le resultaba extrañamente familiar.

(*Johnny me está mordiendo me está MORDIENDO*)

También había algo terriblemente familiar en los bigotes que sobresalían de las comisuras de los labios.

(*Johnny por favor sus ojos sus ojos negros*)

(*Johnny no puede ayudarte, muchacho. No te ayudó entonces y tampoco puede ayudarte ahora.*)

549

Claro que no. Su hermano mayor, Johnny, había muerto hacía seis años. Ralph había ayudado a llevar a hombros el féretro en el funeral. Había muerto de un ataque al corazón, posiblemente una muerte tan del Azar como la que había segado la vida de Bill McGovern, y...

Ralph miró a su izquierda, pero el lado del piloto también había desaparecido, y con él Ed Deepneau. Ralph vio el viejo fogón de gas y leña en el que su madre había cocinado en la casa de Kansas Street (una tarea que odiaba amargamente y que había hecho fatal durante toda su vida), así como la arcada que conducía al salón. Vio su mesa de comedor de madera de arce. En el centro había un jarrón de cristal. El jarrón estaba lleno de misteriosas rosas rojas. Cada una de ellas parecía tener cara... una cara jadeante de color rojo sangre...

«Pero eso no puede ser —pensó—. Nada de esto puede ser. Nunca tenía rosas en la casa... Era alérgica a casi todas las flores y a las rosas sobre todo. Se ponía a estornudar como una loca cuando tenía rosas cerca. Lo único que le vi poner sobre la mesa del comedor fueron ramos de flores secas, y ésos no tenían más que hierbas otoñales. Veo rosas porque...»

Se volvió de nuevo hacia la criatura de la mecedora, hacia los dedos rojos que se habían fundido para convertirse en apéndices que casi parecían aletas. Miró la masa escarlata que descansaba sobre el regazo del ser, y la cicatriz del brazo empezó a escocerle de nuevo.

Pero ¿qué estoy haciendo aquí, por el amor de Dios?

Pero lo sabía, por supuesto; no tenía más que desviar la mirada de la cosa roja de la mecedora hacia el cuadro colgado en la pared, el cuadro del Jesucristo de rostro enrojecido y malévolo que observaba a la familia durante la cena, para confirmárselo. No estaba en su antigua casa de Kansas Street ni tampoco estaba precisamente en un avión sobrevolando Derry.

Estaba en la corte del Rey Carmesí.

29

Sin pensar en lo que hacía, Ralph metió la mano en el bolsillo del suéter y la cerró sin fuerza sobre uno de los pendientes de Lois. Tenía la sensación de que la mano estaba muy lejos, como si perteneciera a otra persona. Se estaba dando cuenta de una cosa muy interesante: nunca había tenido miedo hasta aquel momento. Ni una sola vez. Había creído tener miedo, por supuesto, pero no había sido más que una ilusión; de hecho, la única vez que se había acercado siquiera remotamente había sido en la Biblioteca Pública de Derry, cuando Charlie Pickering le clavara un cuchillo en la axila y le dijera que iba a esparcir todas sus entrañas por el suelo. Sin embargo, eso no era más que una vaga inquietud en comparación con lo que sentía en aquel momento.

Ha venido un hombre verde... Producía una sensación de bondad, pero podría estar equivocada.

Esperaba que no se hubiera equivocado; lo esperaba con todas sus fuerzas. Porque el hombre verde era lo único que le quedaba.

El hombre verde y los pendientes de Lois.

(*¡Ralph, deja de mirar las musarañas! ¡Mira a tu madre cuando te habla! ¡Setenta años y todavía te portas como si tuvieras dieciséis y una erupción en el pito!*)

Se volvió hacia la cosa de aletas rojas sentada en la mecedora. Ya no tenía más que un parecido remoto con su difunta madre.

(«*Tú no eres mi madre, y yo todavía estoy en el avión.*»)

(No, muchacho. No cometas el error de creer que estás en el avión. Si sales de mi cocina te espera una caída muy larga.)

(«*Ya puedes dejarlo, porque ya veo lo que eres.*»)

La cosa hablaba con una voz gorjeante y ahogada que heló el corazón de Ralph.

(*No ves nada. A lo mejor crees que lo ves, pero no es verdad. Y no te conviene. No te conviene nada llegar a verme sin mis disfraces. Créeme, Ralph.*)

Ralph advirtió con creciente horror que la cosa-madre se había transformado en un siluro hembra, un pez carroñero hambriento con dientes cerdosos reluciendo por entre sus labios colgantes y sus bigotes, que le llegaban casi al cuello del vestido que todavía llevaba. Las agallas del cuello se abrían y cerraban como cortes de navaja, dejando al descubierto carne roja y enferma. Los ojos se habían tornado redondos y violáceos, y mientras Ralph miraba, las cuencas empezaron a separarse más y más. El proceso continuó hasta que los ojos quedaron situados a los lados en lugar de en la parte delantera de la cara escamosa de la criatura.

(*No muevas ni un músculo, Ralph. Probablemente morirás en la explosión estés en el nivel que estés. Las ondas expansivas viajan hasta aquí como en cualquier otro edificio, pero esa muerte será mucho, mucho mejor que mi muerte.*)

El siluro abrió la boca. Sus dientes rodeaban un buche de color sangre que parecía repleto de tumores y entrañas increíbles. Parecía reírse de él.

(«*¿Quién eres? ¿Eres el Rey Carmesí?*»)

(*Ése es el nombre que me ha puesto Ed..., pero deberíamos tener uno propio, ¿no te parece? Si no quieres llamarme Mamá Roberts, ¿por qué no el Pez Rey? ¿Recuerdas al Pez Rey de la radio, verdad?*)

Claro que lo recordaba..., pero el verdadero Pez Rey nunca había estado en el viejo programa *Amos and Andy*, y tampoco era un pez rey en realidad. El verdadero Pez Rey era un Pez Reina y había vivido en los Barrens.

Un día de verano, cuando Ralph Roberts tenía siete años, había pescado un siluro enorme en el Kenduskeag con su hermano John; aquello había sucedido en los años veinte, cuando aún se podía comer lo que se pescaba y cazaba en los Barrens. Ralph había pedido a su hermano mayor que arrancara del anzuelo esa cosa que se retorcía convulsa y la pusiera en el cubo de agua dulce que tenían en la orilla junto a ellos. Johnny se había negado, citando con aire altivo lo que denominaba el Credo del Pescador: los buenos pescadores atan sus moscas, cogen sus gusanos y desenganchan sus peces. Hasta mucho más tarde, Ralph no se dio cuenta de que Johnny podía haber intentado disimular el miedo que le daba aquella criatura enorme y algo extraña que su hermano pequeño había pescado de las aguas fangosas y cálidas como meados del Kenduskeag.

Finalmente, Ralph había reunido valor suficiente para agarrar el cuerpo palpitante del siluro, que era escurridizo, escamoso y espinoso a un tiempo. Mientras lo hacía, Johnny lo había aterrorizado aún más advirtiéndole en voz baja y ominosa que tuviera cuidado con los bigotes. *Son venenosos. Bobby Therriault me contó que si te pinchas con uno te puedes quedar paralizado. Pasarte el resto de tu vida en una silla de ruedas. Así que ten cuidado, Ralphie.*

Ralph había retorcido a la criatura en varias direcciones, intentando liberar el anzuelo de sus entrañas oscuras y mojadas sin acercarse demasiado a los bigotes (sin creer lo que Johnny le había contado acerca del veneno y creyéndolo a pies juntillas al mismo tiempo), consciente de las agallas, los ojos, el olor a pescado que parecía abrirse paso más profundamente en sus pulmones cada vez que respiraba.

Por fin oyó un sonido de ruptura procedente del interior del siluro y percibió que el anzuelo empezaba a soltarse. Más regueros de sangre brotaron de las comisuras de su boca moribunda, que aún se movía. Ralph exhaló un suspiro de alivio... que fue prematuro, como descubrió en seguida. El siluro dio un tremendo golpe de cola cuando el anzuelo se soltó. La mano que Ralph había utilizado para liberarlo resbaló, y al mismo tiempo, la boca sangrante del siluro se cerró sobre sus primeros dos dedos. ¿Cuánto dolor había sentido? ¿Mucho? ¿Un poco? ¿Tal vez nada? Ralph no lo recordaba. Lo que sí recordaba era el sincero chillido de terror que profirió Johnny, así como la certeza de que el siluro iba a hacerle pagar la pesca arrancándole dos dedos de la mano derecha.

Recordaba haber gritado, agitado la mano y rogado a Johnny que le ayudara, pero Johnny había retrocedido unos pasos con el rostro pálido y la boca contraída en una mueca de repugnancia. Ralph agitó la mano en grandes arcos, pero el siluro permaneció pegado a él como la muerte, con los bigotes

(*bigotes venenosos que me dejarán en una silla de ruedas el resto de mi vida*)

golpeando la muñeca de Ralph, los ojos negros mirando con fijeza.

Finalmente lo estrelló contra un árbol cercano y le rompió el lomo. El pez cayó sobre la hierba sin dejar de retorcerse, y Ralph lo pisoteó, provocando el horror definitivo. Una lluvia de entrañas brotó de su boca como si fuera vómito, y del lugar en que el talón de Ralph lo había abierto surgió un torrente viscoso de huevos ensangrentados. Fue entonces cuando se dio cuenta de que el Pez Rey había sido en realidad un Pez Reina, y que tan sólo le faltaban uno o dos días para tener las crías.

Ralph paseó la mirada entre aquella repugnante porquería y su mano ensangrentada y salpicada de escamas, y entonces se echó a gritar como un energúmeno. Cuando Johnny le tocó el brazo en un intento de apaciguarlo, Ralph se largó. No se detuvo hasta llegar a casa, y se negó a salir de su habitación durante el resto del día. Pasó casi un año antes de que volviera a probar el pescado, y nunca había tenido nada que ver con ningún otro siluro.

Hasta ese momento, claro está.

(«*Ralph.*»)

Era la voz de Lois..., ¡pero tan lejana! ¡Tan lejana!

(«*¡Tienes que hacer algo ahora mismo! ¡No dejes que te lo impida!*»)

Ralph se dio cuenta de que lo que había tomado por una manta sobre el regazo de su madre era, en realidad, una estera reluciente de huevos ensangrentados sobre el regazo del Rey Carmesí. Se inclinaba hacia él sobre aquella manta palpitante, con los carnosos labios temblando en una parodia de preocupación.

(¿*Pasa algo malo, Ralphie? ¿Dónde te duele? Díselo a tu madre.*)

(«*Tú no eres mi madre.*»)

(*No... ¡Seré el Pez Reina! ¡Seré ruidosa y orgullosa! ¡Tengo el andar y el buen hablar! En realidad, puedo ser lo que me apetezca. Quizás no lo sabes, pero la metamorfosis es una tradición ancestral en Derry.*)

(«*¿Conoces al hombre verde al que ha visto Lois?*»)

(*¡Claro! ¡Conozco a todos los del barrio!*)

Pero Ralph percibió cierta confusión en aquel rostro escamoso.

El calor de su antebrazo se intensificó un poco más, y de repente, Ralph tuvo una revelación; si Lois estuviera con él, apenas podría verlo. El Pez Reina emanaba un brillo palpitante y cada vez más intenso que empezaba a envolverlo. El resplandor era rojo en lugar de negro, pero aun así, era una bolsa de la muerte, y ahora sabía lo que significaba estar dentro, atrapado en una telaraña tejida con tus temores más innombrables y experiencias más traumáticas. No había forma de zafarse de ella ni de cortarla como había cortado la bolsa de la muerte que envolvía el anillo de boda de Ed.

«Si quiero escapar —se dijo Ralph—, tendré que echar a correr tan bruscamente y tan deprisa que llegue a rasgar el otro lado.»

Todavía tenía el pendiente en la mano. Lo movió de forma que la punta desnuda de la parte posterior sobresaliera por entre los dos dedos que un siluro había intentado arrancarle sesenta y tres años antes. A continuación dirigió una breve plegaria no a Dios, sino al hombre verde de Lois.

El siluro se inclinó más hacia él con una cómica expresión de malicia pintada en su rostro desprovisto de nariz. Los dientes que asomaban por aquella sonrisa fláccida se habían tornado más largos y afilados. Ralph vio gotas de un fluido transparente en las puntas de los bigotes y pensó: «Venenosos. Me pasaré el resto de mi vida en una silla de ruedas. Tío, tengo mucho miedo. Estoy cagadito de miedo».

Lois, gritando desde muy lejos: («¡*Date prisa, Ralph!* *¡TIENES QUE DARTE PRISA!*»)

Un niño pequeño gritaba en algún lugar mucho más próximo; gritaba y agitaba la mano derecha, en la que el pez se aferraba a los dedos enterrados en el buche de un monstruo embarazado que no quería soltarle.

El siluro se acercó más aún. El vestido emitía un suave frufrú. Ralph olió el perfume de su madre, Santa Elena, mezclado con el hedor a pescado y a basura de los peces que se alimentaban del lecho de los ríos.

(*Tengo intención de que Ed Deepneau lleve a cabo su misión con éxito, Ralph; tengo intención de que el niño del que te han hablado tus amigos muera en brazos de su madre, y quiero ver cómo ocurre. He trabajado muy duro aquí en Derry, y no creo que sea demasiado pedir, pero significa que tengo que acabar contigo ahora mismo. Yo...*)

Ralph avanzó un paso más hacia el hedor a basura de la cosa. Y entonces empezó a ver una silueta detrás de la silueta de su madre, detrás de la silueta del Pez Reina. Empezó a ver a un hombre brillante, un hombre rojo de ojos fríos y boca despiadada. Aquel hombre se parecía al Cristo que había visto hacía unos instantes..., pero no el que en realidad colgaba de la pared en el rincón de la cocina de su madre.

Una expresión de sorpresa se dibujó en los ojos negros y carentes de párpados del Pez Reina... y en los ojos fríos del hombre rojo que se ocultaba detrás.

(*¿Qué te crees que estás haciendo? ¡Apártate de mí! ¿Quieres pasarte el resto de tu vida en una silla de ruedas?*)

(«*Hay cosas peores en la vida, amigo... Mis tiempos de jugar de primera base han pasado a la historia.*»)

La voz se alzó convirtiéndose en la voz de su madre cuando se enojaba.

(*¡Préstame atención, muchacho! ¡Presta atención y hazme caso!*)

Por un instante, las viejas órdenes, dadas en una voz tan extrañamente parecida a la de su madre, lo hicieron vacilar. Pero se recuperó de inmediato. El Pez Reina se encogió más en la mecedora, batiendo la cola bajo el dobladillo del viejo vestido de estar por casa.

(*PERO ¿QUÉ NARICES TE CREES QUE ESTÁS HACIENDO?*)

(«*No lo sé; a lo mejor sólo quiero tirarte de los bigotes. Comprobar si son reales.*»)

Y reuniendo todo su valor para no ponerse a gritar y salir huyendo, Ralph alargó la mano derecha. El pendiente de Lois se le antojaba un guijarro pequeño y cálido encerrado en su puño. La propia Lois parecía estar muy cerca, y Ralph decidió que eso no le sorprendía teniendo en cuenta la cantidad de aura que le había quitado. Tal vez incluso formaba parte de él ahora. La sensación de su presencia resultaba profundamente reconfortante.

(*¡No, no te atrevas! ¡Te quedarás paralítico!*)

(*Los siluros no son venenosos... Ésa era la mentira de un chiquillo de diez años que tal vez estaba incluso más asustado que yo.*»)

Ralph alargó la mano en la que ocultaba la espina de metal hacia los bigotes, y la cabeza grande y escamosa se apartó tal como le había advertido una parte de él. Empezó a ondularse y a cambiar, y su aterradora aura roja empezó a rezumarse. «Si la enfermedad y el dolor tuvieran algún color —pensó Ralph—, sería éste.» Y antes de que el cambio pudiera continuar, antes de que el hombre al que ahora veía, un hombre alto y de fría apostura, con cabello rubio y ojos rojos, pudiera salir de la luz de la ilusión que había creado, Ralph clavó la afilada punta del pendiente en uno de los ojos saltones y negros del pez.

La cosa emitió un terrible zumbido, parecido al de las cigarras, pensó Ralph, e intentó retroceder. Su cola batiente emitió un sonido parecido al de un ventilador con un trozo de papel atrapado en las hojas. Se deslizó hacia abajo en la mecedora, que ahora se estaba transformando en algo que parecía un trono excavado en roca de un apagado color naranja. Y cuando la cola desapareció, el Pez Reina desapareció, y ahí quedó el Rey Carmesí, con su apuesto rostro contraído en una mueca de dolor y asombro. Uno de sus ojos brillaba tan rojo como el ojo de un lince a la luz del fuego; el otro estaba bañado en el destello fiero y fragmentado de los diamantes.

Ralph agarró la manta de huevos con la mano izquierda, la retiró de un tirón y no vio nada aparte de negrura al otro lado del aborto. El otro lado de la bolsa de la muerte. La salida.

(*¡Te lo he advertido, hijo de puta Mortal! ¿Crees que me puedes tirar de los bigotes? ¡Bueno, pues ya lo veremos! ¡Ya lo veremos!*)

El Rey Carmesí se inclinó hacia delante en su trono con la boca abierta de par en par, el ojo que le quedaba despidiendo relámpagos rojos. Ralph contuvo el deseo de retirar la mano derecha, que ahora estaba vacía. En lugar de ello, la disparó contra la boca del Rey Carmesí, que se abrió para devorarla, al igual que había hecho el siluro aquel día en los Barrens.

Unas cosas que no eran carne se retorcieron y empujaron su mano, y de repente empezaron a morderle como si fueran tábanos. Al mismo tiempo, Ralph sintió que unos dientes de verdad, no, unos colmillos, se hundían en su brazo. Dentro de un segundo, dos a lo sumo, el Rey Carmesí le atravesaría la muñeca y se tragaría su mano.

Ralph cerró los ojos y de inmediato encontró aquella vía de pensa-

miento y concentración que le permitía desplazarse entre los niveles...
El dolor y el miedo no lograron impedírselo. Sin embargo, esta vez no
tenía intención de desplazarse, sino de apretar el gatillo. Cloto y Láquesis habían colocado una trampa en su brazo, y había llegado el
momento de utilizarla.

Ralph percibió el consabido parpadeo en su mente. La cicatriz de
su herida se calentó tanto que se puso blanca. El calor no quemó a
Ralph, sino que salió disparado de él como una ola expansiva de energía. Sintió un titánico relámpago verde, tan brillante que por un instante tuvo la sensación de que Ciudad Esmeralda había estallado a su
alrededor. Algo o alguien estaba gritando. Aquel sonido estridente y
desgarrado lo habría vuelto loco de haber continuado durante mucho
rato, pero no fue así. Fue seguido de un estallido grande y hueco que
recordó a Ralph el día en que había encendido un petardo M-80 y lo
había arrojado a la reja de acero de una alcantarilla.

Una repentina oleada de fuerza estalló junto a él en un abanico de
aire y luz verde que se desvanecía. Tuvo una visión extraña y distorsionada del Rey Carmesí, que ya no era apuesto y joven, sino viejo, retorcido y menos humano que la criatura más extraña que hubiera
aparecido jamás en el nivel de existencia de los Mortales. De repente,
algo se abrió sobre sus cabezas, dejando al descubierto una oscuridad
surcada por tirabuzones y rayos de color. El viento parecía empujar al
Rey Carmesí hacia ella como si fuera una hoja en un humero. Los
colores se tornaron más brillantes, y Ralph desvió la mirada y se
llevó una mano a los ojos a modo de protección. Comprendía que
se había abierto un conducto entre el nivel en que se encontraba y los
niveles inimaginables que se ocultaban más allá; también comprendía
que si miraba durante mucho rato aquel brillo cada vez más intenso,
aquellos

(*rayos de muerte*)

colores vertiginosos, entonces la muerte no sería lo peor que podría pasarle, sino lo mejor. No sólo cerró con fuerza los ojos, sino
también la mente.

Al cabo de un instante todo había desaparecido... La criatura que
se había presentado ante Ed como el Rey Carmesí, la cocina de la
vieja casa de Kansas Street, la mecedora de su madre. Ralph estaba
arrodillado en el aire a unos dos metros a la derecha del morro del
Cherokee, con las manos en alto, como un niño al que hubieran propinado muchas palizas levantaría las manos al ver acercarse a su
cruel padre o madre, y cuando miró entre sus rodillas, vio que el Centro Cívico y el aparcamiento adyacente estaban a sus pies. En el primer momento creyó que sus ojos le estaban jugando una mala pasada, porque las farolas de alta intensidad del aparcamiento parecían
estar separándose cada vez más. Casi parecían una muchedumbre de

personas muy altas y delgadas que empieza a disolverse porque la emoción, fuera la que fuera, ya se había disipado. Y el aparcamiento en sí mismo también parecía..., bueno..., estar creciendo.

«No está creciendo, sino acercándose —pensó Ralph fríamente—. Está bajando. Ha empezado el ataque kamikaze.»

Por un instante, Ralph se quedó petrificado, alucinado por la simple locura de su posición. Se había convertido en una criatura mítica que no era ni carne ni pescado, que no era un dios, evidentemente (ningún dios estaría tan cansado y aterrado como él), pero tampoco una criatura terrenal como, por ejemplo, un hombre. Eso era lo que se sentía al volar; ver la tierra desde arriba, sin ninguna jaula alrededor. Eso...

(«¡RALPH!»)

El grito de Lois fue como una escopeta disparada junto a su oreja. Ralph dio un respingo y en el momento en que sus ojos abandonaron la hipnótica visión de la tierra acercándose a él, fue capaz de moverse. Se puso en pie y regresó al avión. Lo hizo con tanta facilidad y naturalidad como si caminara por un pasillo de su propia casa. El viento no le golpeaba el rostro ni le apartaba el cabello de la frente, y cuando su hombro izquierdo atravesó la hélice del Cherokee, no le hizo más daño del que habría hecho al humo.

Durante un momento vio el rostro pálido y apuesto de Ed, el rostro de un salteador de caminos que ha llegado cabalgando a la vieja posada en el poema que siempre había hecho llorar a Carolyn, y aquella mezcla de pena y pesar que había sentido antes dio paso a la furia. Era difícil enfurecerse realmente con Ed, ya que, al fin y al cabo, no era más que otra figura que otros movían en el tablero de ajedrez, pero el edificio al que se dirigía con su avión estaba, a fin de cuentas, lleno de gente de verdad. Gente inocente. Ralph apreció un ramalazo burlón, infantil y caprichoso en la expresión drogada de disociación que mostraba el rostro de Ed, y cuando atravesó la delgada piel de la pared de la cabina, pensó: «Creo que en cierto modo, Ed, sabías que el demonio se te había metido en el cuerpo. Creo que incluso habrías podido librarte de él... ¿Acaso no dijeron el señor C. y el señor L. que siempre hay elección? Si es verdad, entonces tú también tienes algo que ver con todo esto, maldito seas».

Por un momento, la cabeza de Ralph volvió a asomar por el techo del avión como antes, de modo que se arrodilló. Ahora el Centro Cívico cubría todo el parabrisas del avión, y comprendió que era demasiado tarde para evitar que Ed hiciera algo.

Había quitado la cinta adhesiva del timbre. Lo sostenía en la mano.

Ralph se metió la mano en el bolsillo y sacó el otro pendiente, sujetándolo de nuevo entre dos dedos de forma que sobresaliera la punta. Cerró los dedos de la otra mano sobre los cables que iban desde la caja de cartón hasta el timbre. Entonces cerró los ojos y se concentró para crear de nuevo aquel parpadeo en el centro de su cabeza. Le acometió un extraño cosquilleo hueco en el estómago, y tuvo tiempo de pensar: *¡Uauuu! ¡Éste es el ascensor de alta velocidad!*

Y de repente se encontró de nuevo en el nivel de los Mortales, donde no había dioses ni diablos, ni médicos calvos con tijeras y bisturíes mágicos ni auras. Allá abajo era imposible atravesar paredes y librarse de los accidentes de avión. En el nivel de los Mortales, donde todo el mundo podía verle... y Ralph se dio cuenta de que eso era precisamente lo que estaba haciendo Ed.

—¿Ralph? —inquirió con la voz drogada de un hombre que acabara de despertar del sueño más profundo de su vida—. ¿Ralph Roberts? ¿Qué estás haciendo aquí?

—Oh, pasaba por aquí y he decidido hacerte una visita —repuso Ralph—. Para coger una silla, por así decirlo.

Y dicho aquello, cerró el puño y arrancó los cables de la caja.

—¡No! —chilló Ed—. ¡Vas a estropearlo todo!

«Sí, señor», pensó Ralph antes de alargar la mano sobre el regazo de Ed para hacerse con los mandos del Cherokee. El Centro Cívico estaba a apenas cuatrocientos metros de ellos, tal vez menos. Ralph todavía no sabía con certeza qué contenía la caja atada en el asiento del copiloto, pero tenía la sensación de que, con toda probabilidad, se trataba de esa cosa plástica que los terroristas siempre utilizaban en las películas de artes marciales que protagonizaban Chuck Norris y Steven Segal. Se suponía que era bastante estable, no como la nitroglicerina de *El salario del miedo*, de Clouzot...., pero no era el momento de depositar ninguna confianza en el Evangelio del Cine. E incluso un explosivo estable podía estallar sin detonador si caía desde una altura de tres kilómetros.

Desvió la palanca de mando hacia la izquierda tanto como pudo. Bajo ellos, El Centro Cívico empezó a dar vertiginosas vueltas, como si estuviera montado sobre el eje de una atracción gigantesca.

—¡No, cabrón! —gritó Ed.

De repente, algo que parecía la cabeza de un martillo pequeño golpeó el costado de Ralph, dejándolo casi paralizado de dolor y sin aliento. La mano le resbaló de la palanca de mando cuando Ed lo golpeó de nuevo, esta vez en la axila. Ed agarró la palanca y la hizo girar con todas sus fuerzas. El Centro Cívico, que había empezado a deslizarse a un lado del parabrisas, volvió a acercarse al punto de mira del avión.

Ralph se aferró a la palanca con todas sus fuerzas. Ed le empujó la frente con el dorso de la mano para apartarlo.

—¿Por qué te has metido en esto? —gruñó—. ¿Por qué te has tenido que meter?

Tenía los dientes al descubierto, los labios contraídos en una tremenda mueca de celos. La aparición de Ralph en la cabina debería haberlo dejado petrificado, pero no era así.

«Claro que no, está como un cencerro», se dijo Ralph, y de repente alzó la voz interior en un grito de pánico:

¡Cloto, Láquesis! ¡Por el amor de Dios, ayudadme!

Nada. No tenía la impresión de que su grito se dirigiera a ninguna parte. ¿Y por qué iba a hacerlo? Estaba de vuelta en el nivel de los Mortales, y eso significaba que tendría que arreglárselas solo.

El Centro Cívico estaba a tan sólo doscientos o trescientos metros de distancia. Ralph veía cada ladrillo, cada ventana, cada persona reunida en el auditorio... Casi podía distinguir quién llevaba pancarta. Todos miraban hacia el cielo, intentando averiguar qué estaba haciendo aquel avión. Ralph no vio temor en sus rostros, todavía no, pero tres o cuatro segundos más y...

Volvió a abalanzarse sobre Ed; ignoró el dolor que le atenazaba el costado izquierdo y adelantó la mano derecha, sirviéndose del pulgar para que la punta del pendiente sobresaliera lo más posible de sus dedos.

El viejo truco del pendiente había funcionado con el Rey Carmesí, pero Ralph había estado más arriba y contado con el elemento sorpresa. También esta vez apuntó al ojo, pero Ed apartó la cabeza en el último momento. La punta se le clavó en la cara, justo encima del pómulo. Ed se dio manotazos en la herida como si fuera un mosquito, pero sin soltar la palanca de mando.

Ralph intentó hacerse de nuevo con la palanca. Ed repartía golpes a diestro y siniestro. Le asestó un puñetazo en el ojo izquierdo, y Ralph cayó hacia atrás. Un único sonido, puro y argentino, le llenó los oídos. Era como si entre ellos hubiera un enorme diapasón y alguien lo hubiera golpeado. El mundo se tornó tan gris y granulado como una fotografía del periódico.

(«*¡RALPH! ¡DATE PRISA!*»)

Era Lois y estaba aterrada. Ralph sabía por qué; casi se había agotado el tiempo. Le quedaban cinco segundos a lo sumo. Volvió a lanzarse hacia delante, esta vez no sobre Ed, sino sobre la fotografía de Helen y Nat que estaba pegada sobre el altímetro. La cogió, la sostuvo en alto... y luego la arrugó entre los dedos hasta convertirla en una bola. No sabía exactamente qué reacción esperar, pero la que obtuvo sobrepasó todas sus esperanzas.

—¡DEVUÉLVEMELAS! —gritó Ed.

Se olvidó de la palanca de mando e intentó arrebatarle la fotografía. En aquel momento, Ralph vio de nuevo al hombre al que había entrevisto el día en que Ed había pegado a Helen, un hombre desesperadamente desgraciado y asustado de las fuerzas que se habían concentrado en él. Vio lágrimas no sólo en sus ojos, sino rodando por sus mejillas, y Ralph pensó confuso: «¿Se habrá pasado todo este tiempo llorando?».

—¡DEVUÉLVEMELAS! —repitió a gritos.

Pero Ralph ya no estaba seguro de ser el destinatario de aquel grito; creía que su antiguo vecino podía estar dirigiéndose al ser que había entrado en su vida para mirar en derredor y asegurarse de que serviría y luego apoderarse de ella sin más. El pendiente de Lois centelleaba en la mejilla de Ed como un ornamento funerario bárbaro.

—¡DEVUÉLVEMELAS! ¡SON MÍAS!

Ralph sostuvo la fotografía arrugada fuera del alcance de las manos de Ed, que no cesaban de agitarse en el aire. Ed se abalanzó sobre él, clavándose el cinturón de seguridad en el vientre, y Ralph le asestó un puñetazo en el cuello con todas sus fuerzas; se vio embargado por una mezcla de satisfacción y repugnancia al comprobar que el golpe aterrizaba sobre la protuberancia dura y cartilaginosa de la nuez de Ed. Ed se estrelló contra la pared de la cabina, los ojos casi saliéndose de las órbitas por el dolor, la consternación y el aturdimiento, las manos aferradas al cuello. Un profundo estertor surgió de las profundidades de su cuerpo. Parecía una máquina pesada rascando las marchas.

Ralph se inclinó sobre el regazo de Ed y vio que el Centro Cívico se acercaba vertiginosamente al avión. Hizo girar la palanca hacia la izquierda y debajo de él, justo debajo de él, el Centro Cívico volvió a desplazarse hacia un lado del futuro difunto parabrisas del Cherokee..., aunque con una lentitud atormentadora. Ralph percibió un olor en la cabina, un aroma leve y dulce que le resultaba familiar. Antes de que pudiera pensar en lo que era, vio algo que distrajo su atención por completo. Era la furgoneta de los helados Hoodsie que a veces pasaba por Harris Avenue haciendo sonar su alegre campanilla.

«Dios mío —pensó Ralph con más asombro que temor—. Creo que acabaré en el congelador con los polos y los cucuruchos.»

Aquella fragancia dulce se hizo más palpable, y cuando unas manos lo agarraron por los hombros, Ralph se dio cuenta de que era el perfume de Lois Chasse.

—¡Sube! —gritó Lois—. ¡Ralph, tontorrón, tienes que...!

No tuvo que pensárselo dos veces; se limitó a hacerlo. Aquella cosa de su mente se apretó, percibió el parpadeo y oyó el resto de la frase de Lois de aquella forma extraña y penetrante que era más pensamiento que palabra.

(«¡... *sube! ¡Date impulso con los pies!*)

«Demasiado tarde», pensó, pero obedeció a Lois de todos modos, apoyó los pies contra el salpicadero extremadamente ladeado y empujó con todas sus fuerzas. Sintió que Lois ascendía por la columna de la existencia con él mientras el Cherokee recorría los últimos treinta metros que lo separaban del suelo, y mientras salían disparados hacia arriba, percibió que un estallido repentino de la fuerza de Lois lo envolvía y tiraba de él hacia atrás como una cuerda de bungee-jumping. Le acometió la breve pero nauseabunda sensación de que estaba volando en dos direcciones al mismo tiempo.

Ralph vio por última vez a Ed Deepneau, que estaba encogido contra la pared lateral de la cabina, pero en realidad no lo vio en absoluto. El aura gris surcada de rayos amarillos había desaparecido. Ed también había desaparecido, sepultado en una bolsa de la muerte negra como la más negra de las noches.

Y entonces, él y Lois empezaron a caer además de volar.

30

Justo antes de la explosión, Susan Day, de pie bajo un ardiente foco blanco en la parte delantera del Centro Cívico y viviendo los últimos segundos de su provocativa vida, estaba diciendo:

—No he venido a Derry para curaros, intimidaros con bravatas ni incitaros, sino para llorar con vosotros; ésta es una situación que ha rebasado con mucho cualquier consideración política. No hay derecho a la violencia ni refugio en la actitud justiciera. He venido para pediros que dejéis a un lado vuestras posturas y vuestra retórica y os ayudéis mutuamente a encontrar un modo de ayudaros. Que os alejéis de la atracción de...

Las altas ventanas que se alineaban a lo largo del flanco sur del auditorio se iluminaron con una luz blanca y cegadora y explotaron hacia dentro.

El Cherokee no chocó contra la furgoneta de los helados, pero eso no la salvó. El avión describió una última media vuelta en el aire y a continuación se incrustó en el aparcamiento a unos ocho metros de la valla en la que Lois se había detenido a subirse el viso travieso. Las alas se partieron. La cabina emprendió un viaje rápido y violento hacia la parte trasera del avión. El fuselaje estalló con la furia de una botella de champán en un microondas. Los fragmentos de vidrio volaban por todas partes. La cola se dobló sobre el cuerpo del Cherokee como el aguijón de un escorpión moribundo y quedó empalado en el capó de un Dodge que llevaba las palabras DEFENDAMOS EL DERECHO DE LA MUJER A ELEGIR escritas con plantilla en el costado. Se oyó un estridente y amargo sonido, entre crujido y tintineo, que recordaba el de un montón de virutas de hierro al caer.

—Joder... —empezó uno de los policías apostados en un extremo del aparcamiento, y entonces, el explosivo C-4 de la caja de cartón salió disparado como una gran bola gris de flema y chocó contra los restos del salpicadero, donde varios cables de corriente se clavaron en él como hipodérmicas. El explosivo plástico estalló con un estruendo inmenso capaz de acabar con cualquier tímpano, iluminando el hipódromo del parque Bassey y convirtiendo el aparcamiento en un huracán de luz blanca y metralla. John Leydecker, que había estado bajo el dosel del Centro Cívico hablando con un policía del estado, salió disparado, atravesó una de las puertas abiertas y llegó volando hasta el otro extremo del vestíbulo. Se estrelló contra la pared y cayó inconsciente en el mar de vidrios rotos de la vitrina de los trofeos de las carreras de caballos. No obstante, corrió mejor suerte que su compañero, pues el policía del estado se estrelló contra el poste que separaba dos de las puertas abiertas y quedó partido por la mitad.

Las hileras de coches protegieron el Centro Cívico de lo peor de la terrible y atronadora explosión, pero de tan feliz circunstancia no se hablaría hasta más tarde. En el interior del edificio, más de cuatro mil personas quedaron petrificadas, sin saber muy bien qué hacer y aún menos lo que la mayoría de ellos acababa de ver: la feminista más famosa de América había sido decapitada por un trozo de vidrio que había salido disparado hacia ella. Su cabeza salió volando y se estrelló contra la sexta fila como un extraño bolo blanco tocado con una peluca rubia.

No cundió el pánico entre la multitud hasta que se apagaron las luces.

Setenta y una personas perdieron la vida en la estampida que se produjo para llegar a las salidas, y al día siguiente, el *News* de Derry se haría eco del suceso con enormes titulares, tildándolo de tragedia. Ralph Roberts podría haberles dicho que, dadas las circunstancias, habían sido afortunados. Muy afortunados, de hecho.

En el centro de la grada norte, una mujer llamada Sonia Danville, una mujer que lucía en el rostro los moratones desvaídos de la última paliza que un hombre le daría en su vida, estaba sentada con los brazos en torno a los hombros de su hijo, Patrick. El póster de McDonald's de Patrick, que mostraba a Ronald, al alcalde McQueso y al Ladrón de Hamburguesas bailando el *boogie* delante de la ventanilla del McAuto descansaba sobre su regazo, pero no había hecho más que colorear los arcos dorados antes de darle la vuelta al póster; no porque hubiera perdido el interés, sino porque se le había ocurrido una idea para un dibujo, y se le había ocurrido del modo en que solía sucederle, con la fuerza de una compulsión. Había pasado la mayor parte del día pensando en lo que había sucedido en el sótano de High Ridge, el humo, el calor, las mujeres aterradas y los dos ángeles que habían ido a salvarlos, pero la excelente idea que acababa de ocurrírsele había desterrado aquellos inquietantes pensamientos, de modo que puso manos a la obra con entusiasmo y en silencio. Muy pronto empezó a sentirse como si viviera en el mundo que estaba creando con sus lápices de colores.

Era un artista increíblemente diestro a pesar de contar tan sólo cuatro años («Mi pequeño genio», lo llamaba a veces Sonia), y su dibujo era mucho mejor que el póster para colorear del otro lado de la hoja. Lo que había creado antes de que se apagaran las luces habría llenado de orgullo a un estudiante de arte de primer año. En el centro de la hoja, una torre de piedra oscura, del color del hollín, se recortaba contra un cielo azul salpicado de nubes gruesas y blancas. Alrededor de la torre se extendía un campo de rosas tan rojas que casi parecían gritar. A un lado se veía a un hombre enfundado en unos vaqueros desteñidos. Un par de cintos cruzaban su estómago plano; de cada cadera pendía una funda. En la cima de la torre, un hombre ataviado con una túnica roja miraba al pistolero con expresión entre hostil y atemorizada. Sus manos, que tenía cerradas sobre el parapeto, también parecían ser rojas.

Sonia había estado hipnotizada por la presencia de Susan Day, que estaba sentada detrás del atril, escuchando la introducción, pero había echado un vistazo al dibujo de su hijo antes de que la introducción terminara. Hacía ya dos años que sabía que Patrick era lo que los psicólogos infantiles denominaban un niño prodigio, y a veces se decía que ya se había acostumbrado a sus sofisticados dibujos y las esculturas de Play-Do que el pequeño llamaba la Familia Plastilina. Tal vez sí se había acostumbrado hasta cierto punto, pero aquel dibujo le provocó un estremecimiento extraño y profundo que no pudo atribuir por completo al largo y estresante día que acababa de pasar.

—¿Quién es éste? —inquirió tocando la pequeña figura que miraba celosa desde la cima de la torre oscura.

—Pues el Rey Rojo —repuso Patrick.

—Ah, el Rey Rojo, ya veo. ¿Y quién es el hombre de las pistolas?

Cuando Patrick abría la boca para responder, Barbara Richards, la mujer del podio, levantó el brazo derecho (en el que lucía una banda negra en señal de luto) en dirección a la mujer sentada junto a ella.

—¡Amigos, Susan Day! —gritó.

La respuesta de Patrick Danville a la segunda pregunta de su madre quedó ahogada en la frenética ovación que siguió.

Se llama Roland, mamá. A veces sueño con él. También es un Rey.

Ahora los dos estaban sentados en la oscuridad con un zumbido inmenso en los oídos, y dos pensamientos cruzaron por la mente de

Sonia como ratas que se persiguieran en una rueda de andar: *¿Es que este día no se acabará nunca? Sabía que no debería haberlo traído. ¿Es que este día no se acabará nunca? Sabía que no debería haberlo traído. ¿Es que este día...?*

—¡Mami, estás aplastando mi dibujo! —se quejó Patrick.

Parecía estar sin aliento, y Sonia advirtió que debía de haber estado aplastándole a él también. Aflojó un poco la presión. Una madeja harapienta de chillidos, gritos y preguntas balbuceadas procedía de la negrura que se extendía a sus pies, donde la gente lo bastante rica como para realizar «donaciones» de quince dólares había estado sentada en sillas plegables. Un aullido ronco de dolor quebró aquel balbuceo, y Sonia dio un respingo.

El tremendo estruendo que había seguido a la primera explosión se había aplastado dolorosamente contra sus oídos y hecho temblar el edificio. Los estallidos que aún se oían, coches explotando como petardos en el aparcamiento, parecían leves e insignificantes en comparación, pero Sonia percibió que Patrick se apretaba contra ella cada vez que sonaba uno.

—Tranquilo, Pat —le dijo—. Ha pasado algo malo, pero creo que ha pasado afuera.

Gracias a que se había vuelto hacia el intenso brillo de las ventanas en el momento de la explosión, Sonia se había ahorrado la imagen de la cabeza de su heroína separándose de sus hombros, pero sabía que de algún modo, el rayo los había alcanzado otra vez

(*no debería haberlo traído, no debería haberlo traído*)

y que al menos algunas de las personas de la platea se habían dejado dominar por el pánico. Si ella se dejaba dominar por el pánico, ella y el joven Rembrandt se verían en un apuro muy serio.

Pero no me voy a dejar dominar por el pánico. No he salido de ese ataúd esta mañana para dejarme llevar por el pánico ahora ni aunque me vaya la vida en ello.

Cogió a Patrick de la mano que no sostenía el dibujo. Estaba muy fría.

—¿Crees que los ángeles vendrán otra vez a salvarnos, mamá? —preguntó con voz ligeramente temblorosa.

—No —repuso ella—. Creo que esta vez será mejor que nos salvemos nosotros solos. Pero podemos hacerlo. Quiero decir que ahora mismo estamos bien, ¿no?

—Sí —asintió Pat, pero de repente se desplomó sobre ella.

Durante un terrible instante, Sonia creyó que su hijo se había desmayado y que tendría que sacarlo en volandas del Centro Cívico, pero de repente, Pat volvió a erguirse.

—No quería irme sin mis libros, sobre todo el del niño que no puede quitarse el sombrero. ¿Nos vamos, mamá?

—Sí, en cuanto la gente deje de correr. En los vestíbulos habrá luces, de las que van con baterías, aunque las de aquí dentro se hayan apagado. Cuando te diga que nos levantemos y empecemos a andar, anda, sube la escalera hasta la puerta. No te voy a llevar en brazos, pero iré detrás tuyo con las dos manos sobre tus hombros. ¿Lo entiendes, Pat?

—Sí, mamá.

Nada de preguntas. Nada de balbuceos. Sólo sus libros, que le había entregado para que estuvieran a salvo. Pero se quedó el dibujo. Sonia le dio un breve abrazo y lo besó en la mejilla.

Esperaron en sus asientos durante lo que calculó que eran cinco minutos, pues contó lentamente hasta trescientos. Percibió que la mayoría de sus vecinos se marchaban antes de que llegara a ciento cincuenta, pero se obligó a esperar. Ya podía ver algo, lo suficiente como para creer que algo estaba ardiendo en el exterior, pero en el extremo opuesto del edificio. Menuda suerte. Oyó el aullido cada vez más cercano de las sirenas de los coches patrulla, las ambulancias y los bomberos.

Sonia se puso en pie.

—Vamos. Camina justo delante de mí.

Pat Danville salió al pasillo con las manos de su madre apoyadas con firmeza sobre los hombros. La guió escalera arriba hacia las mortecinas luces amarillas que marcaban el corredor de la grada norte, deteniéndose una sola vez ante la silueta oscura de un hombre que corría hacia ellos. Sonia apretó las manos con más fuerza contra sus hombros para apartarlo.

—¡Malditos pro vida! —gritó el hombre—. ¡Malditos santurrones hijos de puta! ¡Me dan ganas de matarlos a todos!

El hombre desapareció y Pat reanudó la ascensión. Sonia percibió una completa serenidad en su hijo, una equilibrada falta de temor que llenó su corazón de amor y también de una extraña oscuridad. Su hijo era tan diferente, tan especial..., pero al mundo no le gustaba esa clase de personas. El mundo intentaba arrancarlos como cizaña del jardín.

Por fin llegaron al corredor. Un puñado de personas profundamente consternadas caminaban por él con los ojos aturdidos y la boca abierta, como zombies en una película de terror. Sonia apenas los miró, sino que instó a Pat a dirigirse hacia la escalera. Al cabo de tres minutos salieron a la noche salpicada de fuego completamente ilesos, y en todos los niveles del universo, los asuntos tanto del Azar como del Propósito siguieron su curso. Mundos que habían temblado por un instante en sus órbitas se estabilizaron, y en uno de esos mundos, en un desierto que era la apoteosis de todos los desiertos, un hombre llamado Roland se dio la vuelta en su saco de dormir y volvió a dormirse tranquilo bajo las extrañas constelaciones.

Al otro lado de la ciudad, en el parque Strawford, la puerta del lavabo portátil de caballeros estalló. Lois Chasse y Ralph Roberts salieron volando de espaldas en una bruma de humo, aferrados el uno al otro. Desde el interior del lavabo portátil les llegó el estruendo del Cherokee al estrellarse, así como el estallido del explosivo plástico. Un relámpago de luz blanca inundó el lugar, y las paredes azules del lavabo se abombaron hacia fuera, como si un gigante las hubiera aporreado con los puños. Al cabo de un segundo volvieron a oír la explosión, esta vez en directo. Esta segunda versión no fue tan ruidosa, pero en cierto modo sí más real.

Lois trastabilló y cayó de bruces sobre la hierba al pie de la colina con un grito que en parte era de alivio. Ralph aterrizó junto a ella y a continuación se incorporó hasta quedar sentado. Con una expresión incrédula pintada en el rostro, contempló el Centro Cívico, donde un puño de fuego se recortaba contra el horizonte. Un bulto violáceo empezaba a formarse en su frente, en el punto en que Ed le había golpeado. Todavía le dolía el costado izquierdo, aunque creía que a lo mejor sólo tenía las costillas esguinzadas, no rotas.

(«*Lois, ¿estás bien?*)

Lois lo miró sin comprender durante un instante, y luego empezó a tocarse el rostro, el cuello y los hombros. Había algo tan típico y dulce de *nuestra Lois* en aquel gesto que Ralph se echó a reír. Lois le dedicó una sonrisa cautelosa.

(«*Creo que estoy bien. De hecho, estoy segura.*»)

(«*¿Qué estabas haciendo allí? Podrías haber muerto.*»)

Lois, algo rejuvenecida (Ralph suponía que aquel borracho tan oportuno había aportado su granito de arena a dicha circunstancia), lo miró a los ojos.

(«*Puede que sea un poco anticuada, Ralph, pero si crees que me voy a pasar los próximos veinte años desmayándome y pestañeando como la mejor amiga de la heroína en esas novelas estilo Regencia que siempre lee mi amiga Mina, ya puedes ir buscándote a otra mujer con la que tontear.*»)

Ralph la miró boquiabierto durante un momento y por fin la levantó del suelo y la abrazó. Lois le devolvió el abrazo. Su cuerpo irradiaba un calor increíble, era increíblemente palpable. Ralph reflexionó un instante acerca de las similitudes entre la soledad y el insomnio, dos fenómenos insidiosos, acumulativos y divisivos, amigos de la desesperación y enemigos del amor, pero apartó de sí aquellos pensamientos y la besó.

Cloto y Láquesis, que habían esperado en la cima de la colina con el aspecto ansioso de dos obreros que han apostado todo su aguinaldo navideño al más débil en un combate de boxeo, se acercaron corriendo a Ralph y Lois con las cabezas muy juntas, mirándose a los ojos como dos adolescentes enamorados. En el extremo más alejado de los Barrens, el aullido de las sirenas se elevó en el cielo como voces oídas en un sueño inquietante. El pilar de fuego que marcaba la tumba de la obsesión de Ed Deepneau era demasiado brillante como para mirarlo sin entornar los ojos. Ralph oía los lejanos estallidos de los coches y pensó en el suyo, abandonado en el quinto pino. Decidió que no pasaba nada. Era demasiado viejo para conducir.

Cloto: (*¿Estáis bien?*)

Ralph: («*Sí, estamos bien. Lois me ha traído de vuelta. Me ha salvado la vida.*»)

Láquesis: (*Sí, la hemos visto entrar. Ha sido muy valiente.*»)

Y también sorprendente, ¿verdad, señor L.?, pensó Ralph. *Lo has visto y te ha llenado de admiración..., pero no creo que tengas ni idea de cómo ni por qué ha reunido el valor suficiente para hacerlo. Creo que tanto para ti como para tu amigo, el concepto del rescate debe de parecer tan extraño como la idea del amor.*

Por primera vez, Ralph sintió una especie de compasión por los médicos calvos y bajitos, y comprendió la ironía crucial de sus vidas; eran conscientes de que los Mortales cuyas vidas debían segar llevaban vidas interiores muy intensas, pero no eran capaces de comprender la realidad de aquellas vidas, las emociones que las impulsaban, ni las acciones, a veces nobles y a veces estúpidas, que resultaban de todo ello. El señor C. y el señor L. habían estudiado sus cometidos mortales del mismo modo en que ciertos ingleses ricos pero tímidos habían estudiado los mapas elaborados por los exploradores de la era victoriana, exploradores que en muchos casos habían obtenido financiación de esos mismos hombres ricos pero tímidos. Con sus uñas bien cuidadas y sus dedos suaves, los filántropos habían reseguido ríos de papel por los que nunca navegarían y junglas de papel a las que nunca irían de safari. Vivían en temerosa perplejidad y la hacían pasar por imaginación.

Cloto y Láquesis los habían reclutado y utilizado con cierta eficacia ruda, pero no comprendían ni el goce del riesgo ni el dolor de la pérdida... Lo máximo que habían avanzado en la vía de las emociones había consistido en sentir un miedo persistente de que Ralph y Lois intentaran encargarse directamente del químico doméstico del Rey Carmesí y cayeran fulminados como moscas viejas como única recompensa a sus esfuerzos. Los médicos calvos y bajitos vivían mucho tiempo, pero Ralph sospechaba que por muy brillantes que fueran sus auras, sus vidas eran grises. Contempló sus rostros lisos y extrañamente infantiles desde el refugio seguro de los brazos de Lois y recordó el terror que le habían infundido la madrugada en que los había visto salir de casa de la señora Locher. Según había descubierto más adelante, el terror no había sobrevivido a la relación superficial ni, por supuesto, al conocimiento profundo, y Ralph había atravesado ambas fases con ellos.

Cloto y Láquesis le devolvieron la mirada con una inquietud que Ralph no sintió deseo alguno de aliviar. Le parecía correcto que aquellos seres sintieran lo mismo que ellos.

Ralph: («*Sí, es muy valiente y la quiero mucho y creo que nos haremos muy felices mutuamente hasta que...*»)

Se detuvo en seco, y Lois se agitó un poco entre sus brazos. Entre divertido y aliviado, se dio cuenta de que su amiga había estado a punto de dormirse.

(*¿Hasta que qué, Ralph?*)

(«*Hasta que vosotros digáis. Creo que siempre hay un «hasta» en la vida de los Mortales, y a lo mejor así debe ser.*»)

Láquesis: (*Bueno, supongo que ha llegado el momento de la despedida.*)

Ralph sonrió a pesar suyo, recordando el programa de radio *El llanero solitario*, en el que casi cada episodio acababa con alguna versión de aquella misma frase. Alargó la mano hacia Láquesis y le divirtió comprobar que el hombrecillo se apartaba.

Ralph: («*Un momento..., no tan deprisa, chicos.*»)

Cloto, con aire aprensivo: (*¿Pasa algo?*)

(«No creo, pero después de sufrir golpes en la cabeza y en las costillas, y después de haber estado a punto de freírme vivo, creo que tengo derecho a asegurarme de que todo ha terminado de verdad. ¿Ha terminado? ¿Está a salvo el niño?»)

Cloto, sonriendo y con aire claramente aliviado: (*Sí. ¿No lo sientes? Dentro de dieciocho años, justo antes de morir, este niño salvará la vida de dos hombres que de otro modo morirían..., y uno de ellos no debe morir, ya que de lo contrario se destruiría el equilibrio entre el Azar y el Propósito.*)

Lois: («*Bueno, todo eso da igual. Lo único que quiero saber es si podemos volver a ser Mortales normales.*»)

Láquesis: (*No sólo podéis, sino que debéis, Lois. Si Ralph y tú os quedarais aquí arriba por mucho más tiempo, ya no podríais volver a bajar.*)

Ralph sintió que Lois se abrazaba a él con más fuerza.

(«*Eso no me haría ninguna gracia.*»)

Cloto y Láquesis se encararon para cambiar una mirada sutil de perplejidad (*¿Cómo es posible que a alguien pueda no hacerle gracia estar aquí arriba?*) antes de volverse de nuevo hacia Ralph y Lois.

Láquesis: (*Tenemos que irnos. Lo siento, pero...*)

Ralph: («*Un momento, vecinos... No vais a ir a ninguna parte.*»)

Los hombrecillos lo miraron con aprensión mientras Ralph se arremangaba lentamente el suéter, cuyo puño estaba rígido a causa de algún fluido seco, tal vez pus de siluro en el que no quería ni pensar, y les mostraba la línea blanca y nudosa de la cicatriz que le recorría el antebrazo.

(«*No miréis con esa cara de estreñidos, chicos. Sólo quería recordaros que me habéis dado vuestra palabra. No lo olvidéis.*»)

Cloto, evidentemente aliviado: (*Cuenta con ello, Ralph. Lo que antes era tu arma ahora es nuestro vínculo. No olvidaremos nuestra promesa.*)

Ralph empezaba a creer que todo había terminado, y una parte de él, por absurdo que pareciera, lo lamentaba. Ahora la vida real, la vida tal como transcurría en los niveles inferiores a éste, se le antojaba un espejismo, y comprendió a qué se refería Láquesis al decirles que no podrían regresar a sus vidas normales si se quedaban ahí arriba por mucho más tiempo.

Láquesis: (*Debemos irnos. Adiós, Ralph y Lois. Nunca olvidaremos el servicio que nos habéis prestado.*)

Ralph: («*¿De verdad teníamos elección? ¿De verdad?*»)

Láquesis, en voz baja: (*Os dijimos que sí, ¿no? Los Mortales siempre tienen elección. Eso nos asusta..., pero también nos parece bellísimo.*)

Ralph: («*Decidme, ¿dais apretones de mano alguna vez?*»)

Cloto y Láquesis se miraron asombrados, y Ralph percibió que sostenían un rápido diálogo en una suerte de taquigrafía telepática. Cuando se volvieron de nuevo hacia Ralph, ambos lucían idénticas sonrisas nerviosas, las sonrisas de los adolescentes que han decidido que si no reúnen el valor suficiente para subirse a la montaña rusa del parque de atracciones este verano, nunca llegarán a ser hombres de verdad.

Cloto: (*Hemos observado esta costumbre en numerosas ocasiones, pero no..., nunca hemos dado ningún apretón de manos*)

Ralph se volvió hacia Lois y vio que estaba sonriendo..., pero también le pareció ver el destello de las lágrimas en sus ojos.

Extendió la mano primero hacia Láquesis, porque parecía estar un poco menos histérico que su colega.

(«*Vamos, señor L., chócala.*»)

Láquesis se quedó mirando la mano de Ralph tanto rato que éste empezó a pensar que no podría hacerlo, aunque era evidente que quería. Por fin, con aire muy tímido, extendió la diminuta mano y permitió que la de Ralph se cerrara sobre ella. Ralph percibió una vibración cosquilleante cuando sus auras se mezclaron... y en aquella fusión vio una serie de hermosos y fugaces dibujos plateados. Le recordaban los caracteres de la bufanda de Ed.

Sacudió la mano de Láquesis dos veces con lentitud y solemnidad antes de soltársela. La expresión aprensiva del hombrecillo había dado paso a una sonrisa ancha y tontorrona. Se volvió hacia su compañero.

(*¡Su fuerza está casi completamente al descubierto durante esta ceremonia! ¡Lo he sentido! ¡Es maravilloso!*)

Cloto extendió la mano para estrechársela a Ralph, y justo antes de que se rozaran, el señor C. cerró los ojos como si esperara una inyección muy dolorosa. Láquesis estaba estrechando la mano a Lois y sonriendo como un cómico de vodevil que saliera a hacer un bis.

Cloto dio la impresión de hacer acopio de todo su valor, tomó la mano de Ralph y se la estrechó de inmediato. Ralph sonrió.

(*«Con cuidado, señor C.»*)

Cloto retiró la mano. Parecía estar buscando la reacción apropiada.

(*Gracias, Ralph. Se hará lo que se pueda, ¿correcto?*)

Ralph estalló en carcajadas. Cloto, que se había vuelto para estrechar la mano a Lois, le dedicó una sonrisa aturdida, y Ralph le dio una palmada en la espalda.

(*«Tiene toda la razón, señor C...., mucha razón.»*)

Ciñó la cintura de Lois y lanzó una última mirada curiosa a los dos médicos calvos y bajitos.

(*«Nos veremos otra vez, ¿verdad, chicos?»*)

Cloto: (*Sí, Ralph.*)

Ralph: (*«Bueno, pues perfecto. Dentro de unos setenta años me iría bien; ¿por qué no os lo apuntáis en el calendario?»*)

Los hombrecillos le contestaron con sendas sonrisas de políticos, lo que no sorprendió a Ralph en exceso. Ralph se inclinó ante ellos, rodeó los hombros de Lois con el brazo y siguió con la mirada al señor C. y el señor L., que ahora caminaban colina abajo. Láquesis abrió la puerta del lavabo algo deformado de caballeros; Cloto se detuvo en la puerta abierta del de señoras. Láquesis sonrió y los saludó por señas. Cloto levantó las tijeras de hojas largas a modo de extraño saludo.

Ralph y Lois les devolvieron el saludo.

Los médicos calvos entraron en los lavabos y cerraron las puertas.

Lois se enjugó los ojos bañados en lágrimas y se volvió hacia Ralph.

(*«¿Ya está? Ya está, ¿verdad?»*)

Ralph asintió con la cabeza.

(*«¿Y ahora qué hacemos?»*)

Ralph alargó el brazo.

(*«¿Puedo acompañarla a casa, señora?»*)

Con una sonrisa, Lois le cogió por el brazo justo debajo del codo.

(*«Gracias, señor. Puede.»*)

Salieron del parque Strawford así cogidos, regresando al nivel Mortal en cuanto salieron a Harris Avenue, ocupando de nuevo su lugar habitual en el plan general sin aspavientos, sin, en realidad, darse cuenta de ello hasta que ya estaba hecho.

Derry rugía de pánico y sudaba emoción. Las sirenas aullaban, la gente gritaba desde las ventanas del primer piso a los amigos que estaban en las aceras, y en cada esquina se habían reunido grupos para contemplar el incendio del otro lado del valle.

Ralph y Lois no prestaron atención al tumulto ni al alboroto. Subieron lentamente por la cuesta de Up-Mile, cada vez más conscientes de su agotamiento; tenían la sensación de que se amontonaba sobre ellos como sacos de arena que les arrojaran sin fuerza. El lago de luz blanca que marcaba el aparcamiento de la Manzana Roja parecía hallarse a una distancia imposible de salvar, aunque Ralph sabía que se encontraba a tan sólo tres manzanas de distancia, y además cortas.

Para empeorar las cosas, la temperatura había descendido unos diez grados desde la mañana, el viento soplaba con fuerza y ninguno de los dos iba vestido para la ocasión. Ralph sospechaba que aquel tiempo desembocaría en la primera tempestad seria del otoño, y que el veranillo de San Martín había tocado a su fin en Derry.

Faye Chapin, Don Veazie y Stan Eberly bajaban por la pendiente hacia ellos, sin duda en dirección al parque Strawford. Los prismáticos que el viejo Dor empleaba a veces para ver cómo aparcaban, aterrizaban y despegaban los aviones pendían alrededor del cuello de Faye. Don, que estaba casi calvo y era muy corpulento, completaba un trío que recordaba a otro. «Los tres Cómicos del Apocalipsis», pensó Ralph con una sonrisa.

—¡Ralph! —exclamó Faye.

Respiraba con rapidez, casi jadeando. El viento le metía el cabello en los ojos, y él no dejaba de apartárselo con impaciencia.

—¡El maldito Centro Cívico ha explotado! ¡Alguien ha tirado una bomba desde un avión! ¡Dicen que han muerto mil personas!

—Yo he oído lo mismo —asintió Ralph con toda solemnidad—. De hecho, Lois y yo acabamos de estar en el parque para echar un vistazo. Puedes ver perfectamente el otro lado del valle desde ahí, ¿sabes?

—Pues claro que lo sé, hombre, que he vivido aquí toda la vida. ¿Adónde crees que vamos? ¡Venid con nosotros!

—Lois y yo íbamos a su casa para ver lo que dicen en la tele. A lo mejor vamos luego.

—Vale, pues... ¡Por las barbas del profeta, Ralph! ¿Qué te has hecho en la cabeza?

Por un momento, Ralph se quedó en blanco (¿qué se había hecho en la cabeza?), pero entonces recordó la boca contraída y los ojos dementes de Ed. «No —le había gritado Ed—. Vas a estropearlo todo.»

—Íbamos corriendo para ver lo que pasaba y Ralph ha chocado contra un árbol —explicó Lois—. Tiene suerte de no haber acabado en el hospital.

Don se echó a reír, pero con el aire medio distraído de un hombre que tiene cosas más importantes que hacer. Faye no les hacía ni caso. Pero Stan Eberly sí, y desde luego, Stan no se echó a reír. Estaba mirando a Lois con expresión extrañada y curiosa.

—Lois —dijo.

—¿Qué?

—¿Sabes que llevas una zapatilla atada a la muñeca?

Lois se miró la zapatilla. Ralph miró la zapatilla. Lois alzó la mirada y dedicó a Stan una sonrisa deslumbrante.

—Sí —asintió—. Tiene un aspecto interesante, ¿eh? ¡Como una pulsera de la suerte de tamaño natural!

—Sí —repuso Stan—. Ya.

Pero ya no estaba mirando la zapatilla, sino el rostro de Lois. Ralph se preguntó cómo narices iban a explicar el aspecto que tenían al día siguiente, cuando no hubiera sombras entre las farolas para protegerlos de las miradas.

—¡Vamos! —exclamó Faye con impaciencia—. ¡Vámonos ya!

Se alejaron a toda prisa, y Stan les lanzó una última mirada dubitativa por encima del hombro. Ralph aguzó el oído, casi esperando que Don Veazie soltara alguna gracia.

—Uf, qué mal ha quedado eso —suspiró Lois—, pero tenía que decir algo, ¿no?

—Lo has hecho muy bien.

—Bueno, cuando abro la boca siempre sale algo —explicó Lois—. Es uno de mis dos grandes talentos; el otro es la capacidad de acabar con una caja entera de bombones en una película de dos horas —desató la zapatilla de Helen y la contempló—. Helen está a salvo, ¿verdad?

—Sí —asintió Ralph alargando la mano hacia la zapatilla.

En aquel momento, se dio cuenta de que ya tenía algo en la mano izquierda. Llevaba tanto tiempo con los dedos apretados que le costó abrir la mano. Cuando lo consiguió, vio que las marcas de sus uñas se hundían en la carne de la palma. Lo primero que advirtió fue que, mientras que aún llevaba su anillo de boda en el lugar habitual, el de Ed había desaparecido. Le había parecido que encajaba a la perfección, pero por lo visto se le había caído en algún momento de la última media hora.

Tal vez no, susurró una voz, y a Ralph le divirtió comprobar que no se trataba de la de Carolyn en esta ocasión. La voz interior pertenecía a Bill McGovern. *Tal vez ha desaparecido sin más. Ya sabes, puf.*

Pero no lo creía. Tenía la sensación de que la mano izquierda de Ed había sido dotada de poderes que no necesariamente habían muerto con él. El Anillo que Bilbo Baggins había encontrado y entregado a regañadientes a su nieto, Frodo, había encontrado el modo de ir a donde quería ir... y cuando quisiera ir. Tal vez algo parecido había sucedido con el anillo de Ed.

Pero antes de que pudiera desarrollar aquella idea, Lois le entregó la zapatilla de Helen a cambio de lo que él guardaba en la mano, una bola de papel bastante rígido. Lois lo alisó y lo miró. Su curiosidad se trocó lentamente en solemnidad.

—Recuerdo esta foto —dijo—. La grande estaba en la repisa de la chimenea en un marco de oro muy elegante. Tenía el lugar de honor.

Ralph asintió.

—Debe de ser la que llevaba en la cartera. La tenía pegada al salpicadero del avión. Hasta que la cogí me estuvo pegando sin ni siquiera pestañear. Lo único que se me ocurrió fue coger la foto, y de repente, dejó de prestar atención al Centro Cívico y se concentró en ellas. Lo último que le oí decir fue: «Devuélvemelas, son mías».

—¿Y crees que te lo decía a ti?

Ralph se guardó la zapatilla en el bolsillo trasero de los pantalones y denegó con la cabeza.

—No, no lo creo.

—Helen estaba en el Centro Cívico, ¿verdad?

—Sí.

Ralph recordó la expresión que había visto en Helen en High Ridge, su rostro pálido y sus ojos acuosos y enrojecidos por el humo. *Si nos detienen ahora habrán ganado. ¿Es que no lo comprendes?*

Y ahora lo comprendía.

Cogió la fotografía, volvió a arrugarla y se acercó a la papelera situada en la esquina de Harris Avenue con Kossuth Lane.

—Ya conseguiremos otra foto de ellas, una que podamos poner en la repisa de nuestra propia chimenea. Menos formal. Pero ésta... No la quiero.

Arrojó la bolita de papel a la papelera, un tiro fácil, a unos sesenta centímetros de distancia a lo sumo, pero el viento escogió precisamente aquel momento para soplar, y la foto arrugada de Helen y Natalie que Ed había pegado sobre el altímetro de su avión salió volando en su frío aliento. Los dos miraron casi hipnotizados cómo se elevaba cada vez más. Lois fue la primera en apartar la vista. Miró a Ralph con la sombra de una sonrisa en sus labios.

—¿Acabo de oír una proposición disimulada de matrimonio o es que me lo he inventado?

Ralph abrió la boca para replicar, pero en aquel momento, el viento sopló de nuevo, esta vez con tal fuerza que ambos se vieron obligados a cerrar los ojos. Cuando Ralph los abrió, Lois ya había reanudado la ascensión de Up-Mile.

—Todo es posible, Lois —dijo—. Ahora lo sé.

Al cabo de cinco minutos, Lois introdujo la llave en la cerradura de la puerta principal de su casa. Condujo a Ralph al interior y cerró la puerta tras de sí con firmeza, dejando atrás la noche ventosa y agitada. Ralph la siguió al salón y se habría detenido allí, pero Lois no titubeó en ningún instante. Sin soltarle la mano ni tirar de él (aunque tal vez con la intención de hacerlo si Ralph remoloneaba), lo llevó al dormitorio.

Ralph la miró. Lois le devolvió la mirada con toda serenidad..., y de repente, Ralph volvió a percibir el parpadeo. Vio cómo el aura de Lois florecía a su alrededor como una rosa gris. Todavía estaba algo amortiguada, pero ya empezaba a regresar, a recuperarse, a sanar.

(«*Lois, ¿estás segura de que es esto lo que quieres?*»)

(«*¡Pues claro! ¿Creías que iba a darte una palmadita en la cabeza y enviarte a casa después de todo lo que hemos pasado?*»)

De repente esbozó una sonrisa..., una sonrisa maliciosa y traviesa.

(«*Además, Ralph, ¿tú te ves con ánimos de hacer cosas malas esta noche? Dime la verdad, o mejor aún, no intentes halagarme.*»)

Ralph reflexionó unos instantes; de repente lanzó una carcajada y la atrajo hacia sí. Su boca era dulce y estaba ligeramente húmeda, como la piel de un melocotón maduro. El beso le produjo un cosquilleo en todo el cuerpo, pero la sensación se concentraba sobre todo en su boca, donde casi se le antojaba una descarga eléctrica. Cuando separó los labios de los de Lois, advirtió que estaba más excitado que nunca..., pero también agotado.

(«*¿Y qué pasa si te digo que sí, Lois? ¿Qué pasa si te digo que sí quiero hacer cosas malas?*»)

Lois lo observó desde cierta distancia con aire crítico, como si intentara dilucidar si hablaba en serio o si no se trataba más que de la clásica fanfarronada masculina. Al mismo tiempo, se llevó las manos a los botones del vestido. Mientras se los desabrochaba, Ralph advirtió algo maravilloso: Lois había rejuvenecido de nuevo. No aparentaba cuarenta años ni con la mejor de las intenciones, pero desde luego, tampoco aparentaba más de cincuenta... y bien llevados. Se debía al beso, por supuesto, y lo más gracioso del asunto era que Ralph no creía que Lois se hubiera percatado de que se había servido una ración de Ralph además de la anterior ración de borracho. Y en definitiva, ¿qué importaba?

Lois dejó de observarlo, se inclinó hacia delante y lo besó en la mejilla.

(*«Creo que ya tendremos tiempo de hacer cosas malas más adelante, Ralph... Esta noche toca dormir.»*)

Ralph suponía que tenía razón. Cinco minutos antes había estado más que dispuesto; siempre le había encantado hacer el amor y hacía ya tanto tiempo. No obstante, la chispa se había extinguido, al menos de momento. Pero no lo lamentaba en absoluto. Al fin y al cabo, sabía perfectamente adónde había ido a parar.

(*«De acuerdo, Lois... Esta noche toca dormir.»*)

Lois entró en el cuarto de baño y puso en marcha la ducha. Al cabo de unos minutos, Ralph la oyó cepillarse los dientes. Era agradable saber que aún los tenía. Durante los diez minutos que Lois pasó en el baño consiguió desvestirse en parte, aunque las costillas le dificultaron mucho la tarea. Por fin logró despojarse del suéter de McGovern y sacarse los zapatos. A ellos siguió la camisa, y estaba manoseando sin éxito la hebilla del cinturón cuando Lois salió del baño con el cabello atado en la nuca y el rostro resplandeciente. Ralph quedó anonadado por su belleza y de repente se sintió demasiado estúpido (por no hablar de viejo). Lois llevaba un largo camisón de seda rosa, y Ralph olió la loción que se había puesto en las manos. Era un olor agradable.

—Deja que te ayude —dijo.

Le desabrochó el cinturón antes de que pudiera pronunciarse en un sentido u otro. Aquel gesto no tuvo nada de erótico; Lois procedió con la eficacia de quien ha ayudado muchas veces a su marido a desvestirse durante los últimos años de su vida.

—Estamos otra vez abajo —comentó Ralph—. Esta vez ni siquiera me he dado cuenta.

—Yo sí, cuando estaba en la ducha. La verdad es que me he alegrado. Intentar lavarse el pelo a través del aura es bastante complicado.

El viento lanzó una ráfaga que hizo temblar la casa y envió un largo gemido tembloroso por un canalón. Se volvieron hacia la ventana, y aunque se hallaba de nuevo en el nivel de los Mortales, de repente Ralph estaba seguro de que Lois compartía la idea que acababa de ocurrírsele. Átropos estaba ahí afuera en alguna parte, sin duda decepcionado por el modo en que habían salido las cosas pero no por ello acabado, ensangrentado pero con la cabeza erguida, en baja forma, pero vivito y coleando. «Desde ahora lo llamarán Oreja Cortada», se dijo Ralph con un estremecimiento. Imaginó a Átropos deambulando por entre la plebe de la ciudad como un asteroide picaruelo, espiando y ocultándose, robando *souvenirs* y cortando cordeles de globo..., buscando consuelo en su trabajo, por expresarlo de otro modo.

A Ralph le resultaba casi imposible creer que, pocas horas antes, había estado sentado encima de aquella criatura, rajándole con su propio bisturí. «¿De dónde he sacado el valor?», se preguntó, aunque suponía que lo sabía. Los pendientes de diamantes que llevaba la criatura le habían proporcionado la mayor parte. ¿Sabía Átropos que aquellos pendientes habían constituido su mayor error? Probablemente no. A su manera, el doctor 3 había resultado saber aún menos acerca de las motivaciones de los Mortales que Cloto y Láquesis.

Se volvió hacia Lois y la tomó de las manos.

—He vuelto a perder tus pendientes. Esta vez definitivamente, creo. Lo siento.

—No te preocupes. Ya los había perdido, ¿recuerdas? Y tampoco me preocupan Harold y Jan, porque ahora tengo un amigo que me ayudará cuando la gente no me trate bien o simplemente cuando tenga miedo, ¿verdad?

—Sí, desde luego que sí.

Lois lo abrazó con fuerza y volvió a besarlo. Por lo visto, no había olvidado nada de lo que había aprendido acerca del arte de besar, y desde luego, a Ralph le parecía que había aprendido mucho.

—Ve a ducharte.

Ralph abrió la boca con la intención de decirle que probablemente se dormiría en cuanto sintiera el chorro de agua caliente sobre la cabeza, pero entonces Lois añadió algo que le hizo cambiar de idea al instante.

—No te ofendas, pero hueles de una manera muy rara, sobre todo en las manos. Así olía mi hermano Vic después de pasarse el día entero limpiando pescado.

Dos minutos más tarde, Ralph estaba debajo de la ducha y cubierto de espuma de jabón hasta los codos.

Cuando salió, Lois estaba enterrada bajo dos esponjosas colchas. Sólo se le veía la cara, es decir, de la nariz hacia arriba. Ralph atravesó el dormitorio a toda prisa, ataviado tan sólo con los calzoncillos y dolorosamente consciente de sus piernas flacas y su barriga. Apartó las mantas y se metió en la cama de inmediato, jadeando un poco al sentir las sábanas frías sobre la piel caliente.

Lois se acercó a él y lo rodeó con sus brazos. Ralph apoyó el rostro en su cabello y se relajó. Era una sensación muy agradable estar entre las mantas con Lois mientras el viento aullaba y golpeaba la casa, a veces con fuerza suficiente para zarandear las persianas protectoras. De hecho, era una sensación paradisíaca.

—Gracias a Dios que tengo a un hombre en mi cama —murmuró Lois con voz soñolienta.

—Gracias a Dios que soy yo —repuso Ralph, haciéndola reír.

—¿Cómo tienes las costillas? ¿Quieres que te traiga una aspirina?

—No. Estoy seguro de que mañana volverán a dolerme, pero ahora mismo parece que el agua caliente me ha aliviado mucho.

La cuestión acerca de lo que podía o no suceder a la mañana siguiente le hizo pensar en algo que sin duda había estado anidando en su mente en todo momento.

—Lois.

—¿Hmm?

Ralph se imaginó a sí mismo despertando en la oscuridad, profundamente cansado pero no soñoliento (una de las paradojas más crueles del mundo, sin duda), en el instante en que la pantallita del reloj digital pasaba de las 3:47 a las 3:48. La noche oscura del alma de Scott Fitzgerald, en la que cada hora es lo bastante larga como construir la Gran Pirámide de Keops.

—¿Crees que dormiremos toda la noche? —le preguntó.

—Sí —repuso ella sin vacilar—. Creo que dormiremos como angelitos.

Y al cabo de un momento, eso era precisamente lo que estaba haciendo.

Ralph permaneció despierto unos cinco minutos más, abrazado a Lois, oliendo la maravillosa mezcla de olores que emanaba su piel cálida, deleitándose en la suavidad sensual de la seda bajo sus dedos, maravillado por el lugar en que se encontraba más que por los acontecimientos que lo habían llevado hasta allí. Estaba inundado de una emoción profunda y simple, una emoción que reconoció pero a la que no pudo poner nombre de inmediato, tal vez porque había desaparecido de su vida hacía demasiado tiempo.

El viento soplaba y gemía en el exterior, emitiendo de nuevo aquel trompeteo hueco en el canalón, como el fan de Nirvana más grande del mundo soplando en la botella de refresco más grande del mundo, y a Ralph se le ocurrió que tal vez no había nada mejor en la vida que estar tendido en una cama suave con una mujer dormida entre los brazos mientras el viento de otoño chillaba en el exterior de tu refugio.

Pero sí había algo mejor, al menos una cosa, y era la sensación de adormecerse, de resbalar hacia la noche, adentrarse en las corrientes de lo desconocido al igual que una canoa se aleja del embarcadero y se adentra en la corriente de un río ancho y lento en un radiante día de verano.

«De todas las cosas que forman la vida de los Mortales, el sueño es sin duda la mejor», se dijo Ralph.

El viento envió una nueva ráfaga (el sonido parecía venir de muy lejos ahora), y en el momento en que sintió que la corriente de aquel gran río se lo llevaba, identificó por fin la emoción que lo había embargado en el momento en que Lois lo había abrazado y se había dormido con la facilidad y la confianza de un niño. Aquella emoción recibía muchos nombres, tales como paz, serenidad y plenitud, pero ahora, mientras el viento soplaba y de las profundidades de la garganta dormida de Lois brotaba un leve sonido de satisfacción, a Ralph le pareció que se trataba de una de esas extrañas cosas que se conocen pero no pueden describirse: una textura, un aura, tal vez todo un nivel de ser en la columna de la existencia. Era el suave color bermejo del descanso; era el silencio que sigue a la realización de una tarea ardua pero necesaria.

Cuando el viento volvió a soplar, trayendo consigo el aullido lejano de las sirenas, Ralph no lo oyó. Se había quedado dormido. En un momento dado soñó que se levantaba para ir al lavabo, y suponía que tal vez no había sido un sueño. También soñó que él y Lois hacían el amor lenta y dulcemente, y quizás aquello tampoco había sido un sueño. Si hubo otros sueños u otros momentos de vela, Ralph no los recordaba, y en aquella ocasión no se despertó de repente a las tres o las cuatro de la mañana. Durmieron, a veces separados pero casi siempre abrazados, hasta poco después de las siete de la tarde del sábado. Unas veintidós horas en total.

Lois preparó el desayuno al anochecer; deliciosos y esponjosos gofres, bacon, patatas fritas. Mientras cocinaba, Ralph intentó flexionar aquel músculo sepultado en su mente, provocar de nuevo aquel parpadeo. No lo consiguió. Lois tampoco, aunque Ralph habría jurado que su imagen temblaba por un instante y que veía el fogón a través de ella.

—Bueno, da igual —comentó Lois mientras llevaba los platos a la mesa.

—Supongo que tienes razón —asintió Ralph.

Pero lo cierto era que se sentía como si hubiera perdido el anillo que le había dado Carolyn en lugar del que le había robado a Átropos..., como si un objeto pequeño pero esencial hubiera desaparecido de su vida como por encanto.

Después de dormir otras dos noches profundamente y de un tirón, también las auras empezaron a desaparecer. A la semana siguiente se habían esfumado, y Ralph empezó a preguntarse si tal vez todo aquello no habría sido un extraño sueño. Sabía que no era cierto, pero cada vez le resultaba más difícil creer lo que sabía. Tenía la cicatriz entre el codo y la muñeca del brazo derecho, por supuesto, pero incluso empezó a preguntarse si no se la habría hecho mucho tiempo atrás, durante aquellos años de su vida en que no tenía ninguna cana en el cabello y todavía creía, en lo más profundo de su corazón, que la vejez no era más que un mito, un sueño o una cosa reservada a las personas menos especiales que él.

Epílogo

MIENTRAS DAN CUERDA
AL RELOJ DE LA MUERTE (II)

Miro por encima del hombro y veo su sombra,
y avanzo como alguien que de noche en el bosque
oyera el ruido de pasos acercándose
y se detuviera a escuchar; entonces, en vez de silencio
oye a una criatura que intenta moverse con sigilo.
¿Qué puede hacer sino correr? Corre a ciegas
por el sendero, dando tumbos, golpeado por las ramas;
el otro cada vez más cerca, pero en realidad
no se apresura ni jadea; juguetea con su presa.

Stephen DOBYNS
Búsqueda

Si tuviera alas, te llevaría a volar por doquier;
Si tuviera dinero, te compraría la maldita ciudad;
Si tuviera fuerza, te habría salvado;
Si tuviera un farolillo, te iluminaría el camino,
Si tuviera un farolillo, te iluminaría el camino.

Michael McDERMOTT
Farolillo

El 2 de enero de 1994, Lois Chasse se convirtió en Lois Roberts. Su hijo Harold fue el padrino. La mujer de Harold no asistió a la ceremonia; se quedó en Bangor con lo que Ralph consideraba un caso de bronquitis la mar de sospechoso. Sin embargo, no reveló a nadie sus sospechas, y, desde luego, no le decepcionó en absoluto la ausencia de Jan Chasse. El padrino del novio fue el detective John Leydecker, que todavía llevaba el brazo derecho escayolado pero, por lo demás, no tenía secuelas visibles de la misión que había estado a punto de costarle la vida. Había pasado cuatro días en coma, pero Leydecker sabía lo afortunado que era; además del policía del estado que estaba junto a él en el momento de la explosión, otros dos policías habían perdido la vida, dos de ellos miembros del equipo que el propio Leydecker había escogido.

La dama de honor de la novia fue su amiga Simone Castonguay, y en la recepción, el primer brindis corrió a cargo de Joe Wyzer. Trigger Vachon pronunció un discurso vacilante pero muy sentido, concluyendo con el deseo de que «estás dos perrsonas vivan hasta los siento sincuenta y no conoscan un solo diá de reuma ni estrreñimientó».

Cuando Ralph y Lois salieron de la sala en que se celebró la recepción, con el pelo aún lleno del arroz que sobre todo Faye Chapin, pero también el resto de los Viejos Carcamales de Harris Avenue les habían arrojado, un anciano con un libro en la mano y una nube de fino cabello blanco sobre la cabeza se acercó a ellos con una sonrisa radiante.

—Felicidades, Ralph —dijo—. Felicidades, Lois.

—Gracias, Dor —repuso Ralph.

—Te hemos echado de menos en la ceremonia —intervino Lois—. ¿No recibiste nuestra invitación? Faye dijo que te la daría.

—Oh, sí, me la dio. Sí, sí, pero nunca voy a esas cosas si no son al aire libre. El aire se carga demasiado. Los funerales aún son peores. Esto es para vosotros. No lo he envuelto, porque la artritis de las manos ya no me deja hacer cosas de ésas.

Ralph cogió el regalo. Era un libro de poemas llamado *Bestias concurrentes*. El nombre del poeta, Stephen Dobyns, le produjo un extraño estremecimiento, pero no sabía muy bien por qué.

—Gracias —le dijo a Dorrance.

—No es tan bueno como algunos de sus últimos poemas, pero está bien. Dobyns es muy bueno.

—Nos lo leeremos mutuamente durante la luna de miel —aseguró Lois.

—Es un buen momento para leer poesía —comentó Dorrance—. Quizás el mejor momento. Estoy seguro de que seréis muy felices juntos.

Empezó a alejarse, pero de repente se volvió hacia ellos.

—Lo hicisteis muy bien. Los Limitados están muy satisfechos.

Se marchó.

Lois miró a Ralph.

—¿De qué estaba hablando? ¿Lo sabes tú?

Ralph denegó con la cabeza. No lo sabía, no con certeza, aunque tenía la sensación de que debería saberlo. La cicatriz del brazo había empezado a hacerle cosquillas como sucedía a veces, una sensación que era casi como un escozor sepultado en lo más profundo de su carne.

—Limitados —murmuró Lois con extrañeza—. A lo mejor se refería a nosotros, Ralph. Al fin y al cabo, no es que estemos precisamente frescos como rosas, ¿verdad?

—Probablemente se refería a eso —asintió Ralph.

Pero sabía que no era cierto..., y los ojos de Lois decían que, en el fondo, ella también lo sabía.

El mismo día y en el momento en que Ralph y Lois pronunciaban sus respectivos «sí, quiero», cierto borracho de brillante aura verde, un borracho que de verdad tenía un tío en Dexter, aunque el tío en cuestión llevaba cinco años o más sin ver a su desgraciado sobrino, se tambaleaba por el parque Strawford, con los ojos entornados por el deslumbrante resplandor que el sol arrancaba a la nieve. Buscaba latas y botellas retornables. Si encontrara suficientes para comprarse una pinta de whiskey sería fantástico, pero una pinta de vino barato tampoco estaría mal.

No muy lejos del lavabo portátil de caballeros vio un brillante destello de metal. Probablemente no era más que el sol reflejado en una chapa de botella, pero había que comprobar esas cosas. Podía ser una moneda de diez..., aunque al borracho le pareció que lo que fuera despedía un destello dorado. Era...

—¡Por las barbas del profeta! —exclamó.

Recogió el anillo de boda que yacía misteriosamente sobre la nieve, un aro ancho, casi seguro de oro. Lo ladeó para leer la inscripción del interior:

HD—ED 8.5.87.

¿Una pinta? Ni pensarlo. Aquella monada le bastaría para un litro. Varios litros. A lo mejor para una semana entera.

A causa de las prisas por atravesar el cruce de Witcham y Jackson, donde Ralph Roberts había estado a punto de desmayarse en cierta ocasión, el borracho no vio el autobús de la línea verde que se aproximaba. El conductor sí lo vio a él y pisó los frenos, pero el autobús dio con una capa de hielo.

El borracho ni se enteró de lo que le atropellaba. En un momento dado intentaba decidirse entre Old Crow y Old Granddad, y al siguiente se había sumido en la oscuridad que nos espera a todos. El anillo rodó por la cuneta y se coló por una rejilla del alcantarillado, donde permaneció durante largo, largo tiempo. Pero no para siempre. En Derry, las cosas que desaparecen en el alcantarillado siempre encuentran un modo, con frecuencia un modo desagradable, de reaparecer.

Ralph y Lois no vivieron felices por siempre jamás.

En realidad, no hay siempre en el mundo de los Mortales, ni felices ni de ninguna otra clase, algo que, sin lugar a dudas, Cloto y Láquesis sabían muy bien. No obstante, vivieron felices durante bastante tiempo. Ninguno de ellos quería confesar abiertamente que aquellos eran los años más felices de sus vidas, porque ambos recordaban a sus primeros cónyuges con amor y afecto, pero lo cierto era que sí consideraban aquellos años los más felices de sus vidas. Ralph no estaba seguro de que el amor otoñal fuera el más rico, pero llegó a convencerse de que sí era el más afectuoso y pleno.

Nuestra Lois, decía a menudo, y se echaba a reír. Lois fingía enojarse, pero nunca se enfadaba en serio, porque veía la mirada en los ojos de Ralph cuando lo decía.

La primera mañana de Navidad que pasaron como marido y mujer (se habían trasladado a la casita diminuta y pulcra de Lois y puesto a la venta el piso de la casa de Ralph), Lois le regaló un cachorro de sabueso.

—¿Te gusta? —le preguntó con aprensión—. He estado a punto de no comprarla. Abby, la del consultorio del periódico dice que nunca hay que regalar animales domésticos, pero estaba tan mona ahí en el escaparate de la tienda..., y parecía tan triste... Si no te gusta o no quieres pasarte el resto del invierno intentando adiestrar a un cachorro me lo dices. Encontraremos a alguien que...

—Lois —la interrumpió enarcando la ceja con lo que esperaba que fuera aquel gesto irónico tan característico de Bill McGovern—. Estás barboteando.

—¿Ah, sí?

—Ah, sí. Es algo que haces cuando estás nerviosa, pero ya puedes dejar de estarlo. Me encanta esta señorita.

Y no exageraba. Se enamoró del sabueso negro y marrón casi al instante.

—¿Cómo la llamarás? —inquirió Lois—. ¿Tienes alguna idea?

—Claro —repuso Ralph—. *Rosalie.*

En líneas generales, los cinco años siguientes fueron también buenos años para Helen y Nat Deepneau. Durante un tiempo vivieron modestamente en un piso de la parte este de la ciudad, sobreviviendo con el salario de bibliotecaria de Helen, pero poco más. Había vendido la casa estilo Cape Cod de Harris Avenue, pero había gastado el dinero en diversas facturas pendientes. De repente, en junio de 1994, Helen recibió un seguro llovido del cielo..., sólo que la lluvia que lo trajo fue John Leydecker.

La compañía de seguros Great Eastern había rechazado pagar el seguro de vida de Ed Deepneau porque afirmaba que Ed se había quitado la vida. Más adelante, después de mucho murmurar y mascullar entre dientes empresariales, habían ofrecido un arreglo muy sustancioso. Los había convencido un compañero de póquer de John Leydecker llamado Howard Hayman. Cuando no jugaba a póquer abierto, semental a cinco o semental a tres, Hayman era un abogado que disfrutaba metiéndose con las compañías de seguros.

Leydecker había vuelto a encontrarse con Helen en casa de Ralph y Lois en febrero de 1994, se había quedado absolutamente fascinado con ella («Nunca fue realmente amor —confesó a Ralph y Lois más tarde—, lo cual fue lo mejor probablemente, teniendo en cuenta cómo salieron las cosas.»), y le presentó a Hayman porque creía que la compañía de seguros intentaba estafarla.

—Estaba loco, no era un suicida —dijo Leydecker, y siguió aferrado a aquella idea después de que Helen le diera el sombrero y puerta.

Después de enfrentarse a un juicio en el que Howard Hayman amenazó con dejar a Great Eastern como el más malo de todas las películas, Helen había recibido un cheque por la cantidad de setenta mil dólares. A finales de otoño de 1994 había invertido la mayor parte del dinero en la compra de una casa en Harris Avenue, tres casas más allá de su antigua casita y justo enfrente de la de Harriet Bennigan.

—Nunca fui del todo feliz en la parte este —explicó a Lois en noviembre de aquel año.

Volvían del parque, y Natalie estaba sentada y profundamente dormida en el cochecito, una presencia que era tan sólo una punta de nariz rosada y una nubecilla de aliento frío bajo la gran gorra de esquí que Lois le había tejido.

—Muchas veces soñaba con Harris Avenue. ¿No te parece una locura?

—Los sueños nunca me parecen una locura —replicó Lois.

Helen y John Leydecker estuvieron saliendo casi todo el verano, pero ni Ralph ni Lois se sorprendieron cuando la aventura terminó bruscamente después del Día del Trabajo, ni cuando Helen empezó a llevar el discreto triángulo rosa de la asociación de gays y lesbianas en las remilgadas blusas de cuello alto que se ponía para ir a la biblioteca. Tal vez no se sorprendieron porque eran lo bastante viejos como para haber visto de todo al menos una vez. En lo más profundo de su mente, seguían viendo las auras que envolvían las cosas y creaban una brillante puerta que se abría a una ciudad secreta de significados disimulados, motivos silenciados y agendas ocultas.

Ralph y Lois cuidaban de Nat a menudo después de que Helen regresara a Harris Avenue, y les encantaba aquella tarea. Nat era la niña que podría haber dado su matrimonio si se hubieran conocido treinta años antes, y el día más frío y nublado de invierno se tornaba cálido y luminoso cuando Natalie entraba corriendo, una versión en miniatura del dirigible de Goodyear con su mono de esquí rosa acolchado y las manoplas colgadas de las muñecas, y gritaba:

—¡Hola, Walf! ¡Hola, Roliss! ¡He venido a vicitaros!

En junio de 1995, Helen se compró un Volvo de segunda mano. Sobre el parachoques posterior pegó un adhesivo que decía UNA MUJER NECESITA A UN HOMBRE COMO UN MONO UNA BICICLETA. Aquel sentimiento tampoco sorprendió demasiado a Ralph, pero siempre le entristecía ver aquel adhesivo. A veces pensaba que la peor herencia que Ed había dejado a su esposa quedaba resumida en aquel sentimiento quebradizo y no del todo gracioso, y cuando lo veía, recordaba a menudo el aspecto que había tenido Ed aquella tarde de verano en que Ralph había salido de la Manzana Roja para enfrentarse con él. Ed, sentado en su mecedora sin camisa bajo la llovizna del aspersor. La gota de sangre sobre el cristal de sus gafas. El modo en que se había inclinado hacia delante para mirar a Ralph con aquellos ojos serios e inteligentes y decirle que cuando la estupidez llegaba a ciertos límites era muy difícil de soportar.

«Y después de aquello empezaron a pasar cosas», se decía Ralph en ocasiones. Ya no recordaba qué eran esas cosas, y probablemente era lo mejor. Pero aquel lapsus de memoria (si es que era un lapsus) no cambiaba su convicción de que Helen había sido engañada de un modo muy siniestro..., de que un destino con muy mala baba le había puesto la zancadilla y ella ni siquiera lo sabía.

Un mes después de que Helen comprara el Volvo, Faye Chapin sufrió un ataque al corazón mientras confeccionaba una lista provisional de partidas para el Clásico de la Pista 3 que se celebraría en otoño. Se lo llevaron al hospital de Derry, donde murió al cabo de siete horas. Ralph lo visitó justo antes de que muriera, y cuando vio el número de la habitación, la 315, lo embargó una profunda sensación de *déjà vu*. Primero pensó que se debía a que Carolyn había pasado sus últimos días en la habitación contigua, pero entonces recordó que Jimmy V. había muerto en la misma habitación. Él y Lois lo habían visitado justo antes de su muerte, y Ralph creía que Jimmy los había reconocido a ambos, aunque no estaba seguro; sus recuerdos de la época en que se había percatado realmente de la existencia de Lois eran confusos y lejanos. Suponía que en parte se debía al amor y en parte a que se estaba haciendo viejo, pero creía que en su mayoría se debía al insomnio... Había pasado unos meses espantosos después de la muerte de Carolyn, aunque al final se le había pasado, como a veces sucede con esas cosas. Sin embargo, le parecía que algo

(*[Hola hombre hola mujer os estábamos esperando]*)

fuera de lo común había sucedido en esta habitación, y cuando cogió la mano seca y débil de Faye y sonrió ante sus ojos asustados y confusos, una idea muy extraña le cruzó la mente: *Están en el rincón, observándonos.*

Se volvió hacia el rincón. Allí no había nadie, por supuesto, pero por un instante..., por un instante...

La vida entre los años 1993 y 1998 transcurrió como siempre transcurre en lugares como Derry. Los capullos de abril se transformaron en las hojas quebradizas y errantes de octubre; la gente llevó árboles de Navidad a sus casas a mediados de diciembre y los dejó apoyados en los contenedores con hilillos plateados aún colgados tristemente de las agujas durante la primera semana de enero; nacían bebés y morían ancianos. Y a veces también morían personas que se hallaban en la flor de la vida.

Cinco años de cortes de pelo y permanentes, tormentas y bailes de graduación, café y cigarrillos, bistecs en Parker's Cove y perritos calientes en el campo de la Pequeña Liga. Chicos y chicas se enamoraron, borrachos se cayeron de los coches, las minifaldas dejaron de estar de moda. La gente reparó sus tejados y repavimentó sus caminos de entrada. Los viejos dejaron de recibir papeletas de votos del ayuntamiento y dieron paso a los jóvenes. No era más que la vida, a menudo insatisfactoria, por lo general aburrida, a veces hermosa, de vez en cuando increíble. Las cosas fundamentales no perdieron su validez a medida que transcurría el tiempo.

A principios de otoño de 1996, Ralph se convenció de que tenía cáncer de intestino. Había empezado a ver más que rastros de sangre en sus heces, y cuando por fin acudió a la consulta del doctor Pickard (el sustituto alegre y arrugado del doctor Lichtfield), lo hizo con visiones de camas de hospital y goteros de quimioterapia danzando crueles ante sus ojos. En lugar de cáncer, lo que tenía era una hemorroide que había, según las memorables palabras del doctor Pickard, «estallado como un corcho de champaña». Dio a Ralph una receta de supositorios, que Ralph llevó a Rite Aid. Joe Wyzer la leyó y sonrió alegremente a Ralph.

—Una putada —comentó—, pero mucho mejor que cáncer de intestino, ¿verdad?

—La idea del cáncer ni se me había pasado por la cabeza —repuso Ralph con aire picado.

Cierto día de invierno de 1997, a Lois se le metió en la cabeza la idea de deslizarse por su colina favorita del parque Strawford en el trineo de plástico en forma de platillo volante de Nat Deepneau. Bajó «más quemada que la moto de un hippy», según las palabras de Don Veazie, que pasaba por ahí y presenció la escena, y chocó contra la pared del lavabo portátil de mujeres. Sufrió un esguince en la rodilla y se torció la espalda, y aunque Ralph sabía que no debía hacerlo, pues resultaba muy poco compasivo, por expresarlo de una forma suave, no pudo dejar de reír mientras la acompañaba a urgencias. El hecho de que Lois también estuviera muerta de risa a pesar del dolor no le ayudó precisamente a contenerse. Siguió riendo hasta que se le saltaron las lágrimas y creyó que le daría un ataque. Es que su mujer había tenido un aspecto tan «nuestra Lois» bajando la colina en ese trasto, dando vueltas y más vueltas con las piernas cruzadas como si fuera un yogi del Oriente Misterioso... Y además había estado a punto de volcar el lavabo portátil al chocar contra él. Se había recuperado del todo cuando llegó la primavera, aunque la rodilla siempre le dolía en los días lluviosos y se hartó de que Don Veazie le preguntara casi cada vez que la veía si había vuelto a incrustarse en algún cagadero.

Simplemente la vida, transcurriendo como siempre transcurre, es decir, casi siempre entre líneas y en los márgenes de la página. Es lo que sucede mientras nos dedicamos a hacer otros planes de acuerdo con una u otra leyenda, y si la vida fue excepcionalmente hermosa para Ralph Roberts durante aquellos años, tal vez se debió a que no tenía otros planes que hacer. Conservó la amistad de Joe Wyzer y John Leydecker, pero su mejor amiga durante aquellos años fue su mujer. Iban juntos a casi todas partes, no tenían secretos el uno para el otro y se peleaban tan pocas veces que casi podría afirmarse que nunca. Asimismo, Ralph tenía a *Rosalie*, el sabueso, la mecedora que antaño había pertenecido al señor Chasse y que ahora era suya, y las visitas casi diarias de Natalie (que había empezado a llamarlos Ralph y Lois en lugar de Walf y Roliss, un cambio que a ninguno de los dos les parecía ser para mejor). Y tenía salud, lo que tal vez era lo mejor de todo. No era más que la vida, llena de las compensaciones y los reveses propios de los Mortales, y Ralph la vivió con alegría y serenidad hasta mediados de marzo de 1998, hasta la madrugada en que se despertó, miró el reloj digital que estaba junto a su cama y vio que eran las 5:49.

Permaneció tendido y en silencio junto a Lois, pues no quería molestarla levantándose y preguntándose qué lo había despertado.

Lo sabes, Ralph.

No, no lo sé.

Sí que lo sabes. Escucha.

Así pues, escuchó. Escuchó con mucha atención. Y después de un rato empezó a oírlo en las paredes: el leve tictac del reloj de la muerte.

A la mañana siguiente, Ralph se despertó a las 5:47, y a la siguiente a las 5:44. El sueño iba desapareciendo minuto a minuto, del mismo modo en que el invierno perdía lentamente el control sobre Derry y permitía que la primavera se abriera paso otra vez. En mayo ya oía el tictac del reloj de la muerte en todas partes, pero comprendía que tan sólo procedía de un lugar y se estaba proyectando, al igual que un buen ventrílocuo puede proyectar la voz. La primera vez, el tictac procedía de Carolyn. Ahora procedía de él mismo.

Lo embargó de nuevo aquel terror que lo había apresado al convencerse de que tenía cáncer, pero ni un ápice de aquella desesperación que recordaba vagamente de su primer período de insomnio. Se cansaba con mayor facilidad y le costaba cada vez más concentrarse y recordar incluso las cosas más simples, pero aceptó lo que se avecinaba con serenidad.

—¿Duermes bien, Ralph? —le preguntó Lois en cierta ocasión—. Te están saliendo unas ojeras enormes.

—Es por las drogas —replicó Ralph.

—Muy gracioso, viejo tonto.

Ralph la abrazó con fuerza.

—No te preocupes por mí, cariño. Duermo lo suficiente.

Al cabo de una semana, una mañana se despertó a las 4:02 con una línea de intenso calor palpitando en su brazo, palpitando en perfecta sincronización con el reloj de la muerte, que, por supuesto, no era más que el latido de su propio corazón. Pero esta cosa nueva no era su corazón, o al menos, Ralph no lo creía; más bien se le antojaba un filamento eléctrico sepultado en la carne de su brazo.

«Es la cicatriz —pensó—. No, es la promesa. El momento de la promesa está a punto de llegar.»

¿Qué promesa, Ralph? ¿Qué promesa?

No lo sabía.

Cierto día de principios de junio, Helen y Nat pasaron a visitar a Ralph y Lois para contarles todo lo relativo al viaje que habían hecho a Boston con «tía Melanie», una empleada de banco con la que Helen había entablado una gran amistad. Helen y tía Melanie habían asistido a una suerte de convención feminista mientras Natalie se relacionaba con alrededor de mil millones de niños desconocidos en la guardería, y entonces, tía Melanie se había marchado para hacer más cosas feministas en Nueva York y Washington. Helen y Nat se habían quedado en Boston un par de días más para visitar la ciudad.

—Fuimos a ver una película de dibujos animados —explicó Natalie—. Era de animales en el bosque. ¡Y hablaban!

Pronunció la última palabra con grandiosidad shakesperiana... «Hablaban.»

—Las películas donde los animales hablan son divertidas, ¿verdad? —preguntó Lois.

—Sí. ¡Y mamá me ha comprado este vestido nuevo!

—Es muy bonito —aseguró Lois.

Helen estaba observando a Ralph.

—¿Estás bien, Ralph? Pareces un poco pálido y no has dicho ni una palabra.

—Nunca había estado mejor —se apresuró a replicar Ralph—. Estaba pensando en lo monas que estáis con esas gorras. ¿Las comprasteis en el estadio de Fenway Park?

Tanto Helen como Nat llevaban gorras de béisbol de los Red Sox. Eran muy corrientes en Nueva Inglaterra cuando hacía buen tiempo («más corrientes que la caca de gato», como habría dicho Lois), pero al verlas sobre las cabezas de aquellas dos personas se vio embargado por un profundo sentimiento... unido a una imagen específica que no comprendió en absoluto: la fachada de la Manzana Roja.

Entretanto, Helen se había quitado la gorra y la examinaba.

—Sí —asintió—. Fuimos a un partido, pero sólo nos quedamos tres entradas. Hombres golpeando y recogiendo pelotas. Me parece que últimamente no tengo mucha paciencia con los hombres y sus pelotas..., pero nos gustan mucho nuestras elegantes gorras de Boston, ¿verdad, Natalie?

—¡Sí! —asintió Natalie con entusiasmo.

Al día siguiente, Ralph se despertó a las 4:01; la cicatriz le palpitaba en su delgada línea de calor, y el reloj de la muerte parecía haber adquirido una voz que susurraba una y otra vez un nombre extraño y de aire extranjero. *Átropos, Átropos, Átropos...*

Conozco ese nombre.

¿De verdad, Ralph?

Sí, era el del bisturí oxidado y la mala leche, el que me llamaba Mortal, el que robó... robó...

¿Robó qué, Ralph?

Se estaba acostumbrando a aquellas discusiones silenciosas; parecían llegarle de una banda de frecuencia mental, una frecuencia pirata que sólo funcionaba durante la madrugada, cuando estaba tendido en la cama junto a su mujer dormida, esperando a que saliera el sol.

¿Robó qué? ¿Lo recuerdas?

No esperaba recordarlo; las preguntas que le formulaba aquella voz casi siempre quedaban sin respuesta, pero esta vez, inesperadamente, la respuesta llegó.

El sombrero de McGovern, por supuesto. Átropos se llevó el sombrero de Bill, y una vez se enfadó tanto conmigo que arrancó un trozo de ala de un mordisco.

¿Quién es? ¿Quién es Átropos?

De eso no estaba muy seguro. Sólo sabía que Átropos tenía algo que ver con Helen, quien ahora poseía una gorra de los Red Sox a la que había cogido mucho cariño, y que asimismo tenía un bisturí oxidado.

«Pronto —pensó Ralph Roberts tendido en la oscuridad mientras escuchaba el tictac leve y constante del reloj de la muerte en las paredes—. Pronto lo sabré.»

La primera semana de aquel abrasador mes de junio, Ralph empezó a ver de nuevo las auras.

Cuando junio dio paso a julio, Ralph rompía a llorar cada vez con mayor frecuencia, por lo general sin motivo aparente. Era extraño; no tenía la sensación de estar deprimido o insatisfecho, pero a veces miraba algo, tal vez un pájaro surcando el cielo en vuelo solitario, y su corazón se llenaba de dolor y pérdida.

Casi ha terminado, dijo aquella vocecilla interna. Ya no pertenecía a Carolyn, Bill o su yo más joven; era una voz nueva, la voz de un desconocido, aunque no necesariamente desagradable. *Por eso estás triste, Ralph. Es lo más normal del mundo que estés triste cuando las cosas se acercan a su fin.*

«¡Nada ha terminado! —gritó mentalmente—. ¿Por qué habría de terminar? ¡En mi última revisión, el doctor Pickard me aseguró que estaba fuerte como un toro! ¡Estoy bien! ¡Nunca he estado mejor!»

Silencio de la voz interior. Pero era un silencio astuto.

—Muy bien —dijo Ralph cierta tarde de finales de julio.

Estaba sentado en un banco, no muy lejos del lugar en que se había erigido la torre de agua de Derry hasta 1985, año en que la gran tormenta la había derribado. Al pie de la colina, cerca del bebedero, un joven (un ornitólogo con todas las de la ley, a juzgar por los prismáticos que llevaba y el grueso montón de libros de bolsillo que yacía en la hierba junto a él) tomaba escrupulosas notas en lo que parecía una especie de diario.

—Muy bien, dime por qué casi ha terminado. Sólo dime eso.

No obtuvo una respuesta inmediata, pero daba igual; Ralph estaba dispuesto a esperar. Había dado un paseo bastante largo hasta el parque, hacía mucho calor y estaba cansado. Había empezado de nuevo a dar largos paseos, pero no con la esperanza de que le ayudaran a dormir mejor; se los tomaba como peregrinajes, últimas visitas a todos sus lugares favoritos de Derry. Un adiós.

Porque el momento de la promesa está a punto de llegar, repuso la vocecilla interior, y la cicatriz empezó a palpitar y arder de nuevo en su estrecha y profunda línea de calor. *La promesa que te hicieron y la que tú hiciste a cambio.*

—¿De qué iba esa promesa? —inquirió agitado—. Por favor, si hice una promesa, ¿por qué no puedo recordarla?

El ornitólogo le oyó y se volvió hacia él. Lo que vio fue a un hombre sentado en un banco del parque y sosteniendo, en apariencia, una conversación consigo mismo. Las comisuras del ornitólogo descendieron en una mueca de disgusto y pensó: *Espero morir antes de llegar a viejo, de verdad*. Entonces se concentró de nuevo en la ornitología y volvió a tomar notas.

En las profundidades de la mente de Ralph, aquella sensación, aquel parpadeo, se produjo de repente, y aunque no se movió del banco, se sintió propulsado hacia arriba..., más deprisa y lejos que nunca.

En absoluto, lo corrigió la voz. *Una vez llegaste mucho más arriba. Y Lois también. Pero te estás acercando. Pronto estarás preparado.*

El ornitólogo, que vivía sin saberlo en una preciosa aura de hilos de oro, miró en derredor con aire cauteloso, tal vez para asegurarse de que el anciano senil del banco no se estaba acercando a él sigilosamente con un objeto contundente. Lo que vio hizo que la línea apretada y remilgada de sus labios se suavizara por el asombro. Abrió los ojos de par en par. Ralph observó que unos rayos de color índigo surcaban de repente el aura del ornitólogo, y se dio cuenta de que se trataba de completa consternación.

¿Qué le pasa? ¿Qué es lo que ve?

Pero eso no era correcto. No se trataba de lo que el ornitólogo veía, sino de lo que no veía. No veía a Ralph, porque Ralph había subido lo suficiente como para desaparecer de su nivel..., se había convertido en el equivalente visual de una nota tocada con un silbato para perros.

Si estuvieran aquí los vería.

¿Quiénes, Ralph? ¿Si estuvieran aquí quiénes?

Cloto. Láquesis. Y Átropos.

De repente, todas las piezas encajaron en su mente como las piezas de un rompecabezas que parecía mucho más complicado de lo que era.

Ralph, en un susurro: («*Oh, Dios mío. Oh, Dios mío. Oh, Dios mío.*»)

Al cabo de seis días, Ralph se despertó a las tres y cuarto de la mañana y supo que el momento de la promesa había llegado.

—Creo que voy a subir a la Manzana Roja para comprarme un helado —anunció Ralph.

Eran casi las diez de la mañana. El corazón le latía con demasiada violencia y le costaba muchísimo encontrar sus pensamientos bajo el ruido blanco y constante del terror que lo embargaba. Nunca le había apetecido menos un helado en su vida, pero era una excusa lo suficientemente razonable como para ir a la Manzana Roja; corría la primera semana de agosto, y el hombre del tiempo había dicho que el termómetro probablemente alcanzaría los treinta y cinco grados a primeras horas de la tarde, y que hacia el atardecer se esperaban tronadas.

Ralph no creía que tuviera que preocuparse por las tronadas.

Junto a la puerta de la cocina yacía una estantería de libros sobre una manta de periódicos viejos. Lois la estaba pintando de rojo. En aquel momento se levantó, se llevó las manos a los lumbares y se estiró. Ralph oyó el levísimo crujido de su columna.

—Voy contigo. Me dolerá la cabeza esta noche si no me alejo de la pintura durante un rato. No sé por qué se me habrá ocurrido pintar en un día tan bochornoso.

Lo último que Ralph quería en el mundo era que Lois lo acompañara a la Manzana Roja.

—No hace falta que vayas conmigo, cariño. Te traeré uno de esos polos de coco que tanto te gustan. Ni siquiera pensaba llevarme a *Rosalie*; hace mucha humedad. ¿Por qué no vas a sentarte en el porche?

—Si me traes un polo de la tienda se habrá fundido para cuando vuelvas —objetó Lois—. Vámonos ahora que todavía hay sombra en este lado de...

Lois se detuvo en seco. La leve sonrisa se borró de su rostro y dio paso a una expresión consternada. El gris de su aura, que apenas se había oscurecido durante los años en que Ralph no había podido verla, empezó a brillar con ascuas entre rojizas y rosadas.

—Ralph, ¿qué pasa? ¿Qué es lo que vas a hacer?

—Nada —repuso él.

Pero la cicatriz le ardía en el brazo y el tictac del reloj de la muerte estaba en todas partes, intenso y en todas partes. Le decía que tenía una cita a la que acudir. Una promesa que cumplir.

—Sí, señor, sí que pasa algo, y lleva pasando dos o tres meses. Soy una estúpida. Sabía que pasaba algo, pero no conseguía enfrentarme a ello. Porque estaba asustada. Y tenía razón en estar asustada, ¿verdad? Tenía razón.

—Lois...

De repente, Lois atravesó la habitación en su dirección, la atravesó a toda prisa, casi corriendo. La vieja herida de la espalda no se lo impidió en lo más mínimo, y antes de que Ralph pudiera detenerla, Lois le había aferrado el brazo derecho y lo miraba con gran intensidad.

La cicatriz había adquirido un brillante color rojo.

Ralph esperó por un instante que no fuera más que un brillo aural y que Lois no pudiera verlo. Pero entonces, su mujer alzó la vista; sus ojos estaban llenos de terror. Terror y otra cosa. Ralph creía que se trataba de reconocimiento.

—Oh, Dios mío —murmuró Lois—. Los hombres del parque. Los que tenían esos nombres tan raros... Clothes y Lashes o algo así... Y uno de ellos te hizo un corte. Oh, Ralph, oh, Dios mío, ¿qué es lo que tienes que hacer?

—Lois, no sigas...

—¡No te atrevas a decirme que no siga! —le gritó Lois—. ¡No te atrevas! ¡No te ATREVAS!

«Date prisa —urgió la voz interior—. No tienes tiempo para entretenerte a hablar de esto; en alguna parte ya ha empezado a suceder, y es posible que el reloj de la muerte que oyes no suene tan sólo para ti.»

—Tengo que irme.

Se volvió y se acercó a la puerta dando tumbos. En su agitación no advirtió cierta circunstancia Sherlock Holmesiana que acompañaba la escena; un perro que debería haber ladrado (un perro que siempre ladraba con desaprobación cuando alguien levantaba la voz en la casa)..., pero no lo hizo. *Rosalie* no se hallaba en su lugar habitual junto a la puerta mosquitera... y la puerta estaba entreabierta.

Rosalie estaba muy lejos de los pensamientos de Ralph en aquellos momentos. Tenía la sensación de estar hundido hasta la rodilla en melaza, y creía que ya sería mucho si conseguía llegar a la puerta, por no hablar de la Manzana Roja. El corazón le latía y daba saltos en el pecho; le ardían los ojos.

—¡No, no! —gritó Lois—. ¡No, Ralph, por favor! ¡Por favor, no me dejes!

Corrió tras él, se aferró a su brazo. Todavía sostenía la brocha en la mano, y las pequeñas gotitas rojas que salpicaron la camisa de Ralph parecían sangre. Ahora estaba llorando, y la expresión de completo y desgraciado dolor que se dibujaba en su rostro casi le rompió el corazón. No quería dejarla así; no estaba seguro de poder dejarla así.

Se volvió y la cogió por los antebrazos.

—Lois, tengo que irme.

—No has dormido nada últimamente —balbuceó Lois—. Lo sabía y sabía que significaba que algo iba mal, pero eso no importa, nos iremos, podemos irnos ahora mismo, cogeremos a *Rosalie* y nuestros cepillos de dientes y nos iremos...

Ralph le apretó los brazos, y Lois se interrumpió sin dejar de mirarlo con los ojos arrasados en lágrimas. Le temblaban los labios.

—Lois, escúchame. Tengo que hacerlo.

—¡Perdí a Paul! ¡No puedo perderte a ti también! —aulló Lois—. ¡No podría soportarlo! ¡Oh, Ralph, no podría!

«Sí que podrás —pensó Ralph—. Los Mortales son mucho más fuertes de lo que parece. Tienen que serlo.»

Ralph sintió que un par de lágrimas le rodaban por las mejillas. Sospechaba que la causa era más el agotamiento que el dolor. Si pudiera hacerle entender que todo aquello no cambiaría nada, que sólo conseguiría que lo que tenía que hacer le resultara más difícil aún...

La sostuvo un poco apartada de sí. La cicatriz de su brazo ardía con mayor intensidad que nunca, y la sensación de que el tiempo se le escurría por entre los dedos se había tornado abrumadora.

—Acompáñame un trecho si quieres —propuso—. A lo mejor incluso puedes ayudarme a hacer lo que tengo que hacer. Ya he vivido mi vida, Lois, y ha sido una vida maravillosa. Pero ella no ha tenido nada todavía, y que me aspen si dejo que ese hijo de puta se la lleve sólo porque quiere ajustarme las cuentas.

—¿Qué hijo de puta? Ralph, ¿de qué diablos estás hablando?

—Estoy hablando de Natalie Deepneau. Está previsto que muera esta mañana, pero no voy a permitir que suceda.

—¿Nat? Pero, Ralph, ¿quién querría hacer daño a Nat?

Parecía muy confusa, muy «nuestra Lois»..., pero ¿acaso no se ocultaba nada más tras aquella apariencia extrañada? ¿Algo cauto y calculador? Ralph creía que sí, que Lois no estaba ni la mitad de confusa de lo que aparentaba. Había engañado a Bill McGovern durante años con aquella actitud... y también a él, al menos buena parte de las veces, y lo que estaba viendo no era más que otra versión (y excelente, por cierto) del mismo timo.

Lo que en realidad intentaba hacer era retenerlo. Quería muchísimo a Nat, pero para Lois no suponía ningún problema escoger entre su marido y la chiquilla que vivía en la misma calle. No consideraba que la edad ni la justicia ejercieran influencia alguna sobre la situación. Ralph era su hombre, y para Lois, eso era lo único que importaba.

—No servirá de nada —dijo por fin Ralph, no sin amabilidad, antes de zafarse de las manos de Lois y acercarse de nuevo a la puerta—. Hice una promesa y ya no queda tiempo.

—¡Pues rómpela! —gritó Lois con una mezcla de terror y furia que lo asombró—. No recuerdo mucho acerca de aquella época, pero recuerdo que nos metimos en cosas que estuvieron a punto de matarnos, y todo por razones que no comprendíamos. ¡Así que rómpela, Ralph! ¡Mejor la promesa que mi corazón!

—¿Y qué pasa con la niña? ¿Qué pasa con Helen? Sólo vive para Nat. ¿Es que Helen no merece algo mejor de mí que una promesa rota?

—¡No me importa lo que merezca! ¡No me importa lo que merezca nadie! —gritó, pero en aquel momento, su rostro se contrajo—. Bueno, de acuerdo, supongo que sí me importa. Pero ¿y nosotros, Ralph? ¿Es que no contamos?

Sus ojos, aquellos ojos españoles tan elocuentes, se clavaron en los suyos implorantes. Si los miraba durante demasiado rato, le resultaría demasiado fácil pasar de todo, de modo que Ralph apartó la vista.

—Tengo intención de hacerlo, cariño. Nat va a tener lo que tú y yo ya hemos tenido, es decir, otros setenta años aproximadamente de días y noches.

Lois lo observó impotente, pero no intentó detenerlo de nuevo, sino que rompió a llorar.

—¡Viejo estúpido! —susurró—. ¡Viejo estúpido y tozudo!

—Sí, supongo que tienes razón —asintió él mientras le levantaba la barbilla—. Ven conmigo. Me haría mucha ilusión.

—De acuerdo, Ralph.

Apenas oía su propia voz, y tenía la piel fría como la arcilla. Su aura se había tornado casi del todo roja.

—¿Qué pasará? ¿Qué le va a pasar a Nat?

—La va a atropellar un Ford sedán verde. A menos que yo ocupe su lugar, Nat quedará hecha trizas en Harris Avenue..., y Helen lo verá todo.

Mientras subían la cuesta en dirección a la Manzana Roja (al principio Lois se quedaba rezagada una y otra vez, luego empezó a trotar para alcanzarle, pero dejó de hacerlo al darse cuenta de que no conseguiría hacerle ir más despacio con un truco tan simple), Ralph le contó lo poco que podía contarle. Lois recordaba vagamente haber estado bajo el árbol muerto de la Extensión, un recuerdo que, al menos hasta aquella mañana, había tomado por el recuerdo de un sueño, pero por supuesto no había estado presente durante el enfrentamiento final entre Ralph y Átropos. Ralph se lo contó todo; la muerte que Átropos tenía intención de hacer sufrir a Natalie si Ralph insistía en seguir adelante con sus planes. Le contó que había conseguido arrancar a Cloto y Láquesis la promesa de que Átropos sería vencido y Natalie, salvada.

—Tengo la sensación de que... la decisión se tomó... muy cerca de la cima de aquel extraño edificio... la Torre... de la que siempre hablaban... Tal vez incluso en la mismísima cima.

Jadeaba al hablar, y el corazón le latía más deprisa que nunca, pero creía que casi todo podía atribuirse al rápido paseo y a la elevada temperatura; su temor se había mitigado un poco después de hablar con Lois.

Ya veía la Manzana Roja. La señora Perrine estaba junto a la parada del autobús, situada a media manzana de distancia, erguida como un general pasando revista a sus tropas. Llevaba la bolsa de red de la compra colgada del brazo. Un poco más allá estaba la estructura de la parada, protegida por la sombra, pero la señora Perrine hacía caso omiso de su existencia. Incluso a la deslumbrante luz del sol vio que su aura era del mismo color gris West Point que aquella tarde de octubre de 1993. No había rastro de Helen ni de Nat.

—*Pues claro que sabía quién era* —explica más tarde Esther Perrine al periodista del *Derry News*—. *¿Es que le parezco incompetente, joven? ¿O senil? Conocía a Ralph Roberts desde hacía veinte años. Era un buen hombre. Claro que no estaba hecho de la misma pasta que su mujer (Carolyn era una Satterwaite, de los Satterwaite de Bangor), pero era* *un buen hombre. También reconocí en seguida al conductor de ese Ford sedán verde. Pete Sullivan me trajo el periódico durante seis años, y lo hacía muy bien. El nuevo, el chico de los Morrison, siempre me lo tira a los parterres o encima del tejado del porche. Pete iba con su madre en el coche, y sólo tenía el carné de aprendizaje, según tengo entendido. Espero que no se meta en un lío por lo que ha pasado, porque es un buen muchacho, y la verdad es que no fue culpa suya. Yo lo vi todo y lo puedo afirmar bajo juramento.*

»Supongo que cree que estoy desvariando. No, no lo niegue; puedo leer en su cara como si fuera un libro abierto. Pero no se preocupe. Ya he dicho casi todo lo que tenía que decir. Supe en seguida que era Ralph, pero hay algo que seguro que entiende mal si lo pone en el artículo..., lo que seguramente no hará. Salió de ninguna parte para salvar a la niña.

Esther Perrine clava una mirada formidable en el joven periodista, que guarda un respetuoso silencio. Lo mira como un experto en lepidópteros puede mirar a una mariposa clavada en un alfiler tras administrarle cloroformo.

—*No quiero decir que fue como si saliera de ninguna parte, joven, aunque estoy segura de que eso es lo que escribirá.*

Se inclina hacia el periodista sin dejar de mirarlo con fijeza y repite:

—*Salió de ninguna parte para salvar a la niña. ¿Me entiende? Salió de ninguna parte.*

El accidente ocupó la primera plana del *News* del día siguiente. Esther Perrine había sido lo suficientemente gráfica en sus comentarios como para merecer una columna propia, y el fotógrafo Tom Matthews la acompañó con una fotografía en la que tenía el mismo aspecto que Ma Joad, de *Las uvas de la ira*. El titular de la columna rezaba: «FUE COMO SI SALIERA DE NINGUNA PARTE», AFIRMA UNA TESTIGO PRESENCIAL DE LA TRAGEDIA.

La señora Perrine no se sorprendió en exceso al leer aquello.

—Al final conseguí lo que quería —explicó Ralph—, pero sólo porque Cloto y Láquesis (y quienquiera que sea la gente para la que trabajan en los niveles superiores) estaban desesperados por detener a Ed.

—¿Niveles superiores? ¿Qué niveles superiores? ¿Qué edificio?

—No importa. Lo has olvidado todo, pero recordarlo no cambiaría nada. El quid de la cuestión, Lois, es que no querían detener a Ed porque miles de personas habrían muerto si se hubiera estrellado en medio del Centro Cívico, sino porque había una persona cuya vida debía protegerse a toda costa..., al menos en su opinión. Cuando por fin les hice entender que sentía lo mismo respecto a mi niña que ellos respecto a su niño, llegamos a un acuerdo.

—Entonces fue cuando te hicieron ese corte, ¿verdad? Y cuando hiciste la promesa. Ésa de la que siempre hablabas en sueños.

Ralph le lanzó una mirada atónita y tan infantil que rompía el corazón. Lois se limitó a devolverle la mirada.

—Sí —repuso Ralph enjugándose la frente—. Me parece que sí —el aire le pesaba en los pulmones como virutas de metal—. Una vida a cambio de otra, ése fue el trato... La vida de Natalie a cambio de la mía. Y...

(*¡Eh! ¡Deja de escabullirte! ¡Basta, chucho, para o te daré una patada en el culo!*)

Ralph se interrumpió al oír el sonido de aquella voz estridente, intimidante y espantosamente familiar (una voz que nadie en Harris Avenue aparte de él podía oír), y se volvió hacia el otro lado de la calle.

—Ralph, ¿qué...?

—¡Chist!

Tiró de ella hacia el seto reseco de la casa de los Applebaum. Ya no estaba haciendo algo tan elegante como transpirar, sino que todo su cuerpo estaba bañado en un sudor hediondo y denso como aceite de motor, y sentía que cada glándula de su cuerpo vertía cargamentos ardientes en su sangre. La ropa interior estaba intentando metérsele en el culo y desaparecer. La lengua le sabía a fusible quemado.

Lois siguió su mirada.

—¡*Rosalie*! —exclamó—. ¡*Rosalie*, perra mala! ¿Qué estás haciendo aquí?

El sabueso negro y marrón que había regalado a Ralph por la primera Navidad de casados estaba al otro lado de la calle, de pie (aunque agazapada era en realidad la palabra exacta) sobre la acera justo delante de la casa en la que Helen y Nat habían vivido hasta que a Ed le había estallado la peluca... Por primera vez en los años que la había tenido, a Lois le recordó a *Rosalie n.º 1*, la perra callejera y coja que había sido atropellada en la calle el mismo día en que Ralph había encontrado a una Lois Chasse desolada llorando a lágrima viva en un banco del parque. *Rosalie n.º 2* parecía estar sola, pero eso no alivió el repentino terror que embargó a Lois.

«Oh, ¿qué he hecho? —pensó—. ¿Qué he hecho?

—¡*Rosalie*! —gritó—. ¡*Rosalie*, ven aquí!

La perra la oyó, Lois vio que la había oído, pero no se movió.

—Ralph, ¿qué está pasando ahí?

—¡Chist! —repitió él.

Y en aquel momento, calle arriba, Lois vio algo que le cortó la respiración. La última esperanza no expresada de que todo aquello no fuera más que fruto de la imaginación de Ralph, de que fuera una especie de imagen retrospectiva de la experiencia que habían vivido, se disipó, porque su perra tenía compañía.

Con una comba echada sobre el brazo derecho, Nat Deepneau, de seis años, se detuvo y miró hacia una casa en la que no recordaba haber vivido, hacia un césped en el que su padre descamisado, un jugador sin destino llamado Ed Deepneau, se había sentado una vez en la intersección de dos arcoiris, escuchando a Jefferson Airplane mientras una sola gota de sangre se secaba en sus gafas de John Lennon. Natalie miró calle abajo y dedicó una sonrisa feliz a *Rosalie*, que jadeaba y la miraba con expresión desgraciada y temerosa.

«Átropos no me ve —pensó Ralph—. Está concentrado en *Rosalie...* y en Natalie, por supuesto... y no me ve.»

Todo había salido con una especie de siniestra perfección. Ahí estaba la casa, ahí estaba *Rosalie* y ahí estaba también Átropos, que llevaba un sombrero echado hacia atrás sobre la cabeza y parecía un periodista sabihondo de una película de serie B de los años cuarenta..., tal vez dirigida por Ida Lupino. Sin embargo, en esta ocasión no se trataba de un panamá con un mordisco en el ala, sino de una gorra de los Red Sox, demasiado pequeña incluso para Átropos, porque la cinta ajustable de la parte posterior estaba encajada en el último orificio. Así tenía que ser, porque si no no le habría cabido a la niña a quien pertenecía.

«Lo único que nos falta es Pete, el repartidor de periódicos, y el espectáculo será perfecto —se dijo Ralph—. La escena final de *Insomnia* o *Vida de Mortales en Harris Avenue*, tragicomedia en tres actos. Todos saludan y salen del escenario por la derecha.»

La perra temía a Átropos igual que *Rosalie n.º 1* le había temido, y la razón principal por la que el médico calvo y bajito no había visto a Ralph y Lois residía en que estaba intentando evitar que se marchara antes de que él estuviera preparado. Y allí venía Natalie, acercándose a su perra favorita, *Rosalie*, que pertenecía a Ralph y Lois. Llevaba la comba

(*tres-seis-nueve-la-oca-se-mueve*)

colgada del brazo. Tenía un aspecto imposiblemente hermoso e imposiblemente frágil con su camisa marinera y sus bermudas azules. Sus coletas se balanceaban.

«Está sucediendo demasiado deprisa —pensó Ralph—. Todo está sucediendo demasiado deprisa.»

(*Nada de eso, Ralph. Lo hiciste de maravilla hace cinco años; y ahora también vas a hacerlo de maravilla. ¡Y ahora cumple tu promesa!*)

Parecía Cloto, pero no había tiempo para comprobarlo. Un coche verde se acercaba lentamente por Harris Avenue en dirección contraria al aeropuerto, avanzando con la angustiosa cautela que, por lo general, significaba que el conductor era o muy viejo o muy joven. Pero dejando a un lado la angustiosa cautela, era sin duda el coche en cuestión; una membrana sucia lo envolvía como un sudario.

«La vida es una rueda —se dijo Ralph—, y se le ocurrió que no era la primera vez que pensaba en aquella idea. Tarde o temprano, todo lo que habías creído dejar atrás vuelve. Para bien o para mal, siempre vuelve.»

Rosalie realizó otro intento fallido de liberarse, y cuando Átropos tiró de ella y perdió la gorra, Nat se arrodilló ante la perra y la acarició.

—¿Te has perdido, guapa? ¿Has salido sola? No pasa nada, yo te llevaré a casa.

Abrazó a *Rosalie*. Sus brazos atravesaron los brazos de Átropos, y su rostro se hallaba a escasos centímetros de la cara fea y sonriente de la criatura. Nat se levantó.

—¡Vamos, *Rosalie*! Vamos, cariño.

Rosalie echó a andar por la acera junto a Nat, mirando una vez por encima del hombro al hombrecillo sonriente. Al otro lado de la calle, Helen salió de la Manzana Roja, y el último requisito de la visión que Átropos había mostrado a Ralph se cumplió. Helen llevaba una barra de pan en una mano y la gorra de los Red Sox en la cabeza.

Ralph atrajo a Lois hacia sí y la besó con fiereza.

—Te quiero con todo mi corazón —dijo—. Recuérdalo, Lois.

—Ya lo sé —repuso ella con serenidad—. Yo también te quiero. Por eso no puedo permitir que lo hagas.

Le rodeó el cuello con los brazos como barras de hierro, y Ralph sintió la presión de sus pechos cuando aspiró todo el aire que le cabía en los pulmones.

—¡Fuera de aquí, hijo de puta! —chilló—. ¡No puedo verte, pero sé que estás ahí! ¡Vete! ¡Vete y déjanos en paz!

Natalie se detuvo en seco y miró a Lois con asombro. *Rosalie* se detuvo junto a ella con las orejas erguidas.

—¡No bajes de la acera, Nat! —le gritó Lois—. ¡No...!

Y de repente, sus manos entrelazadas en la nuca de Ralph ya no sostenían más que aire; sus brazos, que atenazaban los hombros de Ralph como barras de hierro, quedaron vacíos.

Ralph se había esfumado.

Átropos se volvió hacia el grito de alarma y vio a Ralph y Lois al otro lado de Harris Avenue. Y lo que era aún más importante, vio que Ralph le veía. Abrió los ojos de par en par; su rostro se contrajo en una mueca de odio. Se llevó una mano a la calva surcada por viejas cicatrices, vestigios de las heridas que Ralph le había infligido con su propio bisturí, en un ademán instintivo de autodefensa que llegaba con cinco años de retraso.

(*¡Vete a tomar por el culo, Mortal! ¡Esa pequeña zorra es mía!*)

Ralph vio que Nat miraba a Lois con aire inseguro y sorprendido. Oyó que Lois le gritaba que no se bajara de la acera. Y entonces oyó a Láquesis, que le hablaba desde algún lugar cercano.

(*¡Sube, Ralph! ¡Tan arriba como puedas! ¡Deprisa!*)

Percibió el parpadeo en su cabeza, sintió la breve oleada de vértigo en el estómago, y de repente, el mundo se llenó de luz y color. Medio vio y medio sintió que los brazos y las manos entrelazadas de Lois se desplomaban hacia dentro, a través del lugar que su cuerpo había ocupado, y entonces empezó a alejarse de ella, no, empezaron a alejarla de ella. Percibió el tirón de una gran corriente y comprendió de un modo vago que si existía el Propósito Superior, acababa de unirse a él y pronto sería arrastrado corriente abajo en su compañía.

Natalie y *Rosalie* se hallaban delante de la casa que Ralph había compartido con Bill McGovern antes de venderla y trasladarse a casa de Lois. Nat miró a Lois con aire vacilante y por fin la saludó con la mano.

—No le pasa nada, Lois. Está aquí mismo —señaló al tiempo que acariciaba la cabeza de *Rosalie*—. Está bien, Lois, ¿ves? Está aquí mismo.

En el momento en que se bajaba de la acera, llamó a su madre.

—¡No encuentro la gorra de béisbol! ¡Creo que me la han robado!

Rosalie seguía en la acera. Nat se volvió hacia ella con aire impaciente.

—¡Vamos, guapa!

El coche verde avanzaba hacia la pequeña, pero muy despacio. En realidad no parecía representar ningún peligro para ella. Ralph reconoció al conductor de inmediato, y no le hizo falta dudar de sus sentidos ni sospechar que estaba sufriendo una alucinación. En aquel momento le pareció de lo más adecuado que el conductor del sedán fuera su antiguo repartidor de periódicos.

—¡Natalie! —gritó Lois—. ¡No, Natalie!

Átropos se lanzó hacia delante y propinó un cachete a *Rosalie* n.º 2 en las ancas.

(*¡Fuera, chucho! ¡Vamos! ¡Antes de que cambie de idea!*)

Átropos lanzó a Ralph una última mirada de odio en el momento en que *Rosalie* ladraba, se lanzaba a la calle... y se ponía en la trayectoria del Ford que conducía Pete Sullivan, de dieciséis años.

Natalie no vio el coche; estaba mirando a Lois, cuya cara estaba toda roja y daba miedo. Por fin se le había ocurrido que Lois podía no estar gritando por *Rosalie*, sino por otra cosa totalmente distinta.

Pete advirtió la presencia del sabueso, pero no la de la chiquilla. Dio un golpe de volante para esquivar a *Rosalie*, una maniobra que encaró el Ford directamente hacia Natalie. Ralph vio dos rostros asustados tras el parabrisas cuando el coche viró, y creyó ver gritar a la señora Sullivan.

Átropos daba saltitos e improvisaba un baile de marineros obscenamente jubiloso.

(*¡Yaaahh, Mortal! ¡Viejo tonto! ¡Te dije que te jodería bien jodido!*)

A cámara lenta, Helen dejó caer la barra de pan que tenía en la mano.

—¡CUIDADO, NATALIE! —chilló.

Ralph echó a correr. De nuevo le embargó la clara sensación de que el mero pensamiento lo impulsaba. Mientras se acercaba a Natalie, lanzándose hacia delante con las manos extendidas, consciente del coche que se hallaba justo detrás de ella y le arrojaba flechas de sol a través de la bolsa de la muerte, Ralph volvió a provocar aquel parpadeo y regresó al mundo Mortal por última vez.

Cayó en un paisaje inundado de gritos quebrados. El de Helen mezclado con el de Lois y con el de los neumáticos del Ford. El sonido de los abucheos de Átropos se abría paso entre ellos como una enredadera rebelde. Ralph vislumbró los ojos azules muy abiertos de Nat, y de repente, con todas sus fuerzas, le propinó un empujón en el pecho y el estómago. Natalie cayó hacia atrás con las manos extendidas. Se derrumbó en la cuneta y se golpeó el coxis contra el bordillo, pero no se rompió nada. Desde algún lugar lejano, Ralph oyó a Átropos graznar de furia e incredulidad.

Y entonces, las dos toneladas del Ford, que aún avanzaba a apenas treinta y cinco kilómetros por hora, alcanzaron a Ralph, y la banda sonora enmudeció. Ralph salió despedido hacia arriba y hacia atrás en un arco lento, muy lento, o al menos eso fue lo que le pareció desde dentro, con el mascarón de proa del Ford impreso en una mejilla y una pierna rota arrastrándose tras él. Tuvo tiempo de ver su propia sombra deslizarse por el pavimento como una gran X; tuvo tiempo de ver una lluvia de gotitas rojas en el aire, justo encima de su cabeza, y de pensar que Lois debía de haberle salpicado con más pintura de lo que había creído en un principio. Y tuvo tiempo de ver a Natalie sentada en el bordillo, llorando, pero casi ilesa..., y de sentir a Átropos en la acera, detrás de la niña, agitando los puños y bailando la danza de la ira.

«Me parece que lo he hecho bastante bien para ser un vejestorio —se dijo Ralph—, pero creo que me vendría muy bien una siesta.»

Y entonces aterrizó en la calle con un tremendo golpe y empezó a rodar sobre sí mismo mientras se le fracturaba el cráneo y la espalda, al tiempo que los pulmones se le llenaban de astillas de hueso procedentes de la caja torácica destrozada, el hígado se le hacía papilla y los intestinos se le desgarraban tras desencajarse en su interior.

Y no le dolía nada.

Nada en absoluto.

Lois jamás olvidó el terrible golpe sordo que marcó el regreso de Ralph a Harris Avenue, ni las marcas sangrientas que dejó tras de sí mientras rodaba sobre sí mismo. Quería gritar, pero no se atrevía; una voz profunda le advirtió con toda la razón que si gritaba, la combinación de consternación, horror y calor estival le haría perder el conocimiento, y cuando volviera en sí, Ralph ya estaría fuera de su alcance.

En lugar de gritar echó a correr; perdió un zapato, se dio cuenta a medias de que Pete Sullivan salía del Ford, que se había detenido casi en el mismo lugar en que el coche de Joe Wyzer (también un Ford) se había parado tras atropellar a *Rosalie n.º 1*. Asimismo, se dio cuenta a medias de que Pete estaba gritando.

Alcanzó a Ralph y se arrodilló junto a él, comprobando que el golpe del Ford lo había metamorfoseado de algún modo, que el cuerpo enfundado en los conocidos pantalones de trabajo y la camisa salpicada de pintura era totalmente distinto del cuerpo que la había abrazado con fuerza hacía apenas un minuto. Pero tenía los ojos abiertos, y su mirada era brillante y clara.

—Ralph.

—Sí —Su voz sonaba alta y clara, sin atisbo de confusión ni dolor—. Sí, Lois, te oigo.

Lois empezó a rodearlo con los brazos, pero titubeó pensando en que no debía tocarse a los heridos graves porque eso podía empeorar su estado o incluso matarlos. Pero entonces le echó otro vistazo, miró la sangre que le brotaba de las comisuras de los labios, miró la parte inferior de su cuerpo, que parecía desencajada de la superior, y decidió que resultaría imposible hacerle más daño del que ya había sufrido. Lo abrazó, inclinándose sobre él, inclinándose sobre los olores de la catástrofe, el olor a sangre y el hedor agridulce de la acetona de la adrenalina exudada en su aliento.

—Esta vez sí que la has hecho buena —comentó Lois.

Lo besó en la mejilla, en las cejas empapadas de sangre, en la frente ensangrentada por la piel arrancada. Estalló en sollozos.

—¡Mírate! La camisa desgarrada, los pantalones rotos... ¿Te crees que la ropa crece en los árboles?

—¿Está bien? —inquirió Helen detrás de ella.

Lois no se volvió, pero vio las sombras proyectadas sobre la calle. Helen rodeaba con el brazo los hombros de su hija, que no cesaba de llorar, y *Rosalie* estaba de pie junto a la pierna de Helen.

—Ha salvado la vida a Nat y ni siquiera sé de dónde ha salido. Por favor, Lois, dime que está b...

En aquel momento, las sombras se desplazaron mientras Helen se colocaba en un lugar desde el que pudiera ver a Ralph, y entonces sepultó el rostro de Nat en su blusa y rompió a llorar.

Lois se acercó más a Ralph para acariciarle las mejillas con las manos, deseosa de decirle que había tenido intención de acompañarlo..., sí, había querido ir con él, pero todo había sucedido demasiado deprisa para ella. Y Ralph la había dejado atrás.

—Te quiero, cariño —dijo Ralph.

Levantó una mano y copió el gesto de Lois. También intentó levantar la otra mano, pero ésta permaneció en el suelo y siguió agitándose espasmódicamente.

Lois le cogió la mano y se la besó.

—Yo también te quiero, Ralph. Siempre te querré. Mucho.

—Tenía que hacerlo. ¿Lo comprendes?

—Sí.

En realidad no sabía si lo comprendía, no sabía si llegaría a comprenderlo algún día..., pero sabía que Ralph estaba agonizando.

—Sí, lo comprendo.

Ralph exhaló un suspiro ronco (el hedor dulzón de la acetona volvió a azotarla) y sonrió.

—Señora Chasse. Quiero decir, señora Roberts.

Era Pete, que hablaba entre hipidos y jadeos.

—¿Está bien el señor Roberts? ¡Por favor, no me diga que le he herido!

—No te acerques, Pete —ordenó Lois sin volverse—. Ralph se encuentra bien. Sólo se ha desgarrado un poco los pantalones y la camisa..., ¿verdad, Ralph?

—Sí —repuso Ralph—. Desde luego. Tendrás que darme unos azotes por...

Ralph se detuvo en seco y miró hacia la izquierda. No había nadie allí, pero aun así, Ralph esbozó una sonrisa.

—¡Láquesis!

Extendió la mano temblorosa y ensangrentada y la agitó dos veces en el aire ante las miradas de Lois, Helen y Pete Sullivan. Ralph se volvió hacia la derecha. Cuando habló de nuevo lo hizo con voz más débil.

—Hola, Cloto. Y recordad: esto... no... duele... ¿verdad?

Ralph aparentó escuchar y volvió a sonreír.

—Sí —susurró—, se hará lo que se pueda.

Volvió a agitar la mano en el aire y la dejó caer sobre el pecho. Alzó los desvaídos ojos azules hacia Lois.

—Escucha —dijo con un gran esfuerzo, aunque sus ojos resplandecían y no se separaban de los de Lois—. Cada día que he despertado junto a ti ha sido como despertar siendo joven otra vez y viéndolo todo... como si fuera nuevo —intentó acariciarle de nuevo la mejilla, pero no pudo—. Cada día, Lois.

—Lo mismo digo, Ralph... Como despertar siendo joven otra vez.

—Lois.

—¿Qué?

—El tictac —farfulló.

Tragó saliva y lo repitió con gran esfuerzo:

—El tictac.

—¿Qué tictac?

—No importa, se ha parado —repuso Ralph con una sonrisa radiante.

Y entonces, también él se paró.

Cloto y Láquesis observaron a Lois llorar por el hombre que yacía muerto en la calle. En una mano, Cloto sostenía las tijeras; se llevó la otra ante los ojos y se la miró con aire extrañado.

Relucía y ardía con los colores del aura de Ralph.

Cloto: (*Está aquí... aquí dentro... ¡Es maravilloso!*)

Láquesis levantó la mano derecha. Al igual que la izquierda de Cloto, daba la sensación de que alguien había colocado un guante azul sobre el aura por lo general verde y dorada que la envolvía.

Láquesis: (*Sí. Era un hombre maravilloso.*)

Cloto: (*¿Se lo damos a ella?*)

Láquesis: (*¿Podemos?*)

Cloto: (*Hay un modo de averiguarlo.*)

Se acercaron a Lois. Cada uno de ellos apoyó la mano que Ralph había estrechado contra una mejilla de Lois.

—¡Mamá! —gritó Natalie Deepneau.

En su agitación había retornado a la jerga de su primera infancia.

—¿Quiénes son esos hombres pequeños? ¿Por qué tocan a Roliss?

—Chist, cariño —la tranquilizó Helen al tiempo que volvía a apoyar la cabeza de Nat contra su pecho.

No había hombres, ni pequeños ni de ninguna otra clase, cerca de Lois Roberts; estaba arrodillada en la calle a solas con el hombre que le había salvado la vida a su hija.

Lois alzó la mirada con brusquedad y una expresión atónita en el rostro; su dolor quedó olvidado cuando una maravillosa sensación de

(luz, luz azul)

calma y paz la embargó. Por un instante, Harris Avenue desapareció. Se hallaba en un lugar oscuro inundado por el dulce olor a heno y vacas, un lugar oscuro surcado por cien costuras de intensa luz. Jamás olvidó el tremendo gozo que la invadió en aquel instante, un gozo limpio y ardiente como una llama, ni tampoco olvidó la sensación cierta de que estaba contemplando una representación de un universo que Ralph quería hacerle ver... ¿Acaso no lo vislumbraba por entre las grietas?

—¿Podrá perdonarme alguna vez? —sollozaba Pete—. Oh, Dios mío, ¿podrá perdonarme alguna vez?

—Oh, sí, creo que sí —repuso Lois con toda serenidad.

Pasó la mano por el rostro de Ralph para cerrarle los ojos, y entonces sostuvo su cabeza en el regazo y esperó a que llegara la policía. A los ojos de Lois, Ralph parecía dormido. Y comprobó que la larga cicatriz blanca de su antebrazo había desaparecido.

10 de septiembre de 1990 - 10 de noviembre de 1993

Esta obra, publicada por
GRIJALBO,
se terminó de imprimir en los talleres
de Hurope, S.L., de Barcelona,
el día 28 de Febrero
de 1995